D1285540

DICTIONNAIRE
FRANÇAIS · ESPAGNOL
ESPAGNOL · FRANÇAIS

DICCIONARIO
FRANCÉS · ESPAÑOL
ESPAÑOL · FRANCÉS

COLLINS GEM DICTIONARY

FRANÇAIS · ESPAGNOL
ESPAGNOL · FRANÇAIS

FRANCÉS · ESPAÑOL
ESPAÑOL · FRANCÉS

Carlos Giordano

Saul Yurkievich

Collins
London and Glasgow

Hachette
Paris

Grijalbo
Barcelona

first published 1980

© William Collins Sons & Co. Ltd. 1980

latest reprint, 1994

ISBN 0 00 4586867

---

sous la direction de
bajo la dirección de
Pierre-Henri Cousin

avec la collaboration de
en colaboración con
Gérard et Sylvie de Cortanze, Mike Gonzalez,
Eleanor Londero, Angela Rosso,
Gladys Yurkievich

secrétariat de rédaction
redacción
Pat Feehan, Claude Nimmo

Ediciones Grijalbo, S.A.

Aragó, 385 - Barcelona

ISBN 84-253-1219-1

Depósito legal: B. 11.576-1994

Impreso en Libergraf, S.L.

Constitució, 19 - Barcelona

INTRODUCTION

L'usager qui désire comprendre l'espagnol - qui déchiffre - trouvera dans ce dictionnaire un vocabulaire moderne et très complet, comprenant de nombreux composés et locutions appartenant à la langue contemporaine. Il trouvera aussi dans l'ordre alphabétique les principales formes irrégulières, avec un renvoi à la forme de base où figure la traduction, ainsi qu'abréviations, sigles et noms géographiques choisis parmi les plus courants.

L'usager qui veut s'exprimer - communiquer - dans la langue étrangère trouvera un traitement détaillé du vocabulaire fondamental, avec de nombreuses indications le guidant vers la traduction juste, et lui montrant comment l'utiliser correctement.

INTRODUCCIÓN

Quien desee leer y entender el francés encontrará en este diccionario un extenso léxico moderno que abarca una amplia gama de locuciones de uso corriente. Igualmente encontrará, en su debido orden alfabético, las abreviaturas, las siglas, los nombres geográficos más conocidos y, además, las principales formas de verbo irregulares, donde se le referirá a las respectivas formas de base, hallándose allí la traducción.

Quien aspire comunicarse y expresarse en lengua extranjera, hallará aquí una clara y detallada explicación de las palabras básicas, empleándose un sistema de indicadores que le remitirán a la traducción más apta y le señalarán su correcto uso.

ABRÉVIATIONS		ABREVIATURAS
adjectif, locution adjective	a	adjetivo, locución adjetiva
abréviation	abrév, abr	abreviatura
adverbe, locution adverbiale	ad	adverbio, locución adverbial
administration, langue administrative	ADMIN	administración, lengua administrativa
agriculture	AGR	agricultura
Amérique Latine	AM	América Latina
anatomie	ANAT	anatomía
architecture	ARCHIT	arquitectura
architecture	ARQ	arquitectura
astrologie, astronomie	ASTRO	astrología, astronomía
l'automobile: circulation, mécanique, sport	AUTO	el automóvil: circulación, mecánica, deporte
aviation, voyages aériens	AVIAT	aviación, viajes aéreos
biologie	BIO	biología
botanique	BOT	botánica, flores
conjonction	conj	conjunción
commerce, finance, banque	COM(M)	comercio, finanzas, banca
cuisine	CULIN	cocina
déterminant: article, adjectif démonstratif, indéfini, possessif	dét, det	determinante: artículo, adjetivo demonstrativo, indefinido, posesivo
économie	ÉCON, ECON	economía
électricité, électronique	ÉLEC, ELEC	electricidad, electrónica
enseignement, système scolaire et universitaire	ESCOL	enseñanza, sistema escolar y universitario
exclamation, interjection	excl	exclamación, interjección
féminin	f	feminino
langue familière	fam	lengua familiar
emploi figuré	fig	uso figurado
photographie	FOTO	fotografía
dans la plupart des sens; sens courant et non spécialisé	gén, gen	en la mayoría de los sentidos; sentido corriente y no especializado
géographie, géologie	GÉO, GEO	geografía, geología
invariable	inv	invariable

vi

domaine juridique	**JUR**	lo jurídico
grammaire, linguistique	**LING**	gramática, lingüística
masculin	**m**	masculino
mathématiques, algèbre	**MAT(H)**	matemáticas, álgebra
médecine	**MÉD, MED**	medicina
masculin ou féminin, suivant le sexe	**m/f**	masculino o femenino, según el sexo
domaine militaire, armée	**MIL**	lo militar, ejército
musique	**MUS**	música
nom	**n**	nombre
navigation, nautisme	**NAUT**	navegación, náutica
adjectif ou nom numérique	**num**	adjetivo o nombre numérico
péjoratif	**péj, pey**	peyorativo
photographie	**PHOTO**	fotografía
pluriel	**pl**	plural
politique	**POL**	política
participe passé	**pp**	participio de pasado
préfixe	**préf, pref**	prefijo
préposition	**prép, prep**	preposición
pronom	**pron**	pronombre
psychologie, psychiatrie	**PSICO**	psicología, psiquiatría
psychologie, psychiatrie	**PSYCH**	psicología, psiquiatría
quelque chose	**qch**	algo
quelqu'un	**qn**	alguien
religions, domaine ecclésiastique	**REL**	religiones, lo eclesiástico
enseignement, système scolaire et universitaire	**SCOL**	enseñanza, sistema escolar y universitario
sujet	**suj**	sujeto
tauromachie	**TAUR**	tauromaquia
techniques, technologie	**TEC(H)**	técnica, tecnología
télécommunications	**TÉLÉC, TELEC**	telecomunicaciones
télévision	**TV**	televisión
verbe	**vb**	verbo
verbe intransitif	**vi**	verbo intransitivo
verbe pronominal	**vr**	verbo pronominal
verbe transitif	**vt**	verbo transitivo
vulgaire	**vulg**	vulgar
zoologie, animaux	**ZOOL**	zoología, animales
marque déposée	®	marca registrada
indique une équivalence culturelle	≈	indica un equivalente cultural

LA PRONONCIATION DE L'ESPAGNOL

La prononciation de l'espagnol pose peu de problèmes au francophone, du moins lorsqu'il s'agit de se faire comprendre sans essayer de passer pour un hispanophone. Nous ne montrerons donc ici pour mémoire que la dizaine de lettres ou groupes de lettres qui correspondent à une prononciation très différente de celle à laquelle le francophone pourrait s'attendre.

CONSONNES

ci, ce	le *c* se prononce comme le *th* anglais dans *thin*: on appelle ce son une dentale fricative sourde
ch	se prononcent *tch*
gi, ge, j	le son représenté ici par le *g* ou le *j* se prononce approximativement comme le *ch* de *nach* en allemand: on l'appelle une vélaire fricative sourde
ll	se prononcent approximativement comme le *lli* de *million*
ñ	se prononce comme le *gn* de *agneau*
r, rr	le *r* espagnol est roulé, le *rr* doublement roulé
v	se prononce approximativement comme *b* (un b prononcé de façon douce): on appelle ce son une bilabiale fricative sonore
z	se prononce comme le *th* anglais dans *thin*: on appelle ce son une dentale fricative sourde

VOYELLES

e	n'est jamais muet, mais se prononce toujours, comme un *é* ou *è*
u	se prononce comme le *ou* de *cou* (mais reste muet dans les groupes **gue, gui**)
an, en etc	il n'y a pas de nasales en espagnol: **tanto** se prononce *tann-to*, **viento** *bienn-to* etc

DIPHTONGUES

ai, ay	se prononcent *aille* comme dans *bataille*
ei, ey	se prononcent *eille* comme dans *bouteille*
oi, oy	se prononcent comme on prononcerait *oille*
eu	se prononcent *é-ou*: **deuda** *dé-ouda*
au	se prononcent *ao* : **causa** *kao-sa*

L'ACCENT TONIQUE

Il est très important pour être compris de placer correctement l'accent tonique. Voici les règles à observer:
a) mot se terminant par une voyelle (sauf *y*), par *n* ou *s* : accent sur l'avant-dernière syllabe
   aparta**men**to, ha**bla**mos, **co**men, **ma**dre
b) mot se terminant par *y*, par une consonne (sauf *n* ou *s*): accent sur la dernière syllabe
   ca**rey**, ciu**dad**, ha**blar**, desle**al**
c) Les exceptions sont signalées dans l'orthographe espagnole par un accent (aigu) marquant la syllabe accentuée :
   inte**rés**, co**mún**, dactiló**grafo**, **glán**dula

TRANSCRIPCIÓN FONÉTICA DEL FRANCÉS

CONSONANTES

poupée poupe	p	f	*fer phare gaffe*	
			paraphe	
bombe	b	v	*valve*	
tente thermal	t	l	*lent salle sol*	
dinde	d	R	*rare venir rentrer*	
coq qui képi sac	k	m	*maman femme*	
pastèque				
gag gare bague	g	n	*non nonne*	
gringalet				
sale ce ça dessous	s	ɲ	*gnôle agneau vigne*	
nation pouce tous		h	*hop! (avec h aspiré)*	
zéro maison rose	z	j	*yeux paille pied hier*	
chat tache	ʃ	w	*nouer oui*	
gilet juge	ʒ	ɥ	*huile lui*	

VOCALES

ici vie lyre	i	œ	*beurre peur*	
jouer été fermée	e	ø	*peu deux*	
lait jouet merci	ɛ	ɔ	*mort or homme*	
patte plat amour	a	o	*geôle mot dôme eau*	
			gauche chevaux	
bas pâte	ɑ	u	*genou roue*	
le premier	ə	y	*rue vêtu urne*	
matin plein brin	ɛ̃	ã	*vent sang an dans*	
brun	œ̃	ɔ̃	*bon ombre*	

DIVERSOS

en el léxico francés: * ,   en la transcripción francesa:
no hay enlace   no hay enlace

A

a *vb voir* **avoir.**

à [a] *prép* (*situation*) en; (*direction, attribution*) a; (*provenance*) de; (*moyen*) con; **au, à la, aux** al *m*, a la *f*, a los *mpl*, a las *fpl*; **payé au mois/à l'heure** pagado por mes/por hora; **cent km à l'heure** cien km por hora; **à 3 heures** a las tres (horas); **à minuit** a medianoche; **à la radio/télévision** por la radio/televisión; **au départ/mois de juin** en la partida/el mes de junio; **se chauffer au gaz** calentarse con gas; **aller à bicyclette/à pied** ir en bicicleta/a pie; **l'homme aux yeux bleus** el hombre de ojos azules; **à demain/lundi!** ¡hasta mañana/el lunes!

abaisser [abese] *vt* bajar; (*dénigrer, humilier*) rebajar; **s'~** *vi* descender; **s'~ à** rebajarse a.

abandon [abɑ̃dɔ̃] *nm* abandono; renuncia; (*SPORT*) abandono; (*relâchement*) naturalidad *f*; **être à l'~** estar abandonado(a) o descuidado(a).

abandonné, e [abɑ̃dɔne] *a* abandonado(a); desamparado(a); natural, relajado(a).

abandonner [abɑ̃dɔne] *vt* (*ami, femme, possessions*) abandonar, dejar; (*lieu, projet, activité*) abandonar, renunciar a; (*céder*): **~ qch à qn** dejar algo a alguien // *vi* (*SPORT*) abandonar; **s'~** *vi* (*paresse, plaisirs*) abandonarse a, dejarse llevar por.

abasourdir [abazurdir] *vt* aturdir, aturrullar.

abat-jour [abaʒur] *nm inv* pantalla.

abats [aba] *nmpl* achuras.

abattage [abataʒ] *nm* (*du bois*) tala; (*d'un animal*) matanza;

(*entrain*) decisión *f*, empuje *m*.

abattement [abatmɑ̃] *nm* abatimiento; (*déduction*) exoneración *f*, descuento.

abattis [abati] *nmpl* menudillos.

abattoir [abatwar] *nm* matadero.

abattre [abatr(ə)] *vt* (*arbre, maison, avion*) derribar; (*tuer: animal*) matar, sacrificar; (: *personne*) matar; (*fig*) deprimir; **~ ses cartes** jugar sus cartas, mostrar sus cartas; **~ du travail** darle duro al trabajo; **s'~** *vi* caer.

abbaye [abei] *nf* abadía.

abbé [abe] *nm* (*d'une abbaye*) abad *m*; (*de paroisse*) párroco.

abc, ABC [abese] *nm* abecé *m*.

abcès [apsɛ] *nm* absceso.

abdication [abdikasjɔ̃] *nf* abdicación *f*.

abdiquer [abdike] *vi* abdicar // *vt* renunciar a.

abdomen [abdɔmɛn] *nm* abdómen *m*; **abdominal, e, aux** *a* abdominal // *mpl*: **faire des abdominaux** ejercitar los abdominales.

abeille [abɛj] *nf* abeja.

aberrant, e [aberɑ̃, ɑ̃t] *a* aberrante, absurdo(a).

abêtir [abetir] *vt* embrutecer, entontecer.

abhorrer [abɔre] *vt* aborrecer, abominar.

abîme [abim] *nm* abismo, precipicio.

abîmer [abime] *vt* estropear, deteriorar; **s'~** *vi* estropearse, deteriorarse.

abject, e [abʒɛkt] *a* abyecto(a), vil.

abjurer [abʒyre] *vt* abjurar, renegar.

ablation [ablasjɔ̃] *nf* extirpación *f*, ablación *f*.

ablutions [ablysjɔ̃] *nfpl*: faire ses ~ hacer sus abluciones *fpl*.

abnégation [abnegasjɔ̃] *nf* abnegación *f*, altruismo.

aboiement [abwamɑ̃] *nm* ladrido.

abois [abwa] *nmpl*: être aux ~ estar acorralado(a).

abolir [abɔliʀ] *vt* abolir; **abolition** *nf* abolición *f*.

abominable [abɔminabl(ə)] *a* abominable.

abondance [abɔ̃dɑ̃s] *nf* abundancia; **en** ~ en abundancia.

abondant, e [abɔ̃dɑ̃, ɑ̃t] *a* abundante.

abonder [abɔ̃de] *vi* abundar; ~ **en** abundar en.

abonné, e [abɔne] *nm/f (du téléphone)* abonado/a; *(à un journal)* suscriptor/ora.

abonnement [abɔnmɑ̃] *nm* suscripción *f*; *(de bus etc)* abono.

abonner [abɔne] *vt*: ~ **qn à** *(journal etc)* suscribir a alguien a; **s'**~ **à** suscribirse a, abonarse a.

abord [abɔʀ] *nm*: être **d'un** ~ **facile** ser de fácil acceso; ~**s** *mpl (d'un lieu)* accesos, alrededores *mpl*; **au premier** ~ en principio, a primera vista; **d'**~ **ad** primero, en primer lugar.

abordage [abɔʀdaʒ] *nm* abordaje *m*.

aborder [abɔʀde] *vi* abordar, arribar // *vt (NAUT)* abordar; *(: sujet)* abordar, plantear; *(: personne)* abordar, interpelar; *(: virage)* tomar, abordar.

aborigène [abɔʀiʒɛn] *nm* aborigen *m*.

aboutir [abutiʀ] *vi (projet)* dar resultado, tener éxito; ~ **à/dans/sur** desembocar en, conducir a; *(fig)* llevar a, conducir a.

aboyer [abwaje] *vi* ladrar.

abracadabrant, e [abʀakadabʀɑ̃, ɑ̃t] *a* estrambótico(a), extravagante.

abrasif, ive [abʀazif, iv] *a* abrasivo(a).

abrégé [abʀeʒe] *nm* resumen *m*; *(livre)* compendio.

abréger [abʀeʒe] *vt (texte)* abreviar, resumir; *(mot)* abreviar; *(réunion, voyage)* acortar, abreviar.

abreuver [abʀœve] *vt* abrevar; **s'**~ beber.

abreuvoir [abʀœvwaʀ] *nm* abrevadero, bebedero.

abréviation [abʀevjasjɔ̃] *nf* abreviatura.

abri [abʀi] *nm* abrigo, refugio; **être/se mettre à l'**~ estar/ponerse a cubierto; **à l'**~ **de** al abrigo de, protegido(a) contra; *(fig)* a salvo o fuera del alcance de.

abricot [abʀiko] *nm* albaricoque *m*; ~**ier** *nm* albaricoquero.

abriter [abʀite] *vt (lieu)* proteger, resguardar; *(personne)* proteger, albergar; *(recevoir, loger)* albergar, alojar; **s'**~ protegerse.

abroger [abʀɔʒe] *vt* abrogar, revocar.

abrupt, e [abʀypt, ypt(ə)] *a* abrupto(a), escarpado(a); *(fig)* brusco(a), rudo(a).

abruti, e [abʀyti] *nm/f (fam)* estúpido/a, idiota *m/f*.

abrutir [abʀytiʀ] *vt* agobiar, agotar.

abscisse [apsis] *nf* abscisa.

absence [apsɑ̃s] *nf* ausencia; *(MÉD)* falla; **en l'**~ **de** en ausencia de.

absent, e [apsɑ̃, ɑ̃t] *a* ausente; *(inexistant)* ausente, inexistente; *(fig: air, attitude)* ausente, distraído(a) // *nm/f* ausente *nm/f*.

absentéisme [apsɑ̃teism(ə)] *nm* absentismo.

absenter [apsɑ̃te]: **s'**~ *vi (pour maladie etc)* ausentarse, faltar; *(momentanément: sortir)* ausentarse, salir.

absinthe [apsɛ̃t] *nf* ajenjo.

absolu, e [apsɔly] *a* absoluto(a), total; *(POL)* absoluto(a); *(personne)* terminante, intransigente.

absolument [apsɔlymɑ̃] *ad* absolutamente, completamente.

absolution [apsɔlysjɔ̃] nf absolución f.

absolutisme [apsɔlytism(ə)] nm absolutismo.

absolve etc vb voir **absoudre**.

absorber [apsɔrbe] vt absorber; **tissu absorbant** tejido absorbente.

absoudre [apsudr(ə)] vt absolver.

abstenir [apstənir]: **s'~** vi abstenerse; **s'~ de** privarse de; **abstention** [apstɑ̃sjɔ̃] nf abstención f; **abstentionnisme** nm abstencionismo.

abstinence [apstinɑ̃s] nf abstinencia.

abstraction [apstraksjɔ̃] nf abstracción f; **faire ~ de** hacer abstracción de, no tener en cuenta; **~ faite de** dejando de lado, a excepción de.

abstraire [apstrɛr] vt abstraer; **s'~ de** abstraerse de, aislarse de.

abstrait, e [apstrɛ, ɛt] a abstracto(a) // nm: **dans l'~** en la abstracción.

absurde [apsyrd(ə)] a absurdo(a), ilógico(a).

absurdité [apsyrdite] nf absurdidad f; absurdo; desatino.

abus [aby] nm (d'alcool etc) abuso, exceso; (injustice) abuso, atropello; **~ de confiance** abuso de confianza.

abuser [abyze] vi abusar; excederse // vt (tromper) engañar; **~ de** vt abusar de; (femme) abusar de, violar; **s'~** (se méprendre) engañarse, equivocarse.

abusif, ive [abyzif, iv] a (prix, usage) abusivo(a), excesivo(a).

acabit [akabi] nm: **de cet ~, du même ~** de semejante ralea, de la misma estofa.

acacia [akasja] nm acacia.

académicien, ne [akademisjɛ̃, jɛn] nm/f académico/a.

académie [akademi] nf academia; (ART) academia, desnudo; (SCOL) distrito universitario; **académique** a académico/a; (ART, péj) académico(a), retórico(a); (SCOL) universitario(a).

acajou [akaʒu] nm (bois) caoba.

acariâtre [akarjɑtr(ə)] a gruñón(ona).

accablant, e [akablɑ̃, ɑ̃t] a (témoignage, preuve) demoledor(ora), abrumador(ora); (chaleur, poids) agobiante, insoportable.

accablement [akabləmɑ̃] nm abatimiento, desaliento.

accabler [akable] vt (physiquement) agotar, agobiar; (moralement) abatir, desanimar; (suj: preuve, témoignage) inculpar o delatar a; **~ qn d'injures/de travail** colmar a alguien de injurias/de trabajo; **accablé de dettes/soucis** cargado de deudas/preocupaciones.

accalmie [akalmi] nf sosiego, tregua.

accaparer [akapare] vt acaparar, monopolizar; (suj: travail, client etc) acaparar, retener.

accéder [aksede]: **~ à** vt dar a, llegar a; (fig) llegar a, acceder a; (requête, désirs) acceder o consentir a.

accélérateur [akseleratœr] nm acelerador m.

accélération [akselerɑsjɔ̃] nf aceleración f.

accélérer [akselere] vt acelerar, apresurar // vi (AUTO) acelerar.

accent [aksɑ̃] nm (régional etc) acento, pronunciación f; (inflexions expressives) acento, inflexión f; (LING: intonation) acento, entonación f; (: signe) acento; **mettre l'~ sur** (fig) acentuar, recalcar; **aigu/grave** acento agudo/grave.

accentuation [aksɑ̃tyɑsjɔ̃] nf acentuación f.

accentuer [aksɑ̃tye] vt (LING) acentuar; (marquer, augmenter) acentuar, hacer resaltar; **s'~** vi acentuarse, aumentar.

acceptable [aksɛptabl(ə)] a aceptable.

acceptation [aksɛptɑsjɔ̃] nf aceptación f.

accepter [aksɛpte] vt (gén) aceptar; (personne: tolérer, intégrer) aceptar, acoger; (: *candidat*) admitir; ~ **de faire** aceptar hacer.

acception [aksepsjɔ̃] *nf* (*LING*) acepción *f*, sentido; **dans toute l'~ du terme** en toda la acepción de la palabra.

accès [aksɛ] *nm* // *mpl* (*routes, entrées etc*) accesos, entradas; **d'~ facile** de fácil acceso; **~ de colère** arranque *m* de cólera; **donner ~ à** (*lieu*) dar acceso a; (*situation, carrière*) dar acceso o derecho a; **avoir ~ auprès de qn** tener familiaridad con alguien.

accessible [aksesibl(ə)] *a* (*à portée*) accesible, asequible; (*facile*): ~ (**à qn**) accesible (a alguien), inteligible (para alguien); **être ~ à la pitié** ser propenso(a) a la piedad.

accession [aksesjɔ̃] *nf* accesión *f*, acceso.

accessit [aksesit] *nm* accésit *m*.

accessoire [akseswar] *a* accesorio(a) // *nm* accesorio; ~**ment** ad accesoriamente, secundariamente; **accessoiriste** *nm/f* accesorista *m/f*.

accident [aksidɑ̃] *nm* (*de voiture, d'avion*) accidente *m*, catástrofe *f*; (*événement fortuit*) accidente, peripecia; **par ~** por accidente o casualidad; ~**é, e a** (*terrain*) accidentado(a), abrupto(a); (*voiture*) dañado(a), estropeado(a); (*personne*) accidentado(a); ~**el, le a** accidental; (*fortuit*) casual, fortuito(a).

acclamation [aklamasjɔ̃] *nf*: **par ~** (*vote*) por aclamación; ~**s** *fpl* ovaciones *fpl*, aplausos.

acclamer [aklame] *vt* aclamar, vitorear.

acclimatation [aklimatasjɔ̃] *nf* aclimatación *f*.

acclimater [aklimate] *vt* aclimatar, adaptar; (*personne*) adaptar, acostumbrar; **s'~ vi** adaptarse, acostumbrarse.

accointances [akwɛ̃tɑ̃s] *nfpl* relaciones *fpl*.

accolade [akɔlad] *nf* (*amicale*) abrazo; (*signe*) llave *f*; **donner l'~ à qn** dar el espaldarazo a alguien.

accoler [akɔle] *vt* juntar, agregar.

accommodant, e [akɔmɔdɑ̃, ɑ̃t] *a* condescendiente, deferente.

accommodement [akɔmɔdmɑ̃] *nm* arreglo, acuerdo.

accommoder [akɔmɔde] *vt* (*CULIN*) aderezar, preparar; (*fig*) arreglar, adaptar; ~ **qch à** (*adapter*) adaptar algo a; **s'~ de** (*accepter*) aceptar, contentarse con.

accompagnateur, trice [akɔ̃paɲatœr, tris] *nm/f* acompañante/a.

accompagnement [akɔ̃paɲmɑ̃] *nm* (*MUS*) acompañamiento; (*CULIN*) guarnición *f*, aderezo.

accompagner [akɔ̃paɲe] *vt* acompañar; **s'~ de** seguirse de.

accompli, e [akɔ̃pli] *a*: **musicien/talent ~** músico/talento consumado.

accomplir [akɔ̃plir] *vt* (*tâche*) realizar, llevar a cabo; (*souhait*) cumplir, satisfacer; **s'~ vi** (*souhait*) cumplirse, realizarse; **accomplissement** *nm* realización *f*, cumplimiento.

accord [akɔr] *nm* (*entente*) acuerdo, entendimiento; (*harmonie*) concordancia, armonía; (*contrat*) acuerdo, tratado; (*autorisation*) consentimiento, conformidad *f*; (*MUS*) acorde *m*; (*LING*) concordancia; **mettre d'~** (*adversaires etc*) poner de acuerdo, conciliar; **se mettre d'~** ponerse de acuerdo; **être d'~** estar de acuerdo; **être d'~ de faire/que** estar de acuerdo en hacer/en que; ~ **en genre et en nombre** (*LING*) concordancia en género y en número; **parfait** (*MUS*) acorde perfecto.

accordéon [akɔrdeɔ̃] *nm* (*MUS*) acordeón *m*; ~**iste** [-ɔnist(ə)] *nm/f* acordeonista *m/f*.

accorder [akɔʀde] vt (faveur, délai) acordar, otorgar; (harmoniser) armonizar; (MUS) afinar; (LING) concordar; **je vous accorde que...** reconozco o admito que...; **s'~** ponerse de acuerdo; (LING) concordar; **accordeur** m afinador m.

accoster [akɔste] vt abordar // vi (NAUT) atracar.

accotement [akɔtmã] nm banquina, arcén m.

accoter [akɔte] vt: ~ qch contre/à apoyar algo contra/a.

accouchement [akuʃmã] nm parto.

accoucher [akuʃe] vi parir, dar a luz // vt asistir al parto de; ~ **d'un enfant** parir un niño; **accoucheur, euse** nm/f partero/a.

accouder [akude]: **s'~** vi: **s'~ à/contre** acodarse en; **accoudoir** [akudwaʀ] nm brazo.

accouplement [akupləmã] nm (copulation) apareamiento.

accoupler [akuple] vt (moteurs, idées) acoplar; (animaux: attacher) uncir; **s'~** aparearse, cruzarse.

accourir [akuʀiʀ] vi precipitarse, acudir apresuradamente.

accoutrement [akutʀəmã] nm (péj) traje ridículo, disfraz m.

accoutumance [akutymãs] nf hábito.

accoutumé, e [akutyme] a acostumbrado(a), habitual; **comme à l'~e** como de costumbre.

accoutumer [akutyme] vt: ~ **qn à** habituar a alguien a; **s'~ à** acostumbrarse o habituarse a.

accréditer [akʀedite] vt (personne) acreditar; (nouvelle) dar crédito a.

accroc [akʀo] nm (déchirure) siete m, desgarrón m; (fig) contratiempo, tacha.

accrochage [akʀɔʃaʒ] nm colgamiento; enganche m; (AUTO) choque m, roce m; (MIL) encuentro, escaramuza; (dispute) riña, agarrada.

accroche-cœur [akʀɔʃkœʀ] nm rizo (en la sien).

accrocher [akʀɔʃe] vt (suspendre) colgar; (wagon, remorque) enganchar; (heurter) chocar, rozar; (déchirer) rasgar; (MIL) chocar con, entrar en combate con; (regard, client) atraer, atrapar; **s'~** se disputer, MIL) pelearse; **s'~ à** (rester pris) engancharse en, quedarse colgado(a) de; (agripper) agarrarse o aferrarse a; (: fig: personne) pegarse a; (: espoir, idée) asirse a o asirse a.

accroissement [akʀwasmã] nm acrecentamiento; incremento.

accroître [akʀwatʀ(ə)] vt acrecentar, aumentar; **s'~** vi acrecentarse.

accroupi, e [akʀupi] a acuclillado(a).

accroupir [akʀupiʀ]: **s'~** vi acuclillarse.

accru, e [akʀy] a acrecentado(a).

accu [aky] nm abrév de accumulateur.

accueil [akœj] nm recibimiento, acogida; **centre/comité d'~** centro/comité m de ayuda.

accueillant, e [akœjã, ãt] a acogedor(ora).

accueillir [akœjiʀ] vt acoger, recibir; (loger) acoger, alojar.

acculer [akyle] vt: ~ **qn dans/contre** acorralar a alguien en/contra; (fig): ~ **qn à** arrastrar a alguien a.

accumulateur [akymylatœʀ] nm acumulador m.

accumulation [akymylɔsjɔ̃] nf acumulación f; **chauffage/radiateur à** ~ calefacción f/radiador a termosifón.

accumuler [akymyle] vt acumular, reunir; **s'~** vi acumularse.

accusateur, trice [akyzatœʀ, tʀis] a, nm/f acusador(ora).

accusatif [akyzatif] nm acusativo.

accusation [akyzɔsjɔ̃] nf (gén) acusación f; (JUR: action) acusación, imputación f; (:partie) acusación; **mettre en ~** iniciar causa en contra de.

accusé, e [akyze] nm/f acusado(a); **~ de réception** acuse m de recibo.

accuser [akyze] vt (gén) acusar; (JUR) acusar, inculpar; (différence, fatigue) poner de relieve, resaltar; **~ qn de qch** acusar a alguien de algo; **~ qch de qch** culpar a algo de algo; **~ réception de** acusar recibo de.

acerbe [asɛrb(ə)] a acerbo(a), ofensivo(a).

acéré, e [asere] a acerado(a), agudo(a).

acétone [aseton] nf acetona.

acétylène [asetilɛn] nm acetileno.

achalandé, e [aʃalɑ̃de] a: **bien/mal ~** bien/mal provisto o surtido; (fréquenté) frecuentado/ poco frecuentado.

acharné, e [aʃarne] a encarnizado(a), implacable; (travail) tesonero(a).

acharnement [aʃarnəmɑ̃] nm encarnizamiento.

acharner [aʃarne]: **s'~** vi: **s'~ contre/sur** ensañarse con, perseguir con saña a; **s'~ à** obstinarse en.

achat [aʃa] nm compra, adquisición f; **faire l'~ de** comprar; **faire des ~s** hacer compras.

acheminer [aʃmine] vt (courrier, troupes) despachar; (train) circular; **s'~ vers** encaminarse hacia.

acheter [aʃte] vt comprar, adquirir; (corrompre) sobornar, comprar; **~ qch à** (marchand) comprar algo a; (ami etc: offrir) comprar algo para; **acheteur, euse** nm/f comprador/ora.

achevé, e [aʃve] a: **d'un ridicule ~** de una ridiculez rematada.

achèvement [aʃevmɑ̃] nm terminación f, finalización f.

achever [aʃve] vt (terminer) acabar, finalizar; (tuer) acabar, rematar; **s'~** vi acabarse, terminarse.

achoppement [aʃɔpmɑ̃] nm: **pierre d'~** traba, escollo.

acide [asid] a ácido(a), agrio(a); (CHIMIE) ácido; nm (CHIMIE) ácido; **acidifier** vt acidular; **acidité** nf acidez f; **acidulé, e** a acidulado(a), ácido(a); **bonbons acidulés** caramelos ácidos.

acier [asje] nm acero.

aciérie [asjeri] nf acería.

acné [akne] nm acné m.

acolyte [akɔlit] nm (péj) acólito.

acompte [akɔ̃t] nm adelanto, anticipo.

acoquiner [akɔkine]: **s'~ avec** vt (péj) juntarse o conchabarse con.

à-côté [akote] nm detalle m, menudencia; (argent) extra m.

à-coup [aku] nm altibajo, sacudida; **sans/par ~s** suavemente/a rachas, a empujones.

acoustique [akustik] nf acústica // a acústico(a).

acquéreur [akerœr] nm adquiridor/ora.

acquérir [akerir] vt (biens) adquirir; (droit, certitude) adquirir, lograr; **ce que ses efforts lui ont acquis** lo que sus esfuerzos le han reportado.

acquiers etc vb voir **acquérir**.

acquiescer [akjese] vi asentir; **~ à qch** consentir en algo, aceptar algo.

acquis, e [aki, iz] pp de **acquérir** // a adquirido(a) // nm experiencia, saber m; **être ~ à** (personne) ser adicto de; (plan, idée) ser partidario de.

acquisition [akizisjɔ̃] nf adquisición f; **faire l'~ de** adquirir, comprar.

acquit [aki] vb voir **acquérir** // nm recibo; **pour ~** recibí, recibimos; **par ~ de conscience** para tranquilidad de conciencia.

acquittement [akitmɑ̃] nm absolución f; pago.

acquitter [akite] vt absolver; (dette, facture) liquidar, pagar; **s'~**

de (devoir, engagement) cumplir con, llevar a cabo.

âcre [akʀ(ə)] a acre, áspero(a).

acrobate [akʀɔbat] nm/f acróbata m/f.

acrobatie [akʀɔbasi] nf acrobacia; (fig) ardid m, artimaña; **acrobatique** [-tik] a acrobático(a), de acrobacia.

acte [akt(ə)] nm acto, hecho; (document) acta, escritura; (THÉÂTRE) acto; ~**s** nmpl (compterendu) actas; **prendre ~ de** tomar nota de; **faire ~ de candidature** presentarse a la candidatura; **d'accusation** acta de acusación; ~ **de naissance** partida de nacimiento.

acteur, trice [aktœʀ, tʀis] nm/f actor/triz, artista m/f.

actif, ive [aktif, iv] a (dynamique) activo(a), diligente; (rôle, remède) activo(a), eficaz; (service, population) activo(a); (armée) permanente // (COMM) activo, haber m; (fig): **mettre/avoir qch à son ~** poner/tener algo en su haber.

action [aksjɔ̃] nf acción f, acto; (activité, déploiement d'énergie) acción, actividad f; (influence) acción, efecto; (THÉÂTRE, CINÉMA etc) acción; (COMM) acción; (JUR) acción, demanda; **une bonne ~** una buena acción; **passer à l'~** pasar a la acción; **un homme d'~** un hombre de acción; **un film d'~** una película de acción; ~ **en diffamation** demanda por difamación; ~**naire** nm/f accionista m/f; ~**ner** vt accionar, poner en marcha.

active [aktiv] a voir actif.

activement [aktivmɑ̃] ad activamente.

activer [aktive] vt activar, acelerar; **s'~** vi apresurarse, agitarse.

activisme [aktivism(ə)] nm activismo; **activiste** nm/f activista m/f.

activité [aktivite] nf (énergie) actividad f, pujanza; (agitation) actividad, movimiento; (d'un organe, organisme etc) actividad, funcionamiento; (occupation) oficio, actividad; **cesser toute ~** abandonar toda actividad; **volcan en ~** volcán en actividad.

actrice [aktʀis] nf voir **acteur**.

actualiser [aktɥalize] vt actualizar.

actualité [aktɥalite] nf actualidad f; ~**s** fpl (CINÉMA, TV) actualidades fpl; **l'~ politique** la actualidad política; **d'~** de actualidad.

actuel, le [aktɥɛl] a (présent) actual, presente; (d'actualité) actual; (non virtuel) actual; ~**lement** ad actualmente.

acuité [akɥite] nf (des sens) agudeza, penetración f; (d'une crise, douleur) agudeza, vivacidad f.

acuponcteur, acupuncteur [akypɔ̃ktœʀ] nm especialista m/f en acupuntura.

acuponcture, acupuncture [akypɔ̃ktyʀ] nf acupuntura.

adage [adaʒ] nm adagio, máxima.

adagio [adadʒjo] nm adagio.

adaptateur, trice [adaptatœʀ, tʀis] nm (ÉLEC) transformador m // nm/f (THÉÂTRE etc) adaptador/ora.

adaptation [adaptasjɔ̃] nf adaptación f.

adapter [adapte] vt (MUS, CINÉMA) adaptar; (approprier): ~ **qch à** adaptar algo a o con; (fixer): ~ **qch sur/dans/à** ajustar algo sobre/en/a; **s'~** (à) (suj: personne) adaptarse (a).

addenda [adɛ̃da] nm apéndice m.

addendum [adɛ̃dɔm] nm addendum m, agregado.

additif [aditif] nm cláusula.

addition [adisjɔ̃] nf agregado, adición f; (MATH) adición, suma; (note, ajout) añadido; (au café de) cuenta; ~**nel, le** a adicional; ~**ner** vt (MATH) adicionar, sumar; ~**ner un produit/vin d'eau** etc agregar agua etc a un producto/un vino.

adduction [adyksjɔ̃] *nf*
canalización *f*.

adepte [adept(ə)] *nm/f* adepto/a,
partidario/a.

adéquat, e [adekwa, at] *a*
adecuado/a, apropiado/a.

adhérence [aderɑ̃s] *nf*
adherencia.

adhérent, e [aderɑ̃, ɑ̃t] *nm/f*
adherente *m/f*, afiliado/a *f*.

adhérer [adere] *vi* adherir,
pegarse; ~ **à** *vt* (*coller*) adherir a,
fijarse a; (*parti, club*) adherir a,
afiliarse a; (*opinion*) adherir a;
adhésif, ive [adezif, iv] *a*
adhesivo/a // *nm* adhesivo;
adhésion [adezjɔ̃] *nf* adhesión *f*.

ad hoc [adɔk] *a* ad hoc.

adieu, x [adjø] *excl* adiós // *nm*
adiós *m*; ~**x** *mpl* despedida; **dire** ~
à qn decir adiós a alguien,
despedirse de alguien; **dire** ~ **à qch**
decir adiós a algo, renunciar a algo.

adipeux, euse [adipø, øz] *a*
adiposo/a).

adjacent, e [adʒasɑ̃, ɑ̃t] *a*
adyacente.

adjectif, ive [adʒɛktif, iv] *a*
adjetivo(a) // *nm* adjetivo; ~
démonstratif/indéfini/numéral adjetivo demostrativo/indefinido/nu-
meral; ~ **possessif/qualificatif**
adjetivo posesivo/calificativo; ~
verbal adjetivo verbal; ~ **attribut**
atributo; ~ **épithète** epíteto; **adjec-**
tival, e, aux *a* adjetival.

adjoindre [adʒwɛ̃dr(ə)] *vt*: ~ **qch**
à qch añadir o agregar algo a algo;
~ **qn à qn/un groupe** asociar alguien a alguien/a un grupo; **s'**~ **un**
collaborateur *etc* tomar un colaborador *etc*; **adjoint, e** [adʒwɛ̃, wɛ̃t]
nm/f adjunto/a, asociado/a; **direc-**
teur adjoint director adjunto; **ad-**
joint au maire teniente *m* de
alcalde; **adjonction** [adʒɔ̃ksjɔ̃] *nf*
agregado, asociación *f*.

adjudant [adʒydɑ̃] *nm* ayuda de
campo; ~ **chef** ayudante *m* jefe.

adjudicataire [adʒydikatɛr] *nm/f*
adjudicatario/a.

adjudication [adʒydikasjɔ̃] *nf* adjudicación *f*.

adjuger [adʒyʒe] *vt* adjudicar; **s'**~
vt adjudicarse, apropiarse; **adjugé!**
¡adjudicado!, ¡vendido!

adjurer [adʒyre] *vt*: ~ **qn de faire**
implorar *o* rogar a alguien que
haga.

adjuvant [adʒyvɑ̃] *nm* coadyuvante *m*.

admettre [admɛtr(ə)] *vt* (*visiteur,*
client) admitir, aceptar; (*candidat*)
admitir, aprobar; (*gaz, air*) admitir;
(*comportement, erreur*) admitir,
tolerar; (*point de vue, explication*)
admitir, reconocer; ~ **que** admitir
que.

administrateur, trice [adminis-
tratœr, tris] *nm/f* administra-
dor/ora.

administratif, ive [adminis-
tratif, iv] *a* administrativo/a).

administration [administrasjɔ̃]
nf administración *f*; **l'A**~ el Estado,
la Administración Pública.

administré, e [administre] *nm/f*
administrado/a.

administrer [administre] *vt*
administrar; (*remède, sacrement*)
suministrar, dar.

admirable [admirabl(ə)] *a*
admirable, asombroso/a).

admirateur, trice [admiratœr,
tris] *nm/f* admirador/ora.

admiratif, ive [admiratif, iv] *a*
admirativo(a).

admiration [admirasjɔ̃] *nf*
admiración *f*, asombro.

admirer [admire] *vt* admirar.

admis, e *pp* de **admettre**.

admissible [admisibl(ə)] *a* (*candi-*
dat) admisible; (*comportement*)
admisible, aceptable.

admission [admisjɔ̃] *nf* admisión *f*;
aprobación *f*; **tuyau** *etc* ~ tubo *etc*
de admisión; **demande d'**~ pedido
de admisión *o* ingreso.

admonester [admɔnɛste] *vt*
amonestar.

adolescence [adɔlesɑ̃s] *nf* adolescencia; **adolescent, e** nm/f adolescente m/f.

adonner [adɔne]: **s'~ à** vt entregarse o consagrarse a.

adopter [adɔpte] vt adoptar; (projet de loi etc) adoptar, aprobar; **adoptif, ive** a adoptivo(a); **adoption** [adɔpsjɔ̃] nf adopción f.

adorable [adɔrabl(ə)] a adorable, encantador(ora).

adoration [adɔrasjɔ̃] nf (REL) adoración f; (gén) adoración, pasión f.

adorer [adɔre] vt (REL) adorar; (gén) adorar, idolatrar.

adosser [adose] vt: ~ **qch à** ou **contre** adosar algo o a contra; **s'~ à** ou **contre** respaldarse en o contra; **être adossé à** ou **contre** estar apoyado en o adosado a o contra.

adoucir [adusir] vt suavizar; (fig: mœurs, personne) atemperar, suavizar; (: peine, douleur) suavizar, mitigar; **s'~** vi suavizarse, atenuarse; **adoucissement** nm suavizamiento, atenuación f.

adresse [adrɛs] nf destreza, astucia; (domicile) dirección f, señas; **à l'~ de** (pour) dirigido(a) a.

adresser [adrɛse] vt dirigir, enviar; (injure, compliments) dirigir, destinar; ~ **à un docteur** enviar a uno a un médico; ~ **la parole à qn** dirigir la palabra a alguien; **s'~ à** (parler à) dirigirse a; (suj: livre, conseil) dedicarse o dirigirse a.

Adriatique [adriatik] nf: **l'~** el Adriático.

adroit, e [adrwa, wat] a diestro(a), hábil; (rusé) astuto(a), sagaz; **~ement** ad hábilmente, sagazmente.

aduler [adyle] vt adular, halagar.

adulte [adylt(ə)] nm/f adulto/a // a adulto(a); (attitude) adulto(a), maduro(a); **l'âge ~** la edad adulta, la madurez.

adultère [adyltɛr] a, nm/f adúltero(a) // nm (acte) adulterio; **adultérin, e** [-terɛ̃, in] a adulterino(a).

advenir [advənir] vi sobrevenir, ocurrir; **qu'adviendra-t-il de...** qué ocurrirá con...; **quoiqu'il advienne** pase lo que pase.

adverbe [advɛrb(ə)] nm adverbio; **adverbial, e, aux** a adverbial.

adversaire [advɛrsɛr] nm/f adversario/a; (non partisan) ~ **de qch** adversario o antagonista m/f de algo.

adverse [advɛrs(ə)] a adverso(a), opuesto(a); **la partie** ~ (JUR) la parte contraria.

adversité [advɛrsite] nf adversidad f, infortunio.

aérateur [aeratœr] nm ventilador m.

aération [aerasjɔ̃] nf ventilación f, aeración f; **conduit/bouche d'~** conducto/boca de ventilación.

aéré, e [aere] a aireado(a), ventilado(a); (tissu) de trama no apretada.

aérer [aere] vt airear, ventilar; (fig) airear; **s'~** tomar aire, airearse.

aérien, ne [aerjɛ̃, jɛn] a aéreo(a); (fig) etéreo(a).

aéro-club [aeroklœb] nm aeroclub m.

aérodrome [aerodrom] nm aeródromo.

aérodynamique [aerodinamik] a aerodinámico(a).

aérogare [aerogar] nf (à l'aéroport) terminal f del aeropuerto; (en ville) aeroestación f.

aéroglisseur [aeroglisœr] nm hidroala aerodeslizador m.

aéronautique [aeronotik] a aeronáutico(a) // nf aeronáutica.

aéronaval, e [aeronaval] a aeronaval // nf organización aeronaval de la marina.

aérophagie [aerofaʒi] nf aerofagia.

aéroport [aeropɔr] nm aeropuerto.

aéroporté, e [aeropɔrte] a aerotransportado(a).

aéroportuaire [aeʀɔpɔʀtɥeʀ] *a* del aeropuerto.

aérosol [aeʀɔsɔl] *nm* (*MÉD*) atomizador *m*, vaporizador *m*; (*bombe*) aerosol *m*.

aérospatial, e, aux [aeʀɔspasjal,o] *a* aeroespacial.

aérostat [aeʀɔsta] *nm* aeróstato.

aérostatique [aeʀɔstatik] *a* aerostático(a).

aérotrain [aeʀɔtʀɛ̃] *nm* tren aerodeslizador *m*.

affable [afabl(ə)] *a* afable, cordial.

affabulation [afabylɑsjɔ̃] *nf* trama, argumento.

affaiblir [afeblir] *vt* (*malade*) debilitar, extenuar; (*poutre, câble*) aflojar; (*position, parti etc*) debilitar; **s'~** *vi* debilitarse; aflojarse; **affaiblissement** *nm* debilitamiento.

affaire [afeʀ] *nf* (*problème, question*) asunto, cuestión *f*; (*JUR*) causa, caso; (*entreprise, magasin*) negocio, empresa; (*transaction*) trato, negocio; (*: occasion intéressante*) ganga; **~s** *fpl* (*intérêts privés ou publics*) asuntos; (*COMM*) negocios; (*effets personnels*) efectos, trastos; **ce sont mes/tes ~s** (*cela me/te concerne*) es asunto mío/tuyo; **ceci fera l'~** = esto bastará; **avoir ~ à qn/qch** tener que ver con alguien/algo; **les A~s étrangères** los Asuntos exteriores.

affairer [afeʀe] **s'~** *vi* afanarse, atarearse.

affairisme [afeʀism(ə)] *nm* mercantilismo.

affaisser [afese]: **s'~** *vi* hundirse; (*personne*) desplomarse.

affaler [afale]: **s'~** *vi*: **s'~ dans/sur** dejarse caer en/sobre.

affamer [afame] *vt* hambrear, hacer sufrir hambre.

affectation [afɛktɑsjɔ̃] *nf* (*voir affecter*) afectación *f*; destinación *f*; (*voir affecté*) afectación.

affecté, e [afɛkte] *a* (*prétentieux*) rebuscado(a), afectado(a).

affecter [afɛkte] *vt* (*toucher, émouvoir*) afectar, conmover;

(*sentiment*) fingir, simular; (*crédits, main d'œuvre*) destinar; (*employé, diplomate*) afectar, destinar; (*présenter, avoir*) poseer, presentar; **~ qch d'un coefficient** asignar a algo un coeficiente.

affectif, ive [afɛktif, iv] *a* afectivo(a).

affection [afɛksjɔ̃] *nf* afecto, aprecio; (*MÉD*) afección *f*.

affectionner [afɛksjɔne] *vt* apreciar, estimar.

affectueux, euse [afɛktɥø, øz] *a* afectuoso(a); **affectueusement** *ad* afectuosamente.

afférent, e [afeʀɑ̃, ɑ̃t] *a*: **~ à** inherente a.

affermir [afɛʀmiʀ] *vt* (*sol, liquide*) consolidar, solidificar; (*fig*) asegurar, consolidar.

affichage [afiʃaʒ] *nm* anuncio, fijación *f* (de carteles).

affiche [afiʃ] *nf* anuncio, cartel *m*; (*THÉÂTRE, CINÉMA*): **être à l'~** estar en cartelera; **tenir l'~** mantenerse en cartelera.

afficher [afiʃe] *vt* anunciar (por medio de carteles); (*fig: attitude*) ostentar, jactarse de.

affilée [afile]: **d'~** *ad* de corrido.

affiler [afile] *vt* afilar.

affilier [afilje]: **s'~ à** *vt* (*club, société*) afiliarse a.

affiner [afine] *vt* (*fromage*) madurar; (*métal*) afinar; (*goût, manières*) refinar, perfeccionar.

affinité [afinite] *nf* afinidad *f*.

affirmatif, ive [afiʀmatif, iv] *a* afirmativo(a), terminante // *nf*: **répondre par l'affirmative** responder por la afirmativa; **dans l'affirmative** en caso afirmativo.

affirmation [afiʀmɑsjɔ̃] *nf* afirmación *f*.

affirmer [afiʀme] *vt* sostener, afirmar; (*autorité, désir*) afirmar, manifestar; (**à qn**) **que** afirmar (a alguien) que.

affleurer [aflœʀe] *vi* aflorar, emerger.

affliction [afliksjɔ̃] *nf* aflicción *f*, pena.

affligé, e [afliʒe] *a* afligido(a), apenado(a); ~ **d'une maladie/tare** aquejado de una enfermedad/un defecto.

affliger [afliʒe] *vt* afligir, apenar.

affluence [aflyɑ̃s] *nf* afluencia, concurrencia; **heure/jour d'~** hora/día *m* de afluencia.

affluent [aflyɑ̃] *nm* afluente *m*.

affluer [aflye] *vi* confluir, afluir; (*sang*) afluir; **afflux** [afly] *nm* afluencia, confluencia; aflujo.

affoler [afɔle] *vt* enloquecer, aterrorizar; **s'~** enloquecerse.

affranchir [afʀɑ̃ʃiʀ] *vt* franquear; (*esclave*) libertar; (*d'une contrainte, menace*) liberar; **affranchissement** *nm* franqueo; liberación *f*.

affréter [afʀete] *vt* fletar.

affreux, euse [afʀø, øz] *a* repugnante, horrible; (*accident, douleur, temps*) horrible, espantoso(a).

affriolant, e [afʀijɔlɑ̃, ɑ̃t] *a* atractivo(a), seductor(ora).

affront [afʀɔ̃] *nm* afrenta, ultraje *m*.

affronter [afʀɔ̃te] *vt* afrontar, enfrentar; (*fig*) afrontar, desafiar; **s'~** enfrentarse.

affubler [afyble] *vt* (*péj*): ~ **qn de** disfrazar a alguien con; (*surnom*) motejar a alguien de.

affût [afy] *nm* (*de canon*) cureña; **à l'~ (de)** al acecho (de).

affûter [afyte] *vt* afilar.

afin [afɛ̃]: ~ **que** *conj* a fin de que; ~ **de faire** a fin de hacer.

a fortiori [afɔʀsjɔʀi] *ad* a fortiori.

AFP *sigle f* = **Agence France Presse.**

africain, e [afʀikɛ̃, ɛn] *a, nm/f* africano(a).

Afrique [afʀik(ə)] *nf* África; ~ **du Sud** África del Sur.

agacer [agase] *vt* fastidiar, enervar; molestar, exasperar; provocar.

âge [ɑʒ] *nm* edad *f*; **quel ~ as-tu?**

¡qué edad tienes?, ¿cuántos años tienes?; **prendre de l'~** envejecer; **limite/dispense d'~** límite *m*/dispensa de edad; **l'~ ingrat** edad del pavo; ~ **mental** edad mental; **l'~ mûr** la edad madura, la madurez; ~ **de raison** edad de la razón o del juicio.

âgé, e [aʒe] *a* de edad; ~ **de 10 ans** de 10 años de edad.

agence [aʒɑ̃s] *nf* agencia; ~ **immobilière/matrimoniale/de voyages** agencia inmobiliaria/matrimonial/de viajes; ~ **de presse** agencia de prensa; ~ **de publicité** agencia de publicidad.

agencer [aʒɑ̃se] *vt* (*éléments, texte*) disponer, componer; (*appartement*) distribuir, disponer.

agenda [aʒɛ̃da] *nm* agenda.

agenouiller [aʒnuje]: **s'~** *vi* arrodillarse, prosternarse.

agent [aʒɑ̃] *nm* (*ADMIN*) agente *m*, funcionario *m*; (*fig*) agente, factor *m*; ~ **d'assurances/de change** agente de seguros/de cambios; ~ **de police)** agente (de policía); ~ **(secret)** agente (secreto).

agglomération [aglɔmeʀasjɔ̃] *nf* zona poblada, poblado; **l'~ parisienne** París y sus suburbios.

aggloméré [aglɔmeʀe] *nm* aglomerado.

agglomérer [aglɔmeʀe] *vt* aglomerar.

agglutiner [aglytine] *vt* aglutinar; **s'~** *vi* aglutinarse, adherirse.

aggravant, e [agʀavɑ̃, ɑ̃t] *a*: **circonstance ~e** circunstancia agravante.

aggraver [agʀave] *vt* agravar; (*JUR: peine*) agravar; **s'~** *vi* agravarse, empeorar; ~ **son cas** agravar su caso.

agile [aʒil] *a* ágil, ligero(a); **agilité** *nf* agilidad *f*, ligereza.

agir [aʒiʀ] *vi* (*se comporter*) actuar, proceder; (*faire quelque chose*) actuar, intervenir; (*suj: chose*) actuar, operar; **s'agit de** (*il est question de*) se trata de; (*il importe* *que)*: **il s'agit de faire** es preciso hacer; **de quoi s'agit-il?** ¿de qué se trata?

agitateur, trice [aʒitatœr, tris] *nm/f* agitador/ora.

agitation [aʒitasjɔ̃] *nf* agitación *f*, ajetreo; *(état d'excitation, d'inquiétude)* agitación, inquietud *f*; *(politique, syndicale)* agitación, perturbación *f*.

agité, e [aʒite] *a (turbulent)* inquieto(a), excitado(a); *(troublé, excité)* agitado(a), desasosegado(a); *(vie, journée)* agitado(a); **une mer ~e** un mar revuelto *o* agitado; **un sommeil ~** un sueño intranquil *o* turbado.

agiter [aʒite] *vt (objet)* agitar, sacudir; *(question, problème)* examinar, discutir; *(personne: préoccuper, exciter)* inquietar, turbar; **s'~** *vi* agitarse, inquietarse.

agneau, x [aɲo] *nm* cordero.

agnostique [agnɔstik] *a* agnóstico(a).

agonie [agɔni] *nf* agonía *f*; **agoniser** [-ze] *vi* agonizar.

agrafe [agraf] *nf* corchete *m*, broche *f*; *(de bureau)* grapa; **agrafer** *vt* abrochar, sujetar; engrapar; **agrafeuse** *nf* cosepapeles *m*.

agraire [agrɛr] *a* agrario(a).

agrandir [agrɑ̃dir] *vt* agrandar, ampliar; *(PHOTO)* ampliar; **s'~** *vi* agrandarse, extenderse; **agrandissement** *nm* ampliación *f*; **agrandisseur** *nm* ampliadora.

agréable [agreabl(ə)] *a (sensation, expérience)* agradable, placentero(a); *(personne)* agradable, afable.

agréé, e [agree] *a*: **concessionnaire ~** concesionario autorizado.

agréer [agree] *vt* admitir; **~ à** *vt* agradar a.

agrégat [agrega] *nm* conglomerado.

agrégation [agregasjɔ̃] *nf* concurso por oposición que otorga la habilitación para la enseñanza secundaria y universitaria; **agrégé, e** [agreʒe] *nm/f* catedrático/a por oposición.

agréger [agreʒe] : **s'~** *vi* asociarse, unirse.

agrément [agremɑ̃] *nm (accord)* consentimiento, aprobación *f*; *(attraits)* atractivo; *(plaisir)* agrado, placer *m*; **jardin d'~** jardín *m* de recreación *f*; **~er** *vt (conversation, texte)* amenizar; *(suj: personne)*: **~er qch** de ornar *o* embellecer algo con.

agrès [agrɛ] *nmpl* aparatos de gimnasia).

agresser [agrese] *vt* agredir, atacar; **agresseur** *nm* agresor *m*; **agressif, ive** a agresivo(a), provocativo(a); **agression** *nf* agresión *f*, ataque *m*; *(POL, MIL)* agresión.

agreste [agrɛst(ə)] *a* agreste, silvestre.

agricole [agrikɔl] *a* agrícola.

agriculteur [agrikyltœr] *nm* agricultor *m*, labrador *m*.

agriculture [agrikyltyr] *nf* agricultura.

agripper [agripe] *vt* aferrar, asir; **s'~ à** aferrarse *o* asirse a.

agronome [agrɔnɔm] *nm* agrónomo.

agronomie [agrɔnɔmi] *nf* agronomía.

agrumes [agrym] *nmpl* citrus *mpl*, agrios.

aguerrir [agerir] *vt* aguerrir, foguear.

aguets [agɛ]: **aux ~** *ad*: **être aux ~** estar al acecho *o* a la expectativa.

aguicher [agiʃe] *vt* excitar, provocar.

ahurir [ayrir] *vt* pasmar, espantar; **ahurissement** *nm* estupor *m*, asombro.

ai *vb voir* **avoir**.

aide [ɛd] *nf* ayuda, apoyo // *nm/f* ayudante *m/f*, asistente *m/f*; **à l'~ de** *(outil, moyen)* con la ayuda de; **appeler à l'~** pedir auxilio; **~ comptable/électricien** *nm* auxiliar *m* de contabilidad/electricista; ~ **familiale** auxiliar *f* de la casa; ~ **de laboratoire** *nm/f* auxiliar *m/f* de laboratorio; ~**mémoire** *nm inv* memorándum *m*, resumen *m*; ~ **sociale** (*assistance*) asistencia social; ~**soignant, e** *nm/f* auxiliar *m/f* de enfermería.

aider [ede] *vt* ayudar a; (*suj: chose*) favorecer, contribuir a; ~ **qn à faire qch** ayudar a alguien a hacer algo; ~ **à** (*faciliter, favoriser*) favorecer, contribuir a; **s'~ de** (*se servir de*) servirse o valerse de.

aie *etc vb voir* **avoir.**

aïeul [ajœl] *nm/f* abuelo/a; **aïeux** *mpl* antepasados.

aïe [aj] *excl* ¡ay!

aigle [egl(ə)] *nm* águila.

aigre [egr(ə)] *a* agrio(a), ácido(a); (*fig*) agrio(a), cáustico(a); ~**doux, ouce** *a* agridulce; ~**let, te** *a* agrete, agridulce.

aigreur [egrœr] *nf* acidez *f*, acritud *f*; ~**s d'estomac** acedía.

aigrir [egrir] *vt* (*fig*) agriar, avinagrar; **s'~** *vi* agriarse; (*fig*) agriarse, avinagrarse.

aigu, ë [egy] *a* agudo(a); (*objet, arête*) agudo(a), afilado(a).

aigue-marine [egmarin] *nf* aguamarina.

aiguillage [egɥijaʒ] *nm* aparato de cambio de vía.

aiguille [egɥij] *nf* (*de réveil etc*) aguja, manecilla; (*à coudre, de sapin*) aguja; (*montagne*) pico, cumbre *f*; ~ **à tricoter** aguja de hacer punto.

aiguiller [egɥije] *vt* encauzar, encarrilar; (*RAIL*) maniobrar; **aiguilleur** *nm* guardaagujas *m*.

aiguillon [egɥijɔ̃] *nm* (*d'abeille*) aguijón *m*; (*fig*) aguijón, incentivo; ~**ner** *vt* aguijonear, incentivar.

aiguiser [egize] *vt* afilar; (*fig*) aguzar.

ail [aj] *nm* ajo.

aile [el] *nf* ala; (*de voiture*) aleta, guardabarros *m*; (*MIL, NDL, SPORT*) flanco, ala; **ailé, e** *a* alado(a); ~**ron**

nm (*de requin*) aleta; (*d'avion, de voiture*) alerón *m*; **ailette** *nf* aleta; **ailier** [elje] *nm* extremo; **ailier droit/gauche** extremo derecha/izquierda.

aille *etc vb voir* **aller.**

ailleurs [ajœr] *ad* en otra parte; **partout/nulle part ~** en cualquier/ en ninguna otra parte; **d'~** *ad* por otra parte, además; **par ~** *ad* por lo demás, por otro lado.

ailloli [ajoli] *nm* alioli *m*.

aimable [emabl(ə)] *a* amable, cordial; ~**ment** *ad* amablemente.

aimant, e [emã, ãt] *a* afectuoso(a), cariñoso(a); ◆ *nm* imán *m*; ~**ation** *nf* imantación *f*; ~**er** *vt* imantar.

aimer [eme] *vt* (*d'amour*) amar; (*d'amitié, affection*) amar, querer; (*chose, activité*) gustarle (a uno); ~ **faire qch** gustarle (a uno) hacer algo; ~ **que...** gustarle que...; **bien ~ qn** querer mucho a alguien; **bien ~ qch** gustarle (a uno) mucho algo; **j'aime mieux** *ou* **autant faire...** prefiero hacer...; **me gustaría más hacer...**; ...

aine [ɛn] *nf* ingle *f*.

aîné, e [ene] *a*, *nm/f* mayor (*m/f*), primogénito(a); ~**s** *mpl* (*fig*) mayores *mpl*, predecesores *mpl*.

ainsi [ɛ̃si] *ad* (*de cette façon*) así, de este modo; (*ce faisant*) así, de esta manera // *conj* con consecuencia, entonces; ~ **que** (*comme*) como, tal que; (*et aussi*) tanto como, así como; **pour ~ dire** por decirlo así; ~ **donc** así pues, entonces; ~ **soit-il** (*REL*) así sea; **et ~ de suite** y así sucesivamente.

air [ɛr] *nm* aire *m*; (*vent*) aire, brisa; (*expression, attitude*) aspecto; **regarder en l'~** mirar hacia arriba; **tirer en l'~** disparar al aire; **parole/menace en l'~** palabra/amenaza vana; **prendre l'~** tomar aire; (*avion*) emprender el vuelo; **avoir l'~** tener aspecto, parecer; **avoir l'~ de dormir** parecer dormir; **avoir l'~ d'un clown** parecer un payaso.

aire [ɛʀ] *nf* pista; *(fig)* área, dominio; *(MATH)* área, superficie *f*; *(nid)* aguilera.

aisance [ɛzɑ̃s] *nf (facilité)* facilidad *f*, comodidad *f*; *(grâce, adresse)* desenvoltura, soltura; *(richesse)* bienestar *m*, desahogo.

aise [ɛz] *nf (confort)* comodidad *f*; *(financière)* holgura, desahogo // *a*: **être bien ~ de/que** estar encantado(a) de/de que; **~s** *fpl*: **prendre/aimer ses ~** instalarse con/gustar de la comodidad; **soupirer d'~** suspirar de gozo; **être à l'~** *ou* **à son ~** estar a gusto o a sus anchas; *(financièrement)* estar acomodado(a), vivir con desahogo; **se mettre à l'~** ponerse cómodo(a); **être mal à l'~** *ou* **à son ~** estar incómodo(a) o molesto(a); **mettre qn à l'~/mal à l'~** hacer que alguien se sienta cómodo(a)/ incómodo(a); **à votre ~** como usted guste; **en faire à son ~** hacer lo que le plazca; **aisé, e** *a* fácil, sencillo(a); *(naturel)* desenvuelto(a), suelto(a); *(assez riche)* acomodado(a), pudiente.

aisselle [ɛsɛl] *nf* axila.

ait *vb voir* **avoir**.

ajonc [aʒɔ̃] *nm* aulaga.

ajouré, e [aʒuʀe] *a* calado(a).

ajournement [aʒuʀnəmɑ̃] *nm* aplazamiento; suspensión *f*.

ajourner [aʒuʀne] *vt* diferir, aplazar; *(candidat, conscrit)* suspender.

ajout [aʒu] *nm* agregado, añadido.

ajouter [aʒute] *vt* agregar, añadir; **~ que** agregar que; **~ à** aumentar, acrecentar; **s'~ à** sumarse a; **~ foi à** dar fe a.

ajustage [aʒystaʒ] *nm* ajuste *m*, regulación *f*.

ajustement [aʒystəmɑ̃] *nm* apuntamiento, ajuste *m* de puntería.

ajuster [aʒyste] *vt* (TECH. régler) ajustar, regular; (: coup de fusil, cible) apuntar; *(adapter)* adaptar, adecuar; (: pièces d'assemblage)

adaptar, ajustar; **ajusteur** *nm* ajustador *m*.

alambic [alɑ̃bik] *nm* alambique *m*.

alanguir [alɑ̃giʀ] *vt* extenuar, debilitar; **s'~** *vi* languidecer.

alarme [alaʀm(ə)] *nf (signal)* alarma; *(inquiétude)* alarma, inquietud *f*; **donner l'~** dar la alarma.

alarmer [alaʀme] *vt* alarmar, inquietar; **s'~** *vi* preocuparse, alarmarse.

albâtre [albɑtʀ(ə)] *nm* alabastro.

albatros [albatʀos] *nm* albatros *m*.

albinos [albinos] *nm* el/albino/a.

album [albɔm] *nm (gén)* álbum *m*.

albumen [albymɛn] *nm* albumen *m*.

albumine [albymin] *nf* albúmina; **avoir ou faire de l'~** padecer albuminuria.

alcalin, e [alkalɛ̃, in] *a* alcalino(a).

alchimie [alʃimi] *nf* alquimia; **alchimiste** *nm* alquimista *m*.

alcool [alkɔl] *nm* alcohol *m*; **à ~** **à brûler** alcohol de quemar; **~ à 90°** alcohol de 90°; **~ique** *a, nm/f* alcohólico(a); **~isé, e** *a* alcoholico(a); **~isme** *nm* alcoholismo.

alcootest [alkɔtɛst] ® *nm* alcohómetro.

alcôve [alkov] *nf* alcoba.

aléas [alea] *nmpl* contingencias, riesgos.

aléatoire [aleatwaʀ] *a* aleatorio(a); azaroso(a).

alentour [alɑ̃tuʀ] *ad* alrededor; **~s** *nmpl* alrededores *mpl*, cercanías; **aux ~s de** *(espace)* en las cercanías de; *(temps)* alrededor de las, cerca de las.

alerte [alɛʀt(ə)] *nf* a alerta, ágil // *(menace)* alarma, amenaza; *(signal)* alarma, alerta; **donner l'~** dar la alarma.

alerter [alɛʀte] *vt* alertar.

alèse [alɛz] *nf* sábana bajera de goma.

aléser [aleze] *vt* calibrar, fresar.

alevin [alvɛ̃] *nm* alevín *m*.

alexandrin [alɛksɑ̃drɛ̃] *nm* alejandrino.

algarade [algaʀad] *nf* altercado, reyerta.

algèbre [alʒɛbʀ(ə)] *nf* álgebra; **algébrique** *a* algebraico(a).

Alger [alʒe] *n* Argel.

Algérie [alʒeʀi] *nf* Argelia; **algérien, ne** *a, nm/f* argelino(a).

Algérois, e [alʒeʀwa, waz] *nm/f* argelino/a // *nm* (*région*) región *f* de Argel.

algorithme [algɔʀitm(ə)] *nm* algoritmo.

algue [alg(ə)] *nf* alga.

alias [aljɑs] *ad* alias.

alibi [alibi] *nm* coartada.

aliéné, e [aljene] *nm/f* alienado/a.

aliéner [aljene] *vt* (*bien, liberté*) alienar, enajenar; (*partisans, support*) apartar, perder.

alignement [aliɲmɑ̃] *nm* alineación *f*; (*file*) alineación, fila; **à l'**~ en fila.

aligner [aliɲe] *vt* (*points, arbres, soldats*) alinear, poner en fila; (*point de vue, monnaie*) alinear, ajustar; (*équipe, idée, chiffres*) ordenar; **s'**~ (*concurrents*) enfrentarse; (*POL*) alinearse.

aliment [alimɑ̃] *nm* alimento; (*fig*) alimento, sustento; ~**aire** *a* alimenticio(a); (*péj*) lucrativo(a).

alimentation [alimɑ̃tasjɔ̃] *nf* alimentación *f*, provisión *f*; (*aliments*) alimentación.

alimenter [alimɑ̃te] *vt* alimentar, nutrir; (*en eau, électricité*) proveer, abastecer; (*fig*) sostener, alimentar.

alinéa [alinea] *nm* sangrado, párrafo.

aliter [alite]: **s'**~ *vi* guardar cama.

alizé [alize] *a, nm*: (**vent**) ~ (*viento*) alisio.

allaiter [alɛte] *vt* amamantar, criar.

allant [alɑ̃] *nm* energía, resolución *f*.

allécher [aleʃe] *vt* atraer, engatusar.

allée [ale] *nf* sendero, alameda; ~**s et venues** idas y venidas.

allégation [alegasjɔ̃] *nf* declaración *f*, afirmación *f*.

alléger [aleʒe] *vt* aligerar; (*dette, souffrance*) disminuir, aliviar; (*impôt*) desgravar.

allégorie [alegɔʀi] *nf* alegoría.

allègre [alɛgʀ(ə)] *a* (*vif*) ágil, resuelto(a); (*joyeux*) alegre, jovial; **allégresse** [alegʀɛs] *nf* alegría, regocijo.

alléguer [alege] *vt* (*fait, texte*) alegar, invocar; (*prétexte*) alegar, aducir.

Allemagne [alman] *nf* Alemania; ~ **de l'est/l'ouest** Alemania oriental/federal; **allemand, e** [almɑ̃, ɑ̃d] *a, nm/f* alemán(ana) // *nm* (*LING*) alemán *m*.

aller [ale] *nm* ida // *vi* ir, marchar; (*être, se comporter*) andar, estar; (*être adapté, ajusté*): ~ **à** *vt* andar en, adaptarse a; ~ **avec** *vt* ir con, andar o pegar con; **je vais** y ~**/me fâcher** voy a ir/enojarme; **j'y vais** (ahí) voy; ~ **voir/chercher qch** ir a ver/buscar algo; **comment allez-vous/va-t-il?** ¿cómo está usted/él?; **je vais bien/mal** estoy bien/mal; **ça va?** ¿qué tal?; **cela me va** (*couleur, vêtement*) (esto) me sienta; (*projet, dispositions*) (esto) me conviene o gusta; **cela va bien avec le tapis** (esto) queda bien o pega con la alfombra; **cela ne va pas sans difficultés** esto ocasionará dificultades; **il y va de leur vie** están en juego sus vidas; **s'en** ~ (*partir*) irse, marcharse; (*disparaître*) irse, desaparecer; ~ **et retour** ida y vuelta; ~ **simple** ida.

allergie [alɛʀʒi] *nf* alergia; **allergique** *a* alérgico(a).

alliage [aljaʒ] *nm* aleación *f*.

alliance [aljɑ̃s] *nf* (*MIL, POL*) alianza, acuerdo; (*JUR: mariage*) matrimonio, alianza; (*bague*) alianza; **neveu par** ~ sobrino político.

allié, e [alje] *nm/f* aliado/a;

parents et ~s parientes *mpl* y allegados.

allier [alje] *vt* (*métaux*) alear; (*pays, personne*) aliar; (*éléments, qualités*) unir, asociar; **s'~** (*pays, personnes*) aliarse, ligarse; (*éléments, caractéristiques*) unirse, asociarse; **s'~ à** unirse a, emparentarse con.

allitération [aliterɑsjɔ̃] *nf* aliteración *f*.

allô [alo] *excl* ¡alo!

allocataire [alɔkatɛr] *nm/f* beneficiario/a.

allocation [alɔkɑsjɔ̃] *nf* asignación *f*; (*subside*) asignación, subsidio; ~ **(de) logement/chômage** prestación *f* o subsidio para alojamiento/por desempleo; **~s familiales** subsidios familiares.

allocution [alɔkysjɔ̃] *nf* alocución *f*.

allonger [alɔ̃ʒe] *vt* alargar, prolongar; (*bras, jambe*) estirar, alargar; **s'~** alargarse, prolongarse; (*personne*) tenderse, echarse; **~ le pas** alargar o apresurar el paso.

allouer [alwe] *vt* asignar, otorgar.

allumage [alymaʒ] *nm* (AUTO) encendido.

allume-cigare [alymsigar] *nm* encendedor *m*.

allume-gaz [alymgɑz] *nm* encendedor *m*.

allumer [alyme] *vt* encender; (*pièce*) alumbrar, iluminar; ~ **(la lumière** o **l'électricité** o **la luz);** **s'~** vi encenderse; iluminarse.

allumette [alymɛt] *nf* fósforo, cerilla.

allumeuse [alymøz] *nf* coqueta, provocadora.

allure [alyr] *nf* (*vitesse*) velocidad *f*, marcha; (*démarche, maintien*) porte *m*, presencia; (*aspect, air*) aspecto, semblante *m*; **avoir de l'~** tener buena presencia; **à toute ~** a toda velocidad.

allusion [alyzjɔ̃] *nf* alusión *f*, insinuación *f*; **faire ~ à** hacer referencia a.

alluvions [alyvjɔ̃] *nfpl* aluviones *mpl*.

almanach [almana] *nm* almanaque *m*.

aloès [alɔɛs] *nm* áloe *m*.

aloi [alwa] *nm*: **de bon/mauvais** de buen/mal gusto.

alors [alɔr] *ad, conj* entonces; **et ~?** ¡y con eso?; ~ **que** *conj* (*au moment où*) cuando; (*pendant que*) cuando, mientras; (*tandis que*) mientras que.

alouette [alwɛt] *nf* alondra.

alourdir [alurdir] *vt* volver pesado(a), gravar; (*fig*: *style*) abarrotar, sobrecargar; (: *démarche*) entorpecer.

aloyau [alwajo] *nm* solomillo.

alpage [alpaʒ] *nm* pradera en la montaña.

Alpes [alp(ə)] *nfpl* Alpes *mpl*.

alpestre [alpɛstr(ə)] *a* alpino(a).

alphabet [alfabɛ] *nm* alfabeto; (*livre*) alfabeto, abecedario; **alphabétique** *a* alfabético(a); **alphabétiser** *vt* alfabetizar.

alpin, e [alpɛ̃, in] *a* alpino(a).

alpinisme [alpinism(ə)] *nm* alpinismo; **alpiniste** *nm/f* alpinista *m/f*.

Alsace [alzas] *nf* Alsacia; **alsacien, ne** *a, nm/f* alsaciano(a).

altercation [altɛrkɑsjɔ̃] *nf* altercado, disputa.

altérer [altere] *vt* (*texte, document*) alterar, modificar; (*matériau*) alterar, afectar; (*sentiment*) alterar, cambiar; (*donner soif à*) provocar sed a; **s'~** *vi* alterarse; modificarse.

alternance [altɛrnɑ̃s] *nf* sucesión *f*, alternación *f*; **en ~** alternativamente.

alternateur [altɛrnatœr] *nm* alternador *m*, generador *m*.

alternatif, ive [altɛrnatif, iv] *a* sucesivo(a), alternativo(a) // *f* (*choix*) alternativa, opción *f*.

alterner [altɛrne] *vt, vi* alternar; **(faire) ~ qch avec qch** alternar algo con algo.

altesse [altɛs] *nf*: **son ~ le...** Su Alteza, el... .

altier, ière [altje, jɛʀ] *a* altivo(a), arrogante(e).

altimètre [altimɛtʀ(ə)] *nm* altímetro.

altiste [altist(ə)] *nm/f* ejecutante *m/f* de viola.

altitude [altityd] *nf* altitud *f*, altura; **en ~** muy alto, en las alturas.

alto [alto] *nm* viola // *nf* contralto *f*.

altruisme [altʀɥism(ə)] *nm* altruismo, filantropía; **altruiste** *a* altruista.

aluminium [alyminjɔm] *nm* aluminio.

alun [alœ̃] *nm* alumbre *m*.

alunir [alyniʀ] *vi* alunizar.

alvéole [alveɔl] *nf* celdilla, alvéolo.

amabilité [amabilite] *nf* amabilidad *f*, cortesía; **il a eu l'~ de...** tuvo la amabilidad de... .

amadou [amadu] *nm* yesca.

amadouer [amadwe] *vt* embelecar, granjearse.

amaigrir [amegʀiʀ] *vt* adelgazar, enflaquecer; **amaigrissant, e** *a*: **régime amaigrissant** régimen *m* para adelgazar.

amalgame [amalgam] *nm* amalgama, mezcla; (*fig*) amalgama, combinación *f*; **amalgamer** *vt* amalgamar; mezclar.

amande [amɑ̃d] *nf* almendra; (*de noyau de fruit*) hueso; **en ~** (*yeux*) almendrado(a).

amandier [amɑ̃dje] *nm* almendro.

amant, e [amɑ̃, ɑ̃t] *nm/f* amante *m/f*.

amarre [amaʀ] *nf* amarra; **~s** *fpl* amarras; **amarrer** *vt* (*NAUT*) amarrar; (*gén*) amarrar, sujetar.

amas [ama] *nm* montón *m*, pila; **amasser** *vt* amontonar, acumular; **s'amasser** *vi* amontonarse.

amateur [amatœʀ] *nm* aficionado/a; (*péj*) aficionado/a, diletante *m/f*; **~ de musique** *etc* aficionado a la música *etc*; **musicien/sportif ~** músico/deportista aficionado; **en ~** (*péj*) como

aficionado *o* diletante; **~isme** *nm* diletantismo.

amazone [amazon] *nf*: **en ~** a asentadillas, a la inglesa.

Amazone [amazon] *nm* Amazonas *m*.

ambages [ɑ̃baʒ]: **sans ~** *ad* sin ambages, sin rodeos.

ambassade [ɑ̃basad] *nf* embajada; **ambassadeur, drice** *nm/f* (*POL*) embajador/ora; (*fig*) embajador/ora, representante *m/f*.

ambiance [ɑ̃bjɑ̃s] *nf* ambiente *m*, atmósfera; **il y a de l'~** hay animación.

ambiant, e [ɑ̃bjɑ̃, ɑ̃t] *a* ambiente.

ambidextre [ɑ̃bidɛkstʀ(ə)] *a* ambidextro(a).

ambigu, ë [ɑ̃bigy] *a* ambiguo(a), equívoco(a); **~ïté** *nf* ambigüedad *f*.

ambitieux, euse [ɑ̃bisjø, øz] *a* ambicioso(a), pretencioso(a); (*personne*) ambicioso(a) // *nm/f* ambicioso/a.

ambition [ɑ̃bisjɔ̃] *nf* ambición *f*; (*but, visée*) ambición, aspiración *f*.

ambitionner [ɑ̃bisjɔne] *vt* ambicionar, ansiar.

ambivalent, e [ɑ̃bivalɑ̃, ɑ̃t] *a* ambivalente.

ambre [ɑ̃bʀ(ə)] *nm*: **~ jaune/gris** ámbar amarillo/gris.

ambulance [ɑ̃bylɑ̃s] *nf* ambulancia; **ambulancier, ière** *nm/f* conductor/ora de una ambulancia.

ambulant, e [ɑ̃bylɑ̃, ɑ̃t] *a* ambulante.

âme [ɑm] *nf* alma, espíritu *m*; (*habitant*) alma; **rendre l'~** entregar el alma, pasar a mejor vida; **~ sœur** alma gemela, espíritu gemelo.

améliorer [ameljɔʀe] *vt* mejorar, perfeccionar; **s'~** *vi* mejorarse.

aménagement [amenaʒmɑ̃] *nm* acondicionamiento; disposición *f*; (*installation*) habilitación *f*; **l'~ du territoire** el fomento de los recursos de un país; **~s fiscaux** desgravaciones impositivas.

aménager [amenaʒe] vt arreglar, acondicionar; (coin-cuisine etc: dans un local) disponer, habilitar.

amende [amãd] nf multa; **mettre à l'~** reprender, amonestar; **faire ~ honorable** retractarse.

amendement [amãdmã] nm (JUR) enmienda.

amender [amãde] vt (JUR) enmendar, rectificar; (AGR) abonar, fertilizar; **s'~** vi (coupable) enmendarse, corregirse.

amène [amɛn] a ameno(a), grato(a).

amener [amne] vt llevar, conducir; (causer) provocar, ocasionar; (baisser) arriar, bajar; **~ qn à qch/faire** incitar a alguien a algo/hacer; **s'~** vi (fam) llegar, venir.

amenuiser [amənɥize]: **s'~** vi disminuir, reducirse.

amer, ère [amɛʀ] a amargo(a), acerbo(a); (fig) amargo(a), doloroso(a); (: personne) amargado(a), amargo(a).

américain, e [ameʀikɛ̃, ɛn] a, nm/f americano(a).

Amérique [ameʀik] nf América; **l'~ centrale/latine** la América Central/Latina; **l'~ du Nord/Sud** la América del Norte/Sur.

amerrir [ameʀiʀ] vi amarar.

amertume [amɛʀtym] nf amargor m, amargura.

améthyste [ametist(ə)] nf amatista.

ameublement [amœbləmã] nm moblaje m; (meubles) mobiliario; **tissu d'~** género de tapicería; **papier d'~** papel pintado.

ameuter [amøte] vt amotinar, alborotar.

ami, e [ami] nm/f amigo/a; (amant, maîtresse) amigo/a, amante m/f // a: **famille ~e** familia amiga; **pays/groupe ~** país/grupo aliado; **être (très) ~ avec qn** ser (muy) amigo de alguien; **être ~ de l'ordre** ser amigo del orden; **un ~ des arts** un amigo de las artes; **petit ~/**

petite ~e (fam) querido/a, amante m/f.

amiable [amjabl(ə)] a amistoso(a); **à l'~** ad amigablemente.

amiante [amjãt] nf amianto.

amibe [amib] nf ameba.

amical, e, aux [amikal, o] a amistoso(a), cordial // nf (club) círculo, asociación f.

amidon [amidɔ̃] nm almidón m; **~ner** vt almidonar.

amincir [amɛ̃siʀ] vt rebajar, afinar; (personne) adelgazar; (suj: robe, style) adelgazar, afinar; **s'~** vi adelgazarse, volverse delgado(a); (personne) adelgazar.

amiral, aux [amiʀal, o] nm almirante m.

amirauté [amiʀote] nf almirantazgo.

amitié [amitje] nf amistad f; **prendre en ~** aficionarse (a), cobrar cariño (a); **faire ou présenter ses ~s à qn** dar o enviar sus recuerdos a alguien.

ammoniac [amɔnjak] nm: (gaz) ~ amoníaco.

ammoniaque [amɔnjak] nf amoníaco.

amnésie [amnezi] nf amnesia; **amnésique** a amnésico(a).

amnistie [amnisti] nf amnistía; **amnistier** vt amnistiar.

amoindrir [amwɛ̃dʀiʀ] vt menguar, reducir.

amollir [amɔliʀ] vt ablandar, debilitar.

amonceler [amɔ̃sle] vt amontonar, acumular.

amont [amɔ̃]: **en ~** ad río arriba; **en ~ de** prép más arriba de.

amorce [amɔʀs(ə)] nf cebo, carnada; (explosif) fulminante m; (fig: début) principio; **amorcer** vt cebar; (munition) colocar el fulminante a, cargar; (fig) iniciar, emprender; (geste) esbozar.

amorphe [amɔʀf(ə)] a amorfo(a), apático(a).

amortir [amɔʀtiʀ] vt amortiguar, atenuar; (COMM) amortizar;

amortisseur nm (AUTO) amortiguador m.

amour [amuʀ] nm amor m; (statuette etc) amorcillo; **faire l'~** hacer el amor; **l'~ libre** el amor libre; **~ platonique** amor platónico; **s'~acher de** vt (péj) enamoriscarse de, encamotarse de; **~ette** nf amorío; **~eux, euse** a (regard, tempérament) amoroso(a), ardiente; (vie, passions) amoroso(a) // nm/f enamorado,a, amante m/f; **être ~eux (de qn)** estar enamorado (de alguien); **être ~eux de qch** estar enamorado de algo, ser amante de algo; **un ~eux des bêtes** un amante de los animales; **~propre** nm amor propio.

amovible [amɔvibl(ə)] a amovible.

ampère [ɑ̃pɛʀ] nm amperio; **~mètre** nm amperímetro.

amphétamine [ɑ̃fetamin] nf anfetamina.

amphibie [ɑ̃fibi] a anfibio(a).

amphithéâtre [ɑ̃fiteatʀ(ə)] nm anfiteatro; (SCOL) aula, anfiteatro.

amphore [ɑ̃fɔʀ] nf ánfora.

ample [ɑ̃pl(ə)] a amplio(a); (ressources) vasto(a), abundante; **jusqu'à plus ~ informé** hasta mayor información; **~ment** ad ampliamente; **ampleur** pl amplitud f; (importance) magnitud f.

amplificateur [ɑ̃plifikatœʀ] nm amplificador m.

amplifier [ɑ̃plifje] vt (son, oscillation) amplificar; (fig) acrecentar, incrementar.

amplitude [ɑ̃plityd] nf amplitud f; (des températures) variación f.

ampoule [ɑ̃pul] nf ampolla; (électrique) bombilla.

ampoulé, e [ɑ̃pule] a ampuloso(a).

amputation [ɑ̃pytɑsjɔ̃] nf amputación f.

amputer [ɑ̃pyte] vt (MÉD) amputar; (fig) reducir; **~ qn (d'un bras/pied)** amputar a alguien (un brazo/pie).

amulette [amylɛt] nf amuleto.

amusant, e [amyzɑ̃, ɑ̃t] a divertido(a).

amusé, e [amyze] a divertido(a).

amuse-gueules [amyzgœl] nmpl tapas.

amusement [amyzmɑ̃] nm diversión f; (jeu, divertissement) diversión, entretenimiento.

amuser [amyze] vt (divertir) divertir, entretener; (égayer, faire rire) divertir; (détourner l'attention) distraer; **s'~** vi divertirse; (péj) entretenerse, holgar; **s'~ de qch** (trouver comique) divertirse con algo; **s'~ avec** ou **de qn** (duper) burlarse de alguien; **amusette** nf pasatiempo, distracción f; **amuseur** nm (péj) bufón m.

amygdale [amidal] nf amígdala.

an [ɑ̃] nm año; **être âgé de** ou **avoir 3 ~s** tener tres años de edad; **en l'~ 1980** en el año 1980; **le jour de l'~, le premier de l'~, le nouvel ~** el día de año nuevo, año nuevo.

anachronique [anakʀɔnik] a (péj) anacrónico(a).

anachronisme [anakʀɔnism(ə)] nm anacronismo.

anagramme [anagram] nf anagrama m.

anal, e, aux [anal, o] a anal.

analgésique [analʒezik] nm analgésico.

analogie [analɔʒi] nf analogía; **analogue** [-lɔg] a análogo(a).

analphabète [analfabɛt] nm/f analfabeto(a).

analyse [analiz] nf análisis m; **en dernière ~** en último análisis, al fin de cuentas; **analyser** vt analizar; **analyste** [analist(ə)] nm/f analista m/f; **analytique** a analítico(a).

ananas [anana] nm piña.

anarchie [anaʀʃi] nf anarquía; **anarchisme** nm anarquismo; **anarchiste** a, nm/f anarquista (m/f).

anathème [anatɛm] nm: **jeter l'~ sur** echar la maldición sobre.

anatomie [anatɔmi] nf anatomía; **anatomique** a anatómico(a).

ancestral, e, aux [ɑ̃sɛstʀal, o] a ancestral.

ancêtre [ɑ̃sɛtR(ə)] nm/f antepasado/a; ~s mpl antepasados; l'~ de (fig) el precursor de, el antecesor de.

anche [ɑ̃ʃ] nf lengüeta.

anchois [ɑ̃ʃwa] nm anchoa.

ancien, ne [ɑ̃sjɛ̃, ɛn] a viejo(a), antiguo(a); (de jadis, de l'antiquité) antiguo(a); (précédent, ex-) ex- // nm/f (dans un groupe, une tribu) anciano/a; **un ~ ministre** un ex-ministro; **mon ~ voiture** mi viejo coche; **être plus ~ que qn** (dans une fonction) tener más antigüedad que alguien; **~s élèves** (SCOL) exestudiantes; **~nement** [-jɛnmã] ad antiguamente; **~neté** [-jɛnte] nf antigüedad f.

ancrage [ɑ̃kRaʒ] nm fijación f, (NAUT: mouillage) fondeadero.

ancre [ɑ̃kR(ə)] nf (NAUT) ancla; **jeter l'~** echar el ancla; **lever l'~** levar anclas; **à l'~** anclado(a); **ancrer** vt (CONSTRUCTION) fijar, sujetar; (fig) afianzar; **s'ancrer** vi (NAUT) anclar.

Andalousie [ɑ̃daluzi] nf Andalucía.

Andes [ɑ̃d] nfpl: **les ~** los Andes.

Andorre [ɑ̃dɔR] nf Andorra.

andouille [ɑ̃duj] nf (CULIN) especie de embutido, (fam) imbécil m/f, idiota m/f.

âne [ɑn] nm asno, burro.

anéantir [aneɑ̃tiR] vt aniquilar; (personne) aniquilar, anonadar.

anecdote [anɛkdɔt] nf anécdota; **anecdotique** a anecdótico(a).

anémie [anemi] nf anemia; **anémié, e** a anémico(a); **anémique** a anémico(a).

anémone [anemɔn] nf anémona; (ZOOL): **~ de mer** anémona de mar.

ânerie [ɑnRi] nf burrada.

ânesse [ɑnɛs] nf asna, burra.

anesthésie [anɛstezi] nf (MÉD) anestesia; **~ générale/locale** anestesia general/local; **anesthésier** [-zje] vt anestesiar; (fig) adormecer, aplacar; **anesthésique** nm anestésico; **anesthésiste** nm/f anestesista m/f.

anfractuosité [ɑ̃fRaktɥozite] nf anfractuosidad f; cavidad f.

ange [ɑ̃ʒ] nm ángel m; **être aux ~s** estar en la gloria; **~ gardien** ángel de la guarda; **angélique** [ɑ̃ʒelik] a angelical, angélico(a).

angélus [ɑ̃ʒelys] nm angelus m.

angine [ɑ̃ʒin] nf angina; **~ de poitrine** angina de pecho.

anglais, e [ɑ̃glɛ, ɛz] a, nm/f inglés(esa) // nm (LING) inglés m; **~ (cheveux)** bucles mpl; **filer à l'~e** tomar tar el de Villadiego.

angle [ɑ̃gl(ə)] nm ángulo, esquina; (GÉOMÉTRIE, de tir, prise de vue) ángulo; (fig: point de vue) punto de vista; **~ droit/obtus/aigu** ángulo recto/obtuso/agudo.

Angleterre [ɑ̃glətɛR] nf: **l'~** la Inglaterra.

anglican, e [ɑ̃glikã, an] a, nm/f anglicano(a).

anglicisme [ɑ̃glisism(ə)] nm anglicismo.

angliciste [ɑ̃glisist(ə)] nm/f anglicista m/f.

anglo... [ɑ̃glɔ] préf anglo; **~-normand, e** a anglonormando(a); **les îles ~-normandes** las islas anglonormandas; **~phile** [-fil] a anglófilo(a); **~phobe** [-fɔb] a anglófobo(a); **~phone** [-fɔn] a angloparlante; **~saxon, ne** [-saksɔ̃, ɔn] a anglosajón(ona).

angoisse [ɑ̃gwas] nf: **l'~** la angustia; **avoir des ~s** estar angustiado(a); **angoisser** vt angustiar.

angora [ɑ̃gɔʀa] a de angora.

anguille [ɑ̃gij] nf anguila; **~ de mer** congrio.

angulaire [ɑ̃gylɛR] a angular.

anguleux, euse [ɑ̃gylø, øz] a anguloso(a).

anicroche [anikRɔʃ] nf inconveniente m, engorro.

animal, e, aux [animal, o] a animal // nm animal m; (fam) animal, bestia; **~ domestique/sauvage** animal doméstico/salvaje; **~ier** a: **peintre**

~ier pintor *m* de animales.

animateur, trice [animatœr, tris] *nm/f* animador/ora.

animation [animɑsjɔ̃] *nf* animación *f*.

animé, e [anime] *a* animado(a).

animer [anime] *vt* animar; **s'~** *vi* animarse.

animosité [animozite] *nf* animosidad *f*.

anis [ani] *nm* anís *m*.

anisette [anizɛt] *nf* anisete *m*.

ankylose [ɑ̃kiloz] *nf* anquilosis *f*, **s'ankyloser** *vi* anquilosarse.

annales [anal] *nfpl* anales *mpl*.

anneau, x [ano] *nm* (*de rideau*) anilla, argolla, (*de chaîne*) eslabón *m*; (*bague*) anillo.

année [ane] *nf* año; ~ fiscale año fiscal; ~-**lumière** año luz; ~ **scolaire** curso escolar.

annelé, e [anle] *a* anillado(a).

annexe [anɛks(ə)] *a* anexo(a) // *nf* (*bâtiment*) anexo; (*document*) adjunto.

annexer [anɛkse] *vt* (*pays, biens*) anexar; (*texte, document*) adjuntar; **s'~** *vi* anexarse; **annexion** *nf* anexión *f*.

annihiler [aniile] *vt* aniquilar.

anniversaire [anivɛrsɛr] *a:* **fête/jour** ~ fiesta/día aniversario // *nm* (*d'une personne*) cumpleaños *m*; (*d'un événement, bâtiment*) aniversario.

annonce [anɔ̃s] *nf* anuncio; (*CARTES*) declaración *f*; **les petites** ~**s** avisos, anuncios.

annoncer [anɔ̃se] *vt* (*nouvelle, décision*) anunciar, informar; (*être le signe de*) anunciar, indicar; (*visiteur*) anunciar; **s'~** **s'~ bien/difficile** presentarse bien/difícil; **annonceur, euse** *nm/f* (*TV, RADIO*) locutor/ora; (*qui fait insérer une annonce publicitaire*) anunciador/ora.

annonciation [anɔ̃sjɑsjɔ̃] *nf:* **l'A~** la Anunciación.

annoter [anɔte] *vt* comentar, anotar.

annuaire [anɥɛr] *nm* anuario; ~ **téléphonique** guía telefónica.

annuel, le [anɥɛl] *a* anual; ~**lement** ad anualmente.

annuité [anɥite] *nf* anualidad *f*.

annulaire [anɥlɛr] *nm* anular *m*.

annulation [anylɑsjɔ̃] *nf* anulación *f*.

annuler [anyle] *vt* anular; **s'~** anularse.

anoblir [anɔblir] *vt* ennoblecer.

anode [anɔd] *nf* ánodo.

anodin, e [anɔdɛ̃, in] *a* anodino(a).

anomalie [anɔmali] *nf* anomalía.

ânonner [anɔne] *vi, vt* farfullar, balbucir.

anonymat [anɔnima] *nm* anonimato.

anonyme [anɔnim] *a* anónimo(a); (*fig*) impersonal; ~**ment** *ad* anónimamente.

anorak [anɔrak] *nm* anorac *m*.

anormal, e, aux [anɔrmal, o] *a* anormal; (*injuste*) ilógico(a) // *nm/f* anormal *m/f*.

anse [ɑ̃s] *nf* (*de panier, tasse*) asa; (*GÉO*) ensenada.

antagonisme [ɑ̃tagɔnism(ə)] *nm* antagonismo; **antagoniste** *a:* **force/parti antagoniste** fuerza/partido antagonista // *nm/f* antagonista *m/f*, adversario/a.

antan [ɑ̃tɑ̃]: **d'~** *a* de antaño.

antarctique [ɑ̃taaktik] *a* antártico(a) // *nm:* **l'A~** la Antártida.

antécédent [ɑ̃tesedɑ̃] *nm* antecedente *m*; ~**s** *mpl* antecedentes *mpl*.

antédiluvien, ne [ɑ̃tedilyvjɛ̃, en] *a* antediluviano(a).

antenne [ɑ̃tɛn] *nf* antena; (*poste avancé, petite succursale ou agence*) emisora; **avoir l'~** estar en conexión; **adapter pour l'~** adaptar para la emisión; **passer à l'~** hablar por radio; **prendre l'~** sintonizar; **deux heures d'~** un espacio de dos horas.

antépénultième [ɑ̃tepenyltjɛm] *a* antepenúltimo(a).

antérieur, e [āterjœr] a anterior; ~ **à** anterior a; ~**ement** ad anteriormente, precedentemente; ~**ement à antes de**; **antériorité** [-jɔrite] nf anterioridad f.

anthologie [ātɔlɔʒi] nf antología.

anthracite [ātrasit] nm antracita.

anthropocentrisme [ātrɔpɔsātrism(ə)] nm antropocentrismo.

anthropologie [ātrɔpɔlɔʒi] nf antropología; **anthropologue** [ātrɔpɔlɔg] nm/f antropólogo/a.

anthropométrie [ātrɔpɔmetri] nf antropometría; **anthropométrique**: **fiche/signalement anthropométrique** ficha/descripción antropométrica.

anthropomorphisme [ātrɔpɔmɔrfism(ə)] nm antropomorfismo.

anthropophage [ātrɔpɔfaʒ] a, nm/f antropófago/a.

anthropophagie [ātrɔpɔfaʒi] nf antropofagia.

anti-... [āti] préf anti...

antiaérien, ne [ātiaerjɛ̃, ɛn] a antiaéreo(a).

antialcoolique [ātialkɔlik] a antialcohólico(a).

antiatomique [ātiatɔmik] a antiatómico(a).

antibiotique [ātibjɔtik] nm antibiótico.

antibrouillard [ātibrujar] a antiniebla.

anticancéreux, euse [ātikāserø, øz] a anticanceroso(a).

antichambre [ātiʃɑ̃br(ə)] nf antecámara; **faire** ~ hacer antecámara o antesala.

antichar [ātiʃar] a antitanque.

anticipation [ātisipasjɔ̃] nf anticipación f; anticipo; **par** ~ por adelantado; **livre/film d'**~ libro/película sobre el futuro.

anticipé, e [ātisipe] a anticipado(a); por adelantado; **avec mes remerciements** ~**s** agradeciendo desde ya.

anticiper [ātisipe] vt (prévoir) anticipar; (paiement) anticipar;

adelantar // vi anticiparse; ~ **sur** vt anticiparse a.

anticlérical, e, aux [ātiklerikal, o] a anticlerical.

anticonceptionnel, le [ātikɔ̃sepsjɔnɛl] a anticonceptivo(a).

anticorps [ātikɔr] nm anticuerpo.

anticyclone [ātisiklɔn] nm anticiclón m.

antidater [ātidate] vt antedatar.

antidérapant, e [ātiderapɑ̃, ɑ̃t] a antideslizante, antiderrapante.

antidote [ātidɔt] nm antídoto.

antienne [ātjɛn] nf (REL) antífona; (fig) estribillo, adagio.

antigel [ātiʒɛl] nf anticongelante m.

Antilles [ātij] nfpl: **les** ~ **las** Antillas.

antilope [ātilɔp] nf antílope m.

antimilitariste [ātimilitarist(ə)] a antimilitarista.

antimite(s) [ātimit] a, nm: (produit) ~ (producto) antipolilla.

antiparasite [ātiparazit] a antiparásito(a).

antipathie [ātipati] nf antipatía; **antipathique** a antipático(a).

antiphrase [ātifraz] nf: **par** ~ por antífrasis.

antipodes [ātipɔd] nmpl antípodas; (fig): **être aux** ~ **de** estar en las antípodas de.

antiquaire [ātiker] nm/f anticuario m.

antique [ātik] a antiguo(a); (très vieux) anticuado(a); **antiquité** [-ite] nf antigüedad f; **l'Antiquité** la Antigüedad; **magasin d'antiquités** tienda de antigüedades.

antirabique [ātirabik] a antirrábico(a).

antiraciste [ātirasist(ə)] a antirracista.

antirides [ātirid] a inv antiarrugas.

antirouille [ātiruj] a inv: **peinture** ~ pintura antioxidante.

antisémite [ātisemit] a antisemita.

antisémitisme [ātisemitism(ə)] nm antisemitismo.

antiseptique [ãtisεptik] *a* antiséptico(a) // *nm* antiséptico.

antitétanique [ãtitetanik] *a* antitetánico(a).

antithèse [ãtitεz] *nf* antítesis f.

antituberculeux, euse [ãtitybεrkylø, øz] *a* antituberculoso(a).

antivol [ãtivɔl] *a, nm*: (dispositif) ~ (dispositivo) antirrobo.

antre [ãtr(ə)] *nm* antro, cueva; (fig) antro.

anus [anys] *nm* ano.

anxiété [ãksjete] *nf* ansiedad f.

anxieux, euse [ãksjø, øz] *a* ansioso(a); (impatient): **être ~ de faire** estar ansioso por hacer.

aorte [aɔrt(ə)] *nf* aorta.

août [u] *nm* agosto.

apaisement [apεzmã] *nm* sosiego, calma; ~s *mpl* seguridades fpl.

apaiser [apeze] *vt* apaciguar, mitigar; (personne) apaciguar, calmar; **s'~** *vi* apaciguarse, aplacarse, apaciguarse.

apanage [apanaʒ] *nm*: **être l'~ de** ser el privilegio o la prerrogativa de.

aparté [aparte] *nm* aparte m; **en ~** *ad* confidencialmente.

apathie [apati] *nf* apatía.

apathique *a* apático(a).

apatride [apatrid] *nm/f* apátrida m/f.

apercevoir [apεrsəvwar] *vt* (voir) distinguir, avistar; (constater, percevoir) percibir; **s'~** (de) darse cuenta de, notar; **s'~ que** notar que, darse cuenta de que.

aperçu [apεrsy] *nm* imagen f, apreciación f; (intuition) percepción f, idea.

apéritif [aperitif] *nm* aperitivo.

à-peu-près [apøprε] *nm inv* aproximación f, imprecisión f.

apeuré, e [apøre] *a* atemorizado(a), asustado(a).

aphone [afɔn] *a* afónico(a).

aphrodisiaque [afrɔdizjak] *a* afrodisíaco(a) // *nm* afrodisíaco.

aphte [aft(ə)] *nm* afta; **aphteuse** *a*: **fièvre aphteuse** fiebre aftosa.

apiculteur [apikyltœr] *nm* apicultor m.

apiculture [apikyltyr] *nf* apicultura.

apitoyer [apitwaje] *vt* apiadar, hacer compadecer; ~ **qn sur** apiadar a alguien por; **s'~ (sur)** apiadarse o compadecerse de.

aplanir [aplanir] *vt* (surface) aplanar, nivelar; (fig) allanar.

aplati, e [aplati] *a* achatado(a).

aplatir [aplatir] *vt* aplanar, aplastar; (vaincre, écraser) aplastar; **s'~** *vi* (s'allonger par terre) echarse; (s'humilier) rebajarse.

aplomb [aplɔ̃] *nm* (équilibre) equilibrio; (fig) aplomo, serenidad f; **d'~** *ad* (en équilibre) derecho.

apocalypse [apɔkalips(ə)] *nf* apocalipsis m.

apogée [apɔʒe] *nm* apogeo.

apolitique [apɔlitik] *a* apolítico(a).

apologie [apɔlɔʒi] *nf* apología, alabanza.

apoplexie [apɔplεksi] *nf* apoplejía.

a posteriori [apɔsterjɔri] *ad* a posteriori.

apostolat [apɔstɔla] *nm* apostolado.

apostolique [apɔstɔlik] *a* apostólico(a).

apostrophe [apɔstrɔf] *nf* (signe) apóstrofo; (interpellation) apóstrofe m, improperio; **apostropher** *vt* apostrofar, increpar.

apothéose [apɔteoz] *nf* apoteosis f.

apôtre [apotr(ə)] *nm* apóstol m.

apparaître [aparεtr(ə)] *vi* aparecer, surgir; (difficultés, symptômes) surgir, manifestarse // *vb avec attribut* parecer; **il apparaît que** parece que.

apparat [apara] *nm*: **tenue d'~** traje m de etiqueta; ~ **critique** aparato crítico.

appareil [aparεj] *nm* aparato; (politique, syndical) aparato, maquinaria; (dentaire) aparato de ortodoncia; ~ **digestif/reproducteur** aparato digestivo/

reproductor; **qui est à l'~?** ¿quién habla?; **dans le plus simple ~** en cueros; **~ de photographie, ~(-photo)** cámara fotográfica.

appareillage [apaʀeʒaʒ] nm (*appareils*) equipo; (NAUT) partida.

appareiller [apaʀeje] vi (NAUT) zarpar // vt (*assortir*) emparejar.

apparemment [apaʀamɑ̃] ad aparentemente.

apparence [apaʀɑ̃s] nf apariencia.

apparent, e [apaʀɑ̃, ɑ̃t] a (*visible*) aparente, palpable; (*ostensible*) manifiesto(a), ostensible; (*illusoire, superficiel*) aparente, ilusorio(a); **coutures ~es** costuras falsas.

apparenté e [apaʀɑ̃te] a: **~ à** emparentado con.

appariteur [apaʀitœʀ] nm bedel m.

apparition [apaʀisjɔ̃] nf aparición f.

appartement [apaʀtəmɑ̃] nm apartamento.

appartenance [apaʀtənɑ̃s] nf pertenencia.

appartenir [apaʀtəniʀ]: **~ à** vt pertenecer a; (*fig*) corresponder a.

apparu, e pp de **apparaître**.

appas [apɑ] nmpl atractivos, seducción f.

appât [apɑ] nm cebo, carnada; (*fig*) incentivo, aliciente m; **~er** vt colocar el cebo a; (*gibier, poisson*) cebar, atraer; (*fig*) atraer, cautivar.

appauvrir [apovʀiʀ] vt empobrecer; (*sol*) empobrecer, esterilizar; (*fig*) empobrecer, debilitar; **s'~** vi empobrecerse.

appel [apel] nm llamamiento; (*incitation*) llamada, llamamiento; (*attirance*) reclamo, llamada; (*nominal*) lista; (JUR) apelación f; **faire ~ à** recurrir o apelar a; **faire l'~** (JUR) interponer apelación; **faire l'~** pasar lista; **sans ~** sin apelación; **~ d'air** aspiración f de aire; **~ d'offres** llamado a licitación; **~ (téléphonique)** llamada (telefónica).

appelé [aple] nm (MIL.) recluta.

appeler [aple] vt llamar; (*en faisant l'appel*) nombrar, llamar; (*fig*) reclamar, exigir; **~ qn à un poste** nombrar a alguien para un destino; **~ qn à comparaître** citar a alguien a comparecer; **en ~ à qn** ou **qch** apelar a alguien o algo; **s'~** llamarse.

appellation [apelasjɔ̃] nf (*d'un produit*) denominación f; **vin d'~ contrôlée** vino de denominación de origen.

appendice [apɛ̃dis] nm apéndice m; **appendicite** [-it] nf apendicitis f.

appentis [apɑ̃ti] nm cobertizo, tinglado.

appesantir [apəzɑ̃tiʀ]: **s'~** vi volverse pesado(a), entorpecerse; **s'~ sur** persistir o insistir en.

appétissant, e [apetisɑ̃, ɑ̃t] a apetitoso(a).

appétit [apeti] nm apetito; **avoir un gros/petit ~** tener mucho/poco apetito; **couper l'~ (de qn)** quitarle las ganas (a uno); **bon ~!** ¡buen provecho!

applaudir [aplodiʀ] vt, vi aplaudir; **~ à** vt aplaudir, aprobar; **applaudissements** nmpl aplausos.

applicable [aplikabl(ə)] a aplicable.

application [aplikasjɔ̃] nf aplicación f.

applique [aplik] nf aplique m, lámpara de pared.

appliqué, e [aplike] a aplicado(a), esmerado(a).

appliquer [aplike] vt (*fig*) aplicar; (*poser*) aplicar, colocar; **s'~** vi (*élève, ouvrier*) aplicarse; **s'~ à faire qch** esmerarse en hacer algo.

appoint [apwɛ̃] nm contribución f, aporte m; **avoir/faire l'~** tener/dar suelto; **chauffage d'~** calefacción suplementaria.

appointements [apwɛ̃tmɑ̃] nmpl honorarios.

appontement [apɔ̃tmɑ̃] nm muelle m.

apport [apɔʀ] nm (*fig*: *soutien*)

aporte *m*, contribución *f*.

apporter [apɔʀte] *vt* traer; *(soutien, preuve)* aportar, procurar; *(produire)* producir, procurar.

apposer [apoze] *vt* colocar, aplicar; **apposition** *nf* colocación *f*, aplicación *f*; *(LING)*: **en apposition** en aposición.

appréciable [apʀesjabl(ə)] *a (important)* apreciable.

appréciation [apʀesjɑsjɔ̃] *nf* apreciación *f*, evaluación *f*; ~s *fpl (avis)* apreciaciones.

apprécier [apʀesje] *vt (gentillesse, personne)* apreciar, estimar; *(distance, importance)* evaluar, estimar.

appréhender [apʀeɑ̃de] *vt* temer; *(JUR)* arrestar, detener; ~ **que**/**de faire** temer que/hacer; **appréhension** *nf* aprensión *f*, temor *m*.

apprendre [apʀɑ̃dʀ(ə)] *vt (nouvelle, résultat)* conocer, enterarse de; *(leçon, texte)* aprender; *(métier, la patience, la vie)* aprender, conocer; ~ **qch à qn** *(informer)* enterar algo a alguien; *(enseigner)* enseñar algo a alguien; ~ **à faire qch** aprender a hacer algo; ~ **à qn à faire qch** enseñar a alguien a hacer algo.

apprenti, e [apʀɑ̃ti] *nm/f* aprendiz/iza; *(fig)* principiante *m/f*, novato/a.

apprentissage [apʀɑ̃tisaʒ] *nm* aprendizaje *m*.

apprêt [apʀɛ] *nm (sur un cuir)* adobo; *(sur un mur)* enduido; *(sur un papier, une étoffe)* apresto.

apprêté, e [apʀɛte] *a (fig)* amanerado(a), rebuscado(a).

apprêter [apʀɛte] *vt* adobar, aprestar.

appris, e *pp de* **apprendre**.

apprivoiser [apʀivwaze] *vt* domesticar, amansar.

approbateur, trice [apʀɔbatœʀ, tʀis] *a* de aprobación *f*.

approbation [apʀɔbasjɔ̃] *nf (autorisation)* autorización *f*, con-

formidad *f*; *(jugement favorable)* aprobación *f*, asentimiento.

approche [apʀɔʃ] *nf* acercamiento *f*; *(fig)* aproximación *f*; enfoque *m*; ~**s** *fpl (abords)* acceso, cercanías; **à l'~ du train**/**de Paris** al acercarse el tren/a París.

approché, e [apʀɔʃe] *a (approximatif)* aproximativo(a), aproximado(a).

approcher [apʀɔʃe] *vi* aproximarse, acercarse // *vt (vedette, artiste)* relacionarse con, acercarse a; *(objet)* acercar, aproximar; ~ **de** *vt* aproximarse *o* acercarse a.

approfondi, e [apʀɔfɔ̃di] *a* profundo(a).

approfondir [apʀɔfɔ̃diʀ] *vt* ahondar, hacer más profundo(a); *(fig)* profundizar, intensificar.

approprié, e [apʀɔpʀije] *a (adéquat)* apropiado(a), adecuado(a); ~ **à** adecuado a, conforme a.

approprier: **s'~** [apʀɔpʀije] *vt* apropiarse.

approuver [apʀuve] *vt* aprobar.

approvisionnement [apʀɔvizjɔnmɑ̃] *nm* aprovisionamiento; *(provisions)* provisión *f*.

approvisionner [apʀɔvizjɔne] *vt* proveer, aprovisionar; *(compte bancaire)* cubrir; **s'~ dans un magasin** proveerse en una tienda.

approximatif, ive [apʀɔksimatif, iv] *a* aproximativo(a).

approximativement [apʀɔksimativmɑ̃] *ad* aproximadamente.

Appt *abrév de* **appartement**.

appui [apɥi] *nm* apoyo; *(de fenêtre)* antepecho; *(d'escalier etc)* soporte *m*; *(fig: aide)* apoyo, sostén *m*; **prendre ~ sur** apoyarse en; **point d'~** punto de apoyo; **à l'~ de** en prueba de; **à l'~** *ad* como prueba; ~-**tête** *nm*, ~-**tête** *nm inv* cabezal *m*.

appuyer [apɥije] *vt (personne, demande)* apoyar, respaldar; ~ **qch sur**/**contre**/**à** apoyar algo sobre *o* en/contra *o* en/en; ~ **sur** *vt* (*bouton, frein*) oprimir, apretar; (*fig: mot, détail*) recalcar, insistir en o sobre; (*suj: chose: peser su*) apoyarse contra; ~ **contre** vt (*mur, porte*) apoyarse contra; ~ **à droite** ou **sur sa droite** (*se diriger*) tomar hacia la derecha o a su derecha; **s'~ sur** vt (*s'accouder à*) apoyarse en; (*fig: se baser sur*) apoyarse o fundarse en; **s'~ sur qn** (*fig*) apoyarse en alguien.

âpre [ɑpʀ(ə)] *a* áspero(a); (*voix*) áspero(a), duro(a); (*hiver, froid*) desapacible, riguroso(a); (*lutte, bataille*) encarnizado(a), arduo(a); ~ **au gain** ávido(a) de lucro.

après [apʀɛ] *nm*: l'~ el después / prép (*temporel*) después de, luego de; (*spatial, dans une série*) después de, tras // à después; ~ **avoir fait/qu'il soit** después de haber hecho/de que él haya partido; **d'~** prép (*selon*) según; ~ **coup** ad a destiempo, posteriormente; ~ **tout** ad (*au fond*) después de todo; et (**puis**) ~! ¡y con eso!, (¡bueno!) ¿y qué?; ~**demain** ad pasado mañana; ~**guerre** nm posguerra; ~**midi** nm inv ou nf inv tarde f; ~**ski** nm calzado "après-ski".

a priori [apʀijɔʀi] ad a priori.

à-propos [apʀopo] nm ocurrencia, ingenio.

apte [apt(ə)] *a* apto(a), capacitado(a); ~ **à** apto(a) para; **aptitude** nf aptitud f; capacidad f.

aquarelle [akwaʀɛl] nf acuarela.

aquarium [akwaʀjɔm] nm acuario.

aquatique [akwatik] *a* acuático(a).

aqueduc [akdyk] nm acueducto.

aqueux, euse [akø, øz] *a* acuoso(a).

arabe [aʀab] *a, nm/f* árabe (m/f) // nm (LING) árabe m.

arabesque [aʀabɛsk(ə)] nf arabesco.

Arabie [aʀabi] nf Arabia; ~ **Saoudite** Arabia Saudita.

arable [aʀabl(ə)] *a* arable.

arachide [aʀaʃid] nf cacahuete m, maní m.

araignée [aʀɛɲe] nf araña; ~ **de mer** araña de mar.

aratoire [aʀatwaʀ] *a*: **instrument** ~ instrumento de labranza.

arbitrage [aʀbitʀaʒ] nm arbitraje m.

arbitraire [aʀbitʀɛʀ] *a* arbitrario(a).

arbitre [aʀbitʀ(ə)] nm árbitro.

arbitrer [aʀbitʀe] vt arbitrar.

arborer [aʀbɔʀe] vt (*drapeau, enseigne*) enarbolar, izar; (*vêtement*) lucir, ostentar; (*fig*) ostentar, mostrar.

arboriculture [aʀbɔʀikyltyʀ] nf arboricultura.

arbre [aʀbʀ(ə)] nm árbol m; ~ **à cames/de transmission** árbol de levas/de transmisión; ~ **généalogique** árbol genealógico; ~ **de Noël** árbol de Navidad.

arbrisseau, x [aʀbʀiso] nm arbolito, arbusto.

arbuste [aʀbyst(ə)] nm arbusto.

arc [aʀk] nm arco; ~ **de cercle** arco de círculo; **A~ de triomphe** Arco de triunfo.

arcade [aʀkad] nf arcada; ~ **sourcilière** arco superciliar.

arcanes [aʀkan] nmpl arcanos, misterios.

arc-boutant [aʀkbutã] nm arbotante m.

arc-bouter [aʀkbute] : **s'~** vi apuntalarse, afianzarse.

arceau, x [aʀso] nm (*de voûte*) arco; (*métallique etc*) aro, arco.

arc-en-ciel [aʀkãsjɛl] nm arco iris m.

archaïque [aʀkaik] *a* arcaico(a), perimido(a).

archaïsme [aʀkaism(ə)] nm arcaísmo.

archange [aʀkãʒ] nm arcángel m.

arche [aʀʃ] nf arca; ~ **de Noé** arca de Noé.

archéologie [aʀkeɔlɔʒi] nf arqueología; **archéologique** *a* arqueológico(a); **archéologue** [-lɔg] nm/f arqueólogo/a.

archer [aʀʃe] nm arquero.

archet [aʀʃɛ] *nm* arco.

archevêché [aʀʃəveʃe] *nm* arzobispado.

archevêque [aʀʃəvɛk] *nm* arzobispo.

archipel [aʀʃipɛl] *nm* archipiélago.

architecte [aʀʃitɛkt(ə)] *nm* arquitecto; (*fig*) artífice *m*.

architecture [aʀʃitɛktyʀ] *nf* (*art*) arquitectura; (*structure, agencement*) arquitectura, estructura.

archives [aʀʃiv] *nfpl* archivo; **archiviste** *nm/f* archivero/a, archivista *m/f*.

arçon [aʀsɔ̃] *nm voir* **cheval**.

arctique [aʀktik] *a* ártico(a) // *nm*: **l'A~** el Ártico; **l'océan A~** el Océano Glacial Ártico.

ardemment [aʀdamã] *ad* ardientemente.

ardent, e [aʀdã, ãt] *a* (*feu, soleil*) ardiente, abrasador(ora); (*fièvre, soif*) ardiente; (*amour, lutte, prière*) ardiente, fervoroso(a); **ardeur** [aʀdœʀ] *nf* (*du soleil, feu*) ardor *m*, calor *m*; (*fig: ferveur*) ardor, vehemencia.

ardoise [aʀdwaz] *nf* pizarra.

Ardt *abrév de* **arrondissement**.

ardu, e [aʀdy] *a* (*travail, problème*) arduo(a), difícil.

are [aʀ] *nm* área.

arène [aʀɛn] *nf* (*antique*) arena; (*fig*): **l'~ politique** la palestra política; **~s** *fpl* (*de corrida*) plaza de toros, ruedo.

arête [aʀɛt] *nf* espina; (*d'une montagne*) cresta; (*GÉOMÉTRIE*) arista; (*d'une poutre, d'un toit*) cumbrera.

argent [aʀʒã] *nm* (*métal*) plata; (*monnaie*) dinero; **~ liquide** dinero líquido; **~ de poche** dinero para gastos menudos; **argenté, e** *a* plateado(a); **~er** *vt* platear; **~erie** *nf* platería.

argentin, e [aʀʒãtɛ̃, in] *a, nm/f* argentino(a).

Argentine [aʀʒãtin] *nf* Argentina.

argile [aʀʒil] *nf* arcilla; **argileux, euse** *a* arcilloso(a).

argot [aʀgo] *nm* jerga, germanía; **~ique** *a* de jerga, jergal.

arguer [aʀgɥe]: **~ de** *vt* argüir, pretextar; **~ que** argüir que.

argument [aʀgymã] *nm* argumento, pretexto; (*d'un ouvrage*) argumento; **~ation** *nf* argumentación *f*, razonamiento; **~er** *vi* argumentar, discutir.

argus [aʀgys] *nm* publicación con las cotizaciones de coches de ocasión.

aride [aʀid] *a* árido(a), yermo(a); (*fig: cœur*) insensible, duro(a); (*texte*) árido(a), aburrido(a); **~ité** *nf* aridez *f*.

aristocrate [aʀistɔkʀat] *nm/f* aristócrata *m/f*; **aristocratie** [-kʀasi] *nf* aristocracia; **aristocratique** *a* aristocrático(a).

arithmétique [aʀitmetik] *a* aritmético(a) // *nf* aritmética.

armateur [aʀmatœʀ] *nm* armador *m*.

armature [aʀmatyʀ] *nf* armazón *f*, base *f*; (*de soutien-gorge*) armazón.

arme [aʀm(ə)] *nf* arma; **~s** *fpl* (*blason*) armas, escudo; (*MIL: profession*): **les ~s** las armas; **~ blanche** arma blanca; **~ à feu** arma de fuego.

armée [aʀme] *nf* ejército; **~ de l'air/de terre** ejército del aire/de tierra; **~ du Salut** ejército de Salvación.

armement [aʀməmã] *nm* armamento; **~s nucléaires** armamentos nucleares; **course aux ~s** carrera armamentística o de armamentos.

armer [aʀme] *vt* armar; (*d'une pointe, d'un blindage*) armar, proveer; (*de pouvoirs etc*) dotar, proveer; (*arme à feu, appareil-photo*) armar, montar; **s'~ de** armarse con; (*fig*) armarse de.

armistice [aʀmistis] *nm* armisticio.

armoire [aʀmwaʀ] *nf* armario.

armoiries [aʀmwaʀi] *nfpl* escudo de armas.

armure [aʀmyʀ] *nf* armadura.

armurier [aʀmyʀje] *nm* armero.

arnica [aʀnika] *nm*: **(teinture d')~** (tintura d') árnica.

aromate [aʀɔmat] *nm* planta aromática.

aromatique [aʀɔmatik] *a* aromático(a).

aromatisé, e [aʀɔmatize] *a* aromatizado(a).

arôme [aʀom] *nm* aroma *m*, perfume *m*.

arpège [aʀpɛʒ] *nm* arpegio.

arpentage [aʀpɑ̃taʒ] *nm* agrimensura.

arpenter [aʀpɑ̃te] *vt* recorrer a grandes pasos.

arpenteur [aʀpɑ̃tœʀ] *nm* agrimensor/ora.

arqué, e [aʀke] *a* arqueado(a), curvado(a).

arrachage [aʀaʃaʒ] *nm* recolección *f*, cosecha.

arraché [aʀaʃe] *nm* arrancada; **à l'~** con gran esfuerzo.

arrache-pied [aʀaʃpje]: **d'~** *ad* a brazo partido.

arracher [aʀaʃe] *vt* (*pomme de terre etc*) cosechar, recoger; (*herbe, clou, dent*) arrancar, extraer; (*page, fil*) arrancar, cortar; (*accidentellement: joue, bras*) desgarrar; (*fig: augmentation, promesse*) sacar, arrancar; **~ qch à qn** arrebatar algo a alguien; **~ qn à** (*solitude, rêverie*) sacar *o* arrancar a alguien de; **s'~ de/à** alejarse *o* separarse de; **s'~** (*personne, article recherché*) disputarse, quitarse.

arraisonner [aʀezɔne] *vt* inspeccionar, registrar.

arrangeant, e [aʀɑ̃ʒɑ̃, ɑ̃t] *a* conciliable, complaciente.

arrangement [aʀɑ̃ʒmɑ̃] *nm* arreglo, disposición *f*; (*compromis*) acuerdo; (*MUS*) adaptación *f*, arreglo.

arranger [aʀɑ̃ʒe] *vt* (*agencer*) arreglar, disponer; (*voyage, rendez-vous*) organizar, concertar; (*réparer*) arreglar, componer; (*problème, difficulté*) solucionar,

arreglar; (*personne*) convenir; (*MUS*) adaptar; **s'~** (*se mettre d'accord*) arreglarse, convenir; **s'~ pour que** arreglárselas para que; **arrangeur** *nm* adaptador *m*, arreglador *m*.

arrestation [aʀɛstasjɔ̃] *nf* arresto, detención *f*.

arrêt [aʀɛ] *nm* detención *f*; interrupción *f*; (*de bus etc*) parada; (*JUR*) fallo, sentencia; **~s** *mpl* (*MIL*) arresto; **être à l'~** estar detenido(a); **rester** *ou* **tomber en ~ devant...** quedarse atónito(a) ante...; **sans ~** sin parar; **~ de travail** paro, huelga.

arrêté [aʀete] *nm* disposición *f*, decreto.

arrêter [aʀete] *vt* (*projet, maladie*) detener, interrumpir; (*voiture, personne*) detener, parar; (*date, choix*) fijar, determinar; (*suspect*) detener, arrestar; **~ de faire qch** dejar de hacer algo; **s'~** vi detenerse, pararse; (*pluie, bruit*) detenerse, interrumpirse.

arrhes [aʀ] *nfpl* arras.

arrière [aʀjɛʀ] *a inv*: **feu/siège/roue ~** luz *f*/asiento/rueda trasero(a); *nm* (*d'une voiture, maison*) parte trasera; (*SPORT*) defensa *m*, zaguero; **~s** *mpl* (*fig*) proteger sus espaldas *o* su retaguardia; **à l'~** detrás, en la parte de atrás; **en ~** *ad* hacia atrás; **en ~ de** *prép* detrás de; **arriéré, e** [aʀjeʀe] *a* (*péj*) retrasado(a) // *nm* atraso; **~-boutique** *nf* trastienda; **~-garde** *nf* retaguardia; **~-goût** *nm* dejo; **~-grand-mère** *nf* bisabuela; **~-grand-père** *nm* bisabuelo; **~-pays** *nm inv* interior *m*, tierra adentro; **~-pensée** *nf* segunda intención; **~-petits-enfants** *nmpl* bisnietos; **~-plan** *nm* segundo plano; **à l'~-plan** en segundo plano; **arriérer** [aʀjeʀe]: **s'arriérer** *vi* atrasarse, retrasarse; **~-saison** *nf* final *m* del otoño; **~-train** *nm* (*d'un animal*) cuarto trasero.

arrimer [aʀime] *vt* estibar, calzar.

arrivage [aʀivaʒ] *nm* arribo.
arrivée [aʀive] *nf* llegada; arribo; *(ligne d'arrivée)* llegada, meta; ~ **d'air/de gaz** entrada de aire/de gas.
arriver [aʀive] *vi (événement, fait)* ocurrir, suceder; *(dans un lieu)* llegar; ~ **à qch/faire qch** *(réussir)* lograr algo/hacer algo; ~ **à qch** *(atteindre: limite)* llegar a, alcanzar; **il arrive que** suele ocurrir que, ocurre que; **il lui arrive de...** suele, suele ocurrirle... .
arriviste [aʀivist(ə)] *nm/f* arribista *m/f*.
arrogance [aʀɔgɑs] *nf* arrogancia, altivez *f*.
arrogant, e [aʀɔgɑ, ɑt] *a* arrogante, altivo(a).
arroger [aʀɔʒe] : **s'~** *vt* arrogarse, atribuirse.
arrondi, e [aʀɔdi] *a* redondeado(a) // *nm* redondeo.
arrondir [aʀɔdiʀ] *vt* redondear; **s'~** *vi (dos, ventre)* redondearse, engordar.
arrondissement [aʀɔdismɑ] *nm (ADMIN)* distrito.
arrosage [aʀozaʒ] *nm* riego.
arroser [aʀoze] *vt regar; (fig: fête, victoire)* aguar, mojar; *(CULIN: rôti)* rociar; *(suj: fleuve, rivière)* bañar; **arroseuse** *nf* camión m de riego; **arrosoir** [-zwaʀ] *nm* regadera.
arsenal, aux [aʀsənal, o] *nm (gén)* arsenal m.
arsenic [aʀsənik] *nm* arsénico.
art [aʀ] *nm (méthode, technique)* arte *f; (expression artistique)* l'~ **el** arte; *(fig)* **avoir l'~ de faire qch** tener la habilidad de hacer algo; **les ~s** las artes; **livre d'~** libro de arte; **~ dramatique** arte dramática; **~s ménagers** artes domésticas; **les ~s et métiers** (las) artes y oficios; **~s plastiques** artes plásticas.
artère [aʀtɛʀ] *nf* arteria.
arthrite [aʀtʀit] *nf* artritis *f*.

arthrose [aʀtʀoz] *nf* artrosis *f*.
artichaut [aʀtiʃo] *nm* alcachofa.
article [aʀtikl(ə)] *nm* artículo; **faire l'~** hacer el cartel, ponderar la mercadería; ~ **défini/indéfini** artículo definido/indefinido; ~ **de fond** artículo de fondo, editorial m.
articulaire [aʀtikylɛʀ] *a* articular.
articulation [aʀtikylasjɔ] *nf (gén)* articulación *f; (TECH)* articulación, junta; *(fig: d'un texte)* ilación *f*.
articuler [aʀtikyle] *vt (mot, phrase)* articular, pronunciar; *(TECH)* articular, juntar; **s'~** *(sur)* articularse (con).
artifice [aʀtifis] *nm* artificio, truco.
artificiel, le [aʀtifisjɛl] *a* artificial; *(péj)* fingido(a), simulado(a); **~lement** *ad* artificialmente.
artificier [aʀtifisje] *nm* pirotécnico.
artificieux, euse [aʀtifisjø, øz] *a* falso(a), engañoso(a).
artillerie [aʀtijʀi] *nf* artillería; **artilleur** [aʀtijœʀ] *nm* artillero.
artisan [aʀtizɑ] *nm* artesano; l'~ **de la victoire** el artífice de la victoria; **~at** [aʀtizana] *nm* artesanado, artesanía.
artiste [aʀtist(ə)] *nm/f* artista *m/f;* **artistique** *a* artístico(a).
aryen, ne [aʀjɛ, jɛn] *a* ario(a).
as *vb voir* **avoir** // *nm* [as] as *m*.
ascendance [asɑdɑs] *nf* ascendencia.
ascendant, e [asɑdɑ, ɑt] *a* ascendente // *nm* ascendiente m; **~s** *mpl (parents)* ascendientes *mpl.*
ascenseur [asɑsœʀ] *nm* ascensor m.
ascension [asɑsjɔ] *nf* ascensión *f; (ALPINISME)* escalada, alpinismo; **l'A~** la Ascensión.
ascète [asɛt] *nm/f* asceta *m/f;* **ascétique** *a* ascético(a).
asepsie [asɛpsi] *nf* asepsia; **aseptique** *a* aséptico(a); **aseptiser** [asɛptize] *vt* esterilizar.
asiatique [azjatik] *a, nm/f* asiático(a).
Asie [azi] *nf* Asia.

asile [azil] nm asilo, refugio; (psychiatrique) manicomio; (de vieillards) asilo.

aspect [aspɛ] nm aspecto, apariencia; (point de vue, LING) aspecto; à l'~ de... a la vista de..., frente a...

asperge [aspɛrʒ(ə)] nf espárrago.

asperger [aspɛrʒe] vt rociar, salpicar.

aspérité [asperite] nf aspereza, rugosidad f.

aspersion [aspɛrsjɔ̃] nf aspersión f.

asphalte [asfalt(ə)] nm asfalto; **asphalter** vt asfaltar.

asphyxie [asfiksi] nf asfixia, ahogo; **asphyxier** vt asfixiar; (fig) asfixiar, paralizar.

aspic [aspik] nm áspid m; (CULIN) aspic m, fiambre con gelatina.

aspirant, e [aspirɑ̃, ɑ̃t] a: **pompe ~e** bomba aspirante // nm (NAUT) guardiamarina m.

aspirateur [aspiratœr] nm aspirador m.

aspiration [aspirɑsjɔ̃] nf aspiración f.

aspirer [aspire] vt (air, liquide) aspirar, absorber; (suj: appareil) aspirar; ~ à vi aspirar a.

aspirine [aspirin] nf aspirina.

assagir [asaʒir] vt atemperar, sosegar; **s'~** vi aplacarse, sosegarse.

assaillant, e [asajɑ̃, ɑ̃t] nm/f agresor/ora, asaltante m/f.

assaillir [asajir] vt atacar, asaltar; (fig) atosigar, acosar.

assainir [asenir] vt sanear.

assaisonnement [asɛzɔnmɑ̃] nm condimento, aliño.

assaisonner [asɛzɔne] vt condimentar, sazonar.

assassin [asasɛ̃] nm asesino m, criminal m/f.

assassinat [asasina] nm asesinato, homicidio.

assassiner [asasine] vt asesinar, matar.

assaut [aso] nm (MIL) asalto, carga; (fig) torneo, rivalidad f; **prendre**

d'~ tomar por asalto; **donner l'~** dar el asalto; **faire ~ de** rivalizar o competir en.

assécher [aseʃe] vt desecar, desaguar.

assemblage [asɑ̃blaʒ] nm ensamblaje m; trabazón f.

assemblée [asɑ̃ble] nf asamblea; (public, assistance) concurrencia, espectadores mpl; **l'A~ Nationale** Cortes fpl.

assembler [asɑ̃ble] vt ensamblar; (mots, idées) reunir, estructurar; **s'~** vi (personnes) reunirse, congregarse.

assener, asséner [asene] vt: **~ un coup à qn** asestar un golpe a alguien.

assentiment [asɑ̃timɑ̃] nm asentimiento.

asseoir [aswar] vt sentar; (fig) asentar, fundar; (: objet, fondations) asentar, afirmar; **s'~** vi (personne) sentarse.

assermenté, e [asɛrmɑ̃te] a (JUR) juramentado(a), jurado(a).

assertion [asɛrsjɔ̃] nf aserción f, afirmación f.

asservir [asɛrvir] vt someter, dominar.

assesseur [asesœr] nm (JUR) asesor m.

asseye etc vb voir **asseoir**.

assez [ase] ad bastante; **est-il fort?** ¿es suficientemente fuerte?; **il est passé ~ vite** ha pasado bastante rápido; **~ de pain** bastante pan; **~ de livres** bastantes libros; **en avoir ~ de qch** estar harto(a) de algo.

assidu, e [asidy] a (zélé) aplicado(a), perseverante; (régulier, ponctuel) asiduo(a), cumplidor(ora); (soins, travail) constante, asiduo(a); **~ auprès de qn** solícito con alguien; **~ité** nf asiduidad f; constancia; **~ités** fpl atenciones fpl, cortesías; **assidûment** ad asiduamente, regularmente.

assieds etc vb voir **asseoir**.

assiéger [asjeʒe] *vt* (*MIL*) sitiar; (*fig*) asediar.

assiérai *etc vb voir* **asseoir.**

assiette [asjɛt] *nf* (*gén*) plato; (*stabilité*) equilibrio, base *f*; ~ **plate/creuse/à dessert** plato llano/hondo/de postre; ~ **anglaise** plato de fiambres surtidos.

assigner [asiɲe] *vt* asignar, otorgar; (*cause, effet*) asignar, imputar; (*limite*) imponer, establecer; (*personne*) asignar, destinar.

assimiler [asimile] *vt* asimilar; (*fig*) asimilar, adquirir; (: *immigrants, nouveaux-venus*) integrar, incorporar; ~ **qch/qn à** comparar algo/alguien con; **ils sont assimilés aux infirmiers** (*ADMIN*) están asimilados a los enfermeros; **s'~** *vi* (*s'intégrer*) asimilarse, integrarse.

assis, e [asi, iz] *pp de* **asseoir** // *a* sentado(a) // *nf* hilada, capa; (*fig*) cimientos, base *f*; ~**es** *fpl* (*JUR*) audiencia; (*congrès*) sesión *f*, congreso.

assistance [asistɑ̃s] *nf* (*public*) asistencia, concurrencia; (*aide*) asistencia, auxilio; **l'A~ publique** la Beneficencia (pública).

assistant, e [asistɑ̃, ɑ̃t] *am/f* (*UNIVERSITÉ*) adjunto/a, ayudante/a; (*de lycée*) ayudante/a; (*d'un professeur, médecin etc*) asistente/a, ayudante/a; ~ **s** *mpl* (*auditeurs etc*) asistentes *mpl*, concurrentes *mpl*; ~**(e) social(e)** asistente/a social.

assisté, e [asiste] *a* (*AUTO*) controlado(a), asistido(a).

assister [asiste] *vt* asistir; ~ **à** *vt* asistir a, presenciar; (*conférence, séminaire*) asistir a, concurrir a.

association [asɔsjasjɔ̃] *nf* asociación *f*; ~ **d'idées/d'images** asociación de ideas/imágenes.

associé, e [asɔsje] *a* socio(a), asociado(a) // *nm/f* socio/a.

associer [asɔsje] *vt* asociar; **s'~** *vi* asociarse a, armonizar con; (*fig: opinions, sentiment*) asociarse a, adherirse a.

assoiffé, e [aswafe] *a* sediento(a).

assolement [asɔlmɑ̃] *nm* rotación *f* de cultivos.

assombrir [asɔ̃bʀiʀ] *vt* oscurecer; (*fig*) entristecer, ensombrecer; **s'~** *vi* oscurecerse, ensombrecerse.

assommer [asɔme] *vt* abatir, tumbar; (*suj: médicament etc*) aturdir, atontar; (*fam*) aburrir, fastidiar.

Assomption [asɔ̃psjɔ̃] *nf*: **l'~** la Asunción *f*.

assorti, e [asɔʀti] *a* (*en harmonie*) combinado(a), armonizado(a); **fromages ~ s** quesos surtidos; ~ **à** que hace juego con.

assortiment [asɔʀtimɑ̃] *nm* (*choix*) variedad *f*, surtido.

assortir [asɔʀtiʀ] *vt* combinar, armonizar; ~ **qch à** armonizar algo con; **s'~ de** combinarse con, estar acompañado(a) de.

assoupir [asupiʀ]: **s'~** *vi* adormecerse, amodorrarse.

assouplir [asupliʀ] *vt* flexibilizar, ablandar; (*fig*) hacer más flexible, ablandar.

assourdir [asuʀdiʀ] *vt* (*bruit*) atenuar, amortiguar; (*suj: bruit*) ensordecer.

assouvir [asuviʀ] *vt* satisfacer, saciar.

assujettir [asyʒetiʀ] *vt* (*peuple, pays*) someter, sojuzgar; ~ **qn à** someter o obligar a alguien a.

assumer [asyme] *vt* asumir.

assurance [asyʀɑ̃s] *nf* (*certitude*) seguridad *f*, certeza; (*fig: confiance*) seguridad, confianza; (*contrat*) seguro; **compagnie d'~ s** compañía de seguros; ~ **contre l'incendie/le vol** seguro contra incendio/robo; ~ **maladie** seguro de enfermedad; ~ **tous risques** seguro contra todo riesgo; ~ **vie** seguro de vida; ~**s sociales** seguros sociales.

assuré, e [asyʀe] *a* seguro(a), asegurado(a); (*démarche, voix*) seguro(a), resuelto(a) // *nm/f* asegurado/a; ~ **de** seguro de; ~ **social** asegurado social.

assurément [asyʀemɑ̃] *ad* seguramente, indudablemente.

assurer [asyʀe] vt (gén) asegurar; (démarche, construction, victoire) asegurar, garantizar; (frontières, pouvoir) resguardar, proteger; ~ qn de asegurar a alguien de, dar a alguien la seguridad de; s'~ (contre) (COMM) asegurarse (contra); s'~ de/que (vérifier) cerciorarse de/de que; s'~ le concours/la collaboration de qn asegurarse la ayuda/colaboración de alguien; assureur nm asegurador m.

astérisque [asteʀisk(ə)] nm asterisco.

asthmatique [asmatik] a asmático(a).

asthme [asm(ə)] nm asma.

asticot [astiko] nm cresa.

astigmate [astigmat] a astigmático(a).

astiquer [astike] vt lustrar, bruñir.

astrakan [astʀakɑ̃] nm astracán m.

astre [astʀ(ə)] nm astro.

astreignant, e [astʀɛɲɑ̃, ɑ̃t] a esclavizante.

astreindre [astʀɛ̃dʀ(ə)] vt: ~ qn à forzar a alguien a; s'~ à constreñirse o forzarse a.

astringent, e [astʀɛ̃ʒɑ̃, ɑ̃t] a astringente.

astrologie [astʀɔlɔʒi] nf astrología; **astrologue** [-lɔg] nm/f astrólogo/a.

astronaute [astʀonot] nm/f astronauta m/f.

astronautique [astʀonotik] nf astronáutica.

astronome [astʀonɔm] nm/f astrónomo/a.

astronomie [astʀonɔmi] nf astronomía.

astronomique [astʀonɔmik] a astronómico(a).

astuce [astys] nf astucia, sagacidad f; (plaisanterie) picardía, broma; **astucieux, euse** a astuto(a), ingenioso(a).

asymétrique [asimetʀik] a asimétrico(a).

atelier [atəlje] nm taller m; (de peintre) taller, estudio.

athée [ate] a, nm/f ateo(a).

Athènes [atɛn] n Atenas.

athlète [atlɛt] nm/f atleta m/f; **athlétique** a atlético(a); (fort, puissant) atlético(a), fornido(a).

athlétisme [atletism(ə)] nm atletismo.

atlantique [atlɑ̃tik] a atlántico(a) // Atl: **l'(océan) A~** el (Océano) Atlántico.

atlas [atlɑs] nm atlas m.

atmosphère [atmɔsfɛʀ] nf atmósfera; (fig) atmósfera, ambiente m; **atmosphérique** a atmosférico(a).

atoll [atɔl] nm atolón m.

atome [atom] nm átomo; **atomique** a atómico(a).

atomiseur [atomizœʀ] nm atomizador m.

atone [aton] a inexpresivo(a), taciturno(a); (LING) átono(a).

atours [atuʀ] nmpl atuendos.

atout [atu] nm triunfo; (fig) triunfo, ventaja; ~ **pique/trèfle** triunfo de pica/trébol.

âtre [ɑtʀ(ə)] nm hogar m.

atroce [atʀɔs] a atroz, horrible; **atrocité** nf atrocidad f; barbaridad f; (calomnie) barbaridad f, disparate m.

atrophie [atʀofi] nf atrofia.

atrophier [atʀɔfje]: **s'~** vi atrofiarse.

attabler [atable]: **s'~** vi sentarse a la mesa.

attachant, e [ataʃɑ̃, ɑ̃t] a atrayente, encantador(ora).

attache [ataʃ] nf (agrafe) grapa; (fig: lien) lazo, atadura; ~s fpl (relations) conexiones fpl; **à l'~** (chien) atado(a), encadenado(a).

attaché, e [ataʃe] a: **être** ~ **à** (aimer) estar apegado o encariñado con // nm (ADMIN) agregado; **attaché-case** [ataʃekɛs] nm maletín m portadocumentos.

attachement [ataʃmɑ̃] nm apego, cariño.

attacher [ataʃe] vt atar, sujetar;

(*bateau*) amarrar; (*étiquette etc*) fijar, pegar; (*colis, prisonnier*) atar, ligar // *vi* (*CULIN*) pegarse; ~ **qch** à (*fixer*) atar algo a; ~ **du prix** à atribuir valor a; **s'~** à (*par affection*) apegarse a, encariñarse con; **s'~** à **faire qch** consagrarse a hacer algo.

attaquant, e [atakɑ̃] *nm* (*MIL*) agresor *m*; (*SPORT*) atacante *m*.

attaque [atak] *nf* (*gén*) ataque *m*; (*SPORT: joueurs*) ofensiva; **être d'~** estar en forma; ~ à **main armée** ataque a mano armada.

attaquer [atake] *vt* (*gén*) atacar; (*JUR*) entablar acción judicial contra; (*suj: rouille, acide*) atacar, deteriorar; (*entreprendre: travail*) emprender, acometer // *vi* (*SPORT*) atacar; **s'~** à enfrentarse a, atacar; (*fig*) atacar, combatir.

attardé, e [ataʀde] a (*gén*) retrasado(a); (*péj*) retrogrado(a).

attarder [ataʀde]: **s'~** *vi* retrasarse, demorarse.

atteindre [atɛ̃dʀ(ə)] *vt* (*endroit*) llegar a, alcanzar; (*cible, fig*) alcanzar, conseguir; (*blesser*) alcanzar, herir; (*: contacter*) contactar, comunicarse con; (*: émouvoir*) turbar, alterar; (*suj: projectile*) alcanzar.

atteint, e [atɛ̃, ɛ̃t] a: **être ~ de** estar aquejado de // *nf* ofensa, lesión *f*; (*d'un mal*) ataque *m*; **hors d'~** fuera de alcance; **porter ~ à** lesionar, atentar contra.

attelage [atlaʒ] *nm* enganche *m*.

atteler [atle] *vt* enganchar; (*bœufs*) uncir; **s'~** à (*travail*) atarse a.

attelle [atɛl] *nf* (*MÉD*) tablilla.

attenant, e a [atnɑ̃, ɑ̃t] a lindante; ~ à lindante con.

attendant [atɑ̃dɑ̃]: **en ~** ad (*dans l'intervalle*) mientras tanto, entretanto; (*quoi qu'il en soit*) de todos modos.

attendre [atɑ̃dʀ(ə)] *vt* esperar; (*suj: sort, succès etc*) esperar, aguardar; ~ **qch de** ou **qch de** esperar algo de alguien o algo // *vi*

esperar; (*suj: travail etc*) esperar, durar; ~ **un enfant** (*grossesse*) esperar un niño; ~ **de voir** esperar a ver; ~ **que** esperar que; **s'~** à *vt* contar con.

attendrir [atɑ̃dʀiʀ] *vt* (*personne*) enternecer; (*viande*) ablandar; **s'~** (**sur**) enternecerse *o* conmoverse con; **attendrissant, e** a enternecedor(ora), conmovedor(ora).

attendu, e [atɑ̃dy] *nm* considerando, que; ~ **que** *conj* visto que, considerando que.

attentat [atɑ̃ta] *nm* atentado; ~ à **la bombe** atentado con bomba; ~ à **aux mœurs** atentado contra las buenas costumbres; ~ à **la pudeur** atentado al pudor.

attente [atɑ̃t] *nf* espera; (*espérance*) esperanza, expectativa.

attenter [atɑ̃te]: ~ à *vt* atentar contra.

attentif, ive [atɑ̃tif, iv] a atento(a); (*soins, travail*) deferente, cuidadoso(a); ~ à atento *o* cuidadoso de.

attention [atɑ̃sjɔ̃] *nf* atención *f*; (*prévenance*) atención, miramiento; à l'~ **de** (*ADMIN*) al, a la atención; à l'~ **de qn** presentar algo a la consideración de alguien; **faire** ~ **à/que/à ce que** tener cuidado con/que/de que; ~! ¡cuidado!; ~né, e a atento(a), solícito(a).

attentisme [atɑ̃tism(ə)] *nm* política de espera.

attentivement [atɑ̃tivmɑ̃] *ad* atentamente.

atténuer [atenɥe] *vt* atenuar, disminuir; **s'~** *vi* atenuarse.

atterrer [ateʀe] *vt* desolar, consolar.

atterrir [ateʀiʀ] *vi* (*avion*) aterrizar; **atterrissage** *nm* aterizaje *m*; **atterrissage sur le ventre** aterrizaje de panza.

attestation [atɛstasjɔ̃] *nf* (*document*) atestado, certificado.

attester [atɛste] *vt* testimoniar, atestiguar; (*suj: chose*) atestiguar, confirmar; ~ **que** atestiguar que, demostrar que.

attirail [atiʀaj] *nm* pertrechos; (*péj*) bártulos, cachivaches *mpl*.

attirance [atiʀɑ̃s] *nf* (*pouvoir de séduction*) atractivo, hechizo; (*attrait, attraction*) atracción *f*, inclinación *f*; **l'~ du vide** la atracción del abismo o vacío.

attirant, e [atiʀɑ̃, ɑ̃t] *a* atractivo(a), cautivante.

attirer [atiʀe] *vt* (*gén*) atraer, cautivar; (*magnétiquement*) atraer; ~ **qn dans un coin/vers soi** atraer a alguien a un rincón/hacia sí; **l'attention de qn (sur qch)** llamar la atención de alguien (sobre algo); ~ **des ennuis à qn** provocar dificultades a alguien; **s'~ des ennuis** buscarse dificultades.

attiser [atize] *vt* atizar; (*fig*) fomentar, atizar.

attitré, e [atitʀe] *a* titular.

attitude [atityd] *nf* (*comportement*) actitud *f*, conducta; (*position du corps*) actitud, postura; (*état d'esprit*) actitud, disposición *f*.

attouchements [atuʃmɑ̃] *nmpl* toques *mpl*, caricias.

attraction [atʀaksjɔ̃] *nf* atracción *f*.

attrait [atʀɛ] *nm* (*fascination*) atractivo, encanto; (: *de l'argent, la gloire*) incentivo, acicate *m*; (*attirance, penchant*) interés *m*, afición *f*; ~ **s** *mpl* (*d'une femme*) atractivos, encantos.

attrape [atʀap] *nf voir* **farce**/ *préf*: ~**-nigaud** *nm* engañabobos *m inv*.

attraper [atʀape] *vt* atrapar, asir; (*voleur, animal*) atrapar, agarrar; (*fig: train, autobus*) pillar, pescar; (:*maladie, habitude, amende*) pescarse, pillarse; (*fam*) regañar, reprender; (:*duper*) embaucar, camelar.

attrayant, e [atʀɛjɑ̃, ɑ̃t] *a* atrayente, interesante.

attribuer [atʀibɥe] *vt* (*prix, tâche*) asignar, otorgar; (*conséquence, fait*)

atribuir, achacar; (*qualité, importance*) atribuir, asignar; **s'~** *vt* atribuirse, apropiarse.

attribut [atʀiby] *nm* atributo, símbolo; (*LING*) atributo.

attribution [atʀibysjɔ̃] *nf* asignación *f*; atribución *f*; ~**s** *fpl* (*pouvoirs*) atribuciones *fpl*; **complément d'~** (*LING*) atributo.

attrister [atʀiste] *vt* entristecer, afligir.

attroupement [atʀupmɑ̃] *nm* (*groupe*) concentración *f*, aglomeración *f*.

attrouper [atʀupe]: **s'~** *vi* aglomerarse, agolparse.

au [o] *prép voir* **à**.

aubade [obad] *nf* alborada, serenata.

aubaine [obɛn] *nf* fortuna, suerte *f*.

aube [ob] *nf* alba, madrugada; (*fig*): **l'~ de** el origen de, el comienzo de; **à l'~** al alba, de madrugada.

aubépine [obepin] *nf* espino.

auberge [obɛʀʒ(ə)] *nf* hostería, posada; ~ **de jeunesse** albergue *m* de la juventud.

aubergine [obɛʀʒin] *nf* berenjena.

aubergiste [obɛʀʒist(ə)] *nm/f* posadero/a.

aucun, e [okœ̃, yn] *dét* ningún *m*, ninguna *f* // *pron* ninguno *m*, ninguna *f*, nadie *m/f*; **sans ~ e hésitation** sin ninguna vacilación, sin vacilación alguna; **plus qu'~ autre/qu'~ de ceux qui...** más que ninguno/que alguno de los que...; ~ **des deux/participants** ninguno de los dos/participantes; **d'~s** algunos.

aucunement [okynmɑ̃] *ad* de ninguna manera.

audace [odas] *nf* audacia, intrepidez *f*; (*péj*) atrevimiento, descaro; **payer d'~** demostrar arrojo.

audacieux, euse [-sjø, jøz] *a* audaz, intrépido(a); (*entreprise, solution*) audaz, arriesgado(a).

au-delà [odla] *ad* más allá // *nm*: **l'~** el más allá; ~ **de** *prép* más allá de.

au-dessous [odsu] *ad* abajo; ~ **de**

prép debajo de; (*limite, somme etc*) por debajo de; (*dignité, condition*) por debajo de, inferior a.

au-dessus [odsy] *ad* arriba; ~ **de** *prép* arriba de, encima de, sobre; (*limite, somme etc*) por encima de.

au-devant [odvɑ̃]: ~ **de** *prép* al encuentro de; **aller** ~ **des désirs de** adelantarse a los deseos de.

audible [odibl(ə)] *a* audible.

audience [odjɑ̃s] *nf* (*attention*) atención *f*, interés *m*; (*auditeurs etc*) auditorio, público; (*entrevue, JUR*) audiencia.

audio-visuel, le [odjovizɥɛl] *a* audiovisual.

auditeur, trice [oditœr, tris] *nm/f* (*à la radio*) radioescucha *m/f*, oyente *m/f*; (*à une conférence*) oyente; ~ **libre** oyente libre.

audition [odisjɔ̃] *nf* (*gén*) audición *f*; (*de témoins*) audiencia; (*MUS, THÉÂTRE*) prueba, audición; ~**ner** *vt* probar // *vi* presentarse a una prueba.

auditoire [oditwar] *nm* auditorio.

auditorium [oditorjom] *nm* auditorium *m*.

auge [oʒ] *nf* comedero, artesa.

augmentation [ogmɑ̃tasjɔ̃] *nf* aumento.

augmenter [ogmɑ̃te] *vt* (*gén*) aumentar; (*salaire, prix*) aumentar, incrementar // *vi* aumentar, crecer.

augure [ogyr] *nm* agorero, adivino; **de bon** ~ de buen agüero.

augurer [ogyre] *vt*: ~ **qch de qch** conjeturar o presumir algo por algo; ~ **bien de qch** tener un buen presentimiento de algo.

auguste [ogyst(ə)] *a* augusto(a).

aujourd'hui [oʒurdɥi] *ad* hoy; (*de nos jours*) hoy en día, ahora.

aumône [omon] *nf* limosna; **faire l'**~ **(à qn)** dar limosna (a alguien); **faire l'**~ **de qch à qn** conceder la gracia de algo a alguien.

aumônerie [omonri] *nf* capellanía.

aumônier [omonje] *nm* capellán *m*.

auparavant [oparavɑ̃] *ad* antes.

auprès [oprɛ]: ~ **de** *prép* al lado de, cerca de; (*ADMIN*) ante; (*en comparaison de*) al lado de, comparado(a) con.

auquel [okɛl] *prép* + *pron* voir **lequel**.

aurai *etc vb* voir **avoir**.

auréole [oreol] *nf* aureola.

auriculaire [orikyler] *nm* meñique *m*.

aurons *etc vb* voir **avoir**.

aurore [oror] *nf* aurora; ~ **boréale** aurora boreal.

ausculter [oskylte] *vt* auscultar.

auspices [ospis] *nmpl*: **sous les** ~ **de** bajo los auspicios de; **sous de bons** ~ con buenos auspicios.

aussi [osi] *ad* también; (*de comparaison*) tan, tanto // *conj* por lo tanto, por eso; ~ **fort que**... tan fuerte que...; **il va y aller**–**moi** ~ él irá–yo también; ~ **bien que** (*ainsi que*) lo mismo que, tanto como.

aussitôt [osito] *ad* inmediatamente, en seguida; ~ **que** tan pronto como; ~ **pris/fait** tan bien tomado/hecho.

austère [oster] *a* austero(a); **austérité** *nf* austeridad *f*.

austral, e [ostral] *a* austral.

Australie [ostrali] *nf* Australia; **australien, ne** *a, nm/f* australiano(a).

autant [otɑ̃] *ad* tanto; ~ **(que)** tanto (como), tan (como); ~ **de** tantos(as); tan (como); **ça ne rien dire** más vale no decir nada; **pourquoi en prendre** ~? ¿por qué tomar otro tanto?; **il y a** ~ **de garçons que de filles hay tantos varones como niñas; y en a-t-il** ~ **(qu'avant)?** ¿hay tanto (como antes)?; **fort** ~ **que courageux** tan fuerte como valeroso; **ce sont** ~ **d'erreurs** son otros tantos errores; **il n'est pas découragé**—**ce n'est pas réussi pour** ~ no se ha acobardado/no se ha logrado sin embargo; **pour** ~ **que** *conj* por lo que, en la medida en que; **d'** ~ **plus/moins/mieux (que)** tanto más/menos/mejor (cuanto que).

autarcie [otarsi] *nf* autarquía.

autel [ɔtɛl] nm aitar m.

auteur [otœR] nm autor/ora.

authentifier [otãtifje] vt autentificar.

authentique [otãtik] a auténtico(a), genuino(a); (*récit, histoire*) auténtico(a), cierto(a); (*peur, expérience*) auténtico(a), verdadero(a).

auto [ɔto] nf auto, coche m // préf: ~... auto... .

autobiographie [ɔtobjɔgRafi] nf autobiografía.

autobus [ɔtobys] nm autobús m.

autocar [ɔtɔkaR] nm autocar m.

autochtone [ɔtɔktɔn] nm/f autóctono/a, aborigen m.

auto-collant, e [ɔtɔkɔlã, ãt] a autoadhesivo(a) // nm autoadhesivo.

autocratique [ɔtɔkRatik] a autocrático(a).

autocritique [ɔtɔkRitik] nf autocrítica.

autocuiseur [ɔtɔkɥizœR] nm olla a presión.

autodidacte [ɔtɔdidakt(ə)] nm/f autodidacto/a.

auto-école [ɔtɔekɔl] nf autoescuela.

autofinancement [ɔtɔfinãsmã] nm autofinanciamiento.

autogestion [ɔtɔʒɛstjɔ̃] nf autogestión f.

autographe [ɔtɔgRaf] nm autógrafo.

automate [ɔtɔmat] nm autómata m.

automatique [ɔtɔmatik] a automático(a); (*machinal*) automático(a), mecánico(a); (*d'office*) automático(a), regular; ~ment ad automáticamente.

automatiser [ɔtɔmatize] vt automatizar.

automatisme [ɔtɔmatism(ə)] nm automatismo.

automne [ɔtɔn] nm otoño.

automobile [ɔtɔmɔbil] nf, a automóvil (m); **automobiliste** nm/f automovilista m/f.

autonome [ɔtɔnɔm] a autónomo(a).

autonomie [ɔtɔnɔmi] nf autonomía.

autopsie [ɔtɔpsi] nf autopsia.

autorisation [ɔtɔRizasjɔ̃] nf autorización f; permiso.

autorisé, e [ɔtɔRize] a autorizado(a), acreditado(a).

autoriser [ɔtɔRize] vt autorizar, permitir; ~ qn à faire permitir a alguien hacer.

autoritaire [ɔtɔRitɛR] a autoritario(a), despótico(a).

autorité [ɔtɔRite] nf (*JUR, gén: du président, chef etc*) poder m, autoridad f; (*ascendant, influence*) ascendiente m, autoridad; (*prestige, réputation*) autoridad, fama; **les ~s** (*MIL, POL etc*) las autoridades; **faire ~** ser (una) autoridad.

autoroute [ɔtɔRut] nf autopista.

auto-stop [ɔtɔstɔp] nm: **l'~** el autostop; **faire de l'~** hacer autostop; **prendre qn en ~** recoger a alguien que hace autostop; **~peur, euse** nm/f autostopista m/f.

autour [otuR] ad alrededor; en torno; **~ de** prép (*en cercle*) alrededor de, en torno a; (*près de*) alrededor de, cerca de; (*à peu près*) alrededor de, casi; **tout ~** ad por todas partes, en derredor.

autre [otR(ə)] a otro(a) // pron otro(a); **un ~, d'~s** otro, otros(as); **l'~, les ~s** el otro, los otros (la(s) otra(s)); **l'un et l'~** uno y otro, ambos; (*se détester etc*): **l'un l'~/les uns les ~s** uno a otro/unos a otros, mutuamente; **d'une minute à l'~** de un minuto al otro; **~ chose** otra cosa; **d'~ part** (*en outre*) por otra parte; **entre ~s** entre otros(as); **nous/vous ~s** nosotros/vosotros; **les ~s** (*autrui*) los otros, los demás.

autrefois [otRəfwa] ad antes, antaño.

autrement [otRəmã] ad de otra manera o otro modo; **~ dit** dicho de otra manera.

Autriche [otriʃ] nf Austria;
autrichien, ne a, nm/f austríaco(a).

autruche [otryʃ] nf avestruz m.

autrui [otrɥi] pron otro(a), el
prójimo, los demás.

auvent [ovɑ̃] nm alero, tejadillo.

aux [o] prép + dét voir **à**.

auxiliaire [oksiljɛr] a, nm/f, nm
auxiliar (m,f); **se faire l'~** de convertirse en el ayudante de.

auxquels, auxquelles [okɛl]
prép + pron voir **lequel**.

av. abrév de **avenue**.

aval [aval] nm: **en ~** río abajo; **en
~ de** más abajo de.

avalanche [avalɑ̃ʃ] nf avalancha,
alud m; (fig) avalancha, lluvia; **~
poudreuse** alud de polvo de nieve.

avaler [avale] vt tragar, devorar;
(fig) devorar, tragarse.

avance [avɑ̃s] nf avance m,
adelanto; (d'argent) adelanto,
anticipo; (opposé à retard) adelanto;
~s fpl solicitud f, acercamiento;
(amoureuses) petición f, proposi-
ciones fpl; **une ~ de 300 m/4h** una
ventaja de 300 m/4h; **(être) en ~**
(estar) adelantado(a); **payer/
réserver d'~** pagar/reservar por
anticipado; **à l'~** de antemano.

avancé, e [avɑ̃se] a avanzado(a),
adelantado(a); (technique, civilisation) avanzado(a) // nf (de maison,
falaise) saliente m.

avancement [avɑ̃smɑ̃] nm
progreso, adelanto.

avancer [avɑ̃se] vi (objet, personne) avanzar; (projet, travail)
avanzar, adelantar; (être en saillie,
surplomb) avanzar, sobresalir;
(montre, réveil) adelantar // vt (objet, pion) acercar, adelantar;
(troupes) hacer avanzar; (date, rencontre) adelantar; (proposer)
sugerir, presentar; (argent)
adelantar, facilitar; **s'~** vi (personne) adelantarse, acercarse; (:
fig: se hasarder) aventurarse, comprometerse.

avanies [avani] nfpl agravios,
ofensas.

avant [avɑ̃] prép antes de // ad:
trop/pas~ (trop lejano/más
lejos // nm (d'un véhicule, bâtiment)
delantera, frente m; (SPORT: joueur)
delantero; **~ qu'il parte/de faire**
antes de que parta/de hacer; **~
tout** (surtout) ante todo; **à l'~** (dans
un véhicule) en la delantera; **en ~**
ad adelante, por delante; **en ~ de**
prép ante, delante de.

avantage [avɑ̃taʒ] nm (supériorité)
ventaja, supremacía; (intérêt,
bénéfice) ventaja, beneficio;
(TENNIS): **~ service/dehors** ventaja
de servicio/de fondo; **à l'~ de qn** en
beneficio de alguien; **~s sociaux**
beneficios sociales.

avantager [avɑ̃taʒe] vt favorecer,
beneficiar; (embellir) favorecer.

avantageux, euse [avɑ̃taʒø, øz] a
ventajoso(a), conveniente.

avant-bras [avɑ̃bra] nm inv
antebrazo.

avant-centre [avɑ̃sɑ̃tr(ə)] nm
delantero centro.

avant-coureur [avɑ̃kurœr] a pre-
sagiador(ora), precursor(ora).

avant-dernier, ère [avɑ̃dɛrnje,
jɛr] nm/f penúltimo(a).

avant-garde [avɑ̃gard(ə)] nf vanguardia; **d'~** de vanguardia.

avant-goût [avɑ̃gu] nm sensación
previa, prefiguración f.

avant-hier [avɑ̃tjɛr] ad anteayer.

avant-poste [avɑ̃post(ə)] nm (MIL)
puesto avanzado.

avant-première [avɑ̃prəmjɛr] nf
función anticipada para la crítica; **en
~** antes de presentarlo(a) al
público.

avant-projet [avɑ̃prɔʒɛ] nm ante-
proyecto.

avant-propos [avɑ̃propo] nm
prólogo.

avant-veille [avɑ̃vɛj] nf: **l'~** la
antevíspera.

avare [avar] a avaro(a); (fig): **~ de
compliments** mezquino(a) en
cumplidos // nm/f avaro(a); **avarice**
nf avaricia.

avarié, e [avaʀje] *a* pasado(a), descompuesto(a).

avaries [avaʀi] *nfpl* (NAUT) averías.

avatar [avataʀ] *nm* (*malheur*) avatar *m*, vicisitud *f*; (*métamorphose*) transformación *f*, avatar.

avec [avɛk] *prép* (*gén*) con; (*contre: lutter etc*) con, contra; (*en plus de*) además; ~ **habileté** con habilidad; ~ **eux/ces maladies** (*en ce qui concerne*) con ellos/estas enfermedades; ~ **ça/ces qualités** (*en dépit de*) a pesar de esas cualidades; ~ **cela que...** como si...

avenant, e [avnɑ̃, ɑ̃t] *a* afable, cordial; **à l'~** *ad*: **le reste à l'~** el resto otro tanto, el resto por el estilo.

avènement [avɛnmɑ̃] *nm* advenimiento, llegada.

avenir [avniʀ] *nm*: **l'~** el porvenir, el futuro; **l'~ de l'automobile** el porvenir del automóvil; **à l'~** en el futuro, en adelante; **carrière d'~** carrera de porvenir.

Avent [avɑ̃] *nm*: **l'~** el Adviento.

aventure [avɑ̃tyʀ] *nf* aventura; **roman/film d'~** novela/película de aventuras; **aventurer: s'aventurer** *vi* aventurarse, arriesgarse; **aventureux, euse** *a* aventurado(a), arriesgado(a).

aventurier, ère [avɑ̃tyʀje, jɛʀ] *nm/f* aventurero/a.

avenu, e [avny] *a*: **nul et non ~** nulo y sin efecto.

avenue [avny] *nf* avenida.

avérer: s'~ *vb avec attribut* revelarse.

averse [avɛʀs(ə)] *nf* chaparrón *m*, aguacero; (*fig*) lluvia, diluvio.

aversion [avɛʀsjɔ̃] *nf* aversión *f*, repugnancia.

averti, e [avɛʀti] *a* a conocedor(ora), entendido(a).

avertir [avɛʀtiʀ] *vt* advertir, prevenir; ~ **qn de qch/que** prevenir a alguien de algo/que; ~ **qn de faire qch** advertir a alguien (de) que debe hacer algo; **avertissement** *nm* advertencia; (*blâme*) notificación *f*;

(*d'un livre*) advertencia, introducción *f*; **avertisseur** *nm* (AUTO) bocina.

aveu, x [avø] *nm* confesión *f*; declaración *f*.

aveugle [avœgl(ə)] *a* ciego(a); **~ment** *nm* ofuscamiento, ceguera; **aveuglément** [avœglemɑ̃] *ad* ciegamente.

aveugler [avœgle] *vt* (*suj: lumière, soleil*) deslumbrar; (*amour, colère*) enceguecer, ofuscar.

aveuglette [avœglɛt]: **à l'~** *ad* a tientas; (*fig*) a tientas, al tuntún.

avez *vb voir* **avoir**.

aviateur, trice [avjatœʀ, tʀis] *nm/f* aviador/ora.

aviation [avjasjɔ̃] *nf* aviación *f*.

avide [avid] *a* ávido(a), ansioso(a); **avidité** *nf* avidez *f*.

avilir [aviliʀ] *vt* desvalorizar, envilecer.

aviné, e [avine] *a* avinado(a), aguardentoso(a).

avion [avjɔ̃] *nm* avión *m*; ~ **supersonique/à réaction** avión supersónico/de reacción.

aviron [aviʀɔ̃] *nm* remo.

avis [avi] *nm* opinión *f*, criterio; (*notification*) aviso, advertencia; **être d'~ que** ser de la opinión que; **changer d'~** cambiar de opinión; **sauf ~ contraire** salvo aviso en contrario; **jusqu'à nouvel ~** hasta nuevo aviso; ~ **mortuaires** necrológicas.

avisé, e [avize] *a* perspicaz, sensato(a); **être bien/mal ~ de faire** ser muy/poco sensato hacer.

aviser [avize] *vt* (*voir*) divisar, advertir // *vi* (*réfléchir*) prever, reflexionar; ~ **qn de qch/que** avisar a alguien de algo/que; **s'~ de qch/que** darse cuenta de algo/(de) que; **s'~ de faire qch** ocurrírsele hacer algo.

avocat, e [avɔka, at] *nm/f* abogado/a; (*fig*) abogado/a, defensor/ora // *nm* (BOT) aguacate *m*; ~ **général** fiscal *m*; **~-stagiaire** *nm* pasante *m* de abogado.

avoine [avwan] *nf* avena.

avoir [avwaʀ] *nm* tener // *vt* (*gén*, *posséder*) tener, poseer; (*fam*) pegársela, embaucar // *vb auxiliaire* haber; ~ **à** faire **qch** tener que o deber hacer algo; **il a 3 ans** tiene 3 años; ~ **voir faim, peur** *etc*; ~ **3 m de haut** tener 3 m de alto; ~ **du courage** tener coraje; ~ **les cheveux blancs** tener los cabellos blancos; **il y a**: **il y a du sable/un homme/des hommes** hay arena/un hombre/hombres; (*temporel*): **il y a 10 ans** hace 10 años; **il y a 10 ans/longtemps que je le sais** hace 10 años/mucho tiempo que lo sé; **il ne peut y en ~ qu'un** no puede haber más que uno; **il n'y a qu'à faire...** sólo hay que hacer...; **qu'est-ce qu'il y a?** ¿qué tiene?, ¿qué ocurre?; **en ~ à** ou **contre qn** estar enojado(a) con alguien.

avoisinant, e [avwazinɑ̃, ɑ̃t] *a* próximo(a), cercano(a).

avoisiner [avwazine] *vt* (*lieu*) estar cerca de, (*limite, nombre*) acercarse o aproximarse a; (*l'indifférence, l'insolence*) lindar con, rayar en.

avons *vb voir* **avoir**.

avortement [avɔʀtəmɑ̃] *nm* (*MÉD*) aborto.

avorter [avɔʀte] *vi* (*MÉD*) abortar; (*fig*) abortar, malograr; **faire** ~ hacer abortar.

avorton [avɔʀtɔ̃] *nm* feto, aborto.

avoué, e [avwe] *a* reconocido(a), admitido(a) // *nm* (*JUR*) procurador *m* judicial.

avouer [avwe] *vt* confesar, declarar; ~ **avoir fait/être/que** confesar haber hecho/ser/que; **s'** ~ **vaincu** declararse vencido.

avril [avʀil] *nm* abril *m*.

axe [aks(ə)] *nm* (*gén*) eje *m*; (*fig*) línea, orientación *f*; ~ **de symétrie** eje de simetría.

axer [akse] *vt* (*fig*): ~ **qch sur** centrar algo sobre.

ayant droit [ɛjɑ̃dʀwa] *nm* derechohabiente *m*.

ayons *etc vb voir* **avoir**.

azalée [azale] *nf* azalea.

azimut [azimyt] *nm* acimut *m*; **tous** ~**s a** (*fig*) en todas las direcciones.

azote [azɔt] *nm* nitrógeno; **azoté, e a** nitrogenado(a).

azur [azyʀ] *nm* (*couleur*) azul *m*.

azyme [azim] *a*: **pain** ~ pan ácimo.

B

baba [baba] *a*: **en être** ~ estar pasmado(a) o atontado(a) // *nm*: ~ **au rhum** bizcocho borracho.

babil [babi] *nm* parloteo.

babiller [babije] *vi* parlotear.

babines [babin] *nfpl* morros.

babiole [babjɔl] *nf* (*bibelot*) chuchería; (*vétille*) bagatela.

bâbord [babɔʀ] *nm* **à** ou **par** ~ **à** babor.

babouin [babwɛ̃] *nm* babuino, mandril *m*.

bac [bak] *nm* (*SCOL*) *abrév de* **baccalauréat**; (*bateau*) balsa; (*récipient*) cubeta; ~ **à glace** cubeta para hielo.

baccalauréat [bakalɔʀea] *nm* bachillerato.

bâche [baʃ] *nf* toldo; **bâcher** *vt* entoldar.

bachot [baʃo] *nm* *abrév de* **baccalauréat**.

bacille [basil] *nm* bacilo.

bâcler [bakle] *vt* atrancar.

bactérie [bakteʀi] *nf* bacteria; **bactériologie** *nf* bacteriología.

badaud [bado] *nm* (*badge, od*) *nm/f* paseante *m/f*, mirón/ona.

baderne [badɛʀn(ə)] *nf* (*péj*): (*vieille*) ~ vejestorio.

badigeon [badiʒɔ̃] *nm* lechada; ~**ner** *vt* blanquear, encalar; (*péj*) pintarrajear; (*MÉD*) untar.

badin, e [badɛ̃, in] *a* jocoso(a), bromista.

badine [badin] *nf* bastoncillo.

badiner [badine] *vi* bromear, chancear; **ne pas ~ avec** *ou* **sur qch** no bromear con algo.

baffe [baf] *nf* (*fam*) bofetada, sopapo.

bafoué, e [bafwe] *a* engañado(a); ultrajado(a).

bafouer [bafwe] *vt* escarnecer, mofarse de.

bafouiller [bafuje] *vt, vi* farfullar, tartajear.

bâfrer [bɑfʀe] (*fam*) *vt* engullir, devorar // glotonear.

bagage [bagaʒ] *nm* (*gén*: **~s**) equipaje *m*; (*fig*): **~ littéraire** bagaje literario; **~s à main** equipaje de mano.

bagarre [bagaʀ] *nf* pelea, camorra; **bagarrer: se bagarrer** *vi* pelearse.

bagatelle [bagatɛl] *nf* bagatela; baratija.

bagnard [baɲaʀ] *nm* presidiario, penado.

bagne [baɲ] *nm* penal *m*, presidio.

bagnole [baɲɔl] *nf* (*fam*) automóvil *m*; (*péj*) chacharro.

bagout, bagou [bagu] *nm* labia.

bague [bag] *nf* anillo, sortija; (*d'identification*) anilla; (*TECH*): **~ de serrage** casquillo; **~ de fiançailles** anillo de boda.

baguenauder [bagnode]: **se ~** *vi* callejear.

baguer [bage] *vt* (*oiseau*) anillar.

baguette [bagɛt] *nf* varilla; (*chinoise*) palillo; (*de chef d'orchestre*) batuta; (*pain*) barra; **mener qn à la ~** llevar a alguien a la baqueta; **~ magique** varita mágica; **~ de tambour** palillo.

bahut [bay] *nm* (*coffre*) baúl *m*, arca.

baie [bɛ] *nf* (*GÉO*) bahía; (*fruit*) baya; **~ (vitrée)** ventanal *m*.

baignade [bɛɲad] *nf* baño.

baigner [beɲe] *vt* (*bébé*) bañar; **se ~** *vi* bañarse; bañador, **euse** *nm/f* bañero/a, bañista *m/f*.

baignoire [beɲwaʀ] *nf* bañera; (*THÉÂTRE*) palco de platea.

bail, baux [baj, bo] *nm* contrato de arriendo.

bâillement [bɑjmɑ̃] *nm* bostezo.

bâiller [bɑje] *vi* bostezar; (*être ouvert*) entornar.

bailleur [bajœʀ] *nm*: **~ de fonds** socio comanditario; garante *m/f*, caballo blanco.

bâillon [bajʒ] *nm* mordaza; **~ner** *vt* amordazar; (*fig*) amordazar; cohibir.

bain [bɛ̃] *nm* baño; **prendre un ~** tomar un baño; **prendre un ~ de soleil** tomar un baño de sol; **costume** *ou* **maillot de ~** traje *m* de baño; **~ de foule** baño de maria; **~ de mousse** baño de espuma; **~ de pieds** baño de pies; **~s(-douches) municipaux** baños públicos; **~s de mer** baños de mar.

baïonnette [bajɔnɛt] *nf* bayoneta.

baisemain [bɛzmɛ̃] *nm* besamanos *m inv*.

baiser [beze] *nm* beso // *vt* besar; (*fam!*) tirarse a (!).

baisse [bɛs] *nf* baja; disminución *f*, descenso; decaimiento; (*COMM*): **~ sur la viande** abaratamiento de la carne.

baisser [bese] *vt* bajar; (*tête, yeux*) inclinar, bajar; (*voix, radio, chauffage*) bajar, disminuir; (*prix*) rebajar // *vi* (*niveau, température*) bajar; (*facultés, santé, vue*) disminuir, decaer; (*jour, lumière*) declinar; (*cours, prix*) bajar, disminuir; **se ~** *vi* inclinarse, agacharse.

bajoues [baʒu] *nfpl* carrillos, (*péj*) mofletes *mpl*.

bal [bal] *nm* baile *m*; **~ masqué** baile de máscaras; **~ musette** baile popular.

balade [balad] *nf* (*à pied*) paseo, vuelta; caminata; (*en voiture*) recorrido, **balader** [balade] *vt* pasear; **se ~** *vi* pasearse.

baladeuse [baladøz] *nf* bombilla portátil.

baladin [baladɛ̃] *nm* bufón *m*, payaso.

balafre [balafʀ(ə)] *nf* tajo, cuchillada (*en la cara*); (*cicatrice*) cicatriz *f*, costurón *m* (*en la cara*); **balafrer** *vt* tajar (*la cara*).

balai [balɛ] *nm* escoba; **~-brosse** *nm* cepillo.

balance [balɑ̃s] *nf* (*à plateaux*) balanza; (*de précision*) balanza de precisión; (*ASTRO*): **la B~** Libra: **être de la B~** ser de Libra; **~ des comptes** (*ÉCON*) balance *m* de cuentas; **~ des forces** (*POL*) equilibrio político o de fuerzas; **~ des paiements** (*ÉCON*) balanza o balance de pagos; **~ romaine** (*balanza*) romana.

balancer [balɑ̃se] *vt* balancear; (*lancer*) arrojar; (*renvoyer, jeter*) despedir // *vi* (*lustre etc*) oscilar; **se ~** *vi* balancearse, mecerse; (*sur une balançoire*) hamacarse, columpiarse; **se ~** de mofarse de, no hacer caso de; **je m'en balance** me importa un pito.

balancier [balɑ̃sje] *nm* (*de pendule*) péndola *m*; (*de montre, d'équilibriste*) balancín *m*.

balançoire [balɑ̃swaʀ] *nf* hamaca, columpio; (*sur pivot*) balancín *m*.

balayer [baleje] *vt* barrer; **balayeur, euse** *nm/f* barrendero/a // *nf* barredera; **balayures** [-jyʀ] *nfpl* barreduras.

balbutier [balbysje] *vi* balbucear // *vt* balbucear, musitar.

balcon [balkɔ̃] *nm* balcón *m*; (*THÉÂTRE*) principal *m*.

baldaquin [baldakɛ̃] *nm* baldaquín *m*, dosel *m*.

Bâle [bɑl] *n* Basilea.

Baléares [baleaʀ] *nfpl*: **les ~ las** Baleares.

baleine [balɛn] *nf* ballena; (*de parapluie*) varilla; **baleinière** *nf* ballenero.

balise [baliz] *nf* baliza; (*NAUT*) baliza, boya; **baliser** *vt* balizar, abalizar.

balistique [balistik] *nf* balística.

balivernes [balivɛʀn(ə)] *nfpl* pamplinas.

Balkans [balkɑ̃] *nmpl*: **les ~ los** Balcanes.

ballade [balad] *nf* balada.

ballant, e [balɑ̃, ɑ̃t] *a*: **les bras ~s** los brazos colgando.

ballast [balast] *nm* balasto.

balle [bal] *nf* (*de fusil*) bala; (*de tennis, golf, ping-pong*) pelota; (*du blé*) cascarilla; (*paquet*) fardo, paca; **~ perdue** bala perdida.

ballerine [balʀin] *nf* bailarina.

ballet [balɛ] *nm* ballet *m*.

ballon [balɔ̃] *nm* (*SPORT*) balón *m*, pelota; (*jouet*) globo; (*AVIAT*) globo, aeróstato; (*de vin*) balón; **~ de football** balón de fútbol.

ballonné, e [balɔne] *a* hinchado(a).

ballon-sonde [balɔ̃sɔ̃d] *nm* globo sonda.

ballot [balo] *nm* hato, bulto; (*péj*) bodoque *m*, alcornoque *m*.

ballottage [balɔtaʒ] *nm* (*POL*) escrutinio repetido para lograr la mayoría.

ballotter [balɔte] *vi* traquetear, bambolearse // *vt* bambolear, pelotear; **être ballotté entre...** dudar entre... .

bal(l)uchon [balyʃɔ̃] *nm* hatillo.

balnéaire [balneɛʀ] *a* balneario.

balourd, e [baluʀ, uʀd(ə)] *a* chambón(ona), torpe.

balte [balt] *a, nm/f* báltico(a).

balustrade [balystʀad] *nf* balaustrada.

bambin [bɑ̃bɛ̃] *nm* niño, chiquillo.

bambou [bɑ̃bu] *nm* bambú *m*.

ban [bɑ̃] *nm* aplauso; **~s** *mpl* (*mariage*) amonestaciones *fpl* matrimoniales; **mettre au ~ de...** poner al margen de...; **le ~ et l'arrière-~** de la famille todos los miembros de la familia.

banal, e [banal] *a* trivial; (*péj*) baladí; **moulin ~** (*pl* **aux**) molino comunal; **~ité** *nf* trivialidad *f*.

banane [banan] *nf* plátano; **~raie**

[-RE] nf platanar m; **bananier** nm plátano; (cargo) barco transportador de plátanos.

banc [bã] nm banco; **le ~ des témoins/accusés** el banquillo de los testigos/acusados; **~ d'essai** banco de prueba; **~ de poissons** banco de peces; **~ de sable** banco de arena.

bancaire [bãkɛʀ] a bancario(a).

bancal, e [bãkal] a cojo(a).

bandage [bãdaʒ] nm vendaje m; **~ herniaire** braguero.

bande [bãd] nf (de tissu etc) faja; (pour panser) venda; (motif, dessin) banda, franja; (groupe) banda; **faire ~ à part** hacer rancho aparte; **par la ~** por la banda; **donner de la ~** (NAUT) dar a la banda, escorar; **~ dessinée** tira, historieta; **~ magnétique** cinta magnetofónica; **~ perforée** banda perforada; **~ sonore** banda sonora.

bandeau, x [bãdo] nm (autour du front) cinta; (sur les yeux) venda.

bander [bãde] vt vendar; (muscle) tensar; **~ les yeux à qn** vendar los ojos a alguien.

banderille [bãdʀij] nf banderilla.

banderole [bãdʀɔl] nf banderola.

bandit [bãdi] nm bandido, bandolero; (fig: escroc) estafador; **~isme** nm bandidaje m, bandolerismo.

bandoulière [bãduljɛʀ] nf: **en ~** en bandolera, terciado/a.

banjo [bãdʒo] nm banjo.

banlieue [bãljø] nf suburbio, barrio (exterior); **la ~** las afueras; **quartier de ~** barrio suburbano; **lignes de ~** líneas suburbanas; **trains de ~** trenes suburbanos; **banlieusard,e** [-zaʀ, aʀd(ə)] nm/f suburbano/a.

bannière [banjɛʀ] nf estandarte m, bandera.

bannir [baniʀ] vt expulsar, desterrar.

banque [bãk] nf banca; **~ du sang** banco de sangre.

banqueroute [bãkʀut] nf bancarrota, quiebra.

banquet [bãkɛ] nm (de club, de noces) banquete m; (fastueux) festín m.

banquette [bãkɛt] nf banqueta, taburete m; (d'auto) asiento.

banquier [bãkje] nm banquero.

banquise [bãkiz] nf banco de hielo, témpano.

baptême [batɛm] nm bautismo; **~ de l'air** bautismo del aire.

baptiser [batize] vt bautizar.

baptismal, e, aux [batismal, o] a; **eau ~e** agua bautismal.

baquet [bakɛ] nm cubeta.

bar [baʀ] nm bar m; (comptoir) barra, mostrador m.

baragouin [baʀagwɛ̃] nm jerigonza.

baragouiner [baʀagwine] vt, vi chapurrear.

baraque [baʀak] nf barraca; (fam) casucha; **~ foraine** barraca de feria.

baraqué, e [baʀake] a (fam) formado(a), plantado(a).

baraquements [baʀakmã] nmpl campamento de barracas.

baratiner [baʀatine] vt (am) camelar.

Barbade [baʀbad] nf: **la ~ la** Barbada, las Barbadas.

barbare [baʀbaʀ] a, nm/f bárbaro(a); **barbarie** nf barbarie f.

barbarisme [baʀbaʀism(ə)] nm barbarismo.

barbe [baʀb(ə)] nf barba; **quelle ~!** (fam) ¡qué lata!; **~ à papa** algodón m de azúcar.

barbelé [baʀbəle] nm dentado.

barber [baʀbe] vt (fam) dar la lata a, aburrir.

barbiche [baʀbiʃ] nf perilla.

barbiturique [baʀbityʀik] nm barbitúrico.

barboter [baʀbɔte] vi chapotear // vt (am) afanar, birlar.

barboteuse [baʀbɔtøz] nf pelele m.

barbouiller [baʀbuje] vt embadurnar; **avoir l'estomac barbouillé** tener el estómago revuelto.

barbu, e [baʀby] a barbudo(a).
Barcelone [baʀsɔlɔn] n Barcelona.
barda [baʀda] nm (fam) bártulos.
barde [baʀd(ə)] nf (CULIN) lonja o tajada de tocino // nm bardo.
bardé, e [baʀde] a: ~ **de médailles** etc abarrotado de medallas.
bardeaux [baʀdo] nmpl ripias.
barder [baʀde] vi: **ça va** ~ (fam) arderá Troya.
barème [baʀɛm] nm baremo, tabla; ~ **des salaires** tabla de salarios.
barguigner [baʀgiɲe] vi: **sans** ~ sin titubear o vacilar.
baril [baʀil] nm barril m.
barillet [baʀijɛ] nm (de revolver) tambor m.
bariolé, e [baʀjɔle] a abigarrado(a).
barman [baʀman] nm barman m.
baromètre [baʀɔmɛtʀ(ə)] nm barómetro.
baron, ne [baʀɔ̃, ɔn] nm/f barón(onesa).
baroque [baʀɔk] a barroco(a); (fig) barroco(a), extravagante.
baroud [baʀud] nm: ~ **d'honneur** último combate.
barque [baʀk(ə)] nf barca.
barrage [baʀaʒ] nm barrera; ~ **de police** cordón m policial.
barre [baʀ] nf barra; (NAUT) caña del timón; (JUR): **la** ~ la barra; **comparaître à la** ~ comparecer ante el juez; **être à** o **tenir la** ~ (NAUT) estar en o llevar el timón; ~ **fixe** (SPORT) barra fija; ~ **à mine** barrena; ~**s parallèles** (SPORT) barras paralelas.
barreau, x [baʀo] nm barrote m; (JUR): **le** ~ el foro.
barrer [baʀe] vt obstruir, interceptar; (mot) tachar; (chèque) cruzar; (NAUT) timonear; **se** ~ vi (fam) pirarse.
barrette [baʀɛt] nf (pince à cheveux) pasador m, broche m.
barreur [baʀœʀ] nm timonel m.
barricade [baʀikad] nf barricada;
barricader vt barrear, cerrar con

barricadas; **se barricader chez soi** encerrarse en su casa.
barrière [baʀjɛʀ] nf barrera; (obstacle) barrera, traba; ~**s douanières** barreras aduaneras.
barrique [baʀik] nf barrica, tonel m.
baryton [baʀitɔ̃] nm barítono.
bas, basse [bɑ, bɑs] a bajo(a); (vue) corto(a); à ~ (chaussée) media; (partie inférieure): **le** ~ **de...** (montagne, page) el pie de...; (jambes, corps) la parte inferior de... // nf (MUS) bajo; (instrument) contrabajo // ad bajo; **plus** ~ más bajo; (dans un texte) más abajo; **la tête basse** la cabeza baja, cabizbajo(a); **au** ~ **mot** por lo menos, por lo bajo; **enfant en** ~ **âge** niño de corta edad; **en** ~ de en lo bajo de, en la parte baja de; **de** ~ **en haut** de abajo hacia arriba; **mettre** ~ vi parir (animales) // vt (chargement) depositar; **à** ~ **la dictature!** ¡Abajo la dictadura!; ~ **morceaux** nmpl carne de bajo precio y calidad.
basalte [bazalt(ə)] nm basalto.
basané, e [bazane] a curtido(a), bronceado(a).
bas-côté [bɑkote] nm (de route) borde m, andén m; (d'église) nave f lateral.
bascule [baskyl] nf: (jeu de) ~ balancín m, subibaja; (balance à) ~ báscula; **fauteuil à** ~ mecedora; **système à** ~ sistema m a báscula.
basculer [baskyle] vi, vt (gén: **faire** ~) volcar.
base [bɑz] nf base f; à la ~ (fig) en el origen de; à ~ **de café** etc a base de café etc; **principe/produit de** ~ principio/producto básico.
baser [bɑze] vt: ~ **qch sur** basar algo en; **se** ~ **sur** basarse en.
bas-fond [bɑfɔ̃] nm (NAUT) bajío; (fig): ~**s** bajos fondos, hampa m.
basilic [bazilik] nm albahaca.
basilique [bazilik] nf basílica.
basket(-ball) [baskɛt(bol)] nm baloncesto.

basque [bask(ə)] *a*, *nm/f* vasco(a) // *nm* (LING) vasco, vascuence *m*.
basques [bask(ə)] *nfpl* faldones *mpl*; **pendu aux ~ de qn** cosido a las faldas de alguien.
bas-relief [barəljɛf] *nm* bajorrelieve *m*.
basse [bas] *a*, *nf* voir **bas**.
basse-cour [baskur] *nf* corral *m*, gallinero.
bassin [basɛ̃] *nm* (cuvette) cubeta, palangana; (pièce d'eau) estanque *m*; (de fontaine) pila; (GÉO) cuenca; (ANAT) pelvis *f*, (portuaire) dársena; **~ houiller** cuenca hullera.
bassiste [basist(ə)] *nm* abrév de **contre-bassiste**.
bastingage [bastɛ̃gaʒ] *nm* borda.
bastion [bastjɔ̃] *nm* bastión *m*; (fig) bastión, baluarte *m*.
bas-ventre [bavɑ̃tr(ə)] *nm* bajo vientre.
bat *etc vb voir* **battre**.
Bat. *nm abrév de* **bâtiment**.
bât [ba] *nm* albarda, angarilla.
bataille [bataj] *nf* batalla; **~ rangée** batalla campal.
bataillon [batajɔ̃] *nm* (MIL) batallón *m*.
bâtard, e [batar, ard(ə)] *a* (solution) espurio(a) // *nm/f* bastardo/a.
bateau, x [bato] *nm* barco.
batelier, ière [batəlje, jɛr] *nm/f* barquero/a, batelero/a.
bat-flanc [baflɑ̃] *nm inv* cama de tablas; (d'écurie) tabla de separación en los establos.
bâti, e [bati] *a*: **bien ~** (personne) formido // *nm* armazón *f*.
batifoler [batifɔle] *vi* retozar, loquear.
bâtiment [batimɑ̃] *nm* edificio, construcción *f*; (NAUT) navío; (industrie) **le ~** la construcción.
bâtir [batir] *vt* construir, edificar; (fig) edificar, forjar.
bâtisse [batis] *nf* obra, construcción *f*.
bâton [batɔ̃] *nm* palo, vara; (d'agent de police) porra; **mettre des ~s**

dans les roues à qn chafar la guitarra a alguien; **à ~s rompus** sin orden ni concierto; **~ de rouge (à lèvres)** barra de labios.
batracien [batrasjɛ̃] *nm* batracio.
battage [bataʒ] *nm* (publicité) publicidad *f* de bombo.
battant [batɑ̃] *nm* (de cloche) badajo; (de volet, porte) hoja, batiente *m*; **porte à double ~** puerta de doble batiente.
batteuse [batøz] *nf* trilladora.
battement [batmɑ̃] *nm* (de cœur) latido, palpitación *f*; (intervalle) intervalo; **~ de paupières** parpadeo.
batterie [batri] *nf* batería; **~ de cuisine** batería de cocina.
batteur [batœr] *nm* (MUS) baterista *m/f*; (appareil) batidor *m*, batidora.
battre [batr(ə)] *vt* golpear; (suj: pluie, vagues) azotar, golpear; (vaincre) derrotar, vencer; (œufs etc, aussi fer) batir; (blé) trillar; (tapis) sacudir; (explorer, parcourir) registrar minuciosamente // *vi* (cœur) latir, palpitar; (volets etc) golpear; **se ~** *vi* batirse, combatir; (fig) esforzarse, empeñarse; **~ des mains** aplaudir, batir palmas; **~ des ailes** aletear; **~ la mesure** llevar el compás; **~ qn aux points** ganar a alguien por puntos; **~ en brèche** batir en brecha; **~ son plein** estar en su apogeo; **~ pavillon britannique** enarbolar bandera británica; **la semelle** golpear el suelo con los pies (para calentarlos); **~ en retraite** batirse en retirada.
battue [baty] *nf* batida.
baume [bom] *nm* bálsamo.
bauxite [boksit] *nf* bauxita.
bavard, e [bavar, ard(ə)] *a* parlanchín(ina); **~age** *nm* charla; **~er** *vi* charlar; (indiscrètement) charlatanear.
bave [bav] *nf* baba; **baver** *vi* babear; (fam): **en ~** pasar las de Caín; **bavette** *nf* babero; **baveux, euse** *a* baboso(a); **omelette baveuse** tortilla babosa.

bavure [bavyʀ] *nf* rebaba; (*fig*) borrón *m*.

bayer [baje] *vi*: ~ **aux corneilles** estar en babia.

bazar [bazaʀ] *nm* bazar *m*; (*fam*) leonera.

bazarder [bazaʀde] *vt* (*fam*) liquidar, malbaratar.

BCG *sigle m voir* **vaccin**.

bd. *abrév de* **boulevard**.

béant, e [beɑ̃, ɑ̃t] *a* muy abierto(a).

béat, e [bea, at] *a* beato(a); ~**itude** [-tityd] *nf* beatitud *f*.

beau (bel), belle, beaux [bo, bɛl, bo] *a* hermoso(a); (*visuellement*) bello(a); (*homme*) guapo, (*femme*) hermosa; (*voyage, histoire*) encantador(ora), agradable; (*moralement*) magnífico(a), admirable; **un** ~ **geste** (*fig*) un bello gesto, un gesto noble; **un** ~ **salaire** un buen salario; **un** ~ **rhume** un buen resfriado // (*SPORT*): **la belle** el desempate; **en faire de belles** hacerlas buenas // *nm*: **avoir le sens du** ~ tener sentido estético; **le temps est au** ~ el tiempo se pondrá bueno // *ad*: **il fait** ~ hace buen tiempo; **un** ~ **jour** un buen día, cierto día; **de plus belle** a más y mejor; **bel et bien** absolutamente, sin duda; **le plus** ~ **c'est que...** lo mejor es que...; **c'est du** ~ **!** ¡qué bonito!; **on a** ~ **essayer...** por más que se intente...; **il a** ~ **jeu de...** le ha de ser bastante fácil...; **faire le** ~ (*chien*) ponerse en dos patas; **porter** ~ conservar apuesto; ~ **parleur** charlatán *m*.

beaucoup [boku] *ad* mucho; **pas** ~ no demasiado(a), no mucho(a); **de** ~ mucho(a)s, muchos(as); ~ **de** mucho(a), muchos(as); ~ **plus/trop** *etc* mucho más/demasiado; **de** ~ con mucho.

beau-fils [bofis] *nm* yerno; (*d'un remariage*) hijastro.

beau-frère [bofʀɛʀ] *nm* cuñado.

beau-père [bopɛʀ] *nm* suegro; (*d'un remariage*) padrastro.

beauté [bote] *nf* belleza; **de toute** ~

de maravilla; **en** ~ elegantemente.

beaux-arts [bozaʀ] *nmpl* bellas artes.

beaux-parents [bopaʀɑ̃] *nmpl* suegros.

bébé [bebe] *nm* nene/a, bebé *m*.

bec [bɛk] *nm* (*d'oiseau*) pico; (*de plume*) punta; ~ **de gaz** pico de gas; ~ **verseur** pico vertedor.

bécane [bekan] *nf* (*fam*) bicicleta, bici *f*.

bécasse [bekas] *nf* (*ZOOL*) becada; (*fam*) tonta.

bec-de-lièvre [bɛkdəljɛvʀ(ə)] *nm* labio leporino.

bêche [bɛʃ] *nf* laya; **bêcher** *vt* layar.

bécoter [bekɔte] *vt* besuquear.

becquée [beke] *nf*: **donner la** ~ à dar de comer a.

becqueter [bɛkte] *vt* picotear.

bedaine [bədɛn] *nf* barriga.

bedeau, x [bədo] *nm* sacristán *m*.

bedonnant, e [bədɔnɑ̃, ɑ̃t] *a* barrigón(ona).

bée [be] *a*: **bouche** ~ con la boca abierta, boquiabierto(a).

beffroi [befʀwa] *nm* campanario, atalaya.

bégayer [begeje] *vi* tartamudear, tartajear // *vt* farfullar.

bègue [bɛg] *a, nm/f* tartamudo(a).

bégueule [begœl] *a*: **pas** ~ nada mojigato(a).

béguin [begɛ̃] *nm* capricho.

beige [bɛʒ] *a, nm* beige (*m*).

beignet [beɲɛ] *nm* buñuelo.

bel [bɛl] *am voir* **beau**.

bêler [bele] *vi* balar.

belette [bəlɛt] *nf* comadreja.

belge [bɛlʒ(ə)] *a, nm/f* belga (*m/f*).

Belgique [bɛlʒik] *nf* Bélgica.

bélier [belje] *nm* (*ZOOL*) carnero; (*ASTRO*): **le B**~ Aries; (*engin*) ariete *m*; **être du B**~ ser de Aries.

belle [bɛl] *a, nf voir* **beau**.

belle-fille [bɛlfij] *nf* nuera; (*d'un remariage*) hijastra.

belle-mère [bɛlmɛʀ] *nf* suegra; (*d'un remariage*) madrastra.

belle-sœur [bɛlsœʀ] *nf* cuñada.

belligérant, e [beliʒerã, ãt] *a* beligerante.

belliqueux, euse [belikø, øz] *a* belicoso(a).

belote [bɔlɔt] *nf un juego de naipes.*

belvédère [belvedɛʀ] *nm* mirador *m.*

bémol [bemɔl] *nm* bemol *m.*

bénédictin [benediktɛ̃] *nm* benedictino; **travail de ~** trabajo paciente y minucioso.

bénédiction [benediksjɔ̃] *nf* bendición *f.*

bénéfice [benefis] *nm* (COMM) beneficio; (*avantage*) beneficio, provecho; **au ~ de** para bien de, para el provecho de.

bénéficiaire [benefisjɛʀ] *nm/f* beneficiario/a.

bénéficier [benefisje] *vi:* **~ de** gozar de, disfrutar de; (*tirer profit de*) beneficiarse de, aprovecharse de; (*obtenir*) disfrutar de.

bénéfique [benefik] *a* benéfico(a), beneficioso(a).

Bénélux [benelyks] *nm:* **le ~** el Benelux.

benêt [bənɛ] *am* ingenuo, pánfilo.

bénévole [benevɔl] *a* benévolo(a); voluntario(a); **~ment** *ad* benévolamente.

bénin, igne [benɛ̃, iɲ] *a* benigno(a), benévolo(a); (*tumeur, mal*) benigno(a).

bénir [beniʀ] *vt* bendecir; **bénit, e** *a* bendito(a); **eau bénite** agua bendita.

bénitier [benitje] *nm* pila de agua bendita.

benjamin, e [bɛ̃ʒamɛ̃, in] *nm/f* benjamín/ina.

benne [bɛn] *nf* volquete *m;* **~ basculante** volquete.

benzine [bɛ̃zin] *nf* bencina.

béotien, ne [beɔsjɛ̃, jɛn] *nm/f* tosco/a, bruto/a.

BEPC *sigle m voir* **brevet.**

béquille [bekij] *nf* muleta; (*de bicyclette*) puntal *m.*

bercail [bɛʀkaj] *nm* redil *m.*

berceau, x [bɛʀso] *nm* cuna.

bercer [bɛʀse] *vt* acunar, mecer;

(*suj: musique etc*) mecer, arrullar; **~ qn de** ilusionar a alguien con;

berceur, euse [bɛʀsœʀ, øz] *a* arrullador(ora) // *nf* canción *f* de cuna; (*siège*) mecedora.

béret [beʀɛ] *nm* (*basque*) boina.

berge [bɛʀʒ(ə)] *nf* ribera.

berger, ère [bɛʀʒe, ɛʀ] *nm/f* pastor/a // *nf* poltrona.

bergerie [bɛʀʒəʀi] *nf* redil *m,* aprisco.

béribéri [beʀibeʀi] *nm* beriberi *m.*

Berlin [bɛʀlɛ̃] *n* Berlín.

berline [bɛʀlin] *nf* berlina.

berlingot [bɛʀlɛ̃go] *nm* (*emballage*) envase de cartón.

berlue [bɛʀly] *nf:* **avoir la ~** tener telarañas en los ojos.

berne [bɛʀn(ə)]: **en ~** *a,* **ad a** media asta.

Berne [bɛʀn(ə)] *n* Berna.

berner [bɛʀne] *vt* mantear.

besogne [bəzɔɲ] *nf* tarea, faena.

besogneux, euse [bəzɔɲø, øz] *a* menesteroso(a).

besoin [bəzwɛ̃] *nm* necesidad *f;* **le ~ d'argent** la sed de dinero; **faire ses ~s** hacer sus necesidades; **avoir ~ de qch/de faire qch** tener necesidad de algo/de hacer algo; **au ~ si es menester; pour les ~s de la cause** por exigencias de la causa.

bestiaux [bestjo] *nmpl* ganado, reses *fpl.*

bestiole [bestjɔl] *nf* bicho.

bétail [betaj] *nm* ganado; **~ humain** recua humana (*esclavos*).

bête [bɛt] *af* animal *m;* (*insecte, bestiole*) bicho // *a* bestia; **chercher la petite ~** buscarle pelos al huevo; **les ~s** (*bétail*) el ganado; **~ noire** pesadilla; **~ de somme** bestia de carga; **~s sauvages** animales salvajes, fieras.

bêtise [betiz] *nf* estupidez *f,* necedad *f,* tontería.

béton [betɔ̃] *nm* hormigón *m;* **~ armé** hormigón armado; (*fig*) construir con hormigón; **~nière** *nf* hormigonera.

betterave [bɛtʀav] *nf* remolacha.

~ fourragère/sucrière remolacha forrajera/azucarera.

beugler [bøgle] *vi* mugir; bramar; (*péj*) berrear, bramar.

beurre [bœʀ] *nm* mantequilla.

beurrer *vt* untar con mantequilla; **beurrier** *nm* mantequera.

beuverie [bœvʀi] *nf* francachela, borrachera.

bévue [bevy] *nf* error *m*, coladura.

bi... [bi] *préf* bi...

biais [bjɛ] *nm* (*d'un tissu*) sesgo; (*fig*) oblicuo; **en ~, de ~** al sesgo; (*fig*) indirectamente; **~er** [bjeze] *vi* (*fig*) desviarse, dar rodeos.

bibelot [biblo] *nm* chuchería.

biberon [bibʀɔ̃] *nm* biberón *m*; **nourrir au ~** alimentar con biberón.

bible [bibl(ə)] *nf* biblia.

bibliobus [biblijɔbys] *nm* biblioteca ambulante.

bibliographie [biblijɔgʀafi] *nf* bibliografía.

bibliophile [biblijɔfil] *nm/f* bibliófilo/a.

bibliothécaire [biblijɔtekɛʀ] *nm/f* bibliotecario/a.

bibliothèque [biblijɔtɛk] *nf* biblioteca.

biblique [biblik] *a* bíblico(a).

bicarbonate [bikaʀbɔnat] *nm*: **~ (de soude)** bicarbonato (sódico).

biceps [bisɛps] *nm* bíceps *m inv*.

biche [biʃ] *nf* cierva.

bichonner [biʃɔne] *vt* acicalar.

bicolore [bikɔlɔʀ] *a* bicolor.

bicoque [bikɔk] *nf* (*péj*) casucha.

bicorne [bikɔʀn(ə)] *nm* bicornio.

bicyclette [bisiklɛt] *nf* bicicleta.

bidasse [bidas] *nm* recluta.

bide [bid] *nm* (*fam*) panza; (*THÉÂTRE*) fracaso.

bidet [bidɛ] *nm* bidé *m*.

bidon [bidɔ̃] *nm* bidón *m*; (*fam*): **c'est du ~** es un camelo // *a inv* (*fam*) simulado(a).

bielle [bjɛl] *nf* biela; **couler une ~** (*AUTO*) fundir una biela.

bien [bjɛ̃] *nm* bien *m*; (*patrimoine, possession*) bien, bienes; **faire du ~**

à qn hacer bien a alguien; **aprovechar a alguien;** **dire du ~ de** hablar bien de; **changer en ~** cambiar para bien; **mener à ~** llevar a cabo; **le ~ public** el bien público; **~s de consommation** bienes *mpl* de consumo // *ad* bien; **~ jeune/souvent** muy joven/a menudo; **~ assez** demasiado(a); **demasiados(as);** **~ mieux** mucho mejor; **~ du temps/des gens** mucho tiempo/mucha gente; **j'espère ~ y aller** sí espero poder ir allá; **je veux ~ y aller** (*concession*) estoy contento(a) de ir allá; **il faut ~ le faire** es necesario hacerlo; **~ sûr** ad de seguro; **c'est ~ fait** (*mérité*) está bien hecho // *a inv* bien; **cette maison/secrétaire est ~** esta es una buena casa/secretaria; **elle est ~** (*jolie*) es bien parecida; **des gens ~** (*parfois péj*) gente bien; **être ~ avec qn** estar en buenos términos con alguien; **~ que** *conj* aunque; **~-aimé, e** [bjɛ̃neme] *a* querido(a), bienamado(a) // *nm/f* querido/a; **~-être** [bjɛ̃nɛtʀ(ə)] *nm* bienestar *m*; **~-faisance** [-fəzɑ̃s] *nf* caridad *f*; **~faisant, e** [-fəzɑ̃, ɑ̃t] *a* (*chose*) beneficioso(a); **~fait** [-fɛ] *nm* (*faveur, générosité*) favor *m*; (*avantage, conséquence heureuse*) ventaja; **~faiteur, trice** [-fɛtœʀ, tʀis] *nm/f* bienhechor/a; **~-fondé** *nm* legitimidad *f*; **~-fonds** *nm* bienes *mpl* raíces; **~heureux, euse** [bjɛ̃nœʀø, øz] *a* bienaventurado(a).

biennal, e, aux [bjenal, o] *a* bienal.

bienséant, e [bjɛ̃seɑ̃, ɑ̃t] *a* decoroso(a), decente.

bientôt [bjɛ̃to] *ad* pronto; luego; **à ~** ¡hasta pronto!, ¡hasta luego!

bienveillance [bjɛ̃vɛjɑ̃s] *nf* benevolencia.

bienveillant, e [bjɛ̃vɛjɑ̃, ɑ̃t] *a* benévolo(a).

bienvenu, e [bjɛ̃vny] *a* bienvenido(a) // *nm/f*: **être le ~/la ~e** ser bienvenido/a // *nf*:

bière · 48 · bissextile

souhaiter la ~e à desear la bienvenida a; ~e à... bienvenida a... .

bière [bjɛʀ] nf cerveza; *(cercueil)* ataúd m, féretro; **blonde/brune** cerveza dorada/negra; ~ **(à la) pression** cerveza de barril.

biffer [bife] vt tachar, rayar.

bifide [bifid] a bífido(a).

bifteck [biftɛk] nm bistec m, bisté m.

bifurcation [bifyʀkɑsjɔ̃] nf bifurcación f.

bifurquer [bifyʀke] vi bifurcarse; *(véhicule, personne)* desviarse.

bigame [bigam] a bígamo(a).

bigamie [bigami] nf bigamia.

bigarré, e [bigaʀe] a abigarrado(a).

bigorneau, x [bigɔʀno] nm bígaro.

bigot, e [bigo, ɔt] *(péj)* a santurrón(ona) // nm/f santurrón/ona, beato/a.

bigoudi [bigudi] nm bigudí m.

bijou, x [biʒu] nm alhaja, joya; ~**terie** nf joyería; ~**tier, ière** nm/f joyero/a.

bikini [bikini] nm biquini m, bikini m.

bilan [bilɑ̃] nm balance m; *(d'une catastrophe)* balance, número de víctimas; **déposer son** ~ *(COMM)* declararse en quiebra.

bilatéral, e, aux [bilateʀal, o] a bilateral.

Bilbao [bilbao] n Bilbao.

bile [bil] nf bilis f; **se faire de la** ~ *(fam)* hacerse mala sangre; **biliaire** a biliar; **bilieux, euse** a bilioso(a).

bilingue [bilɛ̃g] a bilingüe.

billard [bijaʀ] nm billar m; *(fam)* hule m.

bille [bij] nf bola; *(du jeu de billes)* canica.

billet [bijɛ] nm billete m; *(courte lettre)* billete, esquela; ~ **(de banque)** billete (de banco); ~ **circulaire** circular f; ~ **de commerce** letra de cambio; ~ **doux** carta de amor; ~ **de loterie** billete de lotería; ~ **de quai** billete de andén.

billion [biljɔ̃] nm billón m.

billot [bijo] nm tajo.

bimensuel, le [bimɑ̃sɥel] a quincenal.

bimoteur [bimɔtœʀ] a bimotor.

binaire [binɛʀ] a binario(a).

binette [binɛt] nf escardillo.

binocle [binɔkl(ə)] nm quevedos.

binoculaire [binɔkylɛʀ] a binocular.

binôme [binom] nm binomio.

bio... [bjɔ] préf bio...; **biodégradable** [-degradabl(ə)] a biodegradable; **biographe** nm/f biógrafo/a; **biographie** [bjɔgʀafi] nf biografía; **biographique** a biográfico(a); **biologie** [bjɔlɔʒi] nf biología; **biologique** a biológico(a); **biologiste** nm/f biólogo/a.

bipède [biped] nm bípedo.

biplan [biplɑ̃] nm biplano.

biréacteur [biʀeaktœʀ] nm birreactor m.

bis, e [bi, biz] a moreno(a), trigueño(a) // ad [bis] *(après un chiffre)* bis // excl, nm [bis] ¡otra! // nf *(baiser)* beso; *(vent)* cierzo.

bisannuel, le [bizanɥel] a bienal.

bisbille [bisbij] nf: **être en** ~ **avec qn** estar de pique con alguien.

Biscaye [biskaj] n: **le golfe de** ~ el golfo de Vizcaya.

biscornu, e [biskɔʀny] a *(aussi péj)* estrafalario(a), extravagante.

biscotte [biskɔt] nf tostada al horno.

biscuit [biskɥi] nm bizcocho, galleta; *(porcelaine)* porcelana bizcocho f, biscuit m.

bise [biz] af, nf voir **bis**.

biseau, x [bizo] nm bisel m; **en** ~ biselado(a); ~**ter** vt biselar.

bison [bizɔ̃] nm bisonte m.

bisque [bisk(ə)] nf: ~ **d'écrevisses** sopa de cangrejos.

bissectrice [bisɛktʀis] nf bisectriz f.

bisser [bise] vt repetir; hacer repetir.

bissextile [bisɛkstil] a: **année** ~ año bisiesto.

bissexué, e [bisɛksɥe] a bisexual.

bistouri [bisturi] nm bisturí m.

bistre [bistʀ(ə)] a oscuro(a), moreno(a).

bistro(t) [bistʀo] nm bar m, café m.

bitte [bit] nf: ~ **d'amarrage** noray m.

bitume [bitym] nm asfalto.

bivouac [bivwak] nm vivac m, vivaque m; **bivouaquer** vi vivaquear.

bizarre [bizaʀ] a raro(a), extravagante.

blafard, e [blafaʀ, aʀd(ə)] a pálido(a).

blague [blag] nf chiste m; (farce) broma; **sans** ~! ¡no me digas!; ~ **à tabac** petaca; **blaguer** vi bromear // vt embromar.

blaireau, x [blɛʀo] nm (ZOOL) tejón m; (brosse) brocha.

blâme [blɑm] nm (jugement) reprobación f; (sanction) censura; **blâmer** vt reprobar, censurar.

blanc, blanche [blɑ̃, blɑ̃ʃ] a blanco(a); (innocent) puro(a) // nm/f blanco/a // nm blanco; (linge): **le** ~ la ropa blanca // nf (MUS) blanca; **d'une voix blanche** con una voz opaca; **les B~s** los blancos; **du** (vin) ~ (vino) blanco; **laisser en** ~ dejar en blanco; **à** ~ ad (chauffer) al rojo blanco; (tirer, charger) blanco; **le** ~ **de l'œil** el blanco del ojo; ~ (**d'œuf**) clara (de huevo); ~ (**de poulet**) pechuga; ~-**bec** nm mocoso; **blancheur** nf blancura.

blanchir [blɑ̃ʃiʀ] vt blanquear; (linge) lavar; (CULIN) escaldar; (fig) rehabilitar // vi encanecer, blanquear; (cheveux) encanecer, blanquear; **blanchi à la chaux** encalado, enjalbegado; **blanchissage** nm lavado.

blanchisserie [blɑ̃ʃisʀi] nf lavadero.

blanchisseur, euse [blɑ̃ʃisœʀ, øz] nm/f lavandero/a.

blanc-seing [blɑ̃sɛ̃] nm firma en blanco.

bloc [blɔk] nm bloque m; (de papier à lettres) bloc m; **à** ~ a fondo; **en** ~

blanquette [blɑ̃kɛt] nf: ~ **de veau** estofado de ternera.

blasé, e [blaze] a hastiado(a).

blason [blazɔ̃] nm blasón m.

blasphème [blasfɛm] nm blasfemia; **blasphémer** vi blasfemar // vt maldecir de, blasfemar contra.

blatte [blat] nf cucaracha.

blazer [blazɛʀ] nm blazer m.

blé [ble] nm trigo; ~ **en herbe** trigo tierno.

bled [blɛd] nm (péj) poblacho perdido; (en Afrique du Nord): **le** ~ el interior.

blême [blɛm] a pálido(a).

blennorragie [blenɔʀaʒi] nf blenorragia.

blessant, e [blɛsɑ̃, ɑ̃t] a hiriente, ofensivo(a).

blessé, e [blese] a, nm/f herido(a); ~ **léger/grave** herido leve/grave.

blesser [blese] vt agraviar, herir; (suj: chaussures, couleurs, sons etc) hacer daño; (offenser) herir; **se** ~ herirse, lastimarse; **se** ~ **au pied** etc lastimarse el pie etc.

blessure [blesyʀ] nf herida.

blet, te [blɛ, blɛt] a pasado(a).

bleu [blø] a azul; (bifteck etc) poco(a) cocido(a) // nm azul m; (novice) bisoño; (contusion) cardenal m, moretón m; (vêtement: aussi: ~s) mono; (CULIN): **au** ~ forma de cocer el pescado; ~ **marine** azul marino inv; **une peur** ~**e** un miedo cerval; **une colère** ~**e** una furia loca.

bleuet [bløɛ] nm azulejo.

bleuir [bløiʀ] vt azular // vi ponerse azul.

bleuté, e [bløte] a azulado(a).

blindage [blɛ̃daʒ] nm blindaje m.

blindé, e [blɛ̃de] a blindado(a) // nm (MIL) tanque m, carro de combate.

blinder [blɛ̃de] vt blindar; (fig) acorazar.

blizzard [blizaʀ] nm ventisca.

en bloque; **faire ~ aliarse; ~ opératoire** quirófano.

blocage [blɔkaʒ] nm bloqueo.

bloc-moteur [blɔkmɔtœʀ] nm bloque m del motor.

bloc-notes [blɔknɔt] nm bloc m.

blocus [blɔkys] nm bloqueo.

blond, e [blɔ̃, ɔ̃d] a rubio(a); (sable, blés) dorado(a) // nm // nm rubio; ~ **cendré** rubio ceniciento.

bloquer [blɔke] vt bloquear; (regrouper) agrupar, poner juntos; ~ **les freins** (AUTO) frenar bruscamente.

blottir [blɔtiʀ]: **se ~ vi** acurrucarse.

blouse [bluz] nf bata, guardapolvo.

blouson [bluzɔ̃] nm cazadora; ~ **noir** (fig) gamberro.

blues [bluz] nm blues m.

bluet [blyɛ] nm = **bleuet**.

bluffer [blœfe] vi engañar, exagerar // vt embaucar.

boa [bɔa] nm boa.

bobard [bɔbaʀ] nm (fam) patraña.

bobèche [bɔbɛʃ] nf arandela (de una vela).

bobine [bɔbin] nf carrete m, bobina; (de film) carrete; (ÉLEC) bobina.

bobo [bɔbo] nm (langage enfantin) pupa.

bocage [bɔkaʒ] nm boscaje m.

bocal, aux [bɔkal, o] nm bote m de vidrio.

bock [bɔk] nm tarro de cerveza.

bœuf [bœf] nm buey m; (CULIN) carne f de vaca.

bohème [bɔɛm] nf bohemia // a bohemio(a).

bohémien, ne [bɔemjɛ̃, jɛn] a, nm/f bohemio(a).

boire [bwaʀ] vt beber; (suj: éponge, terre, buvard) chupar // vi beber.

bois [bwa] nm madera; (de chauffage) leña; (forêt) bosque m; de ~, en ~ de madera; ~ **vert/mort** leña verde/seca; ~ **de lit** armazón f de la cama.

boiser [bwaze] vt (chambre) enmaderar, revestir de madera;

(galerie de mine) entibar; (terrain) cubrir de árboles.

boiseries [bwazʀi] nfpl artesonado.

boisson [bwasɔ̃] nf bebida; **pris de ~ bebido; ~s alcoolisées/gazeuses** bebidas alcohólicas/gaseosas.

boîte [bwat] nf caja, lata; **aliments en ~** alimentos envasados o en lata; ~ **de conserves/de sardines** lata de conservas/de sardinas; **une ~ d'allumettes** una caja de cerillas; ~ **crânienne** caja craneana; ~ **à gants** guantera; ~ **aux lettres** buzón m; ~ **à musique** cajita de música; ~ **de nuit** club m de noche, **boîte f; ~ à outils** caja de herramientas; ~ **postale, BP** apartado postal, AP; ~ **de vitesses** caja de cambios.

boiter [bwate] vi cojear, renquear; (fig) cojear.

boitier [bwatje] nm caja.

boivent vb voir **boire**.

bol [bɔl] nm tazón m, escudilla; **un ~ de café** etc un tazón de café etc; **un ~ d'air** una bocanada de aire.

bolet [bɔlɛ] nm boleto (champiñón).

bolide [bɔlid] nm (véhicule) bólido.

bombance [bɔ̃bɑ̃s] nf: **faire ~** ir o estar de parranda.

bombardement [bɔ̃baʀdəmɑ̃] nm bombardeo.

bombarder [bɔ̃baʀde] vt bombardear; ~ **qn directeur** etc nombrar director etc a alguien de sopetón.

bombardier [bɔ̃baʀdje] nm bombardero.

bombe [bɔ̃b] nf bomba; (atomiseur) atomizador m; ~ **atomique** bomba atómica; ~ **à retardement** bomba de efecto retardado.

bombé, e [bɔ̃be] a combado(a), abombado(a).

bomber [bɔ̃be] vt: ~ **le torse** sacar el pecho.

bon, bonne [bɔ̃, bɔn] a bueno(a); (juste): **c'est le ~ numéro/moment** es el número o el momento correcto/el buen momento // ad bien // excl: ~! ¡bueno!, ¡bien! // nm bono; (*aussi*: ~ **cadeau**) bono obsequio // *nf* muchacha; criada; **bonne année** ¡feliz año nuevo!; ~ **anniversaire!** ¡feliz cumpleaños!; **bonne chance!** ¡buena suerte!; **bonne nuit!** ¡buenas noches!; ~ **voyage!** ¡buen viaje!; **de bonne heure** temprano; **faire ~ poids** dar peso corrido; **avoir ~ dos** tener buenas espaldas; **il fait ~** hace buen tiempo; **es agradable; tenir ~** resistir; **pour de ~** de veras; **juger ~ de faire...** juzgar oportuno hacer...; **il y a du ~ dans cela** hay algo bueno en esto; ~ **de caisse** vale *m* de caja; ~ **d'essence** cupo de gasolina; (à) ~ **marché** a inv, ad barato(a); ~ **sens** sentido común; ~ **à tirer** listo para imprimir; ~ **du trésor** bono del tesoro; ~ **vivant** bon vivant, hombre *m* jovial; **bonne d'enfant** niñera; **bonne femme** (*péj*) mujerzuela; **bonne à tout faire** *nf* criada.

bonasse [bɔnas] *a* buenazo(a), bonachón(ona).

bonbon [bɔ̃bɔ̃] *nm* caramelo.

bonbonne [bɔ̃bɔn] *nf* demajuana, bombona.

bonbonnière [bɔ̃bɔnjɛʀ] *nf* bombonera.

bond [bɔ̃] *nm* salto, brinco; (*fig*) salto; **faire un ~** dar un salto; **d'un seul ~** de un salto.

bonde [bɔ̃d] *nf* (*d'évier etc*) desagüe *m*; (*de tonneau*) agujero; (*bouchon*) tapón *m*.

bondé, e [bɔ̃de] *a* abarrotado(a).

bondir [bɔ̃diʀ] *vi* saltar, brincar; ~ **de joie** (*fig*) saltar de alegría; ~ **de colère** (*fig*) montar en cólera.

bonheur [bɔnœʀ] *nm* felicidad *f*; **au petit ~** a la buena de Dios; **par ~** por fortuna.

bonhomie [bɔnɔmi] *nf* bondad *f*, sencillez *f*.

bonhomme [bɔnɔm] *nm* (*pl* **bonshommes**) buen hombre // *a* bonachón; **un vieux ~** un pobre viejo; **aller son ~ de chemin** ir a paso

a paso; ~ **de neige** muñeco de nieve.

boni [bɔni] *nm* resto.

bonification [bɔnifikasjɔ̃] *nf* (*somme*) bonificación *f*.

bonifier [bɔnifje] *vt* bonificar, mejorar.

boniment [bɔnimɑ̃] *nm* camelo, charlatanería.

bonjour [bɔ̃ʒuʀ] *nm* buenos días; ~ **Monsieur** buenos días, señor; **dire ~ à qn** dar los buenos días a alguien.

bonne [bɔn] *a*, *nf* voir **bon**.

Bonne-Espérance [bɔnɛspeʀɑ̃s] *n*: **cap de** ~ cabo de Buena Esperanza.

bonnement [bɔnmɑ̃] *ad*: **tout ~** lisa y llanamente.

bonnet [bɔnɛ] *nm* gorro; ~ **d'âne** bonete *m* de asno; ~ **de bain** gorra de baño; ~ **de nuit** gorro de dormir.

bonneterie [bɔnetʀi] *nf* industria/tienda de artículos de punto.

bon-papa [bɔ̃papa] *nm* abuelito.

bonsoir [bɔ̃swaʀ] *nm* buenas tardes/noches.

bonté [bɔ̃te] *nf* bondad *f*.

bonze [bɔ̃z] *nm* (*REL*) bonzo.

bord [bɔʀ] *nm* (*de table, verre*) borde *m*; (*de rivière, falaise, route*) orilla; à ~ (*NAUT*) a bordo; **monter à** ~ subir a bordo; **jeter par-dessus du** ~ los hombres de a bordo; **du même** ~ (*fig*) de la misma opinión; **au** ~ **de la mer/route** a orillas de la mar/ruta.

bordage [bɔʀdaʒ] *nm* tablazón *f*.

bordeaux [bɔʀdo] *nm* (*vin*) burdeos *m* // *a inv* rojo violáceo.

bordée [bɔʀde] *nf* andanada.

bordel [bɔʀdɛl] *nm* (*fam*) burdel *m*.

border [bɔʀde] *vt* orillar, bordear; (*garnir*) bordear, ribetear; (*personne, lit*) arropar; **bordé de** bordeado de; ribeteado de.

bordereau, x [bɔʀdəʀo] *nm* memoria; factura.

bordure [bɔʀdyʀ] *nf* borde *m*;

bordura; (*sur un vêtement*) ribete *m*; **en ~ de** a orillas de.

boréal, e, aux [bɔreal, o] *a voir* **aurore**.

borgne [bɔrɲ(ə)] *a* tuerto(a); (*fenêtre*) que permite la entrada de luz pero no la visión; **hôtel ~** hotel *m* de mala reputación.

borne [bɔrn(ə)] *nf* (*pour délimiter*) mojón *m*; (*gén:* **~ kilométrique**) poste *m* de kilometraje; **~s** *fpl* límites *mpl*; **sans ~(s)** sin límites; **borner** *vt* limitar; **se borner à** limitarse a.

bosquet [bɔskɛ] *nm* bosquecillo.

bosse [bɔs] *nf* (*de terrain*) montículo; (*sur un objet etc*) protuberancia; (*enflure*) chichón *m*, bulto; (*du bossu*) joroba, giba; (*du chameau etc*) joroba; **avoir la ~ des maths** *etc* tener disposición para las matemáticas *etc*; **rouler sa ~** rodar por el mundo.

bosseler [bɔsle] *vt* (*travailler*) repujar; (*abîmer*) abollar.

bosser [bɔse] *vi* (*fam*) reventarse.

bossu, e [bɔsy] *a, nm/f* jorobado(a).

bot [bo] *am:* **pied ~** zopo(a) de un pie.

botanique [bɔtanik] *nf* botánica // *a* botánico(a); **botaniste** *nm/f* botánico(a).

botte [bɔt] *nf* bota; (*ESCRIME*) estocada; **~ de radis** manojo de rábanos; **~ de paille** haz *m* de paja; **~s de caoutchouc** botas de goma.

botter [bɔte] *vt* dar un puntapié a.

bottier [bɔtje] *nm* zapatero a la medida.

bottin [bɔtɛ̃] *nm* anuario del comercio.

bottine [bɔtin] *nf* botina.

bouc [buk] *nm* macho cabrío; (*barbe*) perilla; **~ émissaire** cabeza de turco.

boucan [bukã] *nm* jaleo, alboroto.

boucanier [bukanje] *nm* bucanero.

bouche [buʃ] *nf* boca; (*fig*): **une ~ inutile/à nourrir** una boca para mantener; **~ cousue!** ¡punto en boca!; **~ à ~** *nm* boca a boca; **~ de**

chaleur entrada de aire; **~ d'égout** sumidero, alcantarilla; **~ d'incendie** boca de incendio; **~ de métro** boca de subterráneo.

bouché, e *a* tapado(a); (*vin, cidre*) embotellado(a); (*temps, ciel*) encapotado(a); (*péj*) cerrado(a) // *nf* bocado; (*fig*): **pour une ~e de pain** por una bicoca; (*CULIN*): **~es à la reine** cierto tipo de pastelillo.

boucher [buʃe] *vt* tapar, obturar // *nm* carnicero; **se ~ le nez** taparse la nariz; **se ~** *vi* taparse, cubrirse.

bouchère [buʃɛr] *nf* carnicera.

boucherie [buʃri] *nf* carnicería.

bouche-trou [buʃtru] *nm* (*fig*) comodín *m*.

bouchon [buʃɔ̃] *nm* (*en liège*) corcho; (*autre matière*) tapón *m*; (*fig: AUTO*) taponamiento; (*de ligne de pêche*) flotador *m*.

bouchonner [buʃɔne] *vt* restregar; arrugar.

boucle [bukl(ə)] *nf* curva; (*d'un fleuve*) meandro; (*objet*) argolla; (: *de ceinture*) hebilla; **~ (de cheveux)** bucle *m*; **~ d'oreille** zarcillo, pendiente *m*; **bouclé, e** *a* (*cheveux*) ensortijado(a); **boucler** *vt* (*fermer*) ajustar, cerrar; (*enfermer*) encerrar // *vi* (*cheveux*) rizar; **boucler son budget** equilibrar su presupuesto.

bouclier [buklije] *nm* escudo.

bouddhiste [budist(ə)] *a* budista.

bouder [bude] *vi* enfurruñarse // *vt* poner mala cara.

bouderie [budri] *nf* enfurruñamiento.

boudeur, euse [budœr, øz] *a* enfurruñado(a), enojadizo(a).

boudin [budɛ̃] *nm* morcilla; (*TECH*) resorte *m* en espiral.

boudoir [budwar] *nm* tocador *m*.

boue [bu] *nf* lodo, barro.

bouée [bwe] *nf* (*balise*) boya; **~ (de sauvetage)** salvavidas *m inv*.

boueux, euse [bwø, øz] *a* fangoso(a), enlodado(a) // *nm* basurero.

bouffant, e [bufã, ãt] *a* abullonado(a).

bouffe [buf] *nf* (*fam*) comilona.

bouffée [bufe] nf (de fumée, d'air) tufarada, bocanada; (de pipe) bocanada; ~ **d'orgueil** arrebato de orgullo; ~ **de fièvre** fiebre pasajera.

bouffer [bufe] vt (fam) jamar.

bouffi, e [bufi] a hinchado(a).

bouffon, ne [bufɔ̃, ɔn] a bufón(ona).

bouge [buʒ] nm tugurio.

bougeoir [buʒwaʀ] nm palmatoria.

bougeotte [buʒɔt] nf hormiguillo.

bouger [buʒe] vi moverse; (agir) moverse, agitarse // vt cambiar de sitio, mover; se ~ (fam) moverse.

bougie [buʒi] nf bujía.

bougonner [bugɔne] vi gruñir, refunfuñar.

bougre [bugʀ(ə)] nm tipo; **ce ~ de...** este bribón de... .

bouillabaisse [bujabɛs] nf sopa de pescado.

bouillant, e [bujɑ̃, ɑ̃t] a hirviente, hirviendo inv.

bouille [buj] nf (fam) cara.

bouilleur de cru [bujœʀdkʀy] nm destilador m de su propia cosecha.

bouilli, e [buji] a hervido(a) // nm carne hervida // nf papilla.

bouillir [bujiʀ] vi hervir; (fig) hervir, arder // vt (gén: faire ~) hervir.

bouilloire [bujwaʀ] nf hervidor m.

bouillon [bujɔ̃] nm (CULIN) caldo; (bulles, écume) borbotón m, burbuja; ~ **de culture** caldo de cultivo.

bouillonnement [bujɔnmɑ̃] nm hervor m, burbujeo; (fig) efervescencia.

bouillonner [bujɔne] vi borbotear.

bouillotte [bujɔt] nf hervidor pequeño; calentador m para cama.

boulanger, ère [bulɑ̃ʒe, ɛʀ] nm/f panadero/a.

boulangerie [bulɑ̃ʒʀi] nf panadería; ~**-pâtisserie** nf panadería-confitería.

boule [bul] nf (gén) bola; (pour jouer) bocha, bola; **roulé en ~** hecho un ovillo; **taillé en ~** cortado

en redondo; **se mettre en ~** (fig) enfurecerse; **perdre la ~** (fig fam) perder la chaveta; ~ **de neige** bola de nieve; **faire ~ de neige** (fig) agrandarse, extenderse.

bouleau, x [bulo] nm abedul m.

bouledogue [buldɔg] nm buldog m.

boulet [bulɛ] nm (aussi: ~ **de canon**) bala de cañón; (de bagnard) bola de hierro; (charbon) aglomerado esférico.

boulette [bulɛt] nf bolita; ~ **de viande** albóndiga.

boulevard [bulvaʀ] nm bulevar m.

bouleversé, e [bulvɛʀse] a (ému) conmovido(a).

bouleversement [bulvɛʀsəmɑ̃] nm conmoción f.

bouleverser [bulvɛʀse] vt trastornar, conturbar; (pays, vie) trastornar; (papiers, objets) desordenar.

boulier [bulje] nm ábaco.

boulimie [bulimi] nf bulimia.

boulon [bulɔ̃] nm perno; ~**ner** vt empernar.

boulot, te [bulo, ɔt] a rechoncho(a) // nf trabajo, tarea.

bouquet [bukɛ] nm ramo, ramillete m; (parfum) aroma m; **c'est le ~!** ¡es el colmo!

bouquetin [buktɛ̃] nm cabra montés f.

bouquin [bukɛ̃] nm librito; ~**er** [-kine] vi leer; ~**iste** [-kinist(ə)] nm/f librero de lance.

bourbeux, euse [buʀbø, øz] a cenagoso(a).

bourbier [buʀbje] nm lodazal m; (fig) atolladero.

bourde [buʀd(ə)] nf patraña; sandez f; piña.

bourdon [buʀdɔ̃] nm (ZOOL) abejorro.

bourdonner [buʀdɔne] vi zumbar.

bourg [buʀ] nm ciudad pequeña.

bourgade [buʀgad] nf aldea.

bourgeois, e [buʀʒwa, waz] a burgués(esa); (péj) burgués(esa), aburguesado(a) // nm/f (aussi péj) burgués/esa; ~**ie** [-zi] nf burguesía.

haute/petite ~**ie** alta/pequeña burguesía.

bourgeon [burʒɔ̃] *nm* brote *m*, yema; ~**ner** *vi* brotar.

Bourgogne [burgɔɲ] *nf* Borgoña // *nm*: **b**~ (*vin*) borgoña; **bourguignon, ne** [burgiɲɔ̃, ɔn] *a* borgoñón(ona); (*bœuf*) **bourguignon** *nm* encebollado de vaca.

bourlinguer [burlɛ̃ge] *vi* correr mundo.

bourrade [burad] *nf* empellón *m*.

bourrage [buraʒ] *nm*: ~ **de crâne** camelo, propaganda falsa.

bourrasque [burask(ə)] *nf* borrasca.

bourratif, ive [buratif, iv] *a* pesado(a).

bourreau, x [buro] *nm* verdugo; **un** ~ **de travail** una fiera para el trabajo.

bourreler [burle] *vt*: **être bourrelé de remords** estar torturado por los remordimientos.

bourrelet [burlɛ] *nm* (*bande de feutre etc*) burlete *m*; (*de chair*) rollo.

bourrer [bure] *vt* atiborrar; (*pipe*) cargar; ~ **qn de coups** moler a golpes a alguien; ~ **le crâne à qn** hinchar la cabeza a alguien.

bourrique [burik] *nf* (*âne*) borrico.

bourru, e [bury] *a* rudo(a).

bourse [burs(ə)] *nf* (*SCOL*) beca; (*porte-monnaie*) bolsa; **la B**~ la Bolsa; **sans** ~ **délier** sin soltar un céntimo; **boursier, ière** *a* (*COMM*) bolsista // *nm/f* (*SCOL*) becario/a.

boursouflé, e [bursufle] *a* (*visage*) abotagado(a); (*fig*) ampuloso(a).

boursoufler [bursufle] *vt* hinchar; **se** ~ *vi* (*visage*) abotagarse; (*peinture etc*) ampollarse.

bousculade [buskylad] *nf* atropello.

bousculer [buskyle] *vt* atropellar; (*presser, inciter*) empujar; **être bousculé** (*pressé*) estar apremiado o ajetreado.

bouse [buz] *nf*: ~ (**de vache**) bosta.

bousiller [buzije] *vt* (*moteur*) destruir.

boussole [busɔl] *nf* brújula.

bout [bu] *vb voir* **bouillir** // *nm* (*morceau*) trozo; (*extrémité*) punta; (: **de table, rue**) extremo; (*de période, vie*) final *m*; à ~ **filtre** *a* emboquillado(a); à ~ **portant** a quemarropa; **au** ~ **de** (*après*) al cabo de, al final de; **être** à ~ estar agotado(a); **pousser qn** à ~ sacar a alguien de sus casillas; **venir** à ~ **de qch** llevar a cabo algo; **venir** à ~ **de qn** acabar con alguien; ~ à ~ uno tras otro; **d'un** ~ à **l'autre**, **de** ~ **en** ~ de cabo a rabo.

boutade [butad] *nf* ocurrencia, salida.

boute-en-train [butɑ̃trɛ̃] *nm inv* animador/a.

bouteille [butɛj] *nf* botella; (*de gaz butane*) bombona.

boutique [butik] *nf* tienda; **boutiquier, ière** *nm/f* (*péj*) mercachifle *m*.

bouton [butɔ̃] *nm* botón *m*; (*pustule*) grano; (*d'une porte, sonnette, radio*) pomo, botón; ~ **d'or** botón de oro; ~ **de manchette** gemelos; ~**ner** *vt* abotonar, abrochar; ~**nière** *nf* ojal *m*; ~ **pression** *nm* automático.

bouture [butyr] *nf* esqueje *m*, gajo.

bouvreuil [buvrœj] *nm* pinzón *m*.

bovidé [bovide] *nm* bóvido.

bovin, e [bovɛ̃, in] *a* bovino(a).

bowling [bolin] *nm* bolos.

box [bɔks] *nm* (*d'un accusé*) celda para acusados en la sala de tribunales; (*d'un cheval*) cada compartimiento en una caballeriza.

boxe [bɔks(ə)] *nf* boxeo; **boxeur** *nm* boxeador *m*.

boyau, x [bwajo] *nm* tripa; (*corde de raquette etc*) cuerda de tripa; (*galerie, passadizo; (*tuyau*) manga.

boycotter [bɔjkɔte] *vt* boicotear.

BP *nf voir* **boîte**.

bracelet [braslɛ] *nm* pulsera, brazalete *m*; ~~**montre** *nm* reloj *m* de pulsera.

braconner [bʀakɔne] vt cazar/pescar furtivamente; **braconnier** nm cazador/pescador furtivo.

brader [bʀade] vt vender de segunda mano a bajo precio.

braguette [bʀagɛt] nf bragueta.

brailler [bʀaje] vi, vt gritar, chillar.

braire [bʀɛʀ] vi rebuznar.

braise [bʀɛz] nf brasas, ascuas.

braiser [bʀeze] vt estofar; **bœuf braisé** carne f de vaca estofada.

bramer [bʀame] vi (cerf) bramar.

brancard [bʀɑ̃kaʀ] nm camilla; (de charrue etc) varal m; ~ier nm camillero.

branchages [bʀɑ̃ʃaʒ] nmpl ramajes mpl.

branche [bʀɑ̃ʃ] nf rama; (de lunettes) patilla.

branchement [bʀɑ̃ʃmɑ̃] nm empalme m; conexión f.

brancher [bʀɑ̃ʃe] vt empalmar; (lampe, appareil électrique, téléphone) conectar.

branchies [bʀɑ̃ʃi] nfpl branquias.

brandir [bʀɑ̃diʀ] vt blandir, esgrimir.

brandon [bʀɑ̃dɔ̃] nm tea.

branlant, e [bʀɑ̃lɑ̃, ɑ̃t] a (mur, meuble) oscilante, vacilante.

branle [bʀɑ̃l] nm: **mettre en ~** poner en movimiento; **donner le ~ à** poner en marcha; ~-**bas** nm inv zafarrancho.

branler [bʀɑ̃le] vi bambolear, moverse // vt: **la tête** menear la cabeza.

braquer [bʀake] vi torcer // vt (revolver) apuntar; (yeux) fijar, clavar; (mettre en colère) predisponer; **se ~** vi oponerse.

bras [bʀa] nm brazo // mpl (fig) brazos; **avoir le ~ long** tener mucha influencia; **à ~ raccourcis** a brazo partido; **~ droit** (fig) brazo derecho; **~ de levier** brazo de palanca; **~ de mer** brazo de mar.

brasero [bʀazeʀo] nm brasero.

brasier [bʀazje] nm hoguera.

bras-le-corps [bʀalkɔʀ]: **à ~** ad por la cintura.

brassage [bʀasaʒ] nm (fig) mezcla.

brassard [bʀasaʀ] nm brazalete m; **~ noir** ou **de deuil** brazalete m de luto.

brasse [bʀas] nf brazada; (mesure) braza; **~ papillon** brazada mariposa.

brassée [bʀase] nf brazada.

brasser [bʀase] vt mezclar; (argent, affaires) manejar.

brasserie [bʀasʀi] nf cervecería.

brasseur [bʀasœʀ] nm (de bière) cervecero; **~ d'affaires** hombre m de negocios.

brassière [bʀasjɛʀ] nf (de bébé) camisita, juboncito.

bravache [bʀavaʃ] a bravucón(ona).

bravade [bʀavad] nf: **par ~** por fanfarronería.

brave [bʀav] a (avant) bravo(a), valiente; (bon, gentil) bueno(a); (péj) valiente.

braver [bʀave] vt (ordre) desafiar; (danger) afrontar, desafiar.

bravo [bʀavo] excl, nm bravo.

bravoure [bʀavuʀ] nf bravura.

brayait etc vb voir **braire**.

break [bʀɛk] nm (AUTO) break m, furgoneta.

brebis [bʀəbi] nf oveja; **~ galeuse** oveja negra, manzana podrida.

brèche [bʀɛʃ] nf brecha, boquete m.

bredouille [bʀəduj] a con las manos vacías.

bredouiller [bʀəduje] vi, vt farfullar.

bref, brève [bʀɛf, ɛv] a breve // ad total, en pocas palabras; **d'un ton ~** con un tono tajante; (voyelle) **brève** (vocal) breve f; **en ~** en resumen.

brelan [bʀəlɑ̃] nm berlanga; trío.

breloque [bʀəlɔk] nf dije m.

brème [bʀɛm] nf tipo de carpa.

Brésil [bʀezil] nm Brasil m; **b~ien, ne** a, nm/f brasileño(a).

Bretagne [bʀətaɲ] nf Bretaña.

bretelle [brətɛl] *nf* hombrera; (*de fusil etc*) correa; (*autoroute*) empalme *m*; ~s *fpl* (*pour pantalon*) tirantes *mpl*.

breton, ne [brətɔ̃, ɔn] *a, nm/f* bretón(ona) // *nm* (LING) bretón *m*.

breuvage [brœvaʒ] *nm* bebida, brebaje *m*.

brève [brɛv] *a, nf voir* bref.

brevet [brəvɛ] *nm* certificado; ~ (**d'invention**) patente *f*; ~ **d'apprentissage** certificado de idoneidad; ~ **d'études du premier cycle, BEPC** = bachillerato elemental.

breveté, e [brəvte] *a* patentado(a); (*diplômé*) diplomado(a).

breveter [brəvte] *vt* (*invention*) patentar.

bréviaire [brevjɛr] *nm* breviario.

bribes [brib] *nfpl* (*de conversation*) fragmentos; (*de fortune etc*) migajas; **par** ~ por retazos.

bric-à-brac [brikabrak] *nm inv* baratillo.

bricolage [brikɔlaʒ] *nm* bricolaje *m*; (*péj*) chapuza.

bricole [brikɔl] *nf* nadería.

bricoler [brikɔle] *vi* hacer chapuzas // *vt* amañar, componer mañosamente; **bricoleur, euse** *nm/f* aficionado(a) // *a* aficionado(a), mañoso(a).

bride [brid] *nf* brida; (*d'un bonnet*) barboquejo; **à** ~ **abattue** a rienda suelta; **tenir en** ~ contener; **lâcher la** ~ **à, laisser la** ~ **sur le cou à** dar rienda suelta a, dejar libertad de acción a.

bridé, e [bride] *a:* **yeux** ~**s** ojos oblicuos.

brider [bride] *vt* refrenar; (*cheval*) embridar; (*CULIN*) atar.

bridge [bridʒ(ə)] *nm* (*jeu*) bridge *m*; (*dentaire*) puente *m*.

brièvement [brijɛvmɑ̃] *ad* brevemente, en breve.

brièveté [brijɛvte] *nf* brevedad *f*.

brigade [brigad] *nf* (MIL) brigada; (*d'ouvriers etc*) brigada, cuadrilla.

brigadier [brigadje] *nm* cabo; brigadier *m*.

brigand [brigɑ̃] *nm* salteador *m*, bandolero; ~**age** *nm* bandolerismo.

briguer [brige] *vt* pretender, aspirar a.

brillamment [brijamɑ̃] *ad* brillantemente.

brillant, e [brijɑ̃, ɑ̃t] *a* brillante // *nm* (*diamant*) brillante *m*.

briller [brije] *vi* brillar.

brimade [brimad] *nf* novatada, vejación *f*.

brimbaler [brɛ̃bale] = bringuebaler.

brimer [brime] *vt* vejar, molestar.

brin [brɛ̃] *nm* hebra; (*fig*): **un** ~ **de** una pizca de; ~ **d'herbe/de paille** brizna de hierba/de paja; ~ **de muguet** ramita de muguete.

brindille [brɛ̃dij] *nf* ramilla.

bringuebaler [brɛ̃gbale] *vi* bambolearse.

brio [brijo] *nm* brío.

brioche [brijɔʃ] *nf* bollo; (*fam*) panza.

brique [brik] *nf* ladrillo // *a inv* rojo(a) ladrillo.

briquer [brike] *vt* frotar.

briquet [brikɛ] *nm* encendedor *m*.

brisant [brizɑ̃] *nm* rompiente *m*.

brise [briz] *nf* brisa.

brisé, e [brize] *a* quebrado(a).

brisées [brize] *nfpl:* **marcher sur les** ~ **de qn** pisar en el terreno a alguien; **suivre les** ~ **de qn** seguir las huellas de alguien.

brise-glace(s) [brizglas] *nm inv* rompehielos *m inv*.

brise-jet [brizʒɛ] *nm inv* tubo amortiguador para grifo.

brise-lames [brizlam] *nm inv* rompeolas *m inv*, escollera.

briser [brize] *vt* quebrar, hacer añicos; (*carrière, vie, amitié*) destrozar, destruir; (*volonté, grève, personne*) quebrar; (*fatiguer*) destrozar, moler; **se** ~ *vi* estrellarse, hacerse añicos; (*fig*) destrozarse.

briseur, euse [brizœr, øz] *nm/f:* ~ **de grève** esquirol *m*.

britannique [bʀitanik] *a, nm/f* británico(a).

broc [bʀo] *nm* jarra.

brocante [bʀɔkãt] *nf* baratillo; **brocanteur, euse** *nm/f* prendero(a).

broche [bʀɔʃ] *nf* (*bijou*) broche *m*; (*CULIN*) espetón *m*; (*CULIN*): **à la ~** al asador.

broché, e [bʀɔʃe] *a* en rústica.

brochet [bʀɔʃɛ] *nm* lucio.

brochette [bʀɔʃɛt] *nf* (*CULIN*) brocheta; **~ de décorations** pasador *m* de condecoraciones.

brochure [bʀɔʃyʀ] *nf* folleto.

brodequins [bʀɔdkẽ] *nmpl* borceguíes *mpl*.

broder [bʀɔde] *vt* bordar // *vi* (*inventer, embellir*) adornar; **~ie** [bʀɔdʀi] *nf* bordado.

bromure [bʀɔmyʀ] *nm* bromuro.

broncher [bʀɔ̃ʃe] *vi* vacilar.

bronches [bʀɔ̃ʃ] *nfpl* bronquios *m*.

bronchite [bʀɔ̃ʃit] *nf* bronquitis *f*.

broncho-pneumonie [bʀɔ̃kɔpnømɔni] *nf* bronconeumonía.

bronze [bʀɔ̃z] *nm* bronce *m*.

bronzé, e [bʀɔ̃ze] *a* bronceado(a).

bronzer [bʀɔ̃ze] *vi*: **se ~** broncearse.

brosse [bʀɔs] *nf* cepillo; **donner un coup de ~** à dar una cepilladura a; **en ~** al cepillo; **à cheveux/à dents/à habits** cepillo para cabellos/de dientes/de ropa; **~ à ongles** cepillo de uñas; **brosser** *vt* cepillar; (*fig*) bosquejar; **se brosser** *vt* cepillarse; (*fam*) privarse.

brou de noix [bʀudnwa] *nm* nogalina.

brouette [bʀuɛt] *nf* carretilla.

brouhaha [bʀuaa] *nm* batahola, alboroto.

brouillage [bʀujaʒ] *nm* interferencia.

brouillard [bʀujaʀ] *nm* niebla.

brouille [bʀuj] *nf* desavenencia.

brouillé, e [bʀuje] *a* (*fâché*) desavenido(a); (*teint*) alterado(a).

brouiller [bʀuje] *vt* embarullar; (*RADIO: émission*) interferir; (*personnes, amis*) disgustar; desavenir;

~ les pistes enredar las pistas; **se ~** (*ciel, temps*) nublarse; (*vitres, vue*) nublarse, empañarse; (*détails*) confundirse; (*amis*) disgustarse.

brouillon [bʀujɔ̃] *a* a desordenado(a) // *nm* borrador *m*.

broussailles [bʀusaj] *nfpl* zarzal *m*, maleza.

brousse [bʀus] *nf* monte *m*; (*péj*) monte, campo.

brouter [bʀute] *vt* pastar, ramonear // *vi* (*mécanisme*) engranar mal, vibrar.

broutille [bʀutij] *nf* fruslería.

broyer [bʀwaje] *vt* moler, triturar; **~ du noir** verlo todo negro.

bru [bʀy] *nf* nuera.

brucelles [bʀysɛl] *nfpl*: (**pinces**) **~** pinzas finas.

bruine [bʀɥin] *nf* llovizna.

bruiner [bʀɥine] *vb impersonnel*: **il bruine** llovizna.

bruire [bʀɥiʀ] *vi* murmurar; zumbar; **bruissement** *nm* murmullo.

bruit [bʀɥi] *nm* ruido; (*fig*) rumor *m*; **sans ~** sin ruido, silenciosamente; (*fig*): **faire grand ~** dar resonancia; **~ de fond** ruido de fondo.

bruitage [bʀɥitaʒ] *nm* efectos sonoros; **bruiteur, euse** *nm/f* especialista *m/f* en efectos sonoros.

brûlant, e [bʀylã, ãt] *a* ardiente, que quema; (*regard*) ardiente; (*sujet*) candente.

brûlé, e [bʀyle] *a* (*fig*) desenmascarado(a) // *nm*: **odeur de ~** olor *m* a quemado.

brûle-pourpoint [bʀylpuʀpwɛ̃]: **à ~** *ad* a quemarropa.

brûler [bʀyle] *vt* quemar; (*suj: eau bouillante*) escaldar; (*consommer*) consumir; (*feu*) arder; (*feu rouge, signal*) pasar de largo // *vi* arder; (*se consumer*) arder, consumirse; (*combustible*) consumirse; (*jeu*): **tu brûles** te quemas; **se ~** (*accidentellement*) quemarse; escaldarse; **se ~ la cervelle** levantarse la tapa de los sesos.

brûleur [bʀylœʀ] *nm* quemador *m*.

brûlure [bʀylyʀ] *nf* quemadura,

escaladadura; (*sensation*) quemazón f; **~s d'estomac** ardor *m* de estómago.

brume [bʀym] *nf* bruma; **brumeux, euse** *a* brumoso(a); (*fig*) confuso(a).

brun, e [bʀœ̃, yn] *a*, *nm/f* moreno(a) // *nm* (*couleur*) pardo; **~ir** [bʀyniʀ] *vi* tostarse // *vt* tostar.

brusque [bʀysk(ə)] *a* brusco(a); **~ment** *ad* bruscamente.

brusquer [bʀyske] *vt* tratar bruscamente; (*fig*) precipitar; **ne rien ~** no precipitarse.

brut, e [bʀyt] *a* bruto(a) // *nm*: (**champagne**) ~ champán muy seco // *nf* bruto/a.

brutal, e, aux [bʀytal, o] *a* brutal; **~iser** *vt* maltratar; **~ité** *nf* brutalidad f.

brute [bʀyt] *af*, *nf* voir **brut**.

Bruxelles [bʀysɛl] *n* Bruselas.

bruyamment [bʀɥijamɑ̃] *ad* ruidosamente.

bruyant, e [bʀɥijɑ̃, ɑ̃t] *a* ruidoso(a).

bruyère [bʀɥjɛʀ] *nf* brezo.

bu, u *pp de* **boire**.

buanderie [bɥɑ̃dʀi] *nf* lavadero m.

Bucarest [bykaʀɛst] *n* Bucarest.

buccal, e, aux [bykal, o] *a*: **par voie ~e** por vía bucal.

bûche [byʃ] *nf* leño; (*fig*): **prendre une ~** darse un porrazo; **~ de Noël** tipo de bizcocho navideño.

bûcher [byʃe] *nm* hoguera // *vi*, *vt* (*fam*) empollar, dar duro.

bûcheron [byʃʀɔ̃] *nm* leñador m.

bucolique [bykɔlik] *a* bucólico(a).

Budapest [bydapɛst] *n* Budapest.

budget [bydʒɛ] *nm* presupuesto; **budgétaire** *a* presupuestario(a).

buée [bɥe] *nf* vapor m; (*de l'haleine*) vaho.

buffet [byfɛ] *nm* aparador m; (*de réception*) bufet m; (*de gare*) bar m.

buffle [byfl(ə)] *nm* búfalo.

buis [bɥi] *nm* boj m.

buisson [bɥisɔ̃] *nm* matorral m.

buissonnière [bɥisɔnjɛʀ] *af*: **faire l'école ~** hacer rabona.

bulbe [bylb(ə)] *nm* bulbo; (*coupole*) cúpula de bulbo.

bulgare [bylgaʀ] *a*, *nm/f* búlgaro/a // *nm* (*LING*) búlgaro.

Bulgarie [bylgaʀi] *nf* Bulgaria.

bulldozer [buldozœʀ] *nm* máquina topadora.

bulle [byl] *nf* burbuja; (*papale*) bula; **~ de savon** pompa de jabón.

bulletin [byltɛ̃] *nm* boletín m, parte m; (*SCOL*) boletín; **~ d'informations** boletín de informaciones; **~ météorologique** boletín meteorológico; **~ de santé** parte médico; **~ (de vote)** papeleta.

buraliste [byʀalist(ə)] *nm/f* estanquero/a.

bure [byʀ] *nf* sayal m.

bureau, x [byʀo] *nm* escritorio; (*d'une entreprise*) administración f; (*service administratif*) oficinas; **~ de change** oficina de cambio; **~ de location** taquilla; **~ de poste** oficina de correos; **~ de tabac** estanco; **~ de vote** colegio electoral.

bureaucrate [byʀokʀat] *nm/f* burócrata m/f.

bureaucratie [byʀokʀasi] *nf* burocracia; **bureaucratique** [-tik] *a* burocrático(a).

burette [byʀɛt] *nf* (*de mécanicien*) aceitera; (*de chimiste*) bureta.

burin [byʀɛ̃] *nm* buril m.

buriné, e [byʀine] *a* (*fig*) marcado(a) profundamente.

burlesque [byʀlɛsk(ə)] *a* burlesco(a).

burnous [byʀnu] *nm* albornoz m.

bus [bys] *nm* autobús m.

buse [byz] *nf* cernícalo.

busqué, e [byske] *a*: **nez ~** nariz aguileña.

buste [byst(ə)] *nm* busto.

but [by] *nm* (*cible*) blanco; (*fig: d'un voyage*) meta; (: *d'une entreprise, action*) objetivo; (*SPORT*) portería; (: *point*) tanto; **de ~ en blanc** de buenas a primeras; **avoir pour ~ de faire** tener como objetivo hacer; **dans le ~ de...** con el propósito de...;

gagner par 3 ~**s à 2** ganar por 3 tantos a 2.

butane [bytan] *nm* butano.

buté, e [byte] *a* terco(a).

butée [byte] *nf* tope *m* de retención.

buter [byte] *vi:* ~ **contre** *ou* **sur qch** tropezar con *o* en *o* contra algo; chocar con algo; (*fig*) tropezar con algo // *vt* (*braquer*) llevar a obstinarse; **se** ~ *vi* tropezarse; obstinarse.

buteur [bytœr] *nm* goleador *m*.

butin [bytɛ̃] *nm* botín *m*.

butiner [bytine] *vi* libar.

butor [bytɔr] *nm* (*fig*) cernícalo, bruto.

butte [byt] *nf* loma; **être en** ~ à ser el blanco de.

buvable [byvabl(ə)] *a* bebible; pasable.

buvais *etc vb voir* **boire**.

buvard [byvar] *nm* secante *m*.

buvette [byvɛt] *nf* cantina.

buveur, euse [byvœr, øz] *nm/f* (*péj*) borracho/a; (*consommateur*) bebedor/a.

byzantin, e [bizãtɛ̃, in] *a* bizantino(a).

C

c' [s] *dét voir* **ce**.

ça [sa] *pron* (*pour désigner: proximité*) esto; (*:non proximité*) eso; (*plus loin*) aquello; (*comme sujet indéfini*) esto; eso *o* aquello; **m'étonne que** me asombra que; ~ **va?** ¿qué tal?; **c'est** ~ muy bien, eso es.

çà [sa] *ad:* ~ **et là** aquí y allá.

caban [kabã] *nm* gabán *m*, chaquetón *m*.

cabane [kaban] *nf* cabaña; **cabanon** *nm* (*hutte*) cabañuela; (*en Provence*) casa de campo.

cabaret [kabarɛ] *nm* cabaret *m*.

cabas [kaba] *nm* cesto, canasta.

cabestan [kabɛstã] *nm* cabrestante *m*.

cabillaud [kabijo] *nm* bacalao fresco.

cabine [kabin] *nf* (*de bateau*) camarote *m*; (*de plage*) caseta; (*de camion, train, avion*) cabina; ~ (**d'ascenseur**) caja (del ascensor); ~ **spatiale** cabina de cápsula espacial; ~ (**téléphonique**) cabina (telefónica).

cabinet [kabinɛ] *nm* gabinete *m*; (*de médecin*) gabinete de consulta; (*d'avocat*) bufete *m*; (*clientèle*) clientela; ~**s** *mpl* (*W.C.*) retretes *mpl*, excusados; ~ **de toilette** cuarto de aseo, tocador *m*.

câble [kabl(ə)] *nm* cable *m*; (*télégramme*) cable, cablegrama *m*; **câbler** *vt* telegrafiar, cablegrafiar.

cabosser [kabɔse] *vt* abollar.

cabotage [kabɔtaʒ] *nm* cabotaje *m*.

caboteur [kabɔtœr] *nm* motonave *f*.

cabotin, e [kabɔtɛ̃, in] *nm/f* comediante/a, comicastro/a; ~**age** [-tinaʒ] *nm* fanfarronada.

cabrer [kabre] *vt* (*personne*) irritar, encolerizar; (*cheval, avion*) encabritar; **se** ~ *vi* (*cheval*) encabritarse.

cabri [kabri] *nm* cabrito.

cabriole [kabrijɔl] *nf:* **faire des** ~**s** hacer cabriolas, dar volteretas.

cabriolet [kabrijɔlɛ] *nm* (*aussi:* **voiture** ~) cabriolé *m*.

cacahuète [kakawɛt] *nf* maní *m*, cacahuete *m*.

cacao [kakao] *nm* cacao.

cachalot [kaʃalo] *nm* cachalote *m*.

cache [kaʃ] *nm* ocultador *m*; (*pour protéger l'objectif*) tapa protectora // *nf* escondite *m*.

cache-cache [kaʃkaʃ] *nm:* **jouer à** ~ jugar al escondite *m*.

cache-col [kaʃkɔl] *nm inv* bufanda.

cachemire [kaʃmir] *nm* cachemira.

cache-nez [kaʃne] *nm inv* bufanda.

cache-pot [kaʃpo] *nm inv* cubretiesto, cubremaceta *m*.

cacher [kaʃe] vt ocultar, esconder; **je ne vous cache pas que** no le oculto que; **se ~** ocultarse, esconderse; (*être ~ caché* esconderse, disimularse; **se ~ de qn pour faire qch** ocultarse de alguien para hacer algo.

cachet [kaʃɛ] nm sello; (*d'artiste*) cachet m, retribución f.

cacheter [kaʃte] vt cerrar, pegar.

cachette [kaʃɛt] nf escondrijo; **en ~** a escondidas.

cachot [kaʃo] nm calabozo.

cachotterie [kaʃɔtri] nf secreteo, sigilo; **cachottier, ière** a sigiloso(a).

cachou [kaʃu] nm cachunde m.

cactus [kaktys] nm cactus m.

cadastre [kadastr(ə)] nm catastro; **cadastral, e, aux** a catastral.

cadavérique [kadaverik] a cadavérico(a).

cadavre [kadavʁ(ə)] nm cadáver m.

cadeau, x [kado] nm regalo; (*fig*) ventaja; **faire un ~ à qn** hacer un regalo a alguien; **faire ~ de qch à qn** regalar algo a alguien.

cadenas [kadna] nm candado; **~ser** [kadnase] vt poner candado a, cerrar con candado.

cadence [kadãs] nf cadencia, ritmo; (*de travail*) ritmo; **en ~** rítmicamente, cadenciosamente; **à la ~ de 10 par jour** a un ritmo de 10 por día; **cadencé, e** a cadencioso(a); (*MIL*): **pas cadencé** paso acompasado.

cadet, te [kadɛ, ɛt] a: **sœur/frère ~(te)** hermana/hermano menor // nm/f (*de la famille*) menor m/f; **~s** (*SPORT*) los menores, los cadetes.

Cadix [kadiks] n Cádiz.

cadran [kadʁã] nm esfera; (*du téléphone*) disco; **~ solaire** reloj m de sol.

cadre [kadʁ(ə)] nm marco; (*de vélo*) cuadro; (*milieu, entourage*) medio, ambiente m; (*ADMIN*) directivo, ejecutivo; **~ moyen/supérieur** (*ADMIN*) directivo

medio/superior; **rayer qn des ~s** dar de baja a alguien; **dans le ~ de** (*fig*) en el marco de.

cadrer [kadʁe] vi: **~ avec qch** cuadrar con algo // vt encuadrar.

caduc, uque [kadyk] a (*théorie, loi*) caduco(a), perimido(a).

cafard [kafaʁ] nm (*ZOOL*) cucaracha; **avoir le ~** estar triste o melancólico(a).

café [kafe] nm (*plante*) cafeto; (*grains, boisson*) café; (*bistro*) café, cafetería // a inv café; **~ au lait/noir** café con leche/negro o solo; **~ bar** bar m cafetería; **~ tabac** café tabaquería; **~ine** [kafein] nf cafeína; **cafetier, ière** [kaftje, jɛʁ] nm/f dueño/a de un café // nf cafetera.

cafouiller [kafuje] vi (*personne*) confundirse, equivocarse; (*appareil, projet*) fallar.

cage [kaʒ] nf jaula; (*FOOTBALL*): **~ (des buts)** área (de meta), portería; **en ~** en jaula; **~ (d'escalier)** caja (de la escalera); **~ thoracique** caja torácica.

cageot [kaʒo] nm caja.

cagibi [kaʒibi] nm cobertizo.

cagneux, euse [kaɲø, øz] a patizambo(a), chueco(a).

cagnotte [kaɲɔt] nf (*tire-lire*) hucha; (*argent*) baza, pozo.

cagoule [kagul] nf cogulla, capirote m.

cahier [kaje] nm cuaderno; (*TYPOGRAPHIE*) cuadernillo, pliego; (*revue*): **~s** cuadernos; **~ d'exercices/de brouillon** cuaderno de ejercicios/de borrador; **~ de revendications** pliego de reivindicaciones; **~ de doléances** libro de quejas o reclamaciones; **~ des charges** pliego de condiciones.

cahin-caha [kaɛ̃kaa] ad danda tumbos.

cahot [kao] nm traqueteo; **~er** vi sacudir // vt traquetear; **~eux, euse** a con baches.

cahute [kayt] nf pocilga.

caïd [kaid] nm cabecilla.

caille [kαj] *nf* codorniz *f*.

caillé, e [kαje] *a*: **lait** ~ **leche cuajada.**

cailler [kαje] *vi* cuajar, coagular.

caillot [kαjo] *nm* coágulo.

caillou, x [kαju] *nm* piedra, guijarro; ~**ter** *vt* empedrar, enguijarrar; ~**teux, euse** *a* pedregoso(a); ~**tis** *nm* pedregullo, grava.

caisse [kεs] *nf* caja; **grosse** ~ (*MUS*) bombo; ~ **d'épargne/de retraite** caja de ahorros/de jubilaciones; ~ **claire** (*MUS*) caja clara, tambor *m*; ~ **enregistreuse** caja registradora; **caissier, ière** [kesje, jεR] *nm/f* cajero/a; **caisson** [kεsɔ̃] *nm* caja; (*de décompression*) campana *f*.

cajoler [kaʒɔle] *vt* mimar; ~**ies** [kaʒɔlRi] *nfpl* mimos, arrumacos.

cake [kεk] *nm* pan *m* de especias, bizcocho.

calaminé, e [kalamine] *a* empastado(a).

calamité [kalamite] *nf* calamidad *f*, catástrofe *f*.

calandre [kalɑ̃dR(ə)] *nf* rejilla, coraza.

calanque [kalɑ̃k] *nf* cala, bahía.

calcaire [kalkεR] *nm* caliza // *a* calcáreo(a).

calciné, e [kalsine] *a* calcinado(a), carbonizado(a).

calcium [kalsjɔm] *nm* calcio.

calcul [kalkyl] *nm* cálculo; (*MÉD*): ~ **(biliaire/rénal)** cálculo (biliar/renal); ~ **mental** cálculo mental; ~**ateur, trice** [-atœR, tRis] *nm/f* calculador/ora // *nm* calculador *m* // *nf* calculadora.

calculer [kalkyle] *vt* calcular, estimar; (*combiner, arranger*) premeditar, calcular // *vi* calcular; (*péj*) premeditar, maquinar.

cale [kal] *nf* (*de bateau*) bodega; (*en bois*) cuña; ~ **sèche** (*NAUT*) dique seco.

calé, e [kale] *a* (*fam*) calzado(a); (*personne*) sabihondo(a); (*problème*) difícil, arduo(a).

calebasse [kalbαs] *nf* calabaza.

caleçon [kalsɔ̃] *nm* calzoncillos; ~ **de bain** calzón *m* o pantalón *m* de baño.

calembour [kalɑ̃buR] *nm* retruécano.

calendrier [kalɑ̃dRije] *nm* (*système*) calendario; (*objet*) calendario, almanaque *m*; (*fig*) calendario, programa *m*.

cale-pied [kalpje] *nm inv* calzapiés *m*.

calepin [kalpɛ̃] *nm* libreta, agenda.

caler [kale] *vt* (*fixer*) calzar; ~ **(son moteur/véhicule)** parar (su motor/vehículo).

calfeutrer [kalføtRe] *vt* colocar burletes a.

calibre [kalibR(ə)] *nm* (*d'un fruit*) diámetro; (*d'une arme*) calibre *m*; (*fig*) calibre, envergadura; **calibrer** *vt* (*fruits*) clasificar.

calice [kalis] *nm* cáliz *m*.

califourchon [kalifuRʃɔ̃]: **à** ~ *ad* a horcajadas.

câlin, e [kαlɛ̃, in] *a* mimoso(a).

câliner [kαline] *vt* mimar, acariciar.

calleux, euse [kalø, øz] *a* calloso(a).

calligraphie [kaligRafi] *nf* caligrafía.

calmant, e [kalmɑ̃, ɑ̃t] *a* calmante, tranquilizador(ora) // *nm* (*MÉD*) calmante *m*.

calme [kalm(ə)] *a* calmo(a), tranquilo(a); (*décontracté*) sosegado(a), tranquilo(a) // *nm* calma, tranquilidad *f*; (*d'une personne*) calma, sosiego.

calmer [kalme] *vt* calmar, tranquilizar; (*douleur, jalousie, colère*) calmar, sosegar; **se** ~ calmarse, tranquilizarse; (*vent, mer*) calmarse, apaciguarse; (*colère etc*) calmarse, sosegarse.

calomnie [kalɔmni] *nf* calumnia, difamación *f*; **calomnier** *vt* calumniar, difamar; **calomnieux, euse** *a* calumnioso(a), infamante.

calorie [kalɔRi] *nf* caloría.

calorifère [kalɔRifεR] *nm* estufa.

calorifique [kalɔrifik] *a* calorifi-co(a).

calorifuge [kalɔrifyʒ] *a* calorífu-go(a) // *nm* calorífugo, aislante *m*.

calot [kalo] *nm* (*MIL*) gorra.

calotte [kalɔt] *nf* (*coiffure*) birreta; (*gifle*) bofetada; (*GÉO*): ~ **glaciaire** casquete *m* glaciar.

calque [kalk(ə)] *nm* (*aussi*: papier ~) calco, papel *m* de calco; (*dessin*, *fig*) calco, imitación *f*.

calquer [kalke] *vt* calcar; (*fig*) copiar, imitar.

calvaire [kalvɛr] *nm* calvario, vía crucis *m*.

calvitie [kalvisi] *nf* calvicie *f*.

camaïeu [kamajø] *nm*: (*motif en*) ~ (motivo en) monocromo.

camarade [kamarad] *nm/f* camarada *m*, compañero/a.

camaraderie [kamaradri] *nf* (*amitié*) camaradería, compañeris-mo.

cambouis [kɑ̃bwi] *nm* grasa.

cambrer [kɑ̃bre] *vt* arquear; **se** ~ arquearse.

cambriolage [kɑ̃brijɔlaʒ] *nm* atraco, asalto.

cambrioler [kɑ̃brijɔle] *vt* atracar, asaltar; **cambrioleur, euse** *m/f* asaltante *m/f*, ladrón/ona.

cambrure [kɑ̃bryr] *nf* arco, combadura.

cambuse [kɑ̃byz] *nf* (*NAUT*) gambuza, pañol *m*.

came [kam] *nf voir* **arbre**.

camée [kame] *nm* camafeo.

caméléon [kamele5] *nm* (*ZOOL*) camaleón *m*.

camelot [kamlo] *nm* vendedor ambulante *o* callejero.

camelote [kamlɔt] *nf* porquería.

caméra [kamera] *nf* cámara; ~**man** [-man] *nm* cameraman *m*, operador *m*.

camion [kamjɔ̃] *nm* camión *m*; (*charge*): ~ **de sable** *etc* camión de arena *etc*; ~**citerne** *nm* camión *m* cisterna; ~**nage** *nm*: **frais/entreprise de** ~**nage** gastos/empresa de camionaje; ~**nette** *nf*

camionneta; ~**neur** *nm* transportista *m*; (*chauffeur*) camionero.

camisole [kamizɔl] *nf*: ~ (**de force**) camisa (de fuerza).

camomille [kamɔmij] *nf* manza-nilla.

camouflage [kamuflaʒ] *nm* camuflaje *m*.

camoufler [kamufle] *vt* camuflar; (*fig*) disimular, enmascarar.

camp [kɑ̃] *nm* campamento; (*POL*, *SPORT*) campo; ~ **de concentration** campo de concentración; ~ **de nudistes** campo *o* colonia nudista; ~ **de vacances** colonia de vacaciones.

campagnard, e [kɑ̃paɲar, ard(ə)] *a* campestre, rustico/a // *nm/f* campesino/a.

campagne [kɑ̃paɲ] *nf* (*nature*) campo; (*province*) pueblo; (*opposé à: mer, montagne*) campo, campiña; (*MIL, POL, COMM*) campaña; **en** ~ (*MIL*) en campaña; **à la** ~ en el campo.

campanile [kɑ̃panil] *nm* campanario.

campement [kɑ̃pmɑ̃] *nm* campa-mento.

camper [kɑ̃pe] *vi* acampar // *vt* (*chapeau etc*) plantarse, meterse; (*dessin, tableau, personnage*) trazar; **se** ~ **devant qn/qch** plantarse frente a alguien/algo; **campeur, euse** *nm/f* campista *m/f*.

camphre [kɑ̃fr(ə)] *nm* alcanfor *m*; **camphré, e** *a* alcanforado(a).

camping [kɑ̃piŋ] *nm* camping *m*; (*terrain de*) ~ camping; **faire du** ~ practicar camping.

camus, e [kamy, yz] *a*: **nez** ~ nariz chata *o* aplastada.

Canada [kanada] *nm* Canadá *m*; **canadien, ne** *a*, *nm/f* canadiense (*m/f*) // *nf* gabán forrado en piel.

canaille [kanɑj] *nf* (*péj*) (*crapule*) canalla *m*, vil *m/f*.

canal, aux [kanal, o] *nm* canal *m*; (*ANAT*) canal, conducto; (*ADMIN*): **par le** ~ **de** por medio *o* conducto de.

canalisation [kanalizasjɔ̃] nf canalización f; cañería.

canaliser [kanalize] vt (eau) canalizar; (fig) orientar, canalizar.

canapé [kanape] nm (fauteuil) sofá m; (CULIN) canapé m.

canard [kanaʀ] nm (ZOOL) pato.

canari [kanaʀi] nm canario.

Canaries [kanaʀi] nfpl: **les** ~ las Islas Canarias.

cancans [kɑ̃kɑ̃] nmpl habladurías, murmuraciones.

cancer [kɑ̃sɛʀ] nm cáncer m; (ASTRO): **le C**~ Cáncer m; **être du C**~ ser de Cáncer; **cancéreux, euse** a, nm/f canceroso(a); **cancérigène** [kɑ̃seʀiʒɛn] a cancerígeno(a) // **cancérigeno.

cancre [kɑ̃kʀ(ə)] nm zángano, holgazán(ana).

cancrelat [kɑ̃kʀəla] nm cucaracha.

candélabre [kɑ̃delabʀ(ə)] nm candelabro.

candeur [kɑ̃dœʀ] nf candor m, candidez f.

candi [kɑ̃di] a inv: **sucre** ~ azúcar cristalizado o cande.

candidat, e [kɑ̃dida, at] nm/f candidato/a; ~**ure** nf candidatura.

candide [kɑ̃did] a candido(a), ingenuo(a).

cane [kan] nf pata.

caneton [kantɔ̃] nm patito.

canette [kanɛt] nf (de bière) botella; (COUTURE) canilla, bobina.

canevas [kanva] nm cañamazo; (fig) bosquejo, esbozo.

caniche [kaniʃ] nm caniche m.

canicule [kanikyl] nf canícula, bochorno.

canif [kanif] nm navaja, cortaplumas m inv.

canin, e [kanɛ̃, in] a canino(a) // nf canino.

caniveau, x [kanivo] nm arroyo.

canne [kan] nf bastón m; ~ **à pêche** caña de pescar; ~ **à sucre** caña de azúcar.

cannelle [kanɛl] nf (BOT) canela.

cannelure [kanlvʀ] nf estría.

cannibale [kanibal] a, nm/f canibal (m/f).

canoë [kanɔe] nm bote m, canoa; ~ (**kayac**) (SPORT) kayac m, bote de canalete.

canon [kanɔ̃] nm cañon m; (fig: type) canon m, modelo; (règles, code) canon.

cañon [kanɔ̃] nm (GÉO) cañón m.

canoniser [kanɔnize] vt canonizar.

canonnade [kanɔnad] nf cañoneo.

canonnier [kanɔnje] nm artillero.

canonnière [kanɔnjɛʀ] nf cañonera.

canot [kano] nm bote m; ~ **pneumatique** bote inflable o neumático; ~ **de sauvetage** bote salvavidas; ~**er** vi remar, andar en bote.

canotier [kanɔtje] nm sombrero de paja.

cantate [kɑ̃tat] nf cantata.

cantatrice [kɑ̃tatʀis] nf cantante f.

cantine [kɑ̃tin] nf (malle) baúl m; (restaurant) cantina.

cantique [kɑ̃tik] nm (REL) cántico.

canton [kɑ̃tɔ̃] nm (en France) partido; (en Suisse) cantón m.

cantonade [kɑ̃tɔnad]: **à la** ~ ad a los cuatro vientos.

cantonner [kɑ̃tɔne] vt (troupes) acantonar; (personne) encasillar, limitar; **se** ~ **dans** aislarse en, limitarse a.

cantonnier [kɑ̃tɔnje] nm obrero caminero.

canular [kanylaʀ] nm broma, jugarreta.

canule [kanyl] nf (MÉD) cánula.

caoutchouc [kautʃu] nm caucho, goma; (élastique) elástico; **en** ~ de caucho o goma; ~~**mousse** goma espuma; **caoutchouté, e** a impermeabilizado(a); **caoutchouteux, euse** a correoso(a), gomoso(a).

cap [kap] nm (GÉO) cabo; (NAUT) proa; (fig) límite m, barrera; **mettre le** ~ **sur** hacer rumbo a.

CAP sigle m voir **certificat**.

capable [kapabl(ə)] a (compétent)

capacitado(a), competente; ~ **de faire** capaz de *o* apto(a) para hacer; ~ **d'un effort** capaz de un esfuerzo; **il est** ~ **d'échouer** es capaz de fracasar; **livre** ~ **d'intéresser** libro susceptible de interés; **capacité** [kapasite] *nf* capacidad *f*, competencia; *(d'un récipient)* capacidad *f*; *(diplôme)* : ~ **(en droit)** idoneidad en derecho.

cape [kap] *nf* capa.

CAPES sigle m voir **certificat.**

capharnaüm [kafarnaom] *nm* leonera, cuchitril m.

capillaire [kapilɛr] *a* capilar; **artiste** ~ peinador/ora.

capillarité [kapilarite] *nf* capilaridad *f.*

capilotade [kapilɔtad]: **en** ~ *ad* hecho añicos *o* papilla.

capitaine [kapitɛn] *nm* capitán m.

capital, e, aux [kapital, o] *a* capital; *(JUR)*: **peine** ~**e** pena capital // *nm* capital m; *(fig)* capital, caudal m // *nf* *(ville)* capital *f*; *(lettre)* mayúscula; **capitaux** *mpl* capitales *mpl*, fondos; ~ **(social)** capital m, patrimonio; ~**iser** *vt* capitalizar.

capitalisme [kapitalism(ə)] *nm* capitalismo; **capitaliste** *a*, *nm/f* capitalista *(m/f)*.

capiteux, euse [kapitø, øz] *a* embriagador(ora); *(femme)* sensual.

capitonner [kapitɔne] *vt* acolchar.

capitulation [kapitylɑsjɔ̃] *nf* capitulación *f.*

capituler [kapityle] *vi* capitular.

caporal, aux [kapɔral, o] *nm* cabo.

capot [kapo] *nm* capó // *a inv* capote.

capote [kapɔt] *nf* *(de voiture)* capota; *(de soldat)* capote m.

capoter [kapɔte] *vi* volcar, darse vuelta.

câpre [kɑpr(ə)] *nf* alcaparra.

caprice [kapris] *nm* capricho, antojo; ~**s** *mpl* *(de la mode etc)* caprichos; **capricieux, euse** *a* *(enfant, femme)* caprichoso(a);

(vent, moteur) variable, inconstante.

Capricorne [kaprikɔrn(ə)] *nm* *(ASTRO)*: **le** ~ Capricornio; **être du** ~ ser de Capricornio.

capsule [kapsyl] *nf* cápsula; *(de bouteille)* cápsula, tapa.

capter [kapte] *vt (eau)* canalizar; *(RADIO)* captar; *(attention, intérêt)* captar, atraer.

captieux, euse [kapsjø, øz] *a* capcioso(a), falso(a).

captif, ive [kaptif, iv] *a*, *nm/f* cautivo(a), prisionero(a).

captiver [kaptive] *vt* cautivar, atraer.

captivité [kaptivite] *nf* cautiverio, prisión *f*; **en** ~ prisionero(a), en cautiverio.

capture [kaptyr] *nf* captura.

capturer [kaptyre] *vt* capturar, apresar.

capuche [kapyʃ] *nf* *(de manteau)* capucha.

capuchon [kapyʃɔ̃] *nm* capuchón m.

capucine [kapysin] *nf* *(BOT)* capuchina, espuela de galán.

caquet [kakɛ] *nm*: **rabattre le** ~ **à qn** bajarle el copete a alguien.

caqueter [kakte] *vi* cacarear.

car [kar] *nm* autobús m de turismo, microbús m // *conj* pues, porque.

carabine [karabin] *nf* carabina.

caracoler [karakɔle] *vi (cheval)* caracolear.

caractère [karaktɛr] *nm* carácter m, temperamento; *(fermeté)* carácter, firmeza; *(de choses: nature)* carácter; *(cachet)* carácter, personalidad *f*; *(lettre, signe)* letra, carácter; ~ **d'imprimerie** letra (de imprenta); **en** ~**s gras** en negrita; **prière d'écrire en** ~**s d'imprimerie** se ruega escribir en letra de imprenta; **avoir du** ~ *(personne)* tener carácter; *(paysage, musique)* tener personalidad *o* originalidad; **avoir bon/mauvais** ~ tener buen/mal carácter.

caractériel, le [karakterjel] *a* del

caràcter // nm/f inadaptado/a.

caractérisé, e [karakterize] a caracteristico(a), peculiar.

caractériser [karakterize] vt (*définir*) caracterizar, definir; **se ~ par** caracterizarse por; **caractéristique** a caracteristico(a), típico(a) // nf característica, rasgo.

carafe [karaf] nf jarra.

carambolage [karãbɔlaʒ] nm choques mpl en serie.

caramel [karamel] nm, a inv caramelo; **caraméliser** vt (*sucre*) acaramelar.

carapace [karapas] nf caparazón m, concha; (*fig*) capa, caparazón.

carat [kara] nm quilate m; **or à 18 ~s** oro de 18 quilates.

caravane [karavan] nf (*de chameaux*) caravana; (*camping*) autovivienda, roulotte f.

caravaning [karavaniŋ] nm (*camping*) camping practicado con roulotte.

carbone [karbɔn] nm carbono; (*aussi*: **papier ~**) papel m carbón; (*double*) copia, duplicado; **carbonique** a: **gaz carbonique** anhídrido carbónico; **neige carbonique** nieve carbónica.

carboniser [karbɔnize] vt carbonizar.

carburant [karbyrã] nm carburante m.

carburateur [karbyratœr] nm carburador m.

carburation [karbyrasjɔ̃] nf carburación f.

carcan [karkã] nm (*fig*) yugo.

carcasse [karkas] nf armazón m, esqueleto; (*de voiture*) armazón m.

carder [karde] vt cardar.

cardiaque [kardjak] a, nm/f cardiaco(a).

cardigan [kardigã] nm cardigan m, chaqueta de punto.

cardinal, e, aux [kardinal, o] a cardinal // nm (REL) cardinal m.

cardiologie [kardjɔlɔʒi] nf cardiología; **cardiologue** [-lɔg] nm/f cardiólogo/a.

carême [karɛm] nm (*fête*) cuaresma.

carence [karãs] nf incapacidad f, ineptitud f; (*manque*) carencia, insuficiencia; **~ vitaminique** carencia vitamínica.

carène [karɛn] nf obra viva.

caréner [karene] vt (NAUT) carenar; (AUTO) dar forma aerodinámica a.

caressant, e [karesã, ãt] a afectuoso(a), cariñoso(a); (*voix, regard*) acariciador(ora), aterciopelado(a).

caresse [kares] nf caricia.

caresser [karese] vt acariciar; (*projet, espoir*) acariciar, abrigar.

cargaison [kargɛzɔ̃] nf carga, cargamento.

cargo [kargo] nm carguero, buque m de carga.

caricatural, e, aux [karikatyral, o] a caricaturesco(a).

caricature [karikatyr] nf (*dessin*) caricatura; **caricaturiste** nm/f caricaturista m/f.

carie [kari] nf: **~ (dentaire)** caries f (dental); **carié, e** [karje] a: **dent cariée** diente cariado.

carillon [karijɔ̃] nm (*d'église*) carillón m; (*pendule*) carillón, reloj de pared con carillón; (*sonnette*): **~ (électrique)** timbre m.

carillonner [karijone] vi repicar, tañer.

carlingue [karlɛ̃g] nf carlinga.

carnage [karnaʒ] nm degollina, carnicería.

carnassier, ière [karnasje, jɛr] a carnicero(a), carnívoro(a) // nm/f carnívoro m.

carnation [karnasjɔ̃] nf color de la tez.

carnaval [karnaval] nm carnaval m.

carnet [karne] nm libreta; (*de tickets etc*) cuadernillo, taco; (*journal intime*) diario íntimo; **~ de chèques** talonario de cheques; **~ de commandes** talonario o libreta de pedidos.

carnier [kaʀnje] *nm* morral *m*.

carnivore [kaʀnivɔʀ] *a, nm/f* carnívoro(a).

carotide [kaʀɔtid] *nf* carótida.

carotte [kaʀɔt] *nf* (*BOT*) zanahoria.

carpe [kaʀp(ə)] *nf* (*ZOOL*) carpa.

carpette [kaʀpet] *nf* alfombrilla.

carquois [kaʀkwa] *nm* carcaj *m*.

carré, e [kaʀe] *a* cuadrado(a); (*direct, franc*) franco(a), directo(a) // *nm* cuadrado; (*de terrain, jardin*) arriate *m*; (*NAUT*) sala, cámara; **élever un nombre au** ~ elevar un número al cuadrado; **mètre** ~ metro cuadrado; ~ **d'as** póker *m* de ases.

carreau, x [kaʀo] *nm* baldosa, azulejo; (*de fenêtre*) vidrio, cristal *m*; (*dessin*) cuadro; (*CARTES*) diamantes *mpl*, ≈ oros; (*carte*) diamante *m*, ≈ oro; **papier à** ~**x** papel de cuadros.

carrefour [kaʀfuʀ] *nm* cruce *m*; (*fig*) punto de reunión *o* de encuentro.

carrelage [kaʀlaʒ] *nm* embaldosado; solado.

carreler [kaʀle] *vt* embaldosar, solar; **carreleur** *nm* embaldosador *m*, solador *m*.

carrelet [kaʀle] *nm* (*filet*) nasa; (*poisson*) platija.

carrément [kaʀemã] *ad* francamente, directamente.

carrer [kaʀe] : **se** ~ *vi*: **se** ~ **dans un fauteuil** arrellanarse en un sillón.

carrier [kaʀje] *nm*: (*ouvrier*) cantero, picapedrero.

carrière [kaʀjeʀ] *nf* cantera; (*métier*) carrera; **militaire de** ~ militar *m* de carrera; **faire** ~ **dans** hacer carrera en.

carriole [kaʀjɔl] *nf* carricoche *m*.

carrossable [kaʀɔsabl(ə)] *a* transitable.

carrosse [kaʀɔs] *nm* carroza.

carrosserie [kaʀɔsʀi] *nf* carrocería; **carrossier** *nm* carrocero; (*dessinateur*) diseñador *m* de carrocerías.

carrousel [kaʀuzel] *nm* carrusel *m*.

carrure [kaʀyʀ] *nf* anchura del torso; **de** ~ **athlétique** de torso atlético.

cartable [kaʀtabl(ə)] *nm* cartera.

carte [kaʀt(ə)] *nf* (*GÉO*) mapa; (*de fichier*) ficha; (*de jeu*) naipe *m*, carta; (*d'électeur, d'abonnement etc*) tarjeta, carnet *m*; (*au restaurant*) carta, menú *m*; (*aussi*: ~ **postale**) (tarjeta) postal *f*; (*aussi*: ~ **de visite**) tarjeta de visita; **à la** ~ (*au restaurant*) a la carta; **donner** ~ **blanche** dar carta blanca; ~ **grise** título de propiedad de un coche; ~ **d'identité** cédula de identidad; ~ **perforée** ficha perforada.

cartel [kaʀtel] *nm* frente *m*.

carte-lettre [kaʀtəletʀ(ə)] *nf* billete *m* postal.

carter [kaʀteʀ] *nm* (*AUTO*) cárter *m*.

cartilage [kaʀtilaʒ] *nm* cartílago.

cartographe [kaʀtɔgʀaf] *nm/f* cartógrafo/a.

cartographie [kaʀtɔgʀafi] *nf* cartografía.

cartomancie [kaʀtɔmãsi] *nf* cartomancia; **cartomancien, ne** *nm/f* cartomántico/a.

carton [kaʀtɔ̃] *nm* cartón *m*; (*boîte*) caja; (*de carte, ticket*) tarjeta, ficha; **en** ~ de cartón; **faire un** ~ (*au tir*) tirar al blanco; ~ (**à dessin**) cartapacio.

cartonnage [kaʀtɔnaʒ] *nm* (*emballage*) embalaje *m*.

cartonné, e [kaʀtɔne] *a* en cartoné.

carton-pâte [kaʀtɔ̃pat] *nm* cartón *m* piedra.

cartouche [kaʀtuʃ] *nf* (*de fusil*) cartucho; (*de stylo*) carga; (*de film, de ruban encreur*) carrete *m*; **cartouchière** *nf* canana.

cas [ka] *nm* caso; **faire grand** ~ **de** dar gran importancia a; **en aucun** ~ en ningún caso, de ninguna manera; **au** ~ **où** en caso de que, en el caso que; **en ~ de** en caso de; **en tout ~** en todo caso, de todos modos; **~ de conscience** caso de conciencia; **~ limite** caso límite o extremo.

casanier, ière [kazanje, jɛʀ] *a* casero(a).

casaque [kazak] *nf* casaca.

cascade [kaskad] *nf* cascada; (*fig*) lluvia, andanada.

cascadeur [kaskadœʀ] *nm* doble *m*.

case [kɑz] *nf* (*hutte*) choza; (*compartiment*) casilla, compartimiento; (*sur une surface*) casilla; **cochez la ~ réservée à cet effet** señale la casilla reservada a tal efecto.

caséine [kazein] *nf* caseína.

casemate [kazmat] *nf* casamata.

caser [kaze] *vt* colocar, meter; (*personne*) colocar.

caserne [kazɛʀn(ə)] *nf* cuartel *m*.

casernement [kazɛʀnəmɑ̃] *nm* acuartelamiento; (*caserne*) cuartel *m*.

cash [kaʃ] *ad*: **payer ~** pagar al contado.

casier [kɑzje] *nm* casillero; (*à poisson*) nasa; **~ judiciaire** registro de antecedentes, prontuario.

casino [kazino] *nm* casino.

casque [kask(ə)] *nm* casco; (*chez le coiffeur*) secador *m*; (*pour audition*) auriculares *mpl*.

casquette [kaskɛt] *nf* gorra.

cassant, e [kasɑ̃, ɑ̃t] *a* quebradizo(a); tajante.

cassate [kasat] *nf*: (*glace*) ~ postre helado.

cassation [kasasjɔ̃] *nf* (*JUR*): **se pourvoir en ~** apelar al Tribunal Supremo; **recours en ~** recurso de casación; **cour de ~** Tribunal Supremo.

casse [kɑs] *nf*: **mettre à la ~** dar *o* vender como chatarra; **il y a eu de la ~** hubo daños *o* pérdidas.

casse... [kɑs] *préf*: **~-cou** *a inv* peligroso(a), riesgoso(a); (*imprudent*) arriesgado(a), alocado(a)

nm inv imprudente *m/f*, temerario/a; **crier ~-cou** prevenir del peligro; **~-croûte** *nm inv* merienda, refrigerio; **~-noisette(s)**, **~-noix** *nm inv* cascanueces *m*; **~-pieds** (*fam*) *a* fastidioso(a), insufrible // *nm/f* pesado/a.

casser [kɑse] *vt* romper, quebrar; (*montre, moteur*) romper, deteriorar; (*gradé*) dejar cesante; (*arrêt, décision*) anular, casar // *vi* romperse, cortarse; **se ~** *vi* quebrarse, romperse; (*être fragile*) quebrarse.

casserole [kasʀɔl] *nf* cacerola; **à la ~** (*CULIN*) a la cacerola.

casse-tête [kɑstɛt] *nm inv* (*aussi:* **~ chinois**) quebradero de cabeza.

cassette [kasɛt] *nf* bobina de cinta magnetofónica, cassette *m*; (*coffret*) joyero, cofrecito.

casseur [kɑsœʀ] *nm* depredador *m*.

cassis [kasis] *nm* (*BOT*) grosellero negro; (*liqueur*) casis *m*; (*de la route*) badén *m*.

cassonade [kasɔnad] *nf* azúcar semirrefinado.

cassoulet [kasulɛ] *nm* guiso de judías.

cassure [kasyʀ] *nf* (*fissure*) rotura, grieta.

castagnettes [kastaɲɛt] *nfpl* castañuelas.

caste [kast(ə)] *nf* casta.

Castille [kastij] *nf*: **la ~** Castilla.

castor [kastɔʀ] *nm* (*ZOOL*) castor *m*.

castrer [kastʀe] *vt* castrar.

cataclysme [kataklism(ə)] *nm* cataclismo.

catacombes [katakɔ̃b] *nfpl* catacumbas.

catadioptre [katadjɔptʀ(ə)] *nm* = **cataphote**.

catafalque [katafalk(ə)] *nm* catafalco, túmulo.

catalepsie [katalɛpsi] *nf* catalepsia.

catalogue [katalɔg] *nm* catálogo; **cataloguer** *vt* catalogar.

Catalogne [katalɔɲ] *nf* Cataluña.

catalyse [kataliz] *nf* catálisis *f*;

catalyseur nm catalizador/ora.
cataphote [katafɔt] nm reflectante m.
cataplasme [kataplasm(ə)] nm cataplasma m.
catapulte [katapylt(ə)] nf catapulta; **catapulter** vt catapultar.
cataracte [kataʀakt(ə)] nf catarata; **opérer qn de la** ~ operar a alguien de cataratas.
catarrhe [kataʀ] nm catarro.
catastrophe [katastʀɔf] nf catástrofe f, desastre m; **catastrophique** a catastrófico(a), desastroso(a).
catch [katʃ] nm (SPORT) lucha libre; ~**eur, euse** nm/f luchador/ora de catch.
catéchiser [kateʃize] vt (endoctriner) adoctrinar, aleccionar.
catéchisme [kateʃism(ə)] nm catecismo.
catéchumène [katekymɛn] nm/f catecúmeno/a.
catégorie [kategɔʀi] nf categoría.
catégorique [kategɔʀik] a categórico(a).
cathédrale [katedʀal] nf catedral f.
cathode [katɔd] nf cátodo f.
catholicisme [katɔlisism(ə)] nm catolicismo.
catholique [katɔlik] a, nm/f católico(a); **pas très** ~ no muy católico(a) o limpio(a).
catimini [katimini] : **en** ~ ad a escondidas.
cauchemar [koʃmaʀ] nm pesadilla; ~**desque** a de pesadilla.
caudal, e, aux [kodal, o] a caudal.
causal, e [kozal] a causal.
causalité [kozalite] nf causalidad f.
cause [koz] nf causa, motivo; (JUR) causa; **être** ~ **de** ser causa o motivo de; **à** ~ **de** (gén) a causa o en razón de; (par la faute de) a causa o por culpa de; **pour** ~ **de décès** por deceso etc; (et) **pour** ~ (y) con causa o razón; **être/mettre en** ~ estar/poner en juego; **être hors de**

~ **estar fuera de cuestión; en tout état de** ~ en todo caso, sea como fuere.
causer [koze] vt causar, provocar // vi charlar, conversar.
causerie [kozʀi] nf charla.
caustique [kostik] a caústico(a).
cauteleux, euse [kotlø, øz] a taimado(a), ladino(a).
cautériser [koteʀize] vt cauterizar.
caution [kosjɔ̃] nf (argent) garantía, fianza; (JUR) caución f; (soutien, appui) apoyo, aval m; **libéré sous** ~ (JUR) liberado bajo fianza; **sujet à** ~ dudoso, inseguro; ~**nement** nm aval m; fianza; ~**ner** vt avalar, apoyar.
cavalcade [kavalkad] nf cabalgata.
cavalerie [kavalʀi] nf caballería.
cavalier, ière [kavalje, jɛʀ] a desconsiderado(a), impertinente // nm/f jinete/a; (au bal) pareja m/f, acompañante/a // nm (ECHECS) caballo; **faire** ~ **seul** hacer rancho aparte.
cave [kav] nf sótano; (réserve de vins) bodega; (cabaret) cabaret m en el subsuelo // a: **yeux** ~**s** ojos hundidos.
caveau, x [kavo] nm sepulcro.
caverne [kavɛʀn(ə)] nf caverna.
caverneux, euse [kavɛʀnø, øz] a: **voix caverneuse** voz cavernosa.
caviar [kavjaʀ] nm caviar m.
cavité [kavite] nf cavidad f, hueco.
CC abrév de **corps consulaire**.
CCP sigle m voir **compte**.
CD abrév de **corps diplomatique**.
ce(c'), cet, cette, ces [sə, sɛt, se] dét (proximité) este m, esta f, estos mpl, estas fpl; (non proximité) ese m, esa f, esos mpl, esas fpl; (: plus loin) aquel m, aquella f, aquellos mpl, aquellas fpl; ~ **chapeau-ci/là** este/ese o aquel sombrero; **cette nuit** (qui vient) esta noche; (passée) anoche // pron: ~ **qui, que** lo que; **tout** ~ **qui/que** todo cuanto o lo

que; il n'avait pas d'enfants ~ qui le chagrinait no tenía niños lo que *o* lo cual le apenaba; **~ dont j'ai parlé** lo *o* eso de que hablé; **s'attendre à ~ que** esperar a que; **~ que c'est grand!** ¡qué grande (es)!; **c'est ~ que c'est petit/grand** es pequeño/grande; **c'est un peintre, ~ sont des peintres** es un pintor, son pintores; **c'est le plombier etc (à la porte)** es el fontanero etc; **c'est une voiture** es un coche; **qui est-~?** ¿quién es?; **(en désignant)** ¿quién es éste/ésta?; **qu'est-~?** ¿qué es?; ...; **c'est qu'il est lent** ...es que es lento; *voir aussi* **-ci, est-ce que, n'est-ce pas, c'est-à-dire.**

ceci [səsi] *pron* esto.

cécité [sesite] *nf* ceguera.

céder [sede] *vt* ceder, traspasar // *vi* ceder; *(personne)* ceder, someterse; **~ à** ceder a.

cédille [sedij] *nf* cedilla.

cèdre [sɛdʀ(ə)] *nm* cedro.

CEE *sigle f voir* **communauté.**

ceindre [sɛ̃dʀ(ə)] *vt* ceñir.

ceinture [sɛ̃tyʀ] *nf* cinturón *m*, correa; *(fig)* cintura; **jusqu'à la ~** hasta la cintura; **~ de sécurité** cinturón de seguridad.

ceinturer [sɛ̃tyʀe] *vt* atrapar por la cintura a; *(entourer)* rodear.

ceinturon [sɛ̃tyʀɔ̃] *nm* cinto, cinturón *m*.

cela [səla] *pron* eso; *(plus loin)* aquello; *(comme sujet indéfini)* eso; aquello; **~ m'étonne que...** me asombra que...; **quand/où ~?** ¿cuándo/dónde?

célèbre [selɛbʀ(ə)] *a* célebre, famoso(a).

célébrer [selebʀe] *vt* celebrar, festejar; *(messe)* celebrar; *(personne)* encomiar, celebrar.

célébrité [selebʀite] *nf* celebridad *f*, renombre *m*; *(star)* celebridad.

céleri [sɛlʀi] *nm* ~(-rave) apio nabo; **~ en branche** apio.

célérité [seleʀite] *nf* celeridad *f*, rapidez *f*.

céleste [selɛst(ə)] *a* celeste, celestial.

célibat [seliba] *nm* celibato.

célibataire [selibatɛʀ] *a* célibe, soltero(a); *(ADMIN)* soltero(a) // *nm/f* soltero/a.

celle, celles [sɛl] *pron voir* **celui.**

cellier [selje] *nm* bodega.

cellophane [selɔfan] *nf* celofán *m*.

cellulaire [selylɛʀ] *a (BIO)* celular; **voiture** *ou* **fourgon ~** coche *o* furgón *m* celular.

cellule [selyl] *nf* célula; *(de prisonnier, moine)* celda; **~ photo-électrique** célula fotoeléctrica.

cellulite [selylit] *nf* celulitis *f.*

celluloïd [selylɔid] *nm* celuloide *m.*

cellulose [selyloz] *nf* celulosa.

celui, celle, ceux, celles [səlɥi, sɛl, sø] *pron* el, la *f*, los *mpl*, las *fpl*; **~ qui/que** el que; **~ dont je parle** el *o* de que hablo; **~ qui veut** *(valeur indéfinie)* quien *o* el que quiera; **~ du salon/de mon frère** el del salón/de mi hermano; **~-ci/-là, celle-ci/-là** éste/ése *o* aquél, ésta/ésa *o* aquélla; **ceux-ci, celles-ci** éstos, éstas; **ceux-là, celles-là** ésos *o* aquéllos, ésas *o* aquéllas.

cénacle [senakl] *nm* cenáculo.

cendre [sɑ̃dʀ(ə)] *nf* ceniza; **~s** *fpl* cenizas; *(d'un défunt)* cenizas, restos; **sous la ~** *(CULIN)* en las cenizas; **cendré, e** *a* ceniciento(a); **piste cendrée** pista de ceniza; **cendrier** [sɑ̃dʀije] *nm* cenicero.

cène [sɛn] *nf (REL)* (última) cena.

censé, e [sɑ̃se] *a* supuesto(a); **être ~ faire** suponerse que hace.

censeur [sɑ̃sœʀ] *nm (ADMIN)* celador *m*; *(qui censure)* censor *m.*

censure [sɑ̃syʀ] *nf* censura.

censurer [sɑ̃syʀe] *vt* censurar; *(POL)* censurar, reprobar.

cent [sɑ̃] *num* cien; **pour ~ ()** por ciento.

centaine [sɑ̃tɛn] *nf* centena.

centenaire [sɑ̃tnɛʀ] *a* centenario(a), secular // *nm/f* centenario/a // *nm* centenario.

centième [sɑ̃tjɛm] num centésimo(a).

centigrade [sɑ̃tigʀad] nm centigrado.

centigramme [sɑ̃tigʀam] nm centigramo.

centilitre [sɑ̃tilitʀ(ə)] nm centilitro.

centime [sɑ̃tim] nm centavo, céntimo.

centimètre [sɑ̃timɛtʀ(ə)] nm centímetro; (ruban) cinta métrica.

central, e, aux [sɑ̃tʀal, o] a central // nf (prison) central f // nm: ~ (téléphonique) central (telefónica); ~e électrique/nucléaire central eléctrica/nuclear; ~e syndicale centralsindical.

centraliser [sɑ̃tʀalize] vt centralizar.

centre [sɑ̃tʀ(ə)] nm centro; ~ de gravité centro de gravedad; ~ national de la recherche scientifique, CNRS centro nacional de la investigación científica; ~ de tri (POSTES) centro de clasificación, sala de batalla; le ~-ville el centro (de la ciudad).

centrer [sɑ̃tʀe] vt, vi centrar.

centrifuge [sɑ̃tʀifyʒ] a: force ~ fuerza centrífuga; **centrifuger** vt centrifugar.

centripète [sɑ̃tʀipɛt] a: force ~ fuerza centrípeta.

centuple [sɑ̃typl(ə)] nm céntuplo.

centupler [sɑ̃typle] vi, vt centuplicar.

cep [sɛp] nm cepa.

cépage [sepaʒ] nm cepa.

cèpe [sɛp] nm seta.

cependant [səpɑ̃dɑ̃] ad sin embargo, pero.

céramique [seʀamik] nf cerámica.

cercle [sɛʀkl(ə)] nm círculo; ~ polaire círculo polar; ~ vicieux círculo vicioso.

cercueil [sɛʀkœj] nm féretro, ataúd m.

céréale [seʀeal] nf cereal m.

cérébral, e, aux [seʀebʀal, o] a

cerebral; (fig) cerebral, mental.

cérémonial [seʀemɔnjal] nm ceremonial m.

cérémonie [seʀemɔni] nf ceremonia; (façons) ceremonia, cumplido; **cérémonieux, euse** a ceremonioso(a).

cerf [sɛʀ] nm ciervo.

cerfeuil [sɛʀfœj] nm perifolio.

cerf-volant [sɛʀvɔlɑ̃] nm cometa.

cerise [s(ə)ʀiz] nf cereza.

cerisier [s(ə)ʀizje] nm cerezo.

cerne [sɛʀn(ə)] nm (des yeux) ojera.

cerné, e [sɛʀne] a rodeado(a), cerrado(a); **avoir les yeux** ~**s** estar ojeroso(a).

cerner [sɛʀne] vt (armée, ville) rodear, cercar; (problème, question) circunscribir, delimitar; (suj: chose) rodear, contornear.

certain, e [sɛʀtɛ̃, ɛn] a (indéniable) cierto(a), evidente; (sûr) seguro(a), convencido(a) // dét cierto(a); **un** ~ **Georges/dimanche** cierto Jorge/domingo; **un** ~ **courage** cierto coraje; **d'un** ~ **âge** de cierta edad; **un** ~ **temps** cierto tiempo; ~**s individus** ciertos individuos; ~**s** pron ciertos, algunos; ~ **de/que** seguro de//de que; ~ **sûr** et ~ completamente seguro(a); ~**ement** [sɛʀtɛnmɑ̃] ad (probablement) posiblemente, indudablemente; (bien sûr) ciertamente, sin duda.

certes [sɛʀt(ə)] ad (bien sûr) desde luego, evidentemente; (en-réponse) ciertamente, por cierto.

certificat [sɛʀtifika] nm certificado, diploma m; ~ **d'aptitude professionnelle, CAP** certificado de aptitud profesional; ~ **d'aptitude au professorat de l'enseignement du second degré, CAPES** concurso por oposición que otorga la habilitación para la enseñanza secundaria; **le** ~ **d'études** el diploma de estudios; ~ **médical** certificado médico; ~ **de scolarité** certificado de escolaridad; ~ **de vaccination** certificado de vacuna.

certifié, e [sɛʁtifje] a: **professeur**
~ profesor/ora, diplomado/a; ~
conforme à l'original (ADMIN)
legalizado, fiel del original.

certifier [sɛʁtifje] vt atestiguar,
certificar; ~ **que** certificar que,
asegurar que.

certitude [sɛʁtityd] nf certidumbre
f, seguridad f; (chose certaine)
certeza, realidad f.

cerveau, x [sɛʁvo] nm cerebro.

cervelas [sɛʁvəla] nm tipo de
salchicha.

cervelle [sɛʁvɛl] nf cerebro;
(CULIN) seso.

cervical, e, aux [sɛʁvikal, o] a
cervical.

ces [se] dét voir **ce.**

césarienne [sezaʁjɛn] nf cesárea.

cessantes [sɛsɑ̃t] afpl: **toutes
affaires** ~ con prioridad, con
exclusión de lo demás.

cessation [sɛsasjɔ̃] nf: ~ **des
hostilités** cese m de las hostilidades.

cesse [sɛs] : **sans** ~ ad sin cesar,
continuamente; **n'avoir de** ~ **que**
no descansar o darse tregua hasta
que.

cesser [sese] vt cesar, suspender //
vi cesar, parar; ~ **de faire** cesar o
dejar de hacer.

cessez-le-feu [seselfø] nm inv alto
el fuego.

cession [sɛsjɔ̃] nf cesión f.

c'est-à-dire [sɛtadiʁ] ad es decir,
mejor dicho.

cet [sɛt] dét voir **ce.**

cétacé [setase] nm cetáceo.

cette [sɛt] dét voir **ce.**

ceux [sø] pron voir **celui.**

CFDT sigle f = **Confédération
française et démocratique du travail.**

CGC sigle f = **Confédération
générale des cadres.**

CGT sigle f = **Confédération
générale du travail.**

chacal [ʃakal] nm chacal m.

chacun, e [ʃakœ̃, yn] pron cada
uno(a), todos(as).

chagrin, e [ʃagʁɛ̃, in] a triste,
taciturno(a) // nm pena, tristeza,

~**er** [-ine] vt apenar, entristecer.

chahut [ʃay] nm batahola, bulla;
(SCOL: organisé) alboroto, jaleo; ~**er**
[ʃayte] vt abuchear // vi alborotar;
~**eur, euse** [ʃaytœʁ, øz] nm/f
alborotador/ora.

chai [ʃɛ] nm cantina, bodega.

chaîne [ʃɛn] nf (gén) cadena;
(RADIO, TV) cadena, red f; ~**s** fpl
(fig) cadenas, yugo; **travail à la** ~
trabajo en cadena; **réaction en** ~
reacción f en cadena; **faire la** ~
hacer cadena; (**haute-fidélité** ou
hi-fi) equipo (de alta fidelidad); ~
(**de montage** ou **de fabrication**)
cadena (de montaje o de
fabricación); ~ (**de montagnes**)
cadena (de montañas).

chaînette [ʃɛnɛt] nf (bijou)
cadenita, cadeneta.

chaînon [ʃɛnɔ̃] nm (fig) eslabón m.

chair [ʃɛʁ] nf (ANAT, REL) carne f;
(de fruit, tomate) carne, pulpa // a
(color) carne; **avoir la** ~ **de poule**
tener carne o piel de gallina; **être
bien en** ~ ser entrado(a) en carnes;
en ~ **et en os** en carne y hueso; ~
à saucisses carne picada.

chaire [ʃɛʁ] nf (d'église) púlpito;
(SCOL: poste) cátedra.

chaise [ʃɛz] nf silla; ~ **électrique**
silla eléctrica; ~ **longue** silla de
extensión.

chaland [ʃalɑ̃] nm chalana,
gabarra.

châle [ʃal] nm chal m.

chalet [ʃalɛ] nm (de montagne)
cabaña.

chaleur [ʃalœʁ] nf calor m; (de
l'accueil) calor, calidez f; (ardeur,
emportement) calor, fervor m;
~**eux, euse** a cálido(a), caluroso(a).

challenge [ʃalɑ̃ʒ] nm copa, trofeo,
campeonato.

chaloupe [ʃalup] nf (de sauvetage)
chalupa, bote m salvavidas.

chalumeau, x [ʃalymo] nm (outil)
soplete m.

chalut [ʃaly] nm red f barredera.

chalutier [ʃalytje] nm (bateau) bou
m.

chamailler [ʃamaje] : **se ~** vi altercar, reñir.

chamarré, e [ʃamaʀe] a (étoffe) recargado(a).

chambarder [ʃɑ̃baʀde] vt desordenar, desbarajustar.

chambranle [ʃɑ̃bʀɑ̃l] nm (de porte) marco.

chambre [ʃɑ̃bʀ(ə)] nf habitación f, cuarto; (JUR, POL) cámara, sala; **faire ~ à part** dormir en habitaciones separadas; **stratège en ~** estratega m de café; **~ à un lit/deux lits** habitación de una cama/dos camas; **~ de commerce/de l'industrie** cámara de comercio/de la industria; **~ à air** cámara de aire; **~ à coucher** dormitorio; **la C~ des députés** la cámara de diputados; **~ noire** cuarto oscuro.

chambrée [ʃɑ̃bʀe] nf (à l'armée) dormitorio de tropa.

chambrer [ʃɑ̃bʀe] vt (vin) poner a temperatura ambiente.

chameau, x [ʃamo] nm camello.

chamois [ʃamwa] nm gamuza.

champ [ʃɑ̃] nm campo; **les ~s** (la campagne) el campo; **~ de bataille** campo de batalla; **~ de courses** pista para carreras, hipódromo.

champagne [ʃɑ̃paɲ] nm champaña m.

champêtre [ʃɑ̃pɛtʀ(ə)] a campestre.

champignon [ʃɑ̃piɲɔ̃] nm hongo; **~ de couche** ou **de Paris** champiñón m.

champion, ne [ʃɑ̃pjɔ̃, ɔn] a campeón/ona // nm/f campeón/ona; (d'une cause) campeón/ona, adalid m; **~nat** nm campeonato.

chance [ʃɑ̃s] nf suerte f, fortuna; **~s** fpl (probabilités) posibilidades fpl.

chanceler [ʃɑ̃sle] vi vacilar, tambalear.

chancelier [ʃɑ̃səlje] nm canciller m.

chanceux, euse [ʃɑ̃sø, øz] a afortunado(a).

chancre [ʃɑ̃kʀ(ə)] nm (MÉD) chancro.

chandail [ʃɑ̃daj] nm pulóver m, jersey m.

Chandeleur [ʃɑ̃dlœʀ] nf Candelaria.

chandelier [ʃɑ̃dəlje] nm candelabro, candelero.

chandelle [ʃɑ̃dɛl] nf candela, vela.

change [ʃɑ̃ʒ] nm (COMM) cambio; **le cours du ~** la cotización; **le contrôle des ~s** el control de cambio.

changeant, e [ʃɑ̃ʒɑ̃, ɑ̃t] a inconstante, variable.

changement [ʃɑ̃ʒmɑ̃] nm cambio; **~ de vitesses** cambio de velocidades.

changer [ʃɑ̃ʒe] vt cambiar; (remplacer, échanger) cambiar, reemplazar; (: argent) cambiar; (rhabiller) cambiar, mudar // vi cambiar, variar; **se ~** cambiarse, mudarse; **~ de** cambiar de(); **~ d'idée/de train** cambiar de idea/de tren; **~ de place** avec qn cambiar de ubicación con alguien; **~ qch en** transformar algo en; **il faut ~ à Lyon** hay que transbordar en Lyon; **cela me change** esto me cambia, es un cambio para mí; **changeur** nm cambista m; (appareil) **changeur automatique** máquina automática para cambio.

chanoine [ʃanwan] nm canónigo.

chanson [ʃɑ̃sɔ̃] nf canción f.

chansonnier [ʃɑ̃sɔnje] nm canzonetista m, tonadillero.

chant [ʃɑ̃] nm canto.

chantage [ʃɑ̃taʒ] nm chantaje m; **faire du ~** hacer chantaje.

chanter [ʃɑ̃te] vt cantar; (vanter, louer) cantar, alabar // vi cantar; **si cela lui chante** (fam) si le apetece.

chanterelle [ʃɑ̃tʀɛl] nf (BOT) rovellón m, mízcalo.

chanteur, euse [ʃɑ̃tœʀ, øz] nm/f cantante m/f.

chantier [ʃɑ̃tje] nm (de construction) obra; **mettre en ~**

poner en ejecución; ~ **naval** astillero.

chantonner [ʃɑ̃tɔne] *vi* canturrear.

chanvre [ʃɑ̃vʀ(ə)] *nm* cáñamo.

chaos [kao] *nm* caos *m*; **chaotique** [-tik] a caótico(a).

chaparder [ʃapaʀde] *vt* birlar, afanar.

chapeau, x [ʃapo] *nm* sombrero; ~ **mou/de soleil** sombrero flexible/para sol.

chapeauter [ʃapote] *vt* (*ADMIN*) mandar, dirigir.

chapelet [ʃaplɛ] *nm* (*REL*) rosario; (*d'îles*) serie *f*, rosario; (*d'ail*) ristra; **dire son** ~ rezar su rosario.

chapelle [ʃapɛl] *nf* (*église*) capilla; ~ **ardente** capilla ardiente.

chapelure [ʃaplyʀ] *nf* pan *m* rallado.

chaperon [ʃapʀɔ̃] *nm* acompañante/a; ~**ner** *vt* acompañar.

chapiteau, x [ʃapito] *nm* (*ARCHIT*) capitel *m*; (*de cirque*) tienda.

chapitre [ʃapitʀ] *nm* capítulo; (*fig: sujet*) capítulo, tema *m*; **avoir voix au** ~ tener peso *o* voz.

chapitrer [ʃapitʀe] *vt* reprender, regañar.

chaque [ʃak] *dét* cada, cada uno(a).

char [ʃaʀ] *nm* (*à foin etc*) carreta, carro; (*MIL: aussi*: ~ **d'assaut**) carro (de asalto); (*de carnaval*) carroza.

charabia [ʃaʀabja] *nm* galimatías *m*.

charade [ʃaʀad] *nf* charada.

charbon [ʃaʀbɔ̃] *nm* carbón *m*; ~ **de bois** carbón de leña; ~nage *nm*: ~**nages de France** minas hulleras de Francia; ~**nier** *nm* carbonero.

charcuterie [ʃaʀkytʀi] *nf* tienda de embutidos; (*CULIN*) embutidos; **charcutier, ière** *nm/f* salchichero/a.

chardon [ʃaʀdɔ̃] *nm* cardo.

charge [ʃaʀʒ(ə)] *nf* carga; (*rôle, mission, JUR*) cargo; ~**s** *fpl* (*du loyer*) cargas, gastos de mantenimiento; ~**s sociales/familiales** cargas sociales/familiares; **à la** ~ **de a**

cargo de; **à** ~ **de revanche** a la recíproca; **prendre en** ~ qch/qn hacerse cargo de algo/alguien; ~ **utile** (*AUTO*) carga útil.

chargé, e [ʃaʀʒe] a cargado(a); (*estomac, langue*) cargado(a), pesado(a); ~ **de** (*responsable de*) encargado de; ~ **d'affaires** *nm* encargado de negocios; ~ **de cours** *nm* encargado de curso.

chargement [ʃaʀʒəmɑ̃] *nm* carga.

charger [ʃaʀʒe] *vt, vi* cargar; (*JUR*) culpar, acusar; (*portrait, description*) recargar, exagerar; (*fig*): ~ **qn de qch/faire qch** encargar a alguien algo/hacer algo; **se** ~ **de** encargarse de.

chariot [ʃaʀjo] *nm* carretilla; (*charrette, de machine à écrire*) carro.

charitable [ʃaʀitabl(ə)] a caritativo(a), bondadoso(a).

charité [ʃaʀite] *nf* (*REL: vertu*) caridad *f*; (*aumône*) caridad, limosna; **faire la** ~ hacer caridad, dar limosna.

charlatan [ʃaʀlatɑ̃] *nm* charlatán *m*, embaucador *m*.

charmant, e [ʃaʀmɑ̃, ɑ̃t] a encantador(ora), agradable.

charme [ʃaʀm(ə)] *nm* encanto, atractivo; (*envoûtement*) encanto, hechizo; ~**s** *mpl* (*appas*) encanto, atractivo.

charmer [ʃaʀme] *vt* encantar, seducir; (*envoûter*) encantar, hechizar; **je suis charmé de** estoy encantado de; **charmeur, euse** *nm/f* encantador/ora, hechicero/a; **charmeur de serpents** encantador de serpientes.

charnel, le [ʃaʀnɛl] a carnal, sensual.

charnier [ʃaʀnje] *nm* fosa común.

charnière [ʃaʀnjɛʀ] *nf* gozne *m*, bisagra; (*fig*) transición *f*.

charnu, e [ʃaʀny] a carnoso(a).

charogne [ʃaʀɔɲ] *nf* carroña.

charpente [ʃaʀpɑ̃t] *nf* armazón *f*; (*fig*) armazón, estructura.

charpentier [ʃaʀpɑ̃tje] nm carpintero de obra.

charpie [ʃaʀpi] nf (MÉD) hila; **mettre en ~** hacer trizas o picadillo.

charretier [ʃaʀtje] nm carretero.

charrette [ʃaʀɛt] nf carreta.

charrier [ʃaʀje] vt (suj: torrent) acarrear, arrastrar; (suj: camion) acarrear, transportar.

charrue [ʃaʀy] nf arado.

charte [ʃaʀt(ə)] nf carta.

chas [ʃa] nm ojo.

chasse [ʃas] nf caza; (poursuite) cacería, caza; **la ~ est ouverte** el período de caza está abierto; **prendre en ~** perseguir; **donner ~ à** perseguir a, dar caza a; **tirer la ~ (d'eau)** tirar la cadena, hacer correr agua; **~ à l'homme** caza humana; **~ sous-marine** caza submarina.

châsse [ʃas] nf relicario.

chassé-croisé [ʃasekʀwaze] nm desencuentro.

chasse-neige [ʃasnɛʒ] nm inv quitanieves nm inv.

chasser [ʃase] vt (gibier, voleur) cazar; (employé, intrus, idée) echar, expulsar; (nuages, scrupules) disipar // vi (AUTO) patinar; **chasseur, euse** nm/f cazador/ora // nm (avion) caza m; (domestique) botones m; (MIL): **chasseurs alpins** cazadores mpl de montaña; **chasseur d'images** reportero gráfico.

châssis [ʃasi] nm (AUTO) chasis m; (cadre) bastidor m; (AGR) bastidor para protección.

chaste [ʃast(ə)] a casto(a); **~té** nf castidad f.

chasuble [ʃazybl(ə)] nf casulla.

chat, chatte [ʃa, ʃat] nm/f gato/a.

châtaigne [ʃatɛɲ] nf (BOT) castaña.

châtaignier [ʃatɛɲe] nm castaño.

châtain [ʃatɛ̃] a inv castaño(a).

château, x [ʃato] nm (forteresse) castillo; (palais) castillo, palacio; **~ d'eau** arca de agua; **~ (fort)** castillo (fortificado), alcázar m; **~ de sable** castillo de arena.

châtier [ʃatje] vt castigar; (fig) pulir; **châtiment** [ʃatimɑ̃] nm castigo.

chatoiement [ʃatwamɑ̃] nm tornasol m.

chaton [ʃatɔ̃] nm (ZOOL) gatito; (de bague) engaste m.

chatouiller [ʃatuje] vt cosquillear, hacer cosquillas; (fig) excitar (agradablemente).

chatouilleux, euse [ʃatujø, øz] a cosquilloso(a); (susceptible) quisquilloso(a).

chatoyer [ʃatwaje] vi tornasolar.

châtrer [ʃatʀe] vt castrar.

chatte [ʃat] nf voir **chat**.

chatterton [ʃatɛʀtɔ̃] nm cinta aisladora.

chaud, e [ʃo, od] a (gén) caliente; (vêtement) abrigado(a); (couleur) cálido(a); (fig) ardiente, apasionado(a); **il fait ~** hace calor; **manger ~** comer cosas calientes; **avoir ~** tener calor; **rester au ~** permanecer abrigado(a); **un ~ et froid** un enfriamiento; **cela me tient ~** esto me da calor; **~ement** [ʃodmɑ̃] ad calurosamente (fig), con mucho abrigo.

chaudière [ʃodjɛʀ] nf caldera.

chaudron [ʃodʀɔ̃] nm caldero.

chaudronnerie [ʃodʀɔnʀi] nf (usine) caldería.

chauffage [ʃofaʒ] nm calentamiento; (appareils) calefacción f; **arrêter le ~** cerrar la calefacción; **~ central** calefacción central; **~ au gaz** calefacción a gas.

chauffant, e [ʃofɑ̃, ɑ̃t] a: **couverture ~e** manta térmica.

chauffard [ʃofaʀ] nm (péj) mal chófer m.

chauffe-bain [ʃofbɛ̃] nm calentador m de baño.

chauffe-eau [ʃofo] nm inv calentador m de agua.

chauffer [ʃofe] vt, vi calentar; **se ~** (se mettre en train) animarse; (au soleil) calentarse.

chaufferie [ʃofʀi] nf forja, fragua; (d'un bateau) cuarto de calderas.

chauffeur [ʃofœʀ] nm chófer m.

chaume [ʃom] *nm* (*du toit*) caña, paja; (AGR) rastrojo.

chaumière [ʃomjɛr] *nf* choza.

chaussée [ʃose] *nf* calzada.

chausse-pied [ʃospje] *nm* calzador *m*.

chausser [ʃose] *vt* calzar; ~ **du 38/42** calzar el 38/42; ~ **grand/bien** (*suj: soulier*) quedar grande/bien; **se** ~ calzarse.

chaussette [ʃosɛt] *nf* calcetín *m*.

chausseur [ʃosœr] *nm* zapatero.

chausson [ʃosɔ̃] *nm* (*pantoufle*) zapatilla; ~ **(aux pommes)** empanadilla (*de manzanas*).

chaussure [ʃosyr] *nf* zapato, (*industrie*): **la** ~ el calzado; ~**s basses** zapatos; ~**s montantes** botas.

chauve [ʃov] *a* calvo/a.

chauve-souris [ʃovsuri] *nf* murciélago.

chauvin, e [ʃovɛ̃, in] *a* chauvinista, patriotero(a); ~**isme** [ʃovinism(ə)] *nm* chauvinismo, patriotería.

chaux [ʃo] *nf* cal *f*.

chavirer [ʃavire] *vi* (*bateau*) zozobrar.

chef [ʃɛf] *nm* jefe *m*; **au premier** ~ en el más alto grado, ante todo; ~ **général en** ~ general *m* en jefe; ~ **d'accusation** (JUR) base *f* de acusación; ~ **de cabinet** jefe de gabinete; ~ **d'entreprise** jefe de empresa; ~ **de l'Etat** Jefe de estado; ~ **de famille** cabeza de familia; ~ **de file** (*de parti etc*) dirigente *m*; ~ **d'orchestre** director *m* de orquesta; ~ **de service** jefe de servicio.

chef-d'œuvre [ʃɛdœvr(ə)] *nm* obra maestra.

chef-lieu [ʃɛfljø] *nm* capital *f*, cabecera.

cheftaine [ʃɛftɛn] *nf* jefa de exploradores.

cheik [ʃɛk] *nm* jeque *m*.

chemin [ʃəmɛ̃] *nm* camino; **en** ~ de paso, en camino; ~ **de fer** ferrocarril *m*.

cheminée [ʃəmine] *nf* chimenea, (*d'intérieur*) hogar *m*, chimenea.

cheminement [ʃəminmã] *nm* marcha, evolución *f*.

cheminer [ʃəmine] *vi* caminar, marchar; (*fig*) marchar, progresar.

cheminot [ʃəmino] *nm* ferroviario.

chemise [ʃəmiz] *nf* (*vêtement*) camisa; (*dossier*) carpeta; ~ **de nuit** camisón *m*; ~**rie** [ʃəmizri] *nf* (*magasin*) camisería.

chemisette [ʃəmizɛt] *nf* camiseta.

chemisier [ʃəmizje] *nm* (*vêtement*) blusa.

chenal, aux [ʃənal, o] *nm* canal *m*.

chêne [ʃɛn] *nm* roble *m*.

chenil [ʃəni] *nm* (*cage*) perrera; (*élevage*) criadero de perros.

chenille [ʃənij] *nf* oruga.

chenillette [ʃənijɛt] *nf* coche *m* oruga.

cheptel [ʃɛptɛl] *nm* cabaña, riqueza ganadera.

chèque [ʃɛk] *nm* cheque *m*; ~ **barré/sans provision/au porteur** cheque cruzado/sin fondos/al portador.

chéquier [ʃekje] *nm* talonario de cheques.

cher, ère [ʃɛr] *a* querido(a); (*coûteux*) caro(a) // *ad*: **coûter/payer** ~ costar/pagar caro // *nf*: **la bonne chère** la buena mesa *o* comida.

chercher [ʃɛrʃe] *vt* buscar; **aller** ~ ir a buscar *o* traer, ir por.

chercheur, euse [ʃɛrʃœr, øz] *nm/f* investigador/ora; ~ **d'or** buscador de oro.

chère [ʃɛr] *af, nf voir* **cher**.

chéri, e [ʃeri] *a* (*aimé*) querido(a); **(mon)** ~! ¡(mi) querido!

chérir [ʃerir] *vt* querer.

cherté [ʃɛrte] *nf* carestía.

chérubin [ʃerybɛ̃] *nm* querubín *m*.

chétif, ive [ʃetif, iv] *a* (*personne*) enclenque, raquítico(a).

cheval, aux [ʃəval, o] *nm* caballo; (AUTO: ~ **vapeur**) caballo (de vapor); **faire du** ~ practicar equitación; **être à** ~ estar a caballo; **à** ~ **sur** (*mur etc*) a caballo sobre, a horcajadas sobre; (périodes, domaines) entre; ~ **d'arçons** potro; ~ **de bataille** (fig) caballo de batalla.

chevaleresque [ʃəvalʀɛsk(ə)] a caballeresco(a).

chevalerie [ʃəvalʀi] nf caballería.

chevalet [ʃəvalɛ] nm (du peintre) caballete m.

chevalier [ʃəvalje] nm caballero; ~ **servant** rendido caballero.

chevalière [ʃəvaljɛʀ] nf anillo de sello.

chevalin, e [ʃəvalɛ̃, in] a caballuno(a); (race) caballar, equino(a); **boucherie** ~e carnicería que vende carne de caballo.

cheval-vapeur [ʃəvalvapœʀ] nm caballo de vapor.

chevauchée [ʃəvoʃe] nf cabalgata.

chevaucher [ʃəvoʃe] vi (aussi: se ~) superponerse // vt cabalgar.

chevelu, e [ʃəvly] a melenudo(a), cabelludo(a); **cuir** ~ cuero cabelludo.

chevelure [ʃəvlyʀ] nf cabellera.

chevet [ʃəvɛ] nm: **au** ~ **de qn** a la cabecera de alguien; **lampe de** ~ lámpara de cabecera.

cheveu, x [ʃəvø] nm pelo, cabello; ~**x** mpl cabellos, pelo; **avoir les** ~**x courts/en brosse** tener el pelo corto/al cepillo.

cheville [ʃəvij] nf (ANAT) tobillo; (de bois) tarugo; ~ **ouvrière** (fig) alma.

chèvre [ʃɛvʀ(ə)] nf cabra.

chevreau, x [ʃəvʀo] nm cabrito.

chèvrefeuille [ʃɛvʀəfœj] nm madreselva.

chevreuil [ʃəvʀœj] nm corzo; (CULIN) comida hecha con carne de corzo.

chevron [ʃəvʀɔ̃] nm (poutre) cabrío; (motif) espiguilla; **à** ~**s** de espiguillas.

chevronné, e [ʃəvʀɔne] a veterano(a).

chevrotant, e [ʃəvʀɔtɑ̃, ɑ̃t] a trémulo(a), tembloroso(a).

chevrotine [ʃəvʀɔtin] nf posta.

chewing-gum [ʃwiŋɡɔm] nm chicle m.

chez [ʃe] prép en lo de, en casa de; (parmi, dans le caractère de) entre; ~ **moi/nous** (à la maison) en mi/nuestra casa; ~ **le boulanger** (à la boulangerie) en la panadería, en lo del panadero; ~ **les Français** (dans leur caractère) entre los franceses; ~ **ce musicien** (dans ses œuvres) en este músico; ~**soi** inv casa propia, domicilio.

chic [ʃik] a inv distinguido(a), elegante; (généreux) generoso(a) // nm: **avoir le** ~ **de** tener la habilidad de; **de** ~ ad: **faire qch de** ~ hacer algo espontáneamente; ~! ¡estupendo!

chicane [ʃikan] nf (obstacle) obstáculos colocados en zigzag; (querelle) enredo.

chiche [ʃiʃ] a tacaño(a), mezquino(a); ~! ¡a que sí!

chicorée [ʃikɔʀe] nf achicoria.

chicot [ʃiko] nm raigón m.

chien, ne [ʃjɛ̃, ɛn] nm/f perro/a; (de pistolet) gatillo; **couché en** ~ **de fusil** acostado hecho un ovillo, acurrucado; ~ **de garde** perro de guardia.

chiendent [ʃjɛ̃dɑ̃] nm grama.

chien-loup [ʃjɛ̃lu] nm perro lobo.

chienne [ʃjɛn] nf voir **chien**.

chiffon [ʃifɔ̃] nm trapo.

chiffonner [ʃifɔne] vt arrugar.

chiffonnier, ière [ʃifɔnje, jɛʀ] nm/f trapero/a // nm (meuble) chiffonnier m.

chiffre [ʃifʀ(ə)] nm cifra; (montant, total) importe m, monto; **en** ~**s ronds** en números redondos; **écrire un nombre en** ~**s** escribir un número en cifras; ~**s romains/arabes** numeración romana/arábiga; ~ **d'affaires** volumen m o monto de ventas.

chiffrer [ʃifʀe] vt (dépense) evaluar; (message) cifrar.

chignole [ʃiɲɔl] nf (outil) taladro.

chignon [ʃiɲɔ̃] nm rodete m.

Chili [ʃili] nm Chile m; **chilien, ne** a, nm/f chileno(a).

chimère [ʃimɛʀ] nf quimera.

chimie [ʃimi] nf química.

chimique [ʃimik] a químico(a).

chimiste [ʃimist(ə)] nm/f químico/a.

Chine [ʃin] nf China.

chiné, e [ʃine] a de mezcla.

chinois, e [ʃinwa, waz] a chino(a); (pointilleux) chinchoso(a), fastidioso(a) // nm/f chino/a // nm chino.

chiot [ʃjo] nm cachorro.

chips [ʃip(s)] nfpl (aussi: **pommes ~**) patatas fritas.

chique [ʃik] nf tabaco de mascar.

chiquenaude [ʃiknod] nf (coup) tincazo, papirotazo.

chiquer [ʃike] vi mascar tabaco // vt mascar.

chiromancie [kiʀɔmɑ̃si] nf quiromancia; **chiromancien, ne** nm/f quiromántico/a.

chirurgical, e, aux [ʃiʀyʀʒikal, o] a quirúrgico(a).

chirurgie [ʃiʀyʀʒi] nf cirugía; ~ **esthétique** cirugía estética; **chirurgien, ne** nm/f cirujano/a.

chlore [klɔʀ] nm cloro.

chloroforme [klɔʀɔfɔʀm(ə)] nm cloroformo.

chlorophylle [klɔʀɔfil] nf clorofila.

choc [ʃɔk] nm choque m // a: **prix ~** precio de choque; ~ **opératoire** choque operatorio.

chocolat [ʃɔkɔla] nm chocolate m; (bonbon) bombón m; ~ **au lait/à croquer** chocolate con leche/para crudo.

chœur [kœʀ] nm coro; **en ~** a coro.

choir [ʃwaʀ] vi caer.

choisi, e [ʃwazi] a escogido(a), selecto(a); **textes/morceaux ~s** textos/trozos escogidos.

choisir [ʃwaziʀ] vt escoger, elegir; (candidat, représentant) elegir.

choix [ʃwa] nm elección f; (assortiment) surtido m; **avoir le ~** tener la opción; **premier/second ~**

(COMM) primera/segunda clase; **de ~** de calidad, escogido(a); **au ~** a elección, a gusto; **de mon/son ~** de mi/su preferencia o elección.

choléra [kɔleʀa] nm cólera m.

chômage [ʃomaʒ] nm desempleo, paro; **être au ~** estar sin trabajo; ~ **technique** paro técnico.

chômé, e [ʃome] a: **jour ~** día m no laborable.

chômer [ʃome] vi estar en paro forzoso // vt suspender, tener libre.

chômeur, euse [ʃomœʀ, øz] nm/f desocupado/a.

chope [ʃɔp] nf bock m.

choquer [ʃɔke] vt chocar, ofender; (commotionner) chocar, impresionar.

choral, e [kɔʀal] a, nm coral (m) // nf agrupación f coral.

chorégraphe [kɔʀegʀaf] nm/f coreógrafo/a.

chorégraphie [kɔʀegʀafi] nf coreografía.

choriste [kɔʀist(e)] nm/f corista m/f.

chorus [kɔʀys] nm: **faire ~ (avec)** hacer coro (a).

chose [ʃoz] nf cosa; **c'est peu de ~** es poca cosa.

chou, x [ʃu] nm repollo, col m; (à la crème) especie de pastelillo; **mon petit ou gros ~** mi tesoro, querido mío.

choucas [ʃuka] nm chova.

chouchou, te [ʃuʃu, ut] nm/f (SCOL) preferido/a, favorito/a.

choucroute [ʃukʀut] nf chucrut m.

chouette [ʃwɛt] nf lechuza // a: **c'est ~!** ¡macanudo!, ¡estupendo!

chou-fleur [ʃuflœʀ] nm coliflor f.

chou-rave [ʃuʀav] nm colinabo.

choyer [ʃwaje] vt mimar.

chrétien, ne [kʀetjɛ̃, jɛn] a, nm/f cristiano(a); ~**nement** [-tjɛnmã] ad cristianamente; ~**té** [-tjɛte] nf cristiandad f.

Christ [kʀist] nm: **le ~** Cristo; (crucifix, peinture) **c~** cristo; **Jésus-~** Jesucristo; **c~ianiser** [-janize] vt cristianizar; **c~ianisme**

[-janism(ə)] nm cristianismo.

chromatique [krɔmatik] a cromático(a).

chrome [krom] nm cromo; **chromé, e** a cromado(a).

chromosome [krɔmozom] nm cromosoma m.

chronique [krɔnik] a crónico(a) // nf crónica; ~ **sportive/théâtrale** crónica deportiva/teatral; **la** ~ **locale** la crónica local; **chroniqueur** nm cronista m.

chronologie [krɔnɔlɔʒi] nf cronología; **chronologique** a cronológico(a).

chrono(mètre) [krɔnɔ(metr(ə))] nm cronómetro; **chronométrer** vt cronometrar.

chrysalide [krizalid] nf crisálida.

chrysanthème [krizãtɛm] nm crisantemo.

chu, e [ʃy] pp de **choir**.

chuchoter [ʃyʃɔte] vt cuchichear.

chuinter [ʃɥɛ̃te] vi silbar.

chut [ʃyt] excl ¡chito!

chute [ʃyt] nf caída; (de bois, papier) recorte m; (CARTES): **trois de** ~ tres de menos; ~ **(d'eau)** salto de agua; **chuter** vi fracasar; (CARTES) hacer de menos.

Chypre [ʃipr(ə)] n Chipre.

ci- [si] ad voir **par, comme, ci-contre, ci-joint** etc.

-ci [si] dét: **cet homme-ci** este hombre; **cette femme-ci** esta mujer; **ces hommes-ci** estos hombres; **ces femmes-ci** estas mujeres; **cet homme-là** ese o aquel hombre; **cette femme-là** esa o aquella mujer; **ces hommes-là** esos o aquellos hombres; **ces femmes-là** esas o aquellas mujeres.

ci-après [siaprɛ] ad a continuación.

cible [sibl(ə)] nf blanco.

ciboire [sibwar] nm copón m.

ciboule [sibul] nf cebollino.

ciboulette [sibulɛt] nf ajo cebollino.

cicatrice [sikatris] nf cicatriz f.

cicatriser [sikatrize] vt cicatrizar; **se** ~ vi cicatrizarse.

ci-contre [sikɔ̃tr(ə)] ad al lado.

ci-dessous [sidsu] ad más abajo.

ci-dessus [sidsy] ad arriba, antes.

cidre [sidr(ə)] nm sidra.

Cie abrév de **compagnie**.

ciel, pl cieux [sjɛl, sjø] nm cielo; (REL: aussi **cieux**) cielos.

cierge [sjɛrʒ(ə)] nm cirio.

cigale [sigal] nf cigarra, chicharra.

cigare [sigar] nm cigarro.

cigarette [sigarɛt] nf cigarrillo.

ci-gît [siʒi] ad + vb aquí yace.

cigogne [sigɔɲ] nf cigüeña.

ciguë [sigy] nf cicuta.

ci-inclus, e [siɛ̃kly, yz] a, ad incluso(a).

ci-joint, e [siʒwɛ̃, ʒwɛt] a, ad adjunto(a); **veuillez trouver** ~... encontrará adjunto....

cil [sil] nm pestaña.

ciller [sije] vi pestañear.

cime [sim] nf cima.

ciment [simã] nm cemento; ~ **armé** cemento armado; ~**er** vt unir o cubrir con cemento; (fig) cimentar, consolidar; ~**erie** [-tri] nf fábrica de cemento.

cimetière [simtjɛr] nm cementerio; ~ **de voitures** cementerio de automóviles.

cinéaste [sineast(ə)] nm/f cineasta m/f.

ciné-club [sineklœb] nm cine-club m.

cinéma [sinema] nm cinematografía, cine m; (local) cinematógrafo, cine; ~**scope** nm cinemascope m; ~**thèque** nf cinemateca; ~**tographique** a cinematográfico(a).

cinéphile [sinefil] nm/f amante m/f del cine.

cinétique [sinetik] a cinético(a).

cingler [sɛ̃gle] vt suj: fouet, vent) azotar; (suj: insulte) fustigar // (NAUT) singlar.

cinq [sɛ̃k] num cinco.

cinquantaine [sɛ̃kãtɛn] num cincuentena.

cinquante [sɛ̃kãt] num cincuenta; ~**naire** a, nm/f cincuentón(ona).

cincentenario(a); **cinquantième** *num* cincuagésimo(a).

cinquième [sɛ̃kjɛm] *num* quinto(a).

cintre [sɛ̃tʀ(ə)] *nm* percha; (*CONSTRUCTION*) cimbra, cintra; **~s** *mpl* (*THÉÂTRE*) telar *m*.

cintré, e [sɛ̃tʀe] *a* (*chemise*) ceñido(a); (*bois*) cimbrado(a), combado(a).

cirage [siʀaʒ] *nm* betún *m*.

circoncire [siʀkɔ̃siʀ] *vt* circuncidar; **circoncis, e** *a* circunciso(a); **circoncision** [-sizjɔ̃] *nf* circuncisión *f*.

circonférence [siʀkɔ̃feʀɑ̃s] *nf* circunferencia.

circonflexe [siʀkɔ̃flɛks(ə)] *a*: **accent ~** acento circunflejo.

circonscription [siʀkɔ̃skʀipsjɔ̃] *nf*: **~ électorale/militaire** circunscripción *f* electoral/militar.

circonscrire [siʀkɔ̃skʀiʀ] *vt* delimitar, circunscribir.

circonspect, e [siʀkɔ̃spɛ, ɛkt(ə)] *a* circunspecto(a), prudente.

circonstance [siʀkɔ̃stɑ̃s] *nf* circunstancia; **~s** *fpl* (*situation*, *contexte*) circunstancias; **~s atténuantes** circunstancias atenuantes.

circonstancié, e [siʀkɔ̃stɑ̃sje] *a* circunstanciado(a), detallado(a).

circonstanciel, le [siʀkɔ̃stɑ̃sjɛl] *a*: **complément/proposition ~(le)** complemento/proposición *f* circunstancial.

circonvenir [siʀkɔ̃vniʀ] *vt* embaucar.

circonvolution [siʀkɔ̃vɔlysjɔ̃] *nf* circonvolución *f*.

circuit [siʀkɥi] *nm* circuito; **~ automobile** (*SPORT*) circuito automovilístico; **~ de distribution** (*COMM*) circuito de distribución.

circulaire [siʀkylɛʀ] *a* circular; (*regard*) abarcándolo todo // *nf* circular *f*.

circulation [siʀkylasjɔ̃] *nf* circulación *f*; (*AUTO*): **la ~** la circulación, el tránsito; **il y a beaucoup de ~** hay mucha circulación; **mettre en ~** poner en circulación.

circuler [siʀkyle] *vi* circular, transitar; (*devises, sang, électricité etc*) circular; (*fig*) circular, difundirse; **faire ~** (*nouvelle*) hacer circular, difundir; (*badauds*) hacer circular.

cire [siʀ] *nf* cera.

ciré, e [siʀe] *a* (*parquet*) encerado(a), lustrado(a) // (*vêtement*) impermeable *m* de hule.

cirer [siʀe] *vt* (*parquet*) encerar; (*chaussures*) embetunar, sacar brillo a.

cireur [siʀœʀ] *nm* (*de chaussures*) limpiabotas *m*.

cireuse [siʀøz] *nf* (*appareil*) enceradora.

cirque [siʀk(ə)] *nm* circo; (*GÉO*) anfiteatro; (*fig*) desbarajuste *m*.

cirrhose [siʀoz] *nf*: **~ du foie** cirrosis *f*.

cisaille(s) [sizaj] *nf(pl)* (*de jardin*) tijeras para podar.

cisailler [sizaje] *vt* podar, cortar.

ciseau, x [sizo] *nm*: **~ (à bois)** escoplo; **~ à froid** cortafrío; **~x** *mpl* tijeras; **sauter en ~x** (*SPORT*) saltar en tijereta.

ciseler [sizle] *vt* (*bijou*) cincelar.

citadelle [sitadɛl] *nf* ciudadela.

citadin, e [sitadɛ̃, in] *nm/f, a* ciudadano(a).

citation [sitasjɔ̃] *nf* cita; (*JUR*) citación *f*; (*MIL*) mención *f*.

cité [site] *nf* ciudad *f*; **~ ouvrière/universitaire** ciudad obera/universitaria.

citer [site] *vt* citar; (*nommer*) citar, mencionar.

citerne [sitɛʀn(ə)] *nf* cisterna.

cithare [sitaʀ] *nf* cítara.

citoyen, ne [sitwajɛ̃, ɛn] *nm/f* ciudadano(a); **~neté** [-jɛnte] *nf* ciudadanía.

citron [sitʀɔ̃] *nm* limón *m*; **~ vert** limón verde; **~nade** [-ɔnad] *nf* limonada.

citronnelle [sitʀɔnɛl] *nf* (*BOT*) cidronela, toronjil *m*.

citronnier [sitRɔnje] nm limonero.

citrouille [sitRuj] nf calabaza.

civet [sivɛ] nm encebollado.

civette [sivɛt] nf (BOT) cebolleta; (ZOOL) civeta.

civière [sivjɛR] nf camilla, parihuelas.

civil, e [sivil] a civil; (poli) cortés // nm (MIL) civil m; **habillé en ~** vestido de civil; **dans le ~** en la vida civil.

civilisation [sivilizasjɔ̃] nf civilización f.

civiliser [sivilize] vt civilizar.

civique [sivik] a cívico(a).

civisme [sivism(ə)] nm civismo.

claie [klɛ] nf enrejado, encañizado.

clair, e [klɛR] a claro(a); (eau) claro(a), transparente; (son) claro(a), argentino(a) // ad: **voir ~** ver claro o claramente // nm: **~ de lune** claro de luna; **bleu ~** azul claro; **tirer qch au ~** sacar algo en claro; **mettre au ~** (notes etc) poner en limpio; **le plus ~ de son temps** la mayor parte de su tiempo; **en ~** (non codé) no cifrado(a); **~ement** ad claramente.

claire-voie [klɛRvwa] : **à ~** ad separadamente (para dejar pasar la luz).

clairière [klɛRjɛR] nf claro.

clairon [klɛRɔ̃] nm (MUS) clarín m.

claironner [klɛRɔne] vt (fig) pregonar, vocear.

clairsemé, e [klɛRsəme] a (cheveux, herbe) ralo(a), escaso(a).

clairvoyant, e [klɛRvwajɑ̃, ɑ̃t] a clarividente, perspicaz // nm/f vidente m/f.

clameur [klamœR] nf clamor m.

clandestin, e [klɑ̃destɛ̃, in] a clandestino(a).

clapier [klapje] nm conejera.

clapoter [klapɔte] vi chapotear; **clapotis** [-ti] nm chapoteo.

claquage [klakaʒ] nm distensión f.

claque [klak] nf bofetada, cachetada.

claquer [klake] vi (drapeau) flamear (produciendo ruido); (coup de feu) estallar, sonar // vt (porte) golpear, batir; (doigts) castañetear; **se ~ un muscle** distenderse un músculo.

claquettes [klakɛt] nfpl zapateado.

clarifier [klaRifje] vt (fig) clarificar, aclarar.

clarinette [klaRinɛt] nf clarinete m.

clarté [klaRte] nf claridad f.

classe [klɑs] nf clase f; (SCOL: local) aula, clase f; (:leçon) clase, lección f; (:élèves) clase; curso; **faire ses ~s** (MIL) recibir instrucción militar; **faire la ~** (SCOL) dar o dictar clase; **aller/travailler en ~** (SCOL) ir a/trabajar en clase; **~ grammaticale** categoría gramatical.

classement [klɑsmɑ̃] nm clasificación f; (liste) clasificación, ordenación f; **premier au ~ général** (SPORT) primero en la clasificación general.

classer [klɑse] vt clasificar; (JUR: affaire) archivar, cerrar; **se ~ premier/dernier** clasificarse primero/último.

classeur [klɑsœR] nm (cahier) carpeta; (meuble) archivo.

classification [klɑsifikasjɔ̃] nf clasificación f.

classifier [klɑsifje] vt clasificar.

classique [klɑsik] a clásico(a); (habituel) clásico(a), corriente // nm clásico.

claudication [klodikasjɔ̃] nf renguera, cojera.

clause [kloz] nf cláusula.

claustrer [klostRe] vt enclaustrar.

claustrophobie [klostRɔfɔbi] nf claustrofobia.

clavecin [klavsɛ̃] nm clavicordio, clave m.

clavicule [klavikyl] nf clavícula.

clavier [klavje] nm teclado.

clé ou **clef** [kle] nf llave f; (MUS, fig) clave f // a: **position ~** posición f clave; **~ de sol/de fa/d'ut** (MUS) clave de sol/de fa/de do; **~ anglaise/à tubes** llave inglesa/de tubo; ~ **à molette/universelle** llave inglesa/universal; ~ **de contact** (AUTO) llave de arranque o encendido; ~ **de voûte** piedra angular.

clémence [klemãs] nf clemencia.

clément, e [klemã, ãt] a (temps) benigno(a); (juge, peine) clemente, indulgente.

clémentine [klemãtin] nf variedad de mandarina.

cleptomane [kleptɔman] nm/f = **kleptomane**.

clerc [klɛr] nm: ~ **de notaire/d'avoué** pasante m, escribiente m.

clergé [klɛrʒe] nm clero.

clergyman [klɛrʒiman] nm pastor m protestante.

clérical, e, aux [klerikal, o] a clerical.

cliché [klife] nm (PHOTO) clisé m; (LING) lugar m común.

client, e [klijã, ãt] nm/f cliente m/f.

clientèle [klijãtɛl] nf clientela; **accorder/retirer sa** ~ à hacerse/dejar de ser cliente de.

cligner [kliɲe] vi: ~ **des yeux** entornar los ojos, parpadear; ~ **de l'œil** guiñar el ojo.

clignotant, e [kliɲɔtã, ãt] a (lumière) intermitente m; (AUTO) indicador m de dirección.

clignoter [kliɲɔte] vi parpadear, pestañear.

climat [klima] nm clima m; (politique, social) clima, atmósfera; ~**ique** a climático(a).

climatisation [klimatizasjɔ̃] nf acondicionamiento de aire.

climatisé, e [klimatize] a con aire acondicionado.

clin d'œil [klɛ̃dœj] nm guiño.

clinique [klinik] a clínico(a) // nf clínica.

clinquant, e [klɛ̃kã, ãt] a de oropel, chillón(ona).

cliqueter [klikte] vi sonar, tintinear; **cliquetis** [-ti] nm ruido, tintineo.

clitoris [klitɔris] nm clítoris m.

clivage [klivaʒ] nm (GÉO) crucero; (fig) diferencia.

clochard, e [klɔfar, ard(ə)] nm/f vagabundo/a, mendigo/a.

cloche [klɔf] nf campana; (fam) tonto/a; ~ **à fromage** quesera.

cloche-pied [klɔfpje]: à ~ ad a la pata coja.

clocher [klɔfe] nm campanario // vi (fam) fallar, no andar bien.

clocheton [klɔftɔ̃] nm pináculo.

clochette [klɔfɛt] nf campanilla, cencerro; (de fleur) campanilla.

cloison [klwazɔ̃] nf tabique m; ~**ner** vt tabicar, dividir en compartimientos.

cloître [klwatr(ə)] nm claustro.

cloîtrer [klwatre] vt enclaustrar, recluir.

clopin-clopant [klɔpɛ̃klɔpã] ad cojeando, así así.

cloporte [klɔpɔrt(ə)] nm cochinilla.

cloque [klɔk] nf ampolla.

clore [klɔr] vt cerrar, clausurar; **clos, e** [klo, oz] a cerrado(a); (liste) concluido(a), cerrado(a) // nm cercado; **la séance est close** a la sesión ha terminado o concluido.

clôture [klotyr] nf clausura, cierre m; (d'un festival, d'une manifestation) clausura, término; (barrière) valla; **clôturer** vt (terrain) cercar, vallar; (festival, débats) clausurar, cerrar.

clou [klu] nm clavo; (furoncle) divieso; (fam: gén: vieux ~) trasto; ~**s** mpl = **passage clouté; pneus à ~s** neumáticos para nieve o montaña; **le ~ du spectacle** (fig) la principal atracción del espectáculo; ~**er** [klue] vt clavar; (fig): ~**er qch/qn sur/contre** inmovilizar algo/a alguien en/contra; ~**té, e** a claveteado(a), tachonado(a).

clown [klun] nm payaso, clown m; **faire le** ~ (fig) hacer el payaso.

club [klœb] nm club m.

CNRS sigle m voir **centre**.

coaguler [kɔagyle] vi (aussi: se ~) coagular, coagularse // vt coagular.

coaliser [kɔalize]: **se** ~ vi

coligarse, agruparse; **coalition** nf
coalición f, alianza.

coasser [kɔase] vi croar.

cobaye [kɔbaj] nm (ZOOL) cobayo;
(fig) conejillo de Indias (fig).

cobra [kɔbra] nm cobra.

cocagne [kɔkaɲ] nf: **pays de ~**
Jauja; **mât de ~** cucaña.

cocaïne [kɔkain] nf cocaína.

cocarde [kɔkard(ə)] nf escarapela,
curdarda.

cocardier, ère [kɔkardje, ɛR] a
patriotero(a).

cocasse [kɔkas] a chusco(a),
chistoso(a).

coccinelle [kɔksinɛl] nf mariquita.

coccyx [kɔksis] nm coxis m.

cocher [kɔʃe] nm cochero // vt
marcar, subrayar.

cochère [kɔʃɛr] af: **porte ~** puerta
cochera.

cochon, ne [kɔʃɔ̃, ɔn] nm (ZOOL)
cerdo, marrano // nm/f puerco/a,
cochino/a; (méchant) malvado/a,
malo/a // a puerco(a), cochino(a).

cochonnaille [kɔʃɔnaj] nf (péj)
embutidos.

cochonnerie [kɔʃɔnri] nf (fam)
porquería; cochinada.

cochonnet [kɔʃɔnɛ] nm (BOULES)
bolín m.

cocktail [kɔktɛl] nm cóctel m.

coco [kɔko] nm voir **noix**; (fam) tío,
tipo.

cocon [kɔkɔ̃] nm capullo.

cocorico [kɔkɔriko] excl, nm
quiquiriquí (m).

cocotier [kɔkɔtje] nm cocotero.

cocotte [kɔkɔt] nf (en fonte) olla,
cacerola; **ma ~** (fam) mi niñita, mi
pollita; **~ (minute)** olla de presión;
~ en papier pajarita de papel.

cocu [kɔky] nm cornudo.

code [kɔd] nm código; (AUTO): **se
mettre en ~(s)** poner la luz de
cruce; **~ civil/pénal** código
civil/penal; **~ postal** código postal;
~ de la route código de la
circulación; **~ secret** código
secreto; **coder** vt poner en código.

codifier [kɔdifje] vt codificar.

coefficient [kɔefisjɑ̃] nm coeficiente m.

coercition [kɔɛrsisjɔ̃] nf coerción
f.

cœur [kœr] nm corazón m; (milieu):
~ du débat centro o punto álgido
del debate; (CARTES: couleur)
corazón m, ~ copas; (carte)
corazón m, ~ copas; **avoir bon ~**
du ~ tener buen corazón; **avoir mal
au ~** tener náuseas; **contre son ~**
contra su pecho; **souhaiter qch de
tout son ~** desear algo de todo
corazón; **en avoir le ~ net** saber a
qué atenerse; **apprendre/savoir par
~** aprender/saber de memoria; **de
bon ~** de buena gana; **de grand ~**
con toda el alma; **avoir à ~ de** faire
empeñarse en hacer; **cela lui tient
à ~** esto le interesa mucho; **~ de
laitue** cogollo de lechuga; **~
d'artichaut** corazón de alcachofa.

coexister [kɔɛgziste] vi coexistir.

coffrage [kɔfraʒ] nm encofrado.

coffre [kɔfr(ə)] nm cofre m, arca;
(d'auto) portaequipaje m; (fam)
pecho; **~(-fort)** caja de caudales.

coffrer [kɔfre] vt (fam) meter en
chirona o a la sombra.

coffret [kɔfrɛ] nm cofrecillo.

cognac [kɔɲak] nm coñac m.

cogner [kɔɲe] vi golpear; **~ à la
porte/fenêtre** llamar o golpear a la
puerta/ventana; **se ~** vi golpearse.

cohabiter [kɔabite] vi cohabitar.

cohérent, e [kɔerɑ̃, ɑ̃t] a
coherente.

cohésion [kɔezjɔ̃] nf cohesión f.

cohorte [kɔɔrt(ə)] nf cohorte f.

cohue [kɔy] nf tropel m, tumulto.

coi, te [kwa, at] a: **rester ~** no
decir esto boca es mía.

coiffe [kwaf] nf toca, cofia.

coiffé, e [kwafe] a: **bien/mal ~**
bien/mal peinado; **d'un béret**
cubierto con una boina; **~ en
arrière/en brosse** peinado hacia
atrás/al cepillo.

coiffer [kwafe] vt peinar; (d'un
chapeau) cubrir la cabeza a;
(colline, sommet) coronar;

(sections, organismes) dirigir, supervisar; (fig: dépasser) ganar, sobrepasar; **se ~** peinarse; (se couvrir) ponerse el sombrero, cubrirse; **coiffeur, euse** nm/f peluquero/a // nm tocador m.

coiffure [kwafyʀ] nf (cheveux) peinado m; (chapeau) tocado m; (art): **la ~** el arte del peinado.

coin [kwɛ̃] nm (gén) ángulo; (gén d'une pièce) rincón m; (gén de la rue) esquina; (outil) cuña; (endroit) barrio; lugar m; **l'épicerie du ~** la tienda de comestibles de la esquina; **dans le ~** (dans les alentours) en los alrededores; **au ~ du feu** al amor de la lumbre, junto al hogar; **du ~ de l'œil** con el rabillo del ojo, de reojo; **regard en ~** mirada de soslayo.

coincer [kwɛ̃se] vt atascar, calzar; (fam) arrinconar, acorralar.

coïncidence [kɔɛ̃sidɑ̃s] nf coincidencia.

coïncider [kɔɛ̃side] vi: **~ (avec)** coincidir (con).

coing [kwɛ̃] nm membrillo.

coït [kɔit] nm coito.

coite [kwat] a voir **coi**.

coke [kɔk] nm coque m.

col [kɔl] nm cuello; (de montagne) paso; (de verre, bouteille) cuello, gollete m; (MÉD): **~ du fémur** cuello del fémur; **~ roulé** polo; **~ de l'utérus** cerviz f.

coléoptère [kɔleɔptɛʀ] nm coleóptero.

colère [kɔlɛʀ] nf: **la ~** la cólera; la ira; **une ~** una cólera; **coléreux, euse, colérique** a colérico(a), irascible.

colifichet [kɔlifiʃɛ] nm baratija.

colimaçon [kɔlimasɔ̃] nm: **en ~** ad en espiral, en caracol.

colin [kɔlɛ̃] nm merluza.

colin-maillard [kɔlɛ̃majaʀ] nm gallina ciega.

colique [kɔlik] nf (MÉD) cólico.

colis [kɔli] nm paquete m; **~ postal** paquete postal.

collaborateur, trice [kɔlabɔra-

tœʀ, tʀis] nm/f colaborador/ora; (POL) colaboracionista m/f.

collaboration [kɔlabɔʀasjɔ̃] nf colaboración f.

collaborer [kɔlabɔʀe] vi colaborar; **~ à** colaborar en.

collant, e [kɔlɑ̃, ɑ̃t] a adherente, pegajoso(a); (péj: personne) pesado(a) // nm (bas) pantimedia; (de danseur) malla de danza.

collation [kɔlasjɔ̃] nf colación f, merienda.

colle [kɔl] nf cola, goma; (devinette) pega, problema m difícil; (SCOL) castigo; **~ de bureau** goma de pegar (de oficina); **~ forte** cola fuerte.

collecte [kɔlɛkt(ə)] nf colecta; **collecter** vt recolectar.

collecteur [kɔlɛktœʀ] nm (égout) colector m, cloaca.

collectif, ive [kɔlɛktif, iv] a colectivo(a).

collection [kɔlɛksjɔ̃] nf colección f; **faire ~** coleccionar; **~ner** vt coleccionar; **~neur, euse** nm/f coleccionista m/f.

collectivité [kɔlɛktivite] nf colectividad f; **~s locales** (ADMIN) colectividades locales.

collège [kɔlɛʒ] nm colegio; (assemblée) colegio, cuerpo.

collégial, e, aux [kɔleʒjal, o] a colegiado(a).

collégien, ne [kɔleʒjɛ̃, ɛn] nm/f colegial/a.

collègue [kɔleg] nm/f colega m/f.

coller [kɔle] vt pegar, adherir; (morceaux) pegar, encolar; (fam: mettre) largar, arrojar; (par une devinette) dar una pega a; (SCOL) castigar; suspender (en un examen) // vi (être collant) pegarse, adherirse; (adhérer) adherir; **~ à** adherirse a, cuadrar con (fig).

collerette [kɔlʀɛt] nf cuello, gorguera.

collet [kɔlɛ] nm (piège) lazo; **prendre qn au ~** echarle a uno la garra o el guante; **~ monté** a encopetado(a), presumido(a).

collier [kɔlje] *nm* collar *m*; (*de tuyau*) collar, abrazadera.

colline [kɔlin] *nf* colina.

collision [kɔlizjɔ̃] *nf* (AUTO) colisión *f*, choque *m*; **entrer en ~ (avec)** (*fig*) entrar en conflicto (con), enfrentarse (con).

colloque [kɔlɔk] *nm* coloquio *m*.

colmater [kɔlmate] *vt* obstruir, tapar.

colombe [kɔlɔ̃b] *nf* paloma.

colon [kɔlɔ̃] *nm* colono; (*enfant en vacances*) integrante de una colonia de vacaciones.

colonel [kɔlɔnɛl] *nm* coronel *m*.

colonial, e, aux [kɔlɔnjal, o] *a* colonial.

colonialisme [kɔlɔnjalism(ə)] *nm* colonialismo; **colonialiste** *a*, *nm/f* colonialista (*m/f*).

colonie [kɔlɔni] *nf* colonia; **~ de vacances** colonia de vacaciones; **colonisation** [-zasjɔ̃] *nf* colonización *f*; **coloniser** [-ze] *vt* colonizar.

colonne [kɔlɔn] *nf* columna; (*de soldats, camions*) columna, hilera; (ANAT): **~ (vertébrale)** columna (vertebral); **se mettre en ~ par 2/4** formar hilera de a 2/4; **~ de secours** columna de socorro.

colophane [kɔlɔfan] *nf* colofonia.

colorant [kɔlɔʀɑ̃] *nm* colorante *m*.

coloration [kɔlɔʀasjɔ̃] *nf* coloración *f*.

colorer [kɔlɔʀe] *vt* colorear; **se ~** *vi* colorearse.

colorier [kɔlɔʀje] *vt* colorear, pintar.

coloris [kɔlɔʀi] *nm* colorido, tonalidad *f*.

colossal, e, aux [kɔlɔsal, o] *a* colosal.

colporter [kɔlpɔʀte] *vt* vender de puerta en puerta; (*fig*) divulgar, propagar; **colporteur, euse** *nm/f* vendedor/ora ambulante.

colza [kɔlza] *nm* colza.

coma [kɔma] *nm* coma *m*; **être dans le ~** estar en coma; **~teux, euse** *a* comatoso(a).

combat [kɔ̃ba] *nm* (MIL) combate *m*, lucha; (*fig*) combate; **~ de boxe** combate de box; **~ de rues** combate en las calles.

combatif, ive [kɔ̃batif, iv] *a* combativo(a).

combattant, e [kɔ̃batɑ̃, ɑ̃t] *a*, *nm/f* combatiente (*m*); **ancien ~** excombatiente.

combattre [kɔ̃batʀ(ə)] *vt* combatir.

combien [kɔ̃bjɛ̃] *ad* cuánto; (*exclamatif*) ¡cómo!, ¡cuán!, ¡qué!; **~ coûte/pèse ceci?** ¿cuánto cuesta/pesa esto? **~ de personnes?** ¿cuántas personas? **~ d'eau?** ¿cuánta agua? **~ de temps?** ¿cuánto tiempo?

combinaison [kɔ̃binɛzɔ̃] *nf* (*gén*) combinación *f*; (*spatiale, de scaphandre*) traje *m*; (*bleu de travail*) mono.

combiné [kɔ̃bine] *nm* (*aussi:* **~ téléphonique**) microteléfono; (SKI) prueba mixta.

combiner [kɔ̃bine] *vt* (*éléments, couleurs*) combinar; (*plan, horaire, rencontre*) combinar, organizar.

comble [kɔ̃bl(ə)] *a* lleno(a), repleto(a) // *nm* colmo; **~s** *mpl* armazón *f* del techo; **c'est le ~!** ¡es el colmo!

combler [kɔ̃ble] *vt* (*trou*) colmar, llenar; (*lacune, déficit*) cubrir; (*désirs, personne*) colmar, cumplir; **~ qn de joie** colmar a uno de alegría.

combustible [kɔ̃bystibl(ə)] *a*, *nm* combustible (*m*).

combustion [kɔ̃bystjɔ̃] *nf* combustión *f*.

comédie [kɔmedi] *nf* comedia; **jouer la ~** (*fig*) hacer la comedia; **~ musicale** comedia musical.

comédien, ne [kɔmedjɛ̃, jɛn] *nm/f* comediante/a; (*simulateur*) farsante *m*, comediante/a.

comestible [kɔmɛstibl(ə)] *a* comestible.

comète [kɔmɛt] *nf* cometa *m*.

comique [kɔmik] *a*, *nm/f* cómico(a) // *nm*: **le ~ de qch** lo cómico o gracioso de una cosa.

comité [kɔmite] *nm* comité *m*; ~ **d'entreprise** jurado de empresa.

commandant [kɔmɑ̃dɑ̃] *nm* (MIL) comandante *m*; (NAUT) comandante, capitán *m*; (AVIAT): ~ **(de bord)** comandante (a bordo).

commande [kɔmɑ̃d] *nf* (COMM) pedido, encargo; ~**s** *fpl* (de voiture, d'avion) mandos; **en doubles** ~**s** de dobles mandos; **sur** ~ a pedido, de encargo.

commandement [kɔmɑ̃dmɑ̃] *nm* mando; (ordre) mandato, orden *f*; (REL) mandamiento.

commander [kɔmɑ̃de] *vt* (COMM) encargar, pedir; (armée, bateau, avion) mandar, comandar; (fig: agir sur, contrôler) regular, controlar; (nécessiter) exigir, demandar; ~ **à qn** mandar o dominar a alguien; ~ **à qn de faire qch** ordenar a alguien que haga algo; ~ **à qch** (maîtriser) dominar o refrenar algo.

commanditaire [kɔmɑ̃ditɛr] *nm* socio comanditario.

commando [kɔmɑ̃do] *nm* comando.

comme [kɔm] *prép* como; donner ~ **prix/heure** dar como precio/hora // *conj* como; (au moment où) cuando // *ad* (exclamatif): ~ **il est fort/c'est bon!** ¡qué fuerte/bueno es!; **faites-le** ~ **cela** ou **ça** hágalo así; **comment ça va?** ~ ~ ¿cómo está? o ¿qué tal? — así, así, regular; ~ **ça** ou **cela on n'aura pas d'ennuis** así o de este modo no tendremos dificultades; ~ **ci** ~ **ça** así así; **joli** ~ **tout** muy bonito.

commémoration [kɔmemɔrɑsjɔ̃] *nf* conmemoración *f*.

commémorer [kɔmemɔre] *vt* conmemorar.

commencement [kɔmɑ̃smɑ̃] *nm* comienzo; principio.

commencer [kɔmɑ̃se] *vt* comenzar, iniciar; (être placé au début de) comenzar, empezar // *vi* comenzar, empezar; ~ **à faire** comenzar o empezar a hacer.

commensal, e, aux [kɔmɑ̃sal, o] *nm/f* comensal *m/f*.

comment [kɔmɑ̃] *ad* cómo; et ~, ~ **donc** ¡y cómo!, ¡ya lo creo!

commentaire [kɔmɑ̃tɛr] *nm* comentario; ~ **(de texte)** comentario (de texto).

commentateur, trice [kɔmɑ̃tatœr, tris] *nm/f* comentarista *m/f*.

commenter [kɔmɑ̃te] *vt* comentar.

commérages [kɔmeraʒ] *nmpl* comadreos, chismes *mpl*.

commerçant, e [kɔmɛrsɑ̃, ɑ̃t] *a* comercial; (personne) comerciante // *nm/f* comerciante *m/f*.

commerce [kɔmɛrs(ə)] *nm* comercio; (boutique) comercio, tienda; (fig) relación *f*, trato; **faire** ~ **de** comerciar con; **vendu dans le** ~ en venta en los comercios; **vendu hors-**~ en venta fuera de comercio; **commercial, e, aux** *a* comercial; **commercialiser** *vt* comercializar.

commère [kɔmɛr] *nf* comadre *f*.

commettre [kɔmɛtr(ə)] *vt* cometer.

commis [kɔmi] *nm* dependiente *m*, empleado; ~ **voyageur** viajante *m* de comercio.

commisération [kɔmizerɑsjɔ̃] *nf* conmiseración *f*, piedad *f*.

commissaire [kɔmisɛr] *nm* (de police) comisario; (de course, compétition) juez *m*; ~ **aux comptes** (ADMIN) interventor *m* de cuentas; ~ **-priseur** [-prizœr] *nm* rematador *m*, subastador *m*; **commissariat** [kɔmisarja] *nm* (de police) comisaría; (ministère) intervención *f*.

commission [kɔmisjɔ̃] *nf* comisión *f*; (message) recado; ~**s** *fpl* (achats) compras; ~**naire** *nm/f* mandadero/a.

commissure [kɔmisyr] *nf*: ~ **des lèvres** comisura de los labios.

commode [kɔmɔd] *a* cómodo/a, apropiado/a; (facile, aisé) fácil, accesible; (aimable) accesible, tolerante // *nf* cómoda; **commodité**

nf comodidad *f*, practicidad *f*.

commotion [kɔmosjɔ̃] *nf* (MÉD): ~ **(cérébrale)** conmoción *f* (cerebral).

commotionné, e [kɔmosjone] *a* conmocionado(a), turbado(a).

commuer [kɔmye] *vt* conmutar.

commun, e [kɔmœ̃, yn] *a* común; (*identique*) común, igual; (*ordinaire*) común, corriente // *also*: **cela sort du ~** → esto sale de lo común, es una cosa fuera de lo común; **le ~ des mortels** la generalidad o la mayoria de los mortales // *nf* (ADMIN) municipio; **~s** *mpl* dependencias; **en ~** en común, juntos; **peu ~** poco común, extraordinario; **d'un ~ accord** de común acuerdo; **~al, e, aux** [kɔmynal, o] *a* municipal.

communauté [kɔmynote] *nf* comunidad *f*, (REL) comunidad, congregación *f*; **régime de la ~** régimen *m* de bienes gananciales; **~ économique européenne, CEE** comunidad económica europea, CEE.

commune [kɔmyn] *af, nf* voir **commun**.

communiant, e [kɔmynjɑ̃, ɑ̃t] *nm/f* comulgante *m/f*; **premier (première) ~(e)** persona que hace la primera comunión.

communicatif, ive [kɔmynikatif, iv] *a* comunicativo(a).

communication [kɔmynikasjɔ̃] *nf* comunicación *f*; **en ~ avec** en comunicación con; **avoir/donner la ~** (TÉLEC) obtener/dar comunicación; **~ en PCV** comunicación a cargo del destinatario.

communier [kɔmynje] *vi* (REL) comulgar.

communion [kɔmynjɔ̃] *nf* comunión *f*; **première ~, ~ privée** primera comunión; **~ solennelle** comunión solemne.

communiqué [kɔmynike] *nm* comunicado.

communiquer [kɔmynike] *vt* comunicar, trasmitir; (*demande, dossier*) dirigir, enviar; (*maladie,*

chaleur) trasmitir, propagar // *vi* comunicar; ~ **avec** (*suj: pièce*) comunicar con; **se ~ à** propagarse o difundirse a.

communisme [kɔmynism(ə)] *nm* comunismo; **communiste**, *a, nm/f* comunista (*m/f*).

commutateur [kɔmytatœr] *nm* conmutador *m*.

compact, e [kɔpakt, akt(ə)] *a* compacto(a), denso(a).

compagne [kɔpaɲ] *nf* voir **compagnon**.

compagnie [kɔpaɲi] *nf* compañía *f*; (COMM): **Dupont et ~** Dupont y compañía; ~ **républicaine de sécurité, CRS** ≈ Guardia Civil; **tenir ~ à** hacer compañía a; **fausser ~ à** plantar a; **en ~ de** en compañía de.

compagnon, compagne [kɔpaɲɔ̃, kɔpaɲ] *nm/f* compañero(a) // *nm* (*ouvrier*) obrero.

comparable [kɔparabl(ə)] *a*: ~ **(à)** comparable (a).

comparaison [kɔparɛzɔ̃] *nf* comparación *f*.

comparaître [kɔparɛtr(ə)] *vi*: ~ **(devant)** comparecer (ante).

comparatif, ive [kɔparatif, iv] *a* comparativo(a) // *nm* (LING) comparativo.

comparé, e [kɔpare] *a*: **littérature ~** literatura comparada.

comparer [kɔpare] *vt* comparar, cotejar; ~ **qch/qn à** *ou* **et qch/qn** comparar algo/a alguien con algo/alguien.

comparse [kɔpars(ə)] *nm/f* pelele *m*, nulidad *f*.

compartiment [kɔpartimɑ̃] *nm* (*de train*) compartimento; (*case*) compartimento, casilla; ~ **étanche** compartimento estanco; **compartimenté, e** *a* compartimentado(a).

comparution [kɔparysjɔ̃] *nf* comparición *f*, comparecencia *f*.

compas [kɔpa] *nm* (MATH) compás *m*; (NAUT) compás *m*, brújula.

compassé, e [kɔ̃pase] a afectado(a).

compassion [kɔ̃pasjɔ̃] nf compasión f, piedad f.

compatible [kɔ̃patibl] a: ~ (avec) compatible (con).

compatir [kɔ̃patir] vi: ~ à compadecer, compadecerse de o con.

compatriote [kɔ̃patrijɔt] nm/f compatriota m/f.

compensation [kɔ̃pɑ̃sasjɔ̃] nf compensación f.

compenser [kɔ̃pɑ̃se] vt compensar, equilibrar.

compère [kɔ̃pɛr] nm cómplice m, compinche f.

compétence [kɔ̃petɑ̃s] nf competencia, capacidad f; (JUR) competencia.

compétent, e [kɔ̃petɑ̃, ɑ̃t] a competente, capaz; (JUR) competente.

compétitif, ive [kɔ̃petitif, iv] a competitivo(a).

compétition [kɔ̃petisjɔ̃] nf competencia; (SPORT): **la/une** ~ la/una competición f; **être en** ~ **avec** estar en competencia con.

compiler [kɔ̃pile] vt compilar.

complainte [kɔ̃plɛ̃t] nf endecha.

complaire [kɔ̃plɛr]: **se** ~ vi: se ~ **dans** complacerse en.

complaisance [kɔ̃plɛzɑ̃s] nf amabilidad f, deferencia, (péj) complacencia; **certificat de** ~ certificado de favor.

complaisant, e [kɔ̃plɛzɑ̃, ɑ̃t] a deferente, solícito(a); (péj) complaciente.

complément [kɔ̃plemɑ̃] nm (gén) complemento, suplemento; (LING) complemento; ~ **d'objet direct/ indirect** complemento directo/indirecto; ~ (**circonstanciel**) **de lieu/temps** complemento de lugar/tiempo; ~ (**circonstanciel**) **de** lugar/tiempo; ~ **d'agent/de moyen** complemento agente/de modo; ~ **d'information** suplemento de información; ~**aire** a complementario(a).

complet, ète [kɔ̃plɛ, ɛt] a completo(a), lleno(a); (obscurité, échec) completo(a), total; (entier) completo(a), íntegro(a) // nm (aussi: ~**-veston**) traje m;

compléter vt completar, acabar; (fig: partenaire etc) completar, complementar; **se compléter** vi recíproque complementarse // vi (collection etc) completarse.

complexe [kɔ̃plɛks(ə)] a complejo(a), complicado(a); (BIO, BOT etc) complejo(a) // nm complejo; ~ **portuaire/hospitalier** complejo portuario/hospitalario; **complexé, e** a acomplejado(a); **complexité** nf complejidad f.

complication [kɔ̃plikasjɔ̃] nf complicación f; (difficulté, ennui) complicación, contratiempo; ~**s** fpl (MÉD) complicaciones fpl.

complice [kɔ̃plis] nm/f cómplice m/f; **complicité** nf complicidad f.

compliment [kɔ̃plimɑ̃] nm cumplido, felicitaciones fpl; ~**er** vt cumplimentar, felicitar.

compliqué, e [kɔ̃plike] a complicado(a).

compliquer [kɔ̃plike] vt complicar; **se** ~ complicarse.

complot [kɔ̃plo] nm complot m, conspiración f; ~**er** vi complotar, conspirar // vt tramar.

comportement [kɔ̃pɔrtəmɑ̃] nm comportamiento, actitud f; (TECH) funcionamiento.

comporter [kɔ̃pɔrte] vt constar de; **se** ~ vi comportarse; (TECH) funcionar.

composant [kɔ̃pozɑ̃] nm componente m.

composante [kɔ̃pozɑ̃t] nf componente m, factor m.

composé, e [kɔ̃poze] a compuesto(a); (visage, air) de circunstancias, afectado(a) // nm compuesto; ~ **de** compuesto de.

composer [kɔ̃poze] vt (musique) componer; (mélange, équipe, texte) armar, estructurar; (suj: choses) componer, constituir // vi (SCOL) hacer un ejercicio; (transiger) contemporizar, ceder; **~ un numéro** (au téléphone) discar o marcar un número; **se ~ de** componerse de.

composite [kɔ̃pozit] a variado(a), heterogéneo(a).

compositeur, trice [kɔ̃pozitœʀ, tʀis] nm/f (MUS) compositor(ora); (TYPOGRAPHIE) cajista m.

composition [kɔ̃pozisjɔ̃] nf composición f; (SCOL) disertación f, prueba; **de bonne ~** con-temporizador(ora), tratable; **amener qn à ~** llegar a un acuerdo con alguien; **~ française** redacción f o composición de francés.

compote [kɔ̃pɔt] nf compota; **compotier** nm compotera, frutera.

compréhensible [kɔ̃pʀeɑ̃sibl(ə)] a comprensible, inteligible; (fig) comprensible.

compréhensif, ive [kɔ̃pʀeɑ̃sif, iv] a comprensivo(a).

compréhension [kɔ̃pʀeɑ̃sjɔ̃] nf comprensión f.

comprendre [kɔ̃pʀɑ̃dʀ(ə)] vt (suj: chose) comprender, incluir; (sens, problème etc) comprender, entender; (fig) comprender.

compresse [kɔ̃pʀes] nf compresa.

compresseur [kɔ̃pʀesœʀ] am voir **rouleau** // nm compresor m.

compressible [kɔ̃pʀesibl(ə)] a compresible, comprimible.

compression [kɔ̃pʀesjɔ̃] nf compresión f; reducción f.

comprimé, e [kɔ̃pʀime] a: **air ~** aire comprimido // nm (MÉD) pastilla, comprimido.

comprimer [kɔ̃pʀime] vt comprimir; (fig) reducir, disminuir.

compris, e [kɔ̃pʀi, iz] pp de **comprendre** // a (inclus) incluido(a); (: COMM) incluido(a); **~ entre** (situé) comprendido entre; **~?** ¿entendido?; ¿está claro?; **la maison ~e, y ~ la maison** la casa inclusiva, incluida la casa; **la maison non ~e, non ~ la maison** sin incluir la casa; **service ~** servicio incluido; **100 F tout ~** 100 F

en total o todo incluido; **la formule du tout** fórmula que incluye todo.

compromettant, e [kɔ̃pʀɔmetɑ̃, ɑ̃t] a comprometedor(ora).

compromettre [kɔ̃pʀɔmetʀ(ə)] vt comprometer.

compromis [kɔ̃pʀɔmi] nm compromiso, convenio.

comptabilité [kɔ̃tabilite] nf contabilidad f; (service) contaduría; **comptable** [kɔ̃tabl(ə)] nm/f tenedor m de libros, contable m // a contable.

comptant [kɔ̃tɑ̃] ad: **payer/acheter ~** pagar/comprar al contado.

compte [kɔ̃t] nm cuenta; (total, montant) cuenta, suma; **faire le ~ de** hacer la cuenta de; **en fin de ~** (fig) en resumidas cuentas; **à bon ~** barato(a), a buen precio; **avoir son ~** (fig) tener su merecido; **pour le ~ de qn** por cuenta de alguien; **travailler à son ~** trabajar por su cuenta o por cuenta propia; **prendre qch à son ~** tomar algo por su cuenta, hacerse cargo de algo; **~ chèques postaux, CCP** cuenta de cheques postales; **~ courant** cuenta corriente; **~ de dépôt** cuenta de depósitos; **~ à rebours** cuenta regresiva.

compte-gouttes [kɔ̃tgut] nm inv (MÉD) cuentagotas m inv.

compter [kɔ̃te] vt contar, enumerar; (facturer) facturar, cobrar; (victoire, condamnations) contar; (comporter) contar, constar de; (espérer): **~ réussir** contar con o esperar lograr // vi contar; (être économe) contar los céntimos; (être non négligeable) contar, tener poca importancia; (valoir): **~ pour** valer por, contar para; (figurer): **~ parmi** contarse o figurar entre; **~ sur** contar con; **~ avec/sans qch/qn** contar/no contar con algo/alguien, tener/no tener en cuenta algo/alguien; **sans ~ que** sin contar (con) que, sin tener en cuenta que; **à ~ du 10 janvier** (COMM) a partir del 10 enero.

compte-rendu [kɔ̃tʀɑ̃dy] *nm* informe *m*, acta.

compte-tours [kɔ̃ttuʀ] *nm inv* cuentarrevoluciones *m inv*.

compteur [kɔ̃tœʀ] *nm* contador *m*; ~ **de vitesse** contador de velocidad.

comptine [kɔ̃tin] *nf* canción infantil (*en los juegos*).

comptoir [kɔ̃twaʀ] *nm* (*de magasin*) mostrador *m*; (*de café*) barra; (*ville coloniale*) factoría.

compulser [kɔ̃pylse] *vt* consultar, examinar.

comte, comtesse [kɔ̃t, kɔ̃tɛs] *nm/f* conde/condesa.

concave [kɔ̃kav] *a* cóncavo(a).

concéder [kɔ̃sede] *vt* reconocer, admitir; (*avantage, droit à qn*) conceder.

concentration [kɔ̃sɑ̃tʀɑsjɔ̃] *nf* concentración *f*; (*d'esprit*) reconcentración *f*, ensimismamiento.

concentrationnaire [kɔ̃sɑ̃tʀɑsjɔnɛʀ] *a* de campo de concentración.

concentré, e [kɔ̃sɑ̃tʀe] *a* condensado(a), concentrado(a); (*personne*) concentrado(a), absorto(a) // *nm* (*de tomate, d'orange*) jugo concentrado.

concentrer [kɔ̃sɑ̃tʀe] *vt* concentrar; (*population, pouvoirs*) concentrar, reunir; **se** ~ *vi* concentrarse, reconcentrarse.

concentrique [kɔ̃sɑ̃tʀik] *a* concéntrico(a).

concept [kɔ̃sɛpt] *nm* concepto.

conception [kɔ̃sɛpsjɔ̃] *nf* concepción *f*.

concerner [kɔ̃sɛʀne] *vt* concernir a, referirse a; **en ce qui concerne** en lo que concierne a.

concert [kɔ̃sɛʀ] *nm* concierto; (*fig*) coro; **de** ~ **a** de común acuerdo.

concerter [kɔ̃sɛʀte] *vt* concertar, acordar; **se** ~ ponerse de acuerdo.

concerto [kɔ̃sɛʀto] *nm* concierto *f*.

concessionnaire [kɔ̃sesjɔnɛʀ] *nm/f* concesionario/a.

concevable [kɔ̃svabl(ə)] *a* concebible.

concevoir [kɔ̃svwaʀ] *vt* concebir.

concierge [kɔ̃sjɛʀʒ(ə)] *nm/f* portero/a; ~**rie** [-ʒəʀi] *nf* portería.

concile [kɔ̃sil] *nm* concilio.

conciliabules [kɔ̃siljabyl] *nmpl* conciliábulos.

conciliation [kɔ̃siljɑsjɔ̃] *nf* conciliación *f*, acuerdo.

concilier [kɔ̃silje] *vt* conciliar, conjugar; **se** ~ **qn** ganarse a alguien.

concis, e [kɔ̃si, iz] *a* conciso(a); ~**ion** [-zjɔ̃] *nf* concisión *f*.

concitoyen, ne [kɔ̃sitwajɛ̃, jɛn] *nm/f* conciudadano/a.

conclave [kɔ̃klav] *nm* cónclave *m*.

concluant, e [kɔ̃klyɑ̃, ɑ̃t] *a* concluyente, determinante.

conclure [kɔ̃klyʀ] *vt* concertar, firmar; (*terminer*) concluir, terminar; ~ **qch de qch** deducir *o* inferir algo de algo; ~ **à** pronunciarse por; **j'en conclus que** deduzco que; **conclusion** [kɔ̃klyzjɔ̃] *nf* concertación *f*, término; (*d'un raisonnement*) conclusión *f*.

conçois *etc vb voir* **concevoir**.

concombre [kɔ̃kɔ̃bʀ(ə)] *nm* pepino.

concordance [kɔ̃kɔʀdɑ̃s] *nf*: **la** ~ **des temps** la concordancia de los tiempos.

concorde [kɔ̃kɔʀd(ə)] *nf* concordia.

concorder [kɔ̃kɔʀde] *vi* concordar, estar de acuerdo.

concourir [kɔ̃kuʀiʀ] *vi* competir; ~ **à** vt contribuir a.

concours [kɔ̃kuʀ] *nm* competición *f*; (*examen*) examen *m*, prueba; (*aide*) cooperación *f*, participación *f*; **recrutement par voie de** ~ se harán oposiciones; **apporter son** ~ **à** dar su ayuda a; ~ **de circonstances** cúmulo de circunstancias; ~ **hippique** concurso hípico.

concret, ète [kɔ̃kʀɛ, ɛt] *a* concreto(a); **concrétiser** [-tize] *vt* concretar; **se concrétiser** vi concretarse.

conçu, e pp de **concevoir**.

concubin, e [kɔ̃kybɛ̃, in] nm/f concubino/a; **~age** [-binaʒ] nm concubinato.

concurremment [kɔ̃kyramɑ̃] ad simultáneamente, a la vez.

concurrence [kɔ̃kyRɑ̃s] nf competencia; **en ~ avec** en competencia con; **jusqu'à ~ de** hasta un monto de; **~ déloyale** competencia desleal.

concurrent, e [kɔ̃kyRɑ̃, ɑ̃t] a opositor(ora), rival // nm/f competidor/ora; (SCOL) concursante m/f, opositor/ora.

condamnation [kɔ̃danasjɔ̃] nf reprobación f; condenación f.

condamné, e [kɔ̃dane] nm/f (JUR) condenado/a.

condamner [kɔ̃dane] vt reprobar, condenar; (coupable, aussi ouverture) condenar; (malade) desahuciar; **~ qn à qch/faire** condenar a uno a algo/hacer; **~ qn à 2 ans de prison** condenar a uno a 2 años de prisión.

condensateur [kɔ̃dɑ̃satœR] nm (ÉLEC) condensador m.

condensation [kɔ̃dɑ̃sɑsjɔ̃] nf condensación f.

condensé, e [kɔ̃dɑ̃se] a (lait) condensado(a) // nm resumen m, compendio.

condenser [kɔ̃dɑ̃se] vt condensar; **se ~** vi condensarse.

condescendant, e [kɔ̃desɑ̃dɑ̃, ɑ̃t] a condescendiente.

condescendre [kɔ̃desɑ̃dR(ə)] vi: **~ à qch/faire qch** condescender a algo/en hacer algo.

condiment [kɔ̃dimɑ̃] nm condimento.

condisciple [kɔ̃disipl(ə)] nm/f condiscípulo/a.

condition [kɔ̃disjɔ̃] nf condición f; (rang social) condición, clase f; **~s** fpl (tarif, prix) condiciones fpl, tarifas; (circonstances) condiciones; **sans ~** sin condición, incondicio-nalmente; **sous ~ de/que** con la condición de/que; **à ~ de/que** a condición de que, siempre que; **~ physique** condición física; **~s atmosphériques** condiciones atmosféricas; **~s de vie** condiciones de vida.

conditionné, e [kɔ̃disjɔne] a: **air ~** aire acondicionado.

conditionnel, le [kɔ̃disjɔnɛl] a condicional // nm condicional m, potencial m.

conditionnement [kɔ̃disjɔnmɑ̃] nm (emballage) acondicionamiento, embalaje m.

conditionner [kɔ̃disjɔne] vt condicionar, determinar; (COMM) acondicionar; (fig) condicionar, predisponer.

condoléances [kɔ̃dɔleɑ̃s] nfpl condolencias, pésame m.

conducteur, trice [kɔ̃dyktœR, tris] a conductor(ora) // nm conductor m // nm/f (AUTO) conductor/ora, chófer m.

conduire [kɔ̃dɥiR] vt (véhicule) conducir; (délégation, troupeau, société) guiar, dirigir; (personne: quelque part) conducir, llevar; (suj: route, sentier): **~ vers/à** llevar o conducir hacia/a; (suj: attitude, erreur, études): **~ à** llevar a; **se ~** portarse, comportarse.

conduit [kɔ̃dɥi] nm conducto.

conduite [kɔ̃dɥit] nf conducción f; (comportement) conducta, comportamiento; (d'eau, de gaz) conducto, cañería; **~ à gauche** (AUTO) volante m a la izquierda; **~ d'échec** conducta de fracaso; **~ intérieure** coche cerrado.

cône [kon] nm cono; **~ d'avalanche** (GÉO) cono de avalancha.

confection [kɔ̃fɛksjɔ̃] nf confección f, ejecución f; (COUTURE): **la ~** la confección.

confectionner [kɔ̃fɛksjɔne] vt confeccionar, fabricar.

confédération [kɔ̃fedeRɑsjɔ̃] nf confederación f.

conférence [kɔ̃feRɑ̃s] nf conferencia; (*pourparlers*) conferencia, entrevista; ~ **de presse** conferencia de prensa; **conférencier, ière** [-sje, jɛr] *nm/f* conferenciante *m/f*.

conférer [kɔ̃fere] *vt:* ~ **qch à qn** conferir *o* otorgar a alguien; ~ **à qn/qch** (*suj: chose*) otorgar *o* dar a alguien/a algo.

confesser [kɔ̃fese] *vt* confesar, reconocer; (*REL*) confesar; **se** ~: confesarse; **confesseur** *nm* confesor *m*; **confession** *nf* confesión *f*; **confessionnal, aux** *nm* confesionario; **confessionnel, le** *a* confesional, religioso(a).

confetti [kɔ̃feti] *nm* confeti *m*.

confiance [kɔ̃fjɑ̃s] *nf* confianza, seguridad *f*; **avoir** ~ **en** tener confianza en; **en toute** ~ con toda confianza; **question/vote de** ~ (*POL*) voto de confianza; **confiant, e** [kɔ̃fjɑ̃, ɑ̃t] *a* confiado(a).

confidence [kɔ̃fidɑ̃s] *nf:* **une** ~ una confidencia; **dire qch en** ~ decir algo en confidencia; **confident, e** [kɔ̃fidɑ̃, ɑ̃t] *nm/f* confidente/a.

confidentiel, le [kɔ̃fidɑ̃sjɛl] *a* confidencial.

confier [kɔ̃fje] *vt:* ~ **à qn** confiar a alguien; **se** ~ **à qn** confiarse a alguien.

configuration [kɔ̃figyrasjɔ̃] *nf* configuración *f*.

confiné, e [kɔ̃fine] *a* viciado(a).

confiner [kɔ̃fine] *vt:* ~ **à** lindar con, rayar en; **se** ~ **dans** confinarse *o* encerrarse en; ~ **à** limitarse a.

confins [kɔ̃fɛ̃] *nmpl:* **aux** ~ **de** en los confines de.

confirmation [kɔ̃firmasjɔ̃] *nf* confirmación *f*.

confirmer [kɔ̃firme] *vt* confirmar.

confiscation [kɔ̃fiskasjɔ̃] *nf* confiscación *f*.

confiserie [kɔ̃fizri] *nf* confitería *f*; (*bonbon*) golosina, dulce *m*; **confiseur, euse** *nm/f* confitero/a.

confisquer [kɔ̃fiske] *vt* confiscar, decomisar.

confit, e [kɔ̃fi, it] *a:* **fruits ~s**

frutas confitadas // *nm:* ~ **d'oie** conserva *o* escabeche *m* de ganso.

confiture [kɔ̃fityr] *nf* confitura, mermelada.

conflagration [kɔ̃flagrasjɔ̃] *nf* conflagración *f*.

conflit [kɔ̃fli] *nm* conflicto; (*fig*) conflicto, choque *m*; ~ **armé** conflicto armado.

confluent [kɔ̃flyɑ̃] *nm* confluencia *f*.

confondre [kɔ̃fɔ̃dr(ə)] *vt* confundir; (*témoin, menteur*) confundir, desorientar; **se** ~ **en excuses** deshacerse en disculpas.

confondu, e [kɔ̃fɔ̃dy] *a* confuso(a), perplejo(a).

conformation [kɔ̃fɔrmasjɔ̃] *nf* conformación *f*.

conforme [kɔ̃fɔrm(ə)] *a:* ~ **à** conforme a *o* con, adecuado(a) a; **copie certifiée** ~ copia autenticada *o* legalizada; **conformément** *ad:* **conformément à qch/à ce que de** acuerdo a *o* con algo/a *o* con lo que; **conformer** *vt:* **conformer qch à** adaptar *o* adecuar algo a; **se conformer à** adaptarse *o* adecuarse a.

conformisme [kɔ̃fɔrmism(ə)] *nm* conformismo; **conformiste** *a, nm/f* conformista (*m/f*).

conformité [kɔ̃fɔrmite] *nf* conformidad *f*, concordancia *f*.

confort [kɔ̃fɔr] *nm* confort *m*, comodidad *f*, **tout** ~ con todas las comodidades; ~**able** [-tabl(ə)] *a* confortable, cómodo(a); (*fig*) considerable, decoroso(a).

confrère [kɔ̃frɛr] *nm* colega *m*.

confrérie [kɔ̃freri] *nf* cofradía.

confrontation [kɔ̃frɔ̃tasjɔ̃] *nf* confrontación *f*; careo.

confronté [kɔ̃frɔ̃te] *a:* ~ **à** (*problème, situation*) confrontado a.

confronter [kɔ̃frɔ̃te] *vt* confrontar, cotejar; (*JUR*) carear.

confus, e [kɔ̃fy, yz] *a* confuso(a), oscuro(a); (*bataille, situation*) desordenado(a), confuso(a); (*personne: embarrassé*) confuso(a), turbado(a).

confusion [kɔ̃fyzjɔ̃] *nf* confusión *f*.

congé [kɔ̃ʒe] nm licencia, vacaciones fpl; (avis de départ) despedida; **en ~** de licencia, de vacaciones; **semaine/jour de ~** semana/día m de asueto; **prendre ~ de qn** despedirse de alguien; **donner son ~ à** despedir a; **~ de maladie** licencia por enfermedad; **~s payés** licencia pagada, vacaciones pagadas; **~dier [-dje]** vt despedir.

congélateur [kɔ̃ʒelatœʀ] nm congelador m.

congeler [kɔ̃ʒle] vt congelar.

congénère [kɔ̃ʒeneʀ] nm/f congénere m.

congénital, e, aux [kɔ̃ʒenital, o] a congénito(a).

congère [kɔ̃ʒeʀ] nf ventisquero.

congestion [kɔ̃ʒestjɔ̃] nf congestión f; **~ pulmonaire/cérébrale** congestión pulmonar/cerebral.

congestionné, e [kɔ̃ʒestjɔne] a congestionado(a).

congestionner [kɔ̃ʒestjɔne] vt congestionar.

conglomérat [kɔ̃ɡlɔmeʀa] nm conglomerado.

congratuler [kɔ̃ɡʀatyle] vt congratular, felicitar.

congre [kɔ̃ɡʀ(ə)] nm congrio.

congrégation [kɔ̃ɡʀeɡasjɔ̃] nf congregación f.

congrès [kɔ̃ɡʀɛ] nm congreso.

congru, e [kɔ̃ɡʀy] a: **portion ~e** porción exigua.

conifère [kɔnifɛʀ] nm conífera f.

conique [kɔnik] a cónico(a).

conjecturer [kɔ̃ʒɛktyʀe] vt, vi conjeturar, presumir.

conjoint, e [kɔ̃ʒwɛ̃, wɛ̃t] a conjunto(a) // nm/f cónyuge m/f; **~ement [-ɛtmɑ̃]** ad conjuntamente, simultáneamente.

conjonction [kɔ̃ʒɔ̃ksjɔ̃] nf conjunción f.

conjonctivite [kɔ̃ʒɔ̃ktivit] nf conjuntivitis f.

conjoncture [kɔ̃ʒɔ̃ktyʀ] nf coyun-

tura, circunstancias; **conjoncturel, le** a coyuntural.

conjugaison [kɔ̃ʒyɡɛzɔ̃] nf (LING) conjugación f.

conjugal, e, aux [kɔ̃ʒyɡal, o] a conyugal.

conjuguer [kɔ̃ʒyɡe] vt conjugar; (fig) conjugar, aunar.

conjuration [kɔ̃ʒyʀasjɔ̃] nf conjura, conspiración f; **conjuré, e** nm/f conjurado/a, conspirador/ora.

conjurer [kɔ̃ʒyʀe] vt conjurar; **~ qn de faire qch** rogar o suplicar a alguien que haga algo.

connaissance [kɔnesɑ̃s] nf conocimiento; (personne connue) conocido/a; **~s** fpl (savoir) conocimientos; **être sans/perdre ~** estar sin/perder el conocimiento; **à ma/sa ~** por lo que se/sabe; **prendre ~ de** tomar conocimiento de; **donner ~ de** dar a conocer, informar; **en ~ de cause** con conocimiento de causa.

connaisseur, euse [kɔnesœʀ, øz] nm/f conocedor/ora.

connaître [kɔnɛtʀ(ə)] vt (gén) conocer; (date, fait, adresse) conocer, saber; (avoir l'expérience de) conocer, dominar; **~ qn de nom/vue** conocer a alguien de nombre/vista; **se ~** vt réfléchi conocerse.

connecter [kɔnɛkte] vt conectar.

connexe [kɔnɛks(ə)] a conexo(a), afín.

connexion [kɔnɛksjɔ̃] nf conexión f.

connivence [kɔnivɑ̃s] nf connivencia.

connotation [kɔnɔtasjɔ̃] nf connotación f.

connu, e [kɔny] pp de **connaître** // a conocido(a); (célèbre) conocido(a), reputado(a).

conquérant, e [kɔ̃keʀɑ̃, ɑ̃t] nm/f conquistador/ora.

conquérir [kɔ̃keʀiʀ] vt conquistar.

conquête [kɔ̃kɛt] nf conquista.

consacré, e [kɔ̃sakʀe] a: **~ à** (REL) consagrado a; (employé a consagrado a, destinado a; (*traitant de*) consagrado a, dedicado a.

consacrer [kɔ̃sakre] *vt* consagrar; ~ **qch à/à faire** consagrar *o* destinar algo a/a hacer; **se** ~ **à qch/faire** consagrarse *o* dedicarse a algo/a hacer.

consanguin, e [kɔ̃sãgɛ̃, in] *a* consanguíneo(a).

conscience [kɔ̃sjãs] *nf* conciencia; **avoir/prendre** ~ **de** tener/tomar conciencia de; **perdre** ~ perder el conocimiento; **avoir bonne/ mauvaise** ~ tener la conciencia limpia/sucia; ~ **professionnelle** conciencia profesional.

consciencieux, euse [kɔ̃sjãsjø, øz] *a* concienzudo(a), escrupuloso(a).

conscient, e [kɔ̃sjã, ãt] *a* (*MÉD*) consciente; (*délibéré*) consciente, deliberado(a); ~ **de** consciente de.

conscription [kɔ̃skripsjɔ̃] *nf* reclutamiento *m*.

conscrit [kɔ̃skri] *nm* recluta *m*.

consécration [kɔ̃sekrasjɔ̃] *nf* consagración *f*.

consécutif, ive [kɔ̃sekytif, iv] *a* consecutivo(a); ~ **à** a causado por, debido a.

conseil [kɔ̃sɛj] *nm* consejo; **tenir** ~ celebrar consejo; **prendre** ~ **auprès de qn** pedir consejo a alguien; **ingénieur/médecin-**~ ingeniero/médico asesor; ~ **d'administration/des ministres** consejo de administración *o* de ministros; ~ **de discipline** consejo *o* junta de disciplina; ~ **municipal** ayuntamiento, concejo; ~ **de révision** junta de revisión.

conseiller [kɔ̃seje] *vt* aconsejar; **conseiller, ère** *nm/f* consejero/a; ~ **municipal** concejal *m*.

consentement [kɔ̃sãtmã] *nm* consentimiento, aprobación *f*.

consentir [kɔ̃sãtir] *vt*: ~ **qch à qn** consentir *o* acordar algo a alguien; ~ **à qch/faire** aceptar algo/hacer.

conséquence [kɔ̃sekãs] *nf* consecuencia; **en** ~ consecuentemente,

conforme a esto; **en** ~ (*donc*) en consecuencia, por consiguiente; **tirer à** ~ traer consecuencias, tener importancia; **sans** ~ sin consecuencia *o* importancia.

conséquent; e [kɔ̃sekã, ãt] *a* consecuente; **par** ~ por consiguiente.

conservateur, trice [kɔ̃sɛrvatœr, tris] *a, nm/f* conservador(ora) // *nm* (*de musée*) conservador *m*.

conservation [kɔ̃sɛrvasjɔ̃] *nf* conservación *f*.

conserve [kɔ̃sɛrv(ə)] *nf* conserva; **en** ~ en conserva; **de** ~ conjuntamente, en compañía.

conserver [kɔ̃sɛrve] *vt* conservar; (*faculté, amis, livres*) conservar, mantener.

conserverie [kɔ̃sɛrvəri] *nf* fábrica de conservas.

considérable [kɔ̃siderabl(ə)] *a* considerable, importante.

considération [kɔ̃siderasjɔ̃] *nf* consideración *f*; (*estime*) consideración, estima; (*raison*) razonamiento ~s *fpl* (*remarques*) consideraciones *fpl*; **prendre en** ~ tomar en consideración; **en** ~ **de** en razón de, teniendo en cuenta.

considéré, e [kɔ̃sidere] *a* (*respecté*) considerado(a).

considérer [kɔ̃sidere] *vt* (*étudier*) considerar; (*tenir compte de*) considerar, tener en cuenta; (*regarder*) examinar, observar; (*estimer*) ~ **que** considerar *o* estimar que; ~ **qch comme** considerar algo como.

consigne [kɔ̃siɲ] *nf* consigna; (*COMM*) importe (reembolsable) de un envase etc; (*SCOL, MIL*) castigo.

consigner [kɔ̃siɲe] *vt* consignar, anotar; (*soldat, élève*) castigar; (*COMM*) cobrar el importe del envase.

consistance [kɔ̃sistãs] *nf* consistencia; (*fig*) consistencia, solidez *f*.

consistant, e [kɔ̃sistã, ãt] *a* consistente, firme.

consister [kɔ̃siste] *vi*: ~ **en**

consistir en, componerse de; **~ dans** consistir o residir en; **~ à faire** consistir en hacer.

consœur [kɔ̃sœr] nf colega m.

consolation [kɔ̃sɔlasjɔ̃] nf: **avoir la ~ de** tener el consuelo de; **lot/prix de ~** premio consuelo o de consolación.

console [kɔ̃sɔl] nf (CONSTRUCTION) ménsula; (d'ordinateur) tablero.

consoler [kɔ̃sɔle] vt consolar, calmar; **se ~ (de qch)** consolar (de algo).

consolider [kɔ̃sɔlide] vt consolidar, reforzar; (fig) consolidar, afirmar.

consommateur, trice [kɔ̃sɔmatœr, tris] nm/f consumidor/ora; (dans un café) consumidor/ora, cliente m/f.

consommation [kɔ̃sɔmasjɔ̃] nf consumo; (boisson) consumición f; **~ de 10 litres aux 100 km** (AUTO) consumo de 10 litros cada o en 100 km.

consommé, e [kɔ̃sɔme] a consumado(a) // nm caldo, consomé m.

consommer [kɔ̃sɔme] vt consumir; (suj: voiture, usine, poêle) consumir, gastar // vi (dans un café) consumir.

consonance [kɔ̃sɔnɑ̃s] nf consonancia; **nom à ~ étrangère** nombre m de resonancia extranjera.

consonne [kɔ̃sɔn] nf consonante f.

consort [kɔ̃sɔr] **~s** nmpl (péj): **et ~s** y compañía, y secuaces.

consortium [kɔ̃sɔrsjɔm] nm consorcio.

conspiration [kɔ̃spirasjɔ̃] nf conspiración f.

conspirer [kɔ̃spire] vi conspirar, complotar.

conspuer [kɔ̃spɥe] vt abuchear.

constamment [kɔ̃stamɑ̃] ad constantemente.

constant, e [kɔ̃stɑ̃, ɑ̃t] a (personne) constante, perseverante; (température, augmentation) constante.

constat [kɔ̃sta] nm (d'huissier) acta; (après un accident) acta:

~ (à l'amiable) acta (de conciliación).

constatation [kɔ̃statasjɔ̃] nf comprobación f.

constater [kɔ̃state] vt comprobar; (remarquer) comprobar, notar; **~ que** notar o comprobar que; (faire observer, dire) advertir que.

constellation [kɔ̃stelasjɔ̃] nf constelación f.

constellé, e [kɔ̃stele] a: **~ de** salpicado o cuajado de.

consterner [kɔ̃stɛrne] vt consternar, afligir.

constipation [kɔ̃stipasjɔ̃] nf estreñimiento, constipación f.

constipé, e [kɔ̃stipe] a estreñido(a), constipado(a); (fig) fruncido(a), antipático(a).

constitué, e [kɔ̃stitɥe] a: **~ de** constituido o formado por; **bien/mal ~** bien/mal conformado.

constituer [kɔ̃stitɥe] vt (former) constituir, organizar; (dossier, collection) formar, armar; (suj: éléments, parties) constituir, formar; (représenter, être) constituir, representar; **se ~ prisonnier** constituirse prisionero.

constitution [kɔ̃stitysjɔ̃] nf formación f; (composition) composición f, constitución f; (santé, POL) constitución; **~nel, le** a constitucional.

constructeur [kɔ̃stryktœr] nm (de voitures) constructor m, fabricante m; (de bateaux) armador m.

construction [kɔ̃stryksjɔ̃] nf construcción f; (de phrase, roman) estructura; (bâtiment) construcción, edificio.

construire [kɔ̃strɥir] vt construir, levantar; (histoire, phrase, théorie) construir, armar; **se ~** (immeuble, quartier) construirse, edificarse.

consul [kɔ̃syl] nm cónsul m; **~aire** a consular; **~at** nm consulado.

consultation [kɔ̃syltasjɔ̃] nf consulta; **~s** fpl (POL) deliberaciones fpl; **être en ~** (délibé-

ration) estar en deliberación; **aller à la ~** (MÉD) ir a la consulta, ir a lo del médico; **heures de ~** (MÉD) horas de consulta o de atención.

consulter [kɔ̃sylte] *vt* consultar; (*baromètre, montre*) consultar, observar // *vi* examinar; **se ~** *vt réciproque* consultarse.

consumer [kɔ̃syme] *vt* consumir; **se ~** *vi* consumirse.

contact [kɔ̃takt] *nm* contacto; (*rencontres, rapports*) contacto, frecuentación *f*; **au ~ de l'air** en contacto con el aire; **mettre/couper le ~** (AUTO) poner/cortar o interrumpir el encendido; **entrer en ~** (**avec**) entrar en contacto o relación (con); **prendre ~ avec qn** tomar contacto con alguien; **au ~ de ces gens** en (o por) la frecuentación de esta gente.

contacter [kɔ̃takte] *vt* relacionarse con.

contagieux, euse [kɔ̃taʒjø, øz] *a* contagioso(a).

contagion [kɔ̃taʒjɔ̃] *nf* (MÉD) contagio.

container [kɔ̃tɛnɛr] *nm* empaque *m*, caja.

contamination [kɔ̃taminasjɔ̃] *nf* contaminación *f*.

contaminer [kɔ̃tamine] *vt* (MÉD) contaminar.

conte [kɔ̃t] *nm* cuento, narración *f*; **~ de fées** cuento de hadas.

contemplatif, ive [kɔ̃tɑ̃platif, iv] *a* (REL) contemplativo(a).

contemplation [kɔ̃tɑ̃plasjɔ̃] *nf* contemplación *f*.

contempler [kɔ̃tɑ̃ple] *vt* contemplar.

contemporain, e [kɔ̃tɑ̃pɔrɛ̃, ɛn] *a, nm/f* contemporáneo(a).

contenance [kɔ̃tnɑ̃s] *nf* contenido, capacidad *f*; (*attitude*) prestancia, aplomo; **perdre ~** perder la serenidad o el aplomo; **se donner une ~** ocultar su turbación, disimular.

contenir [kɔ̃tnir] *vt* contener; (*foule, colère*) contener, refrenar;

se ~ contenerse, dominarse.

content, e [kɔ̃tɑ̃, ɑ̃t] *a* contento(a); **~ de qn/qch** contento con alguien/algo; **~ de soi** satisfecho de sí mismo; **~ement** *nm* contento, alegría; **~er** *vt* contentar; (*envie, caprice*) contentar, satisfacer; **se ~er de** contentarse con.

contentieux [kɔ̃tɑ̃sjø] *nm* recurso contencioso administrativo.

contenu [kɔ̃tny] *nm* contenido.

conter [kɔ̃te] *vt* contar, relatar.

contestation [kɔ̃tɛstasjɔ̃] *nf* discusión *f*, polémica; (POL): **la ~** la polémica.

conteste [kɔ̃tɛst(ə)]: **sans ~** *ad* sin discusión, sin ninguna duda.

contester [kɔ̃tɛste] *vt* discutir, cuestionar // *vi* impugnar, discutir.

conteur, euse [kɔ̃tœr, øz] *nm/f* narrador/ora.

contexte [kɔ̃tɛkst(ə)] *nm* contexto.

contigu, ë [kɔ̃tigy] *a*: **~ (à)** contiguo (a).

continence [kɔ̃tinɑ̃s] *nf* continencia.

continent [kɔ̃tinɑ̃] *nm* continente *m*; **~al, e, aux** *a* continental.

contingences [kɔ̃tɛ̃ʒɑ̃s] *nfpl* contingencias, eventualidades *fpl*.

contingent, e [kɔ̃tɛ̃ʒɑ̃, ɑ̃t] *a* contingente, eventual // *nm* (MIL) contingente *m*; (COMM) provisión *f*, abastecimiento.

contingenter [kɔ̃tɛ̃ʒɑ̃te] *vt* racionar.

continu, e [kɔ̃tiny] *a* continuo(a), ininterrumpido(a) // *nm*: (**courant**) **~** corriente continua.

continuation [kɔ̃tinɥasjɔ̃] *nf* continuación *f*, prosecución *f*.

continuel, le [kɔ̃tinɥel] *a* continuo(a), constante.

continuer [kɔ̃tinɥe] *vt* continuar, proseguir; (*alignement, rue*) prolongarse, continuar // *vi* continuar, seguir; **~ à ou de faire** continuar o seguir haciendo; **se ~ par** prolongarse de.

continuité [kɔ̃tinɥite] *nf* continuidad *f*, prolongación *f*.

contorsion [kɔ̃tɔrsjɔ̃] nf contorsión f, gesticulación f; **se ~ner** vi contorsionarse.

contour [kɔ̃tur] nm contorno, perímetro; (virage) meandro, recodo.

contourner [kɔ̃turne] vt rodear, evitar.

contraceptif, ive [kɔ̃trasɛptif, iv] a contraceptivo(a) // nm contraceptivo.

contraception [kɔ̃trasɛpsjɔ̃] nf contracepción f.

contracté, e [kɔ̃trakte] a contraído(a); (personne) tenso(a), crispado(a).

contracter [kɔ̃trakte] vt contraer; **se ~** vi contraerse; **contraction** nf contracción f.

contractuel, elle [kɔ̃traktɥel] a contractual // nm/f agente contratado por el estado.

contradiction [kɔ̃tradiksjɔ̃] nf contradicción f; (dans un texte, argument) contradicción, discordancia.

contradictoire [kɔ̃tradiktwar] a contradictorio(a), incompatible; (débat) contradictorio(a).

contraignant, e [kɔ̃trɛɲɑ̃, ɑ̃t] a imperioso(a), apremiante.

contraindre [kɔ̃trɛ̃dr(ə)] vt: ~ qn à obligar o forzar a alguien o; **contraint, e** [kɔ̃trɛ̃, ɛ̃t] a forzado(a) // nf presión f, obligación f; **sans contrainte** sin coerción, libremente.

contraire [kɔ̃trɛr] a contrario(a), opuesto(a); ~ à contrario(a) a, opuesto(a) a o // nm: **le** ~ lo contrario, lo opuesto; **au** ~ ad por lo contrario; **le** ~ **de** lo contrario de, lo opuesto a.

contrarier [kɔ̃trarje] vt contrariar, molestar; (mouvement, action) dificultar, entorpecer; **contrariété** nf contrariedad f, contratiempo.

contraste [kɔ̃trast(ə)] nm contraste m; **contraster** vi: **contraster (avec)** contrastar (con).

contrat [kɔ̃tra] nm (COMM) contra-to; ~ **de mariage** contrato de matrimonio.

contravention [kɔ̃travɑ̃sjɔ̃] nf contravención f, infracción f; (amende) multa; (procès-verbal) atestado; **en** ~ **à** en contravención con.

contre [kɔ̃tr(ə)] prép contra, por, junto a.

contre-amiral [kɔ̃tramiral] nm contraalmirante m.

contre-attaque [kɔ̃tratak] nf contraataque m; **contre-attaquer** vi contraatacar.

contrebalancer [kɔ̃trəbalɑ̃se] vt contrapesar, equilibrar.

contrebande [kɔ̃trəbɑ̃d] nf contrabando; **faire la** ~ **de** hacer contrabando de; **contrebandier** nm contrabandista m.

contrebas [kɔ̃trəba]: **en** ~ ad más abajo.

contrebasse [kɔ̃trəbas] nf contrabajo; **contrebassiste** nm contrabajo.

contrecarrer [kɔ̃trəkare] vt contrarrestar, contrariar.

contrechamp [kɔ̃trəʃɑ̃] nm toma desde el ángulo opuesto.

contrecœur [kɔ̃trəkœr]: **à** ~ ad a desgana, contra la voluntad.

contrecoup [kɔ̃trəku] nm consecuencia, rebote m.

contre-courant [kɔ̃trəkurɑ̃]: **à** ~ ad contra la corriente.

contredire [kɔ̃trədir] vt contradecir, rebatir; (: témoignage, assertion) contradecir, refutar; (suj: chose) contradecir, desmentir; **se** ~ (personne) contradecirse.

contrée [kɔ̃tre] nf comarca, región f.

contre-écrou [kɔ̃trekru] nm contratuerca.

contre-espionnage [kɔ̃trɛspjɔnaʒ] nm contraespionaje m.

contre-expertise [kɔ̃trɛkspertiz] nf peritaje m para verificar otro anterior.

contrefaçon [kɔ̃trəfasɔ̃] nf falsificación f.

contrefaire [kɔ̃trəfɛr] vt falsificar; *(personne, démarche)* imitar, remedar; *(sa voix, son écriture)* alterar, desfigurar.

contrefait, e [kɔ̃trəfɛ, ɛt] a *(difforme)* contrahecho(a), deforme.

contreforts [kɔ̃trəfɔr] nmpl *(GÉO)* estribaciones *fpl.*

contre-haut [kɔ̃trəo]: **en ~** ad más arriba, encima.

contre-indication [kɔ̃trɛ̃dikasjɔ̃] nf contraindicación *f.*

contre-jour [kɔ̃trəʒur]: **à ~** ad a contraluz.

contremaître [kɔ̃trəmɛtr(ə)] nm capataz *m.*

contre-manifestation [kɔ̃trəmanifɛstasjɔ̃] nf contramanifestación *f.*

contremarque [kɔ̃trəmark(ə)] nf *(ticket)* contraseña.

contre-offensive [kɔ̃trəfɑ̃siv] nf contraofensiva *f.*

contre-ordre [kɔ̃trɔrdr(ə)] nm = **contrordre.**

contrepartie [kɔ̃trəparti] nf contrapartida, compensación *f*; **en ~** en compensación, en cambio.

contre-performance [kɔ̃trəperfɔrmɑ̃s] nf marca desfavorable.

contrepèterie [kɔ̃trəpetri] nf inversión de sílabas que hacen una frase burlesca.

contre-pied [kɔ̃trəpje] nm: **le ~ de** lo contrario o la contrapartida de; **à ~** *(SPORT)* de revés; **prendre qn à ~** *(fig)* despistar a alguien.

contre-plaqué [kɔ̃trəplake] nm enchapado, madera contrachapeada.

contre-plongée [kɔ̃trəplɔ̃ʒe] nf secuencia filmada de abajo hacia arriba.

contrepoids [kɔ̃trəpwa] nm contrapeso; **faire ~** hacer contrapeso.

contrepoint [kɔ̃trəpwɛ̃] nm contrapunto.

contrepoison [kɔ̃trəpwazɔ̃] nm contraveneno, antídoto.

contrer [kɔ̃tre] vt oponerse a, desafiar.

contre-révolution [kɔ̃trərevɔlysjɔ̃] nf contrarrevolución *f.*

contre-sens [kɔ̃trəsɑ̃s] nm contrasentido; **à ~** ad en sentido contrario.

contresigner [kɔ̃trəsiɲe] vt refrendar.

contretemps [kɔ̃trətɑ̃] nm contratiempo; **à ~** ad a destiempo.

contre-terrorisme [kɔ̃trəterɔrism(ə)] nm contraterrorismo.

contre-torpilleur [kɔ̃trɔrpijœr] nm cazatorpedero.

contrevenir [kɔ̃trəvnir]: **~ à** vt contravenir, transgredir.

contribuable [kɔ̃tribɥabl(ə)] nm/f contribuyente *m/f.*

contribuer [kɔ̃tribɥe]: **~ à** vt contribuir a, participar en; *(dépense, frais)* contribuir a; **contribution** nf contribución *f*; *(concours, apport)* contribución; **les contributions** *(ADMIN: bureaux)* la oficina de impuestos; **contributions directes/indirectes** *(impôts)* contribuciones directas/indirectas; **mettre à contribution** utilizar los servicios de.

contrit, e [kɔ̃tri, it] a contrito, compungido(a).

contrôle [kɔ̃trol] nm control *m*; *(surveillance)* control, vigilancia; *(maîtrise)* control, dominio; **perdre/garder le ~ de son véhicule** perder/conservar el control de su vehículo; **~ des naissances/d'identité** control de la natalidad/de identidad.

contrôler [kɔ̃trole] vt verificar, controlar; *(surveiller)* controlar, vigilar; *(fig)* dominar, controlar; *(COMM)* controlar; **se ~** *(personne)* controlarse, dominarse; **contrôleur, euse** nm/f *(de train, bus)* revisor/ora; **contrôleur/postes** inspector *m* de finanzas/correos.

contrordre [kɔ̃trɔrdr(ə)] nm

contraorden f; **sauf** ~ salvo contraorden.

controverse [kɔ̃trɔvɛrs(ə)] nf controversia, polémica; **controversé, e** a controvertido(a), discutido(a).

contumace [kɔ̃tymas]: **par** ~ ad en rebeldía, en contumacia.

contusion [kɔ̃tyzjɔ̃] nf contusión f; ~**né, e** a magullado(a), contuso(a).

conurbation [kɔnyrbasjɔ̃] nf aglomeración urbana.

convaincant, e [kɔ̃vɛ̃kɑ̃, ɑ̃t] a convincente, persuasivo(a).

convaincre [kɔ̃vɛ̃kr(ə)] vt: ~ **qn de qch** convencer a alguien de algo; ~ **qn de** (JUR) inculpar a alguien de; **convaincu, e** [kɔ̃vɛ̃ky] a convencido(a).

convalescence [kɔ̃valesɑ̃s] nf convalescencia; **maison de** ~ casa de reposo; **convalescent, e** a nm/f convaleciente (m/f).

convenable [kɔ̃vnabl(ə)] a conveniente, decoroso(a) (salaire, travail) conveniente, provechoso(a).

convenance [kɔ̃vnɑ̃s] nf: **à votre** ~ a su conveniencia o comodidad; ~**s** fpl conveniencias.

convenir [kɔ̃vnir] vi convenir; ~ **à** convenir a, ser apropiado para; (arranger, plaire à) convenir a; **il convient de faire/que** es conveniente hacer/que; ~ **de** (admettre) reconocer, admitir; (fixer) convenir, acordar; ~ **de faire qch** decidir hacer algo; **comme convenu** como se ha decidido, como estaba convenido.

convention [kɔ̃vɑ̃sjɔ̃] nf convenio, acuerdo; (ART, THÉÂTRE) reglas fpl, convención f; (POL) convención; **de** ~ convencional; ~**s** fpl (règles, convenances) convenciones; ~ **collective** convenio colectivo; ~**né, e** a adherido(a) por un convenio; ~**nel, le** a convencional.

convenu, e [kɔ̃vny] pp de **convenir** // a convenido(a), acordado(a).

converger [kɔ̃vɛrʒe] vi converger; (efforts, idées) converger, coincidir; ~ **vers** converger hacia.

conversation [kɔ̃vɛrsasjɔ̃] nf conversación f; **avoir de la** ~ tener conversación.

converser [kɔ̃vɛrse] vi conversar.

conversion [kɔ̃vɛrsjɔ̃] nf conversión f; transformación f; (SKI) viraje m.

convertible [kɔ̃vɛrtibl(ə)] a (ÉCON) canjeable.

convertir [kɔ̃vɛrtir] vt: ~ **qn (à)** convertir a alguien (a); ~ **qch en** convertir o transformar algo en; **se** ~ **(à)** convertirse (a).

convertisseur [kɔ̃vɛrtisœr] nm (ÉLEC) transformador m.

convexe [kɔ̃vɛks] a convexo(a).

conviction [kɔ̃viksjɔ̃] nf convicción f, certidumbre f; (opinion, croyance) convicción, creencia; **sans** ~ sin convicción.

conviendrai, conviens etc vb voir **convenir**.

convier [kɔ̃vje] vt: ~ **qn à** convidar o invitar a alguien a.

convive [kɔ̃viv] nm/f convidado/a, invitado/a.

convocation [kɔ̃vɔkasjɔ̃] nf convocatoria, llamado; (papier, document) convocatoria, citación f.

convoi [kɔ̃vwa] nm convoy m; (train) tren m; ~ **(funèbre)** cortejo (fúnebre).

convoiter [kɔ̃vwate] vt codiciar, ansiar; **convoitise** nf codicia, avidez f.

convoler [kɔ̃vɔle] vi: ~ **en justes noces** llevar al altar, casarse nuevamente.

convoquer [kɔ̃vɔke] vt convocar, llamar; (assemblée, comité) convocar.

convoyer [kɔ̃vwaje] vt escoltar.

convoyeur [kɔ̃vwajœr] nm (NAUT) buque m de escolta; ~ **de fonds** escolta de caudales.

convulsif, ive [kɔ̃vylsif, iv] a convulsivo(a).

convulsions [kɔ̃vylsjɔ̃] nfpl (MÉD) convulsiones fpl.

coopératif, ive [kɔɔperatif, iv] a cooperativo(a), cooperador(ora).

coopération [kɔɔpeʀɑsjɔ̃] nf cooperación f; **la C~ militaire/technique** la Cooperación militar/técnica.

coop(érative) [kɔɔperativ] nf cooperativa.

coopérer [kɔɔpere] vi cooperar; **~ à** cooperar en.

coordination [kɔɔʀdinɑsjɔ̃] nf coordinación f.

coordonnées [kɔɔʀdɔne] nfpl coordenadas.

coordonner [kɔɔʀdɔne] vt coordinar.

copain, copine [kɔpɛ̃, kɔpin] nm/f compañero/a.

copeau, x [kɔpo] nm viruta.

Copenhague [kɔpənag] n Copenhague.

copie [kɔpi] nf copia, reproducción f; (double) copia, duplicado; (contrefaçon) imitación f, copia; (SCOL: feuille d'examen) hoja; (: devoir) ejercicio; (TYPOGRAPHIE) copia; (JOURNALISME) artículo.

copier [kɔpje] vt copiar, reproducir; (œuvre d'art) copiar; (contrefaire, mimer) imitar, remedar // vi (SCOL) copiar.

copieux, euse [kɔpjø, øz] a copioso(a), abundante.

copilote [kɔpilɔt] nm copiloto.

copine [kɔpin] nf voir **copain**.

copiste [kɔpist(ə)] nm/f copista m/f.

coproduction [kɔpʀɔdyksjɔ̃] nf coproducción f.

copropriété [kɔpʀɔpʀijete] nf copropiedad f.

copulation [kɔpylɑsjɔ̃] nf cópula.

coq [kɔk] a inv (BOXE): **poids ~** peso gallo // nm: **~-à-l'âne** [kɔkalan] nm inv dislate m, despropósito; **~ de bruyère** urogallo, gallo montés o silvestre; **~ du~ village** (fig péj) galán m de pueblo, tenorio; **~ au vin** pollo al vino.

coque [kɔk] nf (de noix) cáscara; (de bateau) casco; (d'auto) carrocería; (d'avion) fuselaje m,

casco; (mollusque) berberecho; **à la ~** (CULIN) pasado(a) por agua.

coquelicot [kɔkliko] nm (BOT) amapola.

coqueluche [kɔklyʃ] nf (MÉD) tos ferina.

coquet, te [kɔkɛ, ɛt] a pinturero(a), presumido(a); (robe, village) gracioso(a), bonito(a); (somme, salaire) lindo(a), gracioso(a).

coquetier [kɔktje] nm huevera.

coquette [kɔkɛt] af voir **coquet**.

coquetterie [kɔketʀi] nf coquetería, vanidad f.

coquillage [kɔkijaʒ] nm (mollusque) marisco; (coquille) concha.

coquille [kɔkij] nf (de mollusque) concha; (de noix, d'œuf) cáscara, cascarón m; (TYPOGRAPHIE) errata; **~ de beurre** mantequilla rosqueada; **~ St Jacques** venera, vieira.

coquin, e [kɔkɛ̃, in] a pícaro(a), travieso(a) // nm/f (fripon) pícaro/a, pillo/a.

cor [kɔʀ] nm corneta, tuba; (MÉD): **~ au pied** callo; **à ~ et à cri** (fig) a grito limpio; **~ anglais/de chasse** corno inglés/de caza.

corail, aux [kɔʀaj, o] nm coral m.

Coran [kɔʀɑ̃] nm: **le ~** el Corán.

corbeau, x [kɔʀbo] nm cuervo.

corbeille [kɔʀbɛj] nf cesto, canasta; (à la Bourse) mostrador para los corredores, corro; **~ de mariage** ajuar m, canastilla de boda; **~ à ouvrage** cestilla de labor; **~ à pain** cestillo del pan; **~ à papier** cesto de los papeles, papelera.

corbillard [kɔʀbijaʀ] nm coche m fúnebre.

cordage [kɔʀdaʒ] nm jarcias, cordaje m.

corde [kɔʀd(ə)] nf cuerda, soga; (de violon, raquette, d'arc) cuerda; **la ~** (d'un tissu) la trama; (ATHLÉTISME, AUTO) el borde de la pista; **les ~** (BOXE, MUS) las cuerdas; **tapis/semelles de ~** alfombra/suelas de esparto; **~ lisse/à nœuds** cuerda lisa/de nudos; **~ à linge** cuerda del tendedero; **~**

à sauter cuerda para saltar, comba; **la ~ sensible** la fibra sensible, el punto débil; **~s vocales** cuerdas vocales.

cordeau, x [kɔrdo] nm cordel m; **tracé au ~** trazado a la perfección.

cordée [kɔrde] nf cordada.

cordial, e, aux [kɔrdjal, o] a cordial, afable; **~ité** nf cordialidad f, afabilidad f.

cordon [kɔrdɔ̃] nm cordón m; **~ de police/sanitaire** cordón policial/ sanitario; **~ bleu** cocinero de categoría; **~ ombilical** cordón ombilical.

cordonnerie [kɔrdɔnri] nf zapatería.

cordonnier [kɔrdɔnje] nm zapatero.

Cordoue [kɔrdu] n Córdoba.

Corée [kɔre] nf: **~ du Nord/Sud** Corea del Norte/del Sur.

coreligionnaire [kɔreliʒjɔnɛr] nm/f correligionario/a.

coriace [kɔrjas] a correoso(a), duro(a); obstinado(a), tenaz.

cormoran [kɔrmɔrɑ̃] nm cormorán m, cuervo marino.

cornac [kɔrnak] nm cornaca m.

corne [kɔrn(ə)] nf cuerno; (matière) asta m; **~ de brume** sirena de bruma.

cornée [kɔrne] nf cornea.

corneille [kɔrnɛj] nf corneja.

cornélien, ne [kɔrneljɛ̃, jɛn] a conflictivo(a).

cornemuse [kɔrnəmyz] nf cornamusa, gaita.

corner [kɔrnɛr] nm córner m // vb [kɔrne] vt plegar // vi tocar bocina.

cornet [kɔrnɛ] nm cucurucho.

cornette [kɔrnɛt] nf toca.

corniaud [kɔrnjo] nm bastardo.

corniche [kɔrniʃ] nf cornisa.

cornichon [kɔrniʃɔ̃] nm pepinillo.

Cornouailles [kɔrnwaj] nf Cornualles m.

corollaire [kɔrɔlɛr] nm corolario.

corolle [kɔrɔl] nf corola.

coron [kɔrɔ̃] nm caserío minero.

coronaire [kɔrɔnɛr] a coronario(a).

corporation [kɔrpɔrasjɔ̃] nf corporación f, colectividad f.

corporel, le [kɔrpɔrɛl] a corporal.

corps [kɔr] nm cuerpo; **à son ~ défendant** a su pesar, contra su voluntad; **perdu ~ et biens** hundido con bienes y personas; **faire ~ avec** formar bloque con; **~ à ~** ad cuerpo a cuerpo; **à ~ perdu** ad con toda el alma, sin reservas; **les ~ constitués** (POL) los cuerpos constituídos; **le ~ diplomatique/ électoral/enseignant** el cuerpo diplomático/electoral/docente; **~ d'armée** cuerpo de ejército; **~ de ballet** cuerpo de ballet o baile; **~ consulaire** cuerpo consular; **~ étranger** (MÉD, BIO) cuerpo extraño.

corpulent, e [kɔrpylɑ̃, ɑ̃t] a corpulento(a).

corpusculaire [kɔrpyskylɛr] a corpuscular.

correct, e [kɔrɛkt, ɛkt(ə)] a (exact) correcto(a), exacto(a); (bienséant) correcto(a), decoroso(a); (honnête) correcto(a), honesto(a); (passable) regular, razonable; **~ement** ad correctamente.

correcteur, trice [kɔrɛktœr, tris] nm/f (d'examen) examinador/ora; (TYPOGRAPHIE) corrector/ora.

correction [kɔrɛksjɔ̃] nf corrección f; (rature, surcharge) corrección, enmienda; (coups) corrección, reprimenda.

correctionnel, le [kɔrɛksjɔnɛl] a correccional // nf (JUR) tribunal m correccional.

corrélation [kɔrelasjɔ̃] nf correlación f, relación f.

correspondance [kɔrɛspɔ̃dɑ̃s] nf correspondencia; (de train, d'avion) empalme m; **ce train assure la ~ avec l'avion de 10h** este tren asegura el empalme con el vuelo de las 10h; **correspondancier, ère** nm/f encargado/a de la correspondencia en una empresa.

correspondant, e [kɔrɛspɔ̃dɑ̃, ɑ̃t] nm/f (épistolaire) corresponsal m; (au téléphone) interlocutor/ora; (journaliste) corresponsal; (COMM) responsable.

correspondre [kɔrɛspɔ̃dr(ə)] vi (données, témoignages) corresponder; (chambres) comunicar; ~ à corresponder a, ser apropiado(a); (se rapporter à) corresponder a; ~ avec qn (écrire) mantener correspondencia con alguien, cartearse con alguien.

corrida [kɔrida] nf corrida.

corridor [kɔridɔr] nm corredor m, pasillo.

corrigé [kɔriʒe] nm modelo.

corriger [kɔriʒe] vt (devoir, texte) corregir; (erreur, défaut) corregir, rectificar; (idée, trajectoire) corregir, modificar; (punir) castigar.

corroborer [kɔrɔbɔre] vt corroborar, confirmar.

corroder [kɔrɔde] vt corroer, carcomer.

corrompre [kɔrɔ̃pr(ə)] vt (soudoyer) corromper, sobornar; (dépraver) corromper, pervertir.

corrosif, ive [kɔrozif, iv] a corrosivo(a).

corrosion [kɔrozjɔ̃] nf corrosión f, desgaste m.

corruption [kɔrypsjɔ̃] nf corrupción f, soborno.

corsage [kɔrsaʒ] nm blusa.

corsaire [kɔrsɛr] nm corsario.

Corse [kɔrs(ə)] nf: **la** ~ la Córcega f; **c~** a, nm/f corso(a).

corsé, e [kɔrse] a fuerte; (fig) escabroso(a).

corset [kɔrsɛ] nm corsé m.

corso [kɔrso] nm: ~ **fleuri** desfile m de carrozas.

cortège [kɔrtɛʒ] nm cortejo.

cortisone [kɔrtizon] nf cortisona.

corvée [kɔrve] nf fastidio; (MIL) faena, fajina.

cosaque [kɔzak] nm cosaco.

cosinus [kɔsinys] nm coseno.

cosmétique [kɔsmetik] nm pomada para cabellos, fijador m.

cosmique [kɔsmik] a cósmico(a).

cosmonaute [kɔsmɔnot] nm/f cosmonauta m/f.

cosmopolite [kɔsmɔpolit] a cosmopolita.

cosmos [kɔsmɔs] nm cosmos m, universo.

cosse [kɔs] nf (BOT) vaina; (ÉLEC) terminal m.

cossu, e [kɔsy] a fastuoso(a), señorial.

costaud, e [kɔsto, od] a fuerte, robusto(a).

costume [kɔstym] nm traje m.

costumé, e [kɔstyme] a disfrazado(a).

cotangente [kɔtɑ̃ʒɑ̃t] nf cotangente f.

cote [kɔt] nf (en Bourse) cotización f; (d'un cheval, candidat) clasificación f; (mesure) nivel m; ~ **d'alerte** nivel de alarma.

côte [kot] nf cuesta, pendiente f; (rivage) costa; (ANAT) costilla; (d'un tricot, tissu) bastoncillos; ~ **à** ~ al uno/a al lado de otro/a; **C~ d'Azur** Costa Azul; **C~ d'Ivoire** Costa de Marfil.

côté [kote] nm (du corps) lado, costado; (gén: d'une boîte, feuille etc) costado, cara; (: de la route, rivière etc) lado, orilla; (GÉOMÉTRIE) lado; (direction) lado, dirección f; (fig) lado, aspecto; **de 10 m de** ~ de 10 m de lado; **des 2** ~**s de la route** ambos lados de la ruta; **de tous les** ~**s** por todos lados, de todas partes; **de quel** ~ **est-il parti?** ¿para qué lado ha partido?; **de ce/de l'autre** ~ de este/del otro lado o costado; **du** ~ **de** por el lado de, en dirección a; (fig) en cuanto a, en lo que concierne a; **de** ~ **ad** de lado, de costado; (être, se tenir) a un lado, aparte; **laisser de** ~ dejar de lado; **mettre de** ~ poner a un lado, economizar; **à** ~ **ad** al lado, cerca; (d'autre part) por otra parte, por otro lado; **à** ~ **de** al lado de, cerca de; (fig) al lado de, en comparación con; **être aux** ~**s de** estar al lado o cerca de; (*fig*) estar del lado de o de la parte de.

coteau, x [koto] *nm* colina, ladera.

côtelé, e [kotle] *a:* **velours** ~ pana.

côtelette [kotlɛt] *nf* chuleta.

coter [kɔte] *vt* (*en Bourse*) cotizar.

coterie [kɔtʀi] *nf* clan *m*, camarilla.

côtier, ière [kotje, jɛʀ] *a* costero(a).

cotisation [kɔtizasjɔ̃] *nf* (*argent*) cuota.

cotiser [kɔtize] *vi* pagar la cuota; **se** ~ contribuir con una suma.

coton [kɔtɔ̃] *nm* algodón *m*; ~ **hydrophile** algodón hidrófilo.

côtoyer [kotwaje] *vt* (*personne*) codearse con, frecuentar; (*précipice, rivière*) bordear, costear; (*misère, indécence*) rayar en, lindar con.

cou [ku] *nm* (*ANAT*) cuello.

couard, e [kwaʀ, aʀd(ə)] *a, nm* cobarde, pusilánime.

couchage [kuʃaʒ] *nm voir* **sac**.

couchant [kuʃɑ̃] *a:* **soleil** ~ sol *m* poniente.

couche [kuʃ] *nf* capa; (*de bébé*) pañal *m*; (*GÉO*) capa, estrato; ~**s** **sociales** capas sociales; ~**-culotte** *nf* pantalón de goma (*para bebé*).

coucher [kuʃe] *nm:* ~ (**de soleil**) puesta (de sol); **à prendre avant le** ~ (*MÉD*) para tomar antes de acostarse // *vt* acostar; (*objet*) tumbar, acostar; (*idées*) registrar, anotar // *vi* (*dormir*) dormir; (*fam*) ~ **avec qn** acostarse con alguien; **se** ~ *vi* (*personne*) acostarse; (: *pour se reposer*) recostarse, acostarse; (*soleil*) ponerse.

couchette [kuʃɛt] *nf* litera.

coucou [kuku] *nm* (*ZOOL*) cuclillo, cuco // *excl* ¡hola!

coude [kud] *nm* codo; (*de la route*) recodo.

cou-de-pied [kudpje] *nm* empeine *m*.

coudre [kudʀ(ə)] *vt, vi* coser.

couenne [kwan] *nf* cuero de cerdo.

coulant [kulɑ̃, ɑ̃t] *a* (*indulgent*)

tolerante, condescendiente.

coulée [kule] *nf* corriente *f*; (*de métal en fusion*) colada.

couler [kule] *vi* correr, fluir; (*stylo, récipient*) perder, gotear; (*bateau*) hundirse, zozobrar // *vt* (*cloche, sculpture*) colar, vaciar; (*bateau*) hundir; (*fig*) hundir, arruinar; **se** ~ **dans** deslizarse o colarse en.

couleur [kulœʀ] *nf* color *m*; (*fig: aspect*) color, aspecto; (*CARTES*) palo; ~**s** *fpl* (*du teint*) colores *mpl;* **les** ~**s** *fpl* (*MIL*) la bandera, el pabellón; **film/télévision en** ~**s** película/televisión *f* en colores.

couleuvre [kulœvʀ(ə)] *nf* culebra.

coulisse [kulis] *nf* (*TECH*) ranura, corredera; ~**s** *fpl* (*THÉÂTRE*) bastidores *mpl;* (*fig*) entretelones *mpl;* **fenêtre à** ~ ventana de corredera.

coulisser [kulise] *vi* correr, deslizarse.

couloir [kulwaʀ] *nm* pasillo, corredor *m*; (*de train, bus*) pasillo; (*SPORT: de piste*) calle *f*, banda; (*GÉO*) garganta, barranco; ~ **aérien** corredor aéreo.

coulpe [kulp(ə)] *nf:* **battre sa** ~ llorar con lágrimas de sangre.

coup [ku] *nm* golpe *m*; (*de fusil*) disparo, tiro; (*d'horloge*) campanada, toque *m*; (*fois*) vez *f*, vuelta; (*ÉCHECS*) movimiento, jugada; **à** ~**s de hache/marteau** a hachazos/ martillazos; **avoir le** ~ tener la habilidad, darse maña; **boire un** ~ beber un trago; **d'un seul** ~ *ad* de repente; (*à la fois*) de un solo golpe; **du** *ou* **au premier** ~ al primer intento; **du même** ~ al mismo tiempo; **à** ~ **sûr** sobre seguro, seguramente; ~ **sur** ~ sucesivamente, uno/a detrás de otro/a; **sur le** ~ instantáneamente, de golpe; **sous le** ~ **de** bajo el efecto o la acción de; (*JUR*) bajo efecto de; **donner un** ~ **de balai** dar un barrido; ~ **de chance** golpe de suerte; ~ **de chiffon** sacudida, limpiadura; ~ **de coude** codazo; ~ **de couteau** cuchillada, puñalada;

de crayon trazo; ~ **dur** desgracia,
golpe duro; ~ **d'essai** ensayo; ~
d'état golpe de estado; ~ **de feu**
disparo; ~ **de filet** (POLICE) redada;
~ **de foudre** flechazo; ~ **de frein**
frenada; ~ **de genou** rodillazo; ~
de grâce golpe de gracia; ~ **d'œil**
ojeada; ~ **de main** (aide) mano,
ayuda; (raid) incursión f, raid m; ~
de pied puntapié m; ~ **de pinceau**
pincelada; ~ **de poing** puñetazo,
trompada; ~ **de soleil** insolación f;
~ **de sonnette** llamada, timbrazo;
~ **de téléphone** golpe de teléfono,
llamada; ~ **de tête** (fig)
cabezonada; ~ **de théâtre** (fig) giro
o cambio imprevisto; ~ **de
tonnerre** trueno; ~ **de vent** (NAUT
etc) ráfaga de viento; **en** ~ **de vent**
como una ráfaga, como un
relámpago.
coupable [kupabl(ə)] a culpable,
responsable; (pensée, passion)
culpable, condenable // nm/f reo
m/f, culpable m/f; ~ **de** culpable o
responsable de.
coupe [kup] nf (verre, dans une
compétition) copa; (à fruits)
compotera, frutero; (de vêtement,
graphique) corte m; **vu en
~³** visto en sección; **être sous la
~ de** estar bajo la férula de; **faire des
~s sombres dans** talar
parcialmente, hacer tala parcial en.
coupé [kupe] nm cupé m, berlina.
coupe-circuit [kupsikui] nm inv
cortacircuito.
coupe-papier [kuppapje] nm
plegadero, abrecartas m.
couper [kupe] vt cortar; (tranche,
morceau) cortar, rebanar; (scinder,
croiser) cortar, atravesar; (route,
retraite) cortar, interceptar;
(communication, eau, courant)
cortar, interrumpir; (vin, cidre)
mezclar; (TENNIS etc) volear // vi
cortar; (prendre un raccourci)
cortar, atajar; (CARTES) cortar;
(avec de l'atout) fallar; **se** ~ (se
blesser) cortarse; (en témoignant
etc) contradecirse, traicionarse; ~

la parole à qn cortar la palabra a
alguien; ~ **les vivres à qn** suprimir
los subsidios a alguien.
couperet [kuprɛ] nm (de boucher)
cuchilla.
couperosé, e [kuprɔze] a congestionado(a).
couple [kupl(ə)] nm (époux) pareja;
(TECH) par m.
coupler [kuple] vt acoplar.
couplet [kuplɛ] nm (MUS) copla.
coupole [kupɔl] nf bóveda, cúpula.
coupon [kupɔ̃] nm (ticket) cupón
m; (de tissu) retazo; ~**-réponse
international** cupón de respuesta
internacional.
coupure [kupyʀ] nf corte m; (fig)
corte, ruptura; (billet de banque)
billete m de banco; (de journal)
recorte m.
cour [kuʀ] nf (de ferme, jardin)
patio; (JUR) tribunal m, corte f;
(royale) corte; **faire la ~ à qn**
hacer la corte a alguien; ~
d'assises Audiencia; **la ~ des
comptes** el Tribunal de Cuentas; ~
martiale Tribunal militar.
courage [kuʀaʒ] nm valor m,
coraje m; **courageux, euse** a
valiente, valeroso(a).
couramment [kuʀamɑ̃] ad frecuentemente; (parler) con soltura.
courant, e [kuʀɑ̃, ɑ̃t] a (usuel)
corriente, común; (en cours) en
curso // nm (gén) corriente f; (fig)
corriente, tendencia; **être/se tenir
au** ~ (de) estar/mantenerse al
corriente (de); **dans le** ~ **de**
durante el transcurso de; **le 10** ~ el
10 del corriente; (d'air) corriente
(de aire); ~ (**électrique**) corriente
(eléctrica).
courbature [kuʀbatyʀ] nf agotamiento, derrengamiento; **courbaturé, e** a derrengado(a).
courbe [kuʀb(ə)] a curvo(a),
arqueado(a) // nf curva; ~ **de
niveau** curva de nivel.
courber [kuʀbe] vt doblar, curvar;
~ **la tête** inclinar la cabeza; **se** ~
inclinarse.

coureur, euse [kuRœR, øz] *a* vagabundo(a) // *nm* (*péj*) maripósón *m*; (*SPORT*) corredor *m* // *nf* (*péj*) callejera, buscona; **~ cycliste/automobile** corredor ciclístico/automovilístico.

courge [kuRʒ(ə)] *nf* calabaza.

courgette [kuRʒɛt] *nf* calabacín *m*.

courir [kuRiR] *vi* correr; (*se dépêcher*) correr, apurarse; (*fig*: *rumeur*) correr, propagarse // *a* (*SPORT*) correr; (*danger, risque*) correr, exponerse a; **~ les cafés** frecuentar los cafés **~ après qn** correr detrás de alguien; (*péj*) perseguir a alguien.

couronne [kuRɔn] *nf* (*gén*) corona; (*fig*: *cercle*) corona, aureola.

couronnement [kuRɔnmɑ̃] *nm* coronación *f*; (*fig*: *apogée*) coronación, apogeo.

couronner [kuRɔne] *vt* coronar.

courrai *etc vb voir* **courir.**

courrier [kuRje] *nm* correo; **~ du cœur** correo sentimental.

courroie [kuRwa] *nf* correa.

courroucé, e [kuRuse] *a* encolerizado(a), iracundo(a).

cours [kuR] *vb voir* **courir** // *nm* (*gén*) curso; (*leçon*: *heure*) clase *f*; (*avenue*) avenida, paseo; (*ÉCON*) valor *m*, cotización *f*; **donner libre ~ à** dar rienda suelta a; **avoir ~** tener valor, estar en circulación; **en ~** en curso; **en ~ de route** en el camino; **au ~ de** en el curso de; **~ par correspondance** curso por correspondencia; **~ d'eau** curso de agua, río; **~ préparatoire** (*SCOL*) curso preparatorio; **~ du soir** (*SCOL*) enseñanza postescolar facultativa.

course [kuRs(ə)] *nf* carrera; (*du soleil*) curso; (*d'un piston*) recorrido; (*d'un projectile*) trayectoria; (*excursion en montagne*) recorrida, trayecto; (*d'un taxi, autocar*) carrera, recorrido; (*petite mission*) recado; **~s** *fpl* (*achats*) compras, recados; (*HIPPISME*) carreras; **faire les/ses ~s** hacer los/sus recados.

court *vb voir* **courir.**

court, e [kuR, kuRt(ə)] *a* (*nuit, voyage, délai*) corto(a), breve; (*en longueur, distance*) corto(a); (*en hauteur*) bajo(a), corto(a) // *ad*: **s'arrêter ~** pararse en seco; **tourner ~** cambiar *o* cesar bruscamente; **couper ~ à** acabar con // *nm* (*de tennis*) pista de tennis; **à ~ de** escaso(a) de; **prendre qn de ~** tomar a alguien de imprevisto; **avoir la vue ~e** ser corto(a) de vista; **avoir le souffle ~** perder rápidamente el aliento; **tirer à la ~ paille** tirar suerte.

court-bouillon [kuRbujɔ̃] *nm* caldo para cocer pescado.

court-circuit [kuRsiRkyi] *nm* cortocircuito.

courtepointe [kuRtəpwɛt] *nf* sobrecama, colcha.

courtier, ère [kuRtje, jɛR] *nm/f* (*COMM*) corredor/ora.

courtisan, e [kuRtizɑ̃, an] *nm/f* cortesano/a.

courtiser [kuRtize] *vt* (*femme*) cortejar, requebrar.

courtois, e [kuRtwa, waz] *a* cortés, atento(a); **~ie** *nf* cortesía, amabilidad *f*.

couscous [kuskus] *nm* alcuzcuz *m*.

cousin, e [kuzɛ̃, in] *nm/f* primo/a; **~(e) germain(e)** primo/a carnal.

cousons *etc vb voir* **coudre.**

coussin [kusɛ̃] *nm* cojín *m*; (*TECH*) almohadilla; **~ d'air** (*TECH*) colchón *m* de aire.

cousu, e [kuzy] *pp de* **coudre** // *a voir* **bouche**; **~ d'or** forrado de oro.

coût [ku] *nm* costo, precio; **le ~ de la vie** el costo de la vida.

coûtant [kutɑ̃] *a*: **au prix ~** a precio de costo.

couteau, x [kuto] *nm* cuchillo; **~ à cran d'arrêt** navaja de resorte; **~ de poche** navaja de bolsillo; **~- scie** *nm* cuchillo dentado.

coutellerie [kutɛlRi] *nf* cuchillería.

coûter [kute] *vi* costar, valer; (*fig*: *effort, place, vie*) costar // *vi*: **~ à qn** (*suj*: *décision etc*) costarle a alguien; ~ **cher** costar caro; **combien ça coûte?** ¿cuánto cuesta esto?; **coûte que coûte** cueste lo que cueste, a toda costa; **coûteux, euse** a costoso(a), caro(a).

coutume [kutym] nf costumbre f, hábito; (JUR): **la** ~ el derecho consuetudinario; **coutumier, ère** a habitual, acostumbrado(a).

couture [kutyR] nf costura f; **couturier, ière** nm/f costurera f, modisto/a.

couvée [kuve] nf (de poussins) nidada, pollada.

couvent [kuvã] nm convento, (établissement scolaire) colegio de monjas.

couver [kuve] vt (œufs) empollar; (maladie) incubar // vi estar latente; ~ **qn** llenar a alguien de atenciones; ~ **qch des yeux** devorar algo con los ojos.

couvercle [kuvɛRkl(ə)] nm tapa.

couvert, e [kuvɛR, ɛRt(ə)] pp de **couvrir** // nm cubierto // a (ciel, temps) encapotado(a), nublado(a); (coiffé d'un chapeau) cubierto(a); ~ **de** cubierto de; **bien/pas assez** ~ (habillé) bien/no muy abrigado o arropado; **mettre le** ~ poner la mesa; ~ **compris/10** (au restaurant) cubierto incluido/10; **service de 12** ~**s en argent** juego o servicio de 12 cubiertos de plata; **à** ~ **(de)** a cubierto (de), al abrigo (de); **sous le** ~ **de** bajo la cobertura o apariencia de.

couverture [kuvɛRtyR] nf (de lit) manta, cobertor m; (de bâtiment) techo, techumbre f; (de livre, cahier) tapa, cubierta; (fig) cobertura, pretexto.

couveuse [kuvøz] nf incubadora.

couvre-chef [kuvRəʃɛf] nm sombrero.

couvre-feu [kuvRəfø] nm queda.

couvre-lit [kuvRəli] nm colcha, cubrecama m.

couvre-pied [kuvRəpje] nm cubrepiés m.

couvreur [kuvRœR] nm techador m.

couvrir [kuvRiR] vt (habiller, recouvrir) abrigar, cubrir; (fig) cubrir, colmar; (suj: assurance, attestation) cubrir, proteger; (frais) cubrir, compensar; (distance) cubrir, recorrer; **se** ~ (temps, ciel) encapotarse, nublarse; (s'habiller) abrigarse; (se coiffer) cubrirse, ponerse el sombrero; (par une assurance) cubrirse, asegurarse; **se** ~ **de fleurs** cubrirse de flores.

cover-girl [kɔvɛRgœRl] nf cover-girl f, modelo f.

cow-boy [kɔbɔj] nm cow-boy m, vaquero.

crabe [kRab] nm cangrejo.

crachat [kRaʃa] nm escupitajo.

cracher [kRaʃe] vi escupir // vt escupir; (fig) escupir, arrojar.

crachin [kRaʃɛ̃] nm llovizna.

crachoir [kRaʃwaR] nm (de dentiste) fuente f para escupir, escupidera.

craie [kRɛ] nf (substance) creta; (morceau) tiza.

craindre [kRɛ̃dR(ə)] vt temer; (chaleur, froid) no tolerar, padecer; **crainte** [kRɛ̃t] nf miedo, temor m; **crainte de/que** temor de/de que; **de crainte de/que** por temor a o de/a o de que; **craintif, ive** a temeroso(a), miedoso(a).

cramoisi, e [kRamwazi] a carmesí.

crampe [kRãp] nf calambre m; ~ **d'estomac** dolor m de estómago.

crampon [kRãpɔ̃] nm crampón m.

cramponner [kRãpɔne]: **se** ~ vi aferrarse.

cran [kRã] nm (entaille) muesca; (trou) agujero; (courage) coraje m, arrojo; **à** ~ **d'arrêt** de resorte.

crâne [kRɑn] nm cráneo; **crânien, ne** a craneano(a).

crâner [kRɑne] vi (fam) farolear, fanfarronear.

crapaud [kRapo] nm sapo, escuerzo.

crapule [kRapyl] nf crápula m;

crapuleux, euse a: **crime crapuleux** crimen depravado.

craquelure [kʀaklyʀ] nf (fissure) resquebrajadura, grieta.

craquement [kʀakmɑ̃] nm crujido.

craquer [kʀake] vi (bruit: bois, bateau) crujir; (se briser) desgarrarse, abrirse; (fig) quebrantarse // vt: **une allumette** frotar un fósforo.

crasse [kʀas] nf mugre f, roña; **crasseux, euse** a mugriento(a), roñoso(a).

crassier [kʀasje] nm escorial m.

cratère [kʀatɛʀ] nf cráter m.

cravache [kʀavaʃ] nf fusta.

cravate [kʀavat] nf corbata.

crawl [kʀol] nm crawl m; **dos crawlé** crawl de espaldas.

crayeux, euse [kʀejø, øz] a gredoso(a).

crayon [kʀejɔ̃] nm lápiz m; (de rouge à lèvres etc) lápiz o barra de labios; ~ **à bille** bolígrafo; ~ **de couleur** lápiz de color.

créancier, ière [kʀeɑ̃sje, jɛʀ] nm/f acreedor/ora.

créateur, trice [kʀeatœʀ, tʀis] a, nm/f creador(ora); **le C~** el Creador.

création [kʀeasjɔ̃] nf creación f.

créature [kʀeatyʀ] nf criatura.

crécelle [kʀesɛl] nf matraca.

crèche [kʀɛʃ] nf (de Noël) nacimiento; (garderie) guardería.

crédibilité [kʀedibilite] nf credibilidad f, veracidad f.

crédit [kʀedi] nm crédito, influencia; (ÉCON) crédito, préstamo; (d'un compte bancaire) crédito, haber m; ~**s** mpl (fonds) fondos, presupuesto; **payer/acheter à** ~ pagar/comprar a crédito o plazos; **faire** ~ **à qn** tener confianza en alguien; ~**er** vt (compte); ~**eur, trice** a, nm/f acreedor(ora).

credo [kʀedo] nm credo.

crédule [kʀedyl] a crédulo(a), ingenuo(a).

créer [kʀee] vt crear; (COMM) crear,

fabricar; (occasionner) crear, causar; (spectacle) crear, concebir.

crémaillère [kʀemajɛʀ] nf cremallera; **pendre la** ~ estrenar la casa.

crémation [kʀemasjɔ̃] nf cremación f; **crématoire** a: **four crématoire** horno crematorio.

crème [kʀɛm] nf (du lait) crema, nata; (de beauté) crema; (entremets) natilla // a inv crema; **un (café)** ~ un café con crema o leche; ~ **fouettée** crema batida; ~ **à raser** crema de afeitar.

crémerie [kʀɛmʀi] nf lechería.

crémeux, euse [kʀemø, øz] a cremoso(a).

crémier, ière [kʀemje, jɛʀ] nm/f lechero/a.

créneau, x [kʀeno] nm almena; (fig) espacio disponible; (AUTO): **faire un** ~ estacionar entre dos autos.

créole [kʀeol] a, nm/f criollo(a) // nm (LING) lengua criolla.

crêpe [kʀɛp] nf tortita hojuela // nm crespón m; **semelle (de)** ~ suela de crepé.

crépé, e [kʀepe] a (cheveux) cardado(a).

crêperie [kʀepʀi] nf lugar en donde se hacen y se consumen tortitas hojuelas.

crépi [kʀepi] nm revoque m; **crépir** vt revocar.

crépiter [kʀepite] vi crepitar, restallar.

crépon [kʀepɔ̃] nm crespón m.

crépu, e [kʀepy] a crespo(a).

crépuscule [kʀepyskyl] nm crepúsculo, ocaso.

crescendo [kʀeʃɛndo] nm (MUS) crescendo; (fig) crescendo, aumento // ad (MUS) en crescendo; (fig) en aumento.

cresson [kʀesɔ̃] nm berro.

crête [kʀɛt] nf cresta.

Crête [kʀɛt] nf Creta.

crétin, e [kʀetɛ̃, in] nm/f cretino(a); (péj) cretino/a, imbécil.

cretonne [kʀeton] nf cretona.

creuser [kʀøze] vt (trou, tunnel)

cavar; (*bois, sol*) ahuecar, excavar; (*fig:* approfondir) profundizar, ahondar; **cela creuse (l'estomac)** esto abre el apetito.

creuset [krøzε] *nm* (TECH) crisol *m*.

creux, euse [krø, øz] *a* (*évidé*) hueco(a); (*concave*) cóncavo(a); (*son, voix*) cavernoso(a) // *nm* hueco; (*fig: dans statistique*) bajo; **heures creuses** (*circulation*) horas de poca actividad; **mois/jours ~** meses/días de poca actividad; **le ~ de l'estomac** la boca del estómago.

crevaison [krøvεzɔ̃] *nf* pinchazo.

crevasse [krøvas] *nf* grieta.

crève-cœur [krεvkœr] *nm* desconsuelo.

crever [krøve] *vt* (*papier, tambour, ballon*) reventar // *vi* (*pneu, automobiliste*) pincharse; (*abcès, outre, nuage*) reventar, reventarse; (*fam*) estirar la pata.

crevette [krøvεt] *nf* (ZOOL): ~ **rose** gamba; ~ **grise** quisquilla.

cri [kri] *nm* grito; (*d'animal: spécifique*) voz *f*; ~**s de protestation/d'enthousiasme** gritos de protesta/de entusiasmo; **pull dernier** ~ jersey *m* (de) última moda.

criant, e [krijɑ̃, ɑ̃t] *a* (*injustice*) manifiesto(a).

criard, e [krijar, ard(ɔ)] *a* llamativo(a); (*voix*) chillón(ona), agudo(a).

crible [kribl(ɔ)] *nm* tamiz *m*; **passer qch au** ~ pasar algo por el tamiz; (*fig*) analizar minuciosamente.

criblé, e [krible] *a* acribillado(a).

cric [krik] *nm* (AUTO) gato.

crier [krije] *vi, vt* gritar; ~ **famine** llorar de hambre; ~ **grâce** pedir merced; ~ **au scandale** poner el grito en el cielo; **crieur** *m*: **crieur de journaux** vendedor *m* de periódicos.

crime [krim] *nm* (JUR) crimen *m*; (*meurtre*) crimen, homicidio; (*fig*) crimen, maldad *f*; **criminalité** *nf* criminalidad *f*; **criminel, le** *a*

criminal // *nm/f* criminal *m/f*, homicida *m/f*; **criminel de guerre** criminal de guerra; **criminologie** *nf* criminología; **criminólogo/a**.

crin [krɛ̃] *nm* crin *f*; (*comme fibre*) crin, cerda.

crinière [krinjεr] *nf* crin *f*, melena.

crique [krik] *nf* caleta.

criquet [krikε] *nm* (ZOOL) langosta, saltamontes *m*.

crise [kriz] *nf* crisis *f*; ~ **cardiaque/de foie** ataque cardíaco/al hígado; ~ **de nerfs** crisis nerviosa, ataque de nervios.

crisper [krispe] *vt* crispar, contraer; **se** ~ *vi* crisparse, contraerse.

crisser [krise] *vi* (*neige*) crujir; (*pneu*) chirriar.

cristal, aux [kristal, o] *nm* cristal *m*; **cristaux** *mpl* (*objets de verre*) cristalería.

cristallin, e [kristalɛ̃, in] *a* cristalino(a), claro(a) // *nm* (ANAT) cristalino.

cristalliser [kristalize] *vi* (*aussi:* **se** ~) cristalizar, cristalizarse // *vt* cristalizar.

critère [kritεr] *nm* criterio.

critérium [kriterjɔm] *nm* prueba de clasificación, selección *f*.

critique [kritik] *a* crítico(a); (*dangereux*) crítico(a), riesgoso(a); (*crucial*) crítico(a), crucial *f* // *nf* censura, crítica; (*reproche*) crítica, reproche *m*; (*THÉÂTRE, ART*) crítica // *nm* crítico.

critiquer [kritike] *vt* (*dénigrer*) criticar, censurar; (*évaluer, juger*) criticar, juzgar.

croasser [krɔase] *vi* graznar.

croc [kro] *nm* (*dent*) colmillo; (*de boucher*) gancho, garabato.

croc-en-jambe [krɔkɑ̃ʒɑ̃b] *nm* zancadilla.

croche [krɔʃ] *nf* (MUS) corchea; **double** ~ semicorchea; **triple** ~ fusa.

croche-pied [krɔʃpje] *nm* zancadilla.

crochet [krɔʃε] *nm* (*gén*) gancho;

(tige, clef) ganzúa; (détour) desvío, rodeo; (TRICOT) ganchillo; ~s mpl (TYPOGRAPHIE) corchetes mpl; vivre aux ~s de qn vivir a expensas de alguien; ~er [kRɔʃy] vt abrir con ganzúa.

crochu, e [kRɔʃy] a ganchudo(a), curvo(a).

crocodile [kRɔkɔdil] nm cocodrilo.

crocus [kRɔkys] nm azafrán m.

croire [kRwaR] vt creer; ~ qn honnête tomar honesto(a) a alguien; ~ que creer que; être/faire creer que uno es/hace; ~ à creer en; ~ en tener confianza en, creer en; ~ (en Dieu) creer (en Dios).

crois etc vb voir croître.

croisade [kRwazad] nf cruzada.

croisé, e [kRwaze] a cruzado(a) // nm cruzado // nf ventana; ~e d'ogives bóveda de crucería; à la ~e des chemins en el cruce de los caminos, en la encrucijada.

croisement [kRwazmã] nm cruce m, intersección f; (carrefour) cruce.

croiser [kRwaze] vt cruzar // vi (NAUT) patrullar; se ~ cruzarse; se ~ les bras (fig) cruzarse de brazos.

croiseur [kRwazœR] nm crucero.

croisière [kRwazjɛR] nf crucero; vitesse de ~ velocidad f de crucero.

croisillon [kRwazijɔ̃] nm: motif/fenêtre à ~s motivo/ventana en cruceros.

croissance [kRwasãs] nf crecimiento, desarrollo; troubles de la/maladie de ~ (MÉD) perturbaciones fpl/enfermedad f del crecimiento; ~ économique desarrollo económico.

croissant, e [kRwasã, ãt] a creciente // nm medialuna; (motif) medialuna, semicírculo; ~ de lune media luna.

croit vb voir croire.

croître [kRwatR(ə)] vi crecer, desarrollarse; (fig) crecer, aumentar; (lune) crecer; (jours) alargarse.

croix [kRwa] nf cruz f; en ~ a, ad

en cruz; la C~ Rouge la Cruz Roja.

croquant, e [kRɔkã, ãt] a crujiente.

croque-au-sel [kRɔkosɛl] : à la ~ ad en sal.

croque-mitaine [kRɔkmitɛn] nm coco.

croque-monsieur [kRɔkməsjø] nm emparedado caliente de jamón y queso.

croque-mort [kRɔkmɔR] nm enterrador m, sepulturero.

croquer [kɔke] vt mascar, comer; (dessiner) bosquejar, hacer un croquis de // vi crujir.

croquet [kRɔkɛ] nm croquet m.

croquis [kRɔki] nm croquis m, boceto; (description) reseña, croquis.

cross(-country) [kRɔskuntRi] nm cross m, carrera a campo traviesa.

crosse [kRɔs] nf (de fusil) culata; (d'évêque) báculo.

crotale [kRɔtal] nm serpiente f de cascabel.

crotte [kRɔt] nf caca, boñiga.

crotté, e [kRɔte] a embarrado(a), enlodado(a).

crottin [kRɔtɛ̃] nm: ~ (de cheval) bosta.

crouler [kRule] vi derrumbarse, desplomarse; (être délabré) venirse abajo, hundirse; ~ sous (le poids de) qch hundirse bajo (el peso de) algo.

croupe [kRup] nf grupa; en ~ a la grupa.

croupier [kRupje] nm crupier m.

croupion [kRupjɔ̃] nm rabadilla.

croupir [kRupiR] vi podrirse, estancarse; (fig) corromperse, sumirse.

croustillant, e [kRustijã, ãt] a crujiente; (fig) sabroso(a), picaresco(a).

croustiller [kRustije] vi crujir.

croûte [kRut] nf costra, corteza; (sur un liquide) costra; (MÉD) costra; (sur un solide) costra, capa; en ~ (CULIN) en pastel; ~ de fromage/aux champignons (CULIN) pastel m de queso/de hongos; ~ de

pain (*morceau*) mendrugo; ~
terrestre corteza terrestre.

croûton [kʀutɔ̃] nm pico; (*CULIN*)
pan frito.

croyable [kʀwajabl(ə)] a creíble.

croyais *etc* vb voir **croire.**

croyance [kʀwajɑ̃s] nf creencia, fe
f.

croyant, e [kʀwajɑ̃, ɑ̃t] a, nm/f
(*REL*) creyente (m/f).

CRS sigle m = membre d'une
compagnie républicaine de sécurité
// sigle f voir **compagnie.**

cru, e [kʀy] pp de **croire** // a
crudo(a); (*lumière, couleur*) cru-
do(a), violento(a); (*paroles, langage*)
crudo(a), brutal // nm viñedo; (*vin*)
caldo, vino // nm creciente f; **en ~ le**
en creciente.

crû pp de **croître.**

cruauté [kʀyote] nf crueldad f.

cruche [kʀyʃ] nf cántaro.

crucial, e, aux [kʀysjal, o] a crucial.

crucifier [kʀysifje] vt crucificar.

crucifix [kʀysifi] nm crucifijo.

cruciforme [kʀysifɔʀm(ə)] a
cruciforme.

cruciverbiste [kʀysivɛʀbist(ə)]
nm/f aficionado/a a los crucigramas.

crudité [kʀydite] nf; ~s *fpl* frutas y
legumbres crudas.

crue [kʀy] af, nf voir **cru.**

cruel, le [kʀyɛl] a cruel, despiada-
do(a); ~**lement** ad cruelmente.

crûment [kʀymɑ̃] ad crudamente.

crustacés [kʀystase] nmpl crustá-
ceos.

crypte [kʀipt(ə)] nf cripta.

Cuba [kyba] n Cuba.

cubage [kyba3] nm volúmen m,
capacidad f.

cube [kyb] nm cubo; **élever au ~**
(*MATH*) elevar al cubo; **mètre ~**
metro cúbico; **cubique** a cúbico(a).

cubisme [kybism(ə)] nm cubismo.

cubitus [kybitys] nm cubito.

cueillette [kœjɛt] nf recolección f,
cosecha.

cueillir [kœjiʀ] vt recoger; (*fig*)
atrapar, agarrar.

cuiller, cuillère [kyijɛʀ] nf
cuchara; ~ **à soupe** cuchara de
sopa; ~ **à café** cucharilla de café;
cuillerée nf cucharada.

cuir [kyiʀ] nm cuero.

cuirasse [kyiʀas] nf coraza.

cuirassé [kyiʀase] nm acorazado.

cuire [kyiʀ] vt cocer // vi cocerse;
(*picoter*) arder, escocer.

cuisant, e [kyizɑ̃, ɑ̃t] a denigrante,
humillante; (*sensation*) punzante,
agudo(a).

cuisine [kyizin] nf (*pièce, art*)
cocina; (*nourriture*) comida, cocina;
faire la ~ hacer la comida,
cocinar.

cuisiné [kyizine] a: **plat ~** plato
cocido.

cuisiner [kyizine] vt cocinar; (*fam*)
cocinar, acribillar a preguntas // vi
cocinar; **cuisinier, ière** nm/f
cocinero/a // nf cocina.

cuisse [kyis] nf muslo; (*de poulet,
mouton*) pierna.

cuisson [kyisɔ̃] nf cocción f,
cochura.

cuistre [kyistʀ(ə)] nm sabihondo.

cuit, e [kyi, it] pp de **cuire** // a
cocido(a).

cuivre [kyivʀ(ə)] nm cobre m; **les
~s** (*MUS*) los cobres; **cuivré, e** a
cobrizo(a).

cul [ky] nm (*fam*) culo; ~ **de
bouteille** culo de botella.

culasse [kylas] nf (*AUTO*) culata;
(*de fusil*) cerrojo.

culbute [kylbyt] nf vuelta de
campana; (*accidentelle*) tumbo,
vuelco; **culbuter** vi tumbar, volcar.

culbuteur [kylbytœʀ] nm (*AUTO*)
balancín m.

cul-de-jatte [kyd3at] nm/f inváli-
do/a, lisiado/a.

cul-de-sac [kydsak] nm (*rue*)
callejón m sin salida.

culinaire [kylinɛʀ] a culinario(a).

culminant, e [kylminɑ̃, ɑ̃t] a:
point ~ punto culminante.

culminer [kylmine] vi culminar.

culot [kylo] nm (*d'ampoule*)

culotte [kylɔt] *nf* pantalón corto; (*de femme*): (*petite*) ~ bragas; ~ **de cheval** pantalón de montar.

culotté, e [kylɔte] *a* (*pipe, cuir*) curado(a), usado(a).

culpabilité [kylpabilite] *nf* culpabilidad *f*.

culte [kylt(ə)] *nm* culto, fe *f*; (*hommage, vénération*) culto, veneración *f*; (*protestant*) service culto.

cultivateur, trice [kyltivatœr, tris] *nm/f* cultivador/ora, labrador/ora.

cultivé, e [kyltive] *a* cultivado(a), labrado(a); (*personne*) cultivado(a), ilustrado(a).

cultiver [kyltive] *vt* cultivar, labrar; (*légumes*) cultivar; (*fig*) cultivar, ejercitar.

culture [kyltyʀ] *nf* cultivo; labranza; (*connaissances etc*) cultura; (**champs de**) ~s (campos de) cultivos, cultivos; ~ **physique** cultura física; **culturel, le** *a* cultural.

cumin [kymɛ̃] *nm* comino.

cumuler [kymyle] *vt* acumular, acaparar.

cupide [kypid] *a* codicioso(a), ambicioso(a); **cupidité** *nf* codicia, ambición *f*.

curable [kyrabl(ə)] *a* curable.

curatif, ive [kyratif, iv] *a* curativo(a).

cure [kyʀ] *nf* (*MÉD*) cura, curación *f*; (*REL*) curato; **faire une** ~ **de fruits** hacer una cura de frutas; **n'avoir** ~ **de** no preocuparse por *o* de; ~ **thermale** cura termal.

curé [kyʀe] *nm* cura *m*, párroco.

cure-dents [kyʀdɑ̃] *nm* mondadientes *m inv*.

cure-pipe [kyʀpip] *nm* limpiapipa *m*.

curer [kyʀe] *vt* curar, limpiar.

curieux, euse [kyʀjø, øz] *a* (*étrange*) curioso(a), raro(a); (*indiscret*) curioso(a), indiscreto(a) // *nmpl* (*badauds*) curiosos, mirones *mpl*.

curiosité [kyʀjozite] *nf* curiosidad *f*, indiscreción *f*; (*objet, lieu*) singularidad *f*, rareza.

curiste [kyʀist(ə)] *nm/f* agüista *m/f*.

curriculum vitae [kyʀikylɔmvite] *nm inv* curriculum vitae *m*.

curseur [kyʀsœʀ] *nm* cursor *m*.

cursif, ive [kyʀsif, iv] *a*: **écriture cursive** escritura cursiva.

curviligne [kyʀvilin] *a* curvilíneo(a).

cutané, e [kytane] *a* cutáneo(a).

cuticule [kytikyl] *nf* cutícula.

cuti-réaction [kytiʀeaksjɔ̃] *nf* dermorreacción *f*.

cuve [kyv] *nf* depósito, tanque *m*.

cuvée [kyve] *nf* (*de vin*) cuba, cosecha.

cuvette [kyvet] *nf* jofaina, palangana; (*GÉO*) hondonada.

CV *abrév de* **cheval-vapeur**; **curriculum vitae**.

cyanure [sjanyʀ] *nm* cianuro.

cybernétique [sibɛʀnetik] *nf* cibernética.

cyclable [siklabl(ə)] *a*: **piste** ~ pista para ciclistas.

cyclamen [siklamɛn] *nm* ciclamino.

cycle [sikl(ə)] *nm* ciclo; **cyclique** *a* cíclico(a).

cyclisme [siklism(ə)] *nm* ciclismo; **cycliste** *nm/f* ciclista *m/f*.

cyclomoteur [siklɔmɔtœʀ] *nm* ciclomoto, ciclomotor *m*; **cyclomotoriste** *nm/f* ciclomotorista *m/f*.

cyclone [siklon] *nm* ciclón *m*.

cygne [siɲ] *nm* cisne *m*.

cylindre [silɛ̃dʀ(ə)] *nm* cilindro.

cylindrée [silɛ̃dʀe] *nf* cilindrada.

cylindrique [silɛ̃dʀik] *a* cilíndrico(a).

cymbale [sɛ̃bal] *nf* platillo.

cynique [sinik] *a* cínico(a).

cynisme [sinism(ə)] *nm* cinismo.

cyprès [sipʀɛ] *nm* ciprés *m*.

cyrillique [siʀilik] *a* cirílico(a).

cystite [sistit] *nf* cistitis *f*.

cytise [sitiz] *nm* lluvia de oro, cítiso.

D

d' *prép*, *dét voir* de.

dactylo [daktilo] *nf* (*aussi*: ~**graphe**) dactilógrafa; (*aussi*: ~**graphie**) dactilografía; ~**graphier** *vt* dactilografiar.

dague [dag] *nf* daga.

daigner [deɲe] *vt* dignarse.

daim [dɛ̃] *nm* gamo; (*peau*) gamuza.

dais [dɛ] *nm* dosel *m*, palio.

dallage [dalaʒ] *nm* embaldosado.

dalle [dal] *nf* baldosa.

daltonien, ne [daltɔnjɛ̃, jɛn] *a* daltoniano(a).

daltonisme [daltɔnism(ə)] *nm* daltonismo.

damas [dama] *nm* damasco.

dame [dam] *nf* dama; ~ **s** *fpl* (*jeu*) damas; **les (toilettes des) ~s** los servicios para damas.

damer [dame] *vt* apisonar.

damier [damje] *nm* damero; (*dessin*) ajedrezado; **en ~** ajedrezado(a).

damner [dane] *vt* condenar.

dancing [dɑ̃siŋ] *nm* sala de baile.

dandiner [dɑ̃dine]: **se ~** *vi* bambolearse, contonearse.

Danemark [danmaʀk] *nm* Dinamarca.

danger [dɑ̃ʒe] *nm* peligro; ~**eux, euse** [dɑ̃ʒʀø, øz] *a* peligroso(a).

danois, e [danwa, waz] *a*, *nm/f* danés(esa) // *nm* danés.

dans [dɑ̃] *prép en*; (*à l'intérieur de*) dentro de, en; **je l'ai pris ~ le tiroir/le salon** lo tomé del cajón/salón; **boire ~ un verre** beber dentro de un vaso; ~ **2 mois** en 2 meses; dentro de 2 meses; ~ **les 20F/4 mois** unos 20F/4 meses; **monter ~ une voiture** subir a un coche.

dansant, e [dɑ̃sɑ̃, ɑ̃t] *a*: **soirée ~e** velada danzante.

danse [dɑ̃s] *nf* danza.

danser [dɑ̃se] *vt*, *vi* danzar, bailar; **danseur, euse** *nm/f* (*professionnel*)

bailarín/ina; (*cyclisme*): **en danseuse** *de pie sobre los pedales*; ~ **de corde** volatinero.

dard [daʀ] *nm* (*ZOOL*) aguijón *m*.

darder [daʀde] *vt* lanzar, clavar.

date [dat] *nf* fecha; **de longue** *ou* **vieille/fraîche ~ de** larga *ou* vieja/reciente data; **premier en ~** más antiguo; **dernier en ~** más reciente; **prendre ~ (avec qn)** fijar fecha (con alguien); **faire ~** hacer época; ~ **de naissance** fecha de nacimiento.

dater [date] *vt* fechar // *vi* ser anticuado(a); ~ **de** datar de; **à ~ de** a partir de.

datif [datif] *nm* dativo.

datte [dat] *nf* dátil *m*; **dattier** *nm* palmera.

daube [dob] *nf*: **en ~** estofado(a), adobado(a).

dauphin [dofɛ̃] *nm* delfín *m*.

davantage [davɑ̃taʒ] *ad* más; ~ **de** más; ~ **que** más que.

de [də] *prép de*; (*moyen*) con; de; **du, de la, des** del *m*, de la *f*, de los *mpl*, de las *fpl* // *dét*: **du vin, de l'eau, des pommes** vino, agua, (unas) manzanas; **des enfants sont venus** unos niños vinieron; **y a-t-il du vin/des enfants?** ¿tiene vino/niños?; **il ne veut pas de vin/de pommes** no quiere vino/manzanas; **pendant des mois** durante (varios) meses.

dé [de] *nm* (*aussi*: **à coudre**) dedal *m*; (*à jouer*) dado; ~**s** *mpl* (*jeu*) dados.

débâcle [debakl(ə)] *nf* (*dégel*) deshielo; (*armée*) desbandada.

déballer [debale] *vt* desembalar, desempacar; (*fam*) desembuchar.

débarbouiller [debaʀbuje] *vt* lavar la cara a, asear.

débarcadère [debaʀkadɛʀ] *nm* desembarcadero, muelle *m*.

débardeur [debaʀdœʀ] *nm* estibador *m*; (*maillot*) camiseta sin mangas.

débarquer [debaʀke] *vt*, *vi* desembarcar.

débarras [debaʀa] *nm* trastero;
bon ~ ¡buen viaje!

débarrasser [debaʀase] *vt* quitar,
desembarazar; **~ la table** quitar la
mesa; **~ qn/qch de** liberar a
alguien/algo de; **se ~ de** *vt*
desembarazarse o liberarse de.

débat [deba] *nm* debate.

débattre [debatʀ(ə)] *vt* debatir,
discutir; **se ~** *vi* debatirse.

débauche [deboʃ] *nf* desenfreno;
(profusion) derroche *m*.

débauché, e [deboʃe] *a*
libertino(a).

débaucher [deboʃe] *vt* despedir;
(entraîner) corromper.

débile [debil] *a, nm/f* débil *(m/f).*

débit [debi] *nm* caudal *m*; *(d'un
magasin)* venta; *(d'un moyen de
transport)* capacidad *f*; *(élocution)*
habla, palabra; *(à la banque)* débito;
~ de boisson despacho de bebidas;
~ de tabac estanco.

débiter [debite] *vt (compte)* cargar
en cuenta de; *(liquide, gaz)* suministrar; *(bois, viande)* cortar; *(péj)* recitar, soltar.

débiteur, trice [debitœʀ, tʀis] *a*
deudora // *nm/f* deudor/ora.

déblai [deblɛ] *nm* escombro.

déblaiement [deblɛmã] *nm*
despeje *m*.

déblayer [debleje] *vt* despejar;
(fig) allanar.

débloquer [debloke] *vt (frein, prix,
salaires)* liberar; *(crédit)* desblo-
quear.

déboires [debwaʀ] *nmpl*
sinsabores *mpl*.

déboiser [debwaze] *vt* talar, desmontar.

déboîter [debwate] *vi (AUTO)*
salirse de la fila, adelantarse // *vt*:
se ~ le genou dislocarse o
desencajarse la rodilla.

débonnaire [debɔnɛʀ] *a*
bonachón(ona).

débordant, e [debɔʀdã, ãt] *a*
desbordante.

débordé, e [debɔʀde] *a*: **être ~**
estar agobiado o abrumado.

débordement [debɔʀdəmã] *nm*
desbordamiento; **~ d'enthousiasme**
profusión *f* de entusiasmo.

déborder [debɔʀde] *vi* desbordarse; *(eau, lait)* derramarse,
desbordarse // *vt (MIL, SPORT)*
flanquear, desbordar; *(dépasser)*:
(de) déborder (de) rebasar; *(fig)*:
~ de rebosar de.

débouché [debuʃe] *nm* desembocadura; *(COMM)* salida, mercado;
(perspectives d'emploi) posibilidades *fpl*.

déboucher [debuʃe] *vt* destapar;
(bouteille) descorchar, destapar //
vi desembocar; **~ de** salir de; **~
sur** desembocar en.

déboulonner [debulɔne] *vt* desmontar.

débourser [debuʀse] *vt* desembolsar.

debout [dəbu] *ad*: **être ~** estar de
pie; *(chose)* estar en pie; **être
encore ~** *(fig)* estar todavía en pie;
se mettre ~ ponerse de pie; **~!** ¡en
pie!, ¡arriba!; **ça ne tient pas ~** *(fig)*
esto no se tiene en pie.

déboutonner [debutɔne] *vt* desabrochar, desabotonar; **se ~**
desabrocharse, desabotonarse.

débraillé, e [debʀaje] *a* descuida-
do(a), desaliñado(a).

débrayage [debʀɛjaʒ] *nm (AUTO)*
desembrague *m*; *(grève)* paro;
double ~ doble desembrague.

débrayer [debʀeje] *vi (AUTO)*
desembragar; *(cesser le travail)*
hacer paro.

débridé, e [debʀide] *a* desenfrena-
do(a).

débris [debʀi] *nm* resto, pedazo;
(déchet) resto, residuo.

débrouiller [debʀuje] *vt (fig)*
aclarar, desenredar; *(cheveux)*
desenredar; **se ~** *vi* arreglárse(las),
ingeniárse(las).

débroussailler [debʀusaje] *vt*
desbrozar.

débusquer [debyske] *vt* hacer salir
de su refugio a.

début [deby] *nm* comienzo, principio; **~s** mpl (CINÉMA, SPORT etc) debuts mpl; **faire ses ~s** hacer sus primeras armas; **au ~** al principio.

débutant, e [debytã, ãt] a principiante, novel // nm/f principiante m.

débuter [debyte] vi comenzar, principiar; (personne) comenzar, debutar.

deçà [dəsa]: **en ~ de** prép se sitúa al lado de, sin llegar a.

décacheter [dekaʃte] vt abrir.

décade [dekad] nf década.

décadent, e [dekadã, ãt] a decadente.

décaféiné, e [dekafeine] a sin cafeína.

décalage [dekalaʒ] nm desnivelación f, variación f; (de position) desplazamiento, desnivelación; (temporel) diferencia, variación f; (fig) desacuerdo; **~ horaire** diferencia horaria.

décaler [dekale] vt desplazar, desnivelar; (dans le temps) variar; **~ de 10 cm** desplazar 10 cm; **~ de 2 h** variar en 2 hs.

décalquer [dekalke] vt calcar.

décanter [dekãte] vt decantar; **se ~** vi decantarse; (fig) aclararse.

décapant [dekapã] nm disolvente m, abrasivo.

décaper [dekape] vt raspar, limpiar.

décapiter [dekapite] vt decapitar; (fig) tronchar.

décapotable [dekapɔtabl(ə)] a descapotable.

décapoter [dekapɔte] vt descapotar.

décapsuler [dekapsyle] vt destapar; **décapsuleur** nm abrebotellas mpl.

décathlon [dekatlɔ̃] nm decatlón m.

décéder [desede] vi fallecer.

déceler [desle] vt descubrir; (suj: indice etc) revelar.

décélération [deselerasjɔ̃] nf aminoración f.

décembre [desãbr(ə)] nm diciembre m.

décemment [desamã] ad decentemente; (raisonnablement) razonablemente.

décence [desãs] nf decencia.

décent, e [desã, ãt] a decente.

décentraliser [desãtralize] vt descentralizar.

décentrer [desãtre] vt descentrar; **se ~** descentrarse.

déception [desepsjɔ̃] nf decepción f.

décerner [deserne] vt otorgar.

décès [desɛ] nm fallecimiento.

décevant, e [desvã, ãt] a decepcionante.

décevoir [desvwar] vt decepcionar; (espérances etc) defraudar.

déchaîner [deʃene] vt desencadenar, desatar.

déchanter [deʃãte] vi desencantarse.

décharge [deʃarʒ(ə)] nf (dépôt d'ordures) vertedero; (JUR) descargo; (aussi: **~ électrique**) descarga; **à la ~ de** en descargo de.

décharger [deʃarʒe] vt descargar; **~ qn** (fig) dispensar a alguien.

décharné, e [deʃarne] a descarnado(a).

déchausser [deʃose] vt descalzar; **se ~** (personne) descalzarse; (dent) descarnarse.

déchéance [deʃeãs] nf degradación f.

déchet [deʃɛ] nm resto, residuo; **il y a beaucoup de ~** hay mucha pérdida.

déchiffrer [deʃifre] vt descifrar; (musique, partition) repentizar.

déchiqueter [deʃikte] vt despedazar.

déchirant, e [deʃirã, ãt] a desgarrador(ora).

déchirement [deʃirmã] nm (chagrin) desgarramiento; (conflit) divisiones fpl, discordias.

déchirer [deʃire] vt rasgar, romper; (fig) destrozar; (: pays, peuple) dividir, destrozar; **se ~** vi desgarrarse, desollarse; **se ~ un muscle** desgarrarse un músculo; **ça se déchire facilement** esto se rompe fácilmente.

déchirure [deʃiʀyʀ] *nf* desgarrón *m*.

déchoir [deʃwaʀ] *vi* rebajarse, decaer; **~ de** perder; **déchu, e** a caído(a), desposeído(a).

décibel [desibɛl] *nm* decibel *m*, decibelio.

décidé, e [deside] a decidido(a), resuelto(a); **c'est ~** está decidido; **être ~ à** estar resuelto a.

décider [deside] *vt* decidir; **~ de faire** decidir hacer; **~ de qch** decidir *o* resolver algo; (*suj: chose*) decidir, determinar; **se ~** decidirse.

décilitre [desilitʀ(ə)] *nm* decilitro.

décimal, e, aux [desimal, o] a, *nf* decimal (*m*).

décimer [desime] *vt* diezmar.

décimètre [desimɛtʀ(ə)] *nm* decímetro; **double ~** doble decímetro.

décisif, ive [desizif, iv] a decisivo(a).

décision [desizjɔ̃] *nf* decisión *f*, (*ADMIN, JUR*) resolución *f*; **emporter** *ou* **faire la ~** adoptar la decisión.

déclamatoire [deklamatwaʀ] a declamatorio(a).

déclamer [deklame] *vt, vi* declamar.

déclaration [deklaʀasjɔ̃] *nf* declaración *f*.

déclarer [deklaʀe] *vt* declarar; **~ qch/qn inutile** *etc* declarar inútil algo/a alguien *etc*; **se ~** vi declararse; **se ~ favorable/prêt à** declararse favorable a/listo para.

déclassé, e [deklase] a venido(a) a menos.

déclasser [deklase] *vt* (*sportif, cheval*) descalificar; (*hôtel*) rebajar de categoría a.

déclencher [deklãʃe] *vt* disparar; (*fig*) iniciar, desencadenar; **se ~** vi desencadenarse; **déclencheur** *nm* disparador *m*.

déclic [deklik] *nm* disparador *m*; (*bruit*) chasquido.

déclin [deklɛ̃] *nm* decadencia, ocaso.

déclinaison [deklinɛzɔ̃] *nf* (*LING*) declinación *f*.

décliner [dekline] *vi* decaer; (*santé*) declinar, decaer; (*jour, soleil*) declinar // *vt* (*gén*) declinar; (*nom, adresse*) dar a conocer; **se ~** (*LING*) declinarse.

déclivité [deklivite] *nf* declive *m*; **en ~** en declive.

décocher [dekɔʃe] *vt* (*coup*) soltar; (*fig*) lanzar.

décoction [dekɔksjɔ̃] *nf* decocción *f*.

décoder [dekɔde] *vt* descifrar.

décoiffer [dekwafe] *vt* despeinar; (*enlever le chapeau*) quitar el sombrero a; **se ~** vi despeinarse.

décoincer [dekwɛ̃se] *vt* (*débloquer*) desencajar, descalzar.

décollage [dekɔlaʒ] *nm* (*avion*) despegue *m*.

décollement [dekɔlmã] *nm*: **~ de la rétine** desprendimiento de la retina.

décoller [dekɔle] *vt, vi* despegar; **se ~** vi desepegarse.

décolleté, e [dekɔlte] a, *nm* escote (*m*).

décolleter [dekɔlte] *vt* escotar; (*TECH*) aterrajar; **se ~** (*femme*) escotarse.

décoloniser [dekɔlɔnize] *vt* descolonizar.

décolorant, e [dekɔlɔʀã, ãt] a descolorante (*m*).

décoloration [dekɔlɔʀasjɔ̃] *nf* decoloración *f*.

décolorer [dekɔlɔʀe] *vt* descolorar; (*cheveux*) decolorar; **se ~** vi decolorarse.

décombres [dekɔ̃bʀ(ə)] *nmpl* escombros.

décommander [dekɔmãde] *vt* cancelar un pedido de; (*réception*) cancelar; (*invités*) cancelar la invitación a; **se ~** excusarse.

décomposer [dekɔ̃poze] *vt* descomponer; **se ~** descomponerse; (*fig: société*) disgregarse, descomponerse; **décomposition** nf descomposición f.

décompression [dekɔ̃presjɔ̃] nf descompresión f.

décomprimer [dekɔ̃prime] vt descomprimir.

décompte [dekɔ̃t] nm descuento; (facture détaillée) detalle m.

décompter [dekɔ̃te] vt descontar.

déconcentration [dekɔ̃sɑ̃trasjɔ̃] nf (ADMIN) descentralización f.

déconcerter [dekɔ̃sɛrte] vt desconcertar.

déconfit, e [dekɔ̃fi, it] a abatido(a), aplastado(a).

déconfiture [dekɔ̃fityr] nf derrota; ruina.

décongeler [dekɔ̃ʒle] vt deshelar.

décongestionner [dekɔ̃ʒɛstjɔne] vt descongestionar.

déconseiller [dekɔ̃seje] vt: ~ à qn qch desaconsejar algo a alguien; ~ de faire aconsejar no hacer; c'est déconseillé no es aconsejable.

déconsigner [dekɔ̃siɲe] vt (valise) retirar de la consigna; (COMM) devolver reembolsando su costo.

décontenancer [dekɔ̃tnɑ̃se] vt desconcertar.

décontracter [dekɔ̃trakte] vt relajar; se ~ relajarse.

déconvenue [dekɔ̃vny] nf decepción f, chasco.

décor [dekɔr] nm decoración f; (THÉÂTRE, CINÉMA) decorado; (paysage) panorama m.

décorateur [dekɔratœr] nm decorador m; (CINÉMA) escenógrafo.

décoratif, ive [dekɔratif, iv] a decorativo(a).

décoration [dekɔrasjɔ̃] nf decoración f; condecoración f; (guirlande) decoración; (médaille) condecoración.

décorer [dekɔre] vt decorar; (médailler) condecorar.

décortiquer [dekɔrtike] vt descortezar, descascarar.

découdre [dekudr(ə)] vt descoser; se ~ descoserse.

découler [dekule] vi: ~ de desprenderse de.

découpage [dekupaʒ] nm recorte m; trinchado; desglose m; (image) recortables mpl, recortes mpl; ~ électoral establecimiento de las circunscripciones electorales.

découper [dekupe] vt recortar; (volaille, viande) trinchar; (fig) desglosar, fragmentar; se ~ sur recortarse contra.

découpure [dekupyr] nf festón m; (d'une côte etc) quebradura, hendidura.

décourageant, e [dekuraʒɑ̃, ɑ̃t] a desalentador(ora).

décourager [dekuraʒe] vt desalentar; (dissuader) desanimar; se ~ desanimarse, desalentarse; ~ qn de faire desalentar a alguien de.

décousu, e [dekuzy] a descosido(a); (fig) deshilvanado(a).

découvert, e [dekuvɛr, ɛrt(ə)] a descubierto(a) // nm descubierto; à ~ (MIL) al descubierto; (fig) abiertamente; (banque) en descubierto // nf descubrimiento; aller à la ~ e de ir en busca de.

découvrir [dekuvrir] vt descubrir; (voiture) descubrir, descapotar; se ~ descubrirse; (au lit) destaparse.

décrasser [dekrase] vt quitar la mugre a.

décrépit, e [dekrepi, it] a decrépito(a); ~ude nf (d'une institution, d'un quartier) decrepitud f, decadencia.

decrescendo [dekreʃɛndo] nm (MUS) decrescendo; aller ~ (fig) ir decreciendo.

décret [dekrɛ] nm (JUR) decreto.

décréter [dekrete] vt (JUR) decretar; (imposer) decretar, ordenar.

décrié, e [dekrije] a desprestigiado(a).

décrire [dekrir] vt describir.

décrocher [dekrɔʃe] vt descolgar; (fig) obtener // vi retirarse.

décroissant, e [dekrwasɑ̃, ɑ̃t] a: par ordre ~ en orden decreciente.

décroître [dekʀwatʀ(ə)] vi decrecer.

décrue [dekʀy] nf descenso.

décrypter [dekʀipte] vt descifrar.

déçu, e [desy] a decepcionado(a), frustrado(a).

déculotter [dekylɔte] vt quitar los calzones o pantalones a.

décuple [dekypl(ə)] nm décuplo; **décupler** vt decuplicar // vi decuplicarse.

dédaigner [dedeɲe] vt desdeñar; ~ de faire despreciar hacer.

dédain [dedɛ̃] nm desdén m, desprecio.

dedans [dədɑ̃] ad adentro, dentro // nm interior m; au ~ dentro; por dentro; en ~ por dentro, hacia dentro; là-~ ahí dentro.

dédicacer [dedikase] vt dedicar.

dédier [dedje] vt dedicar.

dédire [dediʀ] : se ~ vi desdecirse.

dédit [dedi] nm (JUR) indemnización f.

dédommagement [dedɔmaʒmɑ̃] nm (indemnité) resarcimiento, indemnización f.

dédommager [dedɔmaʒe] vt (payer) resarcir, indemnizar; (remercier) recompensar.

dédouaner [dedwane] vt retirar de la aduana.

dédoublement [dedubləmɑ̃] nm: ~ de la personnalité desdoblamiento de la personalidad.

dédoubler [deduble] vt (classe, effectifs) desdoblar, subdividir; (manteau) quitar el forro a.

déduction [dedyksjɔ̃] nf deducción f.

déduire [dedɥiʀ] vt deducir.

déesse [dees] nf diosa.

défaillance [defajɑ̃s] nf fallo; (syncope) desmayo.

défaillant, e [defajɑ̃, ɑ̃t] a que falla; (personne) desfalleciente; (JUR) que no comparece, contumaz.

défaire [defɛʀ] vt deshacer; se ~ vi deshacerse; se ~ de vt deshacerse de.

défait, e [defɛ, ɛt] a (visage) descompuesto(a) // nf (MIL) derrota; (gén) derrota, fracaso.

défaitiste [defetist(ə)] a, nm/f derrotista m/f, pesimista m/f.

défausser [defose] vt descartar; se ~ vi descartarse.

défaut [defo] nm defecto; (d'étoffe etc) falla; (manque) falta, falla; (JUR): par ~ en rebeldía, en contumacia; à ~ de a falta de, en defecto de; en ~ en falta; faire ~ faltar.

défaveur [defavœʀ] nf disfavor m.

défavorable [defavɔʀabl(ə)] a desfavorable.

défavoriser [defavɔʀize] vt desfavorecer.

défectif, ive [defektif, iv] a: verbe ~ verbo defectivo.

défection [defeksjɔ̃] nf defección f; (absence) ausencia; faire ~ desertar.

défectueux, euse [defektɥø, øz] a defectuoso(a).

défendre [defɑ̃dʀ(ə)] vt defender; (interdire) prohibir; ~ à qn qch/de faire prohibir algo a alguien/hacer; se ~ vi defenderse; se ~ de/contre defenderse de/contra; se ~ de (éviter) defenderse de, evitar; (nier) negar.

défense [defɑ̃s] nf defensa; (corne) colmillo; **ministre de la D**~ ministro del Ejército o de la Guerra; **la** ~ **nationale/contre avions** la defensa nacional/antiaérea.

défenseur [defɑ̃sœʀ] nm (gén) defensor m.

défensif, ive [defɑ̃sif, iv] a defensivo(a) // nf: **être sur la défensive** estar/ponerse a la defensiva.

déféquer [defeke] vi defecar.

déférent, e [defeʀɑ̃, ɑ̃t] a (poli) deferente.

déférer [defeʀe] vt deferir; ~ à deferir a; ~ qn à la justice hacer comparecer a alguien ante la justicia.

déferler [defɛʀle] vi (vagues)

romper, estrellarse; *(joie, enfants)*
desencadenarse, afluir.

défi [defi] *nm* desafío, reto; *(refus)*
desafío.

défiance [defjɑ̃s] *nf* desconfianza.

déficience [defisjɑ̃s] *nf* deficiencia.

déficit [defisit] *nm* déficit m.;
(PSYCH etc) déficit, deficiencia; ~
budgétaire déficit presupuestario;
~**aire** a deficitario(a); *(année,
récolte)* deficitario(a), insuficiente.

défier [defje] *vt* desafiar, retar;
(fig) desafiar; ~ **qn de faire qch**
desafiar a alguien a hacer algo; ~
qn à desafiar a alguien a; **se** ~ **de**
desconfiar de.

défigurer [defiɡyre] *vt* desfigurar.

défilé [defile] *nm* desfiladero;
(soldats etc) desfile m; *(grand
nombre)* : **un** ~ **de** un desfile de.

défiler [defile] *vi* desfilar.

défini, e [defini] a definido(a).

définir [definir] *vt* definir.

définitif, ive [definitif, iv] a
definitivo(a) // *nf:* **en définitive** en
definitiva, al fin y al cabo.

définition [definisjɔ̃] *nf* definición
f.

définitivement [definitivmɑ̃] *ad*
definitivamente.

déflagration [deflagrɑsjɔ̃] *nf*
(explosion) deflagración f.

déflation [deflɑsjɔ̃] *nf* *(ÉCON)*
deflación f; ~**niste** a deflacionista.

défoncer [defɔ̃se] *vt* *(boîte)*
desfondar; *(lit, fauteuil)* hundir,
desfondar; *(route)* desfondar;
(terrain) bachear.

déformation [deformɑsjɔ̃] *nf*
deformación f.

déformer [defɔrme] *vt* deformar;
se ~ *vi* deformarse.

défouler [defule]: **se** ~ *vi*
liberarse.

défraîchir [defreʃir]: **se** ~ *vi*
deslucirse.

défrayer [defreje] *vt:* ~ **qn de**
resarcir a alguien de (de); *(fig):* ~ **la
chronique** acaparar la crónica.

défricher [defriʃe] *vt* desmontar,

desbrozar; *(fig)* desbrozar.

défriser [defrize] *vt* desrizar.

défroquer [defrɔke] *vi* *(gén:* **se**
~) colgar los hábitos.

défunt, e [defœ̃, œ̃t] a, *nm/f*
difunto(a).

dégagé, e [deɡaʒe] a despejado(a);
(ton, air) desenvuelto(a).

dégagement [deɡaʒmɑ̃] *nm*
(espace libre) espacio despejado;
(FOOTBALL) saque m; *(MIL)*
levantamiento del cerco; **voie de** ~
vía muerta.

dégager [deɡaʒe] *vt* despedir,
emanar; *(délivrer)* liberar, sacar;
(responsabilité, parole) liberar,
retirar; *(désencombrer)* despejar
(idée, aspect) extraer, separar; ~
qn de *(parole etc)* liberar a alguien
de; **se** ~ *vi* desfile m.; liberarse,
desprenderse; *(fig)* liberarse // *vi*
desprenderse; *(passage bloqué, ciel)*
despejarse.

dégainer [deɡene] *vt* desenfundar,
desenvainar.

dégarnir [deɡarnir] *vt* desguar-
necer; **se** ~ *vi* vaciarse; *(tempe,
crâne)* despoblarse, encalvecer.

dégâts [deɡa] *nmpl* daños, estragos.

dégazer [deɡaze] *vi* *(pétrolier)*
extraer el gas.

dégel [deʒɛl] *nm* deshielo.

dégeler [deʒle] *vt* deshelar; *(fig)*
descongelar; (: *atmosphère)* romper
el hielo de, animar // *vi* deshelarse;
se ~ *vi* *(fig)* animarse.

dégénérer [deʒenere] *vi* degenerar; **dégénérescence** *nf* degeneración f.

dégivrage [deʒivraʒ] *nm* deses-
carchado.

dégivrer [deʒivre] *vt* deshelar,
desescarchar; **dégivreur** *nm*
aparato para quitar la escarcha.

déglutir [deɡlytir] *vt* deglutir;
déglutition *nf* deglución f.

dégonfler [deɡɔ̃fle] *vt* desinflar.

dégorger [deɡɔrʒe] *vi* macerar;
(escargots) purgar; *(aussi:* **se** ~):
dans desaguar en // *vt* *(déverser)*
verter, desaguar.

dégouliner [deguline] vi gotear, chorrear.

dégourdir [deguʀdiʀ] vt (eau) entibiar; (personne) despabilar; se ~ (les jambes) desentumecerse.

dégoût [degu] nm asco, repugnancia; (fig) repugnancia.

dégoûtant, e [degutɑ̃, ɑ̃t] a asqueroso(a); repugnante; inmundo(a).

dégoûté, e [degute] a delicado(a) melindroso(a).

dégoûter [degute] vt asquear, repugnar; ~ qn de qch repugnar algo a uno; (fig): ~ qn de qch dar a uno las ganas de; se ~ de (se lasser de) hartarse o hastiarse de.

dégoutter [degute] vi gotear.

dégradation [degʀadɑsjɔ̃] nf (dégâts) deterioro.

dégradé, e [degʀade] a (couleur) desvanecido(a) // nm (en peinture) desvanecimiento, degradación f.

dégrader [degʀade] vt degradar; (abîmer) deteriorar; se ~ vi degradarse; (roche) erosionarse; (relations) deteriorarse.

dégrafer [degʀafe] vt desabrochar; se ~ desabrocharse.

dégraissant, e [degʀesɑ̃, ɑ̃t] a, nm desengrasante (m), detergente (m).

dégraisser [degʀese] vt (soupe) desengrasar; (vêtement) limpiar, quitar las manchas de grasa de.

degré [dəgʀe] nm grado; (escalier) escalón m, peldaño; (fig) grado, peldaño; **brûlure au 1er/2ème** ~ quemadura de 1º/2º grado; **par** ~(s) ad gradualmente.

dégressif, ive [degʀesif, iv] a decreciente.

dégrever [degʀəve] vt desgravar.

dégringoler [degʀɛ̃gɔle] vi rodar, caer rodando; (fig) venirse abajo; hundirse // vi bajar precipitadamente.

dégriser [degʀize] vt quitar la borrachera a; desengañar.

dégrossir [degʀosiʀ] vt desbastar; (fig) bosquejar.

déguenillé, e [degnije] a harapiento(a).

déguerpir [degɛʀpiʀ] vi largarse.

déguisement [degizmɑ̃] nm disfraz m.

déguiser [degize] vt disfrazar; (fig) disfrazar, encubrir; se ~ disfrazarse.

dégustation [degystɑsjɔ̃] nf degustación f; (séance) paladeo, degustación.

déguster [degyste] vt degustar; (fig) saborear, paladear.

déhancher [deɑ̃ʃe]: se ~ vi contonearse.

dehors [dəɔʀ] ad fuera, afuera // nm exterior m // nmpl apariencias; au ~ fuera, por fuera; au ~ de fuera de; en ~ hacia afuera; en ~ de (hormis) fuera de, aparte de.

déjà [deʒa] ad ya; (interrogatif): **quel nom,** ~? entonces, ¿cuál era el nombre?

déjanter [deʒɑ̃te] vt sacar de la llanta.

déjeuner [deʒœne] vi desayunar; (à midi) almorzar // nm desayuno; (à midi) almuerzo.

déjouer [deʒwe] vt desbaratar.

delà [dəla] ad: **par** ~ prép del otro lado de, más allá de; **au/en** ~ (de) ad, (prép) más allá (de).

délabrer [delabʀe]: se ~ vi deteriorarse, arruinarse.

délacer [delase] vt (chaussures) desatar.

délai [delɛ] nm (attente) plazo; (sursis) prórroga; **sans** ~ sin demora; **à bref** ~ en breve plazo; **dans les** ~s dentro de los plazos.

délaisser [delese] vt abandonar.

délasser [delɑse] vt recrear, distraer; se ~ vi recrearse, distraerse.

délation [delɑsjɔ̃] nf delación f.

délavé, e [delave] a lavado(a), deslucido(a); (pantalon) descolorido(a).

délayer [deleje] vt desleír, diluir; (fig) diluir.

delco [dɛlko] nm (AUTO) sistema de encendido.

délecter [delɛkte]: se ~ vi delei-
tarse.

délégation [delegasjɔ̃] nf (groupe)
delegación f; ~ **de pouvoir**
(document) poder m.

délégué, e [delege] a, nm/f delega-
do(a).

déléguer [delege] vt delegar.

délester [deleste] vt (navire)
deslastrar; (route) descongestionar.

délibératif, ive [deliberatif, iv] a
deliberativo(a).

délibération [deliberasjɔ̃] nf
deliberación f; ~**s** fpl (décisions)
deliberaciones.

délibéré, e [delibere] a delibera-
do(a).

délibérer [delibeʀe] vi deliberar;
~ **de** deliberar sobre.

délicat, e [delika, at] a delicado(a);
(plein de tact, d'attention) delica-
do(a), cuidadoso(a); ~**esse** nf delicadeza.

délice [delis] nm deleite m, delicia.

délicieux, euse [delisjø, jøz] a
delicioso(a).

délié, e [delje] a suelto(a),
desligado(a); (agile) despierto(a),
agudo(a) // nm: les ~**s** los perfiles.

délier [delje] vt (paquet) desatar,
desligar; (fig): ~ **qn** de desligar a
alguien de.

délimitation [delimitasjɔ̃] nf
delimitación f; (d'un terrain): ~**s**
límites mpl.

délimiter [delimite] vt delimitar,
circunscribir; (suj: chose) delimitar.

délinquance [delɛ̃kɑ̃s] nf delincuencia; ~ **juvénile** delincuencia juvenil.

délinquant, e [delɛ̃kɑ̃, ɑ̃t] a, nm/f
delincuente (m/f).

déliquescent, e [delikesɑ̃, ɑ̃t] a
(fig) decadente, delicuescente.

délire [deliʀ] nm delirio.

délirer [deliʀe] vi delirar.

délirium tremens [deliʀjɔmtʀe-
mɛs] nm delírium tremens m.

délit [deli] nm delito.

délivrance [delivʀɑ̃s] nf liberación
f; expedición f.

délivrer [delivʀe] vt liberar; (passeport, certificat) librar, expedir.

déloyal, e, aux [delwajal, o] a
desleal.

delta [dɛlta] nm (GÉO) delta m.

déluge [delyʒ] nm diluvio.

démagogie [demagɔʒi] nf
demagogia; **démagogue** [demagɔg]
a, nm/f demagogo(a).

démaillé, e [demaje] a (bas) des-
mallado(a).

demain [dəmɛ̃] ad mañana; ~
matin mañana por la mañana; ~
soir mañana por la tarde; mañana
por la noche; à ~ hasta mañana.

demande [dəmɑ̃d] nf pedido,
petición f; (ADMIN) solicitud f;
(ÉCON): la ~ la demanda; ~ **de**
poste/naturalisation solicitud de
puesto/ciudadanía; **faire sa ~** (en
mariage) pedir la mano.

demandé, e [dəmɑ̃de] a solicita-
do(a).

demander [dəmɑ̃de] vt pedir;
(questionner, interroger) preguntar;
(exiger) requerir, exigir; ~
l'heure/son chemin preguntar la
hora/el camino; ~ **à ou de**
voir/faire solicitar ver/hacer; ~ **à**
qn de faire pedir o solicitar a
alguien que haga; ~ **que** pedir que,
solicitar que; **si/pourquoi**
preguntar si/por qué; **se** ~
si/pourquoi etc preguntarse si/por
qué etc; **on vous demande au**
téléphone le llaman por o al
teléfono.

démanteler [demɑ̃tle] vt
desmantelar.

démaquillant, e [demakijɑ̃, ɑ̃t] a
demaquillador(ora) // nm demaqui-
llador m.

démaquiller [demakije] vt
demaquillar; **se** ~ vt demaquillarse.

démarcation [demaʀkasjɔ̃] nf
demarcación f; (fig) límite m,
separación f.

démarchage [demaʀʃaʒ] nm

(COMM) búsqueda de clientes a domicilio.

démarche [demaʀʃ(e)] nf paso, andar m; (fig) proceso; (requête, tractation) gestión f; **faire des ~s auprès de** hacer gestiones ante.

démarcheur, euse [demaʀʃœʀ, øz] nm/f vendedor/ora a domicilio.

démarqué, e [demaʀke] a (SPORT) desmarcado(a); **prix ~s** precios rebajados.

démarquer [demaʀke] vt (prix) bajar de precio; (SPORT) desmarcar a, quitar la marca a; **se ~** (SPORT) desmarcarse, quitarse la marca.

démarrer [demaʀe] vi arrancar; (travaux) ponerse en marcha // vt arrancar; (travail) poner en marcha; **démarreur** nm botón m de arranque.

démasquer [demaske] vt desenmascarar, descubrir.

démêler [demele] vt (fil) desenredar; (fig) desembrollar.

démêlés [demele] nmpl dificultades fpl, altercados.

démembrer [demãbʀe] vt (fig) desmembrar.

déménagement [demenaʒmã] nm mudanza.

déménager [demenaʒe] vt mudar, trasladar // vi mudarse; **déménageur** nm persona encargada de hacer mudanzas.

démence [demãs] nf demencia; (fig) locura.

démener [demne]: **se ~** vi agitarse; (fig) moverse, ajetrearse.

démentir [demãtiʀ] vt desmentir.

démériter [demeʀite] vi: **~ (auprès de qn)** despreciarse ante alguien.

démettre [demɛtʀ(ə)] vt: **~ qn de** destituir a alguien de; **se ~** vi dimitir // vt dislocarse.

demeurant [dəmœʀã]: **au ~** ad después de todo, por lo demás.

demeure [dəmœʀ] nf residencia, morada; **mettre qn en ~ de faire** intimar a alguien a que haga; **à ~**

ad de manera estable o permanente.

demeurer [dəmœʀe] vi residir, vivir; (rester) permanecer, quedarse.

demi, e [dəmi] a: **et ~** **trois heures/bouteilles et ~e** tres horas/botellas y media; **il est 2 heures et demie/midi et demi** son las dos/doce y media // nm (bière) caña; (FOOTBALL) medio; **à ~** a medias; (presque) medio; **à la ~e** (heure) a la media; **~cercle** nm semicírculo; **~douzaine** nf media docena; **~finale** nf semifinal f; **~fond** nm medio fondo; **~frère** nm medio hermano, hermanastro; **~-gros** nm comercio entre mayorista y minorista; **~heure** nf media hora; **~jour** nm media luz f; **~journée** nf media jornada, medio día m; **~litre** nm medio litro; **~livre** nf media libra; **~longueur** nf medio largo; **~lune** ad: **en ~lune** en media luna; **~mesure** nf término medio, medida insuficiente; **~mot** ad: **à ~mot** a medias palabras.

déminer [demine] vt quitar las minas de.

demi-pension [dəmipãsjɔ̃] nf (hôtel) media pensión f.

demi-pensionnaire [dəmipãsjɔnɛʀ] nm/f (lycée) mediopensionista m/f.

démis, e [demi, iz] a dislocado(a).

demi-saison [dəmisɛzɔ̃] nf: **vêtements de ~** ropa de entretiempo.

demi-sel [dəmisɛl] a semisalado(a).

demi-sœur [dəmisœʀ] nf media hermana, hermanastra.

démission [demisjɔ̃] nf dimisión f; **~ner** vi dimitir.

demi-tarif [dəmitaʀif] nm media tarifa.

demi-tour [dəmituʀ] nm media vuelta; **faire ~** dar media vuelta.

démobiliser [demɔbilize] vt (MIL) desmovilizar.

démocrate [demɔkrat] _a, nm/f_ demócrata (_m/f_).

démocratie [demɔkrasi] _nf_ democracia; **démocratique** [demɔkratik] _a_ democrático(a); **démocratiser** [-tize] _vt_ democratizar.

démodé, e [demɔde] _a_ pasado(a) de moda, anticuado(a).

démographie [demɔgrafi] _nf_ demografía.

demoiselle [dəmwazɛl] _nf_ señorita; (_célibataire_) soltera, señorita; ~ **d'honneur** dama de honor.

démolir [demɔlir] _vt_ demoler; **démolition** [-lisjɔ̃] _nf_ demolición _f_.

démon [demɔ̃] _nm_ demonio.

démonstrateur, trice [demɔstratœr, tris] _nm/f_ demostrador/ora.

démonstratif, ive [demɔstratif, iv] _a_ expansivo(a); (_LING_) demostrativo(a) // (_LING_) demostrativo.

démonstration [demɔstrasjɔ̃] _nf_ demostración _f_; (_aérienne, navale_) demostración, exhibición _f_.

démonté, e [demɔte] _a_ (_mer_) revuelto(a), encrespado(a).

démonter [demɔte] _vt_ desmontar; (_fig_) deshacer, desmoronar; (: _personne_) desconcertar, turbar.

démontrer [demɔtre] _vt_ demostrar, probar; (_fig_) demostrar.

démoraliser [demɔralize] _vt_ desmoralizar.

démordre [demɔrdr(ə)] _vi_: **ne pas** ~ **de** no dar su brazo a torcer en, no ceder en.

démouler [demule] _vt_ desmoldar, sacar del molde.

démuni, e [demyni] _a_ desprovisto(a), pelado(a).

démunir [demynir] _vt_ desproveer, despojar; **se** ~ **de** despojarse de.

démystifier [demistifje] _vt_ desengañar.

dénationaliser [denasjɔnalize] _vt_ desnacionalizar.

dénaturer [denatyre] _vt_ desnaturalizar.

dénégations [denegɑsjɔ̃] _nfpl_ negativas.

denier [dənje] _nm_ denario; **de ses** (**propres**) ~**s de su** (propio) bolsillo; ~ **du culte** ofrenda para el culto; ~**s publics** fondos públicos.

dénigrer [denigre] _vt_ denigrar.

dénivellation [denivelɑsjɔ̃] _nf_, **dénivellement** [denivɛlmɑ̃] _nm_ desnivel _m_; (_cassis_) depresión _f_; (_pente_) pendiente _f_.

dénombrer [denɔbre] _vt_ (_compter_) contar; (_énumérer_) enumerar.

dénominateur [denɔminatœr] _nm_ denominador _m_.

dénommé, e [denɔme] _a_: **le** ~ **Dupont** el llamado Dupont, el tal Dupont.

dénommer [denɔme] _vt_ denominar.

dénoncer [denɔse] _vt_ denunciar; **se** ~ denunciarse; **dénonciation** _nf_ denuncia.

dénoter [denɔte] _vt_ denotar.

dénouement [denumɑ̃] _nm_ desenlace _m_.

dénouer [denwe] _vt_ (_ficelle_) desatar, desanudar.

dénoyauter [denwajote] _vt_ despepitar, deshuesar.

denrée [dɑre] _nf_ producto, mercancía; ~**s alimentaires** productos alimenticios.

dense [dɑs] _a_ denso(a); **densité** _nf_ densidad _f_.

dent [dɑ̃] _nf_ diente _m_; ~ **de lait** diente de leche; ~ **de sagesse** muela del juicio; **en** ~**s de scie** dentado(a); ~**aire** _a_ dental, dentario(a); **cabinet** ~**aire** consultorio odontológico; **école** ~**aire** escuela de odontología; ~**é, e** _a_ dentado(a); ~**elé, e** _a_ dentado(a).

dentelle [dɑtɛl] _nf_ encaje _m_, puntilla.

denteure [dɑtyr] _nf_ festón _m_.

dentier [dɑtje] _nm_ dentadura postiza.

dentifrice [dɑtifris] _a_: **pâte/eau** ~ pasta/agua dentífrica // _nm_ dentífrico.

dentiste [dãtist(ə)] *nm/f* dentista *m/f.*

dentition [dãtisjõ] *nf* dentadura; *(formation)* dentición *f.*

dénuder [denyde] *vt* desnudar; *(sol, fil électrique)* pelar.

dénué, e [denɥe] *a*: ~ **de** desprovisto de.

dénuement [denymã] *nm* indigencia.

déodorant [deodɔrã] *nm* desodorante *m.*

dépanner [depane] *vt* reparar; *(fig)* sacar de apuros a; **dépanneuse** *nf* auxilio mecánico.

dépareillé, e [depareje] *a* descabalado(a).

déparer [depare] *vt* afear, estropear.

départ [depaʀ] *nm* partida; *(d'un employé)* partida, marcha; **au ~** *(au début)* en un principio, al comienzo.

départager [depaʀtaʒe] *vt* desempatar.

département [depaʀtəmã] *nm* ≈ provincia; *(de ministère)* ≈ ministerio; *(d'université, de magasin)* sección *f.*

départir [depaʀtiʀ]: **se ~ de** *vt* abandonar, desistir de.

dépassement [depɑsmã] *nm* rebasamiento; *(AUTO)* adelantamiento.

dépasser [depɑse] *vt* adelantarse a, *(endroit)* dejar atrás; *(somme, limite fixée, prévisions)* superar; *(fig)* aventajar, superar; *(être en saillie sur)* sobrepasar, sobresalir *// vi (AUTO)* adelantarse; *(ourlet, jupon)* sobresalir.

dépayser [depeize] *vt* despaisar.

dépecer [depəse] *vt* despedazar, parcelar.

dépêche [depɛʃ] *nf* despacho.

dépêcher [depeʃe] *vt* despachar; **se ~ (de)** apresurarse (a).

dépeindre [depɛ̃dʀ(ə)] *vt* pintar, describir.

dépendance [depãdãs] *nf* dependencia.

dépendre [depãdʀ(ə)] *vt* descolgar; **~ de** *vt* depender de.

dépens [depã] *nmpl*: **aux ~ de a** expensas de, en detrimento de.

dépense [depãs] *nf* gasto; *(COMPTABILITÉ)* debe *m*; **~ physique / de temps** consumo físico/de tiempo.

dépenser [depãse] *vt* gastar; *(gaz, eau)* consumir; *(fig)* prodigar, gastar; **se ~** prodigarse; **dépensier, ière** *a* derrochador(ora), pródigo(a).

déperdition [depɛʀdisjõ] *nf* pérdida.

dépérir [depeʀiʀ] *vi* debilitarse.

dépeupler [depœple] *vt* despoblar; **se ~** *vi* despoblarse.

déphasage [defazaʒ] *nm* desfasaje *m.*

déphasé, e [defaze] *a* desfasado(a).

dépilatoire [depilatwaʀ] *a*: **crème/lait ~** crema/leche depilatoria.

dépister [depiste] *vt* detectar; *(voleur)* descubrir el rastro de; *(poursuivants)* despistar.

dépit [depi] *nm* despecho; **en ~ de** *prép* a pesar de; **en ~ du bon sens** sin sentido común; **~é, e a** contrariado(a).

déplacé, e [deplase] *a (propos)* fuera de lugar, impropio(a).

déplacement [deplasmã] *nm (voyage)* desplazamiento, viaje *m*; **~ de vertèbre** desviación *f* de vértebra.

déplacer [deplase] *vt* desplazar; *(employé)* trasladar; *(fig)* cambiar; **se ~** *vi* desplazarse *// vi (vertèbre etc)* dislocarse, desencajarse.

déplaire [deplɛʀ] *vi*: **~ à qn** desagradar o disgustar a alguien; *(indisposer)* disgustar a alguien; **se ~** *vi (quelque part)* hallarse a disgusto; **déplaisant, e a** desagradable.

dépliant [deplijã] *nm* desplegable *m.*

déplier [deplije] *vt* desplegar, desdoblar; **se ~** *vi* desplegarse, abrirse.

déplisser [deplise] *vt* desarrugar.

déploiement [deplwamā] nm despliegue m.

déplomber [deplɔbe] vt (caisse, compteur) quitar el precinto a.

déplorer [deplɔre] vt deplorar.

déployer [deplwaje] vt desplegar.

dépoli, e [depɔli] a: verre ~ vidrio esmerilado.

déponent, e [depɔnā, āt] a (LING) deponente.

déportation [depɔʀtasjɔ̃] nf reclusión en un campo de concentración.

déporter [depɔrte] vt (POL) deportar; (voiture) desviar; se ~ vi (voiture) desviarse.

déposé, e [depoze] a voir **marque**.

déposer [depoze] vt depositar; (passager) dejar; (serrure, rideau, moteur) desmontar; (roi) deponer; (réclamation) presentar // vi (vin etc) sedimentar; (JUR): ~ (contre) deponer o declarar (contra); se ~ vi depositarse.

dépositaire [depozitɛr] nm/f (COMM) consignatario, concesionario; ~ **agréé** consignatario autorizado.

déposition [depozisjɔ̃] nf (JUR) deposición f, declaración f.

dépôt [depo] nm depósito m; (ADMIN: de candidature) presentación f.

dépoter [depote] vt sacar del tiesto.

dépotoir [depotwar] nm vertedero m.

dépouille [depuj] nf piel f; (mortelle) restos.

dépouillement [depujmā] nm (du scrutin) escrutinio.

dépouiller [depuje] vt (animal) desollar; (fig: personne) despojar; (résultats, documents) analizar, examinar.

dépourvu, e [depurvy] a: ~ de desprovisto de; **au** ~ ad de improviso, desprevenido(a).

dépraver [deprave] vt depravar, corromper; (goût) estropear, corromper.

déprécier [depresje] vt menospreciar, despreciar; (chose) des-

preciar; se ~ vi desvalorizarse, depreciarse.

déprédation [depredasjɔ̃] nf depredación f.

dépression [depresjɔ̃] nf depresión f; ~ (nerveuse) depresión.

déprimer [deprime] vt deprimir, abatir.

dépuceler [depysle] vt (fam) desvirgar.

depuis [dəpɥi] prép desde // ad (temps) desde, después.

députation [depytasjɔ̃] nf delegación f; (fonction) diputación f.

député [depyte] nm (POL) diputado.

députer [depyte] vt delegar, diputar.

déraciner [derasine] vt desarraigar.

dérailler [deraje] vi descarrilar.

dérailleur [derajœr] nm (de vélo) cambio de velocidades en la bicicleta.

déraisonner [derezɔne] vi disparatar, desatinar.

dérangement [derāʒmā] nm (gêne) molestia, perturbación f; (gastrique etc) descomposición f (de vientre); (mécanique) desperfecto, perturbación, en ~ descompuesto(a).

déranger [derāʒe] vt desordenar, desarreglar; (fig) molestar, importunar; (: projet) perturbar, alterar; se ~ (se déplacer) moverse, molestarse.

dérapage [derapaʒ] nm patinazo, derrapaje m; ~ **contrôlé** derrapaje controlado.

déraper [derape] vi patinar, derrapar; (personne) resbalar; (stylo, couteau etc) resbalar(se).

dérégler [deregle] vt desajustar; (estomac) indisponer, descomponer; (mœurs, vie) desordenar, descarriar; se ~ vi desajustarse; indisponerse; descarriarse.

déride [deride] vt regocijar, hacer sonreír.

dérision [derizjɔ̃] nf escarnio, burla; **par** ~ en broma, por burla.

dérisoire [derizwar] a irrisorio(a).

dérivatif [derivatif] nm distracción f.

dérive [deriv] nf (NAUT) orza de deriva.

dérivé, e [derive] a derivado(a) // nm derivado // nf (MATH) derivada.

dériver [derive] vt, vi derivar.

dermatologie [dermatɔlɔʒi] nf dermatología; **dermatologue** [dermatɔlɔg] nm/f dermatólogo/a.

dernier, ière [dernje, jer] a, nm, nf último(a); **lundi/le mois** ~ lunes/el mes pasado; **en** ~ al final; **ce** ~ este último; **dernièrement** ad últimamente; ~-**né, dernière-née** nm/f hijo/a último(a); (fig) último modelo.

dérobé, e [derɔbe] a (porte, escalier) falso(a), secreto(a) // nf: **à la** ~**e** a hurtadillas.

dérober [derɔbe] vt hurtar; ~ **qch à (la vue de) qn** ocultar algo a (la vista de) alguien; **se** ~ vi escurrirse, sustraerse; **se** ~ **sous** aflojarse o ceder (bajo); **se** ~ **à** sustraerse a, eludir.

dérogation [derɔgasjɔ] nf excepción f.

dérouiller [deruje] vt: **se** ~ **les jambes** estirar las piernas.

dérouler [derule] vt desenrollar; **se** ~ vi (avoir lieu) desarrollarse.

déroute [derut] nf desbandada, fracaso, derrota; **en** ~ a la desbandada.

dérouter [derute] vt cambiar de ruta; (fig) despistar, asombrar.

derrick [derik] nm torre f (de perforación).

derrière [derjer] prép tras, detrás de; (fig) más allá de, tras // ad detrás, atrás // nm (d'une maison) trasera; (ANAT) asentaderas, trasero; **les pattes/roues de** ~ las patas/ruedas traseras; **par** ~ por detrás.

des [de] dét, prép + dét voir **de**.

dès [de] prép desde; ~ **que** conj tan pronto como, en cuanto; ~ **son retour** (passé) tan pronto como

volvió; (futur) tan pronto como vuelva; ~ **lors** ad desde entonces; ~ **lors que** conj ya que; en cuanto.

désabuse, e [dezabyze] a desengañado(a).

désaccord [dezakɔr] nm desacuerdo, discrepancia; (contraste) discordancia, desacuerdo.

désaccordé, e [dezakɔrde] a desafinado(a).

désaffecté, e [dezafekte] a (église) secularizado(a); (gare) desafectado(a).

désagréable [dezagreabl(ə)] a desagradable.

désagréger [dezagreʒe] : **se** ~ vi disgregarse.

désagrément [dezagremã] nm desagrado, disgusto.

désaltérer [dezaltere] vt quitar la sed a // vi quitar la sed; **se** ~ vi beber.

désamorcer [dezamɔrse] vt descebar.

désappointé, e [dezapwɛte] a contrariado(a), decepcionado(a).

désapprouver [dezapruve] vt desaprobar.

désarçonner [dezarsɔne] vt desarzonar; (fig) desconcertar, confundir.

désarmement [dezarmemã] nm desarme m.

désarmer [dezarme] vt desarmar.

désarroi [dezarwa] nm desasosiego.

désarticuler [dezartikyle] vt: **se** ~ desarticularse.

désassorti, e [dezasɔrti] a (incomplet) desemparejado(a).

désastre [dezastr(ə)] nm desastre m.

désavantage [dezavãtaʒ] nm (handicap) inferioridad f, desventaja; (inconvénient) desventaja; **désavantager** vt perjudicar, desfavorecer; **désavantageux, euse** a desventajoso(a), desfavorable.

désaveu [dezavø] nm desaprobación f, rechazo.

désavouer [dezavwe] vt desaprobar.

désaxé, e [dezakse] a, nm/f
(personne) desequilibrado(a).

désaxer [dezakse] vt (roue)
descentrar.

desceller [desele] vt desempotrar,
arrancar.

descendance [desãdãs] nf
descendencia.

descendant, e [desãdã, ãt] nm/f
descendiente m/f // a voir marée.

descendre [desãdr(ə)] vi
descender, bajar; (rivière) ir río
abajo; (valise, paquet) bajar; (fam)
apiolar; (: avion) derribar // vi
descender; (passager, avion,
voiture) descender, bajar; (niveau,
température, voix) bajar; (nuit)
caer; ~ de (famille) descender de;
~ du train/d'un arbre/de cheval
bajar del tren/de un árbol/del
caballo; ~ à l'hôtel parar en un
hotel; ~ dans la rue (manifester)
marchar en manifestación.

descente [desãt] nf descenso,
bajada; (route) pendiente f, bajada;
(SKI) descenso; ~ de lit alfombrilla
de cama; ~ de police operativo,
allanamiento.

descriptif, ive [dɛskriptif, iv] a
descriptivo(a).

description [dɛskripsjɔ̃] nf descripción f.

désembuer [dezãbɥe] vt desempa-
ñar.

désemparer [dezãpare] vi: sans
~ sin parar.

désemplir [dezãplir] vi: ne pas ~
estar siempre lleno(a).

désenfler [dezãfle] vi deshinchar.

désengagement [dezãgaʒmã] nm
(POL) rompimiento del compromiso.

désensibiliser [desãsibilize] vt
insensibilizar.

dépaissir [depesir] vt
(cheveux) ralear, entresacar.

déséquilibre [dezekilibr(ə)] nm
desequilibrio; **en ~** desequili-
brado(a).

déséquilibrer [dezekilibre] vt

(personne) desequilibrar.

désert, e [dezɛr, ɛrt(ə)] a
desierto(a) // nm desierto.

déserter [dezɛrte] vi (MIL)
desertar // vt abandonar; **déserteur**
nm desertor m.

désertique [dezɛrtik] a desérti-
co(a).

désescalade [dezeskalad] nf (MIL)
disminución, en frecuencia y
gravedad, de los operativos militares;
(sociale) descenso, caída.

désespéré, e [dezɛspere] a, nm/f
desesperado(a).

désespérer [dezɛspere] vi desesperar; ~ **de qn** no confiar más en
alguien.

désespoir [dezɛspwar] nm deses-
peranza, desesperación f.

déshabillé, e [dezabije] a desvesti-
do(a) // nm traje m de casa, desha-
billé m.

déshabiller [dezabije] vt desvestir;
se ~ desvestirse.

déshabituer [dezabitɥe] vt: **se ~
de** desacostumbrarse o deshabituar-
se de.

désherbant [dezɛrbã] nm
herbicida m.

désherber [dezɛrbe] vt desherbar.

déshériter [dezerite] vt desheredar.

déshonneur [dezɔnœr] nm
deshonor m, deshonra; **déshonorer**
vt deshonrar.

déshydrater [dezidrate] vt deshi-
dratar.

déshypothéquer [dezipoteke] vt
deshipotecar.

design [dizajn] nm dibujo, diseño.

désignation [dezinasjɔ̃] nf
designación f.

désigner [dezine] vt señalar,
indicar; (suj: symbole, signe)
designar, representar; (nommer)
designar, nombrar.

désillusion [dezilyzjɔ̃] nf desilusión
f.

désinence [dezinãs] nf desinencia.

désinfectant, e [dezɛ̃fɛktã, ãt] a,
nm desinfectante (m).

désinfecter [dezɛ̃fɛkte] vt desinfectar.

désintégrer [dezɛ̃tegre] vt desintegrar; **se ~** vi desintegrarse.

désintéressement [dezɛ̃teRɛsmɑ̃] nm desinterés m.

désintéresser [dezɛ̃teRese] vt: **se ~ (de)** desinteresarse (de).

désintérêt [dezɛ̃teRɛ] nm desinterés m.

désintoxication [dezɛ̃tɔksikasjɔ̃] nf: **cure de ~** cura de desintoxicación.

désinvolte [dezɛ̃vɔlt(ə)] a desenvuelto(a).

désir [deziR] nm deseo, anhelo; (politesse): **exprimer le ~ de** expresar el deseo de.

désirer [deziRe] vt desear, anhelar; (femme) desear; **~ que/faire qch** desear que/hacer algo.

désister [deziste] : **se ~** vi desistir (a una candidatura).

désobéir [dezɔbeiR] vi: **~ (à qn/qch)** desobedecer (a alguien/algo); **désobéissant, e** a desobediente.

désobligeant, e [dezɔbliʒɑ̃, ɑ̃t] a descortés, desagradable.

désodorisant, e [dezɔdɔRizɑ̃, ɑ̃t] a, nm desodorante (m).

désœuvré, e [dezœvRe] a, nm/f ocioso(a), desocupado(a).

désœuvrement [dezœvRəmɑ̃] nm ocio.

désolant, e [dezɔlɑ̃, ɑ̃t] a desolador(a), lamentable.

désolé, e [dezɔle] a desolado(a); **je suis ~, il n'y en a plus** lo siento mucho, no hay más.

désoler [dezɔle] vt afligir, desconsolar.

désolidariser [desɔlidaRize] vt: **se ~ (de** ou **d'avec)** dejar de ser solidario(a) (con).

désopilant, e [dezɔpilɑ̃, ɑ̃t] a jocoso(a), hilarante.

désordonné, e [dezɔRdɔne] a desordenado(a).

désordre [dezɔRdR(ə)] nm desorden m; **~s** mpl desórdenes mpl; **en ~** en desorden; **dans le ~** (tiercé)

sin dar el orden (en una apuesta triple).

désorganiser [dezɔRganize] vt desorganizar.

désorienter [dezɔRjɑ̃te] vt desorientar.

désormais [dezɔRmɛ] ad en adelante, desde ahora.

désosser [dezɔse] vt deshuesar.

despote [dɛspɔt] nm déspota m; **despotisme** nm despotismo.

desquels, desquelles [dekɛl] prép + pron voir **lequel**.

dessaisir [deseziR]: **se ~ de** vt desprenderse de.

dessaler [desale] vt desalar // vi (voilier) dar una vuelta de campana.

desséché, e [deseʃe] a seco(a).

dessécher [deseʃe] vt secar, desecar; (fig) endurecer, insensibilizar; **se ~** (plante) secarse, agostarse.

dessein [desɛ̃] nm designio, intención f; **dans le ~ de** con el propósito de; **à ~** a propósito, adrede.

desserrer [deseRe] vt aflojar; (ÉCON: crédit) reabrir.

dessert [desɛR] nm postre m.

desserte [desɛRt(ə)] nf (table) mesa de servicio.

desservir [desɛRviR] vt quitar; (ville etc) hacer el servicio de; (nuire) perjudicar.

dessiller [desije]: **se ~** vi desengañarse.

dessin [desɛ̃] nm (tableau) dibujo; (plan, projet) plano, diseño; (motif) veta; (contour) contorno; (art): **le ~** el dibujo; **le ~ industriel** el diseño industrial; **~ animé** dibujo animado; **~ humoristique** dibujo humorístico; **~ateur, trice** [desinatœR, tRis] nm/f dibujante m/f; (industriel) diseñador/ora; **~er** [desine] vt dibujar; diseñar; **se ~er** vi dibujarse; (fig) esbozarse, precisarse.

dessoûler [desule] vt quitar la borrachera a.

dessous [dəsu] *ad* debajo, abajo // *nm* la parte inferior // *mpl* (*fig*) intríngulis *mpl*; (*sous-vêtements*) ropa interior; **l'appartement du ~** el apartamento de abajo; **en ~** abajo, por debajo; (*fig*) a hurtadillas, arteramente; **par ~** por debajo; **au ~** debajo, abajo; **de ~** de abajo; **au ~ de** *prép* por debajo de, bajo; (*fig*) por debajo de, inferior a; **avoir le ~** tener *o* llevar la peor parte; **~-de-plat** *nm* salvamantel *m*.

dessus [dəsy] *ad* arriba, encima // *nm* la parte superior; **en ~** encima, arriba; **par ~** (por) encima, (por) arriba; **au ~** arriba, encima; **l'appartement du ~** el apartamento de arriba; **de ~** de arriba, de encima; **au ~ de** *prép* por encima de, sobre; (*fig*) por encima de, superior a; **avoir/prendre le ~** tener/llevar la mejor parte; **reprendre le ~** rehacerse, recobrarse; **~-de-lit** *nm* cubrecama *m*.

destin [dɛstɛ̃] *nm* destino.

destinataire [dɛstinatɛʀ] *nm/f* destinatario/a.

destination [dɛstinɑsjɔ̃] *nf* destino; (*fig*) destino, empleo.

destinée [dɛstine] *nf* destino.

destiner [dɛstine] *vt* destinar.

destituer [dɛstitɥe] *vt* destituir.

destruction [dɛstʀyksjɔ̃] *nf* destrucción *f*.

désuet, uète [desɥɛ, ɛt] *a* desusado(a), anticuado(a).

désunir [dezyniʀ] *vt* (*brouiller*) desunir; **se ~** *vi* (*athlète*) perder el ritmo.

détachant [detaʃɑ̃] *nm* quitamanchas *m inv*.

détaché, e [detaʃe] *a* (*fig*) indiferente, despreocupado(a).

détachement [detaʃmɑ̃] *nm* desprendimiento; agregación *f*; (*MIL*) destacamento.

détacher [detaʃe] *vt* desprender, soltar; (*représentant, envoyé*) destacar, agregar; (*nettoyer*) desmanchar; (*MIL*) destacar; **se ~** (*SPORT*) separarse adelantándose; (*tomber*) desprenderse, caer; (*fig*) destacarse; (*se désintéresser*) desapegarse, desinteresarse.

détail [detaj] *nm* detalle *m*; (*COMM*): **le ~** el menudeo, la venta al por menor; (*COMM*): **au ~** al por menor.

détaillant [detajɑ̃] *nm* minorista *m*.

détaillé, e [detaje] *a* detallado(a).

détailler [detaje] *vt* (*denrée*) vender al por menor *o* menudeo.

détartrer [detaʀtʀe] *vt* (*radiateur*) desincrustar.

détaxer [detakse] *vt* desgravar.

détecter [detɛkte] *vt* detectar; **détecteur** *nm* (*TECH*) detector *m*; **détection** *nf* descubrimiento, detección *f*.

détective [detɛktiv] *nm* detective *m*; **~ (privé)** detective (privado).

déteindre [detɛ̃dʀ(ə)] *vi* desteñir; (*fig*): **~ sur** influir sobre, contagiar.

dételer [dɛtle] *vt* (*cheval*) desenganchar.

détendre [detɑ̃dʀ(ə)] *vt* (*fil, élastique*) aflojar; (*PHYSIQUE: gaz*) descomprimir; (*personne*) relajar; **se ~** *vi* aflojarse; (*se reposer*) relajarse, descansarse // *vt* relajarse; **détendu, e** *a* (*calme*) calmado(a); sin tensión *f*.

détenir [dɛtniʀ] *vt* guardar, poseer; (*otage, prisonnier*) detener; (*record*) tener, poseer; (*POL*): **~ le pouvoir** detentar el poder.

détente [detɑ̃t] *nf* (*relaxation*) calma, relajación *f*; (*fig*) calma, tranquilidad *f*; (*loisirs*) esparcimiento; (*d'une arme*) disparador *m*, gatillo; (*SPORT*) resorte *m*.

détenteur, trice [detɑ̃tœʀ, tʀis] *nm/f* poseedor/ora; detentor/ora.

détention [detɑ̃sjɔ̃] *nf*: **~ préventive** detención *o* prisión preventiva.

détenu, e [dɛtny] *nm/f* detenido/a.

détergent [detɛʀʒɑ̃] *nm* detergente *m*.

détériorer [deteʀjɔʀe] *vt* deteriorar, estropear; **se ~** *vi* deteriorarse.

déterminant, e [detɛʀminɑ̃, ɑ̃t] *a*, *nm* determinante (*m*).

déterminatif, ive [detɛʀminatif, iv] *a* determinativo(a) // *nm* determinativo.

déterminé, e [detɛʀmine] *a* decidido(a); (*fixé*) determinado(a).

déterminer [detɛʀmine] *vt* (*fixer*) determinar; (*fig*): ~ **qn (à)** decidir a alguien (a); **se** ~ **(à)** decidirse *o* determinarse (a).

déterminisme [detɛʀminism(ə)] *nm* determinismo.

déterrer [detɛʀe] *vt* desenterrar.

détersif, ive [detɛʀsif, iv] *a* detersivo(a), detergente // *nm* detergente *m*.

détester [detɛste] *vt* aborrecer, detestar; (*sens affaibli*) detestar, no poder ver.

détonateur [detɔnatœʀ] *nm* detonador *m*, fulminante *m*.

détonation [detɔnasjɔ̃] *nf* detonación *f*.

détoner [detɔne] *vi* detonar.

détonner [detɔne] *vi* desentonar.

détour [detuʀ] *nm* rodeo, vuelta; (*tournant, courbe*) curva, recodo; (*fig*) rodeo.

détourné, e [detuʀne] *a* (*moyen*) indirecto(a).

détournement [detuʀnəmɑ̃] *nm*: ~ **d'avion** desvío de un avión; ~ **(de fonds)** malversación *f* de fondos, desfalco; ~ **de mineur** corrupción *f* de menores.

détourner [detuʀne] *vt* desviar; (*yeux, tête*) desviar, volver; (*de l'argent*) desfalcar; **se** ~ *vi* volverse; ~ **qn de** (*fig*) apartar a alguien de.

détracteur, trice [detʀaktœʀ, tʀis] *nm/f* detractor/ora.

détraquer [detʀake] *vt* descomponer.

détrempe [detʀɑ̃p] *nf* (*PEINTURE*) temple *m*; (*TECH*) destemple *m*.

détrempé, e [detʀɑ̃pe] *a* (*sol*) empapado(a).

détresse [detʀɛs] *nf* (*désarroi*) angustia; (*misère*) desamparo; **en** ~ en peligro.

détriment [detʀimɑ̃] *nm*: **au** ~ **de** en detrimento de; **à mon/son** ~ en mi/su perjuicio.

détritus [detʀitys] *nmpl* detritus *m*, detrito.

détroit [detʀwa] *nm* estrecho.

détromper [detʀɔ̃pe] *vt* desengañar; **se** ~ desengañarse.

détrôner [detʀone] *vt* destronar.

détruire [detʀɥiʀ] *vt* destruir; (*population*) destruir, exterminar.

dette [dɛt] *nf* deuda.

deuil [dœj] *nm* duelo; **porter le** ~ llevar luto; **être en** ~ estar de duelo.

deux [dø] *num* dos; ~ **points** dos puntos; ~**ième** [døzjɛm] *a* segundo(a); ~**-temps** *a* (*moteur*) de dos tiempos.

dévaler [devale] *vt* bajar rápidamente.

dévaliser [devalize] *vt* desvalijar.

dévaluer [devalɥe] *vt* devaluar; **se** ~ vi devaluarse.

devancer [dəvɑ̃se] *vt* (*être devant*) preceder, adelantarse a; (*arriver avant, aussi fig*) adelantarse a; (*prévenir, anticiper*) adelantarse a, prevenir; (*MIL*): ~ **l'appel** alistarse como voluntario.

devant [dəvɑ̃] *ad* delante, adelante // *prép* delante de; (*fig*) ante // *nm* (*de maison*) fachada; (*d'un vêtement, d'une voiture*) delantera; **par** ~ ante, por delante; **pattes de** ~ patas delanteras; **aller au** ~ **de qn/qch** salir al paso *o* ir al encuentro de alguien/algo.

devanture [dəvɑ̃tyʀ] *nf* fachada; (*étalage*) escaparate *m*.

dévaster [devaste] *vt* devastar.

déveine [devɛn] *nf* mala suerte *f*.

développement [devlɔpmɑ̃] *nm* desarrollo; revelado; despliegue *m*; (*exposé*) desarrollo; (*rebondissement*) alternativa.

développer [devlɔpe] *vt* desarrollar; (*photo*) revelar; (*déplier*) desenrollar, desplegar; **se** ~ *vi* desarrollarse.

devenir [dəvniʀ] *vb avec attribut* volverse.

devers [dəvɛʀ] *ad:* **par** ~ **soi** para sí, en su poder.

déverser [devɛʀse] *vt* verter, derramar; (*fig*) descargar, volcar; **se** ~ **dans** verterse en.

dévêtir [devɛtiʀ] *vt* desvestir, desnudar.

déviation [devjɑsjɔ̃] *nf* desviación *f*, desvío; (AUTO) desvío; (MÉD): ~ **de la colonne (vertébrale)** desviación de la columna (vertebral).

dévider [devide] *vt* devanar.

deviens *etc vb voir* **devenir**.

dévier [devje] *vt, vi* desviar.

devin [dəvɛ̃] *nm* adivino.

deviner [dəvine] *vt* adivinar; (*apercevoir*) adivinar, atisbar; **devinette** *nf* adivinanza.

devis [dəvi] *nm* presupuesto.

dévisager [deviʒaʒe] *vt* mirar de arriba abajo.

devise [dəviz] *nf* lema *m*, divisa; (ÉCON) divisa.

deviser [dəvize] *vi* platicar.

dévisser [devise] *vt* destornillar, desatornillar.

dévitaliser [devitalize] *vt* matar el nervio de.

dévoiler [devwale] *vt* (*statue*) descubrir; (*fig*) revelar, descubrir.

devoir [dəvwaʀ] *nm* deber *m*; (*scolaire*) deber, tarea // *vt* deber; (*obligation*): ~ **faire qch** tener que hacer algo.

dévolu, e [devɔly] *a:* ~ **à qn** destinado o atribuido a alguien.

dévorer [devɔʀe] *vt* devorar.

dévot, e [devo, ɔt] *a, nm/f* devoto(a).

dévoué, e [devwe] *a* adicto(a), fiel; **être** ~ **à qn** ser adicto a alguien.

dévouement [devumɑ̃] *nm* devoción *f*, adhesión *f*.

dévouer [devwe] *vt:* **se** ~ **vi: se** ~ **(pour)** sacrificarse (por); **se** ~ **à** dedicarse o consagrarse a.

dévoyé, e [devwaje] *a* descarria-

do(a), perdido(a) // *nm/f* perdido/a.

devrai *etc vb voir* **devoir**.

dextérité [dɛksteʀite] *nf* destreza.

diabète [djabɛt] *nm* diabetes *f*; **diabétique** *nm/f* diabético/a.

diable [djɑbl(ə)] *nm* diablo.

diabolique [djabɔlik] *a* diabólico(a).

diacre [djakʀ(ə)] *nm* diácono.

diadème [djadɛm] *nm* diadema *f*.

diagnostic [djagnɔstik] *nm* diagnóstico; **diagnostiquer** *vt* diagnosticar.

diagonal, e, aux [djagɔnal, o] *a, nf* diagonal (*f*); **en** ~ **e** en diagonal; (*fig*) a la ligera, superficialmente.

diagramme [djagʀam] *nm* diagrama *m*.

dialecte [djalɛkt(ə)] *nm* dialecto.

dialogue [djalɔg] *nm* diálogo; **dialoguer** *vi* (POL) dialogar.

diamant [djamɑ̃] *nm* diamante *m*.

diamétralement [djametʀalmɑ̃] *ad* diametralmente.

diamètre [djamɛtʀ(ə)] *nm* diámetro.

diapason [djapazɔ̃] *nm* (MUS: *instrument*) diapasón *m*.

diaphragme [djafʀagm(ə)] *nm* diafragma *m*.

diapositive [djapozitiv] *nf* diapositiva.

diarrhée [djaʀe] *nf* diarrea.

dictaphone [diktafɔn] *nm* dictáfono.

dictateur [diktatœʀ] *nm* dictador *m*; **dictatorial, e, aux** *a* dictatorial.

dictature [diktatyʀ] *nf* dictadura.

dictée [dikte] *nf* dictado.

dicter [dikte] *vt* dictar.

diction [diksjɔ̃] *nf* dicción *f*.

dictionnaire [diksjɔnɛʀ] *nm* diccionario.

didactique [didaktik] *a* didáctico(a).

dicton [diktɔ̃] *nm* dicho, refrán *m*.

dièse [djɛz] *nm* sostenido.

diesel [djezɛl] *nm* diesel *m*; **un (véhicule/moteur)** ~ **un (vehículo/motor)** diesel.

diète [djɛt] _nf_ dieta; **être à la ~** estar a dieta o dieta _m/f_.

diététicien, ienne [djetetisjɛ̃, jɛn] _nm/f_ dietista _m/f_.

diététique [djetetik] _a_ dietético(a) // _nf_ dietética.

dieu, x [djø] _nm_ dios _m_; (_fig_) dios, ídolo.

diffamation [difamɑsjɔ̃] _nf_ difamación _f_; **attaquer qn en ~** atacar a alguien difamándole.

diffamer [difame] _vt_ difamar.

différé [difeke] _nm_ (_TV_): **en ~** diferido(a).

différence [difeʀɑ̃s] _nf_ diferencia; **à la ~ de** a diferencia de; **différencier** _vt_ diferenciar; **se ~ de** diferenciarse de.

différend [difeʀɑ̃] _nm_ discrepancia, diferencia.

différent, e [difeʀɑ̃, ɑ̃t] _a_ diferente.

différentiel, le [difeʀɑ̃sjɛl] _a, nm_ diferencial (_m_).

différer [difeʀe] _vt_ diferir // _vi_: **~ (de)** diferir de; **~ de (faire qch)** demorar (en hacer algo).

difficile [difisil] _a_ difícil; **~ment** _ad_ difícilmente.

difficulté [difikylte] _nf_ dificultad _f_; (_ennui_) dificultad, contratiempo; **faire des ~s (pour)** poner dificultades o trabas (para); **en ~** en apuros; **avoir de la ~ à faire qch** tener dificultad para hacer algo.

difforme [difɔʀm] _a_ deforme.

diffus, e [dify, yz] _a_ (_lumière, bruit_) difuso(a).

diffuser [difyze] _vt_ difundir; **diffuseur** _nm_ (_de lumière_) difusor _m_; **diffusion** _nf_ difusión _f_; **journal à grande diffusion** diario de gran difusión.

digérer [diʒeʀe] _vt_ digerir; (_suj: machine_) tragar, devorar; (_fig_) digerir; **digestible** _a_ digerible.

digestif, ive [diʒɛstif, iv] _a_ digestivo(a) // _nm_ licor _m_.

digestion [diʒɛstjɔ̃] _nf_ digestión _f_.

digital, e, aux [diʒital, o] _a_ digital.

digne [diɲ] _a_ digno(a); **~ de**

digno(a) de; **être ~ que** ser digno(a) de que, ser digno(a) de.

dignitaire [diɲitɛʀ] _nm_ dignatario.

dignité [diɲite] _nf_ dignidad _f_.

digression [digʀɛsjɔ̃] _nf_ digresión _f_.

digue [dig] _nf_ dique _m_.

diktat [diktat] _nm_ imposición _f_.

dilater [delate] _vt_ dilatar; **se ~** _vi_ dilatarse.

dilemme [dilɛm] _nm_ dilema _m_.

diligence [diliʒɑ̃s] _nf_ diligencia.

diligent, e [diliʒɑ̃, ɑ̃t] _a_ diligente.

diluer [dilɥe] _vt_ diluir.

diluvien, ne [dilyvjɛ̃, jɛn] _a_: **pluie ~ne** lluvia torrencial.

dimanche [dimɑ̃ʃ] _nm_ domingo.

dimension [dimɑ̃sjɔ̃] _nf_ dimensión _f_.

diminuer [diminɥe] _vt_ disminuir; (_fig_) disminuir, menguar; (_personne_) disminuir, debilitar; (: _moralement_) disminuir, rebajar // _vi_ disminuir, menguar; (_intensité_) disminuir, atenuar.

diminutif [diminytif] _nm_ diminutivo.

diminution [diminysjɔ̃] _nf_ disminución _f_; menguado; (_tricot_) menguado.

dinde [dɛ̃d] _nf_ pava.

dindon [dɛ̃dɔ̃] _nm_ pavo.

dîner [dine] _nm_ cena _f_ // _vi_ cenar.

dinosaure [dinɔzɔʀ] _nm_ dinosaurio.

diocèse [djɔsɛz] _nm_ diócesis _f_.

diphtérie [difteʀi] _nf_ difteria.

diphtongue [diftɔ̃g] _nf_ diptongo.

diplomate [diplɔmat] _a_ diplomático(a) // _nm_ diplomático; **diplomatie** [diplɔmasi] _nf_ diplomacia; **diplomatique** _a_ diplomático(a).

diplôme [diplom] _nm_ diploma _m_; (_examen_) examen para graduarse; **diplômé, e** _a_ diplomado(a).

dire [diʀ] _nm_: **au ~ de** según lo que, en la opinión de; **~s** _mpl_ afirmaciones _fpl_, opiniones _fpl_ // _vt_ decir; (_réciter_) decir, recitar; (_suj: horloge etc_) indicar, marcar; **~ qch à qn** decir algo a alguien; **n'avoir**

rien à ~ à qch no tener nada que decir de algo; **vouloir ~ (que)** querer decir (que); **cela me/lui dit (de faire)** me/le atrae (hacer); **on dirait que** se diría que; **on dirait un chat** *etc* se diría que es un gato *etc*; **à vrai ~** a decir verdad; **pour ainsi ~** por así decir; **cela va sans ~ ¡ni qué decir tiene!**; **tu peux le ~, à qui le dis-tu** bien puedes decirlo, tan luego a mí me lo dices.

direct, e [dirɛkt] *a* directo(a) // *nm* (*BOXE*) directo; **~ement** *ad* directamente.

directeur, trice [dirɛktœr, tris] *a* (*principale, fil*) conductor(ora) // *nm/f* director/ora; **comité ~** comité directivo; (*SCOL*): ~ **de thèse** padrino de tesis.

direction [dirɛksjɔ̃] *nf* dirección *f*; ~ **de la surveillance du territoire, DST** servicio de seguridad interna.

directive [dirɛktiv] *nf* orden *f*, disposición *f*.

directorial, e, aux [dirɛktɔrjal, jo] *a* del director.

dirigeable [diriʒabl(ə)] *a, nm*: (*ballon*) ~ (globo) dirigible.

diriger [diriʒe] *vt* dirigir; (*véhicule*) conducir; **se ~ dirigirse**.

dirigisme [diriʒism(ə)] *nm* intervencionismo.

dis *vb voir* **dire**.

discerner [disɛrne] *vt* discernir, distinguir; (*fig*) discernir.

disciple [disipl(ə)] *nm* (*REL*) discípulo/a; (*fig*) discípulo/a.

disciplinaire [disiplinɛr] *a* disciplinario/a.

discipline [disiplin] *nf* disciplina; **discipliner** *vt* disciplinar.

discontinu, e [diskɔ̃tiny] *a* (*bruit, effort*) discontinuo/a.

discontinuer [diskɔ̃tinɥe] *vi*: **sans ~** sin interrupción *f*.

disconvenir [diskɔ̃vnir] *vi*: **ne pas ~ de qch** no negar algo.

discophile [diskɔfil] *nm/f* discófilo/a, amante *m/f* de los discos.

discordant, e [diskɔrdã, ãt] *a* discordante.

discorde [diskɔrd(ə)] *nf* discordia.

discothèque [diskɔtɛk] *nf* discoteca.

discourir [diskurir] *vi* disertar, perorar.

discours [diskur] *nm* discurso; (*bavardages*) palabrería, charla; (*LING*) oración *f*.

discréditer [diskredite] *vt* desacreditar.

discret, ète [diskrɛ, ɛt] *a* discreto(a); **un endroit ~** un lugar tranquilo o reservado; **discrètement** *ad* discretamente; **discrétion** *f*, discreción *f*; **être à la discrétion de qn** depender de la voluntad de alguien; **à discrétion** (*boisson etc*) a discreción.

discrimination [diskriminasjɔ̃] *nf* discriminación *f*.

discriminatoire [diskriminatwar] *a* discriminatorio/a.

disculper [diskylpe] *vt* absolver; **se ~ disculparse**, justificarse.

discussion [diskysjɔ̃] *nf* discusión *f*; ~**s** *fpl* (*négociations*) negociaciones *fpl*.

discuter [diskyte] *vt* discutir; ~ **de** discutir sobre.

disent *vb voir* **dire**.

disette [dizɛt] *nf* escasez *f*, hambre *f*.

diseuse [dizøz] *nf*: ~ **de bonne aventure** echadora de buenaventura.

disgrâce [disgras] *nf* desgracia.

disgracieux, euse [disgrasjø, jøz] *a* desagradable, falto(a) de gracia.

disjoindre [disʒwɛ̃dr(ə)] *vt* (*pierre, tuyau*) desunir; **se ~** *vi* desunirse.

disjoncteur [disʒɔ̃ktœr] *nm* disyuntor *m*.

disloquer [dislɔke] *vt* (*membre*) dislocar; (*chaise*) desvencijar; (*troupe, manifestants*) dispersar; **se ~** *vi* (*parti, empire*) disgregarse, desmembrarse; **se ~ l'épaule** dislocarse el hombro.

disons *vb voir* **dire**.

disparaître [disparɛtR(ə)] vi desaparecer.

disparate [disparat] a contrastante, dispar.

disparité [disparite] nf disparidad f.

disparition [disparisjɔ̃] nf desaparición f.

disparu, e [dispary] nm/f desaparecido/a.

dispensaire [dispɑ̃sɛR] nm dispensario.

dispense [dispɑ̃s] nf dispensa.

dispenser [dispɑ̃se] vt dispensar; **se ~ de qch/faire qch** disculparse de algo/hacer algo.

disperser [dispɛRse] vt dispersar; (objets, bureaux) desparramar, dispersar; **se ~** vi dispersarse, desparramarse; (penseur, chercheur) dispersarse.

disponibilité [disponibilite] nf disponibilidad f.

disponible [dispɔnibl(ə)] a disponible.

dispos, e [dispo, oz] a: (frais et) ~ pimpante.

disposé, e [dispoze] a: **bien** ou **mal** ~ (personne) de buen o mal humor.

disposer [dispoze] vt disponer; **se ~ à disponerse a //** vi: **vous pouvez** ~ puede usted retirarse.

dispositif [dispozitif] nm dispositivo; (fig) operativo.

disposition [dispozisjɔ̃] nf disposición f; (tendance) predisposición f; ~**s** fpl (aptitudes) disposiciones fpl; (intentions) predisposiciones fpl, intenciones fpl.

disproportion [dispRɔpɔRsjɔ̃] nf desproporción f; ~**né, e** a desproporcionado(a).

dispute [dispyt] nf disputa.

disputer [dispyte] vt disputar; **se ~** vi pelearse.

disquaire [diskɛR] nm/f vendedor/ora de discos.

disqualification [diskalifikasjɔ̃] nf descalificación f.

disqualifier [diskalifje] vt (SPORT) descalificar.

disque [disk(ə)] nm disco.

dissection [disɛksjɔ̃] nf disección f.

dissemblable [disɑ̃blabl(ə)] a desemejante, diferente.

disséminer [disemine] vt diseminar; (chasser) dispersar.

dissension [disɑ̃sjɔ̃] nf disensión f, desavenencia.

disséquer [diseke] vt disecar.

dissertation [disɛRtɑsjɔ̃] nf (SCOL) redacción f.

disserter [disɛRte] vi discutir; (écrire) redactar; ~ **sur** disertar sobre.

dissident, e [disidɑ̃, ɑ̃t] a, nm/f disidente (m/f).

dissimulation [disimylɑsjɔ̃] nf disimulación f, disimulo.

dissimuler [disimyle] vt disimular; (masquer à la vue) disimular, ocultar; **se ~** ocultarse; (être masqué, caché) encubrirse, ocultarse.

dissipé, e [disipe] a indisciplinado(a), indócil.

dissiper [disipe] vt disipar; **se ~** vi disiparse; (perdre sa concentration) dispersarse.

dissolution [disɔlysjɔ̃] nf disolución f.

dissolvant [disɔlvɑ̃, ɑ̃t] a disolvente // nm (CHIMIE) solvente m; ~ (gras) disolvente m, solvente.

dissonant, e [disɔnɑ̃, ɑ̃t] a disonante.

dissoudre [disudR(ə)] vt disolver; **se ~** vi disolverse.

dissuader [disɥade] vt disuadir; **dissuasion** [disɥazjɔ̃] nf disuasión f.

distance [distɑ̃s] nf distancia; **à ~** a distancia; **tenir qn à ~** mantener a distancia a alguien; **prendre/garder ses ~s** tomar/guardar las distancias; **tenir la ~** (SPORT) mantener la distancia.

distancer [distɑ̃se] vt (concurrent) distanciarse de.

distant, e [distɑ̃, ɑ̃t] a distante.

distendre [distɑ̃dR(ə)] vt distender, aflojar; **se ~** vi distenderse, aflojarse.

distillation [distilasjɔ̃] nf destilación f.

distillé, e [distile] a: **eau ~e** agua destilada.

distiller [distile] vt destilar; **~ie** [distilRi] nf destilería.

distinct, e [distɛ̃, ɛ̃kt(ə)] a distinto(a), diverso(a); (clair, net) preciso(a), claro(a); **~if, ive** [distɛ̃ktif, iv] a distintivo(a).

distinction [distɛ̃ksjɔ̃] nf distinción f; (distingue) distingo, distinción.

distingué, e [distɛ̃ge] a distinguido(a).

distinguer [distɛ̃ge] vt distinguir; **se ~** distinguirse.

distorsion [distɔrsjɔ̃] nf (fig) distorsión f, desequilibrio.

distraction [distraksjɔ̃] nf distracción f; (bévue, oubli) distracción, descuido.

distraire [distrɛr] vt distraer // vi, **se ~** distraerse.

distrait, e [distrɛ, ɛt] a distraído(a).

distribuer [distribɥe] vt distribuir, repartir; (rôles, film, livres) distribuir; **distributeur, trice** nm/f distribuidor/ora // nm: **distributeur (automatique)** distribuidor (automático); **distribution** nf distribución f, (choix d'acteurs) reparto.

district [distrikt] nm distrito.

dit, e pp de **dire** // a: **le jour ~ le** día fijado; **X, ~ Pierrot** X, alias o llamado Pedrito.

diurétique [djyretik] a diurético(a).

diurne [djyrn(ə)] a diurno(a).

divaguer [divage] vi divagar.

divan [divɑ̃] nm diván m; **~-lit** nm diván cama.

divergent, e [diverʒɑ̃, ɑ̃t] a divergente; (opinions etc) divergente, discrepante.

diverger [diverʒe] vi divergir, discrepar; (rayons, lignes) divergir.

divers, e [diver, ɛrs(ə)] a diverso(a), vario(a) // dét varios(as), diversos(as); (rubrique)

"~" (section f) varios; **(frais) ~ faire ~ (à)** entretener (a).

diversion [diversjɔ̃] nf diversión f;

diversité [diversite] nf diversidad f, multiplicidad f.

divertir [divertir] vt divertir; **se ~** divertirse; **divertissement** nm diversión f; (MUS) divertimento.

dividende [dividɑ̃d] nm dividendo.

divin, e [divɛ̃, in] a divino(a).

divination [divinasjɔ̃] nf adivinación f.

divinité [divinite] nf divinidad f.

diviser [divize] vt dividir; (subdiviser) dividir, subdividir; (séparer, opposer) dividir, escindir; **se ~ (en)** dividirse (en), subdividirse (en).

diviseur [divizœr] nm divisor m.

division [divizjɔ̃] nf división f; (secteur, branche, graduation) división, subdivisión f; (désaccord) división, escisión f.

divorce [divɔrs(ə)] nm divorcio; **divorcé, e** nm/f divorciado(a); **divorcer** vi divorciarse; **divorcer de ou d'avec qn** divorciarse de alguien.

divulguer [divylge] vt divulgar.

dix [dis] num diez; **~ième** [dizjɛm] num décimo(a) // nm (fraction) décimo; **dizaine** [dizɛn] nf decena; **une dizaine de...** una decena de..., unos; as diez... .

do [do] nm do.

docile [dɔsil] a dócil.

dock [dɔk] nm dock m; **~er** [dɔkɛr] nm cargador m o descargador m de puerto.

docteur [dɔktœr] nm (MÉD) doctor m, médico; (SCOL) doctor.

doctorat [dɔktɔra] nm: **~ d'Université** doctorado universitario; **~ d'Etat** doctorado.

doctoresse [dɔktɔrɛs] nf doctora.

doctrine [dɔktrin] nf doctrina.

document [dɔkymɑ̃] nm documento; **~aire** a documental // nm: (film) **~aire** (película) documental m; **~aliste** nm/f archivero/a; **~ation** nf (documents) documentación f; **~er** vt documentar; **se ~er (sur)** documentarse (sobre).

dodeliner [dɔdline] vi: **~ de la tête** cabecear.

dodo [dɔdo] nm: **faire ~** hacer nana.

dodu, e [dɔdy] a rollizo(a), regordete.

dogme [dɔgm(ə)] nm dogma m.

dogue [dɔg] nm dogo m.

doigt [dwa] nm dedo; **à deux ~s de** a dos pasos de, a punto de; **le petit ~** el meñique, el dedo pequeño; **~ de pied** dedo del pie.

doigté [dwate] nm (MUS) digitación f; (fig) tacto, tiento.

dois etc vb voir **devoir**.

doléances [dɔleãs] nfpl quejas.

dollar [dɔlar] nm dólar m.

dolmen [dɔlmen] nm dolmen m.

DOM sigle m = **département d'outre-mer**.

domaine [dɔmɛn] nm dominio m, (fig) dominio, ámbito.

domanial, e, aux [dɔmanjal, jo] a estatal, público(a).

dôme [dom] nm domo, cúpula.

domestique [dɔmɛstik] a, nm/f doméstico(a); **domestiquer** vt domesticar.

domicile [dɔmisil] nm domicilio; **à ~** a domicilio; **domicilié, e** a: **domicilié à** domiciliado en.

dominant, e [dɔminã, ãt] a dominante, (fig) dominante, preponderante // nf (trait) rasgo característico; (couleur) color m dominante.

domination [dɔminasjɔ̃] nf dominación f.

dominer [dɔmine] vt (subjuguer, soumettre) dominar, someter; (passions etc) dominar, reprimir; (surpasser) sobrepasar; (surplomber) dominar // vi (SPORT) dominar; (être les plus nombreux) predominar.

domino [dɔmino] nm (pièce) dominó; **~s** mpl (jeu) dominó.

dommage [dɔmaʒ] nm daño, perjuicio; (dégâts, pertes) daños,

pérdidas; **c'est ~ de faire/que...** es una lástima hacer/que...; **~s-intérêts** nmpl daños y perjuicios.

dompter [dɔ̃te] vt domar, domesticar; (fig) dominar, domeñar; **dompteur, euse** nm/f domador/ora.

don [dɔ̃] nm don m, dádiva; (aptitude) don.

donateur, trice [dɔnatœr, tris] nm/f donador/ora, donante m/f.

donation [dɔnasjɔ̃] nf donación f.

donc [dɔ̃k] conj luego, por tanto; (après une digression) entonces.

donjon [dɔ̃ʒɔ̃] nm torre f.

don juan [dɔ̃ʒɥã] nm donjuán m.

donné, e [dɔne] a: **prix/jour ~** precio/día determinado; (pas cher): **c'est ~** es regalado // nf (MATH) dato; (gén) dato, enunciado; **étant ~ ceci/que..** dado esto/que...

donner [dɔne] vt dar // vi: **~ sur** dar a o sobre; (MIL): **faire ~ l'infanterie** hacer cargar a la infantería; **se ~ à fond** (à son travail) entregarse de lleno (a su trabajo); **se ~ du mal** (à faire qch) molestarse (en) o tomarse el trabajo de (hacer algo); **donneur, euse** nm/f (MÉD) donante m/f; (CARTES) dador/ora.

dont pron relatif: **la maison ~ je vois le toit** la casa cuyo techo veo; **l'homme ~ je connais la sœur** el hombre cuya hermana conozco; **2 blessés, ~ 2 grièvement** 10 heridos, 2 de gravedad; **2 livres ~ l'un est...** 2 libros, uno de los cuales es...; **il y avait plusieurs personnes, ~** Barbara había varias personas, entre ellas Bárbara; **le fils ~ il est si fier** el hijo de quien está tan orgulloso; **ce ~ je parle** eso de que hablo; voir adjectifs et verbes à complément prépositionnel: **responsable de, souffrir de** etc.

dorénavant [dɔrenavã] ad en adelante, en lo sucesivo.

dorer [dɔre] vt, vi dorar.

dorloter [dɔrlɔte] vt (gâter) mimar.

dormir [dɔrmir] vi dormir.

dorsal, e, aux [dɔʀsal, o] a dorsal.

dortoir [dɔʀtwaʀ] nm dormitorio común; *cité* ~ (fig) barrio dormitorio.

dorure [dɔʀyʀ] nf (technique) dorado; (de livre, cahier) lomo; (d'un papier, chèque) dorso; **voir à** ~ véase al dorso; **vu de** ~ visto de espaldas; **à** ~ **de mulet/chameau** a lomo de mulo/camello.

dos [do] nm espalda, lomo; (de vêtement) espalda; (de livre, cahier) lomo; (d'un papier, chèque) dorso; **voir à** ~ véase al dorso; **vu de** ~ visto de espaldas; **à** ~ **de mulet/chameau** a lomo de mulo/camello.

dosage [dozaʒ] nm dosificación f.

dos-d'âne [dodan] nm badén m.

dose [doz] nf dosis f.

doser [doze] vt dosificar.

dossard [dɔsaʀ] nm dorsal m (de los deportistas).

dossier [dɔsje] nm expediente m, legajo; (chemise, enveloppe) carpeta; (de chaise) respaldo; (fig): **le** ~ **social** el asunto social.

dot [dɔt] nf dote f.

doter [dɔte] vt: ~ de dotar de.

douane [dwan] nf aduana; (taxes) impuesto de aduana; **douanier, ière** a, nm/f aduanero(a).

double [dubl(ə)] a doble // ad: **voir** ~ ver doble // nm doble m; (autre exemplaire) duplicado; ~ **messieurs/mixte** doble caballeros/mixto; **en** ~ (exemplaire) por duplicado; **faire** ~ **emploi** repetir repetido(a).

doubler [duble] vt duplicar; (vêtement) forrar; (dépasser) adelantarse a; (film, acteur) doblar // vi duplicarse; (SCOL) repetir; **doublure** nf forro; (CINÉMA) doble m/f.

douce [dus] af voir **doux**.

douceâtre [dusatʀ] a dulzón(ona).

doucement [dusmã] ad (délicatement) dulcemente; (lentement) despacio, lentamente; (graduellement) suavemente, gradualmente.

doucereux, euse [dusʀø, øz] a zalamero(a), empalagoso(a).

douceur [dusœʀ] nf dulzura; ~**s** fpl (friandises) golosinas

douche [duʃ] nf ducha; (fig) vicisitudes fpl; ~ **écossaise** (fig) chasqueo; **doucher** vt duchar; (fig) chasquear; **se doucher** ducharse.

doué, e [dwe] a dotado(a).

douille [duj] nf casquillo.

douillet, te [duje, ɛt] a delicado(a); (lit, maison) confortable.

douleur [dulœʀ] nf dolor m; **douloureux, euse** a doloroso(a); (membre, endroit) dolorido(a).

doute [dut] nm duda; **sans nul** ou **aucun** ~ sin duda alguna; **nul** ~ **que** no hay duda que.

douter [dute]: ~ **de** vt dudar de; **se** ~ **de/que** sospechar de/que; **douteux, euse** a dudoso(a).

douve [duv] nf (fossé) foso.

doux, douce [du, dus] a dulce, suave; (climat, région) templado(a), benigno(a).

douzaine [duzɛn] nf docena; **une** ~ **de...** unos(as) doce... .

douze [duz] num doce; **douzième** num duodécimo(a) // nm (fraction) dozavo, duodécimo.

doyen, ne [dwajɛ̃, ɛn] nm/f decano/a.

dragée [dʀaʒe] nf peladilla; (MÉD) gragea.

dragon [dʀagɔ̃] nm dragón m.

drague [dʀag] nf draga; **draguer** vt (rivière) dragar; (fam) mariposear, piñonear; **dragueur** nm (aussi: ~ **de mines**) dragador m, dragaminas m.

drain [dʀɛ̃] nm (MÉD) cánula.

drainer [dʀene] vt (sol) drenar; (fig) absorber.

dramatique [dʀamatik] a dramático(a) // nf (TV) teleteatro.

dramaturge [dʀamatyʀʒ(ə)] nm dramaturgo.

drame [dʀam] nm drama m.

drap [dʀa] nm (de lit) sábana; (tissu) paño.

drapeau, x [dʀapo] nm bandera; (en sport, de chef de gare etc) estandarte m, bandera.

draper [dʀape] vt (personne, statue) cubrir.

draperies [drapri] *nfpl* colgaduras.

drapier [drapje] *nm* pañero.

dresser [drese] *vt* enderezar; *(fig)* hacer, redactar; *(animal)* adiestrar, amaestrar; **se** ~ *vi* erguirse, levantarse; *(personne)* levantarse, ponerse de pie; ~ **l'oreille** aguzar las orejas; ~ **la table** poner la mesa; ~ **la tente** armar la tienda; ~ **qn contre qn d'autre** rebelarse uno contra alguien; **dresseur, euse** *nm/f* domador/a.

dressoir [dreswar] *nm* trinchero.

dribbler [drible] *vt* regatear.

drogue [drɔg] *nf* droga; **drogué, e** *nm/f* drogadicto/a; **droguer** *vt* drogar; **se droguer** drogarse.

droguerie [drɔgri] *nf* droguería; **droguiste** *nm/f* droguero/a.

droit, e [drwa, at] *a* derecho(a), recto(a); *(vertical, opposé à gauche)* derecho(a) // *ad* derecho // *nm* derecho // *nf* derecha; *(MATH)* recta; ~**s** *mpl (taxes)* derechos, impuestos; **avoir** ~ **à** tener derecho a; **à qui de** ~ a quien corresponda; **à** ~**e (de)** a la derecha (de); **venir de** ~**e** venir de la derecha; ~ **de vote** derecho al voto; **droitier, ière** *nm/f* diestro/a.

drôle [drol] *a* gracioso(a); *(bizarre)* singular, curioso(a).

dromadaire [drɔmadɛr] *nm* dromedario.

dru, e [dry] *a* tupido(a), espeso(a).

drugstore [drœgstɔr] *nm* tienda de artículos de farmacia, limpieza y comestibles.

DST *sigle f voir* **direction.**

du [dy] *prép + dét, dét voir* **de.**

dû, e [dy] *pp de* **devoir** // *a* debido(a) // *nm (somme)* (lo) debido.

Dublin [dyblɛ̃] *n* Dublín.

duc [dyk] *nm* duque *m*; **duché** [dyʃe] *nm* ducado; **duchesse** [dyʃɛs] *nf* duquesa.

duel [dɥɛl] *nm* duelo.

dûment [dymɑ̃] *ad* debidamente.

dune [dyn] *nf* duna.

duo [dɥo] *nm* dúo.

duper [dype] *vt* embaucar, engañar.

duplex [dyplɛks] *nm* dúplex *m*.

duplicata [dyplikata] *nm inv* duplicado.

duplicateur [dyplikatœr] *nm* multicopista *m*.

duplicité [dyplisite] *nf* duplicidad *f*, doblez *m*.

duquel [dykɛl] *prép + pron voir* **lequel.**

dur, e [dyr] *a* duro(a); *(lumière, voix, climat)* crudo(a), duro(a); *(résistant)* duro(a), fuerte // *nm*: **en** ~ **de fábrica** // *ad* duro, duramente; ~ **d'oreille** duro de oídos.

duralumin, dural [dyralymɛ̃, dyral] *nm* duraluminio.

durant [dyrɑ̃] *prép* durante; ~ **des mois, des mois** ~ durante meses.

durcir [dyrsir] *vt* endurecer // *vi,* **se** ~ *vi* endurecerse.

durée [dyre] *nf* duración *f.*

durement [dyrmɑ̃] *ad* duramente.

durent *vb voir* **devoir.**

durer [dyre] *vb avec attribut* durar, permanecer // *vi (se prolonger)* durar; *(résister à l'usure)* durar, conservarse.

durillon [dyrijɔ̃] *nm* callosidad *f.*

dus, dut *vb voir* **devoir.**

duvet [dyvɛ] *nm (de poussin)* plumón *m*; *(poils)* vello; **(sac de couchage en)** ~ (bolsa o saco de dormir de) plumón.

dynamique [dinamik] *a* dinámico(a).

dynamite [dinamit] *nf* dinamita; **dynamiter** *vt* dinamitar.

dynamo [dinamo] *nf* dinamo *f.*

dynastie [dinasti] *nf* dinastía.

dysenterie [disɑ̃tri] *nf* disentería.

dyslexie [dislɛksi] *nf* dislexia.

E

E *abrév de* est.

eau, x [o] *nf* agua; **l'~** el agua; **~x** *fpl* (*thermales*) aguas, aguas termales; **prendre l'~** empaparse, mojarse; (*embarcation*) calarse; **~ douce/salée** agua dulce/salada; **~ de Cologne/de toilette** agua de Colonia/de olor; **~ gazeuse/minérale** agua gaseosa/mineral; **~ oxygénée/lourde** agua oxigenada/pesada; **~ courante** agua corriente; **~ de-vie** *nf* aguardiente *m*; **~-forte** *nf* aguafuerte *f*; **les E~x et Forêts** (*ADMIN*) la Administración de Montes; **~x territoriales** aguas jurisdiccionales.

ébahi, e [ebai] *a* pasmado(a), atónito(a).

ébats [eba] *nmpl* retozos.

ébattre [ebatʀ(ə)] : **s'~** *vi* retozar, brincar.

ébauche [eboʃ] *nf* esbozo, boceto.

ébaucher [eboʃe] *vt* esbozar, bosquejar.

ébène [ebɛn] *nm* ébano.

ébéniste [ebenist(ə)] *nm* ebanista *m*; **~rie** *nf* ebanistería; (*bâti*) caja, armazón *f*.

éberlué, e [ebɛʀlɥe] *a* asombrado(a), estupefacto(a).

éblouir [ebluiʀ] *vt* deslumbrar, encandilar; (*fig*) deslumbrar, fascinar; **éblouissement** *nm* deslumbramiento; (*faiblesse*) vahído.

ébonite [ebɔnit] *nf* ebonita.

éborgner [ebɔʀɲe] *vt* dejar tuerto(a).

éboueur [ebwœʀ] *nm* basurero.

ébouillanter [ebujãte] *vt* (*légumes*) escaldar; **s'~** escaldarse.

éboulement [ebulmã] *nm* desprendimiento, desmoronamiento.

ébouler [ebule] : **s'~** *vi* desmoronarse, desprenderse; **éboulis** [ebuli] *nm* escombros.

ébouriffé, e [eburife] *a* desgreñado(a).

ébranler [ebrãle] *vt* (*vitres, immeuble*) estremecer, hacer vibrar; (*poteau, mur*) desquiciar; (*fig*) quebrantar, hacer vacilar; **s'~** *vi* ponerse en movimiento.

ébrécher [ebʀeʃe] *vt* mellar.

ébriété [ebʀijete] *nf*: **en état d'~** en estado de embriaguez.

ébrouer [ebrue] : **s'~** *vi* sacudirse.

ébruiter [ebʀɥite] *vt* propalar, divulgar.

ébullition [ebylisjɔ̃] *nf* ebullición *f*.

écaille [ekaj] *nf* (*de poisson*) escama; (*de coquillage*) concha; (*matière*) carey *m*; (*de roc etc*) placa, escama; **écailler** *vt* escamar; (*huître*) desbullar; (*aussi*: **faire s'écailler**) desconchar, descascarar; **s'écailler** *vi* (*peinture*) desconcharse, descascararse.

écarlate [ekaʀlat] *a* escarlata *inv.*

écarquiller [ekaʀkije] *vt*: **~ les yeux** abrir desmesuradamente los ojos.

écart [ekaʀ] *nm* distancia, separación *f*; (*de prix etc*) margen *m*, diferencia; (*embardée, mouvement*) desviación *f*; (*de langage, de conduite*) digresión *f*; descarrío; **à l'~** aparte, a distancia; **à l'~ de** *prép* separado(a) de, apartado(a) de; (*fig*) alejado(a) de, apartado(a) de; **le grand ~** el spaccato.

écarté, e [ekaʀte] *a* alejado(a), apartado(a); **les jambes ~es** las piernas separadas o abiertas; **les bras ~s** los brazos abiertos.

écarteler [ekaʀtəle] *vt* descuartizar.

écartement [ekaʀtəmã] *nm* separación *f*; (*des rails*) ancho, separación.

écarter [ekaʀte] *vt* (*éloigner*) alejar; (*séparer*) separar, apartar; (*bras, jambes*) abrir, separar; (*rideaux*) abrir, correr; (*candidat, possibilité*) desechar, descartar; **s'~**

ecchymose [ekimoz] *nf* equimosis
f.

ecclésiastique [eklezjastik] *a*
eclesiástico(a) // *nm* eclesiástico.

écervelé, e [esεrvɔle] *a*
atolondrado(a), alocado(a).

échafaud [eʃafo] *nm* cadalso.

échafaudage [eʃafodaʒ] *nm*
andamiaje *m*; (*amas*) montón *m*.

échafauder [eʃafode] *vt* (*fig*)
organizar, trazar.

échalote [eʃalɔt] *nf* chalote *m*.

échancrer [eʃãkre] *vt* escotar;
échancrure *nf* escote *m*; (*de côte
etc*) escotadura.

échange [eʃãʒ] *nm* intercambio;
canje *m*; permuta; (*PHYSIQUE*)
intercambio; **en — de**, en cambio,
en compensación; **en ~ de** a cambio
de; **~s culturels/commerciaux**
intercambios culturales/comercia-
les; **~ de lettres/de
propos** intercambio de cartas/de
opiniones.

échanger [eʃãʒe] *vt* (*timbres etc*)
canjear, permutar; (*lettres, cadeaux,
propos*) intercambiar; **~ qch
(contre)** permutar o canjear algo
(por); **~ qch avec qn** intercambiar
algo con alguien.

échangeur [eʃãʒœr] *nm* cruce de
carreteras a diferentes niveles.

échantillon [eʃãtijɔ̃] *nm* muestra.

échantillonnage [eʃãtijɔnaʒ] *nm*
muestrario.

échappatoire [eʃapatwar] *nf*
escapatoria, subterfugio.

échappée [eʃape] *nf* (*vue*) vista;
(*CYCLISME*) escapada, arrancada.

échappement [eʃapmã] *nm*
escape *m*.

échapper [eʃape] : **~ à** *vt*
escapar de; **~ à qn** (*suj: détail,
objet, mot*) escapársele a alguien;
s'~ *vi* escaparse; **l'~ belle** salvarse
por un pelo.

écharde [eʃard(ə)] *nf* astilla.

écharpe [eʃarp(ə)] *nf* echarpe *m*,

bufanda; (*de maire*) faja; **avoir un
bras en ~** tener un brazo en
cabestrillo; **prendre en ~** coger de
refilón.

écharper [eʃarpe] *vt* linchar,
despedazar.

échasse [eʃas] *nf* zanco.

échassier [eʃasje] *nm* zancuda.

échauffer [eʃofe] *vt* recalentar;
(*corps, personne*) calentar; (*fig*)
acalorar, inflamar; **s'~** (*SPORT*)
calentarse; (*fig*) acalorarse,
exaltarse.

échauffourée [eʃofure] *nf* gresca,
refriega.

échéance [eʃeãs] *nf* vencimiento;
(*somme due*) deuda; (*d'engagements, promesses*) plazo; **à
brève/longue ~** a corto/largo
plazo.

échéant [eʃeã]: **le cas ~** *ad*
llegado el caso.

échec [eʃεk] *nm* fracaso, revés *m*;
(*ÉCHECS*) jaque *m*; **~s** *mpl* (*jeu*)
ajedrez *m*; **~ et mat/au roi** jaque
mate/al rey.

échelle [eʃεl] *nf* escalera; (*fig*)
escala, jerarquía; (*: des prix,
salaires, d'une carte etc*) escala; **à
l'~ de** en proporción a; **sur une
grande/petite** en gran/pequeña
escala; **faire la courte ~** hacer
estribo.

échelon [eʃlɔ̃] *nm* escalón *m*,
peldaño; (*ADMIN, SPORT*) grado,
categoría.

échelonner [eʃlɔne] *vt* escalonar,
graduar.

écheveau, x [eʃvo] *nm* madejilla.

échevelé, e [eʃəvle] *a*
desgreñado(a).

échine [eʃin] *nf* espinazo.

échiquier [eʃikje] *nm* tablero.

écho [eko] *nm* eco; (*fig*) eco,
resonancia; **~s** *mpl* gacetilla.

échoir [eʃwar] *vi* vencer; **~ à** *vt*
tocar a, tocarle en suerte a.

échoppe [eʃɔp] *nf* tenderete *m*.

échouer [eʃwe] *vi* (*tentative*)
fracasar; (*candidat*) ser suspendido
// *vi* varar; **s'~** *vi* encallar.

échu, e [eʃy] *pp de* **échoir.**

éclabousser [eklabuse] *vt* salpicar; **éclaboussure** *nf* salpicadura, mancha.

éclair [eklɛʀ] *nm* relámpago; (*fig*) chispa; (*gâteau*) pastelillo con *crema* // **a** *inv* relámpago *inv*.

éclairage [eklɛʀaʒ] *nm* iluminación f, alumbrado; (*dispositif*) iluminación; (*lumière*) luz f, iluminación; (*fig*) luz f, punto de vista.

éclaircie [eklɛʀsi] *nf* clara, escampada.

éclaircir [eklɛʀsiʀ] *vt* aclarar; (*fig*) aclarar, clarificar; **s'~** *vi* (*ciel*) aclararse, despejarse; **s'~ la voix** aclararse la voz; **éclaircissement** *nm* aclaración f; esclarecimiento.

éclairer [eklɛʀe] *vt* iluminar, alumbrar; (*personne*) alumbrar; (*fig*) aclarar, ilustrar // *vi* iluminar, alumbrar; **s'~** *vi* (*phare*) encenderse; (*rue*) iluminarse; **s'~ à la bougie** alumbrarse con velas.

éclaireur, euse [eklɛʀœʀ, øz] (*MIL*) explorador // *nm/f* (*scout*) explorador/ora; **en ~** como explorador, por delante.

éclat [ekla] *nm* fragmento; (*du soleil, d'une couleur etc*) resplandor m, brillo; (*d'une cérémonie*) brillo, esplendor m; (*fig*) esplendor m; **faire un ~** hacer o armar un escándalo; **~ de rire** estallido de risa, carcajada; **~ de voix** grito, gritería.

éclatant, e [eklatã, ãt] *a* resplandeciente, brillante; (*voix, son*) estrepitoso(a), estruendoso(a); (*fig*) palmario(a), notorio(a).

éclater [eklate] *vi* estallar, reventar; (*fig*) estallar; (*: groupe, parti*) fragmentarse; **~ de rire/en sanglots** romper en risa/en sollozos.

éclipse [eklips(ə)] *nf* eclipse *m*; **éclipser** *vt* eclipsar, ocultar; (*fig*) eclipsar, superar; **s'~** *vi* (*fig*) eclipsarse, largarse.

éclopé, e [eklɔpe] *a* tullido(a), contuso(a).

éclore [eklɔʀ] *vi* abrirse; (*fig*) surgir, nacer.

éclosion [eklozjɔ̃] *nf* abertura; eclosión f, aparición f.

écluse [eklyz] *nf* esclusa.

écœurer [ekœʀe] *vt* dar náuseas a, repugnar; (*fig*) desagradar, desazonar.

école [ekɔl] *nf* escuela; colegio; **faire ~** formar escuela, crear una escuela; **~ maternelle/primaire/secondaire** escuela de párvulos/primaria/secundaria; **~ de dessin/danse** academia de dibujo/danza; **~ hôtelière** escuela de hostelería; **~ d'interprétariat** escuela de intérpretes; **~ normale, EN** (*d'instituteurs*) escuela normal; **~ de secrétariat** escuela de secretariado; **écolier, ière** *nm/f* colegial/a; alumno/a.

écologie [ekɔlɔʒi] *nf* ecología.

éconduire [ekɔ̃dɥiʀ] *vt* despedir, no recibir.

économat [ekɔnɔma] *nm* economato.

économe [ekɔnɔm] *a* económico(a), ahorrativo(a) // (*fig*) ecónomo/a.

économie [ekɔnɔmi] *nf* economía; (*d'argent, de temps etc*) economía, ahorro; (*plan, arrangement d'ensemble*) estructura, organización f; **~s** *fpl* (*pécule*) ahorros; **une ~ de temps/d'argent** un ahorro de tiempo/de dinero; **économique a** económico(a), barato(a); (*ÉCON*) económico(a); **économiser** *vt* economizar, ahorrar // *vi* ahorrar; **économiste** *nm/f* economista *m/f*.

écoper [ekɔpe] *vt* achicar // *vi* achicarse; (*fig*) cobrar, pagar el pato; **~ (de)** cobrar.

écorce [ekɔʀs(ə)] *nf* corteza, cáscara; **écorcer** *vt* descortezar, pelar.

écorcher [ekɔʀʃe] *vt* desollar, despellejar; **s'égratigner** despellejar, arañar; **s'~** *vi* despellejarse, arañarse; **écorchure** *nf* rasguño, desolladura.

écossais, e [ekɔsɛ, ɛz] *a, nm/f* escocés(esa).

Écosse [ekɔs] *nf* Escocia.

écosser [ekɔse] *vt* desgranar.

écot [eko] *nm* cuota, parte *f.*

écoulement [ekulmɑ̃] *nm* venta; circulación *f;* flujo; transcurso *m.*

écouler [ekule] *vt* (*stock*) vender, despachar; (*billets*) poner en circulación; **s'~** *vi* (*rivière, eau*) correr, fluir; (*jours, temps*) transcurrir, pasar.

écourter [ekurte] *vt* (*visite*) acortar, abreviar.

écoute [ekut] *nf* (*RADIO, TV*) audición *f,* sintonizar; **être/rester à l'~** de estar/permanecer a la escucha de; **être aux ~s** estar atento(a).

écouter [ekute] *vt* escuchar; (*fig*) escuchar, atender.

écouteur [ekutœr] *nm* auricular *m.*

écoutille [ekutij] *nf* escotilla.

écran [ekrɑ̃] *nm* pantalla; **~ de fumée** cortina de humo; **porter à l'~** llevar a la pantalla; **le petit ~** la pantalla chica.

écrasant, e [ekrazɑ̃, ɑ̃t] *a* agobiador(ora), abrumador(ora), (*supériorité etc*) demoledor(ora), aplastante.

écraser [ekraze] *vt* aplastar, triturar; (*suj: voiture, train etc*) atropellar, pisar; (*armée, adversaire*) aplastar, derrotar; (*suj: travail, impôts etc*) aplastar, agobiar; **~ qn d'impôts** *etc* agobiar a alguien con impuestos *etc;* **s'~** (**au sol**) (*avion*) estrellarse; **s'~ contre/sur** estrellarse contra/en.

écrémer [ekreme] *vt* (*lait*) desnatar.

écrevisse [ekrəvis] *nf* cangrejo.

écrier [ekrije] : **s'~** *vi* gritar, exclamar.

écrin [ekrɛ̃] *nm* joyero, estuche *m.*

écrire [ekrir] *vt, vi* escribir; **s'~** *vb réciproque* escribirse, cartearse // *vi* (*mot*) escribirse.

écrit, e [ekri, it] *a* escrito(a) // *nm* escrito; **par ~** por escrito.

écriteau, x [ekrito] *nm* cartel *m,* letrero.

écriture [ekrityr] *nf* escritura; (*style*) estilo; (*COMM*) asiento; **~s** *fpl* (*COMM*) libros; **l'E~, les É~s** la Escritura, las Escrituras.

écrivain [ekrivɛ̃] *nm* escritor/ora.

écrivais *etc vb voir* **écrire.**

écrou [ekru] *nm* tuerca.

écrouer [ekrue] *vt* encarcelar.

écrouler [ekrule] : **s'~** *vi* derrumbarse; (*personne, animal*) desplomarse; (*fig*) venirse abajo.

écru, e [ekry] *a* crudo(a).

écu [eky] *nm* escudo.

écueil [ekœj] *nm* escollo.

écuelle [ekyɛl] *nf* escudilla.

éculé, e [ekyle] *a* gastado(a); (*fig péj*) viejo(a), gastado(a).

écume [ekym] *nf* espuma.

écumer [ekyme] *vt* (*CULIN*) espumar; (*fig: région, bibliothèque*) asolar, devastar // *vi* (*mer*) espumar; (*fig: personne*) echar espuma por la boca, enfurecerse; **~ire** *nf* espumadera.

écureuil [ekyrœj] *nm* ardilla.

écurie [ekyri] *nf* caballeriza; (*de course hippique*) cuadra; (*de course automobile*) escudería.

écusson [ekysɔ̃] *nm* (*motif*) escudo.

écuyer, ère [ekɥije, ɛr] *nm/f* (*artiste*) artista *m/f* ecuestre.

eczéma [ɛgzema] *nm* eczema *m.*

edelweiss [ɛdɛlvajs] *nm* rosa de los Alpes, edelweiss *m.*

édenté, e [edɑ̃te] *a* desdentado(a).

EDF *sigle f = Electricité de France.*

édifiant, e [edifjɑ̃, ɑ̃t] *a* edificante, instructivo(a); (*iro*) edificante.

édifice [edifis] *nm* edificio; (*fig*) estructura.

édifier [edifje] *vt* edificar, construir; (*fig*) estructurar; (*personne*) edificar, ilustrar; (: *iro*) informar.

édile [edil] *nm* concejal *m.*

Edimbourg [edɛ̃bur] *n* Edimburgo.

édit [edi] *nm* edicto.

éditer [edite] *vt* editar; (*auteur,*

musicien) editar, publicar; **éditeur, trice** nm/f editor/ora.

édition [edisjɔ̃] nf edición f; **l'** ~ **la** industria editorial.

éditorial, aux [editɔʀjal, o] nm editorial m, artículo de fondo; ~**iste** nm/f editorialista m/f.

édredon [edʀədɔ̃] nm edredón m.

éducation [edykasjɔ̃] nf educación f, instrucción f; (théorie, système, formation, aussi manières) educación; ~ **physique** educación física; **l'É~ Nationale** la Instrucción Pública.

édulcorer [edylkɔʀe] vt edulcorar; (fig) suavizar.

éduquer [edyke] vt educar, instruir; (inculquer les bonnes manières) educar, formar; (faculté) disciplinar, formar; **bien/mal éduqué** bien/mal educado.

effacer [efase] vt borrar; **s'**~ borrarse; (pour laisser passer) hacerse a un lado; (souvenir, erreur) borrarse, desvanecerse.

effarer [efaʀe] vt asombrar, pasmar.

effaroucher [efaʀuʃe] vt espantar, asustar.

effectif, ive [efɛktif, iv] a efectivo(a), real // nm contingente m, efectivo; **effectivement** ad efectivamente, realmente; (comme réponse) efectivamente.

effectuer [efɛktye] vt efectuar, realizar; **s'**~ efectuarse, llevarse a cabo.

efféminé, e [efemine] a afeminado(a).

effervescence [efɛʀvesɑ̃s] nf (fig) agitación f, efervescencia.

effervescent, e [efɛʀvesɑ̃, ɑ̃t] a efervescente; (fig) exaltado(a), agitado(a).

effet [efɛ] nm efecto, resultado; (impression) efecto, impresión f; ~**s** mpl (vêtements) prendas; **faire de l'**~ hacer efecto; **sous l'**~ **de** bajo el efecto de; **en** ~ en efecto; ~ **de style/couleur/voix** efecto de

estilo/color/voz; ~ **de jambes** lucimiento de piernas.

effeuiller [efœje] vt deshojar.

efficace [efikas] a eficaz, efectivo(a); **efficacité** nf eficacia.

effigie [efiʒi] nf efigie f.

effilé, e [efile] a afilado(a), delgado(a).

effiler [efile] vt (cheveux) atusar; (tissu) deshilar.

effilocher [efilɔʃe]: **s'**~ vi (tissu) deshilacharse.

efflanqué, e [eflɑ̃ke] a enjuto(a), enclenque.

effleurer [eflœʀe] vt rozar; (fig: suj: idée, pensée) pasar por la cabeza.

effluves [eflyv] nmpl efluvios, emanaciones fpl.

effondrement [efɔ̃dʀəmɑ̃] nm derrumbe m; caída.

effondrer [efɔ̃dʀe]: **s'**~ vi derrumbarse, hundirse; (prix, marché) venirse abajo, caer; (blessé, coureur etc) desplomarse; (accusé) abatirse.

efforcer [efɔʀse]: **s'**~ vt: **s'**~ **de faire** esforzarse por o en hacer.

effort [efɔʀ] nm esfuerzo.

effraction [efʀaksjɔ̃] nf efracción f, fractura.

effrangé, e [efʀɑ̃ʒe] a desflecado(a), deshilado(a).

effrayant, e [efʀɛjɑ̃, ɑ̃t] a aterrador(ora), espantoso(a); (sens affaibli) terrible, tremendo(a).

effrayer [efʀeje] vt aterrorizar, horrorizar; (fig) amilanar, desanimar; **s'**~ aterrorizarse.

effréné, e [efʀene] a desenfrenado(a).

effriter [efʀite]: **s'**~ vi desmenuzarse, pulverizarse; (prix, valeur) desmoronarse.

effroi [efʀwa] nm terror m, pavor m.

effronté, e [efʀɔ̃te] a descarado(a), atrevido(a).

effroyable [efʀwajabl(ə)] a horroroso(a), terrible.

effusion [efyzjɔ̃] *nf* efusión *f*; **sans ~ de sang** sin derramamiento de sangre.

égailler [egaje]: **s'~** *vi* dispersarse, diseminarse.

égal, e, aux [egal, o] *a* (*chances, nombres*) igual, mismo(a); (*terrain, surface*) liso(a), parejo(a); (*vitesse, rythme*) uniforme, parejo(a); (*équitable*) equivalente, similar; (*personnes*) igual // *nm/f* semejante *m/f*; **être ~ à** (*prix, nombre*) ser igual a, equivaler; **ça lui/nous est ~** le/nos da igual o mismo; **c'est ~** poco importa, como sea; **sans ~** sin igual, incomparable; **à l'~ de** al igual que, lo mismo que; **d'~ à ~** de igual a igual; **~ement** *ad* igualmente, uniformemente; (*en outre, aussi*) igualmente, asimismo; **~er** *vt* igualar; **3 plus 3 égale 6** 3 más 3 es igual a 6; **~iser** *vt* nivelar, igualar // *vi* (SPORT) empatar.

égalitaire [egalitɛr] *a* igualitario(a); **égalitarisme** *nm* igualitarismo.

égalité [egalite] *nf* igualdad *f*, uniformidad *f*; (MATH) igualdad, equivalencia; (POL, PHILOSOPHIE) la igualdad; **être à ~ (de points)** estar empatados (en tantos).

égard [egar] *nm*: **à cet ~/certains ~s** desde este/cierto/todo punto de vista; **eu ~ à** teniendo en cuenta, en consideración a; **par ~ pour** por consideración a; **sans ~ pour** sin consideración para (con); **à l'~ de** *prép* respecto a, con respecto a; **~s** *mpl* miramientos, consideración *f*.

égarement [egarmã] *nm* confusión *f*, extravío; (*débauche*) perdición *f*, extravío.

égarer [egare] *vt* extraviar, perder; (*fourvoyer*) confundir, despistar; **s'~** perderse, desorientarse; (*fig*) perderse, equivocarse; (*objet*) perderse, extraviarse.

égayer [egeje] *vt* alegrar,

regocijar; (*récit, endroit*) alegrar.

égide [eʒid] *nf*: **sous l'~ de** bajo la égida de.

églantier [eglãtje] *nm* mosqueta silvestre, escaramujo.

églantine [eglãtin] *nf* zarzarrosa.

églefin [egləfɛ̃] *nm* abadejo.

église [egliz] *nf* iglesia; **l'É~ catholique/presbytérienne** la Iglesia católica/presbiteriana.

égocentrique [egɔsãtrik] *a* egocéntrico(a).

égoïsme [egɔism(ə)] *nm* egoísmo; **égoïste** *a* egoísta.

égorger [egɔrʒe] *vt* degollar.

égosiller [egozije]: **s'~** *vi* desgañitarse.

égout [egu] *nm* cloaca, sumidero; **égoutier** *nm* pocero.

égoutter [egute] *vt* escurrir // *vi*, **s'~** *vi* escurrirse; (*eau*) gotear, escurrirse.

égratigner [egratiɲe] *vt* rasguñar; (*fig*) picar, burlarse de; **s'~** rasguñarse; **égratignure** *nf* rasguñadura, rasguño.

égrener [egrəne] *vt* desgranar; **s'~** *vi* (*fig*) desgranarse; (: *se disperser*) esparcirse, diseminarse.

Égypte [eʒipt(ə)] *nf* Egipto; **égyptien, ne** [eʒipsjɛ̃, ɛn] *a, nm/f* egipcio(a); **égyptologie** *nf* egiptología.

eh [e] *excl* ¡eh!; **~ bien** (*surprise etc*) ¡bueno!, ¡y bien!; **~ bien?** (*attente, doute etc*) ¿y bien?; **~ bien** (*donc*) pues bien.

éhonté, e [eɔ̃te] *a* desvergonzado(a).

éjaculer [eʒakyle] *vi* eyacular.

éjectable [eʒɛktabl(ə)] *a voir* siège.

éjecter [eʒɛkte] *vt* (TECH) eyectar, expulsar; (*fam*) echar, arrojar.

élaborer [elabɔre] *vt* elaborar; (BIO) asimilar.

élaguer [elage] *vt* (*arbre*) podar; (*fig*) podar, acortar.

élan [elã] *nm* (ZOOL) alce *m*; (SPORT, d'un véhicule, objet) impulso;

impulso, arrebato; **prendre de l'~** tomar impulso.

élancé, e [elãse] *a* espigado(a), esbelto(a).

élancement [elãsmã] *nm* punzada.

élancer [elãse]: **s'~** *vi* abalanzarse, precipitarse; *(fig)* alargarse, elevarse.

élargir [elaʀʒiʀ] *vt* ensanchar, ampliar; *(vêtement)* agrandar, ensanchar; *(fig)* ampliar; *(JUR)* liberar, soltar; **s'~** *vi* ensancharse, ampliarse; *(vêtement)* ensancharse, agrandarse; **élargissement** *nm* ampliación *f*; ensanche *m*.

élasticité [elastisite] *nf* elasticidad *f*; **~ de l'offre/de la demande** variabilidad *f* de la oferta/de la demanda.

élastique [elastik] *a* elástico(a), flexible; *(fig)* flexible, maleable // *nm* *(lien)* goma; *(tissu)* elástico.

eldorado [eldoʀado] *nm* Eldorado.

électeur, trice [elektœʀ, tʀis] *a, nm/f* elector(ora).

élection [eleksjɔ̃] *nf* elección *f*; **~s** *fpl* (POL) elecciones *fpl*.

électoral, e, aux [elektoʀal, o] *a* electoral.

électorat [elektoʀa] *nm* electorado.

électricien, ne [elektʀisjɛ̃, ɛn] *nm/f* electricista *m/f*.

électricité [elektʀisite] *nf* electricidad *f*; *(fig)* tensión *f*; **avoir l'~** tener electricidad o corriente eléctrica; **allumer/éteindre l'~** encender/apagar la luz; **fonctionner à l'~** funcionar con electricidad; **~ statique** electricidad estática.

électrifier [elektʀifje] *vt* electrificar.

électrique [elektʀik] *a* eléctrico(a); *(fig)* tenso(a).

électriser [elektʀize] *vt* electrizar, exaltar.

électro-aimant [elektʀoemã] *nm* electroimán *m*.

électrocardiogramme [elek-

tʀokaʀdjogʀam] *nm* electrocardiograma *m*.

électrochoc [elektʀoʃok] *nm* electrochoque *m*.

électrocuter [elektʀokyte] *vt* electrocutar; **électrocution** *nf* electrocución *f*.

électrode [elektʀod] *nf* electrodo.

électro-encéphalogramme [elektʀoãsefalogʀam] *nm* electroencefalograma *m*.

électrogène [elektʀoʒen] *a* voir **groupe.**

électrolyse [elektʀoliz] *nf* electrólisis *f*.

électromagnétique [elektʀomanetik] *a* electromagnético(a).

électroménager [elektʀomenaʒe] *a*: **appareils ~** aparatos electrodomésticos // *nm*: **l'~** el electrodoméstico.

électron [elektʀɔ̃] *nm* electrón *m*.

électronicien, ne [elektʀonisjɛ̃, ɛn] *nm/f* especialista *m/f* de electrónica.

électronique [elektʀonik] *a* electrónico(a).

électrophone [elektʀofon] *nm* tocadiscos *m*.

électrostatique [elektʀostatik] *a* electroestático(a).

élégance [elegãs] *nf* elegancia; distinción *f*; corrección *f*; **l'~** la elegancia.

élégant, e [elegã, ãt] *a* elegante, distinguido(a); *(style, forme)* elegante, gracioso(a); *(geste, procédé)* elegante, correcto(a).

élément [elemã] *nm* elemento; **~s** *mpl* *(eau, air etc)* elementos; *(rudiments)* elementos, rudimentos.

élémentaire [elemãtɛʀ] *a* elemental, rudimentario(a); *(fondamental, de base)* elemental, básico(a); *(CHIM)* elemental.

éléphant [elefã] *nm* elefante *m*.

élevage [elvaʒ] *nm* cría; **l'~** la ganadería.

élévateur [elevatœʀ] *nm* elevador.

élévation [elevasjɔ̃] *nf* *(voir élever)* levantamiento; subida; *(voir* s'(*élever*) levantamiento, alzamiento; (*voir* élevé) nobleza, grandeza; (*monticule*) elevación f, altura; (*GÉOMÉTRIE, REL*) elevación.

élève [elɛv] nm/f (*SCOL*) alumno/a, discípulo/a; (*disciple*) discípulo/a; ~ **infirmière** nf aspirante enfermera.

élevé, e [elve] a elevado, alto(a); (*fig*) elevado(a), noble; **bien/mal** ~ bien/mal educado.

élever [elve] vt (*enfant, animaux*) criar; (*immeuble, monument*) elevar, levantar; (*taux, niveau etc*) alzar, subir; (*fig*) ennoblecer, formar; **s'**~ vi elevarse; (*clocher, montagne*) elevarse, alzarse; (*cri, protestations*) alzarse, levantarse; (*niveau, température*) subir; (*difficultés*) sobrevenir, aparecer; ~ **une protestation** formular o elevar una protesta; **la voix** alzar la voz; ~ **qn au grade de** elevar a alguien al grado de; **s'**~ **contre qch** levantarse o sublevarse contra algo; **s'**~ **à** (*suj: dégats, frais*) elevarse a.

éleveur, euse [elvœr, øz] nm/f ganadero/a.

élidé, e a elidido(a).

élider [elide] vt: **s'**~ elidirse.

éligible [eliʒibl(ə)] a elegible.

élimé, e [elime] a raído(a), gastado(a).

élimination [eliminasjɔ̃] nf eliminación f.

éliminatoire [eliminatwar] a eliminatorio(a) // nf (*SPORT*) eliminatoria.

éliminer [elimine] vt eliminar; (*fig*) eliminar, suprimir.

élire [elir] vt elegir; ~ **domicile à** fijar domicilio en.

élision [elizjɔ̃] nf elisión f.

élite [elit] nf elite f, minoría selecta; **tireur d'**~ tirador de primera; **élitisme** nm elitismo.

élixir [eliksir] nm elixir m.

elle [ɛl] pron ella; ~**s** pron (f) ellas; **avec** ~ con ella; (*réfléchi*) consigo; ~**-même** ella misma; (*après prép*)

sí (misma); ~**s-mêmes** ellas mismas; (*après prép*) sí (mismas).

ellipse [elips(ə)] nf elipse m; (*LING*) elipsis f; **elliptique** a elíptico(a).

élocution [elɔkysjɔ̃] nf elocución f, dicción f.

éloge [elɔʒ] nm elogio, ponderación f; (*discours*) elogio, apología f; **élogieux, euse** a elogioso(a).

éloigné, e [elwaɲe] a alejado(a), lejano(a); (*date, échéance*) lejano(a), remoto(a); (*famille, parent*) lejano(a).

éloignement [elwaɲmɑ̃] nm (*voir éloigner*) alejamiento; (*voir éloigné*) lejanía.

éloigner [elwaɲe] vt alejar, apartar; (*échéance, but*) posponer, diferir; (*personne*) alejar; **s'**~ vi alejarse; (*affectivement*) alejarse, apartarse; **s'**~ **de** alejarse de; (*fig*) alejarse de, apartarse de.

élongation [elɔ̃gasjɔ̃] nf (*MÉD*) elongación f.

éloquence [elɔkɑ̃s] nf elocuencia f.

éloquent, e [elɔkɑ̃, t] a elocuente.

élu, e [ely] pp de **élire** // nm/f electo/a, elegido/a; (*REL*) elegido/a.

élucider [elyside] vt dilucidar, aclarar.

éluder [elyde] vt eludir, soslayar.

émacié, e [emasje] a demacrado(a), consumido(a).

émail, aux [emaj, o] nm esmalte m; ~**lé, e** a esmaltado(a); ~**ler** vt esmaltar.

émanation [emanasjɔ̃] nf emanación f, efluvio m; **être l'**~ **de** ser la manifestación o expresión de.

émancipation [emɑ̃sipasjɔ̃] nf emancipación f.

émancipé, e [emɑ̃sipe] a emancipado(a), libre.

émanciper [emɑ̃sipe] vt (*JUR*) emancipar; (*gén*) emancipar, liberar; **s'**~ emanciparse.

émaner [emane] : ~ **de** vt emanar de.

émarger [emarʒe] vt firmar al margen; ~ **à un budget** figurar como acreedor en un presupuesto.

émasculer [emaskyle] *vt* castrar, debilitar.

emballage [ɑ̃balaʒ] *nm* embalaje *m*; (*papier, boîte*) embalaje, envase *m*.

emballer [ɑ̃bale] *vt* empaquetar, embalar; (*fig*) embalar, entusiasmar; **s'~** *vi* (*moteur*) embalarse; (*cheval*) desbocarse; (*fig*) embalarse, arrebatarse.

embarcadère [ɑ̃baʀkadɛʀ] *nm* embarcadero.

embarcation [ɑ̃baʀkɑsjɔ̃] *nf* embarcación *f*.

embardée [ɑ̃baʀde] *nf* bandazo; **faire une ~** dar bandazo.

embargo [ɑ̃baʀgo] *nm* (*de marchandises*) embargo, confiscación *f*; **mettre l'~ sur** embargar, decomisar.

embarquement [ɑ̃baʀkəmɑ̃] *nm* embarco; embarque *m*.

embarquer [ɑ̃baʀke] *vt* embarcar; (*fam*) alzarse con *f*; (*NAUT*) estar encapillado(a) por las olas; **s'~** *vi* embarcar; **s'~ dans** embarcarse en.

embarras [ɑ̃baʀa] *nm* obstáculo, traba; (*confusion, perplexité*) confusión *f*, embarazo.

embarrasser [ɑ̃baʀase] *vt* embarazar, dificultar; (*gêner, troubler*) perturbar, embarazar; **s'~ de** cargarse de; (*fig*) preocuparse por.

embauche [ɑ̃boʃ] *nf* contratación *f*, contrata; **bureau d'~** oficina de contratación.

embaucher [ɑ̃boʃe] *vt* tomar, dar trabajo a; **s'~** inscribirse, anotarse.

embaumer [ɑ̃bome] *vt* (*corps*) embalsamar; (*lieu*) embalsamar, perfumar // *vi* perfumar, aromar; **~ la lavande** tener perfume a lavanda.

embellir [ɑ̃beliʀ] *vt* embellecer, hermosear; (*personnage, histoire*) adornar, embellecer // *vi* mejorar, ponerse más bello(a).

embêtant, e [ɑ̃bɛtɑ̃, ɑ̃t] *a* molesto(a); fastidioso(a).

embêter [ɑ̃bɛte] *vt* molestar, fastidiar; (*assommer, raser*) fastidiar, aburrir; (*contrarier, ennuyer*) fastidiar, contrariar; **s'~** *vi* aburrirse; (*iro*): **il ne s'embête pas!** ¡se divierte!; ¡la pasa bien!

emblée [ɑ̃ble]: **d'~** *ad* de entrada.

emblème [ɑ̃blɛm] *nm* emblema *m*.

embobiner [ɑ̃bɔbine] *vt* bobinar.

emboîter [ɑ̃bwate] *vt* encajar; **~ le pas à** seguir los pasos de alguien; **s'~ (dans)** encajarse (en).

embolie [ɑ̃bɔli] *nf* embolia.

embouché, e [ɑ̃buʃe] *a*: **mal ~** malhablado, deslenguado.

embouchure [ɑ̃buʃyʀ] *nf* (*GÉO*) desembocadura; (*MUS*) boquilla.

embourber [ɑ̃buʀbe]: **s'~** *vi* empantanarse, atascarse.

embourgeoiser [ɑ̃buʀʒwaze]: **s'~** *vi* aburguesarse.

embout [ɑ̃bu] *nm* contera, regatón *m*.

embouteillage [ɑ̃butejaʒ] *nm* embotellamiento.

embouteiller [ɑ̃buteje] *vt* embotellar, atascar.

emboutir [ɑ̃butiʀ] *vt* chocar con; (*TECH*) forjar, moldear.

embranchement [ɑ̃bʀɑ̃ʃmɑ̃] *nm* (*routier*) bifurcación *f*; (*SCIENCE*) tipo.

embraser [ɑ̃bʀaze]: **s'~** *vi* abrasarse, arder; (*fig*) inflamarse, anardecerse.

embrassade [ɑ̃bʀasad] *nf* abrazo.

embrasser [ɑ̃bʀase] *vt* besar; (*fig*) abarcar; **s'~** besarse; **~ une carrière** abrazar una carrera.

embrasure [ɑ̃bʀazyʀ] *nf* hueco, vano.

embrayage [ɑ̃bʀejaʒ] *nm* embrague *m*.

embrayer [ɑ̃bʀeje] *vi* (*AUTO*) embragar.

embrigader [ɑ̃bʀigade] *vt* reclutar.

embrocher [ɑ̃bʀɔʃe] *vt* ensartar; (*fig*) traspasar, atravesar.

embrouillamini [ɑ̃bʀujamini] *nm* batahola, barahunda.

embrouiller [ɑ̃bruje] *vt* (*fils*) enredar; (*fiches*) embarullar, embrollar; (*idées, questions*) enredar, embrollar; (*personne*) embrollar, confundir; **s'~** *vi* (*personne*) enredarse, embrollarse.

embroussaillé, e [ɑ̃brusaje] *a* cubierto(a) de maleza.

embruns [ɑ̃brœ̃] *nmpl* salpicaduras.

embryon [ɑ̃brijɔ̃] *nm* embrión *m*; (*fig*) embrión, germen *m*.

embûches [ɑ̃byʃ] *nfpl* obstáculos, tramoyas.

embué, e [ɑ̃bɥe] *a* empañado(a).

embuscade [ɑ̃byskad] *nf* emboscada.

embusquer [ɑ̃byske] *vt* emboscar; **s'~** *vi* emboscarse.

éméché, e [emeʃe] *a* achispado(a).

émeraude [emrod] *nf, a inv* esmeralda.

émerger [emerʒe] *vi* (*de l'eau*) emerger, surgir; (*fig*) sobresalir.

émeri [emri] *nm*: **toile/papier ~** tela/papel esmerilado(a) o de lija.

émérite [emerit] *a* emérito(a), consumado(a).

émerveiller [emerveje] *vt* maravillar; **s'~ de** *qch* maravillarse de algo.

émetteur, trice [emetœr, tris] *a* emisor(ora) // *nm* emisora.

émettre [emetr(ə)] *vt* emitir, irradiar; (*RADIO, TV*) emitir, transmitir; (*billet, timbre*) emitir, poner en circulación; (*hypothèse, avis*) emitir // *vi* (*RADIO, TV*) emitir.

émeus *etc vb voir* **émouvoir.**

émeute [emøt] *nf* motín *m*, insurrección *f*; **émeutier, ère** *nm/f* amotinado/a, insurrecto/a.

émietter [emjete] *vt* desmigajar, desmenuzar.

émigrant, e [emigrɑ̃, ɑ̃t] *nm/f* emigrante *m/f*.

émigré, e [emigre] *nm/f* emigrado/a.

émigrer [emigre] *vi* emigrar.

éminemment [eminamɑ̃] *ad* eminentemente.

éminence [eminɑ̃s] *nf* eminencia; (*colline*) elevación *f*, eminencia; **Son/Votre É~** Su/Vuestra Eminencia.

éminent, e [eminɑ̃, ɑ̃t] *a* (*illustre*) eminente, excelente.

émir [emir] *nm* emir *m*; **~at** *nm* emirato.

émissaire [emiser] *nm* emisario.

émission [emisjɔ̃] *nf* emisión *f*.

emmagasiner [ɑ̃magazine] *vt* almacenar; (*fig*) acumular.

emmailloter [ɑ̃majote] *vt* envolver.

emmanchure [ɑ̃mɑ̃ʃyr] *nf* sisa.

emmêler [ɑ̃mele] *vt* enredar; (*fig*) enredar, embrollar; **s'~** *vi* enredarse.

emménager [ɑ̃menaʒe] *vi* mudarse, instalarse; **~ dans** mudarse, instalarse en.

emmener [ɑ̃mne] *vt* llevar; (*comme otage, capture*) llevarse; (*SPORT, MIL*) conducir, dirigir.

emmerder [ɑ̃merde] *vt vt* (*fam!*) jeringar, jorobar.

emmitoufler [ɑ̃mitufle] *vt* arropar, abrigar; **s'~** arroparse, abrigarse.

emmurer [ɑ̃myre] *vt* encerrar, recluir; (*accidentellement*) sepultar.

émoi [emwa] *nm* inquietud *f*, exaltación *f*; **en ~** alterado(a), sobresaltado(a).

émoluments [emɔlymɑ̃] *nmpl* emolumentos, remuneración *f*.

émonder [emɔ̃de] *vt* podar.

émotif, ive [emotif, iv] *a* emocional; (*personne*) emotivo(a).

émotion [emosjɔ̃] *nf* emoción *f*; (*attendrissement*) emoción, enternecimiento *m*; **donner des ~s a** provocar emociones; **~nel, le** *a* emocional.

émotivité [emotivite] *nf* emotividad *f*.

émoulu, e [emuly] *a*: **frais ~ de** recién salido de.

émousser [emuse] *vt* desafilar; (*fig*) atenuar, debilitar.

émouvoir [emuvwar] *vt* (*troubler*) emocionar, turbar; (*toucher*, *attendrir*) conmover, enternecer; (*indigner*) alterar, indignar; (*effrayer*) perturbar, impresionar; **s'~** *vi* conmoverse; emocionarse.

empailler [ɑ̃paje] *vt* (*animal*) disecar, embalsamar.

empaler [ɑ̃pale] *vt* empalar; **s'~ sur** ensartarse en.

empaqueter [ɑ̃pakte] *vt* empaquetar.

emparer [ɑ̃paʀe]: **s'~ de** *vt* apoderarse de.

empâter [ɑ̃pɑte]: **s'~** *vi* engordar.

empattement [ɑ̃patmɑ̃] *nm* batalla.

empêché, e [ɑ̃peʃe] *a* impedido(a), ocupado(a).

empêcher [ɑ̃peʃe] *vt* impedir; **~ qn de faire qch** impedir a alguien que haga algo; **~ que** impedir que, evitar que; **il n'empêche que** no obstante que, esto no impide que; **ne pas pouvoir s'~ de** no poder dejar de; **empêcheur** *nm*: **empêcheur de danser en rond** aguafiestas *m inv*.

empeigne [ɑ̃pɛɲ] *nf* empella, pala.

empennage [ɑ̃pɛnaʒ] *nm* (*AVIAT*) empenaje *m*.

empereur [ɑ̃pʀœʀ] *nm* emperador *m*.

empesé, e [ɑ̃pəze] *a* (*fig*) envarado(a), afectado(a).

empeser [ɑ̃pəze] *vt* almidonar.

empester [ɑ̃pɛste] *vt* apestar, infestar // *vi* apestar, heder; **~ le tabac** apestar a tabaco.

empêtrer [ɑ̃petʀe]: **s'~** *vt* enredarse.

emphase [ɑ̃faz] *nf* énfasis *m*, grandilocuencia; **emphatique** [ɑ̃fatik] *a* enfático(a), ampuloso(a).

empierrer [ɑ̃pjeʀe] *vt* empedrar.

empiéter [ɑ̃pjete]: **~ sur** *vt* invadir, usurpar.

empiffrer [ɑ̃pifʀe]: **s'~** *vi* (*péj*) atiborrarse, apiparse.

empiler [ɑ̃pile] *vt* apilar, amontonar; **s'~** *vi* apilarse, amontonarse.

empire [ɑ̃piʀ] *nm* imperio; (*influence*) imperio, dominio; **style E~** estilo Imperio; **sous l'~ de** bajo el efecto o dominio de.

empirer [ɑ̃piʀe] *vi* empeorar, agravar.

empirique [ɑ̃piʀik] *a* empírico(a).

empirisme [ɑ̃piʀism(ə)] *nm* empirismo.

emplacement [ɑ̃plasmɑ̃] *nm* emplazamiento.

emplâtre [ɑ̃plɑtʀ(ə)] *nm* (*MÉD*) emplasto, cataplasma.

emplette [ɑ̃plɛt] *nf*: **faire des ~s** hacer compras, ir de compras; **faire l'~ de** comprar, adquirir.

emplir [ɑ̃pliʀ] *vt* llenar, colmar; **s'~ (de)** llenarse o colmarse (de).

emploi [ɑ̃plwa] *nm* empleo, uso; (*poste*) empleo, puesto; (*ÉCON*) **l'~** el empleo; **offre/demande d'~** oferta/demanda de empleo o trabajo; **~ du temps** horario, ocupaciones *fpl*.

employé, e [ɑ̃plwaje] *nm/f* empleado/a.

employer [ɑ̃plwaje] *vt* emplear, utilizar; (*ouvrier, moyen*) emplear; **~ la force/les grands moyens** recurrir a la fuerza/a los medios decisivos; **s'~ à faire qch** ocuparse en o consagrarse a hacer algo; **employeur** *nm* empleador *m*.

empocher [ɑ̃pɔʃe] *vt* embolsar, meter en el bolsillo.

empoignade [ɑ̃pwaɲad] *nf* agarrada, gresca.

empoigner [ɑ̃pwaɲe] *vt* (*objet*) asir, empuñar; **s'~** agarrarse, irse a las manos.

empoisonnement [ɑ̃pwazɔnmɑ̃] *nm* envenenamiento, intoxicación *f*.

empoisonner [ɑ̃pwazɔne] *vt* envenar; (*suj: nourriture, substance*) envenar, intoxicar; (*air, pièce*) contaminar, infestar; (*fam*) envenenar, amargar; **~ l'atmosphère** contaminar la atmósfera; **s'~** envenenarse; (*accidentellement*) envenenarse, intoxicarse.

emportement [ɑ̃pɔʀtəmɑ̃] *nm* vehemencia, arrebato.

emporte-pièce [ɑ̃pɔʀtəpjɛs] *nm*: **formule à l'~** fórmula categórica.

emporter [ɑ̃pɔʀte] *vt* llevar; (*en dérobant, enlevant*) arrebatar, arrancar; (*blessés, voyageurs*) llevar, trasladar; (*suj: courant, vent, fig etc*) arrastrar; (*suj: avalanche, choc etc*) arrasar, arrancar; (*gagner*) ganar, lograr; **s'~** (*fig*) arrebatarse, enfurecerse; **la maladie qui l'a emporté** la enfermedad que se lo ha llevado; **l'~** vencer, ganar; **l'~ sur** prevalecer *o* predominar sobre; **boissons à ~** bebidas para llevar.

empourpré, e [ɑ̃puʀpʀe] *a* enrojecido(a).

empreint, e [ɑ̃pʀɛ̃, ɛ̃t] *a*: **~ de** impregnado de // *nf* huella, marca; (*fig*) impronta; **~e (digitale)** huella *o* impresión *f* (digital).

empressé, e [ɑ̃pʀese] *a* atento(a), diligente; (*péj*) obsecuente.

empressement [ɑ̃pʀesmɑ̃] *nm* atención *f*, complacencia; (*hâte*) diligencia, prisa.

empresser [ɑ̃pʀese]: **s'~** *vi* apresurarse, apurarse; **s'~ auprès de qn** mostrarse solícito(a) con alguien; **s'~ de** apresurarse a.

emprise [ɑ̃pʀiz] *nf* influencia, ascendiente *m*; **sous l'~ de** bajo el dominio *o* la influencia de.

emprisonnement, e [ɑ̃pʀizɔnmɑ̃] *nm* encarcelamiento.

emprisonner [ɑ̃pʀizɔne] *vt* encarcelar; (*fig*) aprisionar, encerrar.

emprunt [ɑ̃pʀœ̃] *nm* préstamo; (*gén, comm*) préstamo, empréstito; (*littéraire*) imitación *f*.

emprunté, e [ɑ̃pʀœ̃te] *a* (*fig*) confuso(a), embarazado(a).

emprunter [ɑ̃pʀœ̃te] *vt* pedir prestado; (*route, itinéraire*) tomar, seguir; (*nom*) tomar, imitar; **emprunteur, euse** *nm/f* el/la que toma prestado, prestatario/a.

empuantir [ɑ̃pɥɑ̃tiʀ] *vt* infestar, contaminar.

ému, e [emy] *pp de* **émouvoir** // *a* emocionado(a); (*attendri*) conmovido(a).

émulation [emylasjɔ̃] *nf* emulación *f*, competencia.

émule [emyl] *nm/f* émulo/a, competidor/ora; (*péj*) émulo/a.

émulsion [emylsjɔ̃] *nf* emulsión *f*.

en [ɑ̃] *prép* en; (*avec direction*) a; **~ bois/verre de** madera/vidrio; **~ travaillant** trabajando; **~ dormant** durmiendo, al dormir; **~ apprenant la nouvelle/sortant** al conocer la noticia/salir; **~ bon diplomate, il n'a rien dit** como buen diplomático, no dijo nada; **le même ~ plus grand** el mismo en tamaño más grande // *pron*: **j'~ viens/sors de** allí vengo/salgo; **il ~ est mort/perd le sommeil** por eso murió/pierde el sueño; **il ~ est aimé** es amado de él(ella); **il l'~ a frappé** le golpeó con él; **j'~ connais les défauts** conozco los defectos de eso; **j'~ ai/veux** (lo/la/los/las) (los/las); **j'~ ai assez** estoy harto(a); **où ~ étais-je?** ¿dónde estaba?, ¿en qué estaba?; **ne pas s'~ faire** no preocuparse; **j'~ viens à penser que** llego a pensar que.

EN *sigle f voir* **école.**

ENA [ena] *sigle f = École nationale d'administration.*

énamourer, enamourer [enamuʀe]: **s'~ de** *vi* enamorarse de.

en-avant [ɑ̃navɑ̃] *nm* pase *m* adelante.

encablure [ɑ̃kablyʀ] *nf* cable *m*.

encadrement [ɑ̃kadʀəmɑ̃] *nm* (*de porte*) marco, recuadro.

encadrer [ɑ̃kadʀe] *vt* encuadrar, enmarcar; (*fig*) rodear, flanquear; (*personnel, soldats etc*) encuadrar, tener a su mando; (*écon*) controlar; **encadreur** *nm* fabricante *m o* montador *m* de marcos.

encaisse [ɑ̃kɛs] *nf* caja,

recaudación f; ~ **or/métallique**
respaldo oro/metálico.

encaissé, e [ākese] a
encajonado(a).

encaisser [ākese] vt cobrar; (fig)
cobrar, llevarse; **s'~** vi
encajonarse; **encaisseur** nm
cobrador m, recaudador m.

encan [ākā]: **à l'~** ad en subasta.

encanailler [ākanaje]: **s'~** vi
encanallarse, corromperse.

encart [ākaʀ] nm (publicitaire)
encarte m, volante m.

en-cas, encas [ākā] nm colación f,
refrigerio.

encastrer [ākastʀe] vt encastrar,
empotrar; **s'~ dans** embutirse o
empotrarse en; (fig) estrellarse o
chocar contra.

encaustique [ākostik] nf cera;
encaustiquer vt encerar.

enceinte [āsɛ̃t] a encinta,
embarazada; **~ de 6 mois**
embarazada de 6 meses // a
muralla; (espace, pièce) recinto;
(acoustique) circuito (acústico).

encens [āsā] nm incienso; **~er** vt
incensar, quemar incienso; (fig)
incensar, adular; **~oir** nm
incensario.

encéphalite [āsefalit] nf
encefalitis f.

encercler [āseʀkle] vt cercar.

enchaînement [āʃɛnmā] nm
(liaison) coordinación f, ilación f; **~
de circonstances** encadenamiento o
concatenación f de circunstancias.

enchaîner [āʃene] vt encadenar;
(coordonner) coordinar; encadenar.

enchanté, e [āʃāte] a: (de faire
votre connaissance) encantado de
conocerle.

enchantement [āʃātmā] nm
(magie) encantamiento, hechizo;
comme par ~ como por encanto o
arte de magia.

enchanter [āʃāte] vt encantar,
embelesar; **enchanteur, eresse** a
encantador(ora).

enchâsser [āʃase] vt engastar,

engarzar; (pièce, élément)
encastrar.

enchère [āʃɛʀ] nf puja, oferta; **faire
une ~** hacer una oferta;
mettre/vendre aux ~s sacar
a/vender en subasta; **les ~s
montent** las ofertas suben.

enchevêtrer [āʃəvetʀe] vt
embrollar, enmarañar; **s'~** vi
enmarañarse, embrollarse.

enclave [āklav] nf enclave m;
enclaver vt (entourer) enclavar.

enclencher [āklāʃe] vt engranar,
acoplar; **s'~** vi engranarse.

enclin, e [āklɛ̃, in] a: **~ à** propenso
a.

enclore [āklɔʀ] vt cercar.

enclos [āklo] nm cercado.

enclume [āklym] nf yunque m.

encoche [ākɔʃ] nf muesca.

encoignure [ākwaɲyʀ] nf rincón
m.

encoller [ākɔle] vt encolar.

encolure [ākɔlyʀ] nf cuello;
(COUTURE, décolleté) escote m.

encombrant, e [ākɔ̃bʀā, āt] a
molesto(a), fastidioso(a).

encombre [ākɔ̃bʀ(ə)]: **sans ~**
ad sin inconvenientes.

encombrement [ākɔ̃bʀəmā] nm
atascamiento, obstrucción f; (de
circulation) embotellamiento; (d'un
objet) volumen m, tamaño.

encombrer [ākɔ̃bʀe] vt estorbar,
obstruir; (fig) recargar, abarrotar;
(personne) estorbar, fastidiar; **s'~
de** cargarse o abarrotarse de.

encontre [ākɔ̃tʀ(ə)]: **à l'~ de**
prép en contra de.

encorbellement [ākɔʀbɛlmā] nm
saledizo, saliente f; **en ~** en
saliente.

encorder [ākɔʀde] vt: **s'~**
encordarse.

encore [ākɔʀ] ad todavía, aún; (de
nouveau) otra vez, otra vez más;
(restriction) aún así, con todo; **~
plus fort/mieux** aún más
fuerte/mejor; **pas ~** todavía o aún
no; **~ que** a pesar de que todavía;
~ une fois/deux jours una vez/dos

días más; **non seulement... mais ~ no sólo...** sino también.

encouragement [ãkuraʒmã] nm ánimo, aliento.

encourager [ãkuraʒe] vt animar, alentar; (activité, tendance) fomentar, alentar.

encourir [ãkuRiR] vt arriesgarse o exponerse a.

encrasser [ãkRase] vt ensuciar.

encre [ãkR(ə)] nf tinta; **~ de Chine** tinta china; **~ sympathique** tinta simpática o invisible; **encrer** vt entintar; **encreur** am: **rouleau encreur** rodillo entintador; **encrier** nm tintero.

encroûter [ãkRute]: **s'~** vi embrutecerse, sumirse.

encyclique [ãsiklik] nf encíclica.

encyclopédie [ãsiklɔpedi] nf enciclopedia; **encyclopédique** a enciclopédico(a).

endémique [ãdemik] a (MÉD) endémico(a).

endetter [ãdete] vt llenar de deudas; **s'~** endeudarse.

endeuiller [ãdœje] vt enlutar.

endiablé, e [ãdjable] a endiablado(a); (turbulent) inquieto(a), revoltoso(a).

endiguer [ãdige] vt embalsar, (fig) poner dique a, refrenar.

endimancher [ãdimãʃe] vt: **s'~** endomingarse.

endive [ãdiv] nf endibia, escarola.

endocrine [ãdɔkRin] af: **glande ~** glándula endocrina.

endoctriner [ãdɔktRine] vt adoctrinar.

endommager [ãdɔmaʒe] vt dañar, perjudicar.

endormi, e [ãdɔRmi] a (indolent, lent) haragán(ana), indolente.

endormir [ãdɔRmiR] vt adormecer, dormir; (fig) engañar, distraer; (ennuyer) aburrir, dar sueño; (MÉD) dormir, anestesiar; **s'~** vi adormecerse, dormirse; (fig) dormirse, distraerse.

endosser [ãdose] vt asumir;

(chèque) endosar; (tenue) endosar, vestir.

endroit [ãdRwa] nm lugar m, sitio; (d'un objet, d'une douleur) parte f, sitio; (opposé à l'envers) derecho; **à l'~** al derecho; **à l'~ de** prép para con, con respecto a.

enduire [ãdɥiR] vt recubrir; **~ qch de** untar o recubrir algo con; **enduit** nm capa, mano f.

endurant, e [ãdyRã, ãt] a resistente, fuerte.

endurci, e [ãdyRsi] a inveterado(a).

endurcir [ãdyRsiR] vt curtir, insensibilizar; **s'~** vi curtirse, endurecerse.

endurer [ãdyRe] vt resistir, soportar.

énergétique [enɛRʒetik] a energético(a).

énergie [enɛRʒi] nf energía; **énergique** a enérgico(a).

énerver [enɛRve] vt irritar, exasperar; **s'~** vi irritarse, ponerse nervioso(a).

enfance [ãfãs] nf infancia; **c'est l'~ de l'art** es un juego de niños, está tirado.

enfant [ãfã] nm/f niño/a, chico/a; (fig) niño/a, chiquillo/a; (fils, fille, fig) hijo/a; **bon ~** a bonachón(ona); **petit(e)** (bambin) niñito/a, nene/a; **~ de chœur** nm monaguillo; (fig) inocentón m, crédulo; **~ prodige** hijo pródigo; **~er** vi parir, dar a luz // vt (œuvre) producir, crear; **~illage** nm (péj) chiquillada, simpleza; **~in, e** a infantil; (simple) pueril, infantil.

enfer [ãfɛR] nm infierno; **allure/bruit d'~** ritmo/ruido infernal.

enfermer [ãfɛRme] vt encerrar; **s'~** encerrarse, recluirse.

enferrer [ãfɛRe]: **s'~** vi (fig) enredarse.

enfiévré, e [ãfjevRe] a excitado(a), enardecido(a).

enfilade [ãfilad] nf: **~ de** hilera de; **en ~** en fila o hilera.

enfiler [ãfile] vt enhebrar; ensartar; (aiguille) enhebrar; (vêtement) ponerse; (rue, couloir) tomar, coger; (insérer) meter, ensartar.

enfin [ãfɛ̃] ad (pour finir, finalement) finalmente, por fin; (dans une énumération) por último; (de restriction, concession, de résignation, pour conclure) en fin.

enflammer [ãflame] vt inflamar, encender; (MÉD) inflamar, irritar; (fig) inflamar, enardecer; s'~ inflamarse.

enflé, e [ãfle] a hinchado(a); (péj) ampuloso(a).

enfler [ãfle] vi (MÉD) hincharse; s'~ vi (fig) aumentar, hincharse.

enfoncé, e [ãfɔ̃se] a (yeux) hundido(a).

enfoncer [ãfɔ̃se] vt (clou) clavar, hundir; (porte, plancher etc) derribar; (lignes ennemies) abatir, arrollar; (fam) hundir, derrotar // vi hundirse; s'~ vi hundirse; ~ qch dans hundir algo en; s'~ dans (forêt, ville) adentrarse o penetrar en; (mensonge, erreur) hundirse o sumirse en.

enfouir [ãfwiʀ] vt ocultar, esconder; (dans le sol) enterrar; s'~ dans/sous sumergirse en/bajo.

enfourcher [ãfuʀʃe] vt montar a horcajadas en.

enfourner [ãfuʀne] vt poner al horno; (mettre) enhebrar, meter.

enfreindre [ãfʀɛ̃dʀ(ə)] vt infringir, transgredir.

enfuir [ãfɥiʀ]: s'~ vi huir, evadirse.

enfumer [ãfyme] vt ahumar.

engagé, e [ãgaʒe] a comprometido(a) // nm (MIL) voluntario.

engageant, e [ãgaʒã, ãt] a prometedor(ora), atractivo(a).

engagement [ãgaʒmã] nm contrata, iniciación f; compromiso; (promesse) compromiso, promesa; (rendez-vous etc) compromiso; (MIL) encuentro.

engager [ãgaʒe] vt (embaucher)

tomar, contratar; (commencer) iniciar, entablar; (suj: promesse etc) comprometer; (argent) invertir, colocar; (troupes) hacer intervenir, hacer entrar en acción; (inciter) animar, inducir; (faire pénétrer) meter, introducir; s'~ vi contratarse, alistarse; (promettre) comprometerse; s'~ dans internarse o entrar en; (voie, carrière) meterse o aventurarse en.

engoncé, e [ãgɔ̃se] a: ~ dans embutido en.

engorger [ãgɔʀʒe] vt obstruir, atascar; s'~ vi atascarse, obstruirse.

engouement [ãgumã] nm entusiasmo, deslumbramiento.

engouffrer [ãgufʀe] vt consumir, devorar; s'~ dans precipitarse en.

engourdi, e [ãguʀdi] a entumecido(a).

engourdir [ãguʀdiʀ] vt adormecer, entumecer; (fig) embotar; s'~ vi entumecerse, embotarse; adormecerse.

engrais [ãgʀɛ] nm abono, fertilizante m; ~ chimique abono químico o artificial.

engraisser [ãgʀese] vt engordar, cebar // (vi) (péj) engordar, enriquecerse.

engranger [ãgʀãʒe] vt entrojar.

engrenage [ãgʀənaʒ] nm engranaje m; (fig) engranaje, encadenamiento.

engueuler [ãgœle] vt (fam) regañar, sermonear.

enhardir [ãaʀdiʀ]: s'~ vi atreverse.

énigmatique [enigmatik] a enigmático(a).

énigme [enigm(ə)] nf (jeu) enigma m; (fig) enigma, misterio.

enivrer [ãnivʀe] vt embriagar, emborrachar; (fig) embriagar, marear.

enjambée [ãʒãbe] nf salto; zancada.

enjamber [ãʒãbe] vt saltar, franquear; (suj: pont etc) franquear.

enjeu, x [ãʒø] *nm* apuesta, postura; *(d'une élection, d'un match)* lo que está en juego.

enjoindre [ãʒwɛ̃dʀ(ə)] *vt*: ~ **à qn de faire** ordenar a alguien que haga.

enjôler [ãʒole] *vt* camelar, engatar.

enjoliver [ãʒolive] *vt* adornar, aderezar.

enjoliveur [ãʒolivœʀ] *nm* (AUTO) embellecedor m.

enjoué, e [ãʒwe] *a* alegre, jovial.

enlacer [ãlase] *vt* abrazar, estrechar; *(suj: corde, liane)* liar, atar.

enlaidir [ãlediʀ] *vt* afear // *vi* ponerse feo(a).

enlèvement [ãlɛvmã] *nm* rapto, secuestro.

enlever [ãlve] *vt* quitarse, sacarse; *(meuble, objet qui traîne)* sacar, quitar; *(tache etc)* quitar; *(MÉD: organe)* sacar, extraer; *(ordures)* recoger; *(meubles à déménager)* retirar; *(kidnapper)* raptar, secuestrar; *(suj: maladie)* llevar; *(prix, victoire, contrat etc)* llevarse, lograr; *(MIL: position ennemie)* conquistar; *(MUS)* ejecutar brillantemente; ~ **qch à qn** quitar algo a alguien.

enliser [ãlize]: **s'~** *vi* empantanarse, atascarse.

enluminure [ãlyminyʀ] *nf* estampa.

enneigé, e [ãneʒe] *a* nevado(a), cubierto(a) de nieve.

enneigement [ãnɛʒmã] *nm* estado de la nieve.

ennemi, e [ɛnmi] *a* enemigo(a) // *nm/f* enemigo/a, adversario/a // *nm* enemigo m; **être ~ de** ser enemigo de *o* contrario a.

ennoblir [ãnɔbliʀ] *vt* ennoblecer, enaltecer.

ennui [ãnɥi] *nm* aburrimiento, hastío; **un ~** una dificultad, un contratiempo; **avoir des ~s** tener dificultades *o* problemas.

ennuyer [ãnɥije] *vt* molestar, fastidiar; *(contrarier)* contrariar, fastidiar; *(lasser)* aburrir, cansar; si **cela ne vous ennuie pas** si no le molesta; **s'~** *vi* aburrirse; **s'~ de qn/qch** echar de menos a alguien/algo; **ennuyeux, euse** *a* aburrido(a), fastidioso(a); *(contrariant)* molesto(a), fastidioso(a).

énoncé [enɔ̃se] *nm* enunciado.

énoncer [enɔ̃se] *vt* enunciar, formular.

enorgueillir [ãnɔʀgœjiʀ] : **s'~ de** *vt* enorgullecerse de, jactarse de.

énorme [enɔʀm(ə)] *a* enorme, inmenso(a); *(important)* enorme, colosal; **énormément** *ad* muchísimo; **énormément de** muchísimo(a); **énormité** *nf* enormidad *f*, inmensidad *f*.

enquérir [ãkeʀiʀ] : **s'~ de** *vt* informarse sobre, preguntar por.

enquête [ãkɛt] *nf* investigación *f*, sumario; *(de journaliste, sondage d'opinion)* encuesta; **enquêter** *vi* investigar; *(journaliste)* hacer una encuesta; **enquêter sur** investigar sobre; **enquêteur, euse** *ou* **trice** *nm/f* investigador/ora, encuestador/ora.

enquiers etc *vb* voir **enquérir**.

enraciné, e [ãʀasine] *a* (fig) arraigado(a).

enragé, e [ãʀaʒe] *a* rabioso(a); *(fig)* apasionado(a), empedernido(a); ~ **de** apasionado por, fanático de.

enrageant, e [ãʀaʒã, ãt] *a* enojoso(a), irritante.

enrager [ãʀaʒe] *vi* rabiar; **faire ~ qn** hacer rabiar a alguien.

enrayer [ãʀeje] *vt* detener, cortar; **s'~** *vi* atascarse, encasquillarse.

enregistrement [ãʀʒistʀəmã] *nm* grabación *f*; inscripción *f*; facturación *f*; *(bande, disque)* grabación.

enregistrer [ãʀʒistʀe] *vt* grabar; *(amélioration, perte etc)* registrar, acusar; *(plainte, requête)* registrar, inscribir; *(mémoriser)* registrar,

grabar; (aussi: **faire** ~: *bagages*)
facturar; **enregistreur, euse** a
registrador(ora) // *nm* registrador
m.

enrhumer [ɑ̃ʀyme]: **s'**~ *vi* resfriarse, constiparse.

enrichir [ɑ̃ʀiʃiʀ] *vt* enriquecer; **s'**~
enriquecerse.

enrober [ɑ̃ʀɔbe] *vt*: ~ **qch** de
revestir o cubrir algo con.

enrôler [ɑ̃ʀole] *vt* enrolar, reclutar;
s'~ **(dans)** enrolarse o alistarse
(en).

enroué, e [ɑ̃ʀwe] a ronco(a).

enrouer [ɑ̃ʀwe]: **s'**~ *vi* ponerse
ronco(a).

enrouler [ɑ̃ʀule] *vt* enrollar; ~
qch autour de enrollar o envolver
algo alrededor de; **s'**~ enrollarse,
envolverse; **enrouleur, euse** a
enrollador(ora) // *nm*: **ceinture de
sécurité à enrouleur** cinturón m de
seguridad arrollable.

enrubanné, e [ɑ̃ʀybane] a
adornado(a) con cintas.

ENS *sigle f* = *Ecole normale
supérieure*.

ensabler [ɑ̃sable] *vt* enarenar;
(*embarcation*) varar en la arena;
s'~ *vi* enarenarse; encallarse en la
arena.

ensanglante, e [ɑ̃sãɡlɑ̃te] a en-
sangrentado(a).

enseignant, e [ɑ̃seɲɑ̃, ɑ̃t] a, *nm/f*
docente (*m/f*).

enseigne [ɑ̃seɲ] *nf* letrero; **à telle
~ que** a tal punto que, la prueba es
que.

enseignement [ɑ̃seɲmɑ̃] *nm*
enseñanza; (*leçon, conclusion*)
enseñanza, lección f; (*profession*)
enseñanza, docencia; (*administration*) enseñanza, instrucción f; ~
primaire/secondaire enseñanza
primaria/secundaria; ~ **supérieur
ou universitaire** enseñanza superior
o universitaria.

enseigner [ɑ̃seɲe] *vt* enseñar; (*suj:
choses*) enseñar, aleccionar // *vi*
enseñar.

ensemble [ɑ̃sɑ̃bl(ɔ)] *ad* juntos(as);

(*en même temps*) juntos(as),
simultáneamente // *nm* conjunto;
(*unité, harmonie*) armonía, unidad
f; **l'**~ **de** la totalidad de, todo(a);
impression/mouvement **d'**~
impresión f/movimiento general o
de conjunto; **dans l'**~ en conjunto,
en rasgos generales; ~ **vocal**
conjunto vocal.

ensemblier [ɑ̃sɑ̃blije] *nm*
decorador/ora.

ensemencer [ɑ̃smɑ̃se] *vt* sembrar.

enserrer [ɑ̃seʀe] *vt* apretar, ceñir.

ensevelir [ɑ̃sǝvliʀ] *vt* sepultar.

ensilage [ɑ̃silaʒ] *nm* ensilaje m.

ensoleillé, e [ɑ̃sɔleje] a soleado(a),
luminoso(a).

ensoleillement [ɑ̃sɔlɛjmɑ̃] *nm*
soleamiento.

ensommeillé, e [ɑ̃sɔmeje] a som-
noliento(a), amodorrado(a).

ensorceler [ɑ̃sɔʀsǝle] *vt* embrujar.

ensuite [ɑ̃sɥit] *ad* después; (*plus
tard*) después, luego; ~ **de quoi**
después de lo cual.

ensuivre [ɑ̃sɥivʀ(ǝ)]: **s'**~ *vi*
derivarse, seguirse; **il s'ensuit que**
como consecuencia, de esto resulta
que.

entacher [ɑ̃taʃe] *vt* mancillar;
entaché de nullité viciado de
nulidad.

entaille [ɑ̃taj] *nf* muesca, ranura;
(*blessure*) tajo, herida.

entailler [ɑ̃taje] *vt* cortar; **s'**~ **le
doigt** *etc* lastimarse el dedo *etc*.

entamer [ɑ̃tame] *vt* comenzar,
empezar; (*hostilités, pourparlers*)
iniciar, entablar; (*fig*) menguar,
debilitar.

entartrer [ɑ̃taʀtʀe]: **s'**~ *vi*
cubrirse de sarro.

entasser [ɑ̃tɑse] *vt* amontonar,
apilar; (*personnes, animaux*)
amontonar, hacinar; **s'**~ *vi*
amontonarse, apiñarse.

entendement [ɑ̃tɑ̃dmɑ̃] *nm* entendimiento, razón f.

entendre [ɑ̃tɑ̃dʀ(ǝ)] *vt* oír,
escuchar; (*accusé, témoin*)

escuchar, atender; (*comprendre*) entender, comprender; (*vouloir dire*) entender, querer decir; ~ **être obéi/que** exigir ser obedecido/que; s'~ entenderse, comprenderse; (*se mettre d'accord*) ponerse de acuerdo; **j'ai entendu dire que** quise decir que; ~ **raison** entrar en razones; s'~ **à qch** entender de algo; s'~ **à faire qch** ser entendido(a) o competente para hacer algo; **je m'entends** yo me entiendo, ya te digo; (*cela*) **s'entend** (eso) se entiende, naturalmente.

entendu, e [ātādy] a (*affaire*) resuelto(a), decidido(a); (*air*) entendido(a), conocedor(ora); **c'est** ~ **de acuerdo; bien ~!** ¡por supuesto!

entente [ātāt] nf comprensión f, unión f; (*accord, traité*) acuerdo, tratado; **à double** ~ de doble sentido.

entériner [āteʀine] vt convalidar, ratificar.

entérite [āteʀit] nf enteritis f.

enterrement [ātɛʀmā] nm entierro, funeral m.

enterrer [āteʀe] vt enterrar, sepultar; (*trésor etc*) enterrar; (*suj: avalanche etc*) sepultar; (*dispute, projet*) echar tierra sobre.

entêtant, e [ātɛtā, āt] a que aturde o marea.

en-tête [ātɛt] nm membrete m; **à** ~ a con membrete.

entêté, e [ātete] a porfiado(a), tozudo(a).

entêter [ātete] : s'~ vi empecinarse, obstinarse; s'~ **à** empecinarse en.

enthousiasme [ātuzjasm(ə)] nm entusiasmo, exaltación f; **enthousiasmer** vt entusiasmar, encantar; **s'enthousiasmer (pour qch)** entusiasmarse o apasionarse (con algo); **enthousiaste** a entusiasta, apasionado(a).

enticher [ātiʃe] : s'~ **de** vt encapricharse con.

entier, ère [ātje, jɛʀ] a (*non entamé*) entero(a); (*en totalité*) todo(a), completo(a); (*total, complet*) total, absoluto(a); (*personne, caractère*) íntegro(a), cabal // nm (*MATH*) entero(a); **en** ~ por entero(a) o completo(a); **en entièrement** ad totalmente, absolutamente.

entité [ātite] nf entidad f, ente m.

entomologie [ātɔmɔlɔʒi] nf entomología.

entonner [ātɔne] vt entonar.

entonnoir [ātɔnwaʀ] nm embudo; (*trou*) hoyo.

entorse [ātɔʀs(ə)] nf esguince m; (*fig*): ~ **à** violación f a.

entortiller [ātɔʀtije] vt envolver, enrollar; (*fam*) envolver, enredar.

entourage [ātuʀaʒ] nm allegados, (*ce qui enclôt*) cerco.

entourer [ātuʀe] vt rodear, rodear; (*cerner*) cercar, sitiar; (*suj: choses*) rodear, bordear; (*apporter son soutien à*) reconfortar, agasajar; ~ **qch de** cercar algo con; ~ **qn de soins** prodigar cuidados a alguien; s'~ **de** rodearse de.

entournures [ātuʀnyʀ] nfpl: **gêné aux** ~ ajustado de hombros; (*fig*) molesto, apretado.

entracte [ātʀakt(ə)] nm (*au cinéma, concert*) intermedio, entreacto.

entraide [ātʀɛd] nf ayuda mutua.

entraider [ātʀede] : s'~ vb réciproque ayudarse mutuamente.

entrailles [ātʀaj] nfpl entrañas.

entrain [ātʀɛ] nm animación f, vivacidad f; **avec/sans** ~ con/sin resolución o entusiasmo.

entraînant, e [ātʀenā, āt] a excitante, irresistible.

entraînement [ātʀenmā] nm entrenamiento, práctica; (*TECH*): ~ **à chaîne/galet** tracción f a cadena/rodillo.

entraîner [ātʀene] vt (*wagons etc*) arrastrar; (*objets arrachés*) acarrear, arrastrar; (*TECH*) accionar, poner en movimiento;

(emmener) llevarse; *(mener à l'assaut)* llevar a la ofensiva; *(SPORT)* entrenar; *(influencer)* arrastrar, influenciar; *(changement, dépenses etc)* acarrear, ocasionar; ~ **qn à** arrastrar a alguien a; **s'~** *(SPORT)* entrenarse; **s'~ à** habituarse a; **entraîneur,** nm/f entrenador/ora // nm *(HIPPISME)* picador m // f tanguista, gancho.

entrave [ɑ̃tʀav] nf *(fig)* traba, obstáculo.

entraver [ɑ̃tʀave] vt *(fig)* obstaculizar, dificultar.

entre [ɑ̃tʀ(ǝ)] prép entre; *(à travers)* entre, en; **l'un d'~ eux/nous** uno de ellos/nosotros; **le meilleur d'~ eux/nous** el mejor de ellos/nosotros; **ils préfèrent rester ~ eux** prefieren permanecer entre ellos; **ils se battent ~ eux** se pelean entre sí.

entrebâiller [ɑ̃tʀǝbaje] vt entreabrir.

entrechat [ɑ̃tʀǝʃa] nm entrechat m.

entrechoquer: **s'~** vi entrechocarse.

entrecôte [ɑ̃tʀǝkot] nf entrecote m, solomillo m de vaca.

entrecouper [ɑ̃tʀǝkupe] vt: ~ **qch de** interrumpir algo con.

entrecroiser [ɑ̃tʀǝkʀwaze] vt entrecruzar; ~ vi entrecruzarse.

entrée [ɑ̃tʀe] nf entrada, ingreso; *(accès)* entrada, acceso; *(billet, voie d'accès, aussi CULIN)* entrada; **~s fpl: avoir ses ~s chez/auprès de** tener libre acceso a; **d'~** ad de entrada, desde el comienzo; **faire son ~ dans** presentarse en; **'~ interdite/libre'** 'entrada prohibida/ libre'; **~ des artistes** entrada de los artistas; **~ en matière** comienzo, introducción f.

entrefaites [ɑ̃tʀǝfɛt] nf: **sur ces ~** ad en esto, en ese momento.

entrefilet [ɑ̃tʀǝfilɛ] nm noticia breve, suelto.

entrejambes [ɑ̃tʀǝʒɑ̃b] nm entrepierna.

entrelacer [ɑ̃tʀǝlase] vt *(fils)* entrelazar.

entrelarder [ɑ̃tʀǝlaʀde] vt *(viande)* mechar; *(fig)*: **entrelardé de** salpicado de.

entremêler [ɑ̃tʀǝmele] vt entremezclar; ~ **qch de** entremezclar algo con, entrecortar algo por.

entremets [ɑ̃tʀǝmɛ] nm plato dulce que se sirve antes de la fruta.

entremettre(s): **s'~** vi mediar, interceder; *(péj)* entremeterse; **entremise** nf: **par l'entremise de** por intermedio o mediación de.

entrepont [ɑ̃tʀǝpɔ̃] nm cubierta intermedia, entrepuente m.

entreposer [ɑ̃tʀǝpoze] vt depositar.

entrepôt [ɑ̃tʀǝpo] nm depósito.

entreprenant, e [ɑ̃tʀǝpʀǝnɑ̃, ɑ̃t] a emprendedor(ora), resuelto(a); *(trop galant)* audaz, atrevido.

entreprendre [ɑ̃tʀǝpʀɑ̃dʀ(ǝ)] vt emprender, iniciar; *(personne)* abordar; ~ **de faire qch** tratar de hacer algo, intentar hacer algo.

entrepreneur [ɑ̃tʀǝpʀǝnœʀ] nm *(en bâtiment)* contratista m; ~ **de pompes funèbres** empresario de pompas fúnebres.

entreprise [ɑ̃tʀǝpʀiz] nf empresa; *(action, tentative)* empresa, tentativa.

entrer [ɑ̃tʀe] vi entrar; *(objet)* entrar, penetrar // vt *(aussi:* **faire ~)** introducir; ~ **dans** entrar en; *(fig)* introducir o ingresar en; *(: phase, période)* entrar en, iniciar; *(entrer en collision avec)* chocar; *(vues, craintes de qn)* compartir, estar de acuerdo con; *(être une composante de)* entrar en, formar parte de; ~ **au couvent** tomar los hábitos; ~ **à l'hôpital** ingresar en el hospital; **laisser ~** dejar pasar; *(lumière, air)* dejar pasar o entrar; **faire ~** *(visiteur)* hacer pasar, invitar a entrar.

entresol [ɑ̃tʀǝsɔl] nm entresuelo.

entre-temps [ɑ̃tʀǝtɑ̃] *ad* entretanto, mientras tanto.

entretenir [ɑ̃tʀǝtniʀ] *vt* mantener, conservar; (*feu etc, famille, péj: maîtresse*) mantener; (*amitié, relations*) mantener, cultivar; ~ **qn** (**de qch**) hablar a alguien (de algo); **s'~ (de qch)** conversar (sobre algo); **entretien** *nm* conservación *f*, manutención *f*; (*discussion*) conversación *f*; (*audience*) entrevista, audiencia; **entretiens** *mpl* (*gén POL*) conferencia, coloquio; **frais d'entretien** gastos de mantenimiento.

entrevoir [ɑ̃tʀǝvwaʀ] *vt* entrever; (*fig*) entrever, vislumbrar.

entrevue [ɑ̃tʀǝvy] *nf* entrevista.

entrouvrir [ɑ̃tʀuvʀiʀ] *vt* entreabrir.

énumération [enymeʀasjɔ̃] *nf* enumeración *f*.

énumérer [enymeʀe] *vt* enumerar.

envahir [ɑ̃vaiʀ] *vt* invadir; (*fig*) invadir, apoderarse de; **envahissant, e** *a* (*péj*) entrometido(a); **envahisseur** *nm* invasor *m*.

envaser [ɑ̃vaze] : **s'~** *vi* atascarse en el fango; (*lac, rivière*) cegarse.

enveloppe [ɑ̃vlɔp] *nf* sobre *m*; (*gén, TECH*) envoltura, funda; **mettre sous ~** poner en un sobre; **~ autocollante** sobre autoadhesivo.

envelopper [ɑ̃vlɔpe] *vt* envolver; (*fig*) envolver, rodear; **s'~ dans** envolverse en.

envenimer [ɑ̃vnime] *vt* (*fig*) empeorar, encizañar; **s'~** *vi* empeorarse; (*plaie*) enconarse.

envergure [ɑ̃vɛʀgyʀ] *nf* envergadura, magnitud *f*; (: *d'une personne*) categoría, vuelo.

enverrai *etc vb voir* **envoyer**.

envers [ɑ̃vɛʀ] *prép* hacia, para con // *nm* (*d'une feuille*) envés *m*, cara dorsal; (*d'une étoffe, d'un vêtement*) revés *m*, contrahaz *f*; (*fig*) envés, contrario; **à l'~** al revés; **~ et**

contre tous *ou* **tout** contra viento y marea.

envie [ɑ̃vi] *nf* envidia; **une ~** un deseo, unas ganas; (*sur la peau*) antojo; (*filet de peau*) padrastro; **avoir ~ de qch** tener ganas de algo; **avoir ~ de faire qch** tener ganas de hacer algo; (*envisager*) tener deseos de hacer algo; **avoir ~ que** desear que, querer que; **donner à qn l'~ de faire qch** dar ganas de hacer algo a alguien; **envier** *vt* envidiar; **envieux, euse** *a* envidioso(a), ávido(a) // *nm/f* (*péj*) envidioso/a.

environ [ɑ̃viʀɔ̃] *ad* aproximadamente, cerca de; **3 h/2 km ~** 3 h/2 km aproximadamente; **~ 3 h/2 km** alrededor de 3 h/2 km; **~s** *nmpl* alrededores *mpl*; **aux ~s de** en las cercanías de; (*fig*) alrededor de, aproximadamente.

environnant, e [ɑ̃viʀɔnɑ̃, ɑ̃t] *a* cercano(a), circundante; (*fig*) que rodea, circundante.

environnement [ɑ̃viʀɔnmɑ̃] *nm* ambiente *m*, medio ambiente.

environner [ɑ̃viʀɔne] *vt* circundar, rodear; (*personne*) rodear; **s'~ de** rodearse de.

envisager [ɑ̃vizaʒe] *vt* considerar, tener en cuenta; (*projeter, songer à*) proyectar, tener en vista; (*de faire*) planear *o* proyectar hacer.

envoi [ɑ̃vwa] *nm* envío; (*paquet, colis*) paquete *m*.

envoie etc *vb voir* **envoyer**.

envol [ɑ̃vɔl] *nm* vuelo; despegue *m*.

envolée [ɑ̃vɔle] *nf* vuelo, ímpetu *m*.

envoler [ɑ̃vɔle] : **s'~** *vi* (*oiseau*) levantar vuelo; (*avion*) despegar; (*papier, feuille*) volarse; (*fig*) esfumarse, evaporarse.

envoûter [ɑ̃vute] *vt* hechizar; (*fig*) hechizar, embelesar.

envoyé, e [ɑ̃vwaje] *nm/f* enviado/a, delegado/a; (*de journal*): **~ spécial/permanent** corresponsal *m* especial/permanente.

envoyer [ɑ̃vwaje] *vt* enviar, mandar; (*projectile, ballon*) lanzar; (*gifle, critique*) propinar; **s'~**

(*fam*) zamparse; cargarse; **envoyeur, euse** *nm/f* emitente *m/f*.

enzyme [ãzim] *nm* enzima.

épagneul, e [epaɲœl] *nm/f* podenco/a.

épais, se [epɛ, ɛs] a grueso(a); espeso(a); (*sauce, liquide*) espeso(a), denso(a); (*fumée, brouillard, foule etc*) espeso(a), compacto(a); (*péj*) obtuso(a); **~seur** el espesor m; densidad f; **~sir** vt espesar // vi, **s'~sir** vi espesarse.

épanchement [epãʃmã] *nm* (*MÉD*): ~ de synovie derrame m sinovial.

épancher [epãʃe] vt desahogar; **s'~** vi desahogarse; (*liquide*) derramarse.

épandage [epãdaʒ] *nm* esparcimiento, diseminación m.

épanouir [epanwir] vt: **s'~** vi (*fleur*) abrirse; (*visage*) despejarse, alegrarse; (*personne*) desarrollarse, alcanzar la plenitud; (*pays*) desarrollarse.

épargnant, e [eparɲã, ãt] *nm/f* ahorrador/ora.

épargne [eparɲ(ə)] *nf* ahorro; **l'~ logement** ahorro para la vivienda.

épargner [eparɲe] vt ahorrar; (*soucis*) evitar; (*ennemi, prisonnier*) perdonar la vida a; (*récolte, région*) salvar, exceptuar // vi ahorrar; ~ **qch à qn** evitar algo a alguien, dispensar de algo a alguien.

éparpiller [eparpije] vt desparramar; (*guetteurs, postes*) diseminar; (*fig*) malgastar, derrochar; **s'~** vi desparramarse, dispersarse; (*manifestants etc*) dispersarse; (*fig*) dispersarse, desperdigarse.

épars, e [epaʀ, aʀs(ə)] a disperso(a), suelto(a).

épaté, e [epate] a: **nez ~** nariz achatada.

épater [epate] vt asombrar, sorprender.

épaule [epol] *nf* hombro, (*CULIN*) espaldilla.

épaulé-jeté [epoleʒɛte] *nm* (*SPORT*) levantada y tierra.

épaulement [epolmã] *nm* (*MIL*) parapeto; (*GÉO*) rellano.

épauler [epole] vt respaldar, apoyar; (*arme*) encararse // vi apuntar.

épaulette [epolɛt] *nf* (*MIL*) charretera; (*bretelle*) tirante m.

épave [epav] *nf* restos; (*véhicule abandonné*) despojo; (*fig*) deshecho, ruina.

épée [epe] *nf* espada.

épeler [eple] vt deletrear; **s'~** deletrearse.

éperdu, e [epɛʀdy] a loco(a), extraviado(a); (*amour, gratitude*) eterno(a), infinito(a); (*fuite*) en-loquecido(a); **~ment** ad desesperadamente; **~ment amoureux** perdidamente enamorado; **s'en ficher ~ment** desentenderse por completo.

éperon [epʀɔ̃] *nm* espuela; (*GÉO*) promontorio, espolón m; (*de navire*) espolón; **~ner** vt espolear; (*fig*) aguijonear; (*navire*) embestir con la roda.

épervier [epɛʀvje] *nm* gavilán m; (*PÊCHE*) esparavel m.

éphèbe [efɛb] *nm* efebo.

éphémère [efemɛʀ] a efímero(a).

éphéméride [efemerid] *nf* efemérides f.

épi [epi] *nm* espiga; ~ **de cheveux** remolino; **se garer en ~** aparcar en batería.

épice [epis] *nf* especia; **épicé, e** a condimentado(a), picante; (*fig*) picante, picaresco(a).

épicéa [episea] *nm* pícea.

épicentre [episãtʀ(ə)] *nm* epicentro.

épicerie [episʀi] *nf* tienda de ultramarinos; (*produits*) comestibles *mpl*; ~ **fine** comestibles selectos; **épicier, ière** *nm/f* tendero/a de ultramarinos.

épicurien, ne [epikyʀjɛ̃, ɛn] a epicúreo(a)s.

épidémie [epidemi] *nf* epidemia.

épiderme [epidɛʀm(ə)] nm epidermis f; **épidermique** a (MÉD) epidérmico(a); (fig) superficial, frívolo(a).

épier [epje] vt espiar, vigilar; (arrivée, changement, occasion) estar al acecho de.

épieu, x [epjø] nm venablo.

épigone [epigɔn] nm epígono.

épigramme [epigʀam] nf epigrama m.

épigraphe [epigʀaf] nf epígrafe m.

épilatoire [epilatwaʀ] a depilatorio(a).

épilepsie [epilɛpsi] nf epilepsia; **épileptique** a, nm/f epiléptico(a).

épiler [epile] vt depilar; **s'~ les jambes** depilarse las piernas; **se faire ~** hacerse depilar; **crème à ~** crema para depilar.

épilogue [epilɔg] nm epílogo; (fig) epílogo, desenlace m.

épiloguer [epilɔge] vi: **~ (sur)** comentar (sobre).

épinard [epinaʀ] nm (BOT) espinaca; (CULIN) **~s** espinacas.

épine [epin] nf espina; (d'oursin) púa; **épineux, euse** a espinoso(a); (fig) espinoso(a), enrevesado(a).

épingle [epɛ̃gl(ə)] nf alfiler m; **tirer son ~ du jeu** salir de apuros; **tiré à quatre ~s** de punta en blanco; **monter qch en ~** poner algo por las nubes, alardear de algo; **virage en ~ à cheveux** curva cerrada; **double ou de nourrice ou de sûreté** imperdible m; **~ de cravate** alfiler de corbata; **épingler** vt prender; (fam) atrapar, pescar.

épinière [epinjɛʀ] a voir **moelle**.

Épiphanie [epifani] nf Epifanía.

épique [epik] a épico(a); (fig) memorable.

épiscopal, e, aux [episkɔpal, o] a episcopal.

épiscopat [episkɔpa] nm episcopado.

épisode [epizɔd] nm episodio; **film à ~s** película en episodios; **épisodique** a episódico(a).

épistémologie [epistemɔlɔʒi] nf epistemología.

épistolaire [epistɔlɛʀ] a epistolar.

épitaphe [epitaf] nf epitafio.

épithète [epitɛt] nf, a epíteto.

épître [epitʀ] nf epístola.

éploré, e [eplɔʀe] a desconsolado(a), acongojado(a).

éplucher [eplyʃe] vt mondar, pelar; (fig) examinar con detención; **éplucheur** nm (à légumes) mondador m; **épluchures** nfpl mondaduras, cáscaras.

épointer [epwɛ̃te] vt despuntar, desmochar.

éponge [epɔ̃ʒ] nf esponja; **passer l'~ (sur)** (fig) hacer borrón y cuenta nueva (de); **éponger** (surface) pasar una esponja por; **s'éponger le front** enjugarse la frente.

épopée [epɔpe] nf epopeya.

époque [epɔk] nf época, período; (de l'année, la vie) época, momento; **d'~** a de época; **à l'~ où/de** en la época en que/de.

épouiller [epuje] vt espulgar, despiojar.

époumoner [epumɔne]: **s'~** vi desgañitarse.

épouse [epuz] nf voir **époux**.

épouser [epuze] vt casarse con; (fig) adherir a; (:)forme, mouvement) adaptarse a.

épousseter [epuste] vt desempolvar, quitar el polvo a.

époustouflant, e [epustuflɑ̃, ɑ̃t] a sorprendente, asombroso(a).

épouvantable [epuvɑ̃tabl(ə)] a horroroso(a), pavoroso(a); (sens affaibli) espantoso(a), terrible.

épouvantail [epuvɑ̃taj] nm espantapájaros m inv; (fig) espectro, coco.

épouvante [epuvɑ̃t] nf espanto, terror m; **film d'~** película de terror; **épouvanter** vt aterrorizar, horrorizar; (sens affaibli) espantar.

époux, ouse [epu, uz] nm/f esposo/a // nmpl esposos.

éprendre [eprɑ̃dʀ(ə)]: **s'~ de** vt enamorarse de.

épreuve [epʀœv] nf desventura, contrariedad f; (SCOL) prueba, examen m; (SPORT, PHOTO, IMPRIMERIE) prueba; **à l'~ de** a prueba de; **mettre à l'~** poner a prueba.

épris, e [epʀi, iz] pp de **éprendre.**

éprouvant, e [epʀuvɑ̃, ɑ̃t] a penoso(a).

éprouvé, e [epʀuve] a (sûr) a toda prueba.

éprouver [epʀuve] vt causar; (personne) probar, poner a prueba; (faire souffrir) afectar, hacer padecer; (fatigue etc, sentiment) experimentar, sentir; (difficultés etc) encontrar, tropezar con.

éprouvette [epʀuvɛt] nf probeta.

épuisé, e [epɥize] a agotado(a), exhausto(a); (stock, livre) agotado(a).

épuiser [epɥize] vt agotar, extenuar; (stock, ressources etc) agotar, consumir; (fig) agotar; **s'~** vi agotarse; (stock) agotarse, acabarse.

épuisette [epɥizɛt] nf manga.

épurer [epyʀe] vt depurar; (fig) depurar, purgar.

équarrir [ekaʀiʀ] vt escuadrar, labrar a la escuadra; (animal) descuartizar.

équateur [ekwatœʀ] nm ecuador m.

Équateur [ekwatœʀ] nm: **l'~** el Ecuador.

équation [ekwasjɔ̃] nf ecuación f; **mettre en ~** convertir en ecuación.

équatorial, e, aux [ekwatɔʀjal, o] a ecuatorial.

équerre [ekɛʀ] nf escuadra; **d'~, à l'~** a, ad a escuadra, en ángulo recto; **les jambes en ~** (GYMNASTIQUE) las piernas a escuadra.

équestre [ekɛstʀ(ə)] a ecuestre.

équeuter [ekøte] vt quitar el rabillo.

équidistant, e [ekɥidistɑ̃, ɑ̃t] a equidistante.

équilatéral, e, aux [ekɥilateʀal, o] a equilátero(a).

équilibrage [ekɥilibʀaʒ] nm (des roues) nivelación f.

équilibre [ekɥilibʀ(ə)] nm equilibrio, estabilidad f; (fig, PSYCH) equilibrio; **être en ~** (corps) estar equilibrado(a); **perdre l'~** perder el equilibrio; **équilibré, e** a equilibrado(a); **équilibrer** vt equilibrar; **s'équilibrer** vi (poids) equilibrarse; (fig) equilibrarse, compensarse; **équilibriste** nm/f equilibrista m/f.

équinoxe [ekinɔks(ə)] nm equinoccio.

équipage [ekipaʒ] nm tripulación f, dotación f; (SPORT AUTOMOBILE) equipo; (d'un roi) séquito, cortejo.

équipe [ekip] nf equipo; (de travailleurs) cuadrilla; (d'amis) pandilla; **~ de sauveteurs** equipo de salvamento.

équipée [ekipe] nf calaverada, correría.

équipement [ekipmɑ̃] nm equipo; **~s sportifs** instalaciones deportivas.

équiper [ekipe] vt equipar; (région) proveer, abastecer; **~ qn de** proveer a alguien de; **~ qch de** equipar algo con o de; **s'~** equiparse; (région, pays) proveerse, abastecerse.

équipier, ière [ekipje, jɛʀ] nm/f compañero/a de equipo.

équitable [ekitabl(ə)] a equitativo(a), imparcial.

équitation [ekitasjɔ̃] nf equitación f.

équivalence [ekivalɑ̃s] nf equivalencia.

équivalent, e [ekivalɑ̃, ɑ̃t] a equivalente, igual // nm: **l'~** el equivalente.

équivaloir [ekivalwaʀ]: **~ à** vi equivaler a, ser igual a; (refus etc) equivaler a.

équivoque [ekivɔk] a equívoco(a),

ambigu(a); (louche) equívoco(a), dudoso(a) // nf equívoco; (expression) equívoco, ambiguología.

érable [eʀabl(ə)] nm arce m.

érafler [eʀafle] vt rasguñar, raspar; s'~ rasguñarse; **éraflure** nf rasguño.

éraillé, e [eʀaje] a (voix) cascado(a).

ère [ɛʀ] nf era.

érection [eʀɛksjɔ̃] nf erección f.

éreinter [eʀɛ̃te] vt reventar, cansar; (fig) maltratar, poner por el suelo; s'~ (à faire qch/à qch) deslomarse (haciendo algo/con o por algo).

ergot [ɛʀgo] nm espolón m; (TECH) uña.

ériger [eʀiʒe] vt erigir, levantar; ~ qch en convertir algo en; s'~ en constituirse en.

ermitage [ɛʀmitaʒ] nm ermita; (fig) retiro, refugio.

ermite [ɛʀmit] nm ermitaño, eremita m; (fig) ermitaño.

éroder [eʀɔde] vt desgastar.

érosion [eʀozjɔ̃] nf (GÉO) erosión f.

érotique [eʀɔtik] a erótico(a).

érotisme [eʀɔtism(ə)] nm erotismo.

errata [eʀata] nm ou nmpl fe f de erratas.

erratum, a [eʀatɔm, a] nm errata.

errer [eʀe] vi errar, deambular.

erreur [eʀœʀ] nf error m, equivocación f; ~s fpl (morales) faltas, culpas; **tomber/être dans l'**~ incurrir/estar en un error; **par** ~ por error o equivocación; ~ **de fait/jugement** error de hecho/juicio; ~ **judiciaire** error judicial.

erroné, e [eʀɔne] a erróneo(a), errado(a).

ersatz [ɛʀzats] nm sucedáneo.

éructer [eʀykte] vi eructar.

érudit, e [eʀydi, it] a, nm/f erudito(a); ~ion nf erudición f.

éruptif, ive [eʀyptif, iv] a eruptivo(a).

éruption [eʀypsjɔ̃] nf erupción f.

es vb voir **être**.

ès [ɛs] prép: **licencié** ~ **lettres** etc licenciado en letras etc.

escabeau, x [ɛskabo] nm escabel m.

escadre [ɛskadʀ(ə)] nf (NAUT) escuadra; (AVIAT) escuadrilla.

escadrille [ɛskadʀij] nf (AVIAT) escuadrilla.

escadron [ɛskadʀɔ̃] nm escuadrón m.

escalade [ɛskalad] nf escalada; escalader vt escalar, trepar.

escalator [ɛskalatɔʀ] nm escalera mecánica.

escale [ɛskal] nf escala; **faire** ~ (à) hacer escala (en).

escalier [ɛskalje] nm escalera; ~ **à vis** ou **en colimaçon** escalera de caracol; ~ **roulant** escalera automática.

escalope [ɛskalɔp] nf (CULIN) filete m, escalope m.

escamotable [ɛskamɔtabl(ə)] a (TECH) plegable.

escamoter [ɛskamɔte] vt escamotear, eludir; (suj: illusionniste) escamotear.

escapade [ɛskapad] nf escapada; **faire une** ~ escurrirse, escabullirse.

escarbille [ɛskaʀbij] nf carbonilla.

escargot [ɛskaʀgo] nm caracol m.

escarmouche [ɛskaʀmuʃ] nf escaramuza.

escarpé, e [ɛskaʀpe] a escarpado(a).

escarpement [ɛskaʀpəmɑ̃] nm declive m.

escarpin [ɛskaʀpɛ̃] nm escarpín m.

escarre [ɛskaʀ] nf (MÉD) escara.

escient [ɛsjɑ̃] nm: **à bon** ~ con fundamento, a propósito.

esclaffer [ɛsklafe]: s'~ vi estallar en carcajadas.

esclandre [ɛsklɑ̃dʀ(ə)] nm escándalo.

esclavage [ɛsklavaʒ] nm esclavitud f; **esclavagiste** nm/f esclavista m f.

esclave [ɛsklav] nm/f esclavo/a.

escogriffe [ɛskɔgrif] *nm* (*péj*) zangón *m*, zanguango.

escompte [ɛskɔ̃t] *nm* descuento; (*COMM*) descuento, rebaja; **escompter** *vt* descontar; (*fig*) contar con; **escompter que** contar con que.

escorte [ɛskɔrt(ə)] *nf* escolta; **toute une ~** de (*fig*) toda una serie de; **escorter** *vt* escoltar; **escorteur** *nm* escolta.

escouade [ɛskwad] *nf* (*MIL*) escuadra, pelotón *m*.

escrime [ɛskrim] *nf*: **l'~** la esgrima; **faire de l'~** practicar esgrima.

escrimer [ɛskrime]: **s'~** *vi*: **s'~ à faire qch/sur qch** afanarse en hacer algo/sobre algo.

escroc [ɛskro] *nm* estafador *m*.

escroquer [ɛskrɔke] *vt* estafar; **~ie** [ɛskrɔkri] *nf* estafa.

ésotérique [ezɔterik] *a* esotérico(a).

espace [ɛspas] *nm* espacio, extensión *f*; (*entre deux points, deux objets*) espacio; (*de temps*) espacio, lapso; **~s verts** zonas verdes.

espacé, e [ɛspase] *a* espaciado(a); distanciado(a).

espacement [ɛspasmɑ̃] *nm* separación *f*; distancia; espaciamiento.

espacer [ɛspase] *vt* espaciar, separar; (*dans le temps*) espaciar, distanciar; **s'~** *vi* espaciarse.

espadon [ɛspadɔ̃] *nm* pez espada *m*.

espadrille [ɛspadrij] *nf* alpargata.

Espagne [ɛspaɲ] *nf* España; **espagnol, e** [ɛspaɲɔl] *a*, *nm/f* español(ola).

espagnolette [ɛspaɲɔlɛt] *nf* falleba.

espalier [ɛspalje] *nm* espaldera.

espèce [ɛspɛs] *nf* (*BIO*, *BOT*, *ZOOL*) especie *f*; (*gén*) especie, clase *f*; **~s** (*COMM*) efectivo; (*REL*) especies *fpl*; **une ~ de** una especie de; **~ de**

...! ¡pedazo de...!; **en l'~** *ad* en la circunstancia; **payer en ~s** pagar en efectivo o metálico.

espérance [ɛsperɑ̃s] *nf* esperanza; **~ de vie** promedio de vida.

espéranto [ɛsperɑ̃to] *nm* esperanto.

espérer [ɛspere] *vt*, *vi* esperar; **~ que/faire qch** esperar que/hacer algo; **~ en** confiar en.

espiègle [ɛspjɛgl(ə)] *a* pícaro(a), travieso(a).

espion, ne [ɛspjɔ̃, ɔn] *a*, *nm/f* espía (*m/f*).

espionnage [ɛspjɔnaʒ] *nm* espionaje *m*.

espionner [ɛspjɔne] *vt* espiar.

esplanade [ɛsplanad] *nf* explanada.

espoir [ɛspwar] *nm* esperanza; **dans l'~ de/que** con la esperanza de/de que; **un ~ de la boxe** una promesa del box.

esprit [ɛspri] *nm* espíritu *m*, pensamiento; (*humour*, *ironie*) humor *m*, ingenio; (*fantôme etc*) espíritu; **paresse/vivacité d'~** pereza/vivacidad mental; **faire de l'~** dárselas de ingenioso(a); **reprendre ses ~s** volver en sí; **perdre l'~** perder la razón; **l'~ d'une loi** el espíritu de una ley; **l'~ d'équipe/de parti/d'entreprise** el espíritu de equipo/de partido/de empresa; **l'~ de corps** el sentido de solidaridad; **l'~ critique** el sentido crítico; **~s chagrins** espíritus sombríos.

esquif [ɛskif] *nm* esquife *m*.

esquimau, de, x [ɛskimo, ɔd] *a*, *nm*, *nf* esquimal (*m*, *f*).

esquinter [ɛskɛ̃te] *vt* (*fam*) estropear, deteriorar.

esquisse [ɛskis] *nf* bosquejo, boceto; **esquisser** *vt* bosquejar, esbozar; **esquisser un geste** esbozar un gesto; **s'esquisser** vi esbozarse.

esquive [ɛskiv] *nf*: **l'~** la finta, la esquiva.

esquiver [ɛskive] *vt* esquivar; (*fig*) esquivar, eludir; **s'~** *vi* zafarse.

essai [esɛ] nm prueba; (RUGBY, LITTÉRATURE) ensayo; **~s** mpl (SPORT, AUTO) pruebas; **à l'~** a prueba.

essaim [esɛ̃] nm enjambre m; **~er** [eseme] vi enjambrar; (fig) expandirse.

essayage [esɛjaʒ] nm prueba; **salon/cabine d'~** salón/cabina de pruebas.

essayer [eseje] vt probar; (avant d'acheter) probar, probarse; (de faire qch tratar de hacer algo; **s'~ à** ejercitarse en.

essayiste [esejist(ə)] nm/f ensayista m/f.

essence [esɑ̃s] nf esencia; (carburant) gasolina; (d'arbre) especie f; **~ de lavande** esencia de lavanda; **~ de térébenthine** esencia de trementina.

essentiel, le [esɑ̃sjɛl] a esencial, imprescindible; (de base, fondamental) esencial, fundamental // nm: l'~ lo esencial; **être ~ à** ser esencial o fundamental para; l'~ d'un discours/d'une œuvre lo fundamental de un discurso/una obra.

esseulé, e [esœle] a solo(a), desamparado(a).

essieu, x [esjø] nm eje m.

essor [esɔr] nm auge m, desarrollo.

essorer [esɔre] vt secar, escurrir; **essoreuse** nf escurridor m; (à tambour) secadora.

essouffler [esufle] vt sofocar, dejar sin aliento; **s'~** vi sofocarse, quedarse sin aliento; (fig) agotarse, perder la inspiración.

essuie-glace [esɥiglas] nm limpiaparabrisas m inv.

essuie-mains [esɥimɛ̃] nm toalla, paño de manos.

essuyer [esɥije] vt secar; (épousseter) limpiar; (fig) sufrir, soportar; **s'~** secarse.

est [ɛ] vb voir **être** // [ɛst] nm, a inv (el) este (m); l'E~ (POL) el Este; à l'~ este; (direction) hacia el este; à l'~ de al este de.

estafette [ɛstafɛt] nf (MIL) estafeta f, correo.

estafilade [ɛstafilad] nf tajo.

est-allemand, e [ɛstalmɑ̃, ɑ̃d] a de Alemania Oriental o del Este.

estampe [ɛstɑ̃p] nf estampa.

estampille [ɛstɑ̃pij] nf sello.

est-ce que [ɛskə] ad: **~ c'est cher?** ¿es caro?; **quand est-ce qu'il part?** ¿cuándo parte?; **où est-ce qu'il va?** ¿adónde va?; **qui est-ce qui a fait ça?** ¿quién hizo esto?

esthète [ɛstɛt] nm/f esteta m/f.

esthéticien, ne [ɛstetisjɛ̃, jɛn] nm/f esteta m/f // nf esteticista, especialista en belleza.

esthétique [ɛstetik] a estético(a) // nf estética.

estimation [ɛstimasjɔ̃] nf evaluación f, estimación f.

estime [ɛstim] nf estima, consideración f.

estimer [ɛstime] vt estimar, apreciar; (expertiser) estimar, evaluar; (prix, importance, distance) evaluar, calcular; **~ que/être...** creer que/ser...; **s'~** satisfait considerarse satisfecho.

estival, e, aux [ɛstival, o] a estival.

estivant, e [ɛstivɑ̃, ɑ̃t] nm/f veraneante m/f.

estocade [ɛstɔkad] nf estocada; (fig) golpe m de gracia.

estomac [ɛstɔma] nm estómago.

estomaqué, e [ɛstɔmake] a alelado(a), atónito(a).

estompe [ɛstɔ̃p] nf esfumino, difumino; **estomper** vi esfumar, difuminar; (suj: brume etc) desdibujar, velar; (fig) desdibujar, borrar; **s'~** vi esfumarse; (fig) borrarse, desdibujarse.

estrade [ɛstrad] nf tarima.

estragon [ɛstragɔ̃] nm estragón m.

estropier [ɛstrɔpje] vt baldar, tullir; (fig) estropear, arruinar.

estuaire [ɛstɥɛr] nm estuario.

estudiantin, e [ɛstydjɑ̃tɛ̃, in] a estudiantil.

esturgeon [estyʀʒɔ̃] *nm* esturión m.

et [e] *conj* y; *(avant i et hi prononcé* [i]) e; ~ **puis** y además; ~ **alors** ou **(puis) après?** (qu'importe!) ¿y qué?

étable [etabl(ə)] *nf* establo.

établi [etabli] *nm* banco.

établir [etabliʀ] *vt (papiers, facture)* establecer, hacer; *(liste, programme)* establecer, fijar; *(réglement, gouvernement)* establecer, instituir; *(entreprise, atelier, camp)* establecer, instalar; *(fait, culpabilité)* establecer, comprobar; *(personne)* colocar; **s'~** *vb réfléchi (monter une entreprise etc)* instalarse, poner un negocio // *vi* establecerse; **s'~ (à son compte)** establecerse (por su cuenta); **s'~ quelque part** *(personne)* radicarse en alguna parte.

établissement [etablismā] *nm* establecimiento.

étage [etaʒ] *nm* piso, planta; *(de fusée)* cuerpo, sección f; *(de culture, végétation)* nivel m, estrato; **habiter à l'~/au deuxième ~** vivir en el primer piso/en el segundo piso; **de bas ~** *a* de baja estofa o categoría.

étager [etaʒe] *vt (fig)* escalonar; **s'~** *vi* escalonarse.

étagère [etaʒeʀ] *nf* estante m; *(meuble)* estantería.

étai [etɛ] *nm* puntal m.

étain [etɛ̃] *nm* estaño.

étais *etc vb voir* **être**.

étal [etal] *nm* puesto.

étalage [etalaʒ] *nm* ostentación f, exhibición f; *(de magasin)* escaparate m; **étalagiste** nm/f escaparatista m/f.

étale [etal] *a* estacionario(a).

étalement [etalmā] *nm* escalonamiento.

étaler [etale] *vt (carte, nappe)* extender, desplegar; *(peinture, liquide)* aplicar, desparramar; *(échelonner)* escalonar; *(marchandises)* exponer; *(richesses, connaissances)* ostentar; **s'~** *vi* desparramarse;

(luxe etc) ostentarse; *(travaux, paiements)* escalonarse; *(fam)* caerse a lo largo.

étalon [etalɔ̃] *nm* patrón m; *(cheval)* semental m; **l'~-or** el patrón oro.

étalonner [etalɔne] *vt* graduar.

étamer [etame] *vt* estañar, azogar.

étamine [etamin] *nf (de fleur)* estambre m; *(tissu)* estameña.

étanche [etɑ̃ʃ] *a* impermeable; *(récipient)* estanco(a); *(montre)* hermético(a).

étancher [etɑ̃ʃe] *vt* estancar; *(sang)* restañar.

étançon [etɑ̃sɔ̃] *nm* puntal m.

étang [etɑ̃] *nm* estanque m.

étant [etɑ̃] *vb voir* **être, donné**.

étape [etap] *nf* etapa; *(fig)* etapa, fase f; **faire ~ à** hacer etapa o alto en.

état [eta] *nm* estado; *(gouvernement)*: **l'É~** el Estado; *(liste, inventaire)* registro, estado; *(condition professionnelle ou sociale)* condición f, profesión f; **en ~ de marche** en funcionamiento; **en ~** en buen estado; **hors d'~** fuera de uso, en mal estado; **être en ~/hors d'~ de faire qch** estar en condiciones/imposibilitado(a) de hacer algo; **remettre en ~** volver a poner en condiciones; **être dans tous ses ~s** estar fuera de sí; **faire ~ de** hacer valer; **être en ~ d'arrestation** estar en arresto, estar detenido(a); ~ **civil** estado civil; ~ **d'esprit** mentalidad f; ~ **des lieux** estado del inmueble; ~**s de service** foja de servicios; **étatique** a estatal; **étatiser** *vt* nacionalizar; **étatisme** *nm* estatismo.

état-major [etamaʒɔʀ] *nm* estado mayor, plana mayor.

Etats-Unis [etazyni] *nmpl*: **les ~ (d'Amérique)** los Estados Unidos (de América).

étau, x [eto] *nm* torno; *(fig)* tenazas.

étayer [eteje] *vt* apuntalar; *(fig)* reforzar.

été [ete] *pp de* être // *nm* verano, estío.

éteignoir [etɛɲwaʀ] *nm* apagavelas *m inv*; *(péj)* aguafiestas *m/f inv*.

éteindre [etɛ̃dʀ(ə)] *vt* apagar; *(incendie, bougie)* extinguir, apagar; *(fig)* calmar, apagar; *(JUR: dette)* amortizar, saldar; s'~ *vi* apagarse, borrarse; *(mourir)* extinguirse.

éteint, e [etɛ̃, ɛ̃t] *a* apagado(a).

étendard [etɑ̃daʀ] *nm* estandarte *m*.

étendre [etɑ̃dʀ(ə)] *vt* extender, aplicar; *(carte, tapis)* extender, desplegar; *(lessive, linge)* tender; *(bras, jambes)* extender; *(blessé, malade)* tender; *(vin, sauce)* diluir, aguar; *(fig: agrandir)* extender, ampliar; s'~ *vi* propagarse, extenderse; *(personne: s'allonger)* s'~ **(sur)** tenderse (sobre, en); *(: se reposer)* tenderse (sobre, en); *(fig:)* s'~ **(sur)** (sujet, problème) extenderse (sobre).

étendu, e [etɑ̃dy] *a* extenso(a), *(fig)* amplio(a) // *nf* amplitud *f*, alcance *m*; *(surface)* extensión *f*.

éternel, le [etɛʀnɛl] *a* eterno(a); *(habituel)* acostumbrado(a), perpetuo(a); **-lement** *ad* eternamente.

éterniser [etɛʀnize]: s'~ *vi* eternizarse, hacerse interminable; *(visiteur)* eternizarse.

éternité [etɛʀnite] *nf* eternidad *f*; **de toute ~** desde siempre, de tiempo inmemorial.

éternuement [etɛʀnymɑ̃] *nm* estornudo.

éternuer [etɛʀnɥe] *vi* estornudar.

êtes *vb voir* être.

étêter [etete] *vt* (*arbre*) desmochar; *(clou, poisson)* descabezar.

éther [etɛʀ] *nm* éter *m*.

Éthiopie [etjɔpi] *nf* Etiopía; **éthiopien, ne** *a, nm/f* etíope (*m/f*).

éthique [etik] *a* ético(a) // *nf* ética.

ethnie [etni] *nf* etnia; **ethnique** *a* étnico(a); **ethnographie** [etnɔgʀaf] *nm/f* etnógrafo/a; **ethnographie** *a* etnografía; **ethnographie** *a*

etnográfico(a); **ethnologie** [etnɔlɔʒi] *nf* etnología; **ethnologue** [etnɔlɔg] *nm/f* etnólogo/a.

éthylisme [etilism(ə)] *nm* etilismo.

étiage [etjaʒ] *nm* estiaje *m*.

étincelant, e [etɛ̃slɑ̃, ɑ̃t] *a* brillante, resplandeciente.

étinceler [etɛ̃sle] *vt* destellar, brillar.

étincelle [etɛ̃sɛl] *nf* chispa; *(fig)* chispa, destello.

étioler [etjɔle]: s'~ *vi* marchitarse.

étique [etik] *a* enteco(a), enclenque.

étiqueter [etikte] *vt* etiquetar; *(fig)* clasificar, etiquetar.

étiquette [etikɛt] *nf* etiqueta; *(fig)* etiqueta, rótulo; *(protocole)* **l'~** la etiqueta.

étirer [etiʀe] *vt* estirar; s'~ *vi* estirarse; *(convoi, route)* s'~ **sur** extenderse por.

Etna [etna] *nm*: **l'~** el monte Etna.

étoffe [etɔf] *nf* tela; **avoir l'~ d'un chef** *etc* tener pasta de jefe *etc*.

étoffer [etɔfe] *vt* dar cuerpo o amplitud a; s'~ *vi* engrosar, robustecerse.

étoile [etwal] *nf* estrella; *(signe)* asterisco // *a*: **danseuse ~** primera bailarina; **danseur ~** primer bailarín; **à la belle ~** al aire libre, al sereno; **~ filante** estrella fugaz; **~ de mer** estrella de mar; **l'~ polaire** la estrella polar; **étoiler** *vt* constelar, salpicar; *(fêler, trouer)* estrellar.

étole [etɔl] *nf* estola.

étonnant, e [etɔnɑ̃, ɑ̃t] *a* asombroso(a), sorprendente; *(valeur intensive)* admirable, prodigioso(a).

étonnement [etɔnmɑ̃] *nm* asombro, sorpresa.

étonner [etɔne] *vt* asombrar, sorprender; s'~ **que/de** asombrarse de que/de; **cela m'étonnerait (que)** me sorprendería que.

étouffant, e [etufɑ̃, ɑ̃t] *a* asfixiante, sofocante.

étouffée [etufe]: **à l'~** *ad* al estofado, estofado(a).

étouffer [etufe] *vt* asfixiar, sofocar; (*fig*) sofocar, amortiguar; (: *nouvelle, scandale*) sofocar, silenciar // *vi* ahogarse, asfixiarse; (*avoir trop chaud*) sofocarse, ahogarse; **s'~** *vi* (*en mangeant, buvant*) ahogarse, atragantarse.

étoupe [etup] *nf* estopa.

étourderie [eturdəri] *nf* atolondramiento.

étourdi, e [eturdi] *a* atolondrado(a), distraído(a).

étourdir [eturdiʀ] *vt* aturdir, atontar; (*griser*) aturdir; **étourdissant, e** *a* impresionante, extraordinario(a); (*merveilleux*) sensacional, sorprendente; **étourdissement** *nm* mareo, aturdimiento.

étourneau, x [eturno] *nm* (*ZOOL*) estornino.

étrange [etʀɑʒ] *a* extraño(a), curioso(a); (*sens affaibli*) singular, insólito(a).

étranger, ère [etʀɑʒe, ɛʀ] *a* extranjero(a); (*pas de la famille*) extraño(a); (*non familier*) extraño(a), desconocido(a) // *nm/f* extranjero/a; extraño/a // *nm*: **l'~** el extranjero, el exterior; **à l'~** al extranjero; **à ~** a ajeno a.

étranglé, e [etʀɑgle] *a*: **d'une voix ~e** con una voz sofocada.

étranglement [etʀɑgləmɑ] *nm* (*partie resserrée*) estrechamiento, angostura.

étrangler [etʀɑgle] *vt* estrangular; (*accidentellement*) ahogar; **s'~** *vi* (*en mangeant etc*) ahogarse; (*se resserrer*) estrecharse, angostarse.

étrave [etʀav] *nf* roda.

être [etʀ(ə)] *nm* ser *m* // *vb* avec attribut ser; (*temporel, sans idée de permanence*) estar // *vb auxiliaire* haber // *vi* existir, ser; **il est fort/instituteur** (él) es fuerte/maestro; **c'est à moi/eux** es mío/suyo/a *o* de ellos; **c'est à lui de le faire/de décider** le

corresponde a él hacerlo/decidir; **il est à Paris/au salon** está en París/en el salón; **~ de Genève/de la même famille** ser de Ginebra/de la misma familia; **nous sommes le 10 janvier** (hoy) es 10 de enero, estamos a 10 de enero; **il est 10 heures, c'est 10 heures** son las 10 (horas); **c'est à faire/réparer** está por hacerse/para repararse; **il serait facile de/souhaitable que** sería fácil/deseable que; **~ humain** *nm* ser humano; **~ vivant** *nm* ser viviente; *voir aussi* **est-ce que, n'est-ce pas, c'est-à-dire, ce**.

étreindre [etʀɛdʀ(ə)] *vt* estrechar; aferrarse a; (*amoureusement, amicalement*) abrazar, estrechar; (*suj: douleur, peur*) oprimir; **s'~** estrecharse, abrazarse; **étreinte** [etʀɛt] *nf* abrazo; (*pour s'accrocher, retenir*) abrazo, aferramiento; (*fig*): **resserrer son étreinte autour de** cerrar su cerco en torno a.

étrenner [etʀene] *vt* estrenar.

étrennes [etʀen] *nfpl* presente *m*, aguinaldo.

étrier [etʀije] *nm* estribo.

étriller [etʀije] *vt* (*cheval*) almohazar; (*fam: battre*) zurrar, zurrar.

étriqué, e [etʀike] *a* estrecho(a), ajustado(a); (*fig*) mezquino(a).

étroit, e [etʀwa, wat] *a* angosto(a), estrecho(a); (*fig: péj*) obtuso(a), limitado(a); (*liens, amitié*) estrecho(a), íntimo(a); (*surveillance, subordination*) riguroso(a), estricto(a); **à l'~** a lo hacinado(a), apretadamente; **~esse** *nf* estrechez *f*, angostura; **~esse d'esprit** mentalidad obtusa.

étude [etyd] *nf* estudio; (*recherche, rapport*) estudio, investigación *f*; (*de notaire*) bufete *m*, despacho; (*SCOL: salle*) sala de estudios; **~s** *fpl* (*SCOL*) estudios; **être à l'~** estar en estudio; **faire des ~s de droit** estudiar derecho *etc*; **hautes ~s commerciales, HEC** *escuela superior de comercio.*

étudiant, e [etydjɑ, ɑt] *nm/f* estudiante *m/f*.

étudié, e [etydje] a estudiado(a), fingido(a); (*prix, système*) estudiado(a), pensado(a).

étudier [etydje] vt estudiar; (*problème, question*) estudiar, examinar; (*personne, caractère de qn*) estudiar, observar // vi (SCOL) estudiar.

étui [etɥi] nm (*à lunettes, cigarettes*) estuche m.

étuve [etyv] nf baño turco; (*appareil*) estufa.

étuvée [etyve] : à l'~ ad (CULIN) estofado(a).

étymologie [etimɔlɔʒi] nf etimología; **étymologique** a etimológico(a).

eu, eue pp de **avoir**.

eucalyptus [økaliptys] nm eucalipto.

Eucharistie [økaristi] nf: l'~ la Eucaristía.

euclidien, ne [øklidjɛ̃, jɛn] a: géométrie ~ne geometría euclidiana.

eugénique [øʒenik] a eugenésico(a) // nf eugenesia.

eugénisme [øʒenism(ə)] nm eugenesia.

eunuque [ønyk] nm eunuco.

euphémisme [øfemism(ə)] nm eufemismo.

euphonie [øfɔni] nf eufonía.

euphorie [øfɔri] nf euforia; **euphorique** a eufórico(a).

eurasiatique [øʀazjatik] a eurasiatico(a).

Eurasie [øʀazi] nf Eurasia; **eurasien, ne** a, nm/f eurasiano(a).

Europe [øʀɔp] nf Europa; l'~ **centrale** (la) Europa central; **européen, ne** a, nm/f europeo(a).

eurovision [øʀɔviʒjɔ̃] nf eurovisión f.

euthanasie [øtanazi] nf eutanasia.

eux [ø] pron ellos; ~-**mêmes** ellos mismos; (*après prép*) sí (mismos).

évacuation [evakɥasjɔ̃] nf evacuación f.

évacuer [evakɥe] vt (*sortir de*) evacuar, abandonar; (*lieu: d'occupants*) evacuar; (*population, occupants*) evacuar, desocupar;

(*déchets*) evacuar, eliminar.

évadé, e [evade] nm/f evadido/a.

évader [evade] : s'~ vi evadirse, escaparse; (*fig*) evadirse.

évaluation [evalɥasjɔ̃] nf cálculo, estimación f.

évaluer [evalɥe] vt calcular, estimar.

évangélique [evãʒelik] a evangélico(a).

évangéliser [evãʒelize] vt evangelizar.

évangéliste [evãʒelist(ə)] nm evangelista m.

évangile [evãʒil] nm (*enseignement*) evangelio; (*texte*): É~ Evangelio.

évanouir [evanwiʀ]: s'~ vi desvanecerse, desmayarse; (*fig*) desvanecerse, disiparse; **évanouissement** nm desmayo.

évaporation [evapɔʀasjɔ̃] nf evaporación f.

évaporé, e [evapɔʀe] a (*péj*) aturdido(a), botarate.

évaporer [evapɔʀe]: s'~ vi evaporarse.

évaser [evaze] vt ensanchar; s'~ vi ensancharse.

évasif, ive [evazif, iv] a evasivo(a).

évasion [evazjɔ̃] nf evasión f, fuga; (*fig*) evasión; **littérature d'~** literatura de evasión.

évêché [eveʃe] nm obispado.

éveil [evɛj] nm despertar m; **mettre en ~** despertar, poner en guardia; **rester en ~** estar atento(a) o alerta; **donner l'~** llamar la atención, alertar.

éveillé, e [eveje] a (*vif*) despierto(a), listo(a).

éveiller [eveje] vt despertar; (*fig*) despertar, suscitar; s'~ despertarse.

événement [evenmã] nm suceso, peripecia; (*fait important*) acontecimiento; ~s mpl (POL etc) acontecimientos, sucesos.

éventail [evãtaj] nm abanico; gama; **en ~** en abanico.

éventaire [evãtɛʀ] *nm* escaparate *m*.

éventer [evãte] *vt* divulgar, descubrir; (*avec un éventail*) abanicar; **s'~** *vi* alterarse, desvanecerse.

éventrer [evãtʀe] *vt* reventar, destripar; (*sac, maison etc*) despanzurrar, reventar.

éventualité [evãtɥalite] *nf* eventualidad *f*.

éventuel, le [evãtɥɛl] *a* eventual, posible; **~lement** *ad* eventualmente.

évêque [evɛk] *nm* obispo.

évertuer [evɛʀtɥe]: **s'~** *vi*: **s'~ à** afanarse por.

éviction [eviksjɔ̃] *nf* exclusión *f*.

évidemment [evidamã] *ad* evidentemente, por supuesto; (*de toute évidence*) indiscutiblemente, evidentemente.

évidence [evidãs] *nf* evidencia, de **toute ~** con certeza, sin duda alguna.

évident, e [evidã, ãt] *a* evidente.

évider [evide] *vt* ahuecar.

évier [evje] *nm* fregadero, pileta.

évincement [evɛ̃smã] *nm* = **éviction**.

évincer [evɛ̃se] *vt* excluir, descartar.

éviter [evite] *vt* evitar; (*fig*) evitar, eludir; (*importun, raseur*) evitar, rehuir; (*coup, projectile*) eludir, esquivar; (*ne pas heurter*) evitar, esquivar; (*catastrophe, malheur*) evitar, precaver; **~ de faire/que** evitar hacer/que.

évocateur, trice [evɔkatœʀ, tʀis] *a* significativo(a), sugestivo(a).

évocation [evɔkasjɔ̃] *nf* evocación *f*; mención *f*.

évoluer [evɔlɥe] *vi* evolucionar; (*fig*) evolucionar, adelantar; (*danseur, avion etc*) girar, evolucionar.

évolutif, ive [evɔlytif, iv] *a* evolutivo(a).

évolution [evɔlysjɔ̃] *nf* evolución *f*; adelanto; **~s** *fpl* giro, evoluciones *fpl*; **~nisme** *nm* evolucionismo.

évoquer [evɔke] *vt* evocar, mencionar; (*suj: chose*) evocar, recordar.

ex... [ɛks] *préf* ex.

exact, e [ɛgzakt] *a* (*précis*) exacto(a), preciso(a); (*correct*) exacto(a), justo(a); (*personne*) puntual, exacto(a); **l'heure ~e** la hora exacta; **~ement** *ad* exactamente.

exaction [ɛgzaksjɔ̃] *nf* abuso, extralimitación *f*.

exactitude [ɛgzaktityd] *nf* exactitud *f*; precisión *f*.

ex aequo [ɛgzeko] *ad* ex aequo.

exagération [ɛgzaʒeʀasjɔ̃] *nf* exageración, abuso.

exagérer [ɛgzaʒeʀe] *vt* exagerar // *vi* abusar, excederse; (*déformer les faits, la vérité*) exagerar.

exalté, e [ɛgzalte] *a* exaltado(a), entusiasta // *nm/f* (*péj*) exaltado/a, fanático/a.

exalter [ɛgzalte] *vt* exaltar, arrebatar; (*glorifier*) exaltar, enaltecer.

examen [ɛgzamɛ̃] *nm* examen *m*; análisis *m*; (*SCOL*) examen; (*MÉD*) examen, reconocimiento; **à l'~** (*COMM*) a prueba; **~ d'entrée/final** examen de ingreso/final; **~ blanc** prueba preliminar; **~ de la vue** examen de la vista.

examinateur, trice [ɛgzaminatœʀ, tʀis] *nm/f* (*SCOL*) examinador/ora.

examiner [ɛgzamine] *vt* examinar.

exaspérer [ɛgzaspeʀe] *vt* exasperar.

exaucer [ɛgzose] *vt* otorgar, satisfacer; **~ qn** satisfacer a alguien.

ex cathedra [ɛkskatedʀa] *ad*, *a* ex cathedra.

excavateur [ɛkskavatœʀ] *nm*, **excavatrice** [ɛkskavatʀis] *nf* excavadora.

excavation [ɛkskavasjɔ̃] *nf* excavación *f*.

excédent [ɛksedã] *nm* excedente *m*, superávit *m*; **en ~** en excedente; **~ de bagages** exceso de equipaje.

excéder [ɛksede] *vt* exceder,

sobrepasar; (agacer) crispar, irritar.

excellence [ɛksɛlɑ̃s] nf excelencia; **son E~** su Excelencia; **par ~** por excelencia.

excellent, e [ɛksɛlɑ̃, ɑ̃t] a excelente, exquisito(a); (livre, résultat etc) excelente, óptimo(a); (élève etc) excelente, notable.

exceller [ɛksele] vi: ~ (en) descollar o distinguirse (en).

excentricité [ɛksɑ̃tʀisite] nf excentricidad f, extravagancia.

excentrique [ɛksɑ̃tʀik] a excéntrico(a), extravagante; (GÉOMÉTRIE, quartier) excéntrico(a).

excepté, e [ɛksɛpte] a: **les élèves ~s** los alumnos exceptuados, excepto los alumnos // prép a excepción de, salvo; ~ **si/quand** salvo si/cuando; ~ **que** salvo que.

excepter [ɛksɛpte] vt exceptuar.

exception [ɛksɛpsjɔ̃] nf excepción f; **faire ~** constituir una excepción; **à l'~ de** con excepción de; **mesure/loi d'~** medida/ley f de emergencia; ~**nel, le** a excepcional, raro(a); (excellent) excepcional, extraordinario(a); ~**lement** ad excepcionalmente.

excès [ɛksɛ] nm exceso // mpl excesos, abusos; **à l'~** en o con exceso; ~ **de vitesse** exceso de velocidad; **excessif, ive** a excesivo(a), inmoderado(a); **excessivement** ad excesivamente.

exciper [ɛksipe] : ~ **de** vt alegar, invocar.

excipient [ɛksipjɑ̃] nm excipiente m.

exciser [ɛksize] vt estirpar.

excitant [ɛksitɑ̃] nm excitante m.

excitation [ɛksitasjɔ̃] nf (état) excitación f.

exciter [ɛksite] vt excitar; (fig) provocar; **s'~** vi (personne) excitarse; ~ **qn** a incitar a alguien a.

exclamation [ɛksklamɑsjɔ̃] nf exclamación f.

exclamer [ɛksklame] : **s'~** vi exclamar.

exclure [ɛksklyʀ] vt expulsar; (ne pas compter, écarter) excluir, descontar; (rendre impossible) excluir, impedir.

exclusif, ive [ɛksklyzif, iv] a exclusivo(a) // nf exclusiva; **exclusivement** ad exclusivamente, en exclusiva; (gén COMM) exclusive.

exclusion [ɛksklyzjɔ̃] nf expulsión f; exclusión f; **à l'~ de** con exclusión de.

exclusivité [ɛksklyzivite] nf (COMM) exclusividad f; **en ~** en exclusiva.

excommunier [ɛkskɔmynje] vt excomulgar.

excréments [ɛkskʀemɑ̃] nmpl excrementos.

excroissance [ɛkskʀwasɑ̃s] nf excrecencia.

excursion [ɛkskyʀsjɔ̃] nf excursión f; (à pied) excursión, caminata.

excuse [ɛkskyz] nf excusa, justificación f; (prétexte) excusa, pretexto; ~**s** fpl disculpas; **lettre d'~s** carta de excusas; **mot d'~** (SCOL) nota de justificación.

excuser [ɛkskyze] vt disculpar, perdonar; (justifier) justificar; **excusez-moi** disculpe, dispénseme; **s'~** vi disculparse, excusarse.

exécrable [ɛgzekʀabl(ə)] a execrable, detestable.

exécrer [ɛgzekʀe] vt aborrecer, abominar.

exécutant, e [ɛgzekytɑ̃, ɑ̃t] nm/f ejecutante m/f.

exécuter [ɛgzekyte] vt ejecutar, ajusticiar; (ordre, mission) ejecutar, cumplir; (travail, opération, mouvement) ejecutar, efectuar; (MUS) ejecutar, tocar; **s'~** vi hacerlo, cumplir; **exécuteur, trice** nm ejecutor m, verdugo // nm/f: **exécuteur testamentaire** ejecutor/ora testamentario/a, albacea m/f.

exécutif, ive [ɛgzekytif, iv] a ejecutivo(a) // nm: **l'~** el Ejecutivo.

exécution [ɛgzekysjɔ̃] nf ejecución f; **mettre à ~** poner en ejecución, llevar a cabo.

exemplaire [ɛgzɑ̃plɛʀ] a ejemplar, irreprochable; *(châtiment)* ejemplar // nm ejemplar m.

exemple [ɛgzɑ̃pl(ə)] nm ejemplo; *(précédent)* ejemplo, precedente m; **par ~** por ejemplo; *(valeur intensive)* ¡no es posible!; **prendre ~ sur** tomar (el) ejemplo de; **à l'~ de** como, a imitación de; **pour l'~** *(punir)* para escarmiento, como ejemplo.

exempt, e [ɛgzɑ̃, ɑ̃t] a: **~ de** exento de.

exempter [ɛgzɑ̃te] vt: **~ de** eximir o exceptuar de.

exercé, e [ɛgzɛʀse] a ejercitado(a), adiestrado(a).

exercer [ɛgzɛʀse] vt ejercer, practicar; *(droit, prérogative)* ejercer, hacer valer; *(influence, contrôle, pression)* ejercer; *(personne, animal)* ejercitar, adiestrar; *(faculté, partie du corps)* ejercitar, poner a prueba; **s'~** vb réfléchi ejercitarse, practicar // vi: **s'~ (sur/contre)** ejercerse o manifestarse sobre/contra.

exercice [ɛgzɛʀsis] nm ejercicio; ejercitación f; *(SCOL, GYMNASTIQUE, AUSSI ADMIN, COMM)* ejercicio; **l'~** *(activité sportive, physique)* el ejercicio, la gimnasia; **à l'~** *(MIL)* al adiestramiento; **en ~** en ejercicio o actividad; **dans l'~ de ses fonctions** en el ejercicio de sus funciones.

exergue [ɛgzɛʀg(ə)] nm: **mettre/porter en ~** poner/llevar como epígrafe.

exhaler [ɛgzale] vt exhalar; **s'~** vi emanar, desprenderse.

exhaustif, ive [ɛgzostif, iv] a exhaustivo(a).

exhiber [ɛgzibe] vt exhibir, mostrar; *(péj)* ostentar; **s'~** exhibirse.

exhibitionnisme [ɛgzibisjɔ̃nism(ə)] nm exhibicionismo.

exhorter [ɛgzɔʀte] vt: **~ qn à faire qch** exhortar a alguien a que haga algo.

exhumer [ɛgzyme] vt exhumar.

exigeant, e [ɛgziʒɑ̃, ɑ̃t] a exigente, severo(a); *(péj)* absorbente, exigente.

exigence [ɛgziʒɑ̃s] nf exigencia.

exiger [ɛgziʒe] vt exigir, reclamar; *(suj: chose)* requerir.

exigu, ë [ɛgzigy] a exiguo(a), reducido(a).

exil [ɛgzil] nm exilio; **en ~** en el exilio; **~é, e** nm/f exiliado/a; **~er** vt exiliar, desterrar; **s'~er** exiliarse.

existence [ɛgzistɑ̃s] nf existencia; **moyens d'~** medios de vida, recursos.

existentialisme [ɛgzistɑ̃sjalism(ə)] nm existencialismo.

exister [ɛgziste] vi existir, vivir; *(suj: chose, problème etc)* existir; **il existe...** *(il y a)* hay..., existe... .

exonérer [ɛgzɔneʀe] vt: **~ de** eximir o exceptuar de.

exorbitant, e [ɛgzɔʀbitɑ̃, ɑ̃t] a exorbitante, desmesurado(a).

exorbité, e [ɛgzɔʀbite] a: **yeux ~s** ojos desorbitados.

exorciser [ɛgzɔʀsize] vt *(REL)* exorcizar, conjurar.

exotique [ɛgzɔtik] a exótico(a).

exotisme [ɛgzɔtism(ə)] nm exotismo.

expansif, ive [ɛkspɑ̃sif, iv] a expansivo(a), comunicativo(a).

expansion [ɛkspɑ̃sjɔ̃] nf expansión f, desarrollo.

expatrier [ɛkspatʀije] vt *(argent)* llevar al extranjero; **s'~** expatriarse, emigrar.

expectative [ɛkspɛktativ] nf: **être dans l'~** estar a la expectativa.

expédient [ɛkspedjɑ̃] nm expediente m, recurso; **vivre d'~s** vivir de recursos desesperados.

expédier [ɛkspedje] vt expedir, mandar; *(troupes, renfort)* enviar, expedir; *(péj)* despachar; **expéditeur, trice** nm/f remitente m/f, expedidor/ora.

expéditif, ive [ɛkspeditif, iv] a expeditivo(a).

expédition [ɛkspedisjɔ̃] nf

expédition f; envío; (scientifique, sportive, MIL) expedición; ~naire a: corps ~naire (MIL) cuerpo expedicionario.

expérience [eksperjɑ̃s] nf experiencia; **une ~** (scientifique) un experimento; (dans la vie) una experiencia; **avoir l'~ de** tener experiencia en.

expérimental, e, aux [eksperi-mɑtal, o] a experimental.

expérimenté, e [eksperimɑte] a experimentado(a).

expérimenter [eksperimɑte] vt experimentar, ensayar.

expert, e [eksper, ert(ə)] a: **~ en** experto en // nm experto/a, perito/a; **~ en assurances** experto en seguros; **~-comptable** nm perito en contabilidad; **~ise** nf peritaje m; **~iser** vt hacer un peritaje de; (sinistre) someter a juicio pericial.

expier [ekspje] vt expiar, purgar.

expiration [ekspirɑsjɔ̃] nf expiración f; espiración f.

expirer [ekspire] vi vencer, expirar; (respiration) espirar; (mourir) expirar, fallecer.

explétif, ive [ekspletif, iv] a expletivo(a).

explicatif, ive [eksplikatif, iv] a explicativo(a), aclaratorio(a).

explication [eksplikɑsjɔ̃] nf explicación f; (discussion) explicación, discusión f; **~ de texte** (SCOL) explicación textual.

explicite [eksplisit] a explícito(a), claro(a); **expliciter** vt aclarar.

expliquer [eksplike] vt explicar; (justifier) explicar, justificar; **s'~** (erreur etc) explicarse, comprenderse; (personne) explicarse, aclarar; (discuter, aussi se quereller) discutir, pelearse; **je m'explique son retard** entiendo o me explico su retraso.

exploit [eksplwa] nm hazaña.

exploitant [eksplwatɑ̃] nm agricultor m, labrador m.

exploitation [eksplwatɑsjɔ̃] nf

explotación f; aprovechamiento; **~ agricole** explotación agrícola.

exploiter [eksplwate] vt explotar; (fig) aprovechar, explotar; (péj) aprovechar abusivamente de, explotar; (erreur, faiblesse de qn) aprovecharse de; **exploiteur, euse** nm/f (péj) explotador/ora, aprovechador/ora.

explorateur, trice [eksplɔratœr, tris] nm/f explorador/ora.

exploration [eksplɔrɑsjɔ̃] nf exploración f.

explorer [eksplɔre] vt explorar; (fig) examinar.

exploser [eksploze] vi explotar, estallar; (fig) estallar.

explosif, ive [eksplozif, iv] a explosivo(a) // nm explosivo.

explosion [eksplozjɔ̃] nf explosión f, estallido.

exponentiel, le [ekspɔnɑ̃sjɛl] a exponencial.

exportateur, trice [ekspɔrtatœr, tris] a, nm/f exportador(ora).

exportation [ekspɔrtɑsjɔ̃] nf exportación f.

exporter [ekspɔrte] vt (ÉCON) exportar; (fig) propagar en el extranjero.

exposant, e [ekspozɑ̃, ɑ̃t] nm/f expositor/ora // nm (MATH) exponente m.

exposé, e [ekspoze] a orientado(a) // nm exposición f, disertación f.

exposer [ekspoze] vt (marchandise) exponer, exhibir; (peinture, statue) exponer; (parler de) exponer, hablar de; **~ sa vie, s'~** exponer su vida, exponerse; **~ qn/qch à** exponer a alguien/algo a; **s'~ à** exponerse a; (fig) exponerse o arriesgarse a.

exposition [ekspozisjɔ̃] nf exposición f; (foire) exposición, feria.

exprès [ekspre] ad a propósito, expresamente; **faire ~ de faire qch** hacer algo deliberadamente; **il l'a fait ~** lo ha hecho adrede.

exprès, esse [ekspres] a expreso(a), formal // *a inv:* **lettre/colis** ~ carta/paquete *m* postal urgente // *ad* por expreso, con urgencia.

express [ɛkspʀɛs] *a, nm:* **(café)** ~ (café *m*) exprés *m;* **(train)** ~ (tren *m*) expreso.

expressément [ɛkspʀesemã] *ad* expresamente, manifiestamente.

expressif, ive [ɛkspʀesif, iv] *a* expresivo(a), elocuente.

expression [ɛkspʀesjɔ̃] *nf* expresión *f.*

exprimer [ɛkspʀime] *vt* expresar, manifestar; *(jus, liquide)* exprimir; **s'~** *vi* expresarse.

expropriation [ɛkspʀɔpʀijasjɔ̃] *nf* expropiación *f.*

exproprier [ɛkspʀɔpʀije] *vt* expropiar.

expulser [ɛkspylse] *vt* expulsar, echar; *(locataire)* desalojar, desahuciar.

expulsion [ɛkspylsjɔ̃] *nf* expulsión *f;* desalojo.

expurger [ɛkspyʀʒe] *vt* expurgar.

exquis, e [ɛkski, iz] *a* exquisito(a), delicioso(a).

exsangue [ɛgzɑ̃g] *a* exangüe.

exsuder [ɛksyde] *vt* exudar.

extase [ɛkstɑz] *nf* éxtasis *m,* embeleso; **s'extasier** *vi:* **s'extasier sur** extasiarse ante, embelesarse con.

extenseur [ɛkstɑ̃sœʀ] *nm* extensor *m.*

extensible [ɛkstɑ̃sibl(ə)] *a* extensible.

extensif, ive [ɛkstɑ̃sif, iv] *a* (AGR) extensivo(a).

extension [ɛkstɑ̃sjɔ̃] *nf* extensión *f;* (fig) expansión *f,* amplificación *f.*

exténuer [ɛkstenɥe] *vt* extenuar, agotar.

extérieur, e [ɛksteʀjœʀ] *a* externo(a); *(commerce, politique)* exterior; *(calme, gaieté etc)* aparente, exterior // *nm* exterior *m;* *(d'une personne)* apariencia, aspecto; **à l'~** al exterior, fuera, (fig) en el exterior o extranjero; *(SPORT)* por el exterior; **~ement** *ad* exteriormen-

te, por fuera; *(en apparence)* aparentemente.

extérioriser [ɛksteʀjɔʀize] *vt* exteriorizar.

exterminer [ɛkstɛʀmine] *vt* aniquilar, exterminar.

externat [ɛkstɛʀna] *nm* (SCOL) externado.

externe [ɛkstɛʀn(ə)] *a* externo(a), exterior // *nm/f* (SCOL) externo/a; *(MÉD)* practicante *m/f.*

extincteur [ɛkstɛ̃ktœʀ] *nm* extintor *m.*

extinction [ɛkstɛ̃ksjɔ̃] *nf* extinción *f;* (JUR: *d'une dette)* extinción, liquidación *f;* ~ **de voix** (MÉD) afonía.

extirper [ɛkstiʀpe] *vt* extirpar, arrancar.

extorquer [ɛkstɔʀke] *vt* arrancar, extorsionar.

extra [ɛkstʀa] *a inv* extra, de primera // *nm inv* extra *m //* préf extra.

extraction [ɛkstʀaksjɔ̃] *nf* extracción *f.*

extradition [ɛkstʀadisjɔ̃] *nf* extradición *f.*

extraire [ɛkstʀɛʀ] *vt* extraer; *(balle, corps étranger, fig):* ~ **qch de** extraer o sacar algo de.

extrait [ɛkstʀɛ] *nm* extracto; *(de film, livre)* pasaje *m,* trozo.

extra-lucide [ɛkstʀalysid] *a:* **voyante** ~ clarividente *f,* vidente *f.*

extraordinaire [ɛkstʀaɔʀdinɛʀ] *a* extraordinario(a), sorprendente; *(sens affaibli)* extraordinario(a), excepcional; **mission/envoyé** ~ (ADMIN, POL) misión *f*/enviado especial; **assemblée** ~ (ADMIN) asamblea extraordinaria.

extrapoler [ɛkstʀapɔle] *vi* extrapolar.

extra-utérin, e [ɛkstʀayteʀɛ̃, in] *a* extrauterino(a).

extravagance [ɛkstʀavagɑ̃s] *nf* extravagancia, rareza.

extravagant, e [ɛkstʀavagɑ̃, ɑ̃t] *a* extravagante, ridículo(a).

extraverti, e [ɛkstʀavɛʀti] *a*

(PSYCH) extravertido(a).

extrême [ekstʀɛm] a extremo(a); (chaleur) extremado(a), excesivo(a) // nm extremo; ~ment ad extremadamente, sumamente; ~onction [-ɔ̃ksjɔ̃] nf extremaunción f; E~-Orient nm (GÉO) Lejano Oriente m; **extrémiste**, a, nm/f extremista (m/f).

extrémité [ekstʀemite] nf extremidad f; (situation, geste désespéré) desvarío, exceso; ~s fpl extremidades fpl; à la dernière ~ en las últimas.

exubérant, e [egzybeʀɑ̃, ɑ̃t] a (végétation) exuberante, profuso(a).

exulter [egzylte] vi exultar, alborozarse.

exutoire [egzytwaʀ] nm derivativo.

ex-voto [eksvoto] nm exvoto.

F

F [ef] abrév de **franc**.

fa [fɑ] nm fa m.

fable [fabl(ə)] nf fábula; (mensonge) cuento, fábula.

fabricant [fabʀikɑ̃] nm fabricante m.

fabrication [fabʀikasjɔ̃] nf fabricación f; construcción f.

fabrique [fabʀik] nf fábrica.

fabriquer [fabʀike] vt (produire) fabricar, producir; (construire) fabricar, construir; (fig) imaginar, inventar.

fabulation [fabylasjɔ̃] nf inventiva, imaginación f.

fabuliste [fabylist(ə)] nm fabulista m.

façade [fasad] nf fachada.

face [fas] nf cara, rostro; (du soleil, d'un objet) cara; (fig) aspecto, lado; **en ~ de** prép enfrente de, delante de; (fig) frente a; **de ~** a, ad de frente; **~ à** prép frente a; **faire ~ à** qn/qch hacer frente a alguien/algo;

~ **à** ~ ad frente a frente // nm (débat) debate m.

facéties [fasesi] nfpl chistes mpl, bromas.

facette [faset] nf faceta.

fâcher [faʃe] vt enfurecer, enfadar; **se** ~ vi enojarse, enfadarse; **se** ~ **avec qn** enojarse con alguien.

fâcheux, euse [faʃø, øz] a lamentable, fastidioso(a).

faciès [fasjɛs] nm fisonomía, pinta.

facile [fasil] a fácil, sencillo(a); (accommodant) complaciente, accesible; (péj) fácil, barato(a); (léger) fácil, liviano(a); ~ **à faire** fácil de hacer; ~ment ad fácilmente; (au moins) fácilmente, por lo menos; **facilité** nf facilidad f, sencillez f; (dispositions, dons) facilidad; **facilités** fpl facilidades fpl; **faciliter** vt facilitar, allanar.

façon [fasɔ̃] nf modo, manera; (d'une robe, veste) hechura; ~s fpl (péj) remilgos, melindres mpl; **de quelle** ~ **l'a-t-il fait?** ¿de qué modo o cómo lo hizo?; **d'une autre** ~ de otra manera; **de** ~ **agréable** etc; **de** ~ **agréable** etc; **de** ~ à **faire/à ce que** de modo que haga/que; **de telle** ~ **que** de manera que; **à la** ~ **de** como si fuera; **de toute** ~ de todas maneras.

façonner [fasɔne] vt hacer, fabricar; (travailler) dar forma a, trabajar; (fig) modelar, formar.

facteur, trice [faktœʀ, tʀis] nm/f cartero // nm factor m; ~ **de pianos** fabricante m de pianos.

factice [faktis] a artificial, falso(a).

faction [faksjɔ̃] nf facción f; (MIL, gén) guardia; ~**aire** nm centinela m.

facture [faktyʀ] nf factura; (façon) factura, ejecución f; **facturer** vt facturar.

facultatif, ive [fakyltatif, iv] a facultativo(a), optativo(a).

faculté [fakylte] nf facultad f, posibilidad f; (SCOL) facultad; ~s fpl (moyens intellectuels) facultades fpl, capacidad f.

fade [fad] a soso(a); (fig) insulso(a), insípido(a).

fagot [fago] nm haz m, manojo m de leña).

faible [fɛbl(ə)] a débil; (personne, membre) débil, endeble; (élève, copie) flojo(a); (rendement, intensité, revenu etc) bajo(a), escaso(a) // nm: le ~ de qn/qch el (punto) flaco de alguien/algo; avoir un ~ pour tener una debilidad por; **faiblesse** nf debilidad f, escasez f; **faiblir** vi (lumière) debilitarse, bajar; (vent etc) amainar, ceder; (ennemi) debilitarse; (résistance, intérêt) debilitarse, decaer.

faïence [fajɑ̃s] nf loza.

faignant, e [fɛɲɑ̃, ɑ̃t] nm/f = **fainéant, e**.

faille [faj] nf falla; (fig) fallo, falta.

faim [fɛ̃] nf hambre f; avoir ~ tener hambre.

fainéant, e [fɛneɑ̃, ɑ̃t] nm/f holgazán/ana, haragán/ana.

faire [fɛʀ] vt hacer; ~ du bruit hacer ruido; ~ du ski/rugby practicar esquí/rugby; dimanche, il a fait du ski/rugby el domingo, él esquió/jugó al rugby; ~ du violon tocar el violín; le malade hacerse el enfermo; du diabète/de la tension/de la fièvre tener diabetes/tensión/fiebre; les **magasins/l'Europe centrale** recorrer las tiendas/Europa central; **cela ne me fait rien** eso no me interesa; (je laisse froid) eso me importa; **cela me fait rien** eso no me importa; **cela rien eso no importa**; **si vous le faix 10 F** se lo dejo o vendo por 10 F; **2 et 2 font 4 2 y 2 son 4** // vi hacer; selon leurs nécessités; **ça fait 10 m/15 kg/ 10 F** son 10 m/15 kg/10 F; **ne le casse pas comme je l'ai fait** no lo rompas como lo hice yo; il fait **jour/nuit** es de día/noche; il fait **beau/chaud** hacer buen tiempo/calor; **ça fait 2 ans/heures que...** hace 2 años/horas que...; **vraiment? fit-il** ¿de veras?, dijo; **faites!** ¡hágalo!; il ne faut que

critiquer no hace más que criticar; ~ **vieux** parecer viejo; **il m'a fait traverser la rue** (aider) me ayudó a atravesar la calle; **se ~ opérer (de)** hacerse operar de; **se ~ faire un vêtement** mandarse hacer un vestido; **se ~ vi** (fromage, vin) hacerse; **se ~ à qch** acostumbrarse o hacerse a algo; **cela se fait beaucoup/ne se fait pas** eso se usa mucho/no se usa; **comment se fait-il que...?** ¿cómo es...?; **il peut se ~ que...** puede ocurrir que...; **il ne s'en fait pas** no se preocupa.

fair-play [fɛʀple] a inv que juega limpio, leal.

faisan, e [fəzɑ̃, an] nm/f faisán/ana.

faisandé, e [fəzɑ̃de] a corrompido(a), podrido(a).

faisceau, x [fɛso] nm haz m; (de branches etc) haz, gavilla.

fait, e [fɛ, ɛt] pp de faire // a (fromage, melon) fermentado(a), maduro(a) // nm hecho; **c'en est fait de lui** está perdido; **c'est bien ~ pour lui** se lo tiene merecido; **le ~ de manger/que...** el hecho de comer/de que...; **être le ~ de** ser la característica de; (causé par) ser cosa o obra de; **être au ~ de** estar al tanto o al corriente de; **au ~ (à propos)** a propósito; **en venir au ~** pasar a los hechos; **de ~** de hecho // ad en efecto; **du ~ que** por el hecho de que; **du ~ de** debido a, a causa de; **de ce ~** por esto, por esta razón; **en ~** en realidad; **en ~ de repas** a guisa de comida; **accompli** hecho consumado; ~ **divers** sucesos.

faîte [fɛt] nm (d'arbre) cima, copa; (du toit) remate m.

faites vb voir faire.

faîtière [fɛtjɛʀ] nf (de tente) cumbrera.

fait-tout, faitout [fɛtu] nm cacerola.

fakir [fakiʀ] nm faquir m.

falaise [falɛz] nf acantilado.

falloir [falwaʀ] vb impersonnel: il

va ~ 100 F/doit ~ du temps pour faire cela para hacer eso se necesitarán 100 F/se necesitará tiempo; il me faut/faudrait 100 F/de l'aide necesito/necesitaré 100 F/ayuda; nous avons ce qu'il (nous) faut tenemos lo necesario; il faut absolument le faire hay que hacerlo necesariamente; il faut absolument qu'il y aille es preciso que él vaya; il a fallu que je parte tuve que irme; il faut qu'il ait oublié/qu'il soit malade tiene que haberse olvidado/estar enfermo; il s'en faut/s'en est fallu de 5 minutes/100 F (pour que) faltan/faltaron 5 minutos/100 F (para que); il s'en faut de beaucoup que... está muy lejos de..., mucho falta para que; il s'en est fallu de peu que... faltó poco para que...; ou peu s'en faut o poco falta.

falsifier [falsifje] *vt* falsificar, alterar.

famé, e [fame] *a*: **mal ~** mal afamado, de mala fama.

fameux, euse [famø, øz] *a* (*illustre*) famoso/a), célebre; (*repas, plat etc*) memorable, excelente; (*intensif*) notable; (*parfois péj*) famoso(a), cacareado(a).

familial, e, aux [familjal, o] *a* familiar // *nf* (AUTO) furgoneta familiar.

familiariser [familjarize] *vt*: ~ **qn avec** familiarizar a alguien con

familiarité *nf* [familjarite] familiaridad *f*; confianza; (*connaissance*): ~ **avec** familiaridad con; ~s *fpl* familiaridad, libertades *fpl*.

familier, ière [familje, jɛr] *a* familiar; (*cavalier*, *impertinent*) confianzudo(a) // *nm* asiduo, cliente *m* habitual.

famille [famij] *nf* familia.

famine [famin] *nf* hambre *f*.

fan [fan] *nm/f* admirador/ora.

fana [fana] *nm/f abrév de* **fanatique.**

fanal, aux [fanal, o] *nm* fanal *m*.

fanatique [fanatik] *a* fanático(a),

obcecado(a) // *nm/f* fanático/a, sectario/a; (*sens affaibli*): ~ **de** entusiasta *m/f*.

fané, e [fane] *a* (*couleur, tissu*) deslucido(a), ajado(a).

faner [fane]: **se ~** *vi* (*fleur*) marchitarse.

fanfare [fɑ̃far] *nf* banda militar; (*morceau*) marcha militar.

fanion [fanjɔ̃] *nm* banderín *m*.

fanon [fanɔ̃] *nm* (*de baleine*) barba, barbilla; (*repli de peau*) marmella, papada.

fantaisie [fɑ̃tezi] *nf* fantasía // *a*: **bijou ~** alhaja de fantasía; **œuvre de ~** obra de fantasía o imaginación.

fantaisiste [fɑ̃tezist(ə)] *a* caprichoso(a), poco serio(a) // *nm* (*de music-hall*) fantasista *m*.

fantasme [fɑ̃tasm(ə)] *nm* fantasma *m*.

fantasque [fɑ̃task(ə)] *a* peregrino(a), singular.

fantassin [fɑ̃tasɛ̃] *nm* infante *m*.

fantastique [fɑ̃tastik] *a* fantástico(a).

fantôme [fɑ̃tom] *nm* fantasma *m*, espectro; **électeur/gouvernement ~** elector/gobierno fantasma.

faon [fɑ̃] *nm* cervatillo.

farandole [farɑ̃dɔl] *nf* farándula.

farce [fars(ə)] *nf* relleno; (*THÉÂTRE*) farsa; (*blague*) chiste *m*, broma; ~**s et attrapes** bromas y engaños; **farcir** *vt* rellenar.

fard [far] *nm* pintura, maquillaje *m*.

fardeau, x [fardo] *nm* carga, peso.

farder [farde] *vt* maquillar; **se ~** maquillarse, pintarse.

farine [farin] *nf* harina; **farineux, euse** *a* harinoso(a) // *nmpl* farináceos.

farniente [farnjɑ̃te] *nm* holganza, ocio.

farouche [faruʃ] *a* huraño(a), arisco(a); (*brutal, indompté*) salvaje, feroz; (*volonté, résistance*) implacable, feroz.

fart [fart] *nm* cera; ~**er** *vt* encerar.

fascicule [fasikyl] *nm* fascículo.

fasciner [fasine] vt fascinar, seducir.

fascisme [faʃism(ə)] nm fascismo; **fasciste** a, nm/f fascista (m/f).

fasse etc vb voir **faire**.

faste [fast(ə)] nm fasto, pompa // a: **un jour** ~ un día de suerte.

fatal, e [fatal] a fatal.

fatalité [fatalite] nf fatalidad f, adversidad f.

fatigue [fatig] nf fatiga, cansancio.

fatiguer [fatige] vt fatigar, cansar; (TECH) forzar; (fig) cansar, molestar // vi (moteur) esforzarse; **se** ~ vi (personne) fatigarse, cansarse; (fig): **se** ~ **de** cansarse de.

fatras [fatʀa] nm revoltijo, fárrago.

faubourg [fobuʀ] nm suburbio, arrabal m.

fauché, e [foʃe] a (fam) pelado(a).

faucher [foʃe] vt segar; (fig: suj: mort) segar, abatir; (: véhicule) atropellar, arrollar.

faucille [fosij] nf hoz f.

faucon [fokɔ̃] nm (ZOOL) halcón m.

faudra, faudrait etc vb voir **falloir**.

faufiler [fofile] vt hilvanar; **se** ~ **dans/parmi/entre** colarse en/entre.

faune [fon] nf fauna // nm fauno.

faussaire [foseʀ] nm/f falsificador/ora.

fausser [fose] vt torcer; (fig) falsear, desvirtuar.

fausseté [foste] nf falsedad f, inexactitud f; hipocresía.

faut vb voir **falloir**.

faute [fot] nf (erreur) falta, error m; (REL gén) culpa, falta; (responsabilité): **par la** ~ **de** por culpa de; **c'est de sa** ~ es por su culpa; **prendre qn en** ~ pillar a alguien en falta; ~ **de temps** por falta de tiempo; **sans** ~ ad sin falta; ~ **d'orthographe/de frappe** error de ortografía/de máquina; ~ **professionnelle** negligencia profesional.

fauteuil [fotœj] nm sillón m; ~ **d'orchestre** butaca de platea; ~ **roulant** sillón de ruedas; ~ **à roulettes** sillón con ruedas.

fauteur [fotœʀ] nm: ~ **de troubles** promotor m de disturbios.

fautif, ive [fotif, iv] a defectuoso(a); (responsable) culpable, responsable.

fauve [fov] nm fiera // a leonado(a), rojizo(a).

fauvisme [fovism(ə)] nm fauvismo.

faux [fo] nf guadaña.

faux, fausse [fo, fos] a (inexact) falso(a), erróneo(a); (falsifié) falso(a), falsificado(a); (sournois) falso(a), hipócrita; (postiche) falso(a), postizo(a); (MUS) desentonado(a), desafinado(a); (simulé): **fausse modestie** falsa modestia; (opposé à bon, correct): **le** ~ **numéro** el número equivocado // ad: **jouer/chanter** ~ tocar/cantar desafinadamente // nf falsificación f; (opposé au vrai): **le** ~ **le** lo falso; ~ **ami** (LING) falso parentesco; ~ **col** cuello postizo; ~**filet** nm solomillo bajo; ~ **frais** gastos menudos; ~**fuyant** [fofɥijɑ̃] nm subterfugio, evasiva; ~**monnayeur** [fɔmɔnɛjœʀ] nm monedero falso; ~ **mouvement** falso movimiento; ~ **nez** nariz postiza; ~ **nom** seudónimo; ~ **papiers** documentos falsos; ~ **témoignage** falso testimonio; **fausse alerte** falsa alarma; **fausse clé** ganzúa; **fausse couche** (MÉD) aborto; **fausse note** nota falsa.

faveur [favœʀ] nf favor m, preferencia; (ruban) lacito, cintita; ~**s** fpl (d'une femme, d'un haut personnage) favores mpl; **traitement de** ~ tratamiento preferencial; **à la** ~ **de** aprovechando, gracias a; **en** ~ **de qn/qch** en favor de alguien/algo.

favorable [favoʀabl(ə)] a favorable; ~ **à** partidario(a) de.

favori, te [favoʀi, it] a favorito(a), preferido(a) // nm (SPORT) favorito // nf favorita; ~**s** mpl (barbe) patillas.

favoriser [favoʀize] vt (personne)

favorecer, proteger; *(activité)* favorecer, amparar; *(suj: chance, événements)* favorecer.

FB *abrév de franc belge.*

fécond, e [fekɔ̃, ɔ̃d] *a* fecunda, fértil; *(fig)* abundante, prolífero(a).

féconder [fekɔ̃de] *vt* fecundar.

fécule [fekyl] *nf* fécula.

fédéral, e, aux [federal, o] *a* federal; **~isme** *nm* federalismo.

fédération [federasjɔ̃] *nf* federación *f,* asociación *f;* *(POL)* federación.

fée [fe] *nf* hada.

féerie [feeri] *nf* espectáculo fantástico.

feignant, e [fɛɲɑ̃, ɑ̃t] *nm/f* = **fainéant, e.**

feindre [fɛ̃dʀ(ə)] *vt* fingir, aparentar // *vi* simular, fingir.

feinte [fɛ̃t] *nf* finta, ficción *f.*

fêler [fele] *vt* cascar; *(MÉD: os)* astillar.

félicitations [felisitasjɔ̃] *nfpl* felicitaciones *fpl.*

féliciter [felisite] *vt* felicitar; **~ qn de** felicitar a alguien por.

félin, e [felɛ̃, in] *a* felino(a) // *nm* felino.

fêlure [felyʀ] *nf* resquebrajadura, raja; *(d'un os)* fisura.

femelle [fəmɛl] *a, nf* hembra.

féminin, e [feminɛ̃, in] *a* femenino(a); *(charmant)* femenino(a), femenil; *(parfois péj)* afeminado(a) // *nm (LING)* femenino.

féministe [feminist(ə)] *a* feminista.

femme [fam] *nf* mujer *f;* *(épouse)* mujer, esposa; **jeune ~** mujer joven; **~ mariée/célibataire** mujer casada/soltera; **~ de chambre** mucama, camarera; **~ de ménage** mujer de servicio.

fémur [femyʀ] *nm* fémur *m.*

fenaison [fənɛzɔ̃] *nf* siega del heno.

fendre [fɑ̃dʀ(ə)] *vt* partir, rajar; *(suj: gel, séisme etc)* agrietar; resquebrajar; *(fig)* hender, abrirse paso entre; **se ~** *vi* astillarse, partirse; **fendu, e** *a* resquebraja-

do(a), agrietado(a); *(jupe)* abierto(a).

fenêtre [fənɛtʀ(ə)] *nf* ventana.

fenouil [fənuj] *nm* hinojo.

fente [fɑ̃t] *nf* abertura, ranura; *(fissure)* grieta, hendidura.

féodalité [feɔdalite] *nf* feudalismo.

fer [fɛʀ] *nm* hierro; *(de cheval)* herradura; **au ~ rouge** con el hierro al rojo; **mettre aux ~s** encadenar, poner grilletes a; **~-blanc** *nm* hojalata; **(en) ~ à cheval** en herradura; **~ forgé** hierro forjado; **~ de lance** punta de lanza; **~ (à repasser)** plancha; **~ à souder** soldador *m.*

ferai, ferais *etc vb voir* **faire.**

ferblantier [fɛʀblɑ̃tje] *nm* hojalatero.

férié, e [feʀje] *a:* **jour ~** día feriado.

fermage [fɛʀmaʒ] *nm* arrendamiento.

ferme [fɛʀm(ə)] *a* *(sol, chair)* firme, consistente; *(voix, main)* firme, seguro(a); *(personne)* firme, enérgico(a); *(BOURSE)* firme // *ad* mucho; acaloradamente; **acheter/vendre ~** *(BOURSE)* comprar/vender en firme // *nf* granja, finca; *(maison seule)* granja, casa de campo; **~ment** *ad* firmemente; enérgicamente; **fermette** *nf* pequeña granja.

fermé, e [fɛʀme] *a* cerrado(a); *(fig)* impenetrable, hosco(a); *(cercle, milieu)* cerrado(a), inaccesible.

ferment [fɛʀmɑ̃] *nm* fermento.

fermenter [fɛʀmɑ̃te] *vi* fermentar.

fermer [fɛʀme] *vt* cerrar; *(cesser d'exploiter)* cerrar, clausurar; *(eau, électricité)* cortar // *vi* cerrar; **~ la lumière/radio** apagar la luz/radio; **se ~** *vi* cerrarse; **se ~** à ser inaccesible a.

fermeté [fɛʀməte] *nf* firmeza, consistencia; energía.

fermeture [fɛʀmətyʀ] *nf* cierre *m;* corte *m;* *(serrure, verrou etc)* cerradura, cierre; **jour de ~**

día m de cierre; ~ **éclair** ou à **glissière** cierre relámpago o de cremallera.

fermier, ière [fɛrmje, jɛr] a: ~ **beurre** ~ mantequilla de granja // nm/f granjero/a; (locataire) arrendatario/a, granjero/a.

fermoir [fɛrmwar] nm broche m, cierre m.

féroce [feros] a feroz.

ferons, ferions vb voir **faire**.

ferraille [fɛraj] nf chatarra f.

ferrailler [fɛraje] vi batirse a sable o espada.

ferré, e [fɛre] a guarnecido(a) de hierro; ~ en empollado en.

ferrer [fɛre] vt herrar, guarnecer de hierro; (poisson) enganchar con el anzuelo.

ferronnerie [fɛronri] nf forja del hierro; **d'art** artesanía de hierro forjado.

ferroviaire [fɛrovjɛr] a ferroviario(a).

ferrugineux, euse [fɛryʒinø, øz] a ferruginoso(a).

ferrure [fɛryr] nf (objet) herraje m.

ferry-boat [fɛribot] nm transbordador m de trenes.

fertile [fɛrtil] a fértil; **fertiliser** vt fertilizar.

féru, e [fɛry] a: ~ **de** apasionado de.

fervent, e [fɛrvɑ̃, ɑ̃t] a ferviente, devoto(a).

fesse [fɛs] nf nalga; **les ~s** las nalgas, las asentaderas; **fessée** nf paliza, tunda.

festin [fɛstɛ̃] nm festín m, jarana.

festival [fɛstival] nm festival m.

festivités [fɛstivite] nfpl festividades fpl.

feston [fɛstɔ̃] nm festón m.

festoyer [fɛstwaje] vi juerguear, jaranear.

fête [fɛt] nf fiesta f; (d'une personne) santo; **faire** ~ à festejar a; **F~ Dieu** Corpus Christi m; ~ **foraine** verbena f; ~ **mobile** fiesta móvil; **la F~ Nationale** la Fiesta Nacional.

fêter [fete] vt festejar a; (événement) festejar, celebrar.

fétiche [fetiʃ] nm fetiche m, amuleto; **objet** ~ objeto mascota; **fétichisme** nm fetichismo.

fétu [fety] nm: ~ **de paille** brizna de paja, pajilla.

feu [fø] a inv: ~ **son père** su difunto padre.

feu, x [fø] nm fuego m; (brasier, incendie) fuego, incendio; (signal lumineux) luz f, señal luminosa; (de cuisinière) hornilla; (fig) ardor m, pasión f; (: sensation de brûlure) ardor, irritación f; ~**x** mpl (éclat, lumière) destellos, luces fpl; **tous ~x éteints** (NAUT, AUTO) con luces apagadas; **s'arrêter au ~x** (AUTO) detenerse en el semáforo; **à ~ doux/vif** (CULIN) a fuego moderado/fuerte; **à petit ~** (CULIN) a fuego lento; **tué au ~** (MIL) muerto en combate; **prendre ~** encenderse; **mettre le ~ à** ~ encender; **mettre le ~ à** ~ dar fuego a; **faire du ~** hacer fuego, encender el fuego; **avez-vous du ~?** ¿tiene Usted fuego?; ~ **nourri/roulant** (MIL) fuego intenso/graneado; ~ **rouge/vert** (AUTO) disco rojo/verde; ~ **de position/de route** (AUTO) luz de posición/larga o de carretera; ~ **arrière** (AUTO) luz trasera, piloto; ~ **d'artifice** fuego de artificio; ~ **de camp** fuego de campo; ~ **de cheminée** fuego de chimenea; ~ **de joie** fogata; ~ **de paille** (fig) entusiasmo pasajero; ~**x de brouillard** faros para niebla; ~**x de croisement** (AUTO) luces de cruce.

feuillage [fœjaʒ] nm follaje m, hojarasca.

feuille [fœj] nf hoja f; ~ **d'impôts** cédula de impuestos; ~ **de métal** lámina de metal; ~ **morte** hoja seca; ~ **(de papier)** hoja (de papel); ~ **de paye** aviso de pago; ~ **de vigne** hoja de parra; ~ **volante** hoja suelta o volante.

feuillet [fœjɛ] nm pliego, página.

feuilleté, e [fœjte] a hojaldrado(a).

feuilleter [fœjte] vt hojear.

feuilleton [fœjtɔ̃] nm folletón m, serial m.

feutre [føtr(ə)] nm fieltro; (chapeau) sombrero de fieltro; **stylo ~** pluma con punta de fieltro, fibra; **feutré, e** a afelpado(a); (pas, voix, sons) amortiguada(a); tenue;

feutrer vi, **se feutrer** vi apelmazarse; **feutrine** nf paño lenci, pañete m.

fève [fɛv] nf haba; (dans le gâteau des Rois) sorpresa.

février [fevrije] nm febrero.

FF abrév de franc français.

fiacre [fjakr(ə)] nm simón m, fiacre m.

fiançailles [fjɑ̃sɑj] nfpl compromiso; (période) noviazgo.

fiancé, e [fjɑ̃se] nm/f novio/a // : **être ~ à** estar prometido con.

fiancer [fjɑ̃se]: **se ~** vi ponerse de novios, prometerse.

fibre [fibr(ə)] nf fibra; **~ de verre** lana de vidrio.

ficeler [fisle] vt atar.

ficelle [fisel] nf: **une ~** un cordón; **de la ~** bramante m.

fiche [fiʃ] nf ficha; (ÉLEC) enchufe m.

ficher [fiʃe] vt (renseignement) anotar en fichas; (POLICE: suspect) meter en gayola; (planter) clavar; (fam) hacer; dar; meter; **~fiche(-moi) le camp!** (fam) ¡lárgate!; **se ~ de** vt importarle a uno un bledo de.

fichier [fiʃe] nm fichero; (renseignements) registro.

fichu, e [fiʃy] pp de **ficher** (fam) // nm pañoleta, pañuelo pico; **~ temps** tiempo pajolero; **être mal ~** (fam) sentirse mal.

fictif, ive [fiktif, iv] a ficticio(a), imaginario(a).

fiction [fiksjɔ̃] nf ficción f.

fidèle [fidel] a fiel; (loyal) fiel, leal // nm/f (REL) fiel m/f; (fig) devoto/a, fiel; **fidélité** nf fidelidad f.

fiduciaire [fidysjɛr] a fiduciario(a).

fief [fjɛf] nm feudo, dominio.

fiel [fjɛl] nm hiel f.

fiente [fjɑ̃t] nf excremento.

fier [fje]: **se ~ à** vt fiarse de, confiar en.

fier, fière [fjɛʀ] a orgulloso(a); (hautain) orgulloso(a), arrogante.

fierté [fjɛʀte] nf orgullo; arrogancia.

fièvre [fjɛvʀ(ə)] nf fiebre f; **~ typhoïde** fiebre tifoidea; **fiévreux, euse** a afiebrado(a), febril.

fifre [fifʀ(ə)] nm (MUS) pífano.

figer [fiʒe] vt coagular, cuajar; (fixer, immobiliser) paralizar, estancar; (fig) petrificar; **se ~** vi coagularse, cuajarse.

figue [fig] nf higo; **figuier** nm higuera.

figurant, e [figyrɑ̃, ɑ̃t] nm/f figurante m/f.

figuratif, ive [figyʀatif, iv] a (art) figurativo(a).

figure [figyʀ] nf figura; (ANAT) cara; aspecto, apariencia; **faire ~ de** hacer papel de, pasar por; **~ de style/de rhétorique** figura estilística/retórica.

figuré, e [figyʀe] a figurado(a).

figurer [figyʀe] vi figurar, aparecer // vt representar; **se ~ qch/que** imaginarse algo/que.

figurine [figyʀin] nf estatuilla.

fil [fil] nm hilo; (du téléphone) cable m; (tranchant) filo; **au ~ des heures** en el correr de las horas; **au ~ de l'eau** a favor de la corriente; **de ~ en aiguille** poco a poco; **donner/recevoir un coup de ~** dar/recibir un telefonazo; **~ à coudre** hilo de coser; **~ électrique** cable eléctrico; **~ de fer** alambre m; **~ de fer barbelé** alambre de púas; **~ à pêche** sedal m; **~ à plomb** plomada.

filament [filamɑ̃] nm (ÉLEC) filamento; (de sang, bave etc) hilo, filamento.

filandreux, euse [filɑ̃dʀø, øz] a fibroso(a).

filature [filatyʀ] nf hilandería;

(policière) seguimiento de uno para espiarle.

file [fil] *nf* fila, cola; **en ~ indienne** en fila india; **se mettre à la ~** ponerse en la fila o cola; **à la ~** ad seguidos(as); *(l'un derrière l'autre)* en fila.

filer [file] *vt (tissu, toile)* hilar; *(câble etc)* largar, soltar; *(fig: note)* modular; *(personne)* seguir, vigilar // *vi (bas, maille)* correrse; *(liquide, pâte)* fluir; *(aller vite)* correr, volar.

filet [file] *nm* red *f*; *(à cheveux)* redecilla; *(CULIN: de poisson)* filete *m*; *(: viande)* solomillo; **un ~ d'eau** un hilo de agua; *~ (à provisions)* redecilla (de provisiones).

filetage [filtaʒ] *nm (filet)* rosca, filete *m*.

fileter [filte] *vt (vis)* filetear, roscar.

filial, e, aux [filjal, o] *a, nf* filial *(f)*.

filiale [filjal] *nf*: **passer par la ~** seguir el orden jerárquico; **suivre la ~** seguir el escalafón.

filigrane [filigran] *nm* filigrana; **en ~** *(fig)* en relieve.

filin [filɛ̃] *nm* cabo.

fille [fij] *nf* muchacha, chica; *(opposé à* fils) hija; *(vieille fille)* soltera; *(péj)* mujerzuela; **petite ~** niña; **~ de joie** prostituta; **~ mère** *(péj)* madre soltera; **~ de salle** muchacha de servicio; **fillette** *nf* chiquilla.

filleul, e [fijœl] *nm/f* ahijado/a.

film [film] *nm* película; *(œuvre)* película, film *m*; **~ muet/parlant** película muda/sonora; **~ d'animation** película de dibujos animados; **~ policier** película policial; **filmer** *vt* rodar, filmar.

filon [filɔ̃] *nm* filón *m*, veta.

fils [fis] *nm* hijo; *(REL)*: **le F~** (de Dieu) el Hijo (de Dios); **~ de famille** hijo de buena familia.

filtre [filtʀ(ə)] *nm* filtro; **"avec ou sans ~?"** "¿con o sin filtro?"; **~ à air** *(AUTO)* filtro de aire; **filtrer** *vt*

filtrar; *(fig)* controlar // *vi* filtrar, filtrarse; *(fig)* filtrarse.

fin [fɛ̃] *nf* fin *m*, final *m*; *(mort)* final, muerte *f*; *(but)* fin // *nm* voir **fin, e**; **~s** *fpl (desseins)* fines *mpl*; **à la ~ mai** a fines de mayo; **en ~ de journée** al fin del día; **prendre ~** terminar, finalizar; **toucher à sa ~** llegar a su fin; **à la ~** ad al fin, finalmente; **sans ~** a, ad infinito(a), sin fin; **~ de section** *(en autobus)* final de línea.

fin, e [fɛ̃, fin] a fino(a), delgado(a); *(poudre, sable)* fino(a); *(subtil)* sutil, sagaz // ad fino // *nm*: **vouloir jouer au plus ~** querer dárselas de listo(a) // *nf (alcool)* aguardiente fino; **c'est ~!** *(iro)* ¡que bonito!; **~ prêt** completamente listo; **un ~ gourmet** un buen paladar; **avoir l'ouïe ~e** tener oído fino o agudo; **le ~ fond de** lo más recóndito de...; **le ~ mot de...** el porqué de...; **à seule ~** de con el solo objeto de; **~es herbes** hierbas aromáticas; **or ~** oro puro; **linge ~** ropa fina.

final, e [final] a final, último(a) // *nm (MUS)* final *m* // *nf (SPORT)* final *f*; **quart/huitième de ~e** cuarta/octava de final.

finalement [finalmã] ad finalmente; *(après tout)* después de todo.

finaliste [finalist(ə)] *nm/f* finalista *m/f*.

finance [finãs] *nf*: **la ~** la banca, las finanzas; **~s** *fpl (situation financière)* fondos, erario; *(de l'Etat)* hacienda, presupuesto; **moyennant ~** con dinero.

financer [finãse] *vt* financiar.

financier, ière [finãsje, jɛʀ] a financiero(a) // *nm* financiero.

finasser [finase] *vi (péj)* trapacear.

finaud, e [fino, od] a ladino(a).

finesse [fines] *nf* delgadez *f*, finura; sutileza; **~s** *fpl* sutilezas; **~ de goût** delicadeza de gusto; **~ d'esprit** agudeza de espíritu.

fini, e [fini] a acabado(a); *(sans avenir)* perdido(a), acabado(a) (*machine etc*) arruinado(a); (MATH, PHILOSOPHIE) finito(a); (*fait*) terminado(a); (*valeur intensive*) consumado(a) // *nm* perfección f.

finir [finiʀ] *vt* terminar, acabar; (*période*) acabar, finalizar // *vi* finalizar, terminar; ~ **de faire qch** terminar de hacer algo; (*cesser*) dejar de hacer algo; ~ **par faire qch** terminar o acabar por hacer algo; ~ **par qch** terminar en algo; ~ **en pointe/tragédie** acabar en punta/tragedia; **en** ~ (*avec qn/qch*) acabar (con alguien/algo); **cela/il va mal** ~ eso/él acabará mal.

finish [finiʃ] *nm* final m.

finissage [finisaʒ] *nm* acabado.

finisseur, euse [finisœʀ, øz] *nm/f* competidor/ora que manifiesta cualidades especiales al final del recorrido.

finition [finisjɔ̃] *nf* acabado, último toque.

finlandais, e [fɛ̃lɑ̃dɛ, ɛz] *a*, *nm/f* finlandés(esa) // *nm* el finlandés m.

Finlande [fɛ̃lɑ̃d] *nf* Finlandia; **finnois** *nm* finlandés m.

fiole [fjɔl] *nf* frasco.

fiord [fjɔʀd] *nm* = **fjord**.

firme [fiʀm(ə)] *nf* firma.

fisc [fisk] *nm* fisco; ~**al, e, aux** *a* fiscal; ~**alité** *nf* régimen tributario; (*charges*) contribución f, tributación f.

fissible [fisibl(ə)] *a* fisionable, escindible.

fission [fisjɔ̃] *nf* fisión f, escisión f.

fissure [fisyʀ] *nf* grieta, fisura; **se fissurer** *vi* agrietarse.

fiston [fistɔ̃] *nm* (*fam*) hijito.

fixateur [fiksatœʀ] *nm* fijador m.

fixatif [fiksatif] *nm* fijador m.

fixation [fiksasjɔ̃] *nf* fijación f.

fixe [fiks(ə)] *a* fijo(a) // *nm* sueldo fijo; **à date** ~ en fecha fija o exacta.

fixé, e [fikse] *a*: **être** ~ (**sur**) (*fig*) saber a qué atenerse (con respecto a).

fixement [fiksəmɑ̃] *ad* fijamente.

fixer [fikse] *vt* fijar; (*stabiliser*: per-

sonne) estabilizar, asentar; (*poser son regard sur*) mirar con atención; ~ **qch à** fijar algo en; **se** ~ (*personne*) establecerse; **se** ~ **sur** (*suj*: *regard etc*) fijarse en.

fixité [fiksite] *nf* fijeza, firmeza.

fjord [fjɔʀd] *nm* fiordo.

flacon [flakɔ̃] *nm* frasco.

flageller [flaʒele] *vt* flagelar.

flageoler [flaʒɔle] *vi* flaquear.

flageolet [flaʒɔlɛ] *nm* (MUS) chirimía; (CULIN) frijol m.

flagrant, e [flagʀɑ̃, ɑ̃t] *a* flagrante; **prendre qn en** ~ **délit** coger a alguien en flagrante delito.

flair [flɛʀ] *nm* olfato.

flairer [flɛʀe] *vt* olfatear, husmear; (*fig*) presentir.

flamand, e [flamɑ̃, ɑ̃d] *a*, *nm/f* flamenco(a) // *nm* flamenco.

flamant [flamɑ̃] *nm* flamenco.

flambant [flɑ̃bɑ̃] *ad*: ~ **neuf** nuevo flamante.

flambé, e [flɑ̃be] *a* flameado(a) // *nf* fogarada, fogata; ~**e des prix** alza brusca de precios.

flambeau, x [flɑ̃bo] *nm* antorcha.

flamber [flɑ̃be] *vi* llamear // *vt* flamear.

flamboyer [flɑ̃bwaje] *vi* resplandecer.

flamenco [flamɛnko] *nm* flamenco.

flamme [flam] *nf* llama; (*fig*) fogosidad f, pasión f.

flammèche [flamɛʃ] *nf* pavesa.

flan [flɑ̃] *nm* (CULIN) flan m.

flanc [flɑ̃] *nm* flanco; (*d'une montagne*) ladera; **tirer au** ~ (*fam*) escurrir el bulto; **prêter le** ~ **à** (*fig*) dar lugar a.

flancher [flɑ̃ʃe] *vi* flaquear, ceder.

flanelle [flanɛl] *nf* franela.

flâner [flɑne] *vi* errar, vagar.

flanquer [flɑ̃ke] *vt* flanquear; (*fam*) arrojar; ~ **à la porte** (*fam*) echar a la calle; **être flanqué de** estar escoltado por o de.

flapi, e [flapi] *a* extenuado(a).

flaque [flak] *nf* charco.

flash, *pl* flashes [flaʃ] *nm* (PHOTO)

luz f relámpago, flash m; (: *lumière*) fogonazo, flash; ~ **d'information** flash de noticias.

flasque [flask(ə)] a fláccido(a), fofo(a).

flatter [flate] vt adular, halagar; (*suj*: *honneurs, amitié*) halagar, deleitar; **se** ~ de vanagloriarse de; ~**ie** [flatRi] nf adulación f; **une** ~**ie** una lisonja.

fléau, x [fleo] nm flagelo, azote m; (*de balance*) astil m; (AGR) mayal m, látigo de trillar.

flèche [flɛʃ] nf flecha; (*de clocher*) aguja; (*de grue*) aguilón m; **monter en** ~ (*fig*) subir velozmente; **fléchette** nf flechita; **fléchettes** fpl (*jeu*) flechitas.

fléchir [fleʃiR] vt doblar, flexionar; (*fig*) doblegar, ablandar // vi (*poutre*) ceder, doblarse; (*fig*) ceder, claudicar.

flegmatique [flɛgmatik] a flemático(a).

flegme [flɛgm(ə)] nm flema, calma.

flemme [flɛm] nf (*fam*) pereza.

flétrir [fletRiR] vt marchitar, ajar; (*fig*) desprestigiar, mancillar.

fleur [flœR] nf flor f; tissu à ~s tela estampada a flores; être ~ **bleue** ser sentimental; ~ **de lis** flor de lis.

fleurer [flœRe] vt oler a.

fleuret [flœRɛ] nm florete m; (SPORT): **le** ~ la esgrima.

fleurette [flœRɛt] nf: **conter** ~ **à qn** piropear o requerear a alguien.

fleuri, e [flœRi] a florecido(a); (*style, propos*) florido(a); (*péj*) enrojecido(a), bermejo(a).

fleurir [flœRiR] vi florecer // vt colocar flores en, adornar con flores; **se** ~ llevar una flor, adornarse con flores.

fleuriste [flœRist(ə)] nm/f florista m/f.

fleuve [flœv] nm río; **roman** ~ novela río; **discours** ~ discurso interminable.

flexible [flɛksibl(ə)] a flexible.

flexion [flɛksjɔ̃] nf flexión f.

flibustier [flibystje] nm filibustero

flic [flik] nm (*fam, péj*) polizonte m.

flirt [flœRt] nm flirteo; (*personne*) galán m, flirt m; ~**er** vi flirtear.

flocon [flɔkɔ̃] nm copo; (*de laine*: *boulette*) vellón m; ~**s d'avoine** copos de avena.

flonflons [flɔ̃flɔ̃] nmpl tachín tachín m.

floraison [flɔRɛzɔ̃] nf florecimiento m.

floral, e, aux [flɔRal, o] a floral.

floralies [flɔRali] nfpl floralias.

florissant, e [flɔRisɑ̃, ɑ̃t] a floreciente.

flot [flo] nm (*fig*) oleada, multitud f; ~**s** mpl oleaje m; **mettre/être à** ~ poner/estar a flote; (*fig*) sacar/estar a flote; **à** ~**s** a raudales.

flottage [flɔtaʒ] nm armadía.

flottaison [flɔtɛzɔ̃] nf: **ligne de** ~ línea de flotación.

flottant, e [flɔtɑ̃, ɑ̃t] a amplio(a), con vuelo; (*non fixe*) fluctuante.

flotte [flɔt] nf flota; (*fam*) agua, lluvia.

flottement [flɔtmɑ̃] nm vacilación f.

flotter [flɔte] vi flotar; (*drapeau, cheveux*) flamear, ondear; (*fig*) ondear; (ÉCON) fluctuar // vt (*bois*) transportar por la corriente; **flotteur** nm flotador m.

flottille [flɔtij] nf flotilla.

flou, e [flu] a borroso(a).

flouer [flue] vt embaucar, engatusar.

fluctuation [flyktɥasjɔ̃] nf fluctuación f.

fluet, te [flyɛ, ɛt] a endeble, débil.

fluide [flɥid] a fluido(a) // nm fluido.

fluor [flyɔR] nm flúor m.

fluorescent, e [flyɔRɛsɑ̃, ɑ̃t] a fluorescente.

flûte [flyt] nf flauta; (*verre*) copa; (*pain*) pan de forma alargada; ~! ¡caracoles!; ~ **à bec** flauta dulce o de pico; **flûtiste** nm/f flautista m/f.

fluvial, e, aux [flyvjal, o] a fluvial.

flux [fly] nm flujo; **le** ~ **et le reflux** (*fig*) los altibajos.

fluxion [flyksjɔ̃] *nf*: ~ **de poitrine** pleuresía.

FM *sigle f voir* **fréquence.**

FMI *sigle m voir* **fonds.**

foc [fɔk] *nm* foque *m*.

focal, e, aux [fɔkal, o] *a* focal.

foehn [føn] *nm* viento seco y cálido.

fœtal, e, aux [fetal, o] *a* fetal.

fœtus [fetys] *nm* feto.

foi [fwa] *nf* fe *f*; (*engagement*) fidelidad *f*; **sous la ~ du serment** bajo juramento; **ajouter ~ à** dar fe a; **digne de ~** digno(a) de confianza, fidedigno(a); **sur la ~ de** creyendo a, en base al testimonio de; **ma ~!** ¡lo juro!

foie [fwa] *nm* hígado; ~ **gras** paté *m* de hígado de ganso.

foin [fwɛ̃] *nm* heno; **faire les ~s** segar el heno.

foire [fwar] *nf* feria; ~ (**exposition**) feria (de muestras); **faire la ~** (*fig fam*) vivir de juerga.

fois [fwa] *nf* vez *f*; **2 ~ 2** dos por dos; **deux ~ plus grand (que)** el doble (de); **la ~ suivante** la próxima vez; **la ~ précédente** la vez anterior; **une ~ pour toutes** una vez para siempre; **une ~ parti, il...** una vez que hubo partido, él...; **à la ~** (*ensemble*) a la vez; **à la ~ grand et beau** grande y bello a la vez; **des ~** (*parfois*) a veces; **si des ~...** (*fam*) si por casualidad...; **non mais des ~!** (*fam*) ¡pero caramba!; **il était une ~...** había una vez...; érase una vez...

foison [fwazɔ̃] *nf*: **une ~ de** una profusión de; ~**ner** *vi* abundar, pulular.

folâtre [fɔlɑtr(ə)] *a* travieso(a).

folie [fɔli] *nf* locura; **la ~ des grandeurs** la manía *o* el delirio de grandezas.

folklore [fɔlklɔr] *nm* folklore *m*; **folklorique** *a* folklórico(a).

folle [fɔl] *a*, *nf voir* **fou.**

follement [fɔlmɑ̃] *ad* locamente, muchísimo.

follet [fɔlɛ] *a*: **feu ~** fuego fatuo.

foncé, e [fɔ̃se] *a* oscuro(a).

foncer [fɔ̃se] *vt* oscurecer // *vi* oscurecerse; (*fam*) correr; ~ **sur** (*fam*) arremeter contra.

foncier, ière [fɔ̃sje, jɛr] *a* fundamental, básico(a); (*COMM*) hipotecario(a); **foncièrement** *ad* profundamente.

fonction [fɔ̃ksjɔ̃] *nf* función *f*; (*profession*) empleo, profesión *f*; (*poste*) cargo, empleo; ~**s** *fpl* (*activités, BIO*) funciones *fpl*; **entrer en/reprendre ses ~s** tomar posesión de/reintegrarse a su cargo; **voiture de ~** coche *m* oficial *o* de servicio; **être ~ de** depender de; **faire ~ de** hacer las veces de; **la ~ publique** la función pública.

fonctionnaire [fɔ̃ksjɔnɛr] *nm/f* funcionario/a.

fonctionnariser [fɔ̃ksjɔnarize] *vt* asimilar a la función pública.

fonctionnel, le [fɔ̃ksjɔnɛl] *a* funcional.

fonctionnement [fɔ̃ksjɔnmɑ̃] *nm* funcionamiento.

fonctionner [fɔ̃ksjɔne] *vi* funcionar.

fond [fɔ̃] *nm* fondo; **course de ~** carrera de fondo; **envoyer par le ~** echar a pique; **à ~** *ad* a fondo; **à ~** (**de train**) *ad* (*fam*) a todo correr; **dans le ~, au ~** *ad* en el fondo; **de ~ en comble** de arriba abajo; ~ **sonore** fondo sonoro; ~ **de teint** crema base.

fondamental, e, aux [fɔ̃damɑ̃tal, o] *a* fundamental.

fondant, e [fɔ̃dɑ̃, ɑ̃t] *a* que se funde; (*au goût*) que se disuelve *o* deshace.

fondateur, trice [fɔ̃datœr, tris] *nm/f* fundador/ora; **membre ~** miembro fundador.

fondation [fɔ̃dasjɔ̃] *nf* fundación *f*; **travaux de ~** trabajos de cimentación; ~**s** *fpl* (*CONSTRUCTION*) cimientos.

fondement [fɔ̃dmɑ̃] *nm* ano; ~**s** *mpl* cimientos; **sans ~** *a* sin fundamento.

fondé, e [fɔ̃de] *a* fundado(a); **être**

~ à tener derecho a; ~ de pouvoir *nm* apoderado.

fonder [fɔ̃de] *vt* fundar; (*fig*): ~ **qch sur** basar algo en; **se** ~ **sur qch** basarse en algo.

fonderie [fɔ̃dʀi] *nf* (*usine*) fundición *f*.

fondeur [fɔ̃dœʀ] *nm*: (**ouvrier**) ~ (obrero) fundidor *m*.

fondre [fɔ̃dʀ(ə)] *vt* fundir; (*dans l'eau*) disolver; (*fig*) fundir, mezclar; (*se précipiter*): ~ **sur** caer sobre // *vi* fundirse; (*dans l'eau*) disolverse; (*fig*) consumirse, disiparse; **faire** ~ derretir, disolver; (*dans l'eau*) deshacer, disolver; ~ **en larmes** deshacerse en lágrimas.

fondrière [fɔ̃dʀijɛʀ] *nf* hoyo.

fonds [fɔ̃] *nm* capital *m*, caudal *m*; (*COMM*): ~ (**de commerce**) negocio; (*fig*) caudal // *mpl* (*argent*) fondos; **à** ~ **perdus** a fondo perdido; **le** F~ **monétaire international, FMI** el Fondo monetario internacional.

fondu, e [fɔ̃dy] *a* derretido(a), fundido(a); (*fig*) desvanecido(a) // *nm* (*CINÉMA*) fundido // *nf*: ~**e au fromage** plato a base de queso fundido; ~ **enchaîné** fundido encadenado.

font *vb voir* **faire**.

fontaine [fɔ̃tɛn] *nf* fuente *f*.

fonte [fɔ̃t] *nf* fundición *f*; **en** ~ **émaillée** de hierro esmaltado; **la** ~ **des neiges** el deshielo.

fonts baptismaux [fɔ̃batismo] *nmpl* pila, fuente *f* bautismal.

football [futbol] *nm* fútbol *m*; ~ **de table** fútbol de mesa; ~**eur** *nm* futbolista *m*.

footing [futiŋ] *nm*: **faire du** ~ trotar, hacer footing.

for [fɔʀ] *nm*: **dans mon** ~ **intérieur** en mi fuero interno.

forage [fɔʀaʒ] *nm* perforación *f*.

forain, e [fɔʀɛ̃, ɛn] *a*, *nm/f* feriante (*m/f*).

forban [fɔʀbɑ̃] *nm* bandido, forajido.

forçat [fɔʀsa] *nm* forzado.

force [fɔʀs(ə)] *nf* fuerza;

(*intellectuelle*) capacidad *f*; (*ÉLEC*): **la** ~ **l'énergie, la corriente; ~s** *fpl* (*physiques*, *MIL*) fuerzas; **de toutes mes** ~**s** con todas mis fuerzas; **à** ~ **de** a fuerza de; **arriver en** ~ llegar en cantidad; **de** ~ *ad* por la fuerza; **être de** ~ **à** ser capaz de; **de première** ~ de gran capacidad; **par** ~ por fuerza; ~ **des choses** inevitablemente, por fuerza; ~**s de police/de l'ordre** fuerzas de policía/del orden; ~ **de frappe** fuerza de choque, potencial bélico; ~ **d'inertie** fuerza de inercia; ~**s armées** fuerzas armadas.

forcé, e [fɔʀse] *a* forzado(a); (*bain, atterrissage*) forzoso(a); ~**ment** *ad* forzosamente.

forcené, e [fɔʀsəne] *a* encarnizado(a), frenético(a) // *nm/f* furioso/a.

forceps [fɔʀsɛps] *nm* fórceps *m*.

forcer [fɔʀse] *vt* forzar; (*plante*) activar el crecimiento de; ~ **qn à qch/à faire qch** constreñir a alguien a algo/a que haga algo; ~ **la dose/l'allure** aumentar excesivamente la dosis/la velocidad; ~ **l'attention/le respect** ganarse la consideración/el respeto // *vi* (*SPORT, gén*) esforzarse; **se** ~ a esforzarse en.

forcing [fɔʀsiŋ] *nm*: **faire le** ~ redoblar el ataque.

forcir [fɔʀsiʀ] *vi* engordar; (*vent*) arreciar.

forer [fɔʀe] *vt* perforar, horadar; (*trou, puits*) perforar.

forestier, ière [fɔʀɛstje, jɛʀ] *a* forestal.

foreuse [fɔʀøz] *nf* perforadora.

forêt [fɔʀɛ] *nf* bosque *m*.

forfait [fɔʀfɛ] *nm* (*COMM*) ajuste *m*, convenio; (*crime*) crimen *m*; **déclarer** ~ retirarse, no competir; **travailler à** ~ trabajar a destajo; ~**aire** a convenido(a), concertado(a).

forge [fɔʀ(ʒ)ə] *nf* herrería, forja.

forgé, e [fɔʀʒe] *a*: ~ **de toutes pièces** inventado de punta a cabo.

forger [fɔrʒe] vt forjar, (fig) forjar, formar; (: prétexte, alibi) fraguar; ~**on** [fɔrʒɔrɔ̃] nm herrero.

formaliser: **se** ~ vi escandalizarse, enfadarse; **se** ~ **de qch** molestarse por algo.

formalité [fɔrmalite] nf requisito, formalidad f.

format [fɔrma] nm formato; (TY-POGRAPHIE, PHOTO) formato, tamaño.

formation [fɔrmasjɔ̃] nf formación f; concepción f; (groupe) grupo, conjunto; (éducation, GÉO, MINÉRALOGIE etc) formación f; **la** ~ **professionnelle** = formación profesional; **en** ~ (MIL, AVIAT) en formación.

forme [fɔrm(ə)] nf forma; (modalité, type) tipo, forma; **les** ~**s** (manières, d'une femme) las formas; **être en (bonne)** ~, **avoir la** ~ estar en buenas condiciones.

formel, le [fɔrmɛl] a formal, categórico(a).

former [fɔrme] vt (constituer) constituir, formar; (rassembler) formar, organizar; (sédiment, croûte etc) formar, producir; (concevoir) concebir, plasmar; (travailleur, sportif) formar, instruir; (développer) formar, desarrollar; (lettre etc) formar, componer; **se** ~ vi formarse.

formidable [fɔrmidabl(ə)] a formidable.

formol [fɔrmɔl] nm formol m.

formulaire [fɔrmylɛr] nm formulario.

formule [fɔrmyl] nf fórmula; (arrangement, système) solución f, sistema m; ~ **de politesse** fórmula de cortesía.

formuler [fɔrmyle] vt formular; (expliciter: sa pensée) expresar.

fort, e [fɔr, ɔrt(ə)] a fuerte; (carton, papier) resistente; (élève, artiste) capaz, talentoso(a); (important) importante, considerable; (jambe, taille, personne) grueso(a), robusto(a) // ad fuerte, con fuerza // nm fuerte sm; **j'en doute** ~ dudo mucho; **avoir** ~ **à faire pour...**

darse mucho que hacer para...; **au plus** ~ **de la discussion** en lo mejor de la discusión.

forteresse [fɔrtərɛs] nf fortaleza.

fortifiant [fɔrtifjɑ̃] nm fortificante m, reconstituyente m.

fortifications [fɔrtifikasjɔ̃] nfpl fortificaciones f.

fortifier [fɔrtifje] vt fortalecer, reconfortar; (ville, château) fortificar.

fortuit, e [fɔrtɥi, ɥit] a fortuito(a), casual.

fortune [fɔrtyn] nf fortuna; (sort) suerte f; **de** ~ a improvisada(a); **fortuné, e** a afortunado(a).

forum [fɔrɔm] nm foro; (débat) debate m.

fosse [fos] nf fosa; (tombe) sepultura; ~ (**d'orchestre**) foso de la orquesta; ~ **à purin** depósito de aguas de estiércol; ~ **septique** fosa séptica.

fossé [fose] nm zanja; (fig) abismo.

fossette [fosɛt] nf hoyuelo.

fossile [fosil] a, nm fósil (m).

fossoyeur [foswajœr] nm sepulturero.

fou(fol), folle [fu, fɔl] a loco(a); (extrême, très grand) enorme, extremado(a) // nm/f loco(a), chiflado/a // nm (d'un roi) bufón m; (ÉCHECS) alfil m; **avoir le** ~ **rire** tener un ataque de risa; **herbe folle** hierbajo; ~ **de rage** loco de rabia.

foudre [fudr(ə)] nf rayo; ~**s** fpl reprobación f.

foudroyer [fudrwaje] vt fulminar.

fouet [fwɛ] nm látigo; (CULIN) batidor m; **de plein** ~ ad de frente; ~**ter** vt dar latigazos a; (fig) azotar; (CULIN) batir.

fougère [fuʒɛr] nf helecho.

fougue [fug] nf arrebato, ímpetu m.

fouille [fuj] nf cacheo, registro; ~**s** fpl (archéologiques) excavaciones fpl; **passer à la** ~ registrar.

fouiller [fuje] vt cachear, registrar; (local, quartier) registrar, explorar; (sol) cavar, excavar // vi registrar, hurgar.

fouillis [fuji] *nm* revoltijo, desbarajuste *m*.

fouine [fwin] *nf* fuina, garduña.

fouisseur, euse [fwisœr, øz] *a* excavador(ora).

foulard [fular] *nm* pañuelo.

foule [ful] *nf* muchedumbre *f*, pueblo; **une ~ de** una multitud de; **les ~s** las masas, las muchedumbres; **venir en ~** venir en masa o en tropel.

foulée [fule] *nf* (SPORT) zancada; **dans la ~ de** inmediatamente detrás de.

fouler [fule] *vt* triturar, prensar; **~ aux pieds** pisotear; **se ~** vt torcerse // *vi* (fam) fatigarse, esforzarse; **foulure** *nf* esguince *m*.

four [fur] *nm* horno; (THÉÂTRE) fiasco, fracaso; **cuire au ~** cocinar al horno.

fourbe [furb(ə)] *a* pícaro(a), astuto(a).

fourbu, e [furby] *a* extenuado(a), rendido(a).

fourche [furʃ(ə)] *nf* horca; (de bicyclette) horquilla; (d'une route) bifurcación *f*.

fourchette [furʃɛt] *nf* tenedor *m*; (STATISTIQUE) gama.

fourchu, e [furʃy] *a* (cheveu) abierto en las puntas; (arbre etc) ahorquillado(a), bifurcado(a).

fourgon [furgɔ̃] *nm* furgón *m*; **~ mortuaire** coche *m* fúnebre.

fourgonnette [furgɔnɛt] *nf* furgoneta.

fourmi [furmi] *nf* hormiga; **~lière** *nf* hormiguero.

fourmillement [furmijmã] *nm* (démangeaison) hormigueo.

fourmiller [furmije] *vi* hormiguear, pulular; **~ de** estar lleno(a) de.

fournaise [furnɛz] *nf* hoguera, horno.

fourneau, x [furno] *nm* (de cuisine) horno.

fournée [furne] *nf* hornada.

fourni, e [furni] *a* (barbe, cheveux) tupido(a), espeso(a).

fournir [furnir] *vt* proveer, dar; (effort) hacer, realizar; (provisions, travail, main d'œuvre) proveer, suministrar; (suj: chose) dar, proporcionar; (COMM): **~ en** proveer o abastecer de; **se ~ chez** proveerse en lo de; **fournisseur, euse** *nm/f* proveedor/ora, abastecedor/ora; **fourniture** *nf* abastecimiento, provisión *f*; **fournitures** *fpl* material *m*; **fournitures de bureau/scolaires** artículos de escritorio/escolares.

fourrage [furaʒ] *nm* forraje *m*.

fourrager, ère [furaʒe, ɛr] *a* forrajero(a) // *nf* forrajera.

fourré, e [fure] *a* relleno(a); (manteau, botte) forrado(a) // *nm* espesura, maraña.

fourreau, x [furo] *nm* funda, vaina.

fourrer [fure] *vt* (fam) meter.

fourreur [furœr] *nm* peletero.

fourrière [furjɛr] *nf* perrera; (pour voitures) depósito de coches.

fourrure [furyr] *nf* piel *f*.

foutre [futr(ə)] *vt* (fam!) = **ficher** (fam).

foyer [fwaje] *nm* (d'une cheminée, d'un four) hogar *m*, fogón *m*; (fig. OPTIQUE, PHOTO) foco; (famille) hogar, familia; (domicile) hogar; (THÉÂTRE) sala de descanso, foyer *m*; (local de réunion) hogar, centro; **lunettes à double ~** gafas bifocales.

fracas [fraka] *nm* estruendo, fragor *m*.

fracasser [frakase] *vt* destrozar, romper; **se ~ le bras** romperse el brazo.

fraction [fraksjɔ̃] *nf* (MATH) fracción *f*, quebrado; (gén) fracción; **~ner** *vt* fraccionar; **se ~ner** *vi* fraccionarse, dividirse.

fracture [fraktyr] *nf* fractura; **~ du crâne** fractura de cráneo; **fracturer** *vt* romper, forzar; (os, membre) fracturar; **se fracturer la jambe** fracturarse la pierna.

fragile [fraʒil] *a* frágil, quebradizo(a); (estomac, santé) delicalicado(a), frágil; (*fig*) endeble, delicado(a).

fragment [fʀagmɑ̃] nm fragmento, pedazo; (*extrait*) fragmento, trozo; **~er** vt fragmentar; **se ~er** vi fragmentarse.

frai [fʀɛ] nm desove m.

fraîchement [fʀɛʃmɑ̃] ad fríamente; (*récemment*) recientemente.

fraîcheur [fʀɛʃœʀ] nf frescura; frialdad f.

frais, fraîche [fʀɛ, fʀɛʃ] a fresco(a); (*accueil, réception*) frío(a); (*souvenir*) vivo(a), claro(a); (*sportif, soldat*) reposado(a) // ad: **il fait ~** está o hace fresco // nm: **mettre au ~** poner o conservar al fresco // mpl gastos; **des troupes fraîches** tropas no fatigadas; **prendre le ~** tomar el fresco; **~ de déplacement** viáticos; **~ généraux** gastos generales.

fraise [fʀɛz] nf fresa; **~ des bois** fresa silvestre; **fraiser** vt fresar; **fraisier** nm fresa.

framboise [fʀɑ̃bwaz] nf frambuesa; **framboisier** nm frambueso.

franc, franche [fʀɑ̃, fʀɑ̃ʃ] a franco(a), sincero(a); (*net*) neto(a) // ad: **parler ~** hablar francamente // nm franco; **~ de port** franco de porte; **port ~** puerto franco; **zone franche** zona franca; **ancien ~** léger viejo franco; **nouveau ~, ~ lourd** nuevo franco.

français, e [fʀɑ̃sɛ, ɛz] a, nm/f francés(esa) // nm francés m.

France [fʀɑ̃s] nf Francia.

franche [fʀɑ̃ʃ] a voir **franc**.

franchement [fʀɑ̃ʃmɑ̃] ad francamente; netamente; (*tout à fait*) francamente, completamente.

franchir [fʀɑ̃ʃiʀ] vt franquear, superar.

franchise [fʀɑ̃ʃiz] nf franqueza, sinceridad f; (*exemption*, ASSURANCES) franquicia.

franciser [fʀɑ̃size] vt afrancesar.

franc-maçon [fʀɑ̃masɔ̃] nm francmasón m; **~nerie** nf francmasonería.

franco [fʀɑ̃ko] ad libre de gastos.

franco... [fʀɑ̃ko] préf franco; **francophone** [fʀɑ̃kɔfɔn] a de habla francesa; **francophonie** nf comunidad de pueblos de habla francesa.

franc-tireur [fʀɑ̃tiʀœʀ] nm francotirador m.

frange [fʀɑ̃ʒ] nf fleco; (*de cheveux*) flequillo; (*fig*) franja.

franquette [fʀɑ̃kɛt]: **à la bonne ~** ad a la buena de Dios, sin ceremonias.

frappe [fʀap] nf (*d'une dactylo*) tecleo; (*BOXE*) pegada, golpe m; (*FOOTBALL*) disparo, saque m.

frappé, e [fʀape] a helado(a).

frapper [fʀape] vt golpear; (*fig*) asombrar, impresionar; (*suj: malheur, impôt*) afectar; (*monnaie*) acuñar; **~ à la porte** llamar a la puerta; **~ dans ses mains** golpear con las manos.

fraternel, le [fʀatɛʀnɛl] a fraternal.

fraterniser [fʀatɛʀnize] vi fraternizar.

fraternité [fʀatɛʀnite] nf fraternidad f.

fratricide [fʀatʀisid] a fratricida.

fraude [fʀod] nf fraude m; **frauder** vi cometer un fraude; **frauduleux, euse** a fraudulento(a).

frayer [fʀeje] vt abrir // vi desovar, reproducirse; **~ avec** frecuentar, tratarse con.

frayeur [fʀɛjœʀ] nf terror m, espanto.

fredonner [fʀədɔne] vt tararear.

freezer [fʀizœʀ] nm congelador m.

frégate [fʀegat] nf fragata.

frein [fʀɛ̃] nm freno; **~ à main/moteur** freno de mano/motor; **~s à disques/à tambour** frenos de disco/de tambor.

freinage [fʀɛnaʒ] nm frenos, frenado; **distance de ~** distancia de frenado; **traces de ~** marcas de frenazo.

freiner [fʀene] vi, vt frenar.

frelaté, e [fʀəlate] a adulterado(a).

frêle [fʀɛl] a frágil, delicado(a).

frémir [fʀemiʀ] vi temblar, estremecerse.

frénésie [fʀenezi] nf frenesí m, enardecimiento; **frénétique** a frenético(a).

fréquemment [fʀekamɑ̃] ad frecuentemente, a menudo.

fréquence [fʀekɑ̃s] nf frecuencia; (RADIO): **haute/basse** ~ alta/baja frecuencia; ~ **modulée, FM** frecuencia modulada.

fréquent, e [fʀekɑ̃, ɑ̃t] a frecuente.

fréquentations [fʀekɑ̃tasjɔ̃] nfpl (relations) relaciones fpl, compañías.

fréquenter [fʀekɑ̃te] vt frecuentar; (personne) frecuentar, tratar; (: courtiser) cortejar, festejar.

frère [fʀɛʀ] nm hermano; (fig) compañero; (REL) hermano, fray m // a: **partis/pays** ~**s** partidos/países hermanos.

fresque [fʀɛsk(ə)] nf fresco.

fret [fʀɛ] nm flete m; **fréter** vt fletar, alquilar.

frétiller [fʀetije] vi menearse, agitarse.

fretin [fʀətɛ̃] nm: **le menu** ~ la morralla.

friable [fʀijabl(ə)] a desmenuzable, pulverizable.

friandise [fʀijɑ̃diz] nf golosina.

fric [fʀik] nm (fam!) guita, parné m.

fricassée [fʀikase] nf fricasé m, guiso.

friche [fʀiʃ] nf: **en** ~ a, ad inculto(a), sin cultivar.

friction [fʀiksjɔ̃] nf fricción f; (fig) fricción, roce m; ~**ner** vt friccionar.

frigidaire [fʀiʒideʀ] nm ® nevera, frigorífico.

frigide [fʀiʒid] a frígido(a).

frigo [fʀigo] nm abrév de **frigidaire.**

frigorifier [fʀigoʀifje] vt congelar; helar, congelar; intimidar, amilanar.

frigorifique [fʀigoʀifik] a frigorífico(a).

frileux, euse [fʀilø, øz] a friolento(a).

frimousse [fʀimus] nf cara, palmito.

fringale [fʀɛ̃gal] nf gazuza.

fripé, e [fʀipe] a chafado(a), ajado(a).

fripier, ère [fʀipje, ɛʀ] nm/f ropavejero/a.

frire [fʀiʀ] vi, vt (aussi: **faire** ~) freír.

frise [fʀiz] nf friso.

frisé, e [fʀize] a rizado(a) // nf: (chicorée) ~**e** achicoria rizada.

friser [fʀize] vt rizar // vi ser rizado(a).

frisson [fʀisɔ̃] nm escalofrío, estremecimiento; ~**ner** vi estremecerse; (fig) temblar, estremecerse.

frit, e [fʀi, it] pp de **frire** // a frito(a) // nf patata frita.

friteuse [fʀitøz] nf freidor m.

friture [fʀityʀ] nf (huile) aceite m; (RADIO) ruido parásito; (plat): ~ (**de poissons**) fritura (de pescados), pescado frito.

frivole [fʀivɔl] a frívolo(a), baladí.

froid, e [fʀwa, ad] a frío(a) // nm frío; **il fait** ~ hace frío; **avoir** ~ tener frío; **prendre** ~ coger frío; **à** ~ en frío; ~**ement** ad fríamente.

froisser [fʀwase] vt arrugar; (fig) ofender; **se** ~ vi arrugarse; ofenderse, amoscarse; **se** ~ **un muscle** se torcerse un músculo.

frôler [fʀole] vt rozar.

fromage [fʀɔmaʒ] nm queso; ~ **blanc** requesón m; **fromager, ère** nm/f quesero/a; ~**rie** nf (usine) quesería.

froment [fʀɔmɑ̃] nm trigo.

fronce [fʀɔ̃s] nf frunce m; **froncer** vt fruncir; **froncer les sourcils** fruncir el ceño.

fronde [fʀɔ̃d] nf honda.

frondeur, euse [fʀɔ̃dœʀ, øz] a criticón(ona), mofador(ora).

front [fʀɔ̃] nm frente f; (MIL, fig) frente m; **avoir le** ~ **de** tener la cara o desfachatez de; **de ~** ad de frente; **(rouler)** juntos(as), al lado; **(simultanément)** al mismo tiempo; **~ de mer** avenida marítima.

frontalier, ière [fʀɔtalje, ɛʀ] a, nm/f fronterizo(a).

frontière [fʀɔtjɛʀ] nf frontera; **poste ~** puesto fronterizo/.

frontispice [fʀɔtispis] nm frontispicio.

fronton [fʀɔtɔ̃] nm frontón m.

frottement [fʀɔtmã] nm frotamiento, roce m.

frotter [fʀɔte] vi rozar // vt frotar, restregar; **(pour nettoyer)** frotar, estregar; **~ une allumette** frotar o raspar un fósforo.

fructifier [fʀyktifje] vi fructificar.

fructueux, euse [fʀyktɥø, øz] a fructuoso(a), provechoso(a).

frugal, e, aux [fʀygal, o] a frugal, austero(a).

fruit [fʀɥi] nm fruto, fruta; **(fig)** fruto; **~s de mer** mariscos; **~s secs** frutas secas; **~ier, ière** a: **arbre ~ier** árbol m frutal // nm/f frutero/a // nf **(coopérative)** consorcio de queseros.

fruste [fʀyst(ə)] a rústico(a), tosco(a).

frustré, e [fʀystʀe] a frustrado(a), decepcionado(a).

frustrer [fʀystʀe] vt frustrar; **~ qn de** privar a alguien de.

FS abrév de franc suisse.

fuel [fjul] nm fuel-oil m.

fugitif, ive [fyʒitif, iv] a pasajero(a), efímero(a); **(prisonnier etc)** fugitivo(a) // nm/f fugitivo/a.

fugue [fyg] nf **(MUS)** fuga; **faire une ~** fugarse, escapar.

fuir [fɥiʀ] vt huir de, escapar a // vi huir, escapar; **(gaz, eau)** escapar, salirse; **(robinet, tuyau)** perder, salirse.

fuite [fɥit] nf huida, fuga; **(écoulement)** escape m, derrame m; **(divulgation)** indiscreción f, filtración f; **être en ~** ser prófugo(a); **mettre en ~** ahuyentar; **prendre la ~** escapar, huir.

fulminer [fylmine] vi: **~ (contre)** imprecar o estallar contra.

fume-cigarette [fymsigaʀɛt] nm inv boquilla.

fumée [fyme] nf humo.

fumer [fyme] vi humear; **(personne)** fumar // vt fumar; **(jambon etc)** ahumar; **(terre)** abonar; **~é** [fyme] nf fumadero.

fumerolles [fymʀɔl] nfpl fumarolas.

fumet [fyme] nm aroma.

fumeur, euse [fymœʀ, øz] nm/f fumador/ora.

fumeux, euse [fymø, øz] a **(péj)** ambiguo(a), confuso(a).

fumier [fymje] nm abono, estiércol m.

fumigation [fymigasjɔ̃] nf **(MÉD)** inhalación f, fumigación f.

fumigène [fymiʒɛn] a fumígeno(a), de humo.

fumiste [fymist(ə)] nm deshollinador m // nm/f **(péj)** camelista m/f.

fumoir [fymwaʀ] nm fumadero.

funambule [fynãbyl] nm volatinero.

funèbre [fynɛbʀ(ə)] a fúnebre.

funérailles [fyneʀaj] nfpl funeral m.

funéraire [fyneʀɛʀ] a funerario(a), mortuorio(a).

funiculaire [fynikylɛʀ] nm funicular m.

fur [fyʀ] nm: **au ~ et à mesure** ad paulatinamente, poco a poco; **au ~ et à mesure que** a medida que; **au ~ et à mesure de** de acuerdo o conforme a.

furet [fyʀɛ] nm hurón m.

fureur [fyʀœʀ] nf furor m, ira; **(passion)** pasión f.

furieux, euse [fyʀjø, øz] a furioso(a), rabioso(a); **(fig)** terrible, violento(a).

furoncle [fyʀɔ̃kl(ə)] nm forúnculo.

furtif, ive [fyʀtif, iv] a furtivo(a).

fus etc vb voir **être**.

fusain [fyzɛ̃] nm **(BOT)** bonetero; **(pour dessiner)** carboncillo; **(dessin)** dibujo al carbón.

fuseau, x [fyzo] *nm (pantalon)* pantalón tubo; *(pour filer)* huso; ~ **horaire** huso horario.

fusée [fyze] *nf* cohete *m*; ~ **éclairante** bengala.

fuselage [fyzlaʒ] *nm* fuselaje *m*.

fuselé, e [fyzle] *a* torneado(a), ahusado(a).

fuser [fyze] *vi* estallar, surgir.

fusible [fyzibl(ə)] *nm* fusible *m*.

fusil [fyzi] *nm* fusil *m*; ~ **de chasse** escopeta; ~ **à 2 coups** escopeta de tiro doble o de dos cañones.

fusilier [fyzilje] *nm* fusilero.

fusillade [fyzijad] *nf* descarga de fusilería.

fusiller [fyzije] *vt* fusilar.

fusil-mitrailleur [fyzimitRajœR] *nm (MIL)* fusil ametralladora.

fusion [fyzjɔ̃] *nf (COMM)* fusión *f*; *(fig)* fusión *f*, unificación *f*; ~**ner** *vi* fusionar, unificar; *(COMM)* fusionar.

fut [fy] *etc vb voir* **être** // *nm* tonel *m*, barril *m*; *(de canon)* caña, caja; *(d'arbre)* tronco; *(de colonne)* fuste *m*.

futaie [fytɛ] *nf* bosque viejo, oquedal *m*.

futile [fytil] *a* fútil, vano(a).

futur, e [fytyR] *a* futuro(a) // *nm (LING)* futuro; *(avenir)* futuro, porvenir *m*; **au** ~ *(LING)* en futuro; ~ **antérieur** futuro perfecto; ~**iste** *a* futurista.

fuyais *etc vb voir* **fuir.**

fuyard, e [fɥijaR, aRd(ə)] *nm/f* fugitivo/a.

G

gabardine [gabaRdin] *nf* gabardina.

gabarit [gabaRi] *nm* tamaño; *(fig)* dimensión *f*.

gabegie [gabʒi] *nf (péj)* desbarajuste *m*, desorden *m*.

gâcher [gaʃe] *vt* arruinar,

estropear; *(gaspiller)* malgastar, despilfarrar; *(plâtre, mortier)* amasar.

gâchette [gaʃɛt] *nf* gatillo, disparador *m*.

gâchis [gaʃi] *nm* desperdicio, despilfarro.

gadget [gadʒɛt] *nm* artilugio, aparato.

gadoue [gadu] *nf* lodo, fango.

gaffe [gaf] *nf* bichero; *(erreur)* pifia, coladura; **faire** ~ *(fam)* andar con cuidado; **gaffer** *vi* meter la pata.

gag [gag] *nm* gag *m*.

gage [gaʒ] *nm* prenda; ~**s** *mpl (salaire)* sueldo; *(garantie)* garantía, prueba; **mettre en** ~ empeñar; **laisser en** ~ dejar en prenda.

gager [gaʒe] *vt*: ~ **que** apostar que.

gageure [gaʒyR] *nf*: **c'est une** ~ es casi un imposible.

gagnant, e [gaɲɑ̃, ɑ̃t] *a*: **billet/numéro** ~ billete/número premiado // *ad*: **jouer** ~ *(aux courses)* jugar a ganador // *nm/f* ganador/ora, vencedor/ora.

gagne-pain [gaɲpɛ̃] *nm inv* sostén *m*.

gagner [gaɲe] *vt* ganar; *(aller vers)* dirigirse hacia, alcanzar; *(atteindre)* propagarse, extenderse; *(se concilier)* granjearse // *vi* ganar, triunfar; ~ **du temps/de la place** ganar tiempo/espacio; ~ **sa vie** ganarse la vida; ~ **du terrain** ganar terreno; ~ **à faire** convenir hacer algo.

gai, e [ge] *a* alegre; **gaieté** *nf* alegría, regocijo; **de gaieté de cœur** con agrado, de todo corazón; **gaietés** *fpl (souvent ironique)* regocijos.

gaillard, e [gajaR, aRd(ə)] *a* vigoroso(a), robusto(a); atrevido(a) // *nm/f* persona robusta; pícaro/a, pillo/a.

gain [gɛ̃] *nm* ganancia; *(avantage)* ventaja, provecho; **obtenir** ~ **de cause** ganar el pleito; *(fig)* salirse con la suya.

gaine [gɛn] *nf* (*corset*) faja; (*fourreau*) vaina; (*de fil électrique etc*) funda; ~**-culotte** *nf* faja-braga.

gainer [gene] *vt* enfundar.

gala [gala] *nm* función *f* de gala; **soirée de** ~ fiesta de gala.

galant, e [galã, ãt] *a* galante; (*entreprenant*) galanteador(ora).

galantine [galãtin] *nf* galantina.

galaxie [galaksi] *nf* galaxia.

galbe [galb(ə)] *nm* curva.

galbé, e [galbe] *a* forneado(a).

gale [gal] *nf* sarna.

galéjade [galeʒad] *nf* andaluzada.

galère [galɛr] *nf* infierno, galera.

galerie [galri] *nf* galería; (*de voiture*) portaequipajes *m*; (*au tribunal*: *du public*) auditorio, público; (*fig*: *spectateurs*) auditorio.

galérien [galerjɛ̃] *nm* galeote *m*.

galet [galɛ] *nm* guijarro, canto rodado; (*TECH*): **entraînement à** ~ tracción *f* a rodillo; ~**s** *mpl* guijas, guijarros.

galette [galɛt] *nf* galleta, torta; **la** ~ **des Rois** el roscón de Reyes.

galeux, euse [galø, øz] *a* sarnoso(a).

galipette [galipɛt] *nf*: **faire des** ~**s** dar piruetas o brincos.

Galles [gal] *n*: **le pays de** ~ el país de Gales.

gallicisme [galism(ə)] *nm* galicismo.

gallois, e [galwa, az] *a, nm/f* galés(esa) // *nm* galés *m*.

galon [galɔ̃] *nm* galón *m*.

galop [galo] *nm* galope *m*; **au** ~ a galope.

galopade [galɔpad] *nf* galopada.

galoper [galɔpe] *vi* galopar.

galopin [galɔpɛ̃] *nm* (*péj*) galopín *m*, bribón *m*.

galvaniser [galvanize] *vt* galvanizar.

galvauder [galvode] *vt* prostituir, degradar.

gambader [gãbade] *vi* dar brincos.

gamelle [gamɛl] *nf* escudilla; (*fam*): **ramasser une** ~ darse un porrazo.

gamin, e [gamɛ̃, in] *nm/f* rapazuelo/a, pilluelo/a // *a* retozón(ona).

gaminerie [gaminri] *nf* infantilismo; chiquillada.

gamme [gam] *nf* (*MUS*) gama, escala; (*fig*) gama, serie *f*.

gammé, e [game] *a*: **croix** ~**e** cruz gamada.

gang [gãg] *nm* banda, pandilla.

ganglion [gãgljɔ̃] *nm* ganglio.

gangrène [gãgrɛn] *nf* gangrena; (*fig*) putrefacción *f*, corrupción *f*.

gangster [gãgstɛr] *nm* gánster *m*; **gangstérisme** *nm* gansterismo.

gangue [gãg] *nf* ganga, escoria.

ganse [gãs] *nf* trencilla.

gant [gã] *nm* guante *m*; ~ **de toilette** manquito de baño, manopla; ~**s de caoutchouc** guantes de goma; ~**é, e** *a*: ~**é de blanc** con guantes blancos; ~**erie** *nf* guantería.

garage [garaʒ] *nm* cochera, garaje *m*; (*entreprise*) taller *m*, garaje; ~ **à vélos** depósito; **garagiste** *nm/f* garajista *m*; mecánico.

garant, e [garã, ãt] *nm/f* garante *m/f* // *nm* garantía; **se porter** ~ **de qch** hacerse garante de algo; **se porter** ~ **de qn** salir garante de alguien.

garantie [garãti] *nf* garantía; (**bon de**) ~ (cupón *m* de) garantía.

garantir [garãtir] *vt* garantizar; (*JUR*: *pacte*) garantir, garantizar; (*protéger*): ~ **de** proteger de o contra; **je vous garantis que** le aseguro que; **garanti 2 ans/pure laine** garantido por 2 años/pura lana.

garçon [garsɔ̃] *nm* muchacho, varón *m*; (*fils*) chico; (*célibataire*) soltero; (*jeune homme*): **gentil** ~ buen mozo; **petit** ~ niño, chico; **jeune** ~ muchacho, mozo; ~ **de courses** mandadero; ~ **d'écurie** mozo de cuadra; ~**net** *nm* muchachito, chico; ~**nière** *nf* apartamento de soltero.

garde [gard(ə)] nm guardia m; (de domaine etc) guarda m, guardián m // il guardia; (d'une arme) guardamano, guarnición f; de (médecin) de guardia; (pharmacie) de turno; **page** ou **feuille de ~** página u hoja de guarda; **mettre en ~** poner en guardia; **prendre ~ (à)** tener cuidado (con), estar atento(a) (a); **être sur ses ~s** estar alerta o a la defensiva; **~ montante/descendante** guardia entrante/saliente; **~ champêtre** nm guarda m; **~ du corps** nm guardaespaldas m; **~ d'enfants** nf guardiana de niños; (après divorce) tutela; **~ forestier** nm guardabosque m; **~ mobile** nm, nf guardia (m, f) móvil; **~ des Sceaux** nm ministro de Justicia; **~ à vue** (JUR) guardia de vista; **~à-vous** nm: **être/se mettre au ~à-vous** estar/ponerse firmes; **~à-vous fixe!** ¡atentos, firmes!

garde... [gard(ə)] préf: **~barrière** nm/f guardabarrera m/f; **~boue** nm inv guardabarros m inv; **~chasse** nm guarda m de caza; **~fou** nm inv antepecho, barandilla; **~malade** nf enfermera; **~manger** nm inv fresquera; **~meuble** nm guardamuebles m inv; **~pêche** nm inv guarda m de pesca.

garder [garde] vt conservar; (surveiller: prisonnier, enfants) vigilar, cuidar; (: immeuble, lieu) vigilar, custodiar; (séquestrer) retener, detener; (place, part) guardar, reservar; (être à l'entrée de) guardar, custodiar; **~ le lit** guardar cama; **~ la chambre** no salir de su cuarto; **~ à vue** (JUR) poner guardias de vista; **se ~** vi (se conserver) conservarse; **se ~ de faire** guardarse de hacer; **pêche/chasse gardée** reserva de pesca/caza.

garderie [gardəri] nf guardería.

garde-robe [gardrɔb] nf guardarropa m.

gardeur, euse [gardœr, øz] nm/f (d'animaux) pastor/ora, guardador/ora.

gardien, ne [gardjɛ̃, jɛn] nm/f guarda m; (de, garde de prison) guardián/ana; (de phare) torrero/a; (d'immeuble) portero/a, conserje m; (fig) garante m/f, guardia m/f; **~ de but** portero, guardameta m; **~ de nuit** sereno; **~ de la paix** guardia m del orden público.

gare [gar] nf estación f // excl ¡ojo!; **~ à ne pas...** ten cuidado de no...; **~ maritime** estación marítima; **~ routière** estación de autobuses; (camions) depósito de camiones; **~ de triage** estación f.

garenne [garɛn] nf voir **lapin**.

garer [gare] vt estacionar; **se ~** vi estacionarse; (pour laisser passer) apartarse.

gargariser [gargarize]: **se ~** vi hacer gárgaras; **gargarisme** nm gargarismo.

gargote [gargɔt] nf bodegón m.

gargouille [garguj] nf gárgola.

gargouiller [garguje] vi hacer borborigmos o ruido; (eau) gorgotear.

garnement [garnəmã] nm tunante m, bribón m.

garni, e [garni] a (plat) con guarnición // nm piso amueblado.

garnir [garnir] vt: **~ qch de** (orner) adornar algo con; (approvisionner) proveer o abastecer algo de; (protéger) reforzar algo con; (CULIN) guarnecer algo de.

garnison [garnizɔ̃] nf guarnición f.

garniture [garnityr] nf guarnición f; (décoration) adorno; (AUTO): **~ de frein** forro del freno; **~ intérieure** (AUTO) tapicería; **~ périodique** compresa.

garrot [garo] nm (MÉD) torniquete m.

garrotter [garɔte] vt agarrotar; (fig) oprimir, amordazar.

gars [ga] *nm* muchacho; hombre *m*.

gas-oil [gazɔjl] *nm* gasoil *m*.

gaspillage [gaspijaʒ] *nm* despilfarro.

gaspiller [gaspije] *vt* despilfarrar, malgastar.

gastrique [gastʀik] *a* gástrico(a).

gastronomie [gastʀɔnɔmi] *nf* gastronomía.

gastronomique [gastʀɔnɔmik] *a* gastronómico(a).

gâteau, x [gɑto] *nm* pastel *m*; ~ **de riz** torta de arroz; ~ **sec** galleta.

gâter [gɑte] *vt* mimar; (*gâcher*) estropear, malograr; **se** ~ (*dent, fruit*) picarse; (*fig*) estropearse, echarse a perder.

gâterie [gɑtʀi] *nf* mimo; golosina.

gâteux, euse [gɑtø, øz] *a* chocho(a).

gauche [goʃ] *a* izquierdo(a); (*maladroit*) torpe // *nf* (POL) izquierda; **à** ~ **a la izquierda**; **à** ~ **de, à la** ~ **de** a la izquierda de; **de gauchir, ère** a, *nm/f* zurdo(a); ~**rie** *nf* torpeza; **gauchir** *vt* torcer, alabear; **gauchisant, e** *a* izquierdista, simpatizante de izquierda; **gauchisme** *nm* izquierdismo; **gauchiste** *nm/f* izquierdista *m/f*, de izquierda.

gaufre [gofʀ(ə)] *nf* barquillo.

gaufrer [gofʀe] *vt* (*papier*) estampar en relieve; (*tissu*) encañonar.

gaufrette [gofʀet] *nf* barquillo.

gaule [gol] *nf* vara; (*canne à pêche*) caña.

gaulois, e [golwa, waz] *a* galo(a); (*grivois*) picante // *nm/f* galo/a.

gaver [gave] *vt* cebar; (*fig*): ~ **de** atiborrar de.

gaz [gaz] *nm inv* gas *m*; **mettre les** ~ (AUTO) acelerar; **chambre à** ~ cámara de gas; ~ **butane/propano** gas butano/propano; ~ **de ville/en bouteilles** gas de ciudad/en bombonas.

gaze [gaz] *nf* gasa.

gazéifié, e [gazeifje] *a* gasificado(a).

gazelle [gazɛl] *nf* gacela.

gazer [gaze] *vt* flamear // *vi* (*fam*) carburar, pitar.

gazette [gazɛt] *nf* gaceta.

gazeux, euse [gazø, øz] *a* gaseoso(a).

gazier [gazje] *nm* gasista *m*.

gazoduc [gazɔdyk] *nm* gasoducto.

gazomètre [gazɔmetʀ(ə)] *nm* gasómetro.

gazon [gazɔ̃] *nm* césped *m*; **motte de** ~ cepellón *m*.

gazouiller [gazuje] *vi* gorjear; (*enfant*) balbucear.

geai [ʒɛ] *nm* gárrulo, arrendajo.

géant, e [ʒeɑ̃, ɑ̃t] *a* gigante(a); (COMM) enorme, gigantesco(a) // *nm/f* gigante/a.

geindre [ʒɛ̃dʀ(ə)] *vi* gemir, quejarse.

gel [ʒɛl] *nm* helada; (*de l'eau*) escarcha; (*fig*) congelación *f*.

gélatine [ʒelatin] *nf* gelatina; **gélatineux, euse** a gelatinoso(a).

gelé, e [ʒle] *a* helado(a); (*fig*) congelado(a), bloqueado(a) // *nf* (*de viande*) gelatina; (*confiture*) jalea; (*gel*) helada; ~ **blanche** escarcha.

geler [ʒle] *vt* helar; (*aliment*) congelar, helar; (*fig*) congelar // *vi* helarse; **il gèle** hiela.

Gémeaux [ʒemo] *nmpl* (ASTRO): **les** ~ **Géminis** *mpl*, Gemelos; **être des** ~ ser de Géminis o Gemelos.

gémir [ʒemiʀ] *vi* gemir; **gémissement** *nm* gemido.

gemme [ʒɛm] *nf* gema.

gênant, e [ʒenɑ̃, ɑ̃t] *a* molesto(a).

gencive [ʒɑ̃siv] *nf* encía.

gendarme [ʒɑ̃daʀm(ə)] *nm* ≈ guardia *m* civil; **gendarme** *m*; ~**rie** ≈ Guardia *f* Civil; gendarmería.

gendre [ʒɑ̃dʀ(ə)] *nm* yerno.

gêne [ʒɛn] *nf* (*physique*) molestia, dificultad *f*; (*dérangement*) malestar *m*; (*manque d'argent*) apuro, aprieto; (*confusion*) embarazo, incomodidad *f*.

gêné, e [ʒene] *a* incómodo(a), embarazado(a).

généalogie [ʒenealɔʒi] *nf*

genealogía; **genéalogique** a
genealógico(a).

gêner [ʒene] vt (incommoder)
molestar, fastidiar; (encombrer)
molestar, estorbar; (déranger)
trastornar; (embarrasser):~ qn
molestar a alguien; **se** ~
molestarse.

général, e, aux [ʒeneral, o] a, nm
general (m) // nf: (répétition) ~e
ensayo general; **en** ~ en general; **à
la satisfaction** ~**e** con la
satisfacción general; **~ement** ad
generalmente.

généraliser [ʒeneralize] vt, vi
generalizar; **se** ~ generalizarse.

généraliste [ʒeneralist] nm/f
medico/a general.

généralités [ʒeneralite] nfpl
generalidades fpl.

générateur, trice [ʒeneratœr,
tris] a: ~ **de** generador de // nf
generador m.

génération [ʒenerasjɔ̃] nf
generación f.

généreusement [ʒenerøzmɑ̃] ad
generosamente.

généreux, euse [ʒenerø, øz] a
generoso(a).

générique [ʒenerik] a genérico(a)
// nm (CINÉMA) ficha técnica.

générosité [ʒenerozite] nf
generosidad f.

genèse [ʒɔnɛz] nf génesis f.

genêt [ʒnɛ] nm retama.

génétique [ʒenetik] a genético(a)
// nf genética.

Genève [ʒɔnɛv] n Ginebra;
genevois, e [ʒɔnvwa, az] a, nm/f
ginebrino(a).

génial, e, aux [ʒenjal, o] a genial.

génie [ʒeni] nm genio; (MIL): **le** ~ el
cuerpo de ingenieros; ~ **civil**
ingeniería; **de** ~ a de talento,
genial.

genièvre [ʒɔnjɛvr(ə)] nm enebro;
(boisson) ginebra; **grain de** ~
enebrina.

génisse [ʒenis] nf novilla, ternera.

génital, e, aux [ʒenital, o] a
genital.

génitif [ʒenitif] nm genitivo.

génocide [ʒenɔsid] nm genocidio.

génoise [ʒenwaz] nf pastelillo de
almendras.

genou, x [ʒnu] nm rodilla; **à** ~**x** de
rodillas; **genouillère** [-ʒɛr] nf (SPORT)
rodillera.

genre [ʒãr] nm género; (allure)
clase, tono.

gens [ʒã] nmpl (f en algunas frases)
gente f; **vieilles** ~ ancianos; **les** ~
d'Eglise los clérigos; ~ **de maison**
domésticos, servidumbre f.

gentil, le [ʒãti, ij] a gentil, amable;
(enfant: sage) juicioso(a), bueno(a);
(endroit etc) agradable,
placentero(a); (intensif) bueno(a),
considerable; ~**lesse** [-jɛs] nf
gentileza; **gentiment** ad
gentilmente, amablemente.

gentleman [dʒɛntləman], pl
gentlemen [dʒɛntləmɛn] nm
caballero.

génuflexion [ʒenyflɛksjɔ̃] nf
genuflexión f.

géographe [ʒeɔgraf] nm/f
geógrafo/a.

géographie [ʒeɔgrafi] nf
geografía; **géographique** a
geográfico(a).

geôlier [ʒolje] nm carcelero.

géologie [ʒeɔlɔʒi] nf geología;
géologique a geológico(a); **géologue**
[-lɔg] nm/f geólogo/a.

géomètre [ʒeɔmɛtr(ə)] nm/f agri-
mensor/ora.

géométrie [ʒeɔmetri] nf geometría; **géométrique** a geométrico(a).

géophysique [ʒeɔfizik] nf geofísi-
ca.

gérance [ʒerãs] nf gerencia;
mettre/prendre en ~ poner/tomar
en gestión.

géranium [ʒeranjɔm] nm geranio.

gérant, e [ʒerã, ãt] nm/f gerente
m; ~ **d'immeuble** administrador m
de un edificio.

gerbe [ʒɛrb(ə)] nf (de fleurs) ramo;
(de blé) haz m, gavilla; (d'eau)
chorro, surtidor m; (fig) haz.

gercé, e [ʒɛrse] a agrietado(a).

gerçure [ʒɛʀsyʀ] *nf* grieta.

gérer [ʒɛʀe] *vt* administrar, dirigir.

gériatrie [ʒɛʀjatʀi] *nf* geriatría; **gériatrique** *a* geriátrico(a).

germain, e [ʒɛʀmɛ̃, ɛn] *a* voir **cousin.**

germanique [ʒɛʀmanik] *a* germánico(a).

germe [ʒɛʀm(ə)] *nm* (de plante) brote *m*, germen *m*; (microbe) germen; (fig) cierne *m*.

germer [ʒɛʀme] *vi* brotar, germinar.

gérondif [ʒɛʀɔ̃dif] *nm* gerundio.

gésier [ʒezje] *nm* molleja.

gésir [ʒeziʀ] *vi* yacer, residir; *voir aussi* **ci-gît.**

gestation [ʒɛstasjɔ̃] *nf* gestación *f*.

geste [ʒɛst(ə)] *nm* gesto; movimiento; ademán *m*.

gesticuler [ʒɛstikyle] *vi* gesticular.

gestion [ʒɛstjɔ̃] *nf* gestión *f*.

geyser [ʒezɛʀ] *nm* géiser *m*.

ghetto [geto] *nm* ghetto.

gibecière [ʒibsjɛʀ] *nf* morral *m*.

gibet [ʒibɛ] *nm* horca.

gibier [ʒibje] *nm* (animaux) caza; (fig) facineroso/a, forajido/a.

giboulée [ʒibule] *nf* chaparrón *m*, chubasco.

giboyeux, euse [ʒibwajø, øz] *a* abundante en caza.

gicler [ʒikle] *vi* salpicar.

gicleur [ʒiklœʀ] *nm* (AUTO) chicler *m*.

gifle [ʒifl(ə)] *nf* bofetada, sopapo; **gifler** *vt* abofetear.

gigantesque [ʒigɑ̃tɛsk(ə)] *a* gigantesco(a).

gigogne [ʒigɔɲ] *a*: **lits/tables ~s** camas/mesas nido.

gigot [ʒigo] *nm* pierna.

gigoter [ʒigɔte] *vi* patalear.

gilet [ʒilɛ] *nm* chaleco; (pull) chaleco, chaqueta; (de corps) camiseta; **~ pare-balles** chaleco antibalas; **~ de sauvetage** chaleco salvavidas.

gin [dʒin] *nm* gin *m*, ginebra.

gingembre [ʒɛ̃ʒɑ̃bʀ(ə)] *nm* jengibre *m*.

girafe [ʒiʀaf] *nf* jirafa.

giratoire [ʒiʀatwaʀ] *a*: **sens ~** dirección giratoria.

girofle [ʒiʀɔfl(ə)] *nm*: **clou de ~** clavo de olor.

giroflée [ʒiʀɔfle] *nf* alhelí *m*.

girouette [ʒiʀwɛt] *nf* veleta.

gisait *etc vb voir* **gésir.**

gisement [ʒizmɑ̃] *nm* yacimiento.

gitan, e [ʒitɑ̃, an] *nm/f* gitano/a.

gît *vb voir* **gésir.**

gîte [ʒit] *nm* hogar *m*, casa; madriguera; **~ rural** albergue *m* rural.

givre [ʒivʀ(ə)] *nm* escarcha.

givré, e [ʒivʀe] *a* escarchado(a).

glabre [glabʀ(ə)] *a* lampiño(a).

glace [glas] *nf* hielo; (crème glacée) helado; (verre) cristal *m*; (miroir) espejo; (de voiture) ventanilla; **~s** *fpl* (GÉO) hielos, témpano.

glacé, e [glase] *a* helado(a); (fig) frío(a).

glacer [glase] *vt* (lac, eau) helar, congelar; (refroidir) helar; (gâteau) escarchar; (papier, tissu) glacear; (fig) dejar helado/a a.

glaciaire [glasjɛʀ] *a* glaciar.

glacial, e [glasjal] *a* glacial.

glacier [glasje] *nm* (GÉO) glaciar *m*; **~ suspendu** glaciar suspendido.

glacière [glasjɛʀ] *nf* nevera.

glaçon [glasɔ̃] *nm* témpano, hielo; (pour boisson) cubito de hielo.

glaïeul [glajœl] *nm* gladiolo.

glaise [glɛz] *nf* greda.

glaive [glɛv] *nm* espada.

gland [glɑ̃] *nm* bellota; (décoration) borla; (ANAT) glande *m*, bálano.

glande [glɑ̃d] *nf* glándula.

glaner [glane] *vi* espigar // *vt* (fig) recoger, rebuscar.

glapir [glapiʀ] *vi* chillar.

glas [glɑ] *nm* tañido; **sonner le ~** tocar a muerto.

glauque [glok] *a* glauco(a).

glissade [glisad] *nf* (par jeu) resbalón *m*, patinazo; (chute) resbalón, (dérapage) resbalamiento, bajada; **faire des ~s** dar patinazos.

glissant, e [glisã, ãt] *a* resbaladizo(a).

glissement [glismã] *nm* deslizamiento; ~ **de terrain** desmoronamiento del terreno.

glisser [glise] *vi* deslizarse: *(couleur, tomber, être glissant)* resbalar; *(déraper)* dar un patinazo // *vt* deslizar; ~ *(sur* (détail, fait) pasar por alto; **se** ~ **dans/entre** *(suj: personne)* escurrirse en/entre; *(suj: erreur etc)* deslizarse, escaparse.

glissière [glisjeʀ] *nf* corredera; à ~ de corredera.

glissoire [gliswaʀ] *nf* resbaladero.

global, e, aux [glɔbal, o] *a* global.

globe [glɔb] *nm* globo; *(d'un objet)* fanal *m* de cristal; **sous** ~ en un fanal; **le** ~ **terrestre** el globo terráqueo; **~-trotter** [-tʀɔtœʀ] *nm* trotamundos *m inv*.

globule [glɔbyl] *nm* (du sang) glóbulo.

globuleux, euse [glɔbylø, øz] *a:* **yeux** ~ ojos saltones.

gloire [glwaʀ] *nf* gloria; **glorieux, euse** [glɔʀjø, øz] *a* glorioso(a); **glorifier** *vt* glorificar.

glossaire [glɔseʀ] *nm* glosario.

glotte [glɔt] *nf* glotis *f*.

glousser [gluse] *vi* cloquear; *(rire)* reír sojocadamente.

glouton, ne [glutɔ̃, ɔn] *a* glotón(ona).

glu [gly] *nf* liga; **~ant, e** *a* pegajoso(a).

glycine [glisin] *nf* glicina.

gnome [gnom] *nm* gnomo.

go [go]: **tout de** ~ *ad* de sopetón.

GO *abrév* de grandes ondes.

gobelet [gɔblɛ] *nm* cubilete *m*.

gober [gɔbe] *vt* sorber.

godet [gɔdɛ] *nm* vaso.

godiller [gɔdije] *vi* cinglar.

goéland [gɔelã] *nm* gaviota.

goélette [gɔelɛt] *nf* goleta.

goémon [gɔemɔ̃] *nm* varec *m*.

gogo [gɔgo] *nm* (péj) primo, bobo; **à** ~ *ad* a porrillo.

goguenard, e [gɔgnaʀ, aʀd(ə)] *a*

burlón(ona), zumbón(ona).

goguette [gɔgɛt] *nf:* **en** ~ achispado(a).

goinfre [gwɛ̃fʀ(ə)] *a* comilón(ona); **se goinfrer** *vi* engullir, atiborrarse; **se goinfrer de** atracarse de.

goitre [gwatʀ(ə)] *nm* bocio.

golf [gɔlf] *nm* golf *m*; ~ **miniature** minigolf *m*.

golfe [gɔlf(ə)] *nm* golfo.

gomme [gɔm] *nf* goma; *(résine)* resina; **boule de** ~ caramelo de goma.

gommer [gɔme] *vt* borrar; *(enduire de gomme)* engomar.

gond [gɔ̃] *nm* gozne *m*.

gondole [gɔ̃dɔl] *nf* góndola.

gondoler [gɔ̃dɔle] *vi,* **se** ~ *vi* combarse.

gondolier [gɔ̃dɔlje] *nm* gondolero.

gonflé, e [gɔ̃fle] *a (yeux, visage)* hinchado(a).

gonfler [gɔ̃fle] *vt* inflar; *(nombre, importance)* exagerar, ponderar // *vi* hincharse; *(CULIN: pâte)* inflarse; **gonfleur** *nm* bomba de aire.

gong [gɔ̃] *nm* gong *m*.

goret [gɔʀɛ] *nm* lechón *m*, cochinillo.

gorge [gɔʀʒ(ə)] *nf* garganta; *(poitrine)* pechos; *(rainure)* entalladura.

gorgé, e [gɔʀʒe] *a:* ~ **de** ahíto de, saciado de // *nf* trago, sorbo; ~ **d'eau** empapado.

gorille [gɔʀij] *nm* gorila *m*.

gosier [gozje] *nm* garguero.

gosse [gɔs] *nm/f* chiquillo/a.

gothique [gɔtik] *a* gótico(a); ~ **flamboyant** gótico flamígero.

gouache [gwaʃ] *nf* aguada.

goudron [gudʀɔ̃] *nm* alquitrán *m*; **~ner** *vt* alquitranar.

gouffre [gufʀ(ə)] *nm* abismo, sima; *(fig)* abismo.

goujat [guʒa] *nm* grosero, patán *m*.

goujon [guʒɔ̃] *nm* gobio.

goulet [gulɛ] *nm* bocana.

goulot [gulo] *nm* gollete *m*; **boire au** ~ beber del pico.

goulu, e [guly] *a* goloso(a).

goupillon [gupijɔ̃] nm (REL) hisopo; (brosse) escobilla.

gourd, e [gur, urd(ə)] a entumecido(a) // nf (récipient) cantimplora.

gourdin [gurdɛ̃] nm porra.

gourmand, e [gurmã, ãd] a goloso(a); ~ise nf gula; (bonbon) golosina.

gourmet [gurmɛ] nm gastrónomo/a.

gourmette [gurmɛt] nf pulsera.

gousse [gus] nf: ~ d'ail diente m de ajo.

gousset [gusɛ] nm (de gilet) bolsillo.

goût [gu] nm gusto; avoir du ~ pour tener inclinación por.

goûter [gute] vt (apprécier) gustar // vi merendar // nm merienda; à ~ probar; (la liberté, l'amour) gozar de; ~ de experimentar o probar.

goutte [gut] nf gota; (alcool) copita de aguardiente; ~s fpl (MÉD) gotas; une ~ de whisky un poquito de whisky; ~ à ~ gota a gota.

goutte-à-goutte [gutagut] nm recipiente m de transfusión; alimenter au ~ alimentar por gotas.

gouttelette [gutlɛt] nf gotita.

gouttière [gutjɛr] nf canalón m.

gouvernail [guvɛrnaj] nm timón m.

gouvernante [guvɛrnãt] nf institutriz f, aya.

gouverne [guvɛrn] nf: pour sa ~ para su gobierno.

gouvernement [guvɛrnəmã] nm gobierno; ~al, e, aux a gubernamental.

gouverner [guvɛrne] vt gobernar; (fig) dominar; **gouverneur** nm (MIL) gobernador m.

grâce [grɑs] nf gracia; favor m; (charme) gracia, donaire m; (JUR) gracia, indulto; ~s fpl (REL) gracias; de bonne/mauvaise ~ de buena/mala gana; faire ~ à qn de qch perdonar algo a alguien; rendre ~(s) à dar gracias a; demander ~ pedir perdón; droit de/recours en ~ (JUR) derecho a/recurso de indulto; ~ à prép gracias a; **gracier** vt (JUR) indultar; **gracieux, euse** a gracioso/a.

gracile [grasil] a grácil.

gradation [gradasjɔ̃] nf gradación f, progresión f.

grade [grad] nm grado; monter en ~ ascender de grado.

gradé [grade] nm oficial m.

gradin [gradɛ̃] nm grada; ~s mpl (de stade) gradería, gradas; en ~s dispuesto(a) en gradas.

graduel, le [gradɥɛl] a gradual.

graduer [gradɥe] vt graduar.

graffiti [grafiti] nmpl graffiti mpl.

grain [grɛ̃] nm grano; (NAUT) turbonada; ~ de beauté lunar m; ~ de poussière mota de polvo; ~ de sable (fig) pizca.

graine [grɛn] nf semilla; ~tier nm comerciante m en semillas.

graissage [grɛsaʒ] nm engrase m.

graisse [grɛs] nf (sur le corps) grasa, sebo; (CULIN, lubrifiant) grasa; **graisser** vt engrasar; (tacher) manchar de grasa; **graisseux, euse** a grasiento(a); (ANAT) adiposo(a), graso(a).

grammaire [gramɛr] nf gramática.

grammatical, e, aux [gramatikal, o] a gramatical.

gramme [gram] nm gramo.

gramophone [gramɔfɔn] nm gramófono.

grand, e [grã, ãd] a gran, grande; (salle, maison) gran, grande, amplio(a); (long) largo(a); (large) amplio(a); (intense) fuerte // ad: ~ ouvert abierto de par en par; avoir ~ besoin de tener mucha necesidad de; il est ~ temps de ya es hora de; son ~ frère su hermano mayor; il est assez ~ pour ya es bastante mayorcito para; ~ blessé/brûlé herido/quemado grave; au ~ air al aire libre; ~ angle (PHOTO) gran angular m;

écart: faire le ~ écart
esparrancarse; ~ ensemble grupo
de viviendas; ~ magasin gran
almacén de lujo; ~es écoles
escuelas de enseñanza superior
universitaria; ~es lignes (RAIL)
líneas principales; ~chose nf
inv: pas ~chose poca cosa; G~e-
Bretagne nf: la G~e-Bretagne (la)
Gran Bretaña; ~eur nf tamaño,
dimensión f; (importance) amplitud
f, magnitud f; (gloire, puissance)
grandeza, gloria; (mesure, quantité)
cantidad f; ~eur nature tamaño
natural; ~ir vi crecer,
desarrollarse; (bruit, hostilité)
crecer, aumentar // vt hacer
parecer mayor; (fig) acrecentar el
prestigio a; ~mère nf abuela;
~messe nf misa mayor; ~peine:
à ~peine a duras penas;
~père nm abuelo; ~route nf
carretera general; ~rue nf calle f
mayor; ~s-parents nmpl abuelos.

grange [gʀɑ̃ʒ] nf granero.

granit [gʀanit] nm granito; ~ique
a granítico(a).

granulé [gʀanyle] nm granulado.

granuleux, euse [gʀanylø, øz] a
granuloso(a).

graphie [gʀafi] nf grafía, grafismo.

graphique [gʀafik] a gráfico(a) //
nm gráfico.

graphisme [gʀafism(ə)] nm grafismo.

graphite [gʀafit] nm grafito.

graphologie [gʀafɔlɔʒi] nf
grafología; **graphologue** [-lɔg] nm/f
grafólogo/a.

grappe [gʀap] nf racimo, ramillete
m; (fig) racimo, grupo; ~ de raisin
racimo de uvas.

grappiller [gʀapije] vt recoger,
rebuscar.

grappin [gʀapɛ̃] nm gancho.

gras, se [gʀɑ, ɑs] a graso(a);
(personne) gordo(a), grueso(a);
(surface, main) pringoso(a),
untuoso(a); (rire) áspero(a);
(plaisanterie) grosero(a); (crayon,
TYPOGRAPHIE) grueso(a) // nm

(CULIN) gordo(a); toux ~se tos f de
catarro; ~sement ad: ~sement
payé largamente pagado;
~souillet, te a regordete(a).

gratification [gʀatifikasjɔ̃] nf
gratificación f, recompensa.

gratifier [gʀatifje] vt: ~ qn de
gratificar a alguien con; (sourire
etc) recompensar a alguien con.

gratin [gʀatɛ̃] nm gratín m; ~é, e
[-tine] a gratinado(a); (fam)
horroroso(a).

gratis [gʀatis] ad gratis, gratuitamente.

gratitude [gʀatityd] nf gratitud f.

gratte-ciel [gʀatsjɛl] nm inv
rascacielos m inv.

grattement [gʀatmɑ̃] nm (bruit)
rascamiento.

gratte-papier [gʀatpapje] nm inv
(péj) cagatintas m inv.

gratter [gʀate] vt raspar; (bras,
bouton) rascar; **grattoir** nm
raspador m.

gratuit, e [gʀatɥi, it] a gratuito(a);
~ement ad gratuitamente.

gravats [gʀava] nmpl escombros,
cascotes mpl.

grave [gʀav] a grave, serio(a); (air)
severo(a), serio(a); (voix, son)
grave // nm (MUS) grave m; ~ment
ad gravemente, seriamente.

graver [gʀave] vt grabar; **graveur**
nm grabador m.

gravier [gʀavje] nm grava.

gravillons [gʀavijɔ̃] nmpl gravilla.

gravir [gʀaviʀ] vt subir, trepar.

gravité [gʀavite] nf gravedad f,
seriedad f; (PHYSIQUE) gravedad.

graviter [gʀavite] vi: ~ autour de
gravitar alrededor de.

gravure [gʀavyʀ] nf grabado;
(photo) reproducción f.

gré [gʀe] nm: à son ~ a su gusto o
antojo; au ~ de a merced de;
contre le ~ de qn contra la
voluntad de alguien; de son (plein)
~ por su propia voluntad; de ~ ou
de force de grado o por la fuerza; de
bon ~ con mucho gusto, de buen
grado; bon ~ mal ~ de buen o mal

grado, quieras que no quieras;
savoir ~ **à qn de qch** quedar
reconocido(a) con alguien por algo.

grec, grecque [grɛk] a griego(a).

Grèce [grɛs] nf: **la** ~ (la) Grecia.

gréement [gremã] nm aparejo.

greffe [grɛf] nf injerto; (MÉD)
trasplante m // nm archivo.

greffer [grefe] vt (BOT, MÉD: tissu)
injertar; (MÉD: organe) trasplantar.

greffier [grefje] nm escribano
forense.

grégaire [greger] a gregario(a).

grège [grɛʒ] a: **soie** ~ seda cruda.

grêle [grɛl] a flaco(a), delgadu-
cho(a) // nf granizo.

grêlé, e [grele] a picado(a) de
viruelas.

grêler [grele] vi granizar; **il grêle**
graniza.

grêlon [grɛlɔ̃] nm granizo, piedra.

grelot [grəlo] nm cascabel m.

grelotter [grəlɔte] vi tintar.

grenade [grənad] nf granada.

grenadier [grənadje] nm (MIL)
granadero; (BOT) granado.

grenadine [grənadin] nf
granadina.

grenat [grəna] a inv granate.

grenier [grənje] nm desván m; (de
ferme) granero.

grenouille [grənuj] nf rana.

grenu, e [grəny] a granoso(a).

grès [grɛ] nm arenisca; (poterie)
gres m.

grésiller [grezije] vi chisporrotear,
chirriar; (RADIO) chirriar.

grève [grɛv] nf (d'ouvriers) huelga;
(plage) playa; **se mettre en/faire**
~ declararse en/hacer huelga; ~
bouchon huelga parcial; ~ **de la**
faim huelga de hambre; ~ **perlée**
huelga intermitente; ~ **sauvage**
huelga espontánea o improvisa; ~
surprise huelga sorpresa; ~ **sur le**
tas huelga de brazos caídos; ~
tournante huelga escalonada; ~ **du**
zèle huelga con aplicación minuciosa
de las consignas de trabajo a los
efectos de paralizar la producción.

grever [grəve] vt gravar, recargar;

grevé d'hypothèques gravado con
una hipoteca, hipotecado.

gréviste [grevist(ə)] nm/f
huelquista m/f.

gribouiller [gribuje] vt
garabatear // vi garabatear,
garrapatear.

grief [grijɛf] nm motivo de queja;
faire ~ **à qn de qch** reprochar algo
a alguien.

grièvement [grijɛvmã] ad
gravemente.

griffe [grif] nf garra, zarpa; (fig)
sello, etiqueta.

griffer [grife] vt arañar, rasguñar.

griffonner [grifɔne] vt
garabatear.

grignoter [griɲɔte] vt roer,
mordisquear; (fig) ganar, sacar
ventaja.

gril [gri] nm parrilla.

grillade [grijad] nf carne f a la
parrilla.

grillage [grijaʒ] nm (treillis) reja;
alambrada.

grille [grij] nf (portail) reja, verja;
(d'égout, de trappe) rejilla; (fig)
casillas; red f.

grille-pain [grijpɛ̃] nm inv
tostador m de pan.

griller [grije] vt (aussi: faire ~:
pain) tostar; (:viande) asar; (fig:
ampoule etc) fundir // vi (brûler)
asarse, achicharrarse.

grillon [grijɔ̃] nm grillo.

grimace [grimas] nf mueca, mohín
m; (pour faire rire): **faire des** ~**s**
hacer muecas.

grimer [grime] vt maquillar.

grimpant, e [grɛ̃pã, ãt] a:
plante/fleur ~**e** planta/flor trepadora.

grimper [grɛ̃pe] vt subir, escalar
// vi (route, terrain) ascender,
empinarse; (fig) elevarse, ascender
// nm: **le** ~ (SPORT) la trepa; ~
à/sur trepar(se) a/sobre.

grinçant, e [grɛ̃sã, ãt] a (fig)
agrio(a), ácido(a).

grincement [grɛ̃smã] nm
chirrido, crujido.

grincer [gʀɛ̃se] vi (porte, roue) chirriar; (plancher) crujir; ~ **des dents** rechinar los dientes.

grincheux, euse [gʀɛ̃ʃø, øz] a rezongón(ona), cascarrabias.

grippe [gʀip] nf gripe f; **grippé, e** a: **être grippé** estar agripado.

gripper [gʀipe] vi agarrotar // vi agarrotarse.

gris, e [gʀi, iz] a gris; (ivre) ahumado(a), alegre; ~ **vert** gris verdoso.

grisaille [gʀizaj] nf gris m.

griser [gʀize] vt (fig) embriagar.

grisonner [gʀizɔne] vi encanecer.

grisou [gʀizu] nm grisú m.

grive [gʀiv] nf tordo.

grivois, e [gʀivwa, az] a verde, atrevido(a).

grog [gʀɔg] nm ponche m.

grogner [gʀɔɲe] vi gruñir; (fig) gruñir, refunfuñar.

groin [gʀwɛ̃] nm jeta, hocico.

grommeler [gʀɔmle] vi mascullar.

grondement [gʀɔ̃dmã] nm estruendo, bramido.

gronder [gʀɔ̃de] vi bramar, retumbar; (fig: révolte) amenazar con estallar // vt regañar a.

groom [gʀum] nm botones m.

gros, se [gʀo, os] a grande; (obèse, large) grueso(a); (fortune, commerçant) grueso(a), inmenso(a); (orage, bruit) fuerte // ad: **risquer/gagner** ~ arriesgar/ganar mucho // nm (comm) la por mayor; **écrire** ~ escribir grueso; **par** ~ **temps/~se mer** con temporal/mar agitado; **le** ~ **de el** el grueso de; **en** ~ aproximadamente, más o menos; **vente en** ~ venta al por mayor; ~ **intestin** intestino grueso; ~ **lot** premio gordo; ~ **mot** palabrota; ~ **sel** sal gruesa.

groseille [gʀozɛj] nf grosella; ~ **à maquereau** grosella espinosa; **groseillier** nm grosellero.

grosse [gʀos] af voir **gros**.

grossesse [gʀosɛs] nf embarazo; ~ **nerveuse** falso embarazo.

grosseur [gʀosœʀ] nf gordura;

volumen m; (tumeur) bulto, tuberosidad f.

grossier, ière [gʀosje, jɛʀ] a grosero(a), ordinario(a); (brut: laine) rústico(a), basto(a); (:travail, facture) rústico(a), tosco(a); (évident) grosero(a), burdo(a); **grossièrement** ad groseramente, rústicamente; aproximadamente.

grossir [gʀosiʀ] vi engordar; (fig) aumentar; (rivière, eaux) crecer // vt aumentar; (suj: vêtement): ~ **qn** hacer gordo(a) a alguien; (exagérer) agrandar, abultar; ~ **de 5 kilos** engordar 5 kilos; **grossissant, e** a de aumento; **grossissement** nm (optique) aumento.

grossiste [gʀosist(ə)] nm/f mayorista m/f.

grosso modo [gʀosomɔdo] ad grosso modo.

grotesque [gʀotɛsk(ə)] a grotesco(a).

grotte [gʀot] nf gruta.

grouiller [gʀuje] vi pulular, hormiguear; ~ **de** rebosar o bullir de.

groupe [gʀup] nm grupo; ~ **électrogène** grupo electrógeno; ~ **de pression** grupo de presión; ~ **sanguin** grupo sanguíneo.

groupement [gʀupmã] nm agrupación f.

grouper [gʀupe] vt agrupar; **se** ~ agruparse.

grue [gʀy] nf grúa; (zool) grulla.

grumeaux [gʀymo] nmpl grumos.

grutier [gʀytje] nm conductor m de una grúa.

Guadeloupe [gwadlup] nf: **la** ~ Guadalupe f.

gué [ge] nm vado; **passer à** ~ vadear.

guenilles [gənij] nfpl harapos, pingajos.

guenon [gənɔ̃] nf mona.

guépard [gepaʀ] nm guepardo.

guêpe [gɛp] nf avispa.

guêpier [gepje] nm (fig) avispero.

guère [gɛʀ] ad: **tu n'es** ~ **raisonnable** eres poco razonable, no ne sera ~ difficile no sera muy difícil; **il ne la connaît ~** apenas la conoce; **il n'y a ~ que 3 personnes** hay apenas 3 personas; **il n'y a ~ de...** apenas hay..., no hay mucho...; **guéridon** [geridɔ̃] nm velador m.

guérilla [gerija] nf guerrilla.

guérillero [gerijero] nm guerrillero.

guérir [geriʀ] vt curar // vi curarse; sanar; ~ **de** curar de; **guérison** nf curación f, cura; (d'une maladie, plaie etc) curación; **guérissable** a curable; **guérisseur, euse** nm/f curandero/a.

guérite [gerit] nf garita.

guerre [gɛʀ] nf guerra; **en ~ en** guerra; **faire la ~ à** combatir; **de ~ lasse** cansado(a) de luchar; ~ **civile** guerra civil; ~ **froide** guerra fría; ~ **de religion** guerra religiosa; ~ **sainte** guerra santa; ~ **d'usure** guerra de desgaste; **guerrier, ière** a, nm/f guerrero(a); **guerroyer** vi guerrear.

guet [gɛ] nm: **faire le ~** estar al acecho.

guet-apens [gɛtapɑ̃] nm celada, emboscada.

guêtre [gɛtʀ(ə)] nf polaina.

guetter [gete] vt (épier) acechar; (attendre) acechar, aguardar; asechar; **guetteur** [gɛtœʀ] nm centinela m.

gueule [gœl] nf jeta, hocico; (du canon, tunnel) boca; (fam) jeta.

gueuler [gœle] vi (fam) vociferar, chillar.

gui [gi] nm muérdago.

guichet [giʃɛ] nm ventanilla; (d'une porte) portillo; **les ~s** (à la gare, au théâtre) la taquilla; ~**ier, ière** [giʃtje, jɛʀ] nm/f taquillero/a.

guide [gid] nm guía m/f; (livre) guía // nf (fille scout) guía; ~**s** mpl (d'un cheval) riendas.

guider [gide] vt guiar; **se ~ sur** guiarse con o por.

guidon [gidɔ̃] nm manillar m.

guignol [giɲɔl] nm guiñol m; (fig) payaso.

guillemets [gijmɛ] nmpl: **entre ~** entre comillas.

guilleret, te [gijʀɛ, ɛt] a festivo(a), vivaracho(a).

guillotine [gijɔtin] nf guillotina; **guillotiner** vt guillotinar.

guimauve [gimov] nf malvavisco, altea.

guindé, e [gɛ̃de] a estirado(a), empacado(a).

guirlande [giʀlɑ̃d] nf guirnalda.

guise [giz] nf: **à votre ~** a su gusto, como quiere; **en ~ de** a guisa o manera de.

guitare [gitaʀ] nf guitarra; **guitariste** nm/f guitarrista m/f.

gustatif, ive [gystatif, iv] a gustativo(a).

guttural, e, aux [gytyʀal, o] a gutural.

Guyane [gɥijan] nf: **la ~** Guayana.

gymkhana [ʒimkana] nm gymkhana.

gymnase [ʒimnɑz] nm gimnasio.

gymnaste [ʒimnast(ə)] nm/f gimnasta m/f.

gymnastique [ʒimnastik] nf gimnasia.

gynécologie [ʒinekɔlɔʒi] nf ginecología; **gynécologue** [-lɔg] nm/f ginecólogo/a.

gypse [ʒips(ə)] nm yeso.

H

h abrév de **heure**.

habile [abil] a hábil, diestro(a); (malin) hábil, astuto(a); ~**té** nf habilidad f; astucia.

habilité, e [abilite] a: ~ **à** habilitado o capacitado para.

habillé, e [abije] a vestido(a); (chic) elegante, de vestir; (TECH): ~ **de** cubierto o forrado con.

habillement [abijmɑ̃] nm vestido, vestimenta; (profession) confección f.

habiller [abije] vt vestir; (objet) cubrir, forrar; **s'~** vestirse; (se déguiser) vestirse, disfrazarse; **s'~ de/en** vestirse de; **s'~ chez/à** vestirse en.

habit [abi] nm traje m; **~s** mpl (vêtements) ropa; **~ (de soirée)** traje (de noche o gala).

habitable [abitabl(ə)] a habitable.

habitacle [abitakl(ə)] nm (AUTO) puesto de pilotaje; (de fusée etc) cabina.

habitant, e [abitɑ̃, ɑ̃t] nm/f habitante m/f, vecino/a; (d'une maison) habitante, morador/ora; **loger chez l'~** alojarse en una casa.

habitat [abita] nm hábitat m, alojamiento; (BOT, ZOOL) hábitat m.

habitation [abitɑsjɔ̃] nf residencia; domicilio; vivienda, casa; **~ à loyer modéré, HLM** vivienda de renta limitada.

habité, e [abite] a habitado(a), ocupado(a).

habiter [abite] vt vivir en, habitar; (suj: sentiment) residir o anidar en // vi: **~ à/dans** vivir en; **~ chez qn** vivir en casa de alguien; **~ 16 rue Montmartre** vivir en la calle Montmartre no. 16.

habitude [abityd] nf hábito, costumbre f; **avoir l'~ de faire** tener la costumbre de hacer; **d'~** generalmente, habitualmente; **comme d'~** como de costumbre.

habitué, e [abitɥe] a: **être ~ à** estar acostumbrado a // nm/f amigo/a; cliente m/f.

habituel, le [abitɥel] a habitual, acostumbrado.

habituer [abitɥe] vt: **~ qn à** acostumbrar a alguien a; **s'~ à** acostumbrarse a.

*hâbleur, euse [ˈɑblœʀ, øz] a presumido(a), fanfarrón(ona).

*hache [ˈaʃ] nf hacha f.

*haché, e [ˈaʃe] a picado(a); (fig) entrecortado(a), cortado(a).

*hacher [ˈaʃe] vt picar.

*hachette [ˈaʃɛt] nf hachuela f.

*hachis [ˈaʃi] nm picadillo.

*hachisch [ˈaʃiʃ] nm = **haschisch.**

*hachoir [ˈaʃwaʀ] nm cuchilla de picar; máquina de picar carne; tabla de picar.

*hachures [ˈaʃyʀ] nfpl sombreado, plumeado.

*haddock [ˈadɔk] nm eglefino ahumado.

*hagard, e [ˈagaʀ, aʀd(ə)] a aterrado(a), espantado(a).

*haie [ˈɛ] nf cerco, seto; (SPORT) valla, obstáculo; (fig: rang) fila, hilera; **200 m ~s** 200 m vallas; **d'honneur** calle f de honor.

*haillons [ˈajɔ̃] nmpl harapos, andrajos.

*haine [ˈɛn] nf odio, aversión f.

*haïr [ˈaiʀ] vt odiar; **se ~** odiarse.

*halage [ˈalaʒ] nm: **chemin de ~** camino de sirga.

*hâle [ˈal] nm bronceado; ***hâlé, e** a bronceado(a).

haleine [alɛn] nf aliento; **hors d'~** sin aliento; **tenir en ~** mantener en vilo; **de longue ~** de larga duración.

*haleter [ˈalte] vi jadear.

*hall [ˈol] nm vestíbulo.

hallali [alali] nm alalí m.

*halle [ˈal] nf mercado; **~s** fpl mercado central.

hallucination [alysinɑsjɔ̃] nf alucinación f.

*halo [ˈalo] nm halo, resplandor m.

*halte [ˈalt(ə)] nf alto; (lieu, RAIL) parada f; excl ¡alto!; **faire ~** hacer un alto, detenerse.

haltère [altɛʀ] nm peso; **~s** mpl (activité) levantamiento de pesos; **haltérophile** nm/f levantador/ora de pesos.

*hamac [ˈamak] nm hamaca f.

*hameau, x [ˈamo] nm caserío, aldea.

hameçon [amsɔ̃] nm anzuelo.

*hampe [ˈɑ̃p] nf asta.

*hamster [ˈamstɛʀ] nm hámster m.

*hanche [ˈɑ̃ʃ] nf cadera.

*hand-ball [ˈɑdbal] nm balonmano.

*handicap ['ädikap] nm desventaja, inferioridad f; (SPORT) handicap m; ~é, e a disminuido(a) // nm/f: ~é physique/mental disminuido físicamente/mentalmente; ~é moteur espástico; ~er vt disminuir las posibilidades de.

*hangar ['āgar] nm cobertizo.

*hanneton ['antɔ̃] nm abejorro.

*hanter ['āte] vt frecuentar, aparecerse en; (fig) obsesionar, perseguir; *hantise nf obsesión f, idea fija.

*happer ['ape] vt atrapar; (suj: train etc) arrollar, atropellar.

*haranguer ['aRɑ̃ge] vt arengar.

*haras ['aRɑ] nm acaballadero.

*harassant, e ['aRasɑ̃, ɑ̃t] a agobiador(ora), extenuante.

*harceler ['aRsəle] vt (MIL) hostigar; (CHASSE) acosar; (fig) molestar.

*hardes ['aRd(ə)] nfpl trapos, guiñapos.

*hardi, e ['aRdi] a audaz, arriesgado(a).

*harem ['aRɛm] nm harén m.

*hareng ['aRɑ̃] nm arenque m; ~ saur arenque ahumado.

*hargne ['aRɲ(ə)] nf saña, furor m.

*haricot ['aRiko] nm judía; ~ blanc alubia; ~ vert judía enana.

harmonica [aRmɔnika] nm armónica.

harmonie [aRmɔni] nf armonía; harmonieux, euse a armonioso(a); harmonique nm armónico; harmoniser vt armonizar.

harmonium [aRmɔnjɔm] nm armonio.

*harnaché, e [aRnaʃe] a (fig) ataviado(a) ridículamente.

*harnacher [aRnaʃe] vt enjaezar.

*harnais ['aRnɛ] nm arreos, arneses mpl.

*harpe ['aRp(ə)] nf arpa; *harpiste nm/f arpista m/f.

*harpon ['aRpɔ̃] nm arpón m; *~ner vt arponear; (fam) pillar, enganchar.

*hasard ['azaR] nm: le ~ el azar;

un ~ una casualidad; au ~ al azar; par ~ por casualidad; à tout ~ por si acaso.

*hasarder ['azaRde] vt (mot, regard) arriesgar, aventurar; (vie, fortune) arriesgar, exponer; se ~ à arriesgarse a, atreverse a.

*hasardeux, euse ['azaRdø, øz] a arriesgado(a).

*haschisch ['aʃiʃ] nm hachís m.

*hâte ['ɑt] nf prisa; à la ~ de prisa; en ~ con premura o rapidez f; avoir ~ de tener prisa por; *hâter vt apresurar; se hâter apresurarse; se hâter de apresurarse a; *hâtif, ive a hecho(a) de prisa; precipitado(a), apresurado(a); (fruit, légume) temprano(a).

*hausse ['os] nf alza, subida; (de la température) elevación f, aumento; (de fusil) alza; en ~ en alza, en aumento.

*hausser ['ose] vt alzar, levantar; se ~ alzarse, elevarse; ~ les épaules encogerse de hombros.

*haut, e ['o, 'ot] a alto(a); (ligne, limite) superior; (son, voix) agudo(a), alto(a); (fig) elevado(a) // ad alto // nm: le ~ (lo) alto; ~ de 2 m/5 étages de 2 m/5 pisos de alto; 20 m de ~ 20 m de alto; à ~e voix, tout ~ en alta voz, en voz alta; du ~ de desde lo alto de; de ~ en bas (regarder) de arriba abajo; (lire) por completo, de punta a punta; (détruire) por completo; plus ~ más alto; (dans un texte) más arriba; en ~ en lo alto; en ~ de arriba de; ~e fidélité alta fidelidad; la ~ finance las altas finanzas; des ~s et des bas altibajos.

*hautain, e ['otɛ̃, ɛn] a altanero(a), soberbio(a).

*hautbois ['obwa] nm oboe m.

*haut-de-forme ['odfɔRm(ə)] nm sombrero de copa.

*hautement ['otmɑ̃] ad muy, extremadamente.

*hauteur ['otœR] nf altura; (GÉO) altura, cumbre f; (fig) elevación f.

grandeza; altivez f, soberbia; **à la ~ de** a la altura de.

*haut-fond [´ofɔ̃] nm bajío, bajo fondo.

*haut-fourneau [´ofurno] nm alto horno.

*haut-le-cœur [´olkœr] nm inv náusea, repugnancia.

*haut-parleur [´oparlœr] nm altavoz m.

*hâve [´ɑv] a macilento(a).

*havre [´ɑvr(ə)] nm refugio, puerto.

*Haye [´ε] n: **la ~** la Haya.

hebdomadaire [εbdɔmadεr] a semanal // nm semanario.

héberger [ebεrʒe] vt hospedar; (réfugiés) alojar.

hébété, e [ebete] a aturdido(a), alelado(a).

hébraïque [ebraik] a hebraico(a).

hébreu, x [ebrø] am, nm hebreo.

HEC sigle fpl voir **étude**.

hectare [εktar] nm hectárea.

hectolitre [εktɔlitr(ə)] nm hectolitro.

hégémonie [eʒemɔni] nf hegemonía, supremacía.

*hein [´ɛ̃] excl ¿eh?

*hélas [´elas] excl ¡ay! // ad desgraciadamente.

*héler [´ele] vt llamar.

hélice [elis] nf hélice f.

hélicoptère [elikɔptεr] nm helicóptero.

héliogravure [eljɔgravyr] nf heliograbado.

héliport [elipɔr] nm helipuerto.

héliporté, e [elipɔrte] a transportado(a) por helicóptero.

hellénique [elenik] a helénico(a).

helvétique [εlvetik] a helvético(a).

hématome [ematom] nm hematoma m.

hémicycle [emisikl(ə)] nm hemiciclo; (POL): **l'~** la sala, la gradería semicircular.

hémiplégie [emipleʒi] nf hemiplejía.

hémisphère [emisfεr] nf: **nord/sud** hemisferio norte/sur.

hémoglobine [emɔglɔbin] nf hemoglobina.

hémophile [emɔfil] a hemofílico(a).

hémorragie [emɔraʒi] nf hemorragia.

hémorroïdes [emɔrɔid] nfpl hemorroides fpl.

*henné [´ene] nm alheña.

*hennir [´enir] vi relinchar.

hépatique [epatik] a hepático(a).

hépatite [epatit] nf hepatitis f.

herbe [εrb(ə)] nf (gazon) césped m; (CULIN, MÉD) hierba; **en ~** en cierne; **de l'~** hierba, pasto; **herbeux, euse** a herboso(a); **herbicide** nm herbicida m; **herbier** nm herbario; **herbivore** nm herbívoro(a); **herboriser** vi herborizar; **herboriste** nm/f herbolario(a); **herboristerie** nf (magasin) herboristería; (commerce) comercio de hierbas.

herculéen, ne [εrkyleɛ̃, εn] a titánico(a), gigantesco(a).

*here [´εr] nm: **pauvre ~** pobre diablo.

héréditaire [ereditεr] a hereditario(a).

hérédité [eredite] nf herencia.

hérésie [erezi] nf herejía; **hérétique** nm/f hereje m/f.

hérissé, e [´erise] a erizado(a), hirsuto(a); **~ de** erizado de.

hérisser [´erise] vt: **~ qn** ponerle los pelos de punta a alguien; (fig) enfadar a alguien; **se ~** vi (poils, chat) erizarse.

hérisson [´erisɔ̃] nm erizo.

héritage [eritaʒ] nm herencia.

hériter [erite] vi: **~ de qch (de qn)** heredar algo (de alguien); **héritier, ière** nm/f heredero/a.

hermaphrodite [εrmafrɔdit] a hermafrodita.

hermétique [εrmetik] a hermético(a); **~ment** ad herméticamente.

hermine [εrmin] nf armiño.

hernie [´εrni] nf hernia.

héroïne [erɔin] nf heroína.

héroïque [erɔik] a heroico(a).

héroïsme [eʀɔism(ə)] *nm* heroísmo.

*****héron** ['eʀɔ̃] *nm* garza.

*****héros** ['eʀo] *nm* héroe *m*.

*****herse** ['ɛʀs(ə)] *nf* rastra; *(de château)* rastrillo.

hertz [ɛʀts] *nm* hertz *m*.

hésitation [ezitɑsjɔ̃] *nf* vacilación *f*.

hésiter [ezite] *vi*: ~ **(à faire)** dudar *o* vacilar (en hacer).

hétéroclite [eteʀɔklit] *a* heteróclito(a).

hétérogène [eteʀɔʒɛn] *a* heterogéneo(a).

hétérosexuel, le [eteʀɔsɛksɥel] *a* heterosexual.

*****hêtre** ['ɛtʀ(ə)] *nm* haya.

heure [œʀ] *nf* hora; **c'est l'~** es la hora; **quelle ~ est-il?** ¿qué hora es?; **à toute ~** a todas horas; **être à l'~** ser puntual; *(montre)* estar en hora; **mettre à l'~** poner en hora; **24 ~s sur 24** todo el día; **à l'~ qu'il est** a esta hora; *(fig)* en estos momentos, en los tiempos que corren; **sur l'~** de inmediato, al instante; **le bus passe à l'~** el autobús pasa a la hora en punto; **à l'~ actuelle** actualmente, en la actualidad; **~s de bureau** horas de oficina; **~s supplémentaires** horas extraordinarias.

heureusement [œʀøzmɑ̃] *ad* felizmente, afortunadamente.

heureux, euse [œʀø, øz] *a* feliz, dichoso(a); *(chanceux)* afortunado(a); *(judicieux)* feliz, acertado(a); **être ~ de faire** tener mucho gusto en hacer.

*****heurt** ['œʀ] *nm* choque *m*, colisión *f*; **~s** *mpl* (*fig*) choque, disputa; desavenencia, desacuerdo.

heurté, e ['œʀte] *a* (*fig*) contrastado(a).

*****heurter** ['œʀte] *vt* (*mur*) chocar con; *(personne)* tropezar con; *(fig)* chocar, ofender; **se ~ à** *vt* chocar con, darse en; *(fig)* enfrentarse con; **~** ~ chocar, encontrarse.

*****heurtoir** ['œʀtwaʀ] *nm* aldaba.

*****hévéa** [evea] *nm* jebe *m*.

hexagone [ɛgzagɔn] *nm* hexágono.

*****hiatus** [jatys] *nm* hiato.

hiberner [ibɛʀne] *vi* hibernar.

*****hibou, x** ['ibu] *nm* búho.

*****hideux, euse** [idø, øz] *a* horrible, horrendo(a).

hier [jɛʀ] *ad* ayer; **~ matin** ayer por la mañana; **~ soir** ayer por la tarde *o* la noche; **anoche**; **toute la journée d'~** todo el día de ayer.

*****hiérarchie** ['jeʀaʀʃi] *nf* jerarquía; *****hiérarchique** *a* jerárquico(a); *****hiérarchiser** *vt* jerarquizar.

*****hiéroglyphe** ['jeʀɔglif] *nm* jeroglífico.

hilare [ilaʀ] *a* alegre, jovial.

hindou, e [ɛ̃du] *a* hindú(a); *(nationalité)* hindú(a), indio(a) // *nm/f* indio/a, hindú/a; *(croyant)* hindú/a.

hippique [ipik] *a* hípico(a).

hippisme [ipism(ə)] *nm* hipismo.

hippodrome [ipodʀom] *nm* hipódromo.

hippopotame [ipopotam] *nm* hipopótamo.

hirondelle [iʀɔ̃del] *nf* golondrina.

hirsute [iʀsyt] *a* hirsuto(a).

hispanique [ispanik] *a* hispánico(a).

*****hisser** ['ise] *vt* izar, subir; **se ~ sur** subirse a *o* en.

histoire [istwaʀ] *nf* historia; *(anecdote)* historia, cuento; *(mensonge)* cuento, mentira; *(incident)* problema *m*, asunto; *(chichis)* lío; **~s** *fpl* *(ennuis)* problemas *mpl*; **~ sainte** historia sagrada; **historien, ne** *nm/f* historiador/ora; **historique** *a* histórico(a).

hiver [ivɛʀ] *nm* invierno; **~nal, e, aux** *a* invernal; **~ner** *vi* invernar.

HLM *sigle f ou m voir* **habitation**.

*****hocher** ['ɔʃe] *vt*: **~ la tête** sacudir la cabeza.

*****hochet** ['ɔʃɛ] *nm* sonajero.

*****hockey** ['ɔke] *nm*: **~ (sur glace/gazon)** hockey *m* (sobre hielo/hierba); *****~eur** [-jœʀ] *nm* jugador *m* de hockey.

*****holding** ['ɔldiŋ] *nm* trust *m*.

*hold-up ['ɔldœp] *nm inv* asalto a mano armada.

*hollandais, e ['ɔlɑ̃dɛ, ɛz] *a, nm, nf* holandés(esa).

*Hollande ['ɔlɑ̃d] *nf* Holanda.

*homard ['ɔmaʀ] *nm* bogavante *m*.

homélie [ɔmeli] *nf* homilía.

homéopathe [ɔmeɔpat] *nm/f* homeópata *m/f*.

homéopathie [ɔmeɔpati] *nf* homeopatía; **homéopathique** *a* homeopático(a).

homérique [ɔmeʀik] *a* homérico(a).

homicide [ɔmisid] *nm* homicidio // *nm/f* homicida *m/f*.

hommage [ɔmaʒ] *nm* homenaje *m*; **~s** *mpl*: **présenter ses ~s** presentar sus respetos; **rendre ~ à** rendir homenaje a; **en ~ de** en prueba de.

homme [ɔm] *nm* hombre *m*; **~ d'affaires** hombre de negocios; **~ des cavernes** hombre de las cavernas; **~ d'Église** eclesiástico; **~ d'État** estadista *m*; **~-grenouille** *nm* hombre rana; **~ de loi** legista *m*; **~ de main** matón *m*; **~ orchestre** *nm* hombre orquesta; **~ de paille** testaferro; **l'~ de la rue** el hombre de la calle *o* común; **~ sandwich** *nm* hombre sandwich *o* anuncio.

homogène [ɔmɔʒɛn] *a* homogéneo(a); **homogénéité** [-ʒeneite] *nf* homogeneidad *f*.

homologue [ɔmɔlɔg] *nm/f* colega *m*.

homologué, e [ɔmɔlɔge] *a* homologado(a).

*homonyme [ɔmɔnim] *nm* homónimo(a).

homosexualité [ɔmɔsɛksɥalite] *nf* homosexualidad *f*.

homosexuel, le [ɔmɔsɛksɥɛl] *a* homosexual.

Hongrie ['ɔ̃gʀi] *nf*: **la ~** Hungría;
*hongrois, e *a, nm, nf* húngaro(a).

*onnête [ɔnɛt] *a* honesto(a), honrado(a); *(juste, satisfaisant)* razonable, decente; **~ment** *ad*

honestamente, sinceramente; **~té** *nf* honestidad *f*, honradez *f*.

honneur [ɔnœʀ] *nm* honor *m*; *(faveur, considération)* honra, honor; *(mérite)*: **l'~ lui revient** el mérito suyo, el mérito le corresponde; *(CARTES)* triunfo; **~s** *mpl* honores; **"j'ai l'~ de..."** "tengo el honor de..."; **en l'~ de** en honor de; *(événement)* en celebración de; **faire ~ à** *(engagements)* respetar, cumplir con; *(famille)* respetar *o* honrar a; *(fig)* hacer honor a; **être à l'~** ser honrado(a) *o* apreciado(a); **être en ~** ser considerado(a) *u* honrado(a).

honorable [ɔnɔʀabl(ə)] *a* honorable, digno(a); *(suffisant)* satisfactorio(a), honroso(a); **~ment** *ad* dignamente; honrosamente.

honoraire [ɔnɔʀɛʀ] *a* honorario(a); **~s** *mpl* honorarios.

honorer [ɔnɔʀe] *vt* honrar; *(estimer)* respetar; *(chèque, dette)* pagar; **~ qn de** honrar a alguien con; **s'~ de** enorgullecerse de.

honorifique [ɔnɔʀifik] *a* honorífico(a).

*honte ['ɔ̃t] *nf* vergüenza; **avoir ~ de** tener vergüenza de; **faire ~ à qn** avergonzar a alguien; ***honteux, euse** *a (confus)* avergonzado(a); *(infâme)* vergonzoso(a), escandaloso(a).

hôpital, aux [ɔpital, o] *nm* hospital *m*.

*hoquet ['ɔkɛ] *nm*: **avoir le ~** tener hipo; ***~er** ['ɔkte] *vi* hipar, tener hipo.

horaire [ɔʀɛʀ] *a* horario(a) // *nm* horario.

*horde ['ɔʀd(ə)] *nf* horda.

horizon [ɔʀizɔ̃] *nm* horizonte *m*; **~s** *mpl* (fig) horizontes mpl.

horizontal, e, aux [ɔʀizɔ̃tal, o] *a* horizontal; **~ement** *ad* horizontalmente.

horloge [ɔʀlɔʒ] *nf* reloj *m*.

horloger, ère [ɔʀlɔʒe, ɛʀ] *nm/f* relojero/a.

horlogerie [ɔʀlɔʒʀi] *nf* relojería.

*hormis [ɔʀmi] *prép* excepto, salvo.

hormonal, e, aux [ɔʀmɔnal, o] *a* hormonal.

hormone [ɔʀmɔn] *nf* hormona.

horoscope [ɔʀɔskɔp] *nm* horóscopo.

horreur [ɔʀœʀ] *nf* horror m, espanto; (*chose, objet laid*) horror; l'~ **d'une scène** lo horroroso de una escena; **avoir** ~ **de qch** sentir horror por algo; **horrible** a horrible, espantoso(a); (*laid*) horrible, horrendo(a); **horrifier** *vt* horrorizar, aterrar.

horripiler [ɔʀipile] *vt* exasperar.

*hors [ɔʀ] *prép* salvo; ~ **de** fuera de; ~ **pair** sin par; ~ **de propos** fuera de lugar, inoportuno(a); **être** ~ **de soi** estar fuera de sí; ~ **d'usage** fuera de uso; ~-**bord** *nm* fuera borda m; ~-**concours** a fuera de concurso; ~-**d'œuvre** *nm* entremeses mpl; ~-**jeu** nm fuera de juego m; ~-**la-loi** nm persona fuera de la ley; ~-**taxe** a exento(a) de impuestos; ~-**texte** nm lámina fuera de texto.

hortensia [ɔʀtɑ̃sja] *nm* hortensia.

horticulteur, trice [ɔʀtikyltœʀ, tʀis] *nm/f* horticultor/ora.

horticulture [ɔʀtikyltyʀ] *nf* horticultura.

hospice [ɔspis] *nm* hospicio, asilo.

hospitalier, ière [ɔspitalje, jɛʀ] a hospitalario(a).

hospitaliser [ɔspitalize] *vt* hospitalizar.

hospitalité [ɔspitalite] *nf* hospitalidad f.

hostie [ɔsti] *nf* hostia.

hostile [ɔstil] a hostil; ~ **à** (*opposé à*) contrario(a) u opositor(ora) a o de; **hostilité** *nf* hostilidad f, enemistad f; **hostilités** *fpl* hostilidades fpl.

hôte [ot] *nm* anfitrión m; (*invité, client*) huésped m; (*fig*) ocupante m, inquilino.

hôtel [otɛl] *nm* hotel m; ~ (**particulier**) palacete m, hotel; ~

de ville ayuntamiento; ~**ier, ière** [otalje, jɛʀ] a, *nm/f* hotelero(a); ~**lerie** [otɛlʀi] *nf* (*profession*) hostelería; (*auberge*) hostal m.

hôtesse [otɛs] *nf* anfitriona; (*dans une agence, une foire*) recepcionista; ~ **de l'air** azafata.

*hotte ['ɔt] *nf* cuévano; (*de cheminée*) campana; ~ **aspirante** campana aspirante.

*houblon ['ublõ] *nm* lúpulo.

*houille ['uj] *nf* hulla; ~ **blanche** hulla blanca; ***houiller, ère** a hullero(a).

*houle ['ul] *nf* oleaje m.

*houlette ['ulɛt] *nf*: **sous la** ~ **de** bajo la protección de.

*houleux, euse ['ulø, øz] a encrespado(a), agitado(a); (*fig*) agitado(a), turbulento(a).

*houppe ['up], ***houppette** ['up, 'upɛt] *nf* borla.

*hourra ['uʀa] *nm* viva, hurra // *excl* ¡hurra!, ¡viva!

*houspiller ['uspije] *vt* regañar, reprender.

*housse ['us] *nf* funda; ~ (**penderie**) funda.

*houx ['u] *nm* acebo.

*hublot ['yblo] *nm* ojo de buey.

*huche ['yʃ] *nf*: ~ **à pain** artesa.

*huées ['ye] *nfpl* abucheo.

*huer ['ye] *vt* abuchear.

huile [ɥil] *nf* aceite m; (*ART*) óleo; (*fam*) pez gordo; ~ **d'arachide/de** colza aceite de maní/de colza; ~ **de foie de morue** aceite de hígado de bacalao; ~ **de table** aceite comestible; **huiler** *vt* aceitar; **huileux, euse** a aceitoso(a), grasoso(a)

huis [ɥi] *nm*: **à** ~ **clos** a puerta cerrada.

huissier [ɥisje] *nm* ordenanza m; (*JUR*) ujier m.

*huit [ɥit] *num* ocho; **samedi en** ~ sábado de la próxima semana; un ~**aine de jours** unos ocho día; ~**ième** num octavo(a).

huître [ɥitʀ(ə)] *nf* ostra; **huîtri** *nm* ostrero.

humain, e [ymɛ̃, ɛn] a humano(

// *nm* humano; **~ement** [-mɛnmɑ̃]
ad humanamente; **humaniser** *vt*
humanizar; **humanitaire** a
humanitario(a); **humanité** *nf*
humanidad f.

humble [œ̃bl(ə)] a humilde.

humecter [ymɛkte] *vt* humedecer;
s'~ les lèvres humedecerse los
labios.

*humer [ʼyme] *vt* oler, aspirar.

humeur [ymœʀ] *nf (momentanée)*
humor *m*; *(tempérament)* carácter
m, temperamento; *(irritation)* mal
humor *o* falante *m*; **de bonne/mau-
vaise ~** de buen/mal humor.

humide [ymid] *a* húmedo(a);
humidificateur *nm* humectador *m*;
humidifier *vt* humedecer; **humidité**
nf humedad f.

humiliation [ymiljɑsjɔ̃] *nf* humilia-
ción f.

humilier [ymilje] *vt* humillar,
rebajar.

humilité [ymilite] *nf* humildad f,
modestia.

humoriste [ymɔʀist(ə)] *nm/f*
humorista *m/f*.

humoristique [ymɔʀistik] *a* hu-
morístico(a).

humour [ymuʀ] *nm* humor *m*;
avoir de l'~ tener sentido del
humor; **~ noir** humor negro.

humus [ymys] *nm* humus *m*.

*hurlement [ʼyʀləmɑ̃] *nm* aullido,
alarido.

*hurler [ʼyʀle] *vi (animal)* aullar;
(personne) aullar, gritar; *(de peur)*
chillar; **~ à la mort** aullar a la
muerte.

hurluberlu [yʀlybɛʀly] *nm (péj)*
tocado, descocado.

*hutte [ʼyt] *nf* choza.

hybride [ibʀid] a híbrido(a).

hydratant, e [idʀatɑ̃, ɑ̃t] a
hidratante.

hydrate [idʀat] *nm*: **~ de carbone**
hidrato de carbono.

hydrater [idʀate] *vt* hidratar.

hydraulique [idʀolik] a
hidráulico(a).

hydravion [idʀavjɔ̃] *nm* hidroavión
m.

hydro... [idʀɔ] *préf*: **~-carbure** *nm*
hidrocarburo; **~cution** *nf* síncope
ocasionado por el brusco contacto
con el agua; **~-électrique** a
hidroeléctrico(a); **~gène** *nm*
hidrógeno; **~glisseur** *nm* hidropla-
no; **~graphie** *nf* hidrografía;
~phile a voir **coton.**

*hyène [ʼjɛn] *nf* hiena.

hygiène [iʒjɛn] *nf* higiene f;
hygiénique a higiénico(a).

hymne [imn(ə)] *nm* himno; **~
national** himno nacional.

hyper... [ipɛʀ] *préf*: **~métrope**
[-metʀɔp] a hipermétrope;
~tension *nf* hipertensión f.

hypnose [ipnoz] *nf* hipnosis f;
hypnotique a hipnótico(a);
hypnotiser *vt* hipnotizar.

hypocrisie [ipokʀizi] *nf* hipocresía,
doblez *m*.

hypocrite [ipokʀit] a hipócrita,
falso(a) // *nm/f* hipócrita *m/f*.

hypotension [ipotɑ̃sjɔ̃] *nf*
hipotensión f.

hypothécaire [ipotekɛʀ] a
hipotecario(a).

hypothèque [ipotɛk] *nf* hipoteca.

hypothéquer [ipoteke] *vt*
hipotecar.

hypothèse [ipotɛz] *nf* hipótesis f;
hypothétique a hipotético(a).

hystérie [isteʀi] *nf* histeria,
histerismo; **hystérique** a histéri-
co(a).

I

ibérique [ibeʀik] a: **la péninsule
~** la península ibérica.

iceberg [ajsbɛʀg] *nm* iceberg *m*.

ici [isi] *ad* aquí, acá; **d'~ là**
entretanto; **d'~ peu** dentro de poco.

icône [ikon] *nf* icono.

iconographie [ikɔnɔgrafi] *nf*
iconografía.

idéal, e, aux [ideal, o] *a, nm* ideal
(*m*); **~iser** *vt* idealizar; **~iste** *a,
nm/f* idealista (*m/f*).

idée [ide] *nf* idea; **avoir dans l'~**
que estar convencido(a) de que; **~s**
noires pensamientos negros, mal
humor; **~s reçues** prejuicios.

identification [idātifikɑsjɔ̃] *nf*
identificación f.

identifier [idātifje] *vt* identificar;
(:*bruit, accent, pierres*) reconocer,
identificar; **~ qch à** identificar algo
con; **s'~ à** identificarse con.

identique [idātik] *a* idéntico (a).

identité [idātite] *nf* igualdad f,
semejanza; (*d'une personne*)
identidad f.

idéologie [ideɔlɔʒi] *nf* ideología.

idiomatique [idjɔmatik] *a*:
expression ~ expresión f
idiomática.

idiome [idjɔm] *nm* idioma m.

idiot, e [idjo, ɔt] *a* (*MÉD*) idiota;
(*péj*) estúpido(a), tonto(a) // *nm/f*
idiota *m/f*; **~ie** [idjɔsi] *nf* idiotez f;
tontería; estupidez f.

idolâtrer [idɔlɑtʀe] *vt* idolatrar.

idole [idɔl] *nf* ídolo.

idylle [idil] *nf* idilio; **idyllique** *a*
idílico (a).

if [if] *nm* tejo.

IFOP [ifɔp] *sigle m* = *Institut
français d'opinion publique.*

igloo [iglu] *nm* iglú m.

ignare [iɲaʀ] *a* ignorante,
ignaro(a).

ignifugé, e [iɲifyʒe] *a* ignífugo(a).

ignoble [iɲɔbl(ə)] *a* innoble,
abyecto(a); inmundo(a), asqueroso(a).

ignominie [iɲɔmini] *nf* ignominia.

ignorance [iɲɔʀɑ̃s] *nf* ignorancia;
l'~ de la ignorancia o el
desconocimiento de.

ignorant, e [iɲɔʀɑ̃, ɑ̃t] *a* ignorante.

ignorer [iɲɔʀe] *vt* ignorar,
desconocer; (*personne*) ignorar a;
(*être sans expérience de: plaisir,
guerre etc*) ignorar, no conocer.

iguane [igwan] *nm* iguana.

il [il] *pron* (*généralement non traduit*)
él; (*en tournure impersonnelle*) *non
traduit*; **~s** (*généralement non
traduit*) ellos; **~ pleut** llueve; **~ fait
froid** hace frío; **~ est midi** son las
doce; *voir aussi* **avoir.**

île [il] *nf* isla; **les ~s** (*les Antilles*) las
Antillas; **les ~s anglo-normandes**
las islas anglonormandas; **les ~s
Britanniques** las islas británicas.

illégal, e, aux [ilegal, o] *a* ilegal,
ilícito(a); **~ité** *nf* ilegalidad f.

illégitime [ileʒitim] *a* ilegítimo(a);
(*non justifié, fondé*) injustificado(a);
ilegítimo(a).

illettré, e [iletʀe] *a* iletrado(a),
analfabeto(a) // *nm/f* analfabeto/a.

illicite [ilisit] *a* ilícito(a), ilegal.

illimité, e [ilimite] *a* (*immense*)
ilimitado(a), infinito(a); (*congé,
durée*) ilimitado(a), indeterminado(a).

illisible [ilizibl(ə)] *a* ilegible.

illogique [ilɔʒik] *a* ilógico(a);
illogisme *nm* falta de lógica.

illumination [ilyminɑsjɔ̃] *nf*
iluminación f.

illuminer [ilymine] *vt* iluminar,
alumbrar; (*suj: joie, foi*) iluminar;
s'~ *vi* iluminarse.

illusion [ilyzjɔ̃] *nf* ilusión f; **faire ~**
deslumbrar; **d'optique** ilusión
óptica; **~niste** *nm/f* ilusionista *m/f*;
~ner *vt* ilusionar, engañar; **s'~ner
(sur)** ilusionarse (con); **illusoire** *a*
ilusorio(a), engañoso(a).

illustrateur [ilystʀatœʀ] *nm*
ilustrador m.

illustration [ilystʀɑsjɔ̃] *nf*
ilustración f.

illustre [ilystʀ(ə)] *a* ilustre,
célebre.

illustré, e [ilystʀe] *a* ilustrado(a)
// *nm* revista ilustrada.

illustrer [ilystʀe] *vt* ilustrar; **s'~**
(*personne*) hacerse ilustre.

îlot [ilo] *nm* islote m; (*de maisons*)
manzana.

image [imaʒ] *nf* imagen f; (*gravure,
photographie*) imagen, figura; **~ de
marque** reputación f, renombre m

(*fig*) imagen; **imagé, e** a rico(a) en imágenes.

imaginaire [imaʒinɛʀ] a imagináfio(a).

imagination [imaʒinasjɔ̃] nf imaginación f.

imaginer [imaʒine] vt imaginar; **s'~** vt imaginarse; **s'~ pouvoir faire qch** imaginarse que puede hacer algo.

imbattable [ɛ̃batabl(ə)] a invencible, imbatible.

imbécile [ɛ̃besil] a imbécil; **imbécilité** nf imbecilidad f.

imberbe [ɛ̃bɛʀb(ə)] a imberbe.

imbiber [ɛ̃bibe] vt: ~ **qch de** embeber o empapar algo en; **s'~ de** impregnarse de; **imbibé d'eau** (*chaussures, étoffe*) empapado de agua; (*terre*) empapado o impregnado de agua.

imbriquer [ɛ̃bʀike] vt imbricar; **s'~** vi imbricarse.

imbroglio [ɛ̃bʀɔljo] nm embrollo, enredo.

imbu, e [ɛ̃by] a: ~ **de** lleno de; imbuido o creído de.

imbuvable [ɛ̃byvabl(ə)] a imbebible.

imitateur, trice [imitatœʀ, tʀis] nm/f imitador/ora.

imitation [imitasjɔ̃] nm imitación f; **un sac ~ cuir** un bolso de cuero artificial.

imiter [imite] vt imitar; (*parodier*) imitar, remedar; (*suj: chose*) imitar, simular.

immaculé, e [imakyle] a inmaculado(a).

immangeable [ɛ̃mɑ̃ʒabl(ə)] a incomible.

immanquable [ɛ̃mɑ̃kabl(ə)] a infalible; (*fatal*) indefectible, inevitable.

immatériel, le [imateʀjɛl] a inmaterial.

immatriculation [imatʀikylasjɔ̃] nf matriculación f.

immatriculer [imatʀikyle] vt matricular, inscribir; **faire/se faire immatriculer** hacer/hacerse inscribir o

matricular; **voiture immatriculée dans la Seine** coche matriculado en Sena.

immaturité [imatyʀite] nf inmadurez f.

immédiat, e [imedja, at] a inmediato(a) // nm: **dans l'~** por ahora; **dans le voisinage ~ de** muy cerca de; **~ement** ad inmediatamente.

immense [imɑ̃s] a inmenso(a), enorme.

immerger [imɛʀʒe] vt sumergir; (*déchets*) arrojar al mar; **s'~** vi (*sous-marin*) sumergirse.

immeuble [imœbl(ə)] nm edificio, inmueble m // a (*JUR*) inmueble; ~ **locatif** casa de inquilinato; ~ **de rapport** edificio de alquiler.

immigrant, e [imigʀɑ̃, ɑ̃t] nm/f inmigrante m/f.

immigration [imigʀasjɔ̃] nf inmigración f.

immigré, e [imigʀe] nm/f inmigrado/a.

immigrer [imigʀe] vi inmigrar.

imminent, e [iminɑ̃, ɑ̃t] a inminente.

immiscer [imise]: **s'~ dans** vt inmiscuirse en, entrometerse en.

immobile [imɔbil] a inmóvil, quieto(a); (*pièce de machine*) fijo(a), inmóvile.

immobilier, ière [imɔbilje, jɛʀ] a inmobiliario(a) // nm: **l'~** la sociedad inmobiliaria; (*JUR*) los bienes inmuebles.

immobilisation [imɔbilizasjɔ̃] nf: ~**s** fpl (*COMM*) inmovilización f.

immobiliser [imɔbilize] vt inmovilizar; (*circulation, affaires*) detener, entorpecer; (*véhicule: stopper*) detener; **s'~** (*personne*) inmovilizarse; (*machine, véhicule*) detenerse.

immobilité [imɔbilite] nf inmobilidad f.

immodéré, e [imɔdeʀe] a inmoderado(a).

immoler [imɔle] vt inmolar.

immonde [imɔ̃d] a inmundo(a).

immondices [imɔdis] *nmpl* basura.

immoral, e, aux [imɔral, o] *a* inmoral.

immortaliser [imɔrtalize] *vt* inmortalizar, perpetuar.

immortel, le [imɔrtɛl] *a* inmortal.

immuable [imɥabl(ə)] *a* inmutable.

immuniser [imynize] *vt* inmunizar.

immunité [imynite] *nf* inmunidad *f.*

impact [impakt] *nm* impacto, efecto; (*d'une personne*) influencia, influjo; **point d'~** impacto.

impair, e [ĩpɛr] *a* impar // *nm* pifia, plancha.

imparable [ĩparabl(ə)] *a* imparable.

impardonnable [ĩpardɔnabl(ə)] *a* imperdonable.

imparfait, e [ĩparfɛ, ɛt] *a* imperfecto(a) // *nm* pretérito imperfecto.

impartial, e, aux [ĩparsjal, o] *a* imparcial.

impartir [ĩpartir] *vt* impartir, conceder; (*JUR: délai*) acordar, otorgar.

impasse [ĩpas] *nf* callejón sin salida *m*; (*fig*) callejón sin salida, atolladero; (*BRIDGE, BELOTE*) impás *m*; **être dans l'~** (*négociations*) estar en un punto muerto.

impassible [ĩpasibl(ə)] *a* impasible.

impatience [ĩpasjãs] *nf* impaciencia.

impatient, e [ĩpasjã, ãt] *a* impaciente; (*attente, geste*) impaciente, inquieto(a); **~ de faire** impaciente por hacer; **~er** *vt* impacientar, irritar; **s'~er** impacientarse.

impayable [ĩpɛjabl(ə)] *a* (*drôle*) graciosísimo(a).

impayé, e [ĩpeje] *a* no pagado(a); **~s** *nmpl* (*COMM*) impagado.

impeccable [ĩpekabl(ə)] *a* impecable.

impénitent, e [ĩpenitã, ãt] *a* impenitente.

impensable [ĩpãsabl(ə)] *a* inconcebible; inimaginable; increíble.

impératif, ve [ĩperatif, iv] *a* imperioso(a), perentorio(a); (*JUR*) obligatorio(a); (*ton, geste*) imperioso(a), autoritario(a) // *nm* imperativo; (*d'une fonction*) obligación *f*, imperativo.

impératrice [ĩperatris] *nf* emperatriz *f.*

imperceptible [ĩpɛrsɛptibl(ə)] *a* imperceptible.

imperfection [ĩpɛrfɛksjɔ̃] *nf* imperfección *f.*

impérial, e, aux [ĩperjal, o] *a* imperial // *nf* imperial *f*; **autobus à ~e** autobús *m* con imperial.

impérialisme [ĩperjalism(ə)] *nm* imperialismo.

impérieux, euse [ĩperjø, øz] *a* imperioso(a).

impérissable [ĩperisabl(ə)] *a* imperecedero(a), inmortal.

imperméabiliser [ĩpɛrmeabilize] *vt* impermeabilizar.

imperméable [ĩpɛrmeabl(ə)] *a* impermeable; (*fig*): **~ à** inaccesible a // *nm* impermeable *m*, gabardina.

impersonnel, le [ĩpɛrsɔnɛl] *a* impersonal.

impertinent, e [ĩpɛrtinã, ãt] *a* impertinente.

imperturbable [ĩpɛrtyrbabl(ə)] *a* imperturbable.

impie [ĩpi] *a* impío(a), sacrílego(a).

impitoyable [ĩpitwajabl(ə)] *a* despiadado(a).

implacable [ĩplakabl(ə)] *a* implacable.

implant [ĩplã] *nm* (*MÉD*) injerto, trasplante *m.*

implanter [ĩplãte] *vt* implantar, establecer; (*idée, préjugé*) introducir, instaurar; (*MÉD*) injertar, trasplantar; **s'~** *vi* instalarse, establecerse.

implication [ĩplikasjɔ̃] *nf* implicación *f.*

implicite [ĩplisit] *a* implícito(a).

impliquer [ɛ̃plike] *vt* implicar; ~ **qn dans** implicar o enredar a alguien en.

implorer [ɛ̃plɔʀe] *vt* implorar.

implosion [ɛ̃plozjɔ̃] *nf* implosión *f*.

impoli, e [ɛ̃pɔli] *a* descortés, grosero(a); **~ment** *ad* descortésmente, descomedidamente; **~tesse** *nf* incorrección *f*; descortesía; grosería.

impopulaire [ɛ̃pɔpylɛʀ] *a* impopular.

importable [ɛ̃pɔʀtabl(ə)] *a* (COMM) importable; (*vêtement*) imposible de poner.

importance [ɛ̃pɔʀtɑ̃s] *nf* importancia.

important, e [ɛ̃pɔʀtɑ̃, ɑ̃t] *a* importante // *nm*: **l'~** lo importante.

importateur, trice [ɛ̃pɔʀtatœʀ, tʀis] *a, nm/f* importador(ora).

importation [ɛ̃pɔʀtasjɔ̃] *nf* importación *f*; (*de plantes, maladies*) importación, introducción *f*.

importer [ɛ̃pɔʀte] *vt* (COMM) importar // *vi* (*être important*) importar, tener importancia; **il importe que** es importante que; **peu m'importe** me da lo mismo; me importa poco, no me importa; **peu importe!** ¡poco importa!; **qu'importe?** ¡qué importa!; **peu importe que** no importa que, poco importa que; **peu importe le prix** no importa el precio; *voir aussi* **n'importe**.

import-export [ɛ̃pɔʀkspɔʀ] *nm* importación-exportación *f*.

importun, e [ɛ̃pɔʀtœ̃, yn] *a* importuno(a), molesto(a); (*arrivée, visite*) intempestivo(a), inoportuno(a) // *nm* importuno; **~er** [ɛ̃pɔʀtyne] *vt* importunar, molestar; (*insecte, bruit*) molestar, fastidiar.

imposable [ɛ̃pozabl(ə)] *a* imponible.

imposant, e [ɛ̃pozɑ̃, ɑ̃t] *a* imponente.

imposer [ɛ̃poze] *vt* (*taxer*) imponer, gravar; (*personne*)

imponer, obligar; (*prix*) exigir, imponer; (REL): **~ les mains** imponer las manos, bendecir; **~ qch à qn** imponer algo a alguien; (*tribut, contribution*) gravar con algo a alguien; **s'~** imponerse; **en ~ à** impresionar a; **en ~** infundir respeto.

imposition [ɛ̃pozisjɔ̃] *nf* (ADMIN) contribución *f*.

impossibilité [ɛ̃pɔsibilite] *nf* imposibilidad *f*; (*chose impossible*) imposible *m*; **être dans l'~ de faire** serle a uno imposible hacer.

impossible [ɛ̃pɔsibl(ə)] *a* imposible; (*difficile*) penoso(a), dificultoso(a); (*absurde*) increíble, extravagante // *nm*: **l'~** lo imposible; **~ à faire** imposible de hacer; **il m'est ~ de** me es imposible.

imposteur [ɛ̃pɔstœʀ] *nm* impostor *m*, falsario.

imposture [ɛ̃pɔstyʀ] *nf* impostura, calumnia.

impôt [ɛ̃po] *nm* impuesto; **~s** *mpl* impuestos; **~ sur le chiffre d'affaires** impuesto sobre el capital; **~ foncier** impuesto sobre la propiedad; **~ sur les plus values** impuesto sobre las ganancias; **~ sur le revenu** impuesto sobre la renta.

impotent, e [ɛ̃pɔtɑ̃, ɑ̃t] *a* tullido(a), impedido(a); (*jambe, bras*) paralítico(a).

impraticable [ɛ̃pʀatikabl(ə)] *a* impracticable.

imprécis, e [ɛ̃pʀesi, iz] *a* impreciso(a), confuso(a); (*tir*) sin precisión.

imprégner [ɛ̃pʀeɲe] *vt* impregnar; (*personne*): **imprégné de** imbuido de; **s'~ de** impregnarse de; (*apprendre, assimiler*) asimilar.

imprenable [ɛ̃pʀənabl(ə)] *a* inexpugnable; **vue ~** vista panorámica asegurada.

impresario [ɛ̃pʀesaʀjo] *nm* empresario.

impression [ɛ̃pʀesjɔ̃] *nf* impresión *f*; **faire bonne ~** causar buena impresión; **faire ~** impresionar.

impressionnant, e [ɛ̃pʀesjɔnɑ̃, ɑ̃t] a impresionante.

impressionner [ɛ̃pʀesjɔne] vt impresionar.

impressionnisme [ɛ̃pʀesjɔnism(ə)] nm impresionismo.

imprévisible [ɛ̃pʀevizibl(ə)] a imprevisible, inesperado(a).

imprévoyant, e [ɛ̃pʀevwajɑ̃, ɑ̃t] a imprevisor(ora), desprevenido(a); (en matière d'argent) descuidado(a), imprevisor(ora).

imprévu, e [ɛ̃pʀevy] a imprevisto(a) // nm imprevisto; **en cas d'**~ en el caso de que ocurriera un imprevisto.

imprimé, e [ɛ̃pʀime] a estampado(a); (livre, ouvrage) impreso(a) // nm impreso; (tissu) estampado.

imprimer [ɛ̃pʀime] vt estampar; (empreinte etc) imprimir, marcar; (livre: composer) imprimir; (: faire paraître) imprimir, publicar; (auteur, écrivain) imprimir, publicar; (mouvement, vitesse) imprimir, trasmitir; (fig: direction) imprimir, comunicar; **imprimerie** nf imprenta; (établissement) imprenta, tipografía; **imprimeur** nm impresor m; (ouvrier) imprimeur (obrero) tipógrafo; **imprimeur-libraire/-éditeur** impresor librero/editor.

improbable [ɛ̃pʀɔbabl(ə)] a improbable.

improductif, ive [ɛ̃pʀɔdyktif, iv] a improductivo(a).

impromptu, e [ɛ̃pʀɔ̃pty] a improvisado(a), repentino(a) // ad improvisadamente; de improviso.

imprononçable [ɛ̃pʀɔnɔ̃sabl(ə)] a impronunciable.

impropre [ɛ̃pʀɔpʀ(ə)] a impropio(a), incorrecto(a); ~ **à** inepto(a) o incapaz para; (suj: chose) inadecuado(a) para; **impropriété** nf (de langage) incorrección f, impropiedad f.

improviser [ɛ̃pʀɔvize] vt, vi improvisar; **s'**~ improvisarse.

improviste [ɛ̃pʀɔvist(ə)] : **à l'**~ ad de improviso.

imprudemment [ɛ̃pʀydamɑ̃] ad (conduire, circuler) imprudentemente, con imprudencia; (parler) con ligereza, irreflexivamente.

imprudence [ɛ̃pʀydɑ̃s] nf imprudencia; descuido.

imprudent, e [ɛ̃pʀydɑ̃, ɑ̃t] a imprudente, atolondrado(a); (remarque, projet) imprudente.

impudent, e [ɛ̃pydɑ̃, ɑ̃t] a impudente; descarado(a).

impudique [ɛ̃pydik] a impúdico(a).

impuissance [ɛ̃pɥisɑ̃s] nf impotencia.

impuissant, e [ɛ̃pɥisɑ̃, ɑ̃t] a impotente; (sans effet) ineficaz // nm impotente m; ~ **à faire** incapaz de hacer.

impulsif, ive [ɛ̃pylsif, iv] a impulsivo(a).

impulsion [ɛ̃pylsjɔ̃] nf impulso; (élan) empuje m, estímulo; (influence) instigación f, estímulo.

impunément [ɛ̃pynemɑ̃] ad impunemente.

impunité [ɛ̃pynite] nf impunidad f.

impur, e [ɛ̃pyʀ] a impuro(a); ~**eté** nf impureza.

imputer [ɛ̃pyte] vt: ~ **à** imputar a.

imputrescible [ɛ̃pytʀesibl(ə)] a imputrescible.

in [in] a inv in, de moda.

inabordable [inabɔʀdabl(ə)] a (lieu) inaccesible, inalcanzable; (cher) inaccesible, carísimo(a).

inaccentué, e [inaksɑ̃tɥe] a (LING) inacentuado(a), átono(a).

inacceptable [inakseptabl(ə)] a inaceptable; inadmisible.

inaccessible [inaksesibl(ə)] a inaccesible; inasequible; inalcanzable; (incompréhensible) inasequible, ininteligible; (insensible): ~ **à** insensible o indiferente a.

inaccoutumé, e [inakutyme] a desacostumbrado(a), inusual.

inachevé, e [inaʃve] a inconcluso(a), incompleto(a).

inactif, ive [inaktif, iv] *a* inactivo(a).

inaction [inaksjɔ̃] *nf* ocio, inacción *f.*

inactivité [inaktivite] *nf* (ADMIN): **en ~** en suspensión de servicio.

inadapté, e [inadapte] *a* (PSYCH) inadaptado(a); (*vie*): **à ~** inadecuado a.

inadmissible [inadmisibl(ə)] *a* inadmisible.

inadvertance [inadvɛʀtɑ̃s] : **par ~** *ad* por descuido *o* inadvertencia.

inaliénable [inaljenabl(ə)] *a* inalienable.

inaltérable [inalteʀabl(ə)] *a* inalterable.

inamovible [inamɔvibl(ə)] *a* (JUR) inamovible; (*fonction, emploi*) inamovible, fijo(a); (*fixe*) fijo(a).

inanimé, e [inanime] *a* inanimado(a); (*mort*) inanimado(a), exánime; **tomber ~** caer exánime.

inanition [inanisjɔ̃] *nf*: **tomber d'~** desfallecer por inanición.

inaperçu, e [inapɛʀsy] *a*: **passer ~** pasar desapercibido *o* inadvertido.

inappliqué, e [inaplike] *a* desaplicado(a); (*procédé, loi etc*) inaplicado(a).

inappréciable [inapʀesjabl(ə)] *a* inapreciable.

inapte [inapt(ə)] *a*: **~ à** incapaz de, incompetente para; (MIL) no apto/a para.

inattaquable [inatakabl(ə)] *a* (MIL) inatacable; (*texte, preuve*) incuestionable; (*argument*) irrebatible, irrefutable; (*réputation*) inobjetable, irreprochable; (*personne*) irreprochable, incensurable.

inattendu, e [inatɑ̃dy] *a* inesperado(a); (*insoupçonné*) impensado(a), insospechado(a).

inattentif, ive [inatɑ̃tif, iv] *a* desatento(a), distraído(a); **~ à** (*dangers, détails*) despreocupado de; **inattention** *nf* distracción *f*, desatención *f*; **une minute d'inattention** un minuto de descuido; **faute d'inattention** falta por descuido.

inaudible [inodibl(ə)] *a* inaudible; imperceptible.

inaugural, e, aux [inoɡyʀal, o] *a* inaugural.

inauguration [inoɡyʀasjɔ̃] *nf* inauguración *f.*

inaugurer [inoɡyʀe] *vt* inaugurar.

inavouable [inavwabl(ə)] *a* inconfesable; nefando(a).

inavoué, e [inavwe] *a* inconfesado(a).

inca [ɛ̃ka] *a, nm/f* inca (*m/f*).

incalculable [ɛ̃kalkylabl(ə)] *a* incalculable; incontable; (*considérable*) incalculable, innumerable.

incandescence [ɛ̃kɑ̃desɑ̃s] *nf* incandescencia, ignición *f*; **porter qch à ~** llevar algo a incandescencia; **lampe/manchon à ~** lámpara/camisa incandescente.

incantation [ɛ̃kɑ̃tasjɔ̃] *nf* encantamiento, embrujo.

incapable [ɛ̃kapabl(ə)] *a* incapaz; (JUR) inepto(a), inhabilitado(a).

incapacité [ɛ̃kapasite] *nf* incapacidad *f*, incompetencia; **être dans l'~ de faire** estar imposibilitado(a) para hacer; **~ électorale** inhabilitación *f* electoral; **~ de travail** inhabilitación para el trabajo.

incarcérer [ɛ̃kaʀseʀe] *vt* encarcelar.

incarnation [ɛ̃kaʀnɑsjɔ̃] *nf* encarnación *f.*

incarné, e [ɛ̃kaʀne] *a*: **ongle ~** uña encarnada.

incarner [ɛ̃kaʀne] *vt* encarnar.

incartade [ɛ̃kaʀtad] *nf* incorrección *f*, error *m*; (ÉQUITATION) espantada.

incassable [ɛ̃kɑsabl(ə)] *a* irrompible.

incendiaire [ɛ̃sɑ̃djɛʀ] *a* incendiario(a); (*fig*) incendiario(a) incendiario(a) // *nm/f* incendiario/a.

incendie [ɛ̃sɑ̃di] *nm* incendio; **~ criminel** incendio doloso; **~ de forêt** incendio de bosque.

incendier [ɛ̃sɑ̃dje] vt incendiar.

incertain, e [ɛ̃sɛʀtɛ̃, ɛn] a incierto(a); (imprécis, hésitant) vacilante, inseguro(a); **incertitude** nf incertidumbre f, **incertitudes** fpl (hésitations) vacilaciones fpl, irresolución f; (impondérables) inseguridad, incertidumbre.

incessamment [ɛ̃sɛsamɑ̃] ad inmediatamente, en seguida.

incessant, e [ɛ̃sɛsɑ̃, ɑ̃t] a incesante.

inceste [ɛ̃sɛst(ə)] nm incesto.

inchangé, e [ɛ̃ʃɑ̃ʒe] a (situation) igual, idéntico(a).

incidence [ɛ̃sidɑ̃s] nf incidencia.

incident, e [ɛ̃sidɑ̃, ɑ̃t] a incidental // nm incidente m; ~ **de frontière** incidente o conflicto de frontera; ~ **de parcours** incidente de tránsito; ~ **technique** dificultad técnica.

incinérateur [ɛ̃sineʀatœʀ] nm incinerador m.

incinérer [ɛ̃sineʀe] vt (mort) incinerar, cremar; (ordures) incinerar, quemar.

incise [ɛ̃siz] nf (LING) inciso.

incisif, ive [ɛ̃sizif, iv] a incisivo(a), mordaz // nf incisivo.

incision [ɛ̃sizjɔ̃] nf (d'un arbre) entalladura, incisión f; (d'une plaie, d'un organe) incisión, corte m.

inciter [ɛ̃site] vt: ~ **qn à** incitar o inducir a alguien a.

incivil, e [ɛ̃sivil] a descortés.

inclinaison [ɛ̃klinɛzɔ̃] nf inclinación f; (d'un plan, d'une pente) declive m, pendiente f; (d'un navire) tumbo.

inclination [ɛ̃klinɑsjɔ̃] nf inclinación f; (attrait, disposition) propensión f.

incliner [ɛ̃kline] vt inclinar; (navire: suj: vent) tumbar; (inciter): ~ **qn à** incitar a alguien o; **s'**~ inclinarse; (chemin, pente) descender; (toit) descender, inclinarse; **s'**~ (devant) inclinarse ante; (céder) cejar (ante); (s'avouer battu) doblegarse (ante); ~ **à** tender o propender a.

inclure [ɛ̃klyʀ] vt incluir; (joindre à un envoi) adjuntar; (récit, condition) incluir, encerrar; **jusqu'au 10 mars inclus** hasta el 10 de marzo inclusive.

incoercible [ɛ̃kɔɛʀsibl(ə)] a irrefrenable, incontenible.

incognito [ɛ̃kɔɲito] ad de incógnito.

incohérence [ɛ̃kɔeʀɑ̃s] nf incoherencia.

incohérent, e [ɛ̃kɔeʀɑ̃, ɑ̃t] a incoherente, incongruente.

incollable [ɛ̃kɔlabl(ə)] a que no se puede suspender.

incolore [ɛ̃kɔlɔʀ] a incoloro(a); (fig) insulso(a), descolorido(a).

incomber [ɛ̃kɔ̃be]: ~ **à** vt (suj: devoirs, responsabilité) incumbir a, corresponder a; (:frais, travail) corresponder a, atañer a.

incombustible [ɛ̃kɔ̃bystibl(ə)] a incombustible.

incommode [ɛ̃kɔmɔd] a incómodo(a).

incommoder [ɛ̃kɔmɔde] vt incomodar, molestar; (suj: comportement) molestar, disgustar.

incommunicable [ɛ̃kɔmynikabl(ə)] a (JUR) intransferible, intrasmisible.

incomparable [ɛ̃kɔ̃paʀabl(ə)] a diferente; (inégalable) incomparable.

incompatibilité [ɛ̃kɔ̃patibilite] nf: ~ **d'humeur** incompatibilidad f de carácter.

incompatible [ɛ̃kɔ̃patibl(ə)] a incompatible.

incompétent, e [ɛ̃kɔ̃petɑ̃, ɑ̃t] a incompetente.

incomplet, ète [ɛ̃kɔ̃plɛ, ɛt] a incompleto(a).

incompréhensible [ɛ̃kɔ̃pʀeɑ̃sibl(ə)] a incomprensible; (bizarre) extraño(a), curioso(a); (mystérieux) extraño(a), incomprensible.

incompréhensif, ive [ɛ̃kɔ̃pʀeɑ̃sif, iv] a incomprensivo(a).

incompris, e [ɛ̃kɔ̃pʀi, iz] a incomprendido(a).

inconcevable [ɛ̃kɔ̃svabl(ə)] a inconcebible; (extravagant) absurdo(a).

inconciliable [ɛ̃kɔ̃siljabl(ə)] a inconciliable.

inconditionnel, le [ɛ̃kɔ̃disjɔnɛl] a incondicional.

inconduite [ɛ̃kɔ̃dɥit] nf mala conducta.

inconfortable [ɛ̃kɔ̃fɔrtabl(ə)] a incómodo(a).

incongru, e [ɛ̃kɔ̃gry] a incongruente; incorrecto(a).

inconnu, e [ɛ̃kɔny] a desconocido(a); ignoto(a) // nm/f desconocido/a // nm: l'~ lo desconocido (MATH, fig) incógnita.

inconsciemment [ɛ̃kɔ̃sjamɑ̃] ad inconscientemente.

inconscience [ɛ̃kɔ̃sjɑ̃s] nf inconsciencia.

inconscient, e [ɛ̃kɔ̃sjɑ̃, ɑ̃t] a inconsciente // nm (PSYCH): l'~ el inconsciente.

inconséquent, e [ɛ̃kɔ̃sekɑ̃, ɑ̃t] a inconsecuente, ilógico(a); precipitado(a), irreflexivo(a).

inconsidéré, e [ɛ̃kɔ̃sideʀe] a inconsiderado(a), imprudente.

inconsistant, e [ɛ̃kɔ̃sistɑ̃, ɑ̃t] a inconsistente; (amorphe, indécis) débil, flojo(a); (crème, bouillie) inconsistente, chirle; (action d'un roman) débil, insustancial.

incontestable [ɛ̃kɔ̃tɛstabl(ə)] a indiscutible, irrefutable.

incontesté, e [ɛ̃kɔ̃tɛste] a indiscutido(a).

incontinent, e [ɛ̃kɔ̃tinɑ̃, ɑ̃t] a incontinente.

incontrôlable [ɛ̃kɔ̃tʀolabl(ə)] a incomprobable.

inconvenant, e [ɛ̃kɔ̃vnɑ̃, ɑ̃t] a inconveniente; (tenue) inconveniente, indecoroso(a); (personne) incorrecto(a), descortés.

inconvénient [ɛ̃kɔ̃venjɑ̃] nm (d'une situation, d'un projet) inconveniente m, desventaja; (d'un remède, changement etc) inconve-

niente, daño; si vous n'y voyez pas d'~ si Usted no encuentra ningún inconveniente o impedimento; y a-t-il un ~ à? (risque) ¿hay algún peligro en?; (objection) ¿hay algún impedimento o inconveniente en?

incorporel, le [ɛ̃kɔʀpɔʀɛl] a: biens ~s bienes mpl inmateriales.

incorporer [ɛ̃kɔʀpɔʀe] vt (CULIN: ~ à) agregar (a); (paragraphe etc) agregar; (territoire) incorporar, anexar; (personne) incorporar, introducir; (MIL) incorporar.

incorrect, e [ɛ̃kɔʀɛkt, ɛkt(ə)] a incorrecto(a); (inconvenant: tenue) incorrecto(a), inadecuado(a).

incorrigible [ɛ̃kɔʀiʒibl(ə)] a incorregible.

incorruptible [ɛ̃kɔʀyptibl(ə)] a incorruptible, insobornable.

incrédule [ɛ̃kʀedyl] a incrédulo(a).

increvable [ɛ̃kʀəvabl(ə)] a a prueba de pinchazos; (fam) incansable, infatigable.

incriminer [ɛ̃kʀimine] vt (personne) incriminar; (bonne foi, honnêteté) dudar o sospechar de; livre/article incriminé libro/artículo censurado o reprobado.

incroyable [ɛ̃kʀwajabl(ə)] a increíble.

incroyant, e [ɛ̃kʀwajɑ̃, ɑ̃t] nm/f descreído/a.

incrustation [ɛ̃kʀystasjɔ̃] nf incrustación f; (dans un radiateur etc) incrustación, sarro.

incruster [ɛ̃kʀyste] vt (ART): ~ qch dans/qch de incrustar algo en/algo con; (radiateur etc) formar sarro en; s'~ incrustarse; (invité) instalarse, aposentarse; (radiateur etc) cubrirse de sarro.

incubateur [ɛ̃kybatœʀ] nm incubadora.

incubation [ɛ̃kybasjɔ̃] nf incubación f.

inculpation [ɛ̃kylpasjɔ̃] nf acusación f; inculpación f.

inculpé, e [ɛ̃kylpe] nm/f acusado/a, inculpado/a.

inculper [ɛ̃kylpe] vt: ~ **(de)** acusar o inculpar (de).

inculquer [ɛ̃kylke] vt: ~ qch à qn inculcar algo a alguien.

inculte [ɛ̃kylt(ə)] a inculto(a), yermo(a), (esprit, peuple) ignorante(a), ignorante; (barbe) descuidado(a).

incurable [ɛ̃kyrabl(ə)] a incurable; (ignorance) irremediable, incurable.

incursion [ɛ̃kyrsjɔ̃] nf incursión f, invasión f, (fig) irrupción f, invasión.

incurvé, e [ɛ̃kyrve] a curvo(a), curvado(a).

Inde [ɛ̃d] nf: l'~ la India.

indécence [ɛ̃desɑ̃s] nf indecencia, indecoro.

indécent, e [ɛ̃desɑ̃, ɑ̃t] a indecente.

indéchiffrable [ɛ̃deʃifrabl(ə)] a indescifrable.

indécis, e [ɛ̃desi, iz] a (douteux) inseguro(a), dudoso(a); (temps) inestable; (imprécis) incierto(a), indefinido(a); (: réponse) impreciso(a), vago(a); (perplexe) indeciso(a); ~ion [ɛ̃desizjɔ̃] nf indecisión f; laisser qch dans l'~ion dejar algo en la duda.

indéfendable [ɛ̃defɑ̃dabl(ə)] a indefendible.

indéfini, e [ɛ̃defini] a indefinido(a); ~ment ad indefinidamente, eternamente; **indéfinissable** a indefinible.

indéformable [ɛ̃defɔrmabl(ə)] a indeformable.

indélébile [ɛ̃delebil] a indeleble.

indélicat, e [ɛ̃delika, at] a desatento(a), ordinario(a); (malhonnête) inescrupuloso(a), deshonesto(a).

indémaillable [ɛ̃demajabl(ə)] a indesmallable.

indemne [ɛ̃dɛmn(ə)] a indemne, ileso(a).

indemniser [ɛ̃dɛmnize] vt: ~ qn (de) indemnizar a alguien (de).

indemnité [ɛ̃dɛmnite] nf (dédommagement) indemnización f; (allocation) subsidio, ~ de

licenciement indemnización de despido; ~ **de logement** subsidio de vivienda; ~ **parlementaire** dieta parlamentaria.

indéniable [ɛ̃denjabl(ə)] a innegable.

indépendamment [ɛ̃depɑ̃damɑ̃] ad independientemente; ~ **de** (abstraction faite de) independientemente de; (en plus de) además de.

indépendance [ɛ̃depɑ̃dɑ̃s] nf independencia.

indépendant, e [ɛ̃depɑ̃dɑ̃, ɑ̃t] a independiente.

indescriptible [ɛ̃deskriptibl(ə)] a indescriptible.

indésirable [ɛ̃dezirabl(ə)] a indeseable.

indéterminé, e [ɛ̃detɛrmine] a indeterminado(a); indefinido(a).

index [ɛ̃dɛks] nm índice m; **mettre à l'~** poner en el índice.

indexer [ɛ̃dɛkse] vt (ÉCON): ~ **(sur)** ajustar de acuerdo (con).

indicateur [ɛ̃dikatœr] nm (POLICE) soplón m, delator m; (livre, brochure) guía; (TECH) indicador m; (indice) indicador, aforador m.

indicatif [ɛ̃dikatif] nm (LING) indicativo; (d'une émission) sinfonía; (téléphonique) prefijo; (d'un avion) distintivo // a: à titre ~ a título de información; ~ **d'appel** (RADIO) signo convencional.

indication [ɛ̃dikasjɔ̃] nf indicación f; (marque, signe) señal f, indicación; (renseignement) información f, indicación; ~s fpl (directives) indicaciones fpl; ~ **d'origine** (COMM) marca de origen.

indice [ɛ̃dis] nm indicio, (SCIENCE, TECH, ADMIN) índice m; (POLICE: lors d'une enquête) indicio, pista; ~ **des prix** índice de precios; ~ **de traitement** escala de sueldos.

indicible [ɛ̃disibl(ə)] a indecible.

indien, ne [ɛ̃djɛ̃, jɛn] a indio(a), hindú(a) // nm/f (d'Amérique) indio/a; (d'Inde) indio/a, hindú/a.

indifféremment [ɛ̃diferamɑ̃] ad (sans distinction) indistintamente.

indifférence [ɛ̃difeʀɑ̃s] nf indiferencia.

indifférent, e [ɛ̃difeʀɑ̃, ɑ̃t] a indiferente; (insensible): ~ à insensible a; **parler de ces choses ~es** hablar de cosas sin importancia.

indigence [ɛ̃diʒɑ̃s] nf indigencia.

indigène [ɛ̃diʒɛn] a indígena; nativo(a) // nm/f nativo/a, indígena m/f.

indigent, e [ɛ̃diʒɑ̃, ɑ̃t] a indigente, menesteroso(a).

indigeste [ɛ̃diʒɛst(ə)] a indigesto(a); (fig) pesado(a).

indigestion [ɛ̃diʒɛstjɔ̃] nf indigestión f.

indignation [ɛ̃diɲasjɔ̃] nf indignación f, irritación f.

indigne [ɛ̃diɲ] a indigno(a).

indigner [ɛ̃diɲe] vt indignar, irritar; **s'~ (de qch/contre qn)** indignarse (por o con algo/con o contra alguien).

indiqué, e [ɛ̃dike] a indicado(a).

indiquer [ɛ̃dike] vt (désigner): ~ **qch/qn du doigt** señalar algo/a alguien con el dedo; (suj: pendule, aiguille) indicar, marcar; (suj: étiquette, plan etc) indicar, dar; (faire connaître: médecin, endroit): ~ **à qn** indicar a alguien; (renseigner sur) indicar, señalar; (déterminer: date, lieu) fijar, señalar; (dénoter) indicar, denotar; **pourriez-vous m'~ l'heure?** ¿puede decirme la hora?

indirect, e [ɛ̃diʀɛkt, ɛkt(ə)] a indirecto(a).

indiscipline [ɛ̃disiplin] nf indisciplina, rebeldía; **indiscipliné, e** a indisciplinado(a), rebelde; (fig) rebelde.

indiscret, ète [ɛ̃diskʀɛ, ɛt] a indiscreto(a); **indiscrétion** nf indiscreción f.

indiscutable [ɛ̃diskytabl(ə)] a indiscutible, innegable.

indispensable [ɛ̃dispɑ̃sabl(ə)] a indispensable; (objet, vêtement) indispensable, imprescindible; (condition) necesario(a), esencial.

indisponibilité [ɛ̃disponibilite] nf (ADMIN) indisponibilidad f.

indisponible [ɛ̃disponibl(ə)] a (local) indisponible, no disponible; (personne) indisponible.

indisposé, e [ɛ̃dispoze] a indispuesto(a).

indisposer [ɛ̃dispoze] vt indisponer.

indissoluble [ɛ̃disɔlybl(ə)] a indisoluble.

indistinct, e [ɛ̃distɛ̃, ɛkt(ə)] a indeterminado(a), indistinto(a); (voix, bruits) confuso(a), indistinto(a); **~ement** [ɛ̃distɛ̃ktəmɑ̃] ad indistintamente.

individu [ɛ̃dividy] nm individuo; **~aliser** vt individualizar; **~aliste** a individualista.

individuel, le [ɛ̃dividɥɛl] a individual; **propriété ~le** la propiedad f privada o individual; **~lement** ad individualmente.

indocile [ɛ̃dɔsil] a indócil, díscolo(a).

indolent, e [ɛ̃dɔlɑ̃, ɑ̃t] a indolente.

indolore [ɛ̃dɔlɔʀ] a indoloro(a).

indomptable [ɛ̃dɔ̃tabl(ə)] a indomable.

Indonésie [ɛ̃dɔnezi] nf Indonesia.

indonésien, ne [ɛ̃dɔnezjɛ̃, ɛn] a, nm/f indonesio(a).

indu [ɛ̃dy] a: **à des heures ~es** a deshora.

indubitable [ɛ̃dybitabl(ə)] a indudable.

induire [ɛ̃dɥiʀ] vt (inférer) inferir, deducir; **~ qn en erreur** inducir a alguien en error.

indulgence [ɛ̃dylʒɑ̃s] nf indulgencia.

indulgent, e [ɛ̃dylʒɑ̃, ɑ̃t] a indulgente.

indûment [ɛ̃dymɑ̃] ad indebidamente, ilícitamente; ilegítimamente.

industrialiser [ɛ̃dystʀijalize] vt industrializar; **s'~** industrializarse.

industrie [ɛ̃dystʀi] nf industria; **~ automobile** industria automotriz; **industriel, le** a, nm industrial (m).

inébranlable [inebʀãlabl(ə)] *a*
(*masse, colonne*) inconmovible,
firme; (*personne*) impasible,
inquebrantable; (:*déterminé*)
inmutable, impertérrito(a); (*certitude, foi*) firme, inquebrantable.

inédit, e [inedi, it] *a* inédito(a).

ineffaçable [inefasabl(ə)] *a*
imborrable, perdurable.

inefficace [inefikas] *a* ineficaz;
(*machine, employé*) inservible,
inútil; **inefficacité** *nf* ineficacia.

inégal, e, aux [inegal, o] *a*
desigual; desparejo(a); (*personnes:
socialement*) desigual, distinto(a);
(*rythme, pouls*) irregular, variable;
(*humeur*) inconstante, mudable;
(*œuvre, écrivain*) irregular, desigual.

inégalable [inegalabl(ə)] *a*
inigualable.

inégal, e [inegale] *a*
inigualado(a).

inégalité [inegalite] *nf* desigualdad
f; irregularidad *f*; ~**s** *fpl* (*dans une
œuvre*) irregularidades *fpl*.

inélégant, e [inelegã, ãt] *a* poco
elegante; (*indélicat*) descortés,
desconsiderado(a).

inéligible [ineliʒibl(ə)] *a*
inelegible.

inéluctable [inelyktabl(ə)] *a*
ineluctable.

inemployé, e [inãplwaje] *a*
desaprovechado(a), inutilizado(a).

inénarrable [inenaʀabl(ə)] *a*
increíble, divertidísimo(a).

inepte [inɛpt(ə)] *a* estúpido(a),
necio(a); (*personne*) mentecato(a),
tonto(a); **ineptie** [inɛpsi] *nf* necedad
f; desatino; inepcia.

inépuisable [inepɥizabl(ə)] *a*
inagotable.

inéquitable [inekitabl(ə)] *a*
desigual, no equitativo(a).

inerte [inɛʀt(ə)] *a* inerte.

inertie [inɛʀsi] *nf* inercia.

inespéré, e [inɛspeʀe] *a* inespera-
do(a).

inesthétique [inɛstetik] *a* antiesté-
tico(a).

inestimable [inɛstimabl(ə)] *a*
inestimable, inapreciable.

inévitable [inevitabl(ə)] *a*
inevitable; ineludible; (*fatal*)
inevitable, fatal; (*habituel*)
infaltable, consabido(a).

inexact, e [inɛgza, akt(ə)] *a*
inexacto(a); que falta a la
puntualidad; **~itude** [inɛgzaktityd]
nf error *m*, equivocación *f*.

inexcusable [inɛkskyzabl(ə)] *a*
inexcusable.

inexécutable [inɛgzekytabl(ə)] *a*
inejecutable.

inexistant, e [inɛgzistã, ãt] *a*
inexistente.

inexorable [inɛgzɔʀabl(ə)] *a*
inexorable.

inexpérience [inɛkspeʀjãs] *nf*
inexperiencia, ingenuidad *f*.

inexpérimenté, e [inɛks-
peʀimãte] *a* inexperto(a); (*arme,
procédé*) no experimentado(a).

inexplicable [inɛksplikabl(ə)] *a*
inexplicable; (*personne*) incomprensible, desconcertante.

inexploité, e [inɛksplwate] *a*
inexplotado(a).

inexpressif, ive [inɛkspʀesif, iv]
a inexpresivo(a).

inexprimable [inɛkspʀimabl(ə)] *a*
inexpresable; indecible.

inexprimé, e [inɛkspʀime] *a*
inexpresado(a), implícito(a).

in extenso [inɛkstɛ̃so] *ad* in
extenso // *a* íntegro(a), comple-
to(a).

in extremis [inɛkstʀemis] *ad* in
extremis // *a* de último momento;
(*mariage, testament*) in extremis.

inextricable [inɛkstʀikabl(ə)] *a*
inextricable; (*affaire*) intrincado(a).

infaillible [ɛ̃fajibl(ə)] *a* infalible.

infâme [ɛ̃fɑm] *a* infame; inmun-
do(a).

infanterie [ɛ̃fɑ̃tʀi] *nf* infantería.

infanticide [ɛ̃fɑ̃tisid] *a*, *nm/f*
infanticida (*m/f*) // *nm* (*meurtre*)
infanticidio.

infantile [ɛ̃fɑ̃til] *a* infantil.

infarctus [ɛ̃faʀktys] *nm*: ~ (**du**

myocarde) infarto (de miocardio).

infatigable [ɛ̃fatigabl(ə)] *a* infatigable, incansable; (*fig*) infatigable.

infatué, e [ɛ̃fatɥe] *a* infatuado(a), engreído(a); ~ **de** orgulloso de.

infécond, e [ɛ̃fekɔ̃, 5d] *a* infecundo(a).

infect, e [ɛ̃fɛkt, ɛkt(ə)] *a* infecto(a), pestilente; (*odeur, goût*) repugnante, infecto(a); (*repas, vin*) asqueroso(a), repugnante; (*temps*) horrible, asqueroso(a); (*personne*) detestable, despreciable.

infecter [ɛ̃fɛkte] *vt* infectar, contaminar; (*MÉD*) contagiar; (:*plaie*) infectar; **s'~** infectarse; **infectieux, euse** [-ʒjø, øz] *a* infeccioso(a); **infection** *nf* pestilencia, hediondez *f*; (*MÉD*) infección *f*.

inféoder [ɛ̃feɔde] *vt*: **s'~** a someterse a.

inférer [ɛ̃feRe] *vt* inferir, deducir.

inférieur, e [ɛ̃feRjœR] *a* inferior; (*classes sociales*) bajo(a), inferior; (*nombre*) inferior, menor // *nm* inferior *m*, subalterno; ~ **à** inferior a; **infériorité** [ɛ̃feRjɔRite] *nf* inferioridad *f*.

infernal, e, aux [ɛ̃fɛRnal, o] *a* infernal; (*méchanceté, complot, personne*) diabólico(a); (*fam: enfant*) endiablado(a).

infester [ɛ̃fɛste] *vt* infestar.

infidèle [ɛ̃fidɛl] *a* infiel; (*narrateur, récit*) inexacto(a); ~ **à** (*devoir, serment*) infiel a; **infidélité** *nf* infidelidad *f*, inexactitud *f*.

infiltration [ɛ̃filtRasjɔ̃] *nf* infiltración *f*, penetración *f*; (*MÉD*) infiltración.

infiltrer [ɛ̃filtRe] : **s'~** *vi* penetrar; (*ennemi, fig*) infiltrarse.

infime [ɛ̃fim] *a* ínfimo(a).

infini, e [ɛ̃fini] *a* infinito(a) // *nm*: **l'~** el infinito; **à l'~** al infinito; s'étendre à l'~ extenderse hasta el infinito; ~**ment** *ad* infinitamente; ~**té** *nf*: **une** ~**té de** una infinidad de.

infinitif, ive [ɛ̃finitif, iv] *nm*

infinitivo // *a* infinitivo(a).

infirme [ɛ̃fiRm] *a* inválido(a), lisiado(a) // *nm/f* inválido/a; ~ **mental** enfermo o débil mental; ~ **moteur** paralítico(a).

infirmer [ɛ̃fiRme] *vt* (*preuve etc*) menoscabar, debilitar; (*JUR*) invalidar, infirmar.

infirmerie [ɛ̃fiRmɔRi] *nf* enfermería.

infirmier, ière [ɛ̃fiRmje, jɛR] *nm/f* enfermero/a.

infirmité [ɛ̃fiRmite] *nf* invalidez *f*, achaque *m*.

inflammable [ɛ̃flamabl(ə)] *a* inflamable.

inflammation [ɛ̃flamɑsjɔ̃] *nf* inflamación *f*.

inflation [ɛ̃flɑsjɔ̃] *nf* inflación *f*; ~**niste** *a* inflacionista.

infléchir [ɛ̃fleʃiR] *vt* (*fig: politique*) desviar, cambiar.

inflexible [ɛ̃flɛksibl(ə)] *a* inflexible.

inflexion [ɛ̃flɛksjɔ̃] *nf* inflexión *f*.

infliger [ɛ̃fliʒe] *vt* infligir.

influençable [ɛ̃flyãsabl(ə)] *a* influenciable.

influence [ɛ̃flyãs] *nf* influencia, influjo; (*d'un médicament*) influencia, efecto; (*domination, persuasion*) influencia, autoridad *f*; (*autorité, crédit*) influencia, ascendiente *m*; (*POL*) influencia, predominio; **influencer** *vt* influenciar, influir; (*suj: conduite*) influir; (*choix, décision*) influir, intervenir en; **influent, e** *a* influyente.

influer [ɛ̃flye] : ~ **sur** *vt* influir sobre o en.

influx [ɛ̃fly] *nm*: ~ **nerveux** influjo nervioso.

informaticien, ne [ɛ̃fɔRmatisjɛ̃, jɛn] *nm/f* especialista *m/f* en informática.

information [ɛ̃fɔRmɑsjɔ̃] *nf* información *f*; (*renseignement*) informe *m*; **voyage d'~** viaje *m* de estudio.

informatique [ɛ̃fɔʀmatik] *nf* informática.

informe [ɛ̃fɔʀm(ə)] *a* (*masse, tas*) informe; (*vêtement*) deforme; (*essai, plan*) imperfecto(a), confuso(a).

informé, e [ɛ̃fɔʀme] *a*: **jusqu'à plus ample** ~ hasta mayor información.

informer [ɛ̃fɔʀme] *vt*: ~ **qn (de)** informar a alguien (de) // *vi* (*JUR*): ~ **contre qn/sur qch** informar contra alguien/sobre algo; **s'**~ informarse.

infortune [ɛ̃fɔʀtyn] *nf* infortunio, desventura.

infraction [ɛ̃fʀaksjɔ̃] *nf* infracción *f*, transgresión *f*; **être en** ~ estar en infracción.

infranchissable [ɛ̃fʀɑ̃ʃisabl(ə)] *a* (*obstacle*) infranqueable; (*distance*) insuperable; (*fig*) insuperable, invencible.

infrarouge [ɛ̃fʀaʀuʒ] *a* infrarrojo(a) // *nm* infrarrojo.

infrastructure [ɛ̃fʀastʀyktyʀ] *nf* infraestructura.

infroissable [ɛ̃fʀwasabl(ə)] *a* inarrugable.

infructueux, euse [ɛ̃fʀyktɥø, øz] *a* infructuoso(a).

infuser [ɛ̃fyze] *vt* (*gén*: **faire** ~) dejar en infusión // *vi*: (**laisser** ~) dejar en infusión.

infusion [ɛ̃fyzjɔ̃] *nf* (*tisane*) infusión *f*.

ingambe [ɛ̃gɑ̃b] *a* ágil, saludable.

ingénier [ɛ̃ʒenje]: **s'**~ *à* *vt*: **s'**~ **à faire** ingeniarse pa hacer.

ingénieur [ɛ̃ʒenjœʀ] *nm* ingeniero; ~ **agronome/chimiste** ingeniero agrónomo/químico; ~ **du son** ingeniero de sonido.

ingénieux, euse [ɛ̃ʒenjø, øz] *a* ingenioso(a).

ingénu, e [ɛ̃ʒeny] *a* ingenuo(a) // *nf* (*THÉÂTRE*) ingenua.

ingérer [ɛ̃ʒeʀe]: **s'**~ **dans** *vt* inmiscuirse en.

ingrat, e [ɛ̃gʀa, at] *a* (*personne*): ~ (**envers**) ingrato o desagradecido

(con); (*sol*) estéril; (*travail, sujet*) ingrato(a), penoso(a); (*visage*) desagradable.

ingrédient [ɛ̃gʀedjɑ̃] *nm* ingrediente *m*, componente *m*.

inguérissable [ɛ̃geʀisabl(ə)] *a* incurable.

ingurgiter [ɛ̃gyʀʒite] *vt* tragar.

inhabile [inabil] *a* torpe, chapucero(a); inhábil.

inhabitable [inabitabl(ə)] *a* inhabitable.

inhabité, e [inabite] *a* (*régions*) despoblado(a), inhabitado(a); (*maison*) deshabitado(a).

inhabituel, le [inabitɥɛl] *a* inhabitual.

inhalateur [inalatœʀ] *nm* inhalador *m*.

inhalation [inalɑsjɔ̃] *nf* (*MÉD*) inhalación *f*.

inhérent, e [ineʀɑ̃, ɑ̃t] *a*: ~ **à** inherente a.

inhibition [inibisjɔ̃] *nf* inhibición *f*.

inhospitalier, ière [inɔspitalje, jɛʀ] *a* inhospitalario(a).

inhumain, e [inymɛ̃, ɛn] *a* inhumano(a), despiadado(a); (*cri*) brutal, inhumano(a).

inhumation [inymɑsjɔ̃] *nf* inhumación *f*, entierro.

inhumer [inyme] *vt* inhumar, sepultar.

inimitable [inimitabl(ə)] *a* inimitable.

inimitié [inimitje] *nf* enemistad *f*.

inintelligent, e [inɛ̃teliʒɑ̃, ɑ̃t] *a* (*personne*) carente de inteligencia; (*acte, préjugé*) falto de inteligencia.

inintelligible [inɛ̃teliʒibl(ə)] *a* ininteligible.

inintéressant, e [inɛ̃teʀesɑ̃, ɑ̃t] *a* poco interesante o atractivo(a).

ininterrompu, e [inɛ̃teʀɔ̃py] *a* ininterrumpido(a).

iniquité [inikite] *nf* iniquidad *f*.

initial, e, aux [inisjal, o] *a* inicial; ~**es** *nfpl* iniciales *fpl*.

initiateur, trice [inisjatœʀ, tʀis] *nm/f* iniciador/ora, precursor/ora.

(d'une mode, technique) precur-
sor/ora, promotor/ora.

initiative [inisjativ] nf iniciativa;
de sa propre ~ por iniciativa
propia.

initier [inisje] vt: ~ **qn à** iniciar a
alguien en; **s'** ~ **à** (métier,
technique) iniciarse en.

injecté, e [ɛ̃ʒekte] a: **yeux** ~**s** de
sang ojos inyectados en sangre.

injecter [ɛ̃ʒekte] vt inyectar.

injection [ɛ̃ʒeksjɔ̃] nf inyección f; **à**
~ **a** (AUTO) de inyección.

injonction [ɛ̃ʒɔ̃ksjɔ̃] nf exhortación
f, orden f.

injure [ɛ̃ʒyʀ] nf injuria, insulto;
(JUR) agravio, ultraje m.

injurier [ɛ̃ʒyʀje] vt injuriar,
agraviar.

injuste [ɛ̃ʒyst(ə)] a injusto(a); ~
(avec/envers qn) injusto(a)
(con/para con alguien); **injustice** nf
injusticia.

inlassable [ɛ̃lasabl(ə)] a
incansable.

inné, e [ine] a innato(a), congéni-
to(a).

innocence [inɔsɑ̃s] nf inocencia,
candidez f.

innocent, e [inɔsɑ̃, ɑ̃t] a inocente,
candoroso(a); (crédule, naïf)
cándido(a), inocente; (pas
coupable): ~ **(de qch)** inocente de
algo; (jeu, plaisir) inocente,
inofensivo(a) // nm/f (non
coupable) inocente m/f; ~**er** vt
(personne) justificar, disculpar;
(JUR: accusé, suj: déclaration etc)
declarar inocente.

innombrable [inɔ̃bʀabl(ə)] a
innumerable, incontable.

innommable [inɔmabl(ə)] a in-
mundo(a); ignominioso(a), despreciable.

innover [inɔve] vt, vi innovar.

inobservation [inɔpsɛʀvasjɔ̃] nf
incumplimiento.

inoculer [inɔkyle] vt: ~ **qch à qn**
(volontairement) inocular algo a
alguien; (accidentellement) contagiar con algo a alguien; ~ **qn con-**

tre vacunar a alguien contra.

inodore [inɔdɔʀ] a inodoro(a).

inoffensif, ive [inɔfɑ̃sif, iv] a
inofensivo(a); (anodin) inofensi-
vo(a), inocuo(a).

inondation [inɔ̃dɑsjɔ̃] nf inundación f.

inonder [inɔ̃de] vt inundar, anegar;
(personne: suj: pluie) empapar;
(fig) inundar.

inopérable [inɔpeʀabl(ə)] a que no
puede ser operado(a).

inopiné, e [inɔpine] a inopinado(a),
imprevisto(a); (subit) repentino(a),
imprevisto(a).

inopportun, e [inɔpɔʀtœ̃, yn] a
inoportuno(a).

inoubliable [inublijabl(ə)] a
inolvidable.

inouï, e [inwi] a inaudito(a).

inox [inɔks] a, nm abrév de
inoxydable.

inoxydable [inɔksidabl(ə)] a
inoxidable // nm metal m
inoxidable.

inqualifiable [ɛ̃kalifjabl(ə)] a in-
calificable.

inquiet, ète [ɛ̃kjɛ, ɛt] a (personne)
inquieto(a), intranquilo(a); (par
nature) inquieto(a); (attente,
regard) inquieto(a), preocupado(a)
// nm/f inquieto/a; ~ **de qch/au**
sujet de qn preocupado por algo/a
causa de alguien.

inquiétant, e [ɛ̃kjetɑ̃, ɑ̃t] a
inquietante.

inquiéter [ɛ̃kjete] vt inquietar,
preocupar; (ville, pays) hostigar;
(personne: suj: police) molestar;
s' ~ inquietarse; **s'** ~ **de** preocuparse por.

inquiétude [ɛ̃kjetyd] nf inquietud f,
desasosiego.

inquisition [ɛ̃kizisjɔ̃] nf inquisición
f.

insaisissable [ɛ̃sezisabl(ə)] a
(fugitif) inasible, inasequible;
(nuance) imperceptible; (JUR)
inembargable.

insalubre [ɛ̃salybʀ(ə)] a insalubre.

insanité [ɛ̃sanite] nf insensatez f; locura, necedad.

insatiable [ɛ̃sasjabl(ə)] a insaciable.

insatisfait, e [ɛ̃satisfɛ, ɛt] a insatisfecho(a).

inscription [ɛ̃skʀipsjɔ̃] nf (sur un écriteau etc) inscripción f, letrero; (caractères écrits ou gravés) inscripción; (à une institution) inscripción; matrícula.

inscrire [ɛ̃skʀiʀ] vt (marquer) anotar, registrar; (dans la pierre, le métal) grabar, inscribir; (à un budget) asentar, registrar; (sur une liste) inscribir, anotar; (dans un club etc, à un examen etc) inscribir; (à l'université, l'école) matricular, inscribir; (enrôler: soldat) enrolar; s'~ inscribirse; (à l'université) matricularse; s'~ en faux contre qch tachar de falso algo, desmentir algo.

insecte [ɛ̃sɛkt] nm insecto; **insecticide** a, nm insecticida (m).

insécurité [ɛ̃sekyʀite] nf inseguridad f.

INSEE [inse] sigle m = Institut national de la statistique et des études économiques.

insémination [ɛ̃seminasjɔ̃] nf inseminación f.

insensé, e [ɛ̃sɑ̃se] a insensato(a).

insensibiliser [ɛ̃sɑ̃sibilize] vt insensibilizar, anestesiar.

insensible [ɛ̃sɑ̃sibl(ə)] a insensible.

inséparable [ɛ̃sepaʀabl(ə)] a inseparable; (inhérent à, joint à): ~ **de** inherente a, ~s nmpl (ZOOL) inseparables mpl.

insérer [ɛ̃seʀe] vt insertar; (encart, dans un cadre etc) colocar; (exemples) agregar, introducir; s'~ (se dérouler, se placer) insertarse, incluirse.

insidieux, euse [ɛ̃sidjø, øz] a insidioso(a); penetrante.

insigne [ɛ̃siɲ] nm (d'un parti, club etc) insignia, divisa // a insigne, eximio(a); (service) notable; ~s mpl (d'une fonction) insignias.

insignifiant, e [ɛ̃siɲifjɑ̃, ɑ̃t] a insignificante.

insinuation [ɛ̃sinɥasjɔ̃] nf insinuación f.

insinuer [ɛ̃sinɥe] vt insinuar; s'~ **dans** colarse o deslizarse en; filtrarse en.

insipide [ɛ̃sipid] a insípido(a), soso(a); (fig) insípido, insulso(a).

insistance [ɛ̃sistɑ̃s] nf insistencia.

insister [ɛ̃siste] vi insistir; (s'obstiner) insistir, porfiar; ~ **sur** insistir o persistir en; (accentuer) acentuar; ~ **pour** insistir en.

insociable [ɛ̃sɔsjabl(ə)] a insociable, intratable.

insolation [ɛ̃sɔlasjɔ̃] nf insolación f; (ensoleillement) sol m, insolación; (PHOTO) exposición f.

insolence [ɛ̃sɔlɑ̃s] nf insolencia; descaro; atrevimiento; **avec** ~ con insolencia o desfachatez.

insolent, e [ɛ̃sɔlɑ̃, ɑ̃t] a insolente, descarado(a); (indécent) insolente, injurioso(a).

insolite [ɛ̃sɔlit] a insólito(a).

insoluble [ɛ̃sɔlybl(ə)] a insoluble.

insolvable [ɛ̃sɔlvabl(ə)] a insolvente.

insomnie [ɛ̃sɔmni] nf insomnio, desvelo; **avoir des** ~**s** sufrir de insomnio.

insondable [ɛ̃sɔ̃dabl(ə)] a (fig) insondable, impenetrable; (maladresse etc) tremendo(a).

insonore [ɛ̃sɔnɔʀ] a insonoro(a); **insonoriser** vt insonorizar.

insouciant, e [ɛ̃susjɑ̃, ɑ̃t] a despreocupado(a), indolente; (imprévoyant) descuidado(a), negligente.

insoumis, e [ɛ̃sumi, iz] a insumiso(a), indócil; (contrée, tribu) rebelde, sublevado(a); (soldat) insubordinado(a).

insoupçonnable [ɛ̃supsɔnabl(ə)] a insospechable, irreprochable.

insoutenable [ɛ̃sutnabl(ə)] a (argument) insostenible; (chaleur) insoportable, intolerable.

inspecter [ɛ̃spɛkte] vt
inspeccionar.

inspecteur, trice [ɛ̃spɛktœʀ,
tʀis] nm/f inspector/ora; ~
d'Académie superintendente m
provincial de los estudios.

inspection [ɛ̃spɛksjɔ̃] nf inspección f.

inspiration [ɛ̃spiʀasjɔ̃] nf
inspiración f; (conseil, suggestion)
sugerencia; **sous l'~ de qn** bajo la
instigación de alguien.

inspirer [ɛ̃spiʀe] vt inspirar;
(inquiétude etc) provocar, despertar; (plaire) atraer // vi (aspirer)
inspirar, aspirar; **s'~ de qch**
inspirarse en algo; **~ de la crainte
à qn** infundir temor a alguien.

instable [ɛ̃stabl(ə)] a (meuble,
équilibre) inestable, instable;
(population) errante, nómade;
(temps, paix, situation) inestable;
(PSYCH) inconstante, voluble.

installation [ɛ̃stalasjɔ̃] nf
instalación f; alojamiento,
(ameublement etc, appareils etc)
instalación; **~s** fpl instalaciones fpl.

installer [ɛ̃stale] vt instalar;
(meuble, rideaux etc) colocar,
instalar; (chose): **~ une chaise
devant la porte** colocar una silla
delante de la puerta; (fonctionnaire,
magistrat) dar posesión del cargo a;
s'~ vi (s'établir) instalarse; (se
loger) alojarse; (fig: maladie, grève)
arraigarse.

instamment [ɛ̃stamɑ̃] ad
insistentemente, encarecidamente.

instance [ɛ̃stɑ̃s] nf (JUR) instancia f;
(ADMIN: autorité) organismo; **~s** fpl
(prières) peticiones fpl, súplicas;
affaire en ~ asunto pendiente; **en
~ de divorce** en trámite de
divorcio.

instant [ɛ̃stɑ̃] nm instante m;
(moment présent) presente m,
momento presente; **à l'~: je l'ai vu
à l'~** lo he visto enseguida o de
inmediato; **il faut le faire à l'~** hay
que hacerlo enseguida o al instante;
à l'~ (même) où en el instante

(mismo) en que; **à tout ~** a cada
instante, en todo momento; **pour
l'~** por el momento; **par ~s** por
momentos, a veces; **de tous les ~s**
a continuo(a), constante.

instantané, e [ɛ̃stɑ̃tane] a
instantáneo(a); (explosion, mort)
inmediato(a) // nm instantánea f.

instar [ɛ̃staʀ]: **à l'~ de** prép a
imitación o ejemplo de.

instaurer [ɛ̃stɔʀe] vt instaurar.

instigateur, trice [ɛ̃stigatœʀ,
tʀis] nm/f instigador/ora.

instigation [ɛ̃stigasjɔ̃] nf: **à l'~ de
qn** a instigación de alguien.

instinct [ɛ̃stɛ̃] nm instinto; **d'~** por
instinto; **~ de conservation** instinto
de conservación; **~if, ive** [ɛ̃stɛ̃tif,
iv] a instintivo(a).

instituer [ɛ̃stitɥe] vt instituir; (REL:
évêque) elegir, designar; (JUR:
héritier) nombrar; **s'~** erigirse;
establecerse.

institut [ɛ̃stity] nm instituto; **~ de
beauté** instituto de belleza; **I ~
Universitaire de Technologie, IUT**
Instituto Universitario de
Tecnología.

instituteur, trice [ɛ̃stitytœʀ,
tʀis] nm/f maestro/a, institutriz f.

institution [ɛ̃stitysjɔ̃] nf
instauración f, establecimiento; (loi,
groupement, régime) institución f,
organismo; (collège) instituto; **~s**
fpl (formes, structures sociales)
instituciones fpl.

instructeur [ɛ̃stʀyktœʀ] a (MIL):
officier ~ oficial m instructor;
(JUR): **juge ~** juez m de instrucción.

instructif, ive [ɛ̃stʀyktif, iv] a
instructivo(a).

instruction [ɛ̃stʀyksjɔ̃] nf
instrucción f; (JUR) sumario; (ADMIN:
document) circular f; **~s** fpl
instrucciones fpl.

instruire [ɛ̃stʀɥiʀ] vt instruir;
(recrues) instruir, adiestrar; **s'~**
instruirse; **~ qn de qch** (informer)
informar a alguien de algo; **~
contre qn** (JUR) instruir causa

contra alguien; **instruit, e** a instruido(a), culto(a).

instrument [ɛ̃strymɑ̃] nm (outil) instrumento, herramienta; (MUS) instrumento; (moyen, exécutant) instrumento, recurso; ~ **à vent/à percussion** instrumento de viento/de percusión; ~ **de mesure** instrumento de medición; ~ **de musique** instrumento musical.

insu [ɛ̃sy] nm: à l'~ **de** a ocultas o espaldas de; **à son** ~ sin saberlo él/ella, a sus espaldas.

insubmersible [ɛ̃sybmɛrsibl(ə)] a insumergible.

insubordination [ɛ̃sybɔrdinasjɔ̃] nf insubordinación f.

insuffisance [ɛ̃syfizɑ̃s] nf insuficiencia, escasez f; ~**s** pl (lacunes) deficiencias.

insuffisant, e [ɛ̃syfizɑ̃, ɑ̃t] a insuficiente, escaso(a); (lumière) insuficiente.

insuffler [ɛ̃syfle] vt: ~ **qch (dans)** insuflar algo (en).

insulaire [ɛ̃sylɛr] a insular, isleño(a); (attitude) de miras estrechas.

insuline [ɛ̃sylin] nf insulina.

insulte [ɛ̃sylt(ə)] nf insulto; **insulter** vt insultar.

insupportable [ɛ̃sypɔrtabl(ə)] a insoportable.

insurgé, e [ɛ̃syrʒe] a insurgente, sublevado(a) // nm/f insurgente m/f, faccioso/a.

insurger [ɛ̃syrʒe]: **s'**~ **contre** vt sublevarse contra; (fig) rebelarse contra.

insurmontable [ɛ̃syrmɔ̃tabl(ə)] a insuperable; (angoisse, aversion) invencible, irreprimible.

insurrection [ɛ̃syrɛksjɔ̃] nf insurrección f.

intact, e [ɛ̃takt, akt(ə)] a intacto(a), íntegro(a); (réputation, honneur) incólume, ileso(a).

intarissable [ɛ̃tarisabl(ə)] a inagotable.

intégral, e, aux [ɛ̃tegral, o] a íntegro(a), completo(a); **nu** ~ desnudo integral.

intégrant, e [ɛ̃tegrɑ̃, ɑ̃t] a: **faire partie** ~**e** de formar parte integrante de.

intègre [ɛ̃tɛgr(ə)] a íntegro(a), probo(a).

intégrer [ɛ̃tegre] vt: ~ **à/dans** integrar o incorporar a/en // vi (SCOL) ingresar; **s'**~ **dans** integrarse en o incorporarse a.

intégrité [ɛ̃tegrite] nf integridad f, probidad f.

intellect [ɛ̃telɛkt] nm intelecto.

intellectuel, le [ɛ̃telɛktɥɛl] a, nm/f intelectual (m/f).

intelligence [ɛ̃teliʒɑ̃s] nf inteligencia; (personne) inteligencia, mentalidad f; (compréhension): ~ **de** comprensión f de; (complicité): **regard d'**~ mirada de complicidad; (accord): **vivre en bonne** ~ **avec qn** vivir en buena relación con alguien; ~**s** fpl (MIL) cómplices mpl.

intelligent, e [ɛ̃teliʒɑ̃, ɑ̃t] a inteligente; (capable): ~ **en affaires** entendido en o sagaz para los negocios.

intelligible [ɛ̃teliʒibl(ə)] a inteligible.

intempéries [ɛ̃tɑ̃peri] nfpl inclemencias, intemperie f.

intempestif, ive [ɛ̃tɑ̃pɛstif, iv] a intempestivo(a).

intenable [ɛ̃tnabl(ə)] a (indéfendable) insostenible; (situation, chaleur) insoportable; (enfant) inaguantable.

intendance [ɛ̃tɑ̃dɑ̃s] nf (MIL) intendencia; (SCOL) administración f.

intendant, e [ɛ̃tɑ̃dɑ̃, ɑ̃t] nm/f (MIL) intendente m; (SCOL, d'une propriété) administrador/ora.

intense [ɛ̃tɑ̃s] a intenso(a).

intensif, ive [ɛ̃tɑ̃sif, iv] a intensivo(a), activo(a).

intensifier [ɛ̃tɑ̃sifje] vt intensificar; **s'**~ intensificarse.

intensité [ɛ̃tɑ̃site] nf intensidad f.

intenter [ɛ̃tɑ̃te] vt: ~ **un procès**

contre *ou* à entablar un proceso contra.

intention [ɛ̃tɑ̃sjɔ̃] *nf* intención *f*, propósito, *(volonté, décision)* propósito, designio; *(but, objectif)* fin *m*, objetivo; **avoir l'~ de faire** tener la intención de hacer; **dans l'~ de faire** con el propósito de hacer; **à l'~ de** prép para, por; *(fête)* en honor de; *(film, ouvrage)* dirigido/a a, dedicado/a a; **à cette ~** con este propósito; **~né, e** a: **bien/mal ~né** bien/mal intencionado; **~nel, le** a intencional *(JUR)* premeditado(a).

inter [ɛ̃tɛʀ] *nm (TÉLÉC)* abrév *de* **interurbain** [ɛ̃tɛʀyʀbɛ̃] *nm*.

intercalaire [ɛ̃tɛʀkalɛʀ] a intercalado(a), interpuesto(a).

intercaler [ɛ̃tɛʀkale] *vt* intercalar; **s'~ entre** *(suj: voiture, coureur, candidat)* interponerse entre.

intercéder [ɛ̃tɛʀsede] *vi*: **~ (pour qn)** interceder (en favor de alguien).

intercepter [ɛ̃tɛʀsɛpte] *vt* interceptar; *(SPORT: ballon)* interceptar, apoderarse de; *(lumière, chaleur)* aislar de, interceptar; **intercepteur** *nm (AVIAT)* interceptador *m*.

interchangeable [ɛ̃tɛʀʃɑ̃ʒabl(ə)] a intercambiable.

interclasse [ɛ̃tɛʀklɑs] *nm (SCOL)* intervalo.

interdiction [ɛ̃tɛʀdiksjɔ̃] *nf* prohibición *f*, interdicción *f*; *(interdit)* prohibición; **~ de séjour** *(JUR)* interdicción de residencia.

interdire [ɛ̃tɛʀdiʀ] *vt* prohibir; *(ADMIN: stationnement, meeting, passage)* prohibir, vedar; *(ADMIN, REL: personne)* entredecir; *(suj: chose)* impedir; **~ à qn de faire qch** prohibir a alguien hacer algo; **s'~ qch** evitar algo; **s'~ de faire** negarse a hacer, evitar hacer.

interdit, e [ɛ̃tɛʀdi, it] a *(stupéfait)* estupefacto(a), atónito(a) // *nm* interdicción *f*; prohibición *f*; **film ~ aux moins de 13 ans** película prohibida para menores de 13 años.

intéressant, e [ɛ̃teʀesɑ̃, ɑ̃t] a interesante; *(affaire, prix)* conveniente, provechoso(a).

intéressé, e [ɛ̃teʀese] a, *nm/f* interesado(a).

intéressement [ɛ̃teʀesmɑ̃] *nm* participación *f* en los beneficios.

intéresser [ɛ̃teʀese] *vt (captiver)* interesar; *(toucher)* conmover a; *(ADMIN: concerner)* concernir, atañer; *(élèves, public)* provocar *o* despertar el interés de; *(COMM: travailleur)* dar participación en los beneficios a; *(:partenaire)*: **~ qn dans une affaire** dar participación a alguien en un negocio; **s'~ à** interesarse por.

intérêt [ɛ̃teʀɛ] *nm* interés *m*; *(avantage)* provecho, utilidad *f*; **~s** *mpl* intereses *mpl*; **avoir ~ à faire** tener interés en hacer.

interférer [ɛ̃tɛʀfeʀe] *vi*: **~ (avec)** interferir (con).

intérieur, e [ɛ̃teʀjœʀ] a interior; *(ÉCON)* interno(a), interior; *(:marché)* interno/a // *nm* interior *m*; *(POL)*: **l'I~** ≈ la Gobernación; *(décor, mobilier)* piso; **à l'~ (de)** en el interior (de), dentro (de); **de l'~** *(fig)* desde adentro; **en ~** *(CINEMA)* en interiores; **vêtement d'~** vestido para estar en casa.

intérim [ɛ̃teʀim] *nm* interinato; **par ~** interino(a); **~aire** a interino(a).

interjection [ɛ̃tɛʀʒɛksjɔ̃] *nf* interjección *f*.

interligne [ɛ̃tɛʀliɲ] *nm* entrelíneas *m*, entrerrenglones *m*; *(MUS)* espacio // *nf* interlínea.

interlocuteur, trice [ɛ̃tɛʀlɔkytœʀ, tʀis] *nm/f* interlocutor/ora.

interloquer [ɛ̃tɛʀlɔke] *vt* desconcertar.

interlude [ɛ̃tɛʀlyd] *nm* interludio.

intermède [ɛ̃tɛʀmɛd] *nm* intervalo; *(THÉTRE etc)* interludio.

intermédiaire [ɛ̃tɛʀmedjɛʀ] a intermedio(a) // *nm/f* intermediario/a; **par l'~ de** por intermedio de.

interminable [ɛ̃tɛʀminabl(ə)] a

interminable, inacabable.

intermittence [ɛ̃tɛʀmitɑ̃s] nf: par ~ irregularmente, con intermitencia; intermitentemente, a ratos.

intermittent, e [ɛ̃tɛʀmitɑ̃, ɑ̃t] a intermitente, discontinuo(a); (source, fontaine) irregular, intermitente; (lumière) intermitente; (efforts) discontinuo(a).

internat [ɛ̃tɛʀna] nm (SCOL) internado.

international, e, aux [ɛ̃tɛʀnasjɔnal, o] a, nm/f internacional (m/f).

interne [ɛ̃tɛʀn(ə)] a, nm/f interno(a).

interner [ɛ̃tɛʀne] vt (POL) internar, recluir; (MÉD) internar.

interpeller [ɛ̃tɛʀpele] vt interpelar.

interphone [ɛ̃tɛʀfɔn] nm intercomunicador m.

interposer [ɛ̃tɛʀpoze] vt interponer; s'~ (obstacle) interponerse, obstaculizar; (dans une bagarre etc) intervenir, mediar; (s'entremettre) entrometerse; par personnes interposées por interpósitas personas.

interprétariat [ɛ̃tɛʀpʀetaʀja] nm profesión f de intérprete.

interprète [ɛ̃tɛʀpʀɛt] nm/f intérprete m/f.

interpréter [ɛ̃tɛʀpʀete] vt interpretar.

interrogateur, trice [ɛ̃tɛʀɔgatœʀ, tʀis] a interrogador(ora).

interrogatif, ive [ɛ̃tɛʀɔgatif, iv] a interrogativo(a).

interrogation [ɛ̃tɛʀɔgasjɔ̃] nf interrogación f, pregunta f; (SCOL): ~ écrite/orale prueba escrita/oral; (LING): ~ directe/indirecte interrogación directa/indirecta.

interrogatoire [ɛ̃tɛʀɔgatwaʀ] nm interrogatorio.

interroger [ɛ̃tɛʀɔʒe] vt interrogar; ~ qn (sur qch) interrogar a alguien (acerca de algo), preguntar (algo) a alguien.

interrompre [ɛ̃tɛʀɔ̃pʀ(ə)] vt interrumpir; s'~ interrumpirse.

interrupteur [ɛ̃tɛʀyptœʀ] nm (ÉLEC) interruptor m.

interruption [ɛ̃tɛʀypsjɔ̃] nf interrupción f; ~ de grossesse interrupción de embarazo, aborto.

intersection [ɛ̃tɛʀsɛksjɔ̃] nf intersección f.

interstice [ɛ̃tɛʀstis] nm intersticio, resquicio.

interurbain [ɛ̃tɛʀyʀbɛ̃] nm (TÉLÉC) teléfono/central f interurbano(a).

intervalle [ɛ̃tɛʀval] nm intervalo; (espace) espacio, distancia; **dans l'** ~ en el intervalo, en tanto.

intervenir [ɛ̃tɛʀvəniʀ] vi intervenir; (se produire) sobrevenir, ocurrir; ~ **auprès de** interceder ante.

intervention [ɛ̃tɛʀvɑ̃sjɔ̃] nf intervención f.

intervertir [ɛ̃tɛʀvɛʀtiʀ] vt invertir.

interview [ɛ̃tɛʀvju] nf entrevista, interviú f; ~**er** [-vjuve] vt entrevistar a.

intestin, e [ɛ̃tɛstɛ̃, in] a intestino(a) // nm intestino; ~**al, e, aux** [-tinal, o] a intestinal.

intime [ɛ̃tim] a íntimo(a); (complet, profond) profundo(a), íntimo(a) // nm/f íntimo/a.

intimer [ɛ̃time] vt intimar, notificar.

intimider [ɛ̃timide] vt intimidar; (terroriser) intimidar, amedrentar.

intimité [ɛ̃timite] nf: **dans la plus stricte** ~ en la más estricta intimidad.

intitulé [ɛ̃tityle] nm título.

intituler [ɛ̃tityle] vt intitular, titular; s'~ (ouvrage) intitularse, titularse; (personne) llamarse.

intolérable [ɛ̃tɔleʀabl(ə)] a intolerable.

intolérant, e [ɛ̃tɔleʀɑ̃, ɑ̃t] a intolerante.

intonation [ɛ̃tɔnasjɔ̃] nf entonación f.

intouchable [ɛ̃tuʃabl(ə)] a (fig) intocable.

intoxication [ɛtɔksikasjɔ̃] *nf* intoxicación *f*; *(fig)* envenenamiento, emponzoñamiento.

intoxiquer [ɛtɔksike] *vt* intoxicar; *(fig)* influenciar negativamente.

intraduisible [ɛtradɥizibl(ə)] *a* intraducible.

intraitable [ɛtrɛtabl(ə)] *a* intransigente; implacable; inflexible.

intransigeant, e [ɛtrãziʒã, ãt] *a* intransigente.

intransitif, ive [ɛtrãzitif, iv] *a* intransitivo(a).

intransportable [ɛtrãsportabl(ə)] *a* intransportable.

intraveineux, euse [ɛtravenø, øz] *a* intravenoso(a).

intrépide [ɛtrepid] *a* intrépido(a), arrojado(a); *(résistance)* tenaz, intrépido(a); *(imperturbable)* denodado(a).

intrigue [ɛtrig] *nf* intriga; *(aventure)* amorío, aventura.

intriguer [ɛtrige] *vi, vt* intrigar.

intrinsèque [ɛtrɛ̃sɛk] *a* intrínseco(a), esencial.

introduction [ɛtrɔdyksjɔ̃] *nf* introducción *f*; **lettre d'~** carta de presentación.

introduire [ɛtrɔdɥir] *vt* introducir; **s'~** *vi* introducirse; *(eau, fumée)* penetrar, entrar; **~ qn à** *ou* **dans un club** presentar alguien a alguien/en alguien en un club.

introniser [ɛtrɔnize] *vt* entronizar.

introuvable [ɛtruvabl(ə)] *a* que no se puede encontrar; *(rare: édition, livre)* raro(a).

introverti, e [ɛtrɔverti] *nm/f* introvertido/a.

intrus, e [ɛtry, yz] *nm/f* intruso/a, entrometido/a.

intrusion [ɛtryzjɔ̃] *nf* intrusión *f*; intromisión *f*, ingerencia.

intuitif, ive [ɛtɥitif, iv] *a* intuitivo(a).

intuition [ɛtɥisjɔ̃] *nf* intuición *f*, presentimiento; **avoir une ~** tener un presentimiento; **avoir de l'~** tener intuición.

inusable [inyzabl(ə)] *a* durable, fuerte.

inusité, e [inyzite] *a* desusado(a), en desuso.

inutile [inytil] *a* inútil; **inutilisable** *a* inutilizable; **inutilité** *nf* inutilidad *f*.

invalide [ɛvalid] *a, nm/f* inválido(a).

invalider [ɛvalide] *vt* invalidar, anular; *(élection, député)* anular.

invalidité [ɛvalidite] *nf* invalidez *f*.

invariable [ɛvarjabl(ə)] *a* invariable.

invasion [ɛvazjɔ̃] *nf* invasión *f*.

invectiver [ɛvɛktive] *vt* denostar, injuriar // *vi*: **~ contre** lanzar imprecaciones contra.

invendable [ɛvɑ̃dabl(ə)] *a* invendible.

invendus [ɛvɑ̃dy] *nmpl* artículos no vendidos.

inventaire [ɛvɑ̃tɛr] *nm* inventario; *(COMM, fig)* inventario, balance *m*.

inventer [ɛvɑ̃te] *vt* inventar; **~ de faire** idear hacer; **inventeur** *nm* inventor *m*; **inventif, ive** *a* inventivo(a); **invention** *nf* invención *f*; *(découverte)* descubrimiento, hallazgo; *(expédient)* invento, recurso; *(fable, mensonge)* ficción *f*, mentira; *(imagination)* inventiva.

inventorier [ɛvɑ̃tɔrje] *vt* inventariar.

inverse [ɛvɛrs(ə)] *a* inverso(a) // *nm*: **l'~** lo inverso *ou* contrario; **en sens ~** en sentido inverso *ou* opuesto; **à l'~** al contrario, al revés; **inverser** *vt* invertir; **inversion** *nf* inversión *f*.

investigation [ɛvɛstigasjɔ̃] *nf* investigación *f*.

investir [ɛvɛstir] *vt* investir, conferir; *(MIL)* cercar; *(argent)* invertir, colocar; **investissement** *nm* inversión *f*; **investiture** *nf* investidura.

invétéré, e [ɛvetere] *a* inveterado(a).

invincible [ɛvɛ̃sibl(ə)] *a* invencible; *(argument)* irrebatible, irrefutable; (fig) irresistible.

invisible [ɛ̃vizibl(ə)] a invisible.

invitation [ɛ̃vitasjɔ̃] nf invitación f;
à ou sur l'~ de qn a pedido de
alguien.

invité, e [ɛ̃vite] nm/f invitado/a,
convidado/a.

inviter [ɛ̃vite] vt invitar, convidar;
(exhorter) inducir; (suj: chose)
invitar, incitar.

involontaire [ɛ̃vɔlɔ̃tɛʀ] a involun-
tario(a).

invoquer [ɛ̃vɔke] vt invocar;
(excuse, jeunesse, ignorance)
alegar; (témoignage) apelar a; ~ la
clémence de qn implorar la
clemencia de alguien.

invraisemblable [ɛ̃vʀɛsɑ̃-
blabl(ə)] a inverosímil; increíble,
inaudito(a).

invulnérable [ɛ̃vylneʀabl(ə)] a
invulnerable.

iode [jɔd] nm yodo.

ion [jɔ̃] nm ion m.

ionique [jɔnik] a (ARCHIT) jónico(a);
(SCIENCE) iónico(a).

irai etc vb voir **aller**.

irakien, ne [iʀakjɛ̃, jɛn] a, nm/f
iraquí (m/f).

Iran [iʀɑ̃] nm Irán m; i~ien, ne a,
nm/f iranio/a, iraní (m/f).

Iraq [iʀak] nm Irak m.

irions vb voir **aller**.

iris [iʀis] nm lirio; (ANAT) iris m.

irisé, e [iʀize] a irisado(a).

irlandais, e [iʀlɑ̃dɛ, ɛz] a, nm/f
irlandés(esa).

Irlande [iʀlɑ̃d] nf: ~ du Nord/Sud
Irlanda del Norte/Sur.

ironie [iʀɔni] nf ironía; **ironique** a
irónico(a); **ironiser** vi ironizar.

irons vb voir **aller**.

irradier [iʀadje] vi irradiar,
difundir; propagarse.

irraisonné, e [iʀɛzɔne] a impensa-
do(a), irrazonable.

irrationnel, le [iʀasjɔnɛl] a irracional, insensato(a).

irréalisable [iʀealizabl(ə)] a
irrealizable.

irrecevable [iʀsəvabl(ə)] a inadmisible.

irréconciliable [iʀekɔ̃siljabl(ə)] a
irreconciliable.

irrécupérable [iʀekypeʀabl(ə)] a
irrecuperable.

irrécusable [iʀekyzabl(ə)] a irre-
cusable.

irréductible [iʀedyktibl(ə)] a irre-
ductible; indómito(a); (MÉD) irre-
ducible.

irréel, le [iʀeɛl] a irreal.

irréfléchi, e [iʀefleʃi] a irreflexi-
vo(a).

irréfutable [iʀefytabl(ə)] a
irrefutable, irrebatible.

irrégularité [iʀegylaʀite] nf irregularidad f.

irrégulier, ière [iʀegylje, jɛʀ] a
irregular; (peu honnête)
indecoroso(a), deshonesto(a).

irrémédiable [iʀemedjabl(ə)] a
irremediable.

irremplaçable [iʀɑ̃plasabl(ə)] a
irreemplazable, irrecuperable;
(personne) insustituible, único(a).

irréparable [iʀepaʀabl(ə)] a irre-
parable.

irrépressible [iʀepresibl(ə)] a
irreprimible.

irréprochable [iʀepʀoʃabl(ə)] a
irreprochable.

irrésistible [iʀezistibl(ə)] a
irresistible; (preuve, logique)
contundente, implacable; (personne:
qui fait rire) gracioso(a), jocoso(a).

irrespectueux, euse
[iʀɛspɛktɥo, øz] a irrespetuoso(a),
irreverente.

irrespirable [iʀespiʀabl(ə)] a
irrespirable.

irresponsable [iʀɛspɔ̃sabl(ə)] a
irresponsable.

irrévérencieux, euse
[iʀeveʀɑ̃sjø, jøz] a irreverente.

irréversible [iʀeveʀsibl(ə)] a irre-
versible.

irrévocable [iʀevɔkabl(ə)] a
irrevocable.

irrigation [iʀigasjɔ̃] nf irrigación f,
riego.

irriguer [iʀige] vt irrigar, regar.
irritable [iʀitabl(ə)] a irritable.
irritation [iʀitɑsjɔ̃] nf irritación f, enfado; (inflammation) irritación.
irriter [iʀite] vt irritar, enojar; (enflammer) irritar; **s'~ contre/de** enojarse o irritarse con/por.
irruption [iʀypsjɔ̃] nf irrupción f.
Islam [islam] nm Islam m; **i~ique** a islámico(a).
islandais, e [islɑ̃dɛ, ez] a, nm/f islandés(esa).
Islande [islɑ̃d] nf Islandia.
isocèle [izɔsɛl] a isósceles.
isolant, e [izɔlɑ̃, ɑ̃t] a aislante.
isolation [izɔlasjɔ̃] nf aislamiento.
isolationnisme [izɔlasjɔnism(ə)] nm aislacionismo.
isoler [izɔle] vt aislar; **s'~** apartarse, retraerse; **isoloir** nm cabina electoral.
Israël [israɛl] nm Israel m; **israélien, ne** a, nm/f israelí (m/f); **israélite** a, nm/f israelita (m/f).
issu, e [isy] a: **~ de** descendiente de; (fig) resultado o consecuencia de // nf salida; (résultat) resultado, desenlace o; **à l'~e de** al final de, al terminar.
isthme [ism(ə)] nm istmo.
Italie [itali] nf Italia; **italien, ne** a, nm/f italiano(a).
italique [italik] nm: **en ~** en bastardilla.
itinéraire [itineʀɛʀ] nm itinerario, recorrido.
itinérant, e [itineʀɑ̃, ɑ̃t] a ambulante.
IUT sigle m voir **institut**.
ivoire [ivwaʀ] nm marfil m; (sur dent) esmalte m.
ivre [ivʀ(ə)] a ebrio(a), beodo(a); **ivresse** nf ebriedad f, embriaguez f; **ivrogne** [ivʀɔɲ] nm/f borracho/a.

J

j' [ʒ] pron voir **je**.
jabot [ʒabo] nm buche m; (ornement) chorrera.
jacasser [ʒakase] vi (bavarder) cotorrear.
jachère [ʒaʃɛʀ] nf: **en ~ en** barbecho.
jacinthe [ʒasɛ̃t] nf jacinto.
jadis [ʒadis] ad antaño.
jaillir [ʒajiʀ] vi brotar.
jais [ʒɛ] nm azabache m.
jalon [ʒalɔ̃] nm jalón m, hito; **~ner** vt jalonar.
jalouser [ʒaluze] vt celar.
jalousie [ʒaluzi] nf celos mpl.
jaloux, ouse [ʒalu, uz] a celoso(a).
jamais [ʒamɛ] ad jamás, nunca; (non nég) algun día; **ne... ~** nunca, jamás.
jambage [ʒɑ̃baʒ] nm trazo; (de porte etc) jamba.
jambe [ʒɑ̃b] nf pierna; **à toutes ~s** a todo correr; **jambière** nf polaina.
jambon [ʒɑ̃bɔ̃] nm jamón m.
jante [ʒɑ̃t] nf llanta.
janvier [ʒɑ̃vje] nm enero.
Japon [ʒapɔ̃] nm Japón m; **j~ais, e** a, nm/f japonés(esa).
japper [ʒape] vi gañir, aullar.
jaquette [ʒakɛt] nf chaqueta; (de cérémonie) chaqué m.
jardin [ʒaʀdɛ̃] nm jardín m; **~ d'enfants** jardín de la infancia; **~ potager** huerta; **~ public** parque m público; **~age** [ʒaʀdinaʒ] nm jardinería; horticultura; **~ier, ière** [ʒaʀdinje, jɛʀ] nm/f jardinero/a; hortelano/a // nf jardinera; **~ier** paysagiste jardinero artístico.
jargon [ʒaʀgɔ̃] nm jerga, jerigonza.
jarre [ʒaʀ] nf tinaja.
jarret [ʒaʀɛ] nm corva; (CULIN) morcillo.
jarretelle [ʒaʀtɛl] nf liga.
jaser [ʒaze] vi charlar, cotorrear.
jasmin [ʒasmɛ̃] nm jazmín m.
jatte [ʒat] nf cuenco.

jauge [ʒoʒ] nf arqueo; (*instrument*)
aspilla; **jauger** vt aforar, medir
(*contenir*) medir; (*fig*) medir; ~
6 mètres tener 6 metros de calado;
~ **3000 tonneaux** tener una
capacidad de 3000 toneladas.

jaune [ʒon] a amarillo(a) // nm
amarillo; (*aussi*: ~ **d'œuf**) yema //
nm/f amarillo/a // ad (*fam*): **rire**
~ reír falsamente; **jaunir** vt, vi
amarillear; **jaunisse** nf ictericia.

javel [ʒavɛl]: **eau de** ~ nf lejía.

javelot [ʒavlo] nm jabalina.

jazz [dʒaz] nm jazz m.

je [ʒ(ə)] pron yo.

jeep [dʒip] nf jeep m.

jersey [ʒɛRʒe] nm jersey m.

Jérusalem [ʒeRyzalɛm] n
Jerusalén.

jésuite [ʒezɥit] nm jesuita m.

Jésus-Christ [ʒezykRist] nm
Jesucristo.

jet [ʒɛ] nm lanzamiento, tiro;
(*jaillissement, tuyau*) chorro;
(*avion*) [dʒɛt] jet m, reactor m;
(*fig*): **du premier** ~ de primera
intención, desde el primer intento;
~ **d'eau** chorro de agua, surtidor m.

jetée [ʒəte] nf escollera.

jeter [ʒəte] vt (*lancer*) lanzar; (*se
défaire de*) tirar, arrojar; (*mettre,
poser rapidement*) echar, arrojar;
(*cri, insultes*) arrojar, lanzar; ~ **un
coup d'œil** echar una ojeada; ~
l'ancre enchar el ancla; ~ **les bras
en avant** echar los brazos hacia
adelante; ~ **le trouble parmi...**
sembrar la confusión entre...; ~ **qn
dehors** arrojar a uno afuera; **se**
~ **contre/dans/sur** arrojarse
contra/en/sobre; **se** ~ **dans**
(*fleuve*) desembocar en.

jeton [ʒətɔ̃] nm ficha; ~ (**de
présence**) ficha de asistencia.

jeu, x [ʒø] nm juego; (THÉÂTRE, MUS,
CINÉMA) actuación f, ejecución f;
être/remettre en ~ (SPORT)
estar/entrar en juego; ~ **de boules**
(*endroit*) bolera; ~ **de construction**
juego de construcción; ~
d'écritures (COMM) compensación f

contable; ~ **de hasard** juego de
azar; ~ **de massacre** pim pam pum
m; ~ **de mots** juego de palabras;
~ **d'orgue(s)** registro; ~ **de patience**
juego de paciencia; ~ **de société**
juego de salón; ~**x olympiques**
juegos olímpicos.

jeudi [ʒødi] nm jueves m.

jeûn [ʒœ̃]: **à** ~ ad en ayunas.

jeune [ʒœn] a joven; (*récent*)
nuevo(a), reciente; **les** ~**s** los
jovenes; ~ **fille**, J.F. muchacha,
chica; ~**s gens** jovenes; ~
homme, J.H. muchacho, joven m; ~
premier galán m joven; ~**s mariés**
recién casados.

jeûne [ʒøn] nm ayuno.

jeunesse [ʒœnɛs] nf juventud f;
(*caractère récent de qch*)
actualidad f.

J.F. abrév voir **jeune**.

J.H. abrév voir **jeune**.

joaillerie [ʒɔajRi] nf joyería.

joaillier, ière [ʒɔaje, jɛR] nm/f
joyero/a.

jobard [ʒɔbaR] nm tonto, ingenuo.

joie [ʒwa] nf alegría, gozo.

joindre [ʒwɛ̃dR(ə)] vt juntar, unir;
(*ajouter*) añadir, agregar;
(*contacter*) dar con; **à pieds joints** a
pies juntillos; ~ **les deux bouts** (*fig*)
hacer alcanzar apenas el dinero; ~
à unirse a, sumarse a; **joint** nm
junta, juntura; **joint de culasse** junta
de culata.

joli, e [ʒɔli] a bonito(a); ~**ment** ad
preciosamente, graciosamente;
(*très*) considerablemente, muy.

jonc [ʒɔ̃] nm junco.

joncher [ʒɔ̃ʃe] vt cubrir, alfombrar.

jonction [ʒɔ̃ksjɔ̃] nf unión f; (**point
de**) ~ confluencia.

jongler [ʒɔ̃gle] vi hacer
malabarismos; **jongleur, euse** nm/f
malabarista m f.

jonquille [ʒɔ̃kij] nf junquillo.

joue [ʒu] nf mejilla; **mettre/tenir en**
~ apuntar.

jouer [ʒwe] vt jugar; (*pièce, film*)
interpretar, actuar; (*rôle*)
representar, desempeñar; (*simuler*)

fingir; (MUS) interpretar, ejecutar //
vi jugar; (MUS) ejecutar, tocar;
(acteur) actuar; (bois, porte)
torcerse; (clé, pièce) tener juego; ~
sur jugar con; ~ **de** (MUS) tocar,
ejecutar; (fig) servirse de; ~ **à** jugar a;
(imiter) dárselas de; **se ~ de qch**
no hacer caso de algo; **se ~ de qn**
burlarse de alguien; **un tour à qn**
jugar una mala pasada a alguien; ~
de malchance tener mala suerte; ~
sur les mots jugar del equívoco; **à
toi/nous de ~** (fig) a ti te/nosotros
nos toca.

jouet [ʒwɛ] nm juguete m.

joueur, euse [ʒwœR, øz] nm/f
jugador/ora; (MUS) intérprete m/f,
ejecutante m/f.

joufflu, e [ʒufly] a mofletudo(a).

joug [ʒu] nm yugo.

jouir [ʒwiR] : ~ **de** vt gozar de;
jouissance nf goce m; (JUR)
usufructo.

joujou, x [ʒuʒu] nm (fam) juguete
m.

jour [ʒuR] nm día m; (clarté,
ouverture, aussi fig) luz f; **tous les
~s** todos los días; **au ~ le ~** al día;
en plein ~ a la luz del día; **au grand
~** (fig) con toda claridad; **sous un ~
favorable** bajo una luz favorable;
mettre au ~ sacar a la luz; **mettre
à ~** poner al día; **donner le ~ à** dar
a luz; **voir le ~** ver la luz, nacer; **se
faire ~** abrirse paso.

journal, aux [ʒuRnal, o] nm diario,
periódico; (d'une personne) diario;
~ **de bord** diario de a bordo; ~
parlé/télévisé noticiero radial/tele-
visivo.

journalier, ière [ʒuRnalje, jɛR] a
diario(a) // nm jornalero.

journalisme [ʒuRnalism(ə)] nm
periodismo; **journaliste** nm/f
periodista m/f.

journée [ʒuRne] nf día m; (de
travail) jornada; **la ~ continue** la
jornada intensiva.

journellement [ʒuRnɛlmɑ̃] ad dia-
riamente.

joute [ʒut] nf justa, combate m.

jovial, e, aux [ʒɔvjal, o] a jovial.

joyau, x [ʒwajo] nm joya m.

joyeux, euse [ʒwajø, øz] a alegre.

jubilaire [ʒybilɛR] nm/f persona
que ha cumplido 50 años de
profesión.

jubilé [ʒybile] nm jubileo, bodas de
oro.

jubiler [ʒybile] vi regocijarse.

jucher [ʒyfe] vt: ~ **qch sur** subir
algo sobre // vi (oiseau) posarse.

judas [ʒyda] nm (trou) mirilla.

judiciaire [ʒydisjɛR] a judicial.

judicieux, euse [ʒydisjø, øz] a
juicioso(a), sensato(a).

judo [ʒydo] nm judo; **~ka** nm judoka
m.

juge [ʒyʒ] nm juez m; ~
d'instruction/de paix juez de
instrucción/de paz; ~ **de touche**
juez de línea.

jugé [ʒyʒe]: **au ~** ad al tuntún.

jugement [ʒyʒmɑ̃] nm juicio;
(verdict: JUR) sentencia.

jugeote [ʒyʒɔt] nf (fam) caletre m.

juger [ʒyʒe] vt juzgar; ~ **bon de
faire...** juzgar oportuno hacer...; ~
de vt juzgar.

jugulaire [ʒygylɛR] a yugular // nf
barboquejo.

juif, ive [ʒyif, iv] a, nm/f judío(a).

juillet [ʒyijɛ] nm julio.

juin [ʒyɛ̃] nm junio.

juive [ʒyiv] a, nf voir **juif**.

jumeau, elle [ʒymo, ɛl] a, nm/f
gemelo/a.

jumeler [ʒymle] vt acoplar; (villes)
hermanar; **roues jumelées** ruedas
gemelas.

jumelle [ʒymɛl] a, nf voir **jumeau**;
~s fpl (OPTIQUE) gemelos.

jument [ʒymɑ̃] nf yegua.

jungle [ʒœ̃gl(ə)] nf selva, jungla.

jupe [ʒyp] nf falda; ~**culotte** nf
falda pantalón.

jupon [ʒypɔ̃] nm enaguas.

Jura [ʒyRa] nm: **le ~** el Jura.

juré, e [ʒyRe] a, nm/f jurado(a).

jurer [ʒyRe] vt, vi jurar; ~ (avec)
desentonar (con); ~ **de faire** jurar
hacer; ~ **de qch** jurar algo; **ils se**

jurent que par lui/cela creen a ciegas en él/eso.

juridiction [ʒyʁidiksjɔ̃] *nf* jurisdicción *f*.

juridique [ʒyʁidik] *a* jurídico(a).

juriste [ʒyʁist(ə)] *nm/f* jurista *m/f*.

juron [ʒyʁɔ̃] *nm* juramento.

jury [ʒyʁi] *nm* jurado *m*, (SCOL) tribunal *m*.

jus [ʒy] *nm* jugo; (*fam*) corriente eléctrica; agua; café *m*; ~ **de fruits** jugo de frutas.

jusant [ʒyzɑ̃] *nm* reflujo, bajamar *f*.

jusque [ʒysk(ə)] : **jusqu'à** *prép* hasta; ~ **sur/dans/vers** hasta arriba de/en/cerca de; **jusqu'à ce que** *conj* hasta que; ~-**là** hasta ahí o allá; **jusqu'ici** hasta aquí; **jusqu'à présent** hasta ahora.

juste [ʒyst(ə)] *a* justo(a); (*étroit*) estrecho(a), ajustado(a); (*insuffisant*) muy justo(a), escaso(a) // *ad* justo; ~ **assez** suficiente, suficientemente; **pouvoir tout** ~ **faire qch** poder apenas hacer algo; **au** ~ exactamente; **comme de** ~ como es lógico; **le** ~ **milieu** el término medio; ~-**ment** justamente; **justesse** *nf* precisión *f*, exactitud *f*; (*correction, vérité*) rectitud *f*, corrección *f*; **de justesse** por poco.

justice [ʒystis] *nf* justicia; **rendre la** ~ suministrar justicia; **rendre** ~ **à qn** hacer justicia a alguien; **se faire** ~ suicidarse.

justification [ʒystifikasjɔ̃] *nf* justificación *f*.

justifier [ʒystifje] *vt* justificar; ~ **de** *vt* probar.

jute [ʒyt] *nm* yute *m*.

juteux, euse [ʒytø, øz] *a* jugoso(a).

juvénile [ʒyvenil] *a* juvenil.

juxtaposer [ʒykstapoze] *vt* yuxtaponer; ~ **qch à** *ou* **et qch** yuxtaponer algo a *o* con algo.

K

kaki [kaki] *a inv* caqui.

kaléidoscope [kaleidɔskɔp] *nm* calidoscopio.

kangourou [kãguʁu] *nm* canguro.

kapoc [kapɔk] *nm* miraguano, algodón *m* de ceiba.

karaté [kaʁate] *nm* karate *m*.

karting [kaʁtiŋ] *nm* karting *m*.

kayac, kayak [kajak] *nm* kayac *m*.

képi [kepi] *nm* quepis *m*.

kermesse [kɛʁmɛs] *nf* quermese *f*; (*fête villageoise*) feria, verbena.

kérosène [keʁozɛn] *nm* queroseno.

kibboutz [kibuts] *nm* kibutz *m*.

kidnapper [kidnape] *vt* secuestrar.

kilo [kilo] *nm abrév de* **kilogramme** // *préf*: ~**gramme** *nm* kilogramo; ~**métrage** *nm* kilometraje *m*; ~**mètre**, **km** *nm* kilómetro; ~**métrique** *a* kilométrico(a); ~**watt** *nm* kilovatio.

kinésithérapeute [kinezite-ʁapøt] *nm/f* kinesiólogo/a.

kiosque [kjɔsk(ə)] *nm* quiosco.

kirsch [kiʁʃ] *nm* kirsch *m*.

klaxon [klaksɔn] *nm* bocina; ~**ner** *vi* tocar bocina // *vt* tocar bocina a.

kleptomane [klɛptɔman] *nm/f* cleptómano/a.

km *abrév voir* **kilomètre**.

knock-out [nɔkawt; nɔkut] *nm* fuera de combate.

K.O. *a inv* fuera de combate.

kolkhoze [kɔlkɔz] *nm* koljoz *m*.

Kremlin [kʁɛmlɛ̃] *nm*: **le** ~ **el** Kremlin.

kyrielle [kiʁjɛl] *nf* ristra, sarta.

kyste [kist(ə)] *nm* quiste *m*.

L

l' [l] dét voir **le**.

la [la] nm la.

la [la] dét voir **le**.

là [la] (voir aussi **-ci, celui**) ad allí, allá; (ici) ahí, acá; (dans le temps) entonces; est-ce que Catherine est ~? ¿está ahí Catalina?; **elle n'est pas ~** no está ahí; **c'est ~ que** es ahí que o donde; **de ~** (fig) de ahí que, por eso; **par ~** (fig) por ésas; **~-bas** ad allá.

label [label] nm marca, sello.

labeur [labœR] nm faena, trabajo.

labo [labo] nm abrév de **laboratoire**.

laborantin, e [labɔRãtɛ̃, in] nm/f técnico,a de laboratorio.

laboratoire [labɔRatwaR] nm laboratorio; **~ de langues/d'analyses** laboratorio lingüístico/de análisis.

laborieux, euse [labɔRjø, øz] a trabajoso(a); laborioso(a); (masses) trabajador(ora).

labour [labuR] nm labor f, labranza; **~s** mpl (champs) labrantíos; **cheval/bœuf de ~** caballo/buey m de labranza.

labourer [labuRe] vt arar, labrar; (fig) surcar; **laboureur** nm labrador m.

labyrinthe [labiRɛ̃t] nm laberinto.

lac [lak] nm lago.

lacer [lase] vt atar.

lacérer [laseRe] vt lacerar.

lacet [lasɛ] nm lazo, cordón m; (de route) curva; (piège) lazo.

lâche [lɑʃ] a cobarde; (desserré) flojo(a); (morale etc) despreciable, ruin // nm/f cobarde m/f.

lâcher [lɑʃe] vt soltar; (ce qui tombe) soltar, largar; (SPORT: distancer) despegarse de; (abandonner) dejar, abandonar // vi soltar; **~ les amarres** soltar amarras; **~ les chiens (contre)** largar los perros (contra); **~ prise** aflojar; (fig) soltar prenda.

lâcheté [lɑʃte] nf cobardía; ruindad f, bajeza.

lacis [lasi] nm red f, laberinto.

laconique [lakɔnik] a lacónico(a).

lacrymogène [lakRimɔʒɛn] a lacrimógeno(a).

lacté, e [lakte] a lácteo(a).

lacune [lakyn] nf laguna, blanco; (de connaissances) laguna, falta.

lad [lad] nm mozo de cuadra.

là-dedans [laddã] ad ahí adentro; (fig) de o en eso.

là-dehors [ladɔR] ad allí afuera, afuera de eso.

là-derrière [ladeRjɛR] ad allí atrás; (fig) detrás de eso.

là-dessous [ladsu] ad ahí debajo; (fig) debajo de eso.

là-dessus [ladsy] ad ahí encima o arriba; (fig) sobre eso, respecto a eso.

là-devant [ladvã] ad ahí adelante, adelante.

ladite [ladit] dét voir **ledit**.

lagon [lagɔ̃] nm laguna salada.

lagune [lagyn] nf laguna.

là-haut [lao] ad allá arriba.

laïc [laik] a, nm/f = **laïque**.

laïciser [laisize] vt dar carácter laico a.

laid, e [lɛ, ɛd] a feo(a); **~eron** nm loro, callo; **~eur** nf fealdad f; abyección f.

laie [lɛ] nf jabalina.

lainage [lɛnaʒ] nm jersey m; lana, tejido de lana.

laine [lɛn] nf lana; **~ de verre** lana de vidrio; **laineux, euse** a lanoso(a); lanudo(a).

laïque [laik] a laico(a) // nm/f lego/a.

laisse [lɛs] nf (de chien) correa; **tenir en ~** manejar a su antojo.

laissé, e-pour-compte [lesepuRkɔ̃t] a (COMM) resto, mercadería de rechazo // nm/f dejado/a de lado.

laisser [lese] vt dejar // vb auxiliaire: **~ qn faire** dejar o permitir a alguien hacer; **se ~ exploiter** dejarse explotar; **se ~ aller** dejarse llevar; **laisse-toi faire** déjate llevar; **~-aller** nm negligencia, dejadez f.

laissez-passer [lesepɑse] nm salvoconducto.

lait [lɛ] nm leche f; **frère/sœur ~** hermano/hermana de leche; **~ entier/écrémé** leche entera/desnatada; **~ concentré/en poudre** leche condensada/en polvo; **~ démaquillant** leche de limpieza; **~age** nm producto lácteo; **~erie** nf lechería; **~eux, euse** a lechoso(a); **~ier, ière** a lácteo(a) // nm/f lechero/a; **vache ~ière** vaca lechera.

laiton [lɛtɔ̃] nm latón m.

laitue [lety] nf lechuga.

laïus [lajys] nm (péj) perorata.

lambeau, x [lɑ̃bo] nm (de tissu) jirón m; (de chair) colgajo; **en ~x** a jirones.

lambin, e [lɑ̃bɛ̃, in] a (péj) holgazán(ana), remolón(ona).

lambris [lɑ̃bʀi] nm revestimiento; **~sé, e** a revestido(a).

lame [lam] nf hoja; (lamelle) lámina; (vague) ola; **~ de fond** ola de fondo; **~ de rasoir** hoja de afeitar.

lamé, e [lame] a lamé, laminado(a) // nm lamé m.

lamelle [lamɛl] nf laminilla; (de champignon) laminilla, hojuela.

lamentable [lamɑ̃tabl(ə)] a lamentable.

lamenter [lamɑ̃te]: **se ~** vi: **se ~ (sur)** lamentarse o quejarse (de).

laminer [lamine] vt laminar; **laminoir** nm laminador m.

lampadaire [lɑ̃padɛʀ] nm lámpara de pie; (dans la rue) farol m, farola.

lampe [lɑ̃p(ə)] nf lámpara; (de chevet) velador m; (TECH) lámpara, válvula; **~ à pétrole** lámpara de petróleo; **~ de poche** linterna; **~ à souder** soplete m.

lampée [lɑ̃pe] nf trago.

lampion [lɑ̃pjɔ̃] nm farolillo.

lampiste [lɑ̃pist(ə)] nm lamparista m.

lance [lɑ̃s] nf lanza; **~ d'incendie** manga o manguera de incendio.

lancée [lɑ̃se] nf: **continuer sur sa ~** aprovechar el impulso inicial.

lance-flammes [lɑ̃sflam] nm inv lanzallamas m inv.

lance-grenades [lɑ̃sgʀənad] nm inv lanzagranadas m inv.

lancement [lɑ̃smɑ̃] nm lanzamiento; (d'un bateau) botadura.

lance-pierres [lɑ̃spjɛʀ] nm inv tirador m, tirachinas m inv.

lancer [lɑ̃se] nm (SPORT) lanzamiento // vt lanzar; (ballon, pierre, flamme) lanzar, arrojar; (bateau) botar, varar; (mandat d'arrêt) dar; **~ qch à qn** arrojar algo a alguien; (avec agression) arrojar o tirar algo a alguien; **se ~** vi lanzarse.

lance-roquettes [lɑ̃sʀɔkɛt] nm inv lanzaproyectiles m inv.

lance-torpilles [lɑ̃stɔʀpij] nm inv lanzatorpedos m inv.

lancinant, e [lɑ̃sinɑ̃, ɑ̃t] a obsesivo(a); (douleur) punzante.

landau [lɑ̃do] nm cochecito de niño.

lande [lɑ̃d] nf landa.

langage [lɑ̃gaʒ] nm lenguaje m.

lange [lɑ̃ʒ] nm mantilla; **langer** vt envolver en mantillas; **table à langer** envolvedor m.

langoureux, euse [lɑ̃guʀø, øz] a lánguido(a).

langouste [lɑ̃gust(ə)] nf langosta; **langoustine** nf cigala.

langue [lɑ̃g] nf lengua; **tirer la ~ (à)** sacar la lengua (a); **de française** de lengua francesa; **~ maternelle** lengua madre; **~ de terre** lengua o franja de tierra; **~ verte** germanía; **~ vivante** lengua viva; **languette** nf lengüeta.

langueur [lɑ̃gœʀ] nf languidez f.

languir [lɑ̃giʀ] vi languidecer; **faire ~ qn** hacer esperar a alguien; **se ~ de** suspirar por; languidecer de.

lanière [lanjɛʀ] nf correa.

lénifian.. (legal,) o) a legal.
...ge ...lement; ...nm ...galité o ...ersal nm; ...dicional; ...yenda.

...de ...laps lapso de ...tacayo.
...laca; **laqué**, e a ...en laca.
...pron voir **lequel**.
...cin [larsē] nm ratería.
...rd [lar] nm (graisse) tocino, lardo; (bacon) tocino; ~**er** [larde] vt (CULIN) mechar; ~**on** [lardɔ̃] nm (CULIN) lonja de tocino.

large [larʒ(ə)] a (rue, espace) ancho(a), amplio(a); (robe, veste) ancho(a), holgado(a); (sourire, panorama, place) amplio(a); (bouche) ancho(a), grande; (fig) generoso(a), espléndido(a) // ad: **calculer/voir** ~ calcular/ver con amplitud // nm ancho; (mer): **le** ~ el alta mar; **au** ~ **de** a la altura de; ~ **d'esprit** amplio de mentalidad; ~**ment** ad ampliamente; en abundancia; abundantemente, generosamente; al menos; más que; **largesse** nf largueza, generosidad f; **largesses** fpl (dons) dones espléndidos; **largeur** nf (qu'on mesure) ancho, anchura; (impression visuelle, fig) amplitud f.

larguer [large] vt arrojar; (parachutiste) lanzar; (fam) largar; ~ **les amarres** soltar amarras.

larme [larm(ə)] nf lágrima; (fig): **une** ~ **de** una gota de; **en** ~**s** en lágrimas o llanto; **larmoyer** vi lagrimear; (se plaindre) lloriquear.

larron [larɔ̃] nm ladrón m.

larve [larv(ə)] nf larva.

larvé, **e** [larve] a (fig) latente.

laryngite [larēʒit] nf laringitis f.

laryngologiste [larēgɔlɔʒist(ə)] nm/f laringólogo/a.

larynx [larēks] nm laringe f.

las, **lasse** [lɑ, lɑs] a cansado(a), extenuado(a); ~ **de** harto de.

lascar [laskar] nm barbián m; (malin) pícaro, bribón m.

lascif, **ive** [lasif, iv] a lascivo(a).

laser [lazɛr] nm, a: (rayon) ~ (rayo) láser m.

lasse [lɑs] af voir **las**.

lasser [lɑse] vt cansar, aburrir; agotar; **se** ~ **de** cansarse o hartarse de.

lassitude [lɑsityd] nf cansancio, agotamiento; hastío.

lasso [laso] nm lazo; **prendre au** ~ coger con lazo, enlazar.

latent, **e** [latɑ̃, ɑ̃t] a latente.

latéral, **e**, **aux** [lateral, o] a lateral; ~**ement** ad lateralmente; de lado.

latex [latɛks] nm látex m.

latin, **e** [latɛ̃, in] a, nm/f latino(a) // nm latín m; ~**iste** [-tinist(ə)] nm/f latinista m/f; **latino-américain**, **e** a latinoamericano(a).

latitude [latityd] nf latitud f; (fig) libertad f.

latrines [latrin] nfpl letrinas.

latte [lat] nf listón m, tabla; (de plancher) tableta, listón.

lauréat, **e** [lɔrea, at] nm/f galardonado/a.

laurier [lɔrje] nm laurel m; ~**s** mpl (fig) laureles mpl.

lavable [lavabl(ə)] a lavable.

lavabo [lavabo] nm palangana, lavabo; ~**s** mpl baños.

lavage [lavaʒ] nm lavado; ~ **d'estomac/d'intestin** lavaje m de estómago/de intestinos; ~ **de cerveau** lavaje de cerebro.

lavande [lavɑ̃d] nf lavanda, espliego.

lavandière [lavɑ̃djɛr] nf lavandera.

lave [lav] nf lava.

lave-glace [lavglas] nm (AUTO) lavaparabrisas m inv.

lavement [lavmã] nm lavativa.

laver [lave] vt lavar; (tache) sacar, limpiar; se ~ lavarse; ~ la vaisselle fregar los platos; ~ le linge lavar la ropa; se ~ les mains lavarse las manos; se ~ les mains de qch (fig) lavarse las manos con respecto a algo; ~ qn de (accusation) defender a alguien de; ~ie [lavri] nf: ~ie (automatique) lavandería; lavette nf trapo de fregar; **lave-vaisselle** nm inv lavaplatos m inv.

lavis [lavi] nm (technique) aguada; (dessin) lavado.

lavoir [lavwaʀ] nm lavadero; artesa para lavar, tina.

laxatif, ive [laksatif, iv] a, nm laxante (m).

layette [lɛjɛt] nf ropita de bebé.

le (l'), la, les [l(ə), la, le] dét el m, la f, los mpl, las fpl // pron le m (pour personnes uniquement), lo m, la f, los mpl, las fpl; (indique la possession): avoir les yeux gris/le nez rouge tener los ojos grises/la nariz roja; (remplaçant une phrase): il était riche et ne l'est plus (él) era rico y no lo es más; le jeudi etc al los jueves; (ce jeudi- là) el jueves; le matin/soir ad por la mañana/ noche; 10 F le mètre 10 F el metro.

lécher [leʃe] vt lamer; ~ les vitrines mirar los escaparates; se ~ vt (doigts etc) chuparse, lamerse.

leçon [ləsɔ̃] nf lección f; faire la ~ dar clase; faire la ~ à (fig) dar una lección a; ~ de choses lección práctica; ~s de conduite reglas o lecciones de conducta o comportamiento; ~s particulières clases fpl particulares.

lecteur, trice [lɛktœʀ, tʀis] nm/f lector/ora // nm (TECH): ~ de cassettes tocacassettes f.

lecture [lɛktyʀ] nf lectura.

ledit [lədi], **ladite** [ladit], mpl **lesdits** [ledi], fpl **lesdites** [ledit] dét dicho(a), susodicho(a).

légal, e, aux ... ~ement ad leg... legalizar; ~ité nf l...

légataire [lega...] universel legatario...

légendaire [leʒãdɛʀ] rio(a); (fig) célebre, m...

légende [leʒãd] nf ... carte, plan) referencia.

léger, ère [leʒe, ɛʀ] a ... liviano(a); (vent, brume, bri... leve, ligero(a); (erreur, retar... (thé, boisson) ligero(a); (ta... ligero(a), superficial; à la lége... a la ligera; **légèrement** suavemente, levemente; (par... agir) imprudentemente; **légèr...** **ment plus grand** levemente ligeramente más grande; **légèreté** nf ligereza; liviandad f.

légiférer [leʒifeʀe] vi legislar.

légion [leʒjɔ̃] nf legión f; ~ étrangère legión extranjera; ~naire nm legionario.

législatif, ive [leʒislatif, iv] a legislativo(a).

législation [leʒislasjɔ̃] nf legislación f.

législature [leʒislatyʀ] nf legislatura.

légiste [leʒist(ə)] a: médecin ~ médico forense.

légitime [leʒitim] a legítimo(a); en état de ~ défense en legítima defensa; ~ment ad legítimamente; **légitimité** nf legitimidad f.

legs [lɛg] nm legado.

léguer [lege] vt: ~ qch à qn legar algo a alguien.

légume [legym] nm legumbre f, hortaliza.

leitmotiv [lajtmɔtif] nm leitmotiv m.

lendemain [lãdmɛ̃] nm: le ~ el día siguiente o después; le ~ matin/soir al día siguiente por la mañana/noche; penser au ~ pensar en el mañana o porvenir; sans ~ sin porvenir o futuro.

lénifiant, e [lenifjã, ãt] a consolador(ora), alentador(ora).

lent, e [lɑ̃, ɑ̃t] a lento(a), pausado(a); (*changement, administration*) lento(a); **~ement** ad lentamente; **~eur** nf lentitud f.

lentille [lɑ̃tij] nf lente f; (BOT) lenteja.

léopard [leɔpaʀ] nm leopardo.

lèpre [lɛpʀ(ə)] nf lepra; **lépreux, euse** nm/f leproso(a) // a (*fig*) roñoso(a).

lequel, laquelle [ləkɛl, lakɛl], mpl **lesquels**, fpl **lesquelles** [lekɛl] (*avec à, de*: **auquel, duquel** etc) pron (*interrogatif*) cuál m/f, cuáles m/fpl; (*relatif*: *personne*) que, quien m/f, quienes m/fpl, el/la cual, los/las cuales, el/la que, los/las que; (: *chose*) que, el/la cual, los/las cuales, el/la que, los/las que // a: **auquel cas** en cuyo caso; **il prit un ~ livre...** (él) tomó un libro que...

les [le] dét voir **le**.

lesbienne [lɛsbjɛn] nf lesbiana.

lèse-majesté [lɛzmaʒɛste] nf: **crime de ~** crimen m de lesa majestad.

léser [leze] vt perjudicar.

lésion [lezjɔ̃] nf lesión f.

lesquels, lesquelles [lekɛl] pron voir **lequel**.

lessive [lesiv] nf (*poudre*) lejía; (*linge*) ropa a lavar; (*opération*) lavado; **faire la ~** lavar la ropa.

lessiver [lesive] vt lavar.

lest [lɛst] nm lastre m.

leste [lɛst(ə)] a ágil, ligero(a).

lester [lɛste] vt lastrar.

léthargie [letaʀʒi] nf letargo f; **léthargique** a aletargado(a), letárgico(a).

lettre [lɛtʀ(ə)] nf letra; (*missive*) carta; **~s** fpl literatura; (SCOL) Filosofía y Letras; **à la ~** a la, al pie de la letra; **en toutes ~s** por extenso, sin abreviar; **~ anonyme** carta anónima; **~ de change** letra de cambio.

lettré, e [letʀe] a letrado(a).

leucémie [løsemi] nf leucemia.

leur [lœʀ] dét su, sus // pron les,

(*avant un autre pronom à la 3ème personne*) se; **le(la) ~, les ~s** el(la) suyo(a), los(las) suyos(as); **à ~ approche** al acercarse (ellos(as)); **à ~ vue** a su vista; al verles.

leurre [lœʀ] nm cebo artificial; (*fig*) engaño, engañifa; **leurrer** vt embaucar, engañar.

levain [ləvɛ̃] nm levadura.

levant, e [ləvɑ̃, ɑ̃t] a: **soleil ~** sol m naciente // nm: **le L~** el Levante.

levé, e [ləve] a: **être ~** estar levantado; **au pied ~** de improviso.

levée [ləve] nf (POSTES) recogida; (CARTES) baza; **~ de boucliers** levantamiento, rebelión f; **~ du corps** levantamiento del cadáver; **~ d'écrou** liberación f; **~ de troupes** reclutamiento de tropas.

lever [ləve] vt levantar; (*vitre, bras* etc) levantar, alzar; (*impôts*) recaudar; (*armée*) reclutar; (*fam*: *fille*) seducir // vi (CULIN) leudar // nm: **au ~** al amanecer; **se ~** vi levantarse; (*soleil*) salir; (*jour*) nacer; **ça va se ~** va a aclarar o despejar(se); **~ du jour** amanecer m; **~ du rideau** subida del telón; **~ de rideau** pieza de entrada; **~ du soleil** salida del sol.

levier [ləvje] nm palanca.

lévitation [levitasjɔ̃] nf levitación f.

lèvre [lɛvʀ(ə)] nf labio.

lévrier [levʀije] nm lebrel m.

levure [ləvyʀ] nf: **~ de bière** levadura de cerveza; **~ de boulanger** levadura de pan.

lexicographie [lɛksikɔgʀafi] nf lexicografía.

lexique [lɛksik] nm léxico.

lézard [lezaʀ] nm lagarto.

lézarde [lezaʀd(ə)] nf grieta; **lézarder: se lézarder** vi agrietarse.

liaison [ljɛzɔ̃] nf relación f; (RAIL, AVIAT etc) comunicación f; (PHONÉTIQUE) enlace m; **entrer/être en ~ avec** entrar/estar en comunicación con; **~ radio/téléphonique** contacto radiofónico/telefónico.

liane [ljan] nf liana, bejuco.

liant, e [ljɑ̃, ɑ̃t] a sociable.

liasse [ljas] *nf* fajo.

Liban [libɑ̃] *nm*: **le ~ el** Líbano; **l~ais, e** a, *nm/f* libanés(esa).

libeller [libele] *vt*: **~ (au nom de)** extender (a la orden de); (*lettre, rapport*) redactar.

libellule [libelyl] *nf* libélula.

libéral, e, aux [liberal, o] *a, nm/f* liberal (*m/f*); **~iser** *vt* liberalizar; **~isme** *nm* liberalismo.

libéralité [liberalite] *nf* don *m*, presente *m*.

libérateur, trice [liberatœr, tris] *a* liberador(a) // *nm/f* libertador/ora.

libération [liberɑsjɔ̃] *nf* liberación *f*; licenciamiento.

libérer [libere] *vt* liberar; (*pays, peuple*) libertar; (*soldat*) licenciar; (*ÉCON*) liberalizar; **se ~** (*de rendez-vous*) liberarse; **~ qn de** liberar a uno de.

libertaire [libertɛr] *a* libertario(a).

liberté [liberte] *nf* libertad *f*; **~s** *fpl* (*privautés*) libertades *fpl*, atrevimiento; **en ~ provisoire/surveillée/conditionnelle** en libertad provisoria/vigilada/condicional; **~ de réunion/d'association** derecho de reunión/de asociación; **~ de la presse/d'opinion** libertad de prensa/de opinión; **~ d'esprit** libertad o independencia de juicio.

libertin, e [libertɛ̃, in] *a* libertino(a), disoluto(a).

libidineux, euse [libidinø, øz] *a* libidinoso(a), lujurioso(a).

libido [libido] *nf* libido *f*.

libraire [librɛr] *nm/f* librero/a.

librairie [librɛri] *nf* librería.

libre [libr(ə)] *a* libre; (*propos*) licencioso(a), atrevido(a); (*manières*) desenvuelto(a), desembarazado(a); **~ arbitre** libre arbitrio o albedrío; **~-échange** *nm* librecambio; **~ment** ad libremente; atrevidamente; **~-service** *nm* auto-servicio.

librettiste [libretist(ə)] *nm/f* libretista *m/f*.

licence [lisɑ̃s] *nf* licencia; (*liberté*)

libertinaje *m*; licencia; libertad *f*; **licencié, e** *nm/f* (*SCOL*): **licencié ès lettres/en droit** licenciado en letras/en derecho; (*SPORT*) poseedor/ora de una licencia.

licenciement [lisɑ̃simɑ̃] *nm* licenciamiento, despido.

licencier [lisɑ̃sje] *vt* licenciar, despedir; (*débaucher*) despedir.

licencieux, euse [lisɑ̃sjø, øz] *a* licencioso(a), disoluto(a).

lichen [likɛn] *nm* liquen *m*.

licorne [likɔrn(ə)] *nf* unicornio.

licou [liku] *nm* cabestro.

lie [li] *nf* heces *fpl*.

lié, e [lje] *a* (*fig*) íntimo(a).

liégeois, e [ljeʒwa, az] *a*: **café ~** helado de café con nata.

liège [ljɛʒ] *nm* corcho.

lien [ljɛ̃] *nm* ligadura, correa; (*analogie*) relación *f*, analogía; (*affectif, culturel*) vínculo, relación; **~ de parenté** lazo de parentesco.

lier [lje] *vt* (*attacher*) atar; (*joindre*) unir, ligar; (*fig: unir*) unir, vincular; (*CULIN*) espesar; **~ qch à** atar algo a; ligar algo a; **~ conversation** entablar conversación con; **se ~ avec** relacionarse con.

lierre [ljɛr] *nm* hiedra.

liesse [ljɛs] *nf*: **être en ~** estar alborozado(a).

lieu, x [ljø] *nm* lugar *m*, sitio; **~x** *mpl*: **quitter les ~x** abandonar un sitio; (*endroit*): **être sur les ~x** estar en el escenario; **en ~ sûr** en lugar seguro; **en haut ~** en las altas esferas; **en premier/dernier ~** en primer/último lugar; **avoir ~** ocurrir, efectuarse; **avoir ~ de** tener razones para; **tenir ~ de** hacer las veces de; **donner ~ à** dar lugar a; **au ~ de** en lugar de; **~ commun** lugar común; **~ de départ** punto o lugar de partida.

lieu-dit [ljødi] *nm* lugar denominado o llamado.

lieue [ljø] *nf* legua.

lieutenant [ljøtnɑ̃] *nm* teniente *m*.

lièvre [ljɛvr(ə)] *nm* liebre *f*.

liftier [liftje] *nm* ascensorista *m*.

ligament [ligamã] *nm* ligamento.

ligature [ligatyʀ] *nf* ligadura; **ligaturer** *vt* ligar.

lige [liʒ] *a:* **homme ~** hombre *m* incondicional.

ligne [liɲ] *nf* línea; **à la ~** aparte, en párrafo aparte; **entrer en ~ de compte** entrar en cuenta; **~ de but** línea de gol o meta; **~ d'horizon** línea del horizonte; **~ de mire** línea de mira; **émission f en ~ ouverte** emisión *f* en línea abierta; **~ de touche** línea de banda.

lignée [liɲe] *nf (race, famille)* casta; *(postérité)* descendencia.

ligneux, euse [liɲø, øz] *a* leñoso(a).

lignite [liɲit] *nm* lignito.

ligoter [ligote] *vt* amarrar, atar.

ligue [lig] *nf* liga; **liguer** *vt:* **se liguer contre** aliarse contra.

lilas [lila] *nm* lila.

limace [limas] *nf* babosa.

limaille [limaj] *nf:* **~ de fer** limadura de hierro.

limande [limãd] *nf* gallo, platija.

lime [lim] *nf* lima; **~ à ongles** lima de uñas; **limer** *vt* limar; *(fig: prix)* reducir.

limier [limje] *nm* sabueso.

liminaire [liminɛʀ] *a* preliminar.

limitation [limitasjɔ̃] *nf* limitación *f*.

limite [limit] *nf* límite *m*; *(de terrain)* lindero, linde *m*; **vitesse/charge ~** velocidad/carga máxima; **date ~** fecha última.

limiter [limite] *vt (délimiter)* delimitar, demarcar; *(restreindre)* restringir, limitar.

limitrophe [limitʀɔf] *a* limítrofe, lindante; **~ de** confinante con.

limoger [limɔʒe] *vt* destituir, deponer.

limon [limɔ̃] *nm* limo, lodo.

limonade [limɔnad] *nf* limonada, gaseosa.

limpide [lɛ̃pid] *a* límpido(a).

lin [lɛ̃] *nm* lino.

linceul [lɛ̃sœl] *nm* mortaja.

linéaire [lineɛʀ] *a* lineal.

linge [lɛ̃ʒ] *nm (serviettes etc)* ropa blanca; *(pièce de tissu)* lienzo; *(aussi:* **~ de corps)** ropa interior; *(aussi:* **~ de toilette)** ropa blanca; *(lessive)* ropa sucia; **~ sale** ropa sucia; **~rie** *nf* lencería.

lingot [lɛ̃go] *nm* lingote *m*.

linguiste [lɛ̃gɥist] *nm/f* lingüista *m/f*.

linguistique [lɛ̃gɥistik] *a* lingüístico(a) // *nf* lingüística.

lino(léum) [lino(leɔm)] *nm* linóleo.

lion, ne [ljɔ̃, ɔn] *nm/f* león/ona; *(ASTRO):* **le L~** Leo; **être du L~** ser de Leo; **~ceau, x** *nm* cachorro de león.

lippu, e [lipy] *a* bezudo(a).

liquéfier [likefje] *vt* licuefacer; **se ~** *vi* licuefacerse.

liqueur [likœʀ] *nf* licor *m*.

liquide [likid] *a* líquido(a) // *nm* líquido; *(COMM):* **en ~** en líquido.

liquider [likide] *vt* liquidar.

liquidités [likidite] *nfpl (COMM)* liquidez *f*.

lire [liʀ] *nf* lira // *vt, vi* leer.

lis [lis] *nm* = **lys.**

Lisbonne [lisbɔn] *n* Lisboa.

liseré [lizʀe] *nm* ribete *m*.

liseron [lizʀɔ̃] *nm* enredadera, campánula.

liseuse [lizøz] *nf* cubierta.

lisez *vb voir* **lire.**

lisible [lizibl(ə)] *a* legible.

lisière [lizjɛʀ] *nf (de forêt)* linde *m*; *(de tissu)* orillo.

lisons *vb voir* **lire.**

lisse [lis] *a* liso(a); **lisser** *vt* alisar, pulir.

liste [list(ə)] *nf* lista.

lit [li] *vb voir* **lire** // *nm* cama; *(de rivière)* lecho; **se mettre au ~** meterse en la cama; **prendre le ~** guardar cama, meterse en la cama; **~ de camp** cama de campaña; **~ de feuilles** lecho de hojas.

litanie [litani] *nf* letanía, sarta.

literie [litʀi] *nf* ropa de cama.

lithographie [litɔgʀafi] *nf* litografía.

litière [litjɛʀ] *nf* cama de paja.

litige [litiʒ] nm litigio; **litigieux, euse** a discutido(a), litigoso(a).

litre [litʀ(ə)] nm litro; (récipient) botella de litro.

littéraire [liteʀeʀ] a literario(a).

littéral, e, aux [literal, o] a literal.

littérature [literatyʀ] nf literatura.

littoral, e, aux [litoʀal, o] a, nm litoral (m).

liturgie [lityʀʒi] nf liturgia; **liturgique** a litúrgico(a).

livide [livid] a lívido(a).

livraison [livʀɛzɔ̃] nf reparto, entrega.

livre [livʀ(ə)] nm (gén) libro // nf libra; ~ **de chevet** libro de cabecera; ~ **de messe** libro de misa, misal m; ~ **de poche** libro de bolsillo.

livré, e [livʀe] a: ~ **à soi-même** librado a sí // nf librea.

livrer [livʀe] vt (COMM) entregar, repartir; (otage, coupable) entregar; (secret, information) revelar, confiar; se ~ **à** (se confier) confiarse con; (police etc, débauche etc, pratiques, travail) entregarse a; (sport) dedicarse a; (enquête) efectuar; ~ **bataille** entablar o librar una batalla.

livret [livʀe] nm librito; (d'opéra) libreto; ~ **de caisse d'épargne** cartilla de ahorros; ~ **de famille** cartilla de familia; ~ **scolaire** libro escolar.

livreur, euse [livʀœʀ, øz] nm/f repartidor/ora.

lobe [lɔb] nm lóbulo.

lober [lɔbe] vt volear por alto.

local, e, aux [lɔkal, o] a, nm local (m); **locaux** mpl locales mpl.

localiser [lɔkalize] vt localizar; (limiter) circunscribir.

localité [lɔkalite] nf localidad f.

locataire [lɔkatɛʀ] nm/f inquilino/a.

locatif, ive [lɔkatif, iv] a a cuenta del inquilino; (valeur) del alquiler,

de la locación; (immeuble) de alquiler.

location [lɔkasjɔ̃] nf alquiler m; ~-**vente** alquiler con opción a compra.

lock-out [lɔkawt] nm inv lock-out m.

locomotion [lɔkɔmosjɔ̃] nf locomoción f.

locomotive [lɔkɔmotiv] nf locomotora.

locution [lɔkysjɔ̃] nf frase f.

logarithme [lɔgaritm(ə)] nm logaritmo.

loge [lɔʒ] nf (THÉÂTRE) camarín m; (de spectateurs) palco; (de concierge) conserjería; (de francmaçon) logia.

logement [lɔʒmɑ̃] nm alojamiento; casa; **chercher un** ~ buscar una casa; **construire des** ~**s bon marché** construir viviendas económicas; **crise du** ~ crisis f de la vivienda; ~ **de fonction** alojamiento de servicio.

loger [lɔʒe] vt alojar; (suj: hôtel, école) alojar, albergar // vi alojarse; **se** ~: **trouver à se** ~ encontrar donde vivir; **se** ~ (suj: balle, flèche) alojarse o meterse en; **logeur, euse** nm/f hospedero/a, posadero/a.

loggia [lɔdʒja] nf loggia.

logique [lɔʒik] a lógico(a) // nf lógica; ~**ment** ad lógicamente.

logis [lɔʒi] nm casa.

logistique [lɔʒistik] nf logística.

loi [lwa] nf ley f; **faire la** ~ dictar la ley; ~-**cadre** nf estatuto, ley de bases.

loin [lwɛ̃] ad lejos; ~ **de** lejos de; **pas** ~ **de 1.000 F** no mucho menos de 1.000 F; **au** ~ (a lo) lejos; **de** ~ de lejos.

lointain, e [lwɛ̃tɛ̃, ɛn] a lejano(a) // nm: **dans le** ~ a lo lejos.

loir [lwaʀ] nm lirón m.

Loire [lwaʀ] nf Loira m.

loisir [lwaziʀ] nm: **heures de** ~ horas de ocio; ~**s** mpl tiempo libre; (activités) distracciones fpl; **prendre/avoir le** ~

tomarse/tener tiempo para; **(tout) à ~** con (toda) tranquilidad.

londonien, ne [lɔ̃dɔnjɛ̃, ɛn] *a, nm/f* **londinense** (*m/f*).

Londres [lɔ̃dʀ(ə)] *n* Londres.

long, longue [lɔ̃, lɔ̃g] *a* largo(a) // *ad:* **en dire/savoir ~** decir/saber mucho // *nm* largo // *nf:* **à la longue** a la larga; **ne pas faire ~ feu** durar poco; **être ~ à faire** ser lento para hacer; **en ~** *ad* a lo largo; **(tout) le ~ de** a lo largo de; **tout au ~ de** (*année, vie*) a lo largo de; **de ~ en large** de un lado a otro; **en ~ et en large** (*fig*) a fondo; **navigation/capitaine au ~ cours** navegación *f*/capitán *m* de altura.

longanimité [lɔ̃ganimite] *nf* paciencia.

long-courrier [lɔ̃kuʀje] *nm* avión *m* de larga distancia.

longe [lɔ̃ʒ] *nf* (*corde*) cabestro, cadena; (*CULIN*) lomo.

longer [lɔ̃ʒe] *vt* bordear, costear; (*suj: mur, route*) bordear.

longévité [lɔ̃ʒevite] *nf* longevidad *f*.

longiligne [lɔ̃ʒiliɲ] *a* longilíneo(a).

longitude [lɔ̃ʒityd] *nf* longitud *f*.

longitudinal, e, aux [lɔ̃ʒitydinal, o] *a* longitudinal.

longtemps [lɔ̃tɑ̃] *ad* mucho tiempo, largamente; **avant ~** dentro de poco; **pour/pendant ~** por/durante mucho tiempo; **elle/il en a pour ~ (à)** (a ella/él) le queda mucho tiempo (antes de); **il y a que je l'ai rencontré/que n'ai pas travaillé** hace mucho tiempo que le encontré/no trabajo.

longuement [lɔ̃gmɑ̃] *ad* largamente.

longueur [lɔ̃gœʀ] *nf* largo, longitud *f*; **~s** *fpl* (*fig*) extensión *f*, largura; **une ~** (*de piscine*) un largo (de piscina); **sur une ~ de 10 km** en una extensión de 10 km; **en ~** *ad* a lo largo; **tirer en ~** ir para largo; **à ~ de journée** durante todo el día; **d'une ~** (*SPORT*) por un largo o cuerpo; **~ d'onde** longitud de onda.

longue-vue [lɔ̃gvy] *nf* anteojo de larga vista.

lopin [lɔpɛ̃] *nm:* **~ de terre** parcela de tierra.

loquace [lɔkas] *a* elocuente, locuaz.

loque [lɔk] *nf* pingajo, guiñapo; **~s** *fpl* harapos, andrajos.

loquet [lɔkɛ] *nm* picaporte *m*.

lorgner [lɔʀɲe] *vt* echarle el ojo a; diquelar; codiciar.

lorgnon [lɔʀɲɔ̃] *nm* quevedos *m*.

loriot [lɔʀjo] *nm* oropéndola.

lors [lɔʀ]: **~ de** *prép* en el momento de; (*pendant*) durante; **~ même que** aunque.

lorsque [lɔʀsk(ə)] *conj* cuando.

losange [lɔzɑ̃ʒ] *nm* rombo.

loterie [lɔtʀi] *nf* lotería; (*fig: destin*) suerte *f*.

loti, e [lɔti] *a:* **bien ~** favorecido; **mal ~** desfavorecido.

lotion [losjɔ̃] *nf* loción *f*; **~ après rasage** loción para después del afeitado; **~ capillaire** tónico capilar.

lotir [lɔtiʀ] *vt* parcelar, lotear; **lotissement** *nm* terreno loteado para la construcción; parcelación *f*.

loto [lɔto] *nm* lotería.

louage [lwaʒ] *nm:* **voiture de ~** coche *m* de alquiler.

louange [lwɑ̃ʒ] *nf:* **~s** *fpl* elogios, alabanzas; **à la ~ de** en elogio de.

louche [luʃ] *a* sospechoso(a), equívoco(a) // *nf* cucharón *m*.

loucher [luʃe] *vi* bizquear; (*fig*): **~ sur** írsele los ojos tras de.

louer [lwe] *vt* alquilar; (*réserver*) reservar; (*faire l'éloge de*) alabar, elogiar; (*qualités*) alabar, encomiar; (*Dieu*) alabar; **"à ~"** "se alquila"; **se ~** felicitarse o congratularse de.

loufoque [lufɔk] *a* chiflado(a).

loulou [lulu] *nm* (*chien*) perrito faldero.

loup [lu] *nm* lobo; **~ de mer** lobo marino.

loupe [lup] *nf* lupa; (*MENUISERIE*): **~ de noyer** nudo de nogal.

louper 242 lutin

louper [lupe] vt errar, fallar.

lourd, e [luʀ, uʀd(ə)] a pesado(a); (_démarche, gestes_) pesado(a), torpe; (_chaleur, temps_) pesado(a), bochornoso(a); (_tâche, impôts_) pesado(a), gravoso(a); (_parfum, vin_) fuerte // a: **peser** ~ pesar mucho; ~ **de** (_conséquences, menaces_) cargado de; (_fatigue, sommeil_) lleno de; ~**aud, e** a (péj) cachazudo(a), torpe; fastidioso(a); latoso(a); ~**ement** ad pesadamente, (fig) fastidiosamente; ~**eur** nf pesadez f, torpeza; ~**eur d'estomac** pesadez de estómago.

loutre [lutʀ(ə)] nf nutria.

louve [luv] nf loba.

louveteau, x [luvto] nm lobezno; (scout) scout m joven.

louvoyer [luvwaje] vi bordear; (fig) andar con rodeos.

lover [lɔve]: **se** ~ vi enroscarse.

loyal, e, aux [lwajal, o] a leal; **loyauté** nf lealtad f.

loyer [lwaje] nm alquiler m, arriendo; ~ **de l'argent** interés m del dinero.

lu, lue [ly] pp de **lire**.

lubie [lybi] nf ventolera, antojo.

lubrifiant [lybʀifjɑ̃] nm lubricante m.

lubrifier [lybʀifje] vt lubricar.

lucarne [lykaʀn(ə)] nf claraboya, tragaluz m.

lucide [lysid] a lúcido(a).

luciole [lysjɔl] nf luciérnaga.

lucratif, ive [lykʀatif, iv] a lucrativo(a).

luette [lɥɛt] nf campanilla.

lueur [lɥœʀ] nf resplandor m; (pâle) luz, resplandor; (fig) chispa; relámpago.

luge [lyʒ] nf luge f.

lugubre [lygybʀ(ə)] a lúgubre.

lui [lɥi] pron (objet indirect) le, (avant un autre pronom à la 3ème personne) se; (objet direct, avec prép: humain) él m, ella f; (: non humain ou animé, y compris pays) él; (sujet) él; **je le connais mieux que** ~ (yo) lo conozco mejor que a él;

(qu'il ne la connaît) (yo) la conozco mejor que él; **avec** ~ con él; (réfléchi) consigo; ~**-même** él mismo; (après prép) sí (mismo).

luire [lɥiʀ] vi brillar; relucir; resplandecer.

lumbago [lɔ̃bago] nm lumbago.

lumière [lymjɛʀ] nf luz f; (fig) aclaración f, esclarecimiento; ~**s** fpl (d'une personne) luces fpl, ilustración f; **à la** ~ **électrique** con luz eléctrica; **faire de la** ~ encender la luz; **faire (toute) la** ~ **sur** (fig) esclarecer; **mettre qch en** ~ (fig) poner algo en evidencia.

luminaire [lyminɛʀ] nm lámpara.

lumineux, euse [lyminø, øz] a luminoso(a); (éclairé) iluminado(a); (ciel, journée, couleur) radiante; luminoso(a); (fig: regard) brillante, radiante; **luminosité** nf luminosidad f.

lunaire [lynɛʀ] a lunar.

lunatique [lynatik] a mudable.

lunch [lœntʃ] nm lunch m.

lundi [lœdi] nm lunes m; **le** ~ **20 août** el lunes 20 de agosto.

lune [lyn] nf luna; ~ **de miel** luna de miel.

luné, e [lyne] a: **bien/mal** ~ de buen/mal humor.

lunette [lynɛt] nf: ~**s** fpl gafas, anteojos; (protectrices) gafas; ~ **d'approche** anteojo de larga vista; ~ **arrière** (AUTO) ventana trasera, cristal trasero; ~ **des cabinets** agujero del retrete; ~**s noires** anteojos negros; ~**s de soleil** gafas de sol.

lurette [lyʀɛt] nf: **il y a belle** ~ hace tiempo o siglos.

luron, ne [lyʀɔ̃, ɔn] nm/f barbián/ana; **joyeux** ou **gai** ~ juerguista m.

lustre [lystʀ(ə)] nm araña.

lustrer [lystʀe] vt lustrar; (user) gastar, lustrar por el uso.

luth [lyt] nm laúd m; ~**ier** nm fabricante m de instrumentos de cuerda.

lutin [lytɛ̃] nm duende m.

lutrin [lytrɛ̃] *nm* facistol *m*.

lutte [lyt] *nf* lucha; **lutter** *vi* luchar; **lutteur** *nm* luchador *m*.

luxe [lyks(ə)] *nm* lujo; **de** ~ **a** de lujo.

Luxembourg [lyksɑ̃buʀ] *nm*: **le** ~ Luxemburgo.

luxer [lykse] *vt*: **se** ~ **l'épaule** dislocarse el hombro.

luxueux, euse [lyksɥø, øz] *a* lujoso(a).

luxure [lyksyʀ] *nf* lujuria.

luxuriant, e [lyksyʀjɑ̃, ɑ̃t] *a* lujurioso(a).

luzerne [lyzɛʀn(ə)] *nf* alfalfa.

lycée [lise] *nm* liceo; ~ **technique** liceo *o* instituto técnico; **lycéen, ne** *nm/f* alumno/a de un liceo *o* instituto.

lymphatique [lɛ̃fatik] *a* (*fig*) linfático(a).

lymphe [lɛ̃f] *nf* linfa.

lyncher [lɛ̃ʃe] *vt* linchar.

lynx [lɛ̃ks] *nm* lince *m*.

lyre [liʀ] *nf* lira.

lyrique [liʀik] *a* lírico(a).

lyrisme [liʀism(ə)] *nm* lirismo.

lys [lis] *nm* lis *m*.

M

m' [ɛm] *pron voir* me.

M. [ɛm] *abrév de* **Monsieur**.

ma [ma] *dét voir* mon.

maboul [mabul] *a* chiflado(a).

macabre [makabʀ(ə)] *a* macabro(a), fúnebre.

macadam [makadam] *nm* macadán *m*.

macaron [makaʀɔ̃] *nm* macarrón *m*; (*natte*) rodete *m*; (*ornement, motif*) insignia.

macaroni [makaʀɔni] *nm* macarrones *mpl*; ~ **au fromage/au gratin** macarrones con queso/gratinados.

macédoine [masedwan] *nf*: ~ **de**

légumes/fruits macedonia de verduras/frutas.

macérer [maseʀe] *vi* macerar.

mâché, e [maʃe] *a*: **papier** ~ **pasta de papel, papel** *m* maché.

mâchefer [maʃfɛʀ] *nm* cagafierro, escoria mineral.

mâcher [maʃe] *vt* mascar, masticar; ~ **le travail à qn** darle el trabajo servido a alguien; **ne pas** ~ **ses mots** no tener pelos en la lengua.

machiavélique [makjavelik] *a* maquiavélico(a).

machin [maʃɛ̃] *nm* (*fam*) chirimbolo, trasto; **M**~ Fulano/a.

machinal, e, aux [maʃinal, o] *a* maquinal, mecánico(a).

machination [maʃinasjɔ̃] *nf* maquinación *f*, tejemaneje *m*.

machine [maʃin] *nf* máquina; **la** ~ **administrative** el aparato administrativo; **faire** ~ **arrière** dar marcha atrás; ~ **à laver/coudre** máquina de lavar/coser; ~ **à écrire** máquina de escribir; ~**-outil** *nf* máquina herramienta; ~ **à sous** máquina tragamonedas; ~ **à tricoter** máquina de hacer punto; ~ **à vapeur** máquina de vapor; ~**rie** *nf* maquinaria; (*d'un navire*) sala de máquinas; **machinisme** *nm* maquinismo; **machiniste** *nm* operador *m*, tramoyista *m*; (*conducteur, mécanicien*) maquinista *m*.

mâchoire [maʃwaʀ] *nf* mandíbula; (*TECH*) mordaza, mandíbula; ~ **de frein** zapata de freno.

mâchonner [maʃɔne] *vt* mordisquear.

maçon [masɔ̃] *nm* albañil *m*; ~**ner** *vt* construir; mampostear; ~**nerie** *nf* mampostería; ~**nerie de briques** construcción *f* de ladrillos.

maçonnique [masɔnik] *a* masónico(a).

maculer [makyle] *vt* manchar.

Madame, *pl* **Mesdames** [madam, medam] *nf*: ~ **X** la señora X; **occupez-vous de** ~/**Monsieur/Mademoiselle** atienda a la señora/al señor/a la señorita; **bonjour ~/Monsieur/Mademoiselle** buenos días señora/señor/señorita; **bonjour Mesdames/Messieurs/Mesdemoiselles** buenos días señoras/señores/señoritas; ~/**Monsieur/Mademoiselle!** (pour appeler) ¡señora/señor/señorita! **Mme/M./Mlle X** (sur enveloppe) la Sra/el Sr/la Srta X; ~/**Monsieur/Mademoiselle** (sur lettre) estimada señora/estimado señor/estimada señorita; **chère ~/cher Monsieur/chère Mademoiselle** muy señora mía/señor mío/señorita mía.

madeleine [madlɛn] nf magdalena.

Mademoiselle, pl **Mesdemoiselles** [madmwazɛl, medmwazɛl] nf señorita; voir aussi **Madame**.

madère [madɛʀ] nm vino de Madera.

madone [madɔn] nf madona.

madré, e [madʀe] a pícaro(a), astuto(a).

Madrid [madʀid] n Madrid.

madrier [madʀije] nm tablón m.

madrigal, aux [madʀigal, o] nm madrigal m.

mafia [mafja] nf mafia.

magasin [magazɛ̃] nm negocio, tienda; (entrepôt) almacén m, depósito; (d'une arme) depósito; **magasinage** nm almacenaje m; **magasinier** nm almacenero.

magazine [magazin] nm revista; (RADIO, TV) emisión periódica.

mage [maʒ] nm: **les Rois M~s** los Reyes Magos.

magicien, ne [maʒisjɛ̃, jɛn] nm/f mago/a, hechicero/a.

magie [maʒi] nf magia, hechicería; (séduction) magia, hechizo.

magique [maʒik] a mágico(a).

magistral, e, aux [maʒistʀal, o] a magistral, maestro(a); (ton) magistral, doctoral; **enseignement/cours ~** enseñanza/clase f magistral.

magistrat [maʒistʀa] nm magistrado.

magistrature [maʒistʀatyʀ] nf magistratura; **la ~ assise** los jueces; **la ~ debout** los fiscales.

magma [magma] nm (GÉO) magma m.

magnanerie [maɲanʀi] nf criadero de gusanos de seda.

magnanime [maɲanim] a magnánimo(a).

magnat [magna] nm magnate m.

magner [maɲe]: **se ~** vi (fam) apurarse.

magnésie [maɲezi] nf magnesia.

magnésium [maɲezjɔm] nm magnesio.

magnétique [maɲetik] a magnético(a).

magnétiser [maɲetize] vt magnetizar.

magnétisme [maɲetism(ə)] nm magnetismo.

magnétophone [maɲetɔfɔn] nm magnetófono; ~ **à cassettes** magnetófono a cassettes.

magnétoscope [maɲetɔskɔp] nm magnetoscopio.

magnificence [maɲifisɑ̃s] nf magnificencia.

magnifier [maɲifje] vt magnificar, ensalzar.

magnifique [maɲifik] a magnífico(a).

magnolia [maɲɔlja] nm magnolia.

magnum [magnɔm] nm botella de dos litros.

magot [mago] nm gato, hulla.

mai [mɛ] nm mayo.

maigre [mɛgʀ(ə)] a delgado(a), flaco(a); (:viande, fromage) magro(a); (repas, menu, végétation, moisson) escaso(a), pobre; (salaire, profit, résultat) magro(a), exiguo(a) // ad: **faire ~** comer de vigilia; **jours ~s** días mpl de vigilia; ~**let, te** a delgaducho(a); **maigreur** nf delgadez f, flacura; escasez f; **maigrir** vi, vt adelgazar; **maigrir de 5 kilos** adelgazar 5 kilos.

maille [maj] nf malla, punto; (ouverture) malla; **monter les ~s** montar puntos; ~ **à l'endroit/à l'envers** punto de derecho/de revés.

maillet [majɛ] nm mazo; (de

croquet) mazo, martillo.

maillon [mojɔ̃] *nm* eslabón *m.*

maillot [majo] *nm (de danseur)* malla, leotardo; *(tricot)* jersey *m; (lange de bébé)* pañal *m,* mantilla; **~ une pièce/deux-pièces** traje de baño de una pieza/de dos piezas; **~ de bain** traje de baño *m;* **~ de corps** camiseta; **~ jaune** *(CYCLISME)* camiseta amarilla.

main [mɛ̃] *nf* mano *f; (de papier)* veinticinco hojas; **la ~ dans la ~** cogidos(as) de la mano; **à deux/d'une ~(s)** con ambas/una mano(s); **se donner la ~** darse la mano; **donner la ~ à qn** dar la mano a uno; **tenir qch à la ~** tener algo en la mano; **avoir qch sous la ~** tener algo a mano; **fait à la ~** *(ouvrage)* hecho a mano; **haut les ~s!** ¡arriba las manos!, ¡manos arriba!; **à remettre en ~s propres** para entrega personal; **de première ~** de primera mano; **faire ~ basse sur qch** alzarse con algo; **mettre la dernière ~ à qch** dar el último toque a algo; **prendre qch en ~** *(fig)* tomar algo entre manos, ocuparse de algo; **donner un coup de ~ à qn** dar una mano a alguien; **forcer la ~ à qn** obligar a alguien; **se faire la ~** hacerse la mano; **perdre la ~** perder el tiento; **avoir une belle ~** *(CARTES)* tener buenas cartas; **à ~ droite/gauche** a mano derecha/izquierda; **à ~ levée** *(ART. dessin etc)* hecho(a) a pulso; **à ~s levées** *(voter)* a manos alzadas; **~ courante** pasamanos *m inv.*

main-d'œuvre [mɛ̃dœvʀ(ə)] *nf* mano *f* de obra.

main-forte [mɛ̃fɔʀt(ə)] *nf*: **prêter ~ à qn** prestar ayuda a alguien.

mainmise [mɛ̃miz] *nf* dominio, potestad *f.*

maint, e [mɛ̃, mɛ̃t] *a*: **à ~es reprises** en muchas ocasiones; **~es fois** varias veces; **~es et ~es fois** millones de veces.

maintenant [mɛ̃tnɑ̃] *ad* ahora;

(désormais) ahora, de ahora en adelante.

maintenir [mɛ̃tniʀ] *vt (retenir, soutenir)* mantener, contener; *(personne, animal)* mantener, sostener; *(conserver)* mantener, conservar; *(affirmer)* sostener, afirmar; **se ~** vi mantenerse; conservarse.

maintien [mɛ̃tjɛ̃] *nm* conservación *f,* mantenimiento; *(attitude)* actitud *f,* compostura.

maire [mɛʀ] *nm* alcalde *m.*

mairie [meʀi] *nf* ayuntamiento *m; (administration)* alcaldía.

mais [me] *conj* pero, mas; **il n'en a pas pris un, ~ deux** no tomó uno sino dos; **~ enfin** pero después de todo; ¡vamos!; **~ non!** ¡claro que no!; ¡qué va!

maïs [mais] *nm* maíz *m.*

maison [mezɔ̃] *nf* casa; *(famille)* familia, casa // *a inv*: **tarte ~** tarta casera; **à la ~** en casa; *(direction)* a casa; **~ de santé/de repos** casa de salud/reposo; **~ close/de passe** casa de trato/de citas; **~ de détail/de gros** casa minorista/mayorista; **~ d'arrêt** prisión *f,* cárcel *f;* **la M~Blanche** la Casa Blanca; **~ de campagne** casa de campo; **~ de correction** reformatorio; **~ des jeunes et de la culture** casa de los jóvenes y de la cultura; **~ mère** casa matriz o central; **~ de retraite** asilo de ancianos; **~née** *nf* gente *f* de la casa, familia; **~nette** *nf* casita.

maître, esse [mɛtʀ(ə), tʀɛs] *nm/f* amo/a, jefe/a; *(propriétaire)* patrón/ona, dueño/a; *(SCOL)* maestro/a, profesor/ora // *nm (peintre etc)* maestro; *(titre)* M~ Maestro // *nf (d'un amant)* amante *f* // *a (principal, essentiel)* maestro/a, principal; **voiture/maison de ~** coche m/casa de propiedad; **être ~ de** *(soi-même, situation)* dominar; **se rendre ~ de** *(pays, ville)* adueñarse de; *(situation, incendie)* dominar; **rester ~**

maîtrise 246 malade

de la situation quedar dueño de la situación; une **maîtresse femme** toda una mujer; **être ~ à une couleur** (CARTES) estar fuerte en un palo; **~ d'armes** maestro de armas; **~ assistant** nm/f (SCOL) profesor/ora adjunto(a); **~ auxiliaire** nm/f (SCOL) auxiliar m/f; **~-chanteur** nm chantajista m; **~ de conférences** nm/f profesor/a; **~/maîtresse d'école** maestro/a de escuela; **~ d'hôtel** mayordomo; (d'hôtel) camarero principal; **~/maîtresse de maison** dueño/a de casa; **~ nageur** bañero; **~ queux** jefe m de cocina.

maîtrise [metriz] nf (calme) serenidad f, sangre fría (habileté) maestría, habilidad f; (suprématie) imperio, dominio; (diplôme) magisterio, maestría; **maîtriser** vt dominar; (cheval) domar, amansar; (forcené) someter, dominar; (émotion) dominar, reprimir; **se maîtriser** contenerse, reprimirse.

majesté [maʒɛste] nf majestad f; **majestueux, euse** a majestuoso(a); imponente; solemne.

majeur, e [maʒœr] a mayor, importante; (JUR) mayor de edad // nm/f mayor m/f de edad // nm dedo medio; **en ~e partie** en su mayor parte; **la ~e partie de** la mayor parte de.

major [maʒɔr] nm (MIL) mayor m, médico militar; **~ de la promotion** primero/a de la promoción.

majoration [maʒɔrasjɔ̃] nf aumento; recargo.

majordome [maʒɔrdom] nm mayordomo.

majorer [maʒɔre] vt aumentar, recargar.

majorette [maʒɔrɛt] nf bastonera.

majoritaire [maʒɔritɛr] a mayoritario(a); (JUR) que posee la mayoría de las acciones; **système/scrutin ~** sistema/escrutinio mayoritario.

majorité [maʒɔrite] nf mayoría; (JUR) mayoría de edad.

Majorque [maʒɔrk] nf Mallorca.

majuscule [maʒyskyl] nf mayúscula // a mayúsculo(a).

mal, maux [mal, mo] nm (opposé à bien) mal m; (tort) mal, desgracia; (douleur physique) mal, dolor m; (maladie) enfermedad f, mal; (difficulté, peine) trabajo, esfuerzo; (souffrance morale) calamidad f // ad mal // a: **c'est ~** (de faire) es malo (hacer); **aller ~** estar malo(a); **être ~** (mal à son aise) estar incómodo(a); **être ~ avec qn** andar a malas con uno; **dire du ~ de** hablar mal de; **ne voir aucun ~ à** no ver ningún mal en; **craignant ~** faire temiendo hacer mal; **sans songer à ~** sin mal pensar; **faire du ~ à qn** hacer mal o daño a alguien; **se faire ~** hacerse daño, lastimarse; **se faire ~ au pied** lastimarse el pie; **ça fait ~** hace mal o daño; **j'ai ~ (ici/au dos)** me duele (aquí/la espalda); **avoir ~ à la tête/aux dents** tener dolor de cabeza/de muelas; **avoir ~ au cœur** tener náuseas; **avoir le ~ de l'air** marearse (en un avión); **avoir le ~ du pays** tener nostalgia; **prendre ~** ponerse enfermo(a); **être au plus ~** estar muy mal o grave; **être ~ en point** estar bastante mal; **~ de mer** mareo; **maux de ventre** dolor m de estómago.

malade [malad] a enfermo(a), malo(a); (poitrine, gorge) enfermo(a), afectado(a); (plante) enfermo(a); (fig) en mal estado, caduco(a) // nm/f enfermo/a, paciente m/f; **tomber ~** caer enfermo(a); **être ~ du cœur** ser enfermo(a)' del corazón, sufrir del corazón; **grand ~** enfermo/a grave; **~ mental** enfermo/a mental; **maladie** nf enfermedad f, mal m; (fig: manie) enfermedad, manía; **maladie de peau** enfermedad de la piel; **maladif, ive** a enfermizo(a), achacoso(a); (pâleur) enfermizo(a); (curiosité, besoin) enfermizo(a), morboso(a).

maladresse [maladʀɛs] *nf* torpeza; imprudencia.

maladroit, e [maladʀwa, wat] *a* torpe.

malaise [malɛz] *nm* malestar *m*; **malaisé, e** *a* trabajoso/a.

malappris, e [malapʀi, iz] *nm/f* malcriado/a.

malaria [malaʀja] *nf* malaria, paludismo.

malavisé, e [malavize] *a* atolondrado(a), imprudente.

malaxer [malakse] *vt* amasar.

malchance [malʃɑ̃s] *nf*: **la ~ la** mala suerte *o* adversidad; *(mésaventure)* desgracia; **par ~** por desgracia; **malchanceux, euse** *a* desafortunado(a).

malcommode [malkɔmɔd] *a* incómodo(a).

maldonne [maldɔn] *nf* (CARTES) cartas mal dadas.

mâle [mɑl] *nm* macho // *a* varón; *(animal, TECH)* macho; *(viril: voix, traits)* varonil, viril; **prise ~** *(ÉLEC)* clavija.

malédiction [malediksjɔ̃] *nf* maldición *f*, imprecación *f*; *(fatalité, malchance)* infortunio, fatalidad *f*.

maléfice [malefis] *nm* maleficio.

maléfique [malefik] *a* maléfico(a).

malencontreux, euse [malɑ̃kɔ̃tʀø, øz] *a* nefasto(a), desafortunado(a).

malentendu [malɑ̃tɑ̃dy] *nm* malentendido, error *m*.

malfaçon [malfasɔ̃] *nf* defecto, imperfección *f*.

malfaisant, e [malfəzɑ̃, ɑ̃t] *a* *(être)* maligno(a); *(bête)* dañino(a); *(idées etc)* nocivo(a), pernicioso(a).

malfaiteur [malfɛtœʀ] *nm* malhechor *m*, delincuente *m*.

malfamé, e [malfame] *a* de mala fama.

malformation [malfɔʀmasjɔ̃] *nf* malformación *f*.

malfrat [malfʀa] *nm* malhechor *m*.

malgré [malgʀe] *prép* contra la voluntad de, a pesar de; *(en dépit de)* a pesar de, pese a; **~ soi/lui** *a*

pesar suyo; **~ tout** *ad* a pesar de todo.

malhabile [malabil] *a* inhabil, torpe.

malheur [malœʀ] *nm* desgracia; **~eux, euse** *a* infortunado(a); desgraciado(a), desdichado(a); *(misérable, pauvre)*: **la ~euse victime** la pobre víctima, *(insignifiant)* mísero(a) // *nm/f* desgraciado/a; infeliz *m/f*, miserable *m/f*.

malhonnête [malɔnɛt] *a* deshonesto(a); **~té** *nf* deshonestidad *f*.

malice [malis] *nf* picardía, broma; **par ~** por maldad *o* bellaquería; **sans ~** sin maldad; **malicieux, euse** *a* pícaro(a), malicioso(a).

malin, igne [malɛ̃, iɲ] *a* *(futé: f gén:* **maline)** vivo(a), astuto(a); *(MÉD)* maligno(a).

malingre [malɛ̃gʀ(ə)] *a* enteco(a), canijo(a).

malintentionné, e [malɛ̃tɑ̃sjɔne] *a* malintencionado(a).

malle [mal] *nf* baúl *m*, maleta; *(AUTO):* **~ arrière** baúl, maletero.

malléable [maleabl(ə)] *a* maleable.

malle-poste [malpɔst(ə)] *nf* coche *m* de correo.

mallette [malɛt] *nf* maletín *m*.

malmener [malməne] *vt* maltratar; *(fig)* dejar maltrecho(a).

malodorant, e [malɔdɔʀɑ̃, ɑ̃t] *a* maloliente, hediondo(a).

malotru [malɔtʀy] *nm* grosero, patán *m*.

malpoli, e [malpɔli] *nm/f* mal educado/a.

malpropre [malpʀɔpʀ(ə)] *a* sucio(a), desaseado(a); *(travail)* improlijo(a), mal hecho(a); *(histoire, plaisanterie)* sucio(a), indecente; *(malhonnête)* indecente, deshonesto(a); **~té** *nf* suciedad *f*; indecencia.

malsain, e [malsɛ̃, ɛn] *a* malsano(a).

malséant, e [malseɑ̃, ɑ̃t] *a* descortés, incorrecto(a).

malt [malt] *nm* malta.

maltraiter [maltʀete] *vt* maltratar; (*critiquer*) demoler, menoscabar.

malveillance [malvɛjɑ̃s] *nf* (*animosité*) malevolencia, ojeriza; (*intention de nuire*) malignidad *f*, mala intención.

malveillant, e [malvɛjɑ̃, ɑ̃t] *a* malvado(a), malévolo(a); (*regard, propos*) maligno(a), hostil.

malvenu, e [malvəny] *a*: **être ~ de/à faire qch** no tener derecho para/a hacer algo.

malversation [malvɛʀsɑsjɔ̃] *nf* malversación *f*.

maman [mamɑ̃] *nf* mamá.

mamelle [mamɛl] *nf* teta, mama.

mamelon [mamlɔ̃] *nm* pezón *m*; (*colline*) montecillo.

mammifère [mamifɛʀ] *nm* mamífero.

mammouth [mamut] *nm* mamut *m*.

manche [mɑ̃ʃ] *nf* manga; (*d'un jeu*) mano *f* // *nm* mango; (*de violon, guitare*) mástil *m*, mango; (*de pelle*) zopenco; ~ **à air** manguera de ventilación; ~ **à balai** palo de escoba; (*AVIAT*) palanca de gobierno.

Manche [mɑ̃ʃ] *nf*: **la ~** el Canal de la Mancha.

manchette [mɑ̃ʃɛt] *nf* puño; (*coup*) golpe dado con el antebrazo; (*titre*) titular *m*.

manchon [mɑ̃ʃɔ̃] *nm* (*de fourrure*) manguito; ~ **(à incandescence)** camisa (incandescente).

manchot [mɑ̃ʃo] *nm* manco; (*ZOOL*) pájaro bobo o niño.

mandarine [mɑ̃daʀin] *nf* mandarina.

mandat [mɑ̃da] *nm* mandato; (*postal*) giro; ~ **d'arrêt/de dépôt/d'amener** orden *f* de detención/de prisión/de comparecer; ~ **télégraphique** giro telegráfico; ~**-aire** [mɑ̃datɛʀ] *nm/f* mandatario/a, delegado/a; ~**-carte** *nm* giro postal que se envía como tarjeta postal; ~**-lettre** *nm* giro postal.

mander [mɑ̃de] *vt* anunciar, informar.

mandibule [mɑ̃dibyl] *nf* mandíbula.

mandoline [mɑ̃dɔlin] *nf* mandolina.

manège [manɛʒ] *nm* picadero; (*à la foire*) tiovivo; (*fig*) embrollo, maniobra; **faire un tour de ~** dar una vuelta en tiovivo; ~ **de chevaux de bois** tiovivo, caballitos.

manette [manɛt] *nf* palanca, mando.

manganèse [mɑ̃ganɛz] *nm* manganeso.

mangeable [mɑ̃ʒabl(ə)] *a* comestible; (*juste bon à manger*) comible, comestible.

mangeoire [mɑ̃ʒwaʀ] *nf* comedero.

manger [mɑ̃ʒe] *vt* comer; (*ronger: suj: rouille etc*) carcomer; (*consommer: suj: poêle etc*) consumir; (*fortune etc*) despilfarrar, comerse // *vi* comer.

mangouste [mɑ̃gust(ə)] *nf* mangosta.

mangue [mɑ̃g] *nf* mango.

maniable [manjabl(ə)] *a* (*outil*) manuable; (*voiture, voilier*) manuable, manejable.

maniaque [manjak] *a* maniático(a); maníaco(a) // *nm/f* maníaco/a.

manie [mani] *nf* manía.

manier [manje] *vt* manejar; (*peuple, foule*) conducir, manejar; **maniement** *nm* manejo; **maniement d'armes** manejo de las armas.

manière [manjɛʀ] *nf* manera, modo; (*genre, style*) género, estilo; ~**s** *fpl* (*attitude*) maneras, modales *mpl*; **de ~ à** para, con objeto de; **de telle ~ que** de tal modo o manera que; **de cette ~** de este modo, de esta manera; **d'une ~ générale** en general, por regla; **de toute ~** de todos modos, de todas maneras; **d'une certaine ~** en cierto sentido; **manquer de ~s** carecer de educación o buenos modales; **faire**

des ~s andar con remilgos; **sans** ~s sin ceremonias; **employer la ~ forte** emplear la fuerza, forzar; **complément/adverbe de ~** complemento/adverbio de modo; **maniéré, e** a afectado(a), amanerado(a).

manifestant, e [manifɛstɑ̃, ɑ̃t] nm/f manifestante m/f.

manifestation [manifɛstasjɔ̃] nf manifestación f.

manifeste [manifɛst(ə)] a manifiesto(a), evidente // nm manifiesto.

manifester [manifɛste] vt (volonté, intentions) manifestar, declarar; (joie, peur) manifestar, mostrar // vi manifestar; **se ~** vi manifestarse, mostrarse; (personne) presentarse, manifestarse.

manigance [manigɑ̃s] nf treta, artimaña; **manigancer** vt maquinar, tramar.

manioc [manjɔk] nm mandioca.

manipuler [manipyle] vt manipular; (comptes etc) alterar; (fig) manejar.

manivelle [manivɛl] nf manivela.

manne [man] nf maná m.

mannequin [mankɛ̃] nm maniquí m; (MODE: femme) modelo f; **taille ~** talla maniquí.

manœuvre [manœvʀ(ə)] nf maniobra // nm peón m.

manœuvrer [manœvʀe] vt maniobrar, manejar; (personne) manejar // vi maniobrar.

manoir [manwaʀ] nm casa solariega.

manomètre [manɔmɛtʀ(ə)] nm manómetro.

manque [mɑ̃k] nm falta, carencia; ~**s** mpl (lacunes) omisiones fpl, lagunas; **par ~ de** por falta de; ~ **à gagner** lucro cesante.

manqué, e [mɑ̃ke] a: **garçon ~** marimacho.

manquement [mɑ̃kmɑ̃] nm: ~ **à** (infraction à) transgresión f a.

manquer [mɑ̃ke] vi faltar // vt (coup, photo, objectif) errar,

(personne) no encontrar; (cours, rendez-vous) faltar a, perder; (occasion) perder // vb impersonnel: **il (nous) manque encore 100 F** todavía (nos) faltan 100 F; **il manque des pages (au livre)** faltan unas páginas (al libro); **le pied lui manqua** perdió el pie; **la voix lui manqua** se enmudeció; ~ **à qn** (absent etc): **il/cela me manque** le/lo echo de menos; ~ **à** faltar a; ~ **de** carecer de; **ne pas** ~ **de faire** no dejar de hacer; ~ **(de) faire: il a manqué se tuer** por poco se mató; **il ne manquait plus que ça!** ¡no faltaba más!, ¡eso faltaba!; **je n'y manquerai pas** no faltaré.

mansarde [mɑ̃saʀd(ə)] nf tejado; (chambre) desván m, buharda; **mansardé, e** a: **chambre mansardée** habitación f en el desván.

mansuétude [mɑ̃syetyd] nf mansedumbre f.

mante [mɑ̃t] nf: ~ **religieuse** santateresa.

manteau, x [mɑ̃to] nm abrigo; (de cheminée) campana.

mantille [mɑ̃tij] nf mantilla.

manucure [manykyʀ] nf manicura.

manuel, le [manɥɛl] a, nm manual (m).

manufacture [manyfaktyʀ] nf manufactura; **manufacturé, e** a manufacturado(a); **manufacturier, ière** nm/f fabricante m/f, manufacturero/a.

manuscrit, e [manyskʀi, it] a manuscrito(a) // nm manuscrito.

manutention [manytɑ̃sjɔ̃] nf (COMM) manipulado; (local) depósito.

mappemonde [mapmɔ̃d] nf (plane) mapamundi m, planisferio; (sphère) globo terráqueo.

maquereau, x [makʀo] nm (ZOOL) caballa; (fam) rufián m.

maquerelle [makʀɛl] nf (fam) patrona de casa de trato.

maquette [makɛt] nf maqueta.

(d'une page illustrée) boceto.

maquillage [makijaʒ] *nm* maquillaje *m*; falsificación *f*.

maquiller [makije] *vt (personne, visage)* maquillar; *(passeport)* adulterar, falsificar; *(vérité, statistique)* falsear, adulterar; *(voiture volée)* disfrazar, maquillar; **se ~** maquillarse.

maquis [maki] *nm (GÉO)* monte *m*; *(MIL)* maquis *m*, resistencia; **~ard** [makizaʀ] *nm* guerrillero.

marabout [maʀabu] *nm (ZOOL)* marabú *m*.

maraîcher, ère [maʀeʃe, maʀeʃɛʀ] *a* hortense // *nm/f* hortelano/a.

marais [maʀɛ] *nm* pantano; **~ salant** salina.

marasme [maʀasm(ə)] *nm (ÉCON)* marasmo, crisis *f*; *(apathie)* abatimiento, postración *f*.

marathon [maʀatɔ̃] *nm* maratón *f*.

marâtre [maʀɑtʀ(ə)] *nf* madrastra.

maraude [maʀod] *nf* ratería; vagabundeo; **en ~** de vagabundo; de ronda.

maraudeur [maʀodœʀ] *nm* merodeador *m*.

marbre [maʀbʀ(ə)] *nm* mármol *m*; *(statue de marbre)* estatua de mármol; *(TYPOGRAPHIE)* platina; **~r** *vt (surface)* jaspear; *(peau)* amoratar; **marbrier** [maʀbʀije] *nm* marmolista *m*.

marc [maʀ] *nm (de raisin, pommes)* orujo; **~ de café** poso del café.

marcassin [maʀkasɛ̃] *nm* jabato.

marchand, e [maʀʃɑ̃, ɑ̃d] *nm/f* comerciante *m/f*, vendedor/ora; *(spécifique)* **~ de...** comerciante en... // *a (NAUT)* mercante; **prix ~** precio corriente; **valeur ~e** valor *m* comercial; **~ de biens** agente inmobiliario; **~ de couleurs** droguero; **~ de sable** *(fig)* genio fabuloso que trae el sueño a los niños; **~ de fruits** frutero/a; **~/~ de journaux** vendedor/ora de periódicos; **~/~ de légumes** verdulero/a; **~/~ de poisson**

pescadero/a; **~e des quatre saisons** verdulera.

marchander [maʀʃɑ̃de] *vt (article)* regatear // *vi* escatimar.

marchandise [maʀʃɑ̃diz] *nf* mercancía.

marche [maʀʃ(ə)] *nf* marcha; *(d'escalier)* escalón *m*, peldaño; **à une heure de ~** a una hora de camino; **dans le sens de la ~** *(RAIL)* de frente a la máquina; **en ~** en marcha; **ouvrir/fermer la ~** abrir/cerrar la marcha; **~ arrière** marcha atrás; **faire ~ arrière** echar marcha atrás; **~ à suivre** pasos a seguir; *(sur notice)* método a seguir.

marché [maʀʃe] *nm* mercado; *(transaction)* negocio, trato; **par-dessus le ~** por añadidura; **~ des changes/valeurs** mercado de cambios/valores; **~ aux fleurs/poissons** mercado de flores/pescado; **M~ Commun** Mercado Común; **~ noir** mercado negro; **faire du ~ noir** vender clandestinamente, hacer mercado negro; **~ aux puces** mercado de pulgas; **~ du travail** bolsa del trabajo.

marchepied [maʀʃəpje] *nm* estribo.

marcher [maʀʃe] *vi* marchar, caminar; *(se promener)* caminar, marchar; *(voiture, train)* marchar, andar; *(fonctionner)* marchar, funcionar; *(affaire, études)* marchar, prosperar; *(fam)* aceptar, acceder; tragarse, creerse; **~ sur** caminar por o en; *(mettre le pied sur)* pisar; *(MIL)* avanzar hacia; **~ dans** *(herbe etc)* caminar en; *(flaque)* meterse en; **faire ~ qn** tomar el pelo a alguien; **marcheur, euse** *nm/f* andarín/ina, andariego/a.

mardi [maʀdi] *nm* martes *m*; **M~ gras** martes de carnaval.

mare [maʀ] *nf* charca; **~ de sang** charco de sangre.

marécage [maʀekaʒ] *nm* terreno pantanoso; **marécageux, euse** *a* pantanoso(a).

maréchal, aux [maʀeʃal, o] *nm* mariscal *m;* ~ **des logis** (MIL) sargento.

maréchal-ferrant [maʀeʃalfɛʀɑ̃] *nm* herrador *m.*

maréchaussée [maʀeʃose] *nf* policía.

marée [maʀe] *nf* marea; (*poissons*) pescado y mariscos frescos; ~ **haute/basse** marea alta/baja; ~ **d'équinoxe** marea de equinoccio; ~ **descendante** reflujo; ~ **montante** flujo.

marelle [maʀɛl] *nf:* **jouer à la** ~ jugar a la rayuela o al tejo.

marémotrice [maʀemɔtʀis] *a* maremotriz.

mareyeur, euse [maʀejœʀ, øz] *nm/f* mayorista *m/f* de pescado y mariscos.

margarine [maʀgaʀin] *nf* margarina.

marge [maʀʒ(ə)] *nf* margen *m;* **en** ~ (**de**) al margen (de); ~ **bénéficiaire** margen de ganancia.

margelle [maʀʒɛl] *nf* brocal *m.*

marginal, e, aux [maʀʒinal, o] *a* marginal.

marguerite [maʀgəʀit] *nf* margarita.

marguillier [maʀgije] *nm* capiller *m.*

mari [maʀi] *nm* marido, esposo.

mariage [maʀjaʒ] *nm* matrimonio; (*noce*) boda, casamiento; (*fig*) asociación *f,* combinación *f;* ~ **civil/religieux** casamiento civil/religioso; ~ **de raison/d'amour** casamiento por interés/amor.

marié, e [maʀje] *a* casado(a) // *nm/f* novio/a.

marier [maʀje] *vt* casar; (*fig*) combinar, unir; **se** ~ (**avec**) casarse con.

marin, e [maʀɛ̃, in] *a* marino(a); (*carte, lunette*) náutico(a) // *nm* (*navigateur*) marino; (*matelot*) marinero // *nf* marina; **avoir le pied** ~ tener pie marino; ~**e de guerre/marchande** marina de guerra/mercante.

marinade [maʀinad] *nf* escabeche *m,* adobo.

marine [maʀin] *af, nf voir* **marin** // *a inv* azul marino // *nm* (MIL) soldado de marina.

mariner [maʀine] *vt* (*gén:* **faire** ~) escabechar; adobar // *vi* estar en escabeche o adobo.

marinier [maʀinje] *nm* gabarrero.

marionnette [maʀjɔnɛt] *nf* marioneta, títere *m.*

maritime [maʀitim] *a* marítimo(a).

marjolaine [maʀʒɔlɛn] *nf* mejorana.

mark [maʀk] *nm* marco.

marmaille [maʀmɑj] *nf* (*péj*) pandilla.

marmelade [maʀməlad] *nf* mermelada.

marmite [maʀmit] *nf* marmita, olla.

marmiton [maʀmitɔ̃] *nm* marmitón *m,* pinche *m* de cocina.

marmonner [maʀmɔne] *vt* mascullar, barbotar.

marmot [maʀmo] *nm* rapaz *m,* crío.

marmotte [maʀmɔt] *nf* marmota.

marmotter [maʀmɔte] *vt* (*prière*) musitar, mascullar.

Maroc [maʀɔk] *nm* Marruecos *m;* **m~ain, e** a, *nm/f* marroquí (*m/f*).

maroquinerie [maʀɔkinʀi] *nf* marroquinería; artículos de cuero.

marotte [maʀɔt] *nf* manía, chifladura.

marquant, e [maʀkɑ̃, ɑ̃t] *a* notable, relevante.

marque [maʀk(ə)] *nf* (*empreinte, signe distinctif*) marca, señal *f;* (*initiales: sur linge*) marca, inicial *f;* (*de doigts etc*) marca, huella; (*d'une fonction etc*) insignia, distintivo; (LING) signo; (*fig: d'affection etc*) muestra; (SPORT, JEU: *décompte des points*) marcador *m;* (COMM) marca; **à vos** ~**s!** (SPORT) ¡a sus marcas!; **de** ~ (a COMM) de marca; (*fig*) insigne, de renombre; ~ **déposée** marca registrada; ~ **de fabrique** marca de fábrica.

marqué, e [marke] a marcado(a); (*visage*) envejecido(a), arrugado(a); (*fig*) pronunciado(a), acentuado(a).

marquer [marke] vt marcar; (*inscrire*) anotar; (*suj: chose: laisser une trace sur*) dejar una marca en; (*fig: personne*) afectar, impresionar; (*limite etc*) marcar, señalar; (*suj: instrument*) marcar, indicar; (*JEU: enregistrer: points*) anotar, marcar; (*SPORT: but etc*) marcar, lograr; (*: joueur*) marcar; (*manifester: refus, intérêt*) señalar, manifestar // vi (*tampon, coup*) dejar marca; (*événement, personnalité*) dejar marca o impronta; ~ **qch de/à/par** señalar algo con; ~ **les points** (*tenir la marque*) marcar los puntos.

marqueterie [markɔtri] nf marquetería, taracea.

marquis e [marki, iz] nm/f marqués/esa // nf (*auvent*) marquesina.

marraine [maren] nf madrina.

marrant, e [marɑ̃, ɑ̃t] a (fam) divertido(a), chistoso(a); (: *bizarre*) sorprendente, insólito(a).

marre [mar] ad (fam): **en avoir** ~ **de** estar harto(a) de.

marrer [mare] vi (fam): **se** ~ desternillarse de risa.

marron [marɔ̃] nm (*fruit*) castaña; (*couleur*) marrón m, castaño // a inv marrón inv, castaño(a); **esclave** ~ esclavo cimarrón; ~**s glacés** castañas confitadas; ~**nier** [marɔnje] nm castaño.

mars [mars] nm marzo.

Marseille [marsej] n Marsella.

marsouin [marswɛ̃] nm marsopa.

marteau, x [marto] nm martillo; (*de piano*) macillo; (*de porte*) aldaba; ~**-piqueur** martillo neumático.

martel [martel] nm: **se mettre** ~ **en tête** quemarse la sangre.

marteler [martɔle] vt martillar.

martial, e, aux [marsjal, o] a marcial.

martien, ne [marsjɛ̃, jɛn] a marciano(a).

martinet [martine] nm disciplinas; (*ZOOL*) vencejo.

martingale [martɛ̃gal] nf (*COUTURE*) martingala.

Martinique [martinik] nf: **la** ~ Martinica.

martin-pêcheur [martɛ̃peʃœr] nm martín pescador m.

martre [martr(ɔ)] nf marta.

martyr, e [martir] nm/f mártir m/f.

martyre [martir] nm martirio.

martyriser [martirize] vt martirizar, atormentar.

marxisme [marksism(ɔ)] nm marxismo.

mascarade [maskarad] nf máscara, disfraz m; (*hypocrisie*) mascarada, bufonada.

mascotte [maskɔt] nf mascota.

masculin [maskylɛ̃, in] a masculino(a) // nm masculino.

masochisme [mazɔʃism(ɔ)] nm masoquismo.

masque [mask(ɔ)] nm máscara; (*d'escrime, de soudeur*) careta, pantalla; (*MÉD*) mascarilla; ~ **à gaz** careta antigás.

masqué, e [maske] a enmascarado(a).

masquer [maske] vt ocultar, disimular; (*vérité, projet*) disimular, encubrir; (*goût, odeur*) cubrir.

massacre [masakr(ɔ)] nm masacre f, exterminio.

massacrer [masakre] vt exterminar; (*fig: texte etc*) arruinar, estropear.

massage [masaʒ] nm masaje m.

masse [mas] nf masa; (*de cailloux, documents*) montón m, cúmulo; (*d'un édifice, navire*) mole f; (*ELEC*): **la** ~ **à la masa**, el pueblo; ~**s** fpl masas; **la grande** ~ **des** la gran mayoría de los(las)...; **en** ~ en masa, todos juntos // à **en** serie.

masser [mase] vt (*assembler*) aglomerar, amontonar; (*personne, jambe*) masajear; **se** — vi aglomerarse, concentrarse; **masseur, euse** nm/f masajista m/f // nm (*appareil*) vibrador m.

massif, ive [masif, iv] a (*porte, visage*) macizo(a), sólido(a); (*bois, or*) compacto(a), macizo(a); (*dose, départs*) masivo(a) // nm macizo m.

massue [masy] nf maza, garrote m; **argument** ~ argumento contundente.

mastic [mastik] nm masilla.

mastiquer [mastike] vt masticar, mascar; (*fente, vitre*) enmasillar.

masturbation [mastyrbɑsjɔ̃] nf masturbación f.

masure [mazyr] nf covacha, tugurio.

mat, e [mat] a (*couleur, métal, teint*) mate, opaco(a); (*bruit, son*) sordo(a) // a inv (*ÉCHECS*) mate.

mât [ma] nm (*NAUT*) palo, mástil m; (*poteau*) poste m, palo.

match [matʃ] nm partido, match m; ~ **aller/retour** partido de ida/de vuelta; ~ **nul** empate m; **faire** ~ **nul** empatar.

matelas [matla] nm colchón m; ~ **pneumatique** colchón neumático o de aire.

matelasser [matlase] vt (*fauteuil*) rellenar; (*manteau*) enguatar.

matelot [matlo] nm marinero.

mater [mate] vt (*personne*) dominar; someter; reprimir.

matérialiser [materjalize] vi: se ~ concretarse, materializarse.

matérialiste [materjalist(ə)] a, nm/f materialista (m/f).

matériaux [materjo] nmpl materiales mpl.

matériel, le [materjɛl] a material; (*fig: péj*) materialista, prosaico(a) // nm (*équipement, outillage*) material m, equipo; (*de camping, pêche*) material, aparejo.

maternel, le [maternɛl] a materno(a); (*amour, geste*)

maternal // nf (*aussi*: **école** ~**le**) escuela de párvulos.

maternité [maternite] nf maternidad f; (*grossesse*) alumbramiento, embarazo.

mathématicien, ne [matematisjɛ̃, jɛn] nm/f matemático(a).

mathématique [matematik] a matemático(a); ~**s** fpl matemáticas.

matière [matjɛr] nf materia; (*COMM*) material m; (*TECH*) material, materia; **en** ~ **de** en cuanto a; **donner** ~ **à** dar motivo de; ~ **plastique** plástico; ~**s fécales** excrementos; ~**s grasses** grasas; ~**s premières** materias primas.

matin [matɛ̃] nm mañana; **le** ~ **la** mañana; **dimanche** ~ domingo por la mañana; **le lendemain** ~ al día siguiente por la mañana; **hier** ~ ayer por la mañana; **du** ~ **au soir** de la mañana a la noche; ~ **et soir** mañana y noche; **une heure du** ~ la una de la mañana o madrugada; **à demain** ~! ¡hasta mañana por la mañana!; **de grand/bon** ~ por la mañana temprano, de madrugada; ~**al, e, aux** [matinal, o] a matinal; (*personne*) madrugador(ora), mañanero(a); ~**ée** [matine] nf mañana; (*spectacle*) función f de la mañana; ~**ée** por la tarde; **faire la grasse** ~**ée** quedarse pegado(a) a las sábanas.

matou [matu] nm gato, micho.

matraque [matrak] nf porra, cachiporra.

matriarcal, e, aux [matrijarkal, o] a matriarcal.

matrice [matris] nf matriz f.

matricule [matrikyl] nf (*registre, liste*) matrícula, registro // a: **registre/numéro** ~ registro/número de matrícula; **livret** ~ cartilla militar.

matrimonial, e, aux [matrimɔnjal, o] a matrimonial.

maturité [matyrite] nf madurez f; (*d'un fruit*) madurez, sazón f.

maudire [modir] vt maldecir.

maudit, e [modi, it] *a* maldito(a).

maugréer [mogʀee] *vi* refunfuñar, rezongar.

mausolée [mozole] *nm* mausoleo.

maussade [mosad] *a* malhumorado(a), hosco(a); (*ciel, temps*) destemplado(a).

mauvais, e [move, ez] *a* malo(a), mal(a); (*faux*): **le ~ numéro** el número errado // *ad*: **il fait ~** hace mal tiempo; **la mer est ~e** el mar está agitado; **~ coup** (*fig*) delito; **~ joueur/payeur** mal jugador/pagador; **~ garçon** mal tipo, tipo peligroso; **~e langue** mala lengua *m/f*, chismoso/a; **~ plaisant** bromista *m*; **~ traitements** maltratos; **~e herbe** mala hierba.

mauve [mov] *a*, *nf* malva (*f*).

mauviette [movjet] *nf* (*péj*) alondra; persona frágil.

maux [mo] *nmpl voir* **mal**.

maximal, e, aux [maksimal, o] *a* máximo(a).

maxime [maksim] *nf* máxima.

maximum [maksimɔm] *a* máximo(a) // *nm* máximo; **au ~** (*pousser, utiliser*) al máximo; (*tout au plus*) como máximo.

mayonnaise [majonez] *nf* mayonesa.

mazout [mazut] *nm* fuel-oil *m*.

me, m' [m(ə)] *pron* me.

Me *abrév de* **Maître**.

méandre [meɑ̃dʀ(ə)] *nm* meandro; (*fig*) subterfugio, rodeo.

mec [mɛk] *nm* (*fam*) tío.

mécanicien [mekanisjɛ̃] *nm* mecánico.

mécanique [mekanik] *a* mecánico(a) // *nf* (*science*) mecánica; **ennui ~** dificultad *f* o problema *m* mecánico(a); **~ hydraulique** mecánica hidráulica.

mécaniser [mekanize] *vt* mecanizar.

mécanisme [mekanism(ə)] *nm* mecanismo.

méchanceté [meʃɑ̃ste] *nf* maldad *f*, perversidad *f*.

méchant, e [meʃɑ̃, ɑ̃t] *a* malo(a),

malvado(a); (*enfant*: turbulent) revoltoso(a), desobediente; (*animal*) malo(a); (*avant le nom*: valeur *péjorative*) mal(a), desagradable // *nm/f* malo/a.

mèche [mɛʃ] *nf* mecha; (*d'une lampe, bougie*) mecha, pabilo; (*de vilebrequin, perceuse*) barrena; (*de dentiste*) fresa; (*de cheveux*) mecha, mechón *m*.

méchoui [meʃwi] *nm* cordero asado.

mécompte [mekɔ̃t] *nm* error *m*, equivocación *f*; (*déception*) desengaño, decepción *f*.

méconnaissable [mekɔnɛsabl(ə)] *a* irreconocible.

méconnaître [mekɔnɛtʀ(ə)] *vt* (*ignorer*) desconocer, ignorar; (*mésestimer*) no apreciar, menospreciar.

mécontent, e [mekɔ̃tɑ̃, ɑ̃t] *a* descontento(a), insatisfecho(a); **~ement** *nm* insatisfacción *f*, descontento; **~er** *vt* contrariar, disgustar.

médaille [medaj] *nf* medalla.

médaillon [medajɔ̃] *nm* medallón *m*.

médecin [medsɛ̃] *nm* médico; **~ de famille** médico de familia; **~ généraliste** médico general; **~ légiste** médico forense; **votre ~ traitant** su médico de cabecera.

médecine [medsin] *nf* medicina; **~ préventive/générale** medicina preventiva/general; **~ légale** medicina forense; **~ du travail** medicina del trabajo.

médiateur, trice [medjatœr, tris] *nm/f* mediador/ora; juez *m*, árbitro.

médiation [medjasjɔ̃] *nf* mediación *f*; (*dans conflit social etc*) arbitraje *m*.

médical, e, aux [medikal, o] *a* médico(a).

médicament [medikamɑ̃] *nm* medicamento, remedio.

médicinal, e, aux [medisinal, o] *a* medicinal.

médiéval, e, aux [medjeval, o] *a* medieval.

médiocre [medjɔkʀ(ə)] *a* mediocre; **médiocrité** *nf* mediocridad *f.*

médire [mediʀ] *vt:* ~ **de** difamar a, hablar mal de.

médisance [medizɑ̃s] *nf* difamación *f*; maledicencia.

méditatif, ive [meditatif, iv] *a* meditabundo(a).

méditation [meditɑsjɔ̃] *nf* meditación *f.*

méditer [medite] *vt (approfondir)* meditar; *(combiner)* meditar, proyectar // *vi* meditar, reflexionar.

Méditerranée [mediteʀane] *nf:* **la** ~ el Mediterráneo; **méditerranéen, ne** *a, nm/f* mediterráneo(a).

médium [medjɔm] *nm* médium *m.*

méduse [medyz] *nf* medusa.

méduser [medyze] *vt* asombrar, dejar patitieso(a).

meeting [mitiŋ] *nm (POL)* mitin *m*; *(SPORT)* encuentro; (: *athlétique)* concurso; ~ **d'aviation** exhibición aeronáutica.

méfait [mefɛ] *nm (faute)* fechoría; *(résultat désastreux)* perjuicio.

méfiance [mefjɑ̃s] *nf* desconfianza, recelo.

méfiant, e [mefjɑ̃, ɑ̃t] *a* desconfiado(a), receloso(a).

méfier [mefje] *vi:* **se** ~ desconfiar, recelar; **se** ~ **de** vi desconfiar de.

mégalomanie [megalɔmani] *nf* megalomanía.

mégaphone [megafɔn] *nm* megáfono.

mégarde [megaʀd(ə)] *nf:* **par** ~ por descuido *o* inadvertencia.

mégère [meʒɛʀ] *nf* arpía, bruja.

mégot [mego] *nm* colilla.

meilleur, e [mejœʀ] *a, ad* mejor // *nm:* **le** ~ (*personne)* el mejor; *(chose)* lo mejor // *nf:* **la** ~ **la** ~ (*chose)* lo mejor; ~ **marché** más barato(a); **de** ~**e heure** más temprano; ~**s vœux** felicidades *fpl.*

mélancolie [melɑ̃kɔli] *nf* melancolía, tristeza; **mélancolique** *a* melancólico(a), triste.

mélange [melɑ̃ʒ] *nm* mezcla, mezcolanza.

mélanger [melɑ̃ʒe] *vt (substances)* mezclar; *(mettre en désordre)* trastocar, desordenar.

mélasse [melas] *nf* melaza.

mêlée [mele] *nf* refriega, choque *m*; *(lutte, conflit)* conflicto, lucha; *(RUGBY)* mêlée *f.*

mêler [mele] *vt (substances, odeurs, races)* mezclar; *(sujets, thèmes)* amalgamar, reunir; *(embrouiller)* embrollar, enredar; ~ **à/avec/de** unir *o* mezclar a *o* con; **se** ~ mezclarse, amalgamarse; **se** ~ **à** *(suj: chose)* mezclarse a *o* con; *(: personne)* meterse *o* inmiscuirse en; **se** ~ **de** *(suj: personne)* meterse *o* entrometerse en; ~ **qn à** *(affaire)* implicar a alguien en.

mélodie [melɔdi] *nf* melodía; **mélodieux, euse** *a* melodioso(a).

mélodrame [melɔdʀam] *nm* melodrama *m.*

mélomane [melɔman] *a* melómano(a).

melon [məlɔ̃] *nm* melón *m*; **chapeau** ~ sombrero hongo; ~ **d'eau** sandía.

mélopée [melɔpe] *nf* melopea.

membrane [mɑ̃bʀan] *nf* membrana.

membre [mɑ̃bʀ(ə)] *nm, a* miembro(a).

même [mɛm] *a* mismo(a) // *pron:* **le** (**la**) ~ el (la) mismo(a) // *ad* incluso, hasta; **ce sont ses paroles** ~**s** son sus mismas palabras; **celles-là** ~**s** precisamente éstas; **il n'a** ~ **pas pleuré** ni siquiera lloró; **à** ~ **la bouteille** de la botella misma; **à** ~ **la peau** junto a la piel; **être à** ~ **de faire** estar en condiciones de hacer; **mettre qn à** ~ **de faire** hacer posible a alguien hacer; **faire de** ~ hacer lo mismo; **lui de** ~ él también; **de** ~ **que** lo mismo que; **il en va de** ~ **pour** lo mismo va para.

mémento [memɛ̃to] *nm (agenda)* agenda; *(ouvrage)* compendio.

mémoire [memwaʀ] *nf* memoria

// nm (exposé, requête) memoria, relación f; (SCOL) disertación f, tesina; ~s mpl memorias; **avoir le ~ des chiffres** tener memoria para las cifras; **avoir de la ~** tener memoria; **à la ~ de** en memoria o recuerdo de; **pour ~** ad a título de información; **de ~** ad de memoria.

mémorable [memɔrabl(ə)] a memorable, inolvidable.

mémorandum [memɔrãdɔm] nm (d'un diplomate) memorándum m; (note) nota, anotación f.

mémorial, e, aux [memɔrjal, o] nm memorial m.

menaçant, e [mənasɑ̃, ɑ̃t] a amenazador(ora).

menace [mənas] nf amenaza, conminación f; (danger, péril) amenaza.

menacer [mənase] vt amenazar.

ménage [menaʒ] nm quehaceres domésticos, limpieza; (couple) matrimonio, pareja; (famille, ADMIN) hogar m; **faire le ~** hacer la limpieza; **faire des ~s** hacer tareas domésticas en casa ajena; **se mettre en ~ (avec)** poner casa (con); **heureux en ~** bien casado; **faire bon/mauvais ~** avec llevarse bien/mal con; **~ de poupée** batería de cocina de muñeca; **~ à trois** amoroso triángulo.

ménagement [menaʒmɑ̃] nm consideración f, deferencia; **~s** mpl (égards) contemplaciones fpl, miramientos.

ménager [menaʒe] vt (traiter) tratar con consideración; tratar con cuidado; (vêtements, temps, santé) cuidar, controlar; (organiser) organizar, preparar; (installer) instalar, disponer; **~ qch à qn** tener algo en reserva para alguien.

ménager, ère [menaʒe, ɛʀ] a doméstico(a) // nf ama de casa.

ménagerie [menaʒʀi] nf jaula de fieras; (animaux) fieras.

mendiant, e [mãdjɑ̃, ɑ̃t] nm/f mendigo/a.

mendicité [mãdisite] nf mendicidad f.

mendier [mãdje] vi mendigar, limosnear // vt mendigar, pedir.

menées [məne] nfpl manejos, intrigas.

mener [məne] vt (cortège, file) dirigir, encabezar; (fig: diriger) conducir, guiar; (enquête, vie, affaire) conducir, llevar; **~ à/dans/chez** vt llevar a/en/a casa de; (suj: train, bus, métier) conducir a, llevar a; **~ une personne/un chien** promener llevar a una persona/un perro de paseo; **~ à bonne fin/à terme/à bien** llevar a buen término/a término/a bien; **~ à rien/à tout** llevar a ningún lado/a todas partes.

meneur, euse [mənœʀ, øz] nm/f conductor/ora, jefe/a; (péj) cabecilla m/f; **~ de jeu** (RADIO, TV) animador m.

méningite [menēʒit] nf meningitis f.

ménopause [menopoz] nf menopausia.

menottes [mənɔt] nfpl esposas; **passer les ~ à qn** poner las esposas a alguien.

mens etc vb voir **mentir.**

mensonge [mɑ̃sɔ̃ʒ] nm mentira, embuste m; **mensonger, ère** a mentiroso/a, falso/a.

mensualité [mɑ̃syalite] nf mensualidad f.

mensuel, le [mɑ̃syɛl] a mensual.

mensurations [mɑ̃syʀasjɔ̃] nfpl medidas.

ment etc vb voir **mentir.**

mental, e, aux [mɑ̃tal, o] a mental.

mentalité [mɑ̃talite] nf mentalidad f.

menteur, euse [mɑ̃tœʀ, øz] nm/f mentiroso/a, embustero/a.

menthe [mɑ̃t] nf menta.

mention [mɑ̃sjɔ̃] nf mención f; **~ passable** aprobado; **~ bien** notable; **~ très bien** sobresaliente; **~ner** [mɑ̃sjɔne] vt mencionar.

mentir [mɑ̃tiʀ] *vi* mentir.
menton [mɑ̃tɔ̃] *nm* mentón *m*.
menu, e [məny] *a* menudo(a); débil // *ad:* **couper** ~ cortar en trocitos // *nm* menú *m*, carta; **hacher** ~ picar; **la** ~ **e monnaie** el dinero suelto.
menuet [mənɥɛ] *nm* minué *m*.
menuiserie [mənɥizʀi] *nf* carpintería.
menuisier [mənɥizje] *nm* carpintero.
méprendre [mepʀɑ̃dʀ(ə)] *vt:* **se** ~ **sur** confundirse *o* equivocarse respecto a.
mépris [mepʀi] *nm* desprecio, desdén *m*; *(indifférence):* **le** ~ **de** el menosprecio de *o* por; **au** ~ **de** a despecho de, sin tener en cuenta.
méprisable [mepʀizabl(ə)] *a* despreciable, detestable.
méprise [mepʀiz] *nf* confusión *f*, equivocación *f*.
mépriser [mepʀize] *vt* despreciar.
mer [mɛʀ] *nf* mar *m ou f*; **en haute** *ou* **pleine** ~ en alta mar; **prendre la** ~ hacerse a la mar; **la** ~ **Baltique/Caspienne/Égée/Morte** el mar Báltico/Caspio/Egeo/Muerto; **la** ~ **Noire/du Nord/Rouge** el mar Negro/del Norte/Rojo.
mercantile [mɛʀkɑ̃til] *a:* **esprit** ~ mentalidad *f* de comerciante.
mercenaire [mɛʀsənɛʀ] *nm* mercenario.
mercerie [mɛʀsəʀi] *nf* mercería.
merci [mɛʀsi] *excl* gracias // *nm:* **dire** ~ dar las gracias a alguien // *nf:* **à la** ~ **de qn/qch** a (la) merced de alguien/algo; ~ **de/pour** gracias por; **sans** ~ sin cuartel, despiadado(a).
mercier, ière [mɛʀsje, jɛʀ] *nm/f* mercero/a.
mercredi [mɛʀkʀədi] *nm* miércoles *m*; ~ **des Cendres** miércoles de Ceniza.
mercure [mɛʀkyʀ] *nm* mercurio.
merde [mɛʀd(ə)] *(fam!) nf* mierda // *excl* ¡mierda!, ¡coño!
mère [mɛʀ] *nf* madre *f* // a matriz,

central; **madre, materno(a);** ~ **célibataire/adoptive** madre soltera/adoptiva.
méridien [meʀidjɛ̃] *nm* meridiano.
méridional, e, aux [meʀidjɔnal, o] *a, nm/f* meridional *(m/f)*.
meringue [məʀɛ̃g] *nf* merengue *m*.
mérinos [meʀinos] *nm* merino.
merisier [məʀizje] *nm* cerezo silvestre; *(bois)* cerezo.
mérite [meʀit] *nm* mérito.
mériter [meʀite] *vt* merecer; *(réclamer)* exigir, merecer.
méritoire [meʀitwaʀ] *a* meritorio(a), valioso(a).
merlan [mɛʀlɑ̃] *nm* pescadilla.
merle [mɛʀl(ə)] *nm* mirlo.
mérou [meʀu] *nm* mero.
merveille [mɛʀvɛj] *nf* maravilla, portento; **merveilleux, euse** *a* maravilloso(a), prodigioso(a).
mes [me] *dét voir* **mon.**
mésallier [mezalje] *vi:* **se** ~ malcasarse.
mésange [mezɑ̃ʒ] *nf* paro.
mésaventure [mezavɑ̃tyʀ] *nf* desventura, infortunio.
Mesdames [medam] *nfpl voir* **Madame.**
Mesdemoiselles [medmwazɛl] *nfpl voir* **Mademoiselle.**
mésentente [mezɑ̃tɑ̃t] *nf* desacuerdo, discordia.
mesquin, e [mɛskɛ̃, in] *a* mezquino(a), ruin; *(avare)* mezquino(a), roñoso(a); ~ **erie** [mɛskinʀi] *nf* mesquindad *f*, ruindad *f*.
mess [mɛs] *nm* comedor *m* de oficiales *o* suboficiales.
message [mesaʒ] *nm* mensaje *m*; **messager, ère** *nm/f* mensajero/a.
messe [mɛs] *nf* misa; ~ **basse** misa rezada; ~ **de minuit** misa del gallo; ~ **noire** misa negra.
messie [mesi] *nm:* **le M**~ el Mesías.
Messieurs [mesjø] *nmpl voir* **Monsieur.**
Messrs *abrév de* **Messieurs.**
mesure [məzyʀ] *nf* medida; *(MUS)*

compás m; (retenue) mesura, moderación f; sur ~ (costume) a la medida; à la ~ de al alcance o a la medida de; dans la ~ de/où en la medida de/en que; à ~ que a medida que; au fur et à ~ paulatinamente, poco a poco; en ~ al compás; être en ~ de estar en condiciones de.

mesuré, e [mэzyre] a (fig) mesurado(a), circunspecto(a).

mesurer [mэzyre] vt medir; **il mesure 1m 80** tiene 1m 80 de alto; **se ~ avec/à qn** medirse o competir con alguien.

met vb voir **mettre**.

métairie [meteri] nf finca en aparcería; (bâtiments) granja.

métal, aux [metal, o] nm metal m; **~ique** a metálico(a); **~liser** vt metalizar; **~lurgie** nf metalurgia; **~lurgiste** nm metalúrgico.

métamorphose [metamɔrfoz] nf metamorfosis f.

métaphore [metafɔr] nf metáfora.

métaphysique [metafizik] a metafísico(a).

métayer, ère [meteje, ejɛr] nm/f aparcero/a, colono/a.

métempsychose [metãpsikoz] nf metempsícosis f.

météo [meteo] nf parte o boletín meteorológico; (service) servicio meteorológico.

météore [meteɔr] nm meteoro.

météorologie [meteɔrɔlɔʒi] nf meteorología; **météorologique** a meteorológico(a).

méthode [metɔd] nf método; **méthodique** a metódico(a).

méticuleux, euse [metikylø, øz] a meticuloso(a).

métier [metje] nm (profession) oficio, profesión f; (manuel, artisanal) oficio; (technique, expérience) oficio, práctica; (fonction, rôle) función f, ejercicio; (machine) telar m; être du ~ ser del oficio.

métis, se [metis] a, nm/f mestizo(a).

métisser [metise] vt cruzar.

métrage [metraʒ] nm medición f en metros; (longueur de tissu) medida en metros; (CINÉMA) metraje m; **long/moyen/court ~**, largo/medio/corto metraje.

mètre [mɛtr(ə)] nm metro; (ruban) cinta métrica; **un huit cents ~s** (SPORT) un ochocientos metros; **métrique** a métrico(a).

métro [metro] nm metro, metropolitano.

métropole [metrɔpɔl] nf metrópoli f; **métropolitain, e** a metropolitano(a).

mets [mɛ] nm plato.

mettable [mɛtabl(ə)] a que puede llevarse o usarse.

metteur [mɛtœr] nm: **~ en scène** (THÉÂTRE) director m de escena; (CINÉMA) director m; **~ en ondes** director de emisión.

mettre [mɛtr(ə)] vt poner, colocar; (vêtement, objet) poner, ponerse; (: porter) poner, llevar; (installer: gaz, électricité) colocar; (faire fonctionner: chauffage, électricité) encender; se ~ à ponerse a; ~ en bouteille embotellar; ~ en sac ensacar; ~ en terre enterrar; ~ à la poste echar al correo; ~ du temps à faire qch echar o emplear tiempo en hacer algo; ~ fin à qch poner fin a algo; ~ qn debout/assis levantar/sentar a alguien; mettons que; se ~ n'avoir rien à se ~ no tener qué ponerse; se ~ au piano sentarse al piano; (apprendre) estudiar piano; se ~ bien/mal avec qn amigarse/enemistarse con alguien; se ~ de l'encre sur les doigts echarse tinta en los dedos.

meuble [mœbl(ə)] nm mueble m // a (terre) blando(a), (JUR): **bien ~** bien mueble m; **meubler** vt amueblar; (fig) ocupar, llenar // vi (tissu etc) adornar, ornar.

meugler [møgle] vi mugir.

meule [møl] nf (à broyer) muela; (à

aiguiser, polir) piedra de afilar; (de foin, blé) niara, almiar m.

meunerie [mønʀi] nf (industrie) molinería.

meunier, ière [mønje, ɛʀ] nm/f, a molinero/a // af inv: **sole meunière** lenguado marinado.

meure etc vb voir **mourir**.

meurtre [mœʀtʀ(ə)] nm asesinato, homicidio; **meurtrier, ière** nm/f asesino/a, homicida m/f // a (épidémie) mortal, mortífero(a); (combat) sangriento(a); (carrefour, route) mortal; (arme) asesino(a), homicida // nf (ouverture) tronera.

meurtrir [mœʀtʀiʀ] vt magullar, (fig) mortificar, lastimar; **meurtrissure** nf (d'un fruit etc) machacadura.

meus etc vb voir **mouvoir**.

meute [møt] nf jauría; (de personnes) jauría, banda.

mexicain, e [mɛksikɛ̃, ɛn] a, nm/f mexicano(a), mejicano(a).

Mexique [mɛksik] nm México, Méjico.

MF sigle f voir **modulation**.

Mgr abrév de **monseigneur**.

mi [mi] nm mi m.

mi- [mi] préf: à ~**hauteur/pente** à media altura/pendiente; à ~**jambes/corps** a media pierna/medio cuerpo; à ~**janvier** a mediados de enero; ~**bureau**, ~**chambre** mitad oficina, mitad dormitorio.

miauler [mjole] vi maullar.

mica [mika] nm mica.

mi-carême [mikaʀɛm] nf: la ~ el jueves de la tercera semana de cuaresma.

miche [miʃ] nf hogaza.

mi-chemin [miʃmɛ̃]: à ~ ad a la mitad del camino.

mi-clos, e [miklo, kloz] a entornado(a).

micro [mikʀo] nm micrófono.

microbe [mikʀɔb] nm microbio.

microfiche [mikʀofiʃ] nf microficha.

microfilm [mikʀofilm] nm microfilm m.

microphone [mikʀɔfɔn] nm micrófono.

microscope [mikʀɔskɔp] nm microscopio.

midi [midi] nm (milieu du jour) mediodía m; (heure) mediodía, las doce; (sud) sur m; (: de la France): **le M~** el Mediodía; **tous les** ~ todos los días a las doce; **le repas de** ~ el almuerzo, la comida de mediodía; **en plein** ~ en pleno día.

midinette [midinɛt] nf costurerilla, modistilla.

mie [mi] nf miga.

miel [mjɛl] nm miel f.

mielleux, euse [mjɛlø, øz] a (péj) meloso(a), melifluo(a).

mien, ne [mjɛ̃, mjɛn] pron: **le** ~ el mío; **la** ~**ne** la mía; **les** ~**s** los míos; **les** ~**nes** las mías.

miette [mjɛt] nf (de pain etc) miga, migaja; (fig): **mettre en** ~**s** hacer trizas o añicos.

mieux [mjø] a, ad mejor // nf mejoría; **le** ~ el mejor; **la** ~ la mejor; **les** ~ los(las) mejores; **ce que je sais le** ~ c'est... lo que mejor conozco es...; **c'est dans ce restaurant qu'on mange le** ~ es en este restaurante donde mejor se come; **c'est ici qu'il dort le** ~ es aquí que se duerme mejor; **le** ~ **serait de...** lo mejor sería...; **c'est à Paris que les rues sont le** ~ **éclairées** es en París donde están mejor alumbradas las calles; **les situations les** ~ **payées sont...** los puestos mejor pagados son...; **des deux, elle est la** ~ **habillée** de las (los) dos, ella es la mejor vestida; **valoir** ~ valer más, ser mejor; **de mon/ton** ~ lo mejor que puedo/puedes; **aimer** ~ preferir; **faire** ~ de hacer mejor en; **de** ~ **en** ~ cada vez mejor; **pour le** ~ (très bien) maravillosamente; **~ je comprends, plus je m'intéresse** cuanto más entiendo más me interesa; **plus il fait d'exercice, ~ il se porte** cuanto más hace gimnasia tanto mejor se encuentra.

~ il est payé, plus il est content cuanto mejor pagado (tanto) más contento; **du ~ qu'il peut** lo mejor que puede; **au ~ en** el mejor de los casos; **être au ~ avec qn** estar muy amigo(a) con uno.

mièvre [mjɛvʀ(ə)] a empalagoso(a).

mignon, ne [miɲɔ̃, ɔn] a encantador(ora).

migraine [migʀɛn] nf jaqueca, migraña.

migrateur, trice [migʀatœʀ, tʀis] a migratorio(a).

migration [migʀasjɔ̃] nf migración f.

mi-jambe [miʒɑ̃b]: **à ~** ad a media pierna.

mijoter [miʒɔte] vt cocinar a fuego lento; (*préparer avec soin*) preparar cuidadosamente; (*fig*) maquinar, tramar // vi cocinar lentamente.

milice [milis] nf milicia.

milieu, x [miljø] nm (*centre*) medio, mitad f; (*fig*) término medio; (*BIO*) medio; (*entourage social*) medio ambiente, medio; (*pègre*): **le M~** el hampa; **au ~ de** en medio de, en la mitad de; (*fig*) en medio de; **au beau ~ (de)** en lo mejor de(, en pleno(a).

militaire [militɛʀ] a, nm militar (m).

militant, e [militɑ̃, ɑ̃t] a, nm/f militante (m/f).

militer [milite] vi militar.

mille [mil] num mil // nm (*mesure*): **~ marin** milla marina, nudo; **mettre dans le ~** dar en el blanco; **~-feuille** nm milhojas m, hojaldre m; **millénaire** nm milenio // a milenario(a); **~-pattes** nm inv ciempiés m.

millésime [milezim] nm fecha, año.

millet [mije] nm mijo.

milliard [miljaʀ] nm mil millones; **~aire** a, nm/f multimillonario(a).

millier [milje] nm millar m; **par ~s** por millares.

milligramme [miligʀam] nm miligramo.

millimètre [milimɛtʀ(ə)] nm milímetro; **millimétré, e** a: **papier millimétré** papel milimetrado.

million [miljɔ̃] nm millón m; **~naire** a, nm/f millonario(a).

mime [mim] nm/f mimo; (*imitateur*) imitador(ora).

mimer [mime] vt mimar, imitar; (*singer*) imitar, remedar.

mimique [mimik] nf mímica.

mimosa [mimoza] nm mimosa.

minable [minabl(ə)] a deplorable, lamentable.

minaret [minaʀɛ] nm minarete m, alminar m.

minauder [minode] vi hacer remilgos o melindres.

mince [mɛ̃s] a delgado(a); (*couche*) ligero(a); (*fig*) escaso(a), magro(a); **minceur** nf delgadez f.

mine [min] nf mina; (*physionomie*) cara, aspecto; (*extérieur*) aspecto, semblante m; **les M~s** (*ADMIN*) Dirección f de Minas; **avoir bonne/mauvaise ~** (*personne*) tener buena/mala cara; **il fit ~ de partir** hizo como si marchara; **~ de rien** como quien no quiere la cosa; **~ à ciel ouvert** mina a o de cielo abierto.

miner [mine] vt minar; (*saper*) socavar, minar.

minerai [minʀɛ] nm mineral m.

minéral, e, aux [mineʀal, o] a, nm mineral (m).

minéralogique [mineʀalɔʒik] a: **plaque ~** matrícula; **numéro ~** número de matrícula.

minet, te [minɛ, ɛt] nm/f minino/a; (*péj*) monín/ina.

mineur, e [minœʀ] a, nm/f menor (m/f) // (*ouvrier*) minero.

miniature [minjatyʀ] nf, a miniatura.

minibus [minibys] nm microbús m.

mini-cassette [minikasɛt] nf mini-cassette f.

minier, ière [minje, jɛʀ] a minero(a).

mini-jupe [miniʒyp] *nf* minifalda.

minimal, e, aux [minimal, o] *a* mínimo(a).

minime [minim] *a* mínimo(a) // *nm/f* (*SPORT*) junior *m/f*.

minimiser [minimize] *vt* minimizar, subestimar.

minimum [minimɔm] *a* mínimo(a) // *nm* mínimo, mínimum *m*; **au ~** (*au moins*) a lo mínimo, por lo menos; **~ vital** salario mínimo vital.

ministère [ministɛr] *nm* ministerio; (*gouvernement*) ministerio, gabinete *m*; (*portefeuille*) ministerio, cartera; **~ public** (*JUR*) ministerio público; **ministériel, le** *a* ministerial.

ministre [ministr(ə)] *nm* ministro; **~ d'État** ministro de Estado.

minium [minjɔm] *nm* minio.

minois [minwa] *nm* cara, palmito.

minoritaire [minɔritɛr] *a* minoritario(a), de la minoría.

minorité [minɔrite] *nf* minoría; (*d'une personne*) minoría de edad; **dans la ~ des cas** en la minoría o en la menor parte de los casos; **être/mettre en ~** estar/poner en minoría.

Minorque [minɔrk] *nf* Menorca.

minoterie [minɔtri] *nf* molino harinero.

minuit [minɥi] *nm* medianoche *f*.

minuscule [minyskyl] *a* minúsculo(a) // *nf*: (*lettre*) **~** letra minúscula.

minute [minyt] *nf* minuto; (*JUR: original*) minuta; **à la ~** al instante; **entrecôte/steak ~** entrecôte *m*/bisté *m* al minuto; **minuter** *vt* cronometrar; **~rie** *nf* interruptor automático.

minutieux, euse [minysjø, øz] *a* minucioso(a).

mioche [mjɔʃ] *nm/f* (*fam*) mocoso/a.

mirabelle [mirabel] *nf* (*fruit*) ciruela amarilla o mirabel.

miracle [mirakl(ə)] *nm* milagro; (*chose admirable*) prodigio;

miraculé, e [mirakyle] *nm/f* curado/a milagrosamente; **miraculeux, euse** [mirakylø, øz] *a* milagroso(a); (*étonnant*) prodigioso(a), milagroso(a).

mirador [miradɔr] *nm* mirador *m*, torre *f* de observación.

mirage [miraʒ] *nm* espejismo.

mire [mir] *nf*: **point de ~** punto de mira.

mirer [mire] *vt* observar al trasluz.

mirifique [mirifik] *a* mirífico(a).

mirobolant, e [mirɔbɔlɑ̃, ɑ̃t] *a* extraordinario(a), estupendo(a).

miroir [mirwar] *nm* espejo; (*fig*) reflejo, espejo.

miroiter [mirwate] *vi* espejear, resplandecer; **faire ~ qch à qn** seducir a alguien con algo.

miroiterie [mirwatri] *nf* (*usine*) taller *m* de espejos; (*magasin*) tienda de espejos.

mis, e [mi, miz] *pp de* **mettre** // *a*: **bien/mal** ~ bien/mal vestido o puesto // *nf* (*argent: au jeu*) apuesta; (*tenue*) indumentaria; **être de ~** ser admisible; **~e en accusation** acusación *f*; **~e en bouteilles** embotellado; **~e à feu** encendido; **~e de fonds** inversión *f*; **~e à mort** matanza; **~e en ondes** realización *f*; **~e en plis** marcado; **~e sur pied** montaje, organización *f*; **~e au point** (*fig*) aclaración *f*; **~e en scène** montaje *m*, escenificación *f*.

mise [miz] *a, nf voir* **mis.**

miser [mize] *vt* (*enjeu*) apostar; **~ sur** *vt* apostar a; (*fig*) contar con.

misérable [mizerabl(ə)] *a* miserable; (*pauvre*) menesteroso(a), necesitado(a); (*insignifiant*) miserable, mísero(a) // *nm/f* (*miséreux*) miserable *m/f*, menesteroso/a.

misère [mizɛr] *nf* miseria, indigencia; **~s** *fpl* calamidades *fpl*, desventuras; **salaire de ~** salario miserable o de hambre; **miséreux, euse** [mizerø, øz] *a* menesteroso(a).

miséricorde [mizerikɔrd(ə)] *nf*

misericordia; **miséricordieux, euse** a misericordioso(a).

misogyne [mizɔʒin] a, nm/f misógino/a.

missel [misɛl] nm misal m.

missile [misil] nm misil m.

mission [misjɔ̃] nf misión f; **partir en ~** salir de misión.

missionnaire [misjɔnɛʀ] nm misionero.

missive [misiv] nf misiva.

mistral [mistʀal] nm mistral m.

mit vb voir **mettre**.

mite [mit] nf polilla; **mité, e** a apolillado(a).

mi-temps [mitɑ̃] nf inv (SPORT. période) tiempo; (:pause) medio tiempo, descanso; **à ~** a medio tiempo.

miteux, euse [mitø, øz] a mísero(a), lamentable.

mitigation [mitigasjɔ̃] nf: **~ des peines** mitigación f de la pena.

mitigé, e [mitiʒe] a moderado(a).

mitonner [mitɔne] vt cocer con ternura.

mitoyen, ne [mitwajɛ̃, ɛn] a medianero(a); **maisons ~nes** casas semiseparadas; (plus de deux) casas en hilera.

mitraille [mitʀaj] nf metralla.

mitrailler [mitʀaje] vt ametrallar; (fam) fotografiar.

mitraillette [mitʀajɛt] nf pistola ametralladora.

mitrailleur [mitʀajœʀ] nm soldado ametrallador // am: **fusil ~** fusil m ametralladora.

mitrailleuse [mitʀajøz] nf ametralladora.

mitre [mitʀ(ə)] nf mitra.

mi-voix [mivwa]: **à ~** ad a media voz, en voz baja.

mixage [miksaʒ] nm mezcla de sonidos.

mixer [miksœʀ] nm batidora.

mixité [miksite] nf coeducación f.

mixte [mikst(ə)] a mixto(a); **à usage ~** de doble finalidad; **cuisinière ~** cocina eléctrica y de gas.

mixture [mikstyʀ] nf mixtura; (fig) menjunje m, brebaje m.

MLF sigle m voir **mouvement**.

Mlle, pl **Mlles** abrév de **Mademoiselle**.

MM abrév de **Messieurs**.

Mme, pl **Mmes** abrév de **Madame**.

mn abrév de **minute**.

mnémonique [mnemɔnik] a mnemónico(a).

Mo abrév de **métro**.

mobile [mɔbil] a suelto(a), movible; (nomade) móvil, inestable; (changeant) cambiante, mudable // nm (cause) móvil m, motivo; (œuvre d'art) móvil.

mobilier, ière [mɔbilje, jɛʀ] a (JUR) mobiliario(a) // nm mobiliario; **vente mobilière** venta mobiliaria.

mobilisation [mɔbilizasjɔ̃] nf movilización f.

mobiliser [mɔbilize] vt movilizar; (adhérents etc) convocar, congregar; (fig) reunir, juntar.

mobilité [mɔbilite] nf movilidad f, inestabilidad f.

mocassin [mɔkasɛ̃] nm mocasín m.

moche [mɔʃ] a (fam) horrible, feo(a).

modalité [mɔdalite] nf modalidad f; (JUR) condición f, modalidad f; **adverbe de ~** adverbio de modo.

mode [mɔd] nf moda // nm modo; **à la ~** de moda; **journal de ~** revista de modas; **~ d'emploi** modo de empleo; **~ de paiement** forma de pago.

modèle [mɔdɛl] a, nm modelo; (catégorie) tipo; **~ déposé** modelo patentado; **~ réduit** modelo reducido.

modelé [mɔdle] nm modelado.

modeler [mɔdle] vt modelar; **~ qch sur/d'après** amoldar o ajustar algo a.

modérateur, trice [mɔdeʀatœʀ, tʀis] a moderador(ora).

modération [mɔdeʀasjɔ̃] nf moderación f; mesura.

modéré, e [mɔdeʀe] a moderado(a); (POL) conservador(ora) // nm/f (POL) conservador/ora.

modérer [mɔdeʀe] vt moderar; **se ~** vi moderarse, calmarse.

moderne [mɔdɛʀn(ə)] a moderno(a) // nm: **le ~** lo moderno; **moderniser** vt modernizar.

modeste [mɔdɛst(ə)] a modesto(a); **modestie** nf modestia.

modificatif, ive [mɔdifikatif, iv] a modificativo(a).

modification [mɔdifikɑsjɔ̃] nf modificación f.

modifier [mɔdifje] vt modificar, transformar; **se ~** vi modificarse, transformarse.

modique [mɔdik] a módico(a).

modiste [mɔdist(ə)] nf sombrerera.

modulation [mɔdylɑsjɔ̃] nf modulación f; **~ de fréquence, MF** frecuencia modulada.

module [mɔdyl] nm: **~ lunaire** módulo lunar.

moduler [mɔdyle] vt modular.

moelle [mwal] nf médula; **~ épinière** médula espinal.

moelleux, euse [mwalø, øz] a blando(a), mullido(a); (au goût, à l'ouïe) suave; aterciopelado(a).

moellon [mwalɔ̃] nm morrillo.

mœurs [mœʀs] nfpl (conduite) costumbres fpl, hábitos; (pratiques sociales) costumbres; (mode de vie, d'une espèce animale) hábitos; **contraire aux bonnes ~** contrario(a) a las buenas costumbres.

mohair [mɔɛʀ] nm tela de pelo de angora; **laine ~** lana mohair.

moi [mwa] pron yo; (complément indirect) me; (après prép) mí; (emphatique): **~, je crois...** creo yo ... // nm inv yo m; **avec ~** conmigo.

moignon [mwaɲɔ̃] nm garrón m; (d'un membre) muñón m.

moi-même [mwamɛm] pron yo mismo; (après prép) mí (mismo(a)).

moindre [mwɛ̃dʀ(ə)] a menor; **le ~** el menor; **la ~** la menor; **les ~s** los(las) menores.

moine [mwan] nm monje m.

moineau, x [mwano] nm gorrión m.

moins [mwɛ̃] ad, prép menos; **~ je travaille, mieux je me porte** tanto menos trabajo, (cuanto) mejor me encuentro; **~ grand que** menos grande que; **le(la) ~ doué(e)** el(la) menos dotado(a); **le ~** lo menos; **de ~** menos; **de 2 ans/100 F** menos de 2 años/100 F; **~ de midi** antes de mediodía; **100 F/3 días de ~** 100 F/3 días menos; **3 livres en ~** 3 libros de menos; **de l'eau en ~** menos agua; **le soleil en ~** sin el sol; **à ~ que** a menos que; **à ~ de faire** a menos que haga; **à ~ de** (imprévu etc) salvo; **au ~** menos; **de ~ en ~** cada vez menos; **pour le ~** a lo menos; **du ~** por lo menos; **midi ~ cinq** las doce menos cinco; **il fait ~ cinq** hace cinco bajo cero.

moins-value [mwɛ̃valy] nf depreciación f; (d'une taxe etc) minusvalía.

moiré, e [mwaʀe] a (tissu etc) tornasolado(a).

mois [mwa] nm mes m; (salaire, somme due) mensualidad f.

moïse [mɔiz] nm moisés m.

moisi, e [mwazi] a enmohecido(a), mohoso(a) // nm moho; **odeur de ~** olor m a moho.

moisir [mwaziʀ] vi enmohecerse, cubrirse de moho; (fig) criar moho; **moisissure** nf moho.

moisson [mwasɔ̃] nf cosecha, siega; (céréales) cosecha; (fig) colección f; **~ner** vt segar, cosechar; (champ) segar; **~neur, euse** nm/f segador/ora // nf (machine) segadora; **~neuse-batteuse** nf segadora trilladora.

moite [mwat] a (peau) húmedo(a), sudoroso(a); (chaleur) húmedo(a).

moitié [mwatje] nf mitad f; (épouse): **sa ~** su media naranja; **la ~ (de)** la mitad (de); **à la ~ de** a mitad de; **~ moins grand/plus long** la mitad de grande/más largo; **à ~**

a medias; **de** ~ **a medias;** ~ ~ mitad y mitad.

moka [mɔka] *nm* moka *m;* (*gâteau*) torta moka.

molaire [mɔlɛʀ] *nf* molar *m,* muela.

molécule [mɔlekyl] *nf* molécula.

moleskine [mɔlɛskin] *nf* molesquín *m.*

molester [mɔlɛste] *vt* maltratar.

molette [mɔlɛt] *nf* piedra de mechero.

molle [mɔl] *af voir* **mou.**

mollement [mɔlmɑ̃] *ad* débilmente, blandamente; (*péj*) desganadamente, indolentemente.

mollesse [mɔlɛs] *nf* blandura, flojedad *f;* flaqueza, indolencia.

mollet [mɔlɛ] *nm* pantorrilla // *a:* **œuf** ~ huevo pasado por agua; ~**ière** [mɔltjɛʀ] *af:* **bande** ~**ière** polaina.

molleton [mɔltɔ̃] *nm* muletón *m;* ~**né, e** *a:* **gants** ~**nés** guantes forrados de múleton.

mollir [mɔliʀ] *vi* aflojarse, ceder; amainar; cejar, flaquear.

mollusque [mɔlysk(ə)] *nm* molusco.

molosse [mɔlɔs] *nm* moloso.

môme [mom] *nm/f* (*fam: enfant*) chiquillo/a, niño/a; (: *fille*) muchacha, chica.

moment [mɔmɑ̃] *nm* momento; **ce n'est pas le** ~ no es el momento apropiado; **à ses** ~**s perdus** en sus ratos libres; **à un certain** ~ en algún momento; **à un** ~ **donné** en un momento dado; **pour un bon** ~ por un buen rato; **au** ~ de en el momento de; **au** ~ **où** en el momento en que; **à tout** ~ a cada momento o rato; **en ce** ~ en este momento, ahora; **pour le** ~ por el momento; **sur le** ~ en un primer momento, en un principio; **par** ~**s** por momentos, a veces; **d'un** ~ **à l'autre** de un momento a otro; **du** **où** *ou* **que** dado que, ya que; ~**ané, e** a momentáneo(a).

momie [mɔmi] *nf* momia.

mon, ma, *pl* **mes** [mɔ̃, ma, me] *dét* mi(mis).

monacal, e, aux [mɔnakal, o] *a* monacal.

Monaco [mɔnako] *n* Mónaco.

monarchie [mɔnaʀʃi] *nf* monarquía; (*état*) monarquía, reino; **monarchiste** *a, nm/f* monárquico(a).

monarque [mɔnaʀk(ə)] *nm* monarca *m.*

monastère [mɔnastɛʀ] *nm* monasterio.

monastique [mɔnastik] *a* monástico(a).

monceau, x [mɔ̃so] *nm* montón *m.*

mondain, e [mɔ̃dɛ̃, ɛn] *a* mundano(a) // *nf:* **la M~e, la police** ~**e** cuerpo policial para el control de la prostitución; **mondanités** [mɔ̃danite] *nfpl* mundanería, entretenimientos mundanos; crónica social, ecos de sociedad.

monde [mɔ̃d] *nm* mundo; (*haute société*): **le** ~ la alta sociedad; (*gens*): **il y a du** ~ (*beaucoup de gens*) hay mucha gente; (*quelques personnes*) hay gente; **y a-t-il du** ~ **dans le salon?** ¿hay gente en el salón?; **beaucoup/peu de** ~ de mucha/poca gente; **le meilleur du** ~ el mejor *etc* del mundo; **mettre au** ~ dar a luz; **pas le moins du** ~ de ninguna manera; **homme/femme du** ~ hombre *m*/mujer *f* de mundo; **se faire un** ~ **de qch** hacer gran cosa de algo; **mondial, e, aux** *a* mundial; **mondialement** *ad* mundialmente, universalmente.

monégasque [mɔnegask(ə)] *a, nm/f* monegasco(a).

monétaire [mɔnetɛʀ] *a* monetario(a).

mongolien, ne [mɔ̃gɔljɛ̃, jɛn] *a, nm/f* mongólico(a).

moniteur, trice [mɔnitœʀ, tʀis] *nm/f* (*SPORT*) profesor/ora, monitor/ora; (*de colonie de vacances*) monitor/ora // *nm:* ~

cardiaque monitor cardíaco; ~ **d'auto-école** instructor *m* de autoescuela.

monnaie [mɔnɛ] *nf* (*pièce*) moneda; (ÉCON, *gén:* *moyen d'échange*) moneda, dinero; (*petites pièces*): **avoir de la ~** tener cambio *o* dinero suelto; **faire de la ~; faire de la ~** cambiar; **avoir/faire la ~ de 20 F** tener cambio de/cambiar 20 F; **faire/donner à qn la ~ de 20 F** cambiar/dar el cambio de 20 F a alguien; **rendre à qn la ~ (sur 20 F)** dar a alguien la vuelta (de 20 F);

monnayer [mɔneje] *vt* convertir en dinero; (*talent*) sacar dinero de.

monocle [mɔnɔkl(ə)] *nm* monóculo.

monocoque [mɔnɔkɔk] *a:* **voiture ~** coche monocasco.

monocorde [mɔnɔkɔʀd(ə)] *a* monocorde.

monoculture [mɔnɔkyltyʀ] *nf* monocultivo.

monogramme [mɔnɔgʀam] *nm* monograma *m*.

monolingue [mɔnɔlɛ̃g] *a* monolingüe.

monologue [mɔnɔlɔg] *nm* monólogo; **monologuer** *vi* monologar.

monôme [mɔnom] *nm* (MATH) monomio.

monoplace [mɔnɔplas] *a, nm/f* monoplaza (*m*).

monopole [mɔnɔpɔl] *nm* monopolio; **monopoliser** *vt* monopolizar.

monorail [mɔnɔʀaj] *nm* monorraíl *m*, monocarril *m*.

monoski [mɔnɔski] *nm* deslizador *m*.

monosyllabe [mɔnɔsilab] *nm* monosílabo; **monosyllabique** *a* monosílabico(a).

monotone [mɔnɔtɔn] *a* monótono(a), uniforme; **monotonie** *nf* monotonía, uniformidad *f*.

monseigneur [mɔ̃sɛɲœʀ] *nm* (*archevêque, évêque*) Ilustrísima; (*duc*) Excelencia; (*cardinal*) Vuestra Eminencia; (*prince*) Alteza.

Monsieur [məsjø], *pl* **Messieurs** [mesjø] *nm* (*titre*) señor *m*, don *m*

(*suivi du prénom*) señor; (: *d'un maître de maison, client*) señor; (*homme quelconque*) señor, caballero; *voir aussi* **Madame.**

monstre [mɔ̃stʀ(ə)] *nm* monstruo // a *monstruo* inv, monstruoso(a); **monstrueux, euse** *a* monstruoso(a); **monstruosité** *nf* monstruosidad *f*.

mont [mɔ̃] *nm* monte *m*; **par ~s et par vaux** por todas partes.

montage [mɔ̃taʒ] *nm* instalación *f*, montaje *m*; (*assemblage*, PHOTO, CINÉMA) montaje; ~ **sonore** montaje sonoro.

montagnard, e [mɔ̃taɲaʀ, aʀd(ə)] *a, nm/f* montañés(esa).

montagne [mɔ̃taɲ] *nf* montaña; **la haute/moyenne ~** la alta/media montaña; ~s **russes** montaña rusa; **montagneux, euse** *a* montañoso(a).

montant, e [mɔ̃tɑ̃, ɑ̃t] *a* (*mouvement, marée*) ascendente, creciente; (*chemin*) ascendente; (*robe, corsage*) alto(a), cerrado(a) // *nm* (*somme, total*) monto, importe *m*; (*d'une fenêtre, d'un lit*) jamba, larguero; (*d'une échelle*) larguero.

mont-de-piété [mɔ̃dpjete] *nm* monte de piedad *m*.

monte-charge [mɔ̃tʃaʀʒ(ə)] *nm inv* montacargas *m inv*.

montée [mɔ̃te] *nf* subida, ascensión *f*; (*pente*) subida, cuesta.

monte-plats [mɔ̃tpla] *nm inv* montaplatos *m inv*.

monter [mɔ̃te] *vt* (*escalier, côte*) subir, ascender; (*valise, courrier etc*) subir; (*bijou, cheval, aussi* THÉÂTRE, CINÉMA) montar; (*femelle*) cubrir, montar; (*étagère*) subir, alzar; (*tente, échafaudage*) instalar, armar; (*COUTURE*) colocar, montar; (*société etc*) organizar // vi subir; (*passager*): ~ **dans un train** subir a un tren; (*avion etc, chemin*) ascender; subir; (*niveau, température, voix, prix, brouillard, bruit*) subir, elevarse; (*CARTES*) echar una carta de más valor; (*cheval*): ~ **bien/mal** montar bien/mal; ~ **sur**/à subir a o en/a; ~ **son ménage** montar su casa; ~ **son trousseau** preparar su ajuar; se ~ (**s'équiper**) proveerse; **se** ~ **à** (*frais etc*) ascender a, importar; **à cheval/bicyclette** montar a caballo/en bicicleta; ~ **à pied/en voiture** subir a pie/en coche; ~ **à bord** subir a bordo; ~ **sur les planches** subir a la escena; ~ **la garde** montar guardia; ~ **à l'assaut** lanzarse al asalto; *monteur* nm/f montador/ora.

monticule [mɔ̃tikyl] nm montículo; (*tas*) montículo, cúmulo.

montre [mɔ̃tr(ə)] nf reloj m; **contre la** ~ (*SPORT*) contra reloj; **faire de** ~ hacer alarde de; exhibir; (*faire preuve de*) dar muestras de; ~-**bracelet** nf reloj m de pulsera.

montrer [mɔ̃tre] vt mostrar, enseñar; (*suj: panneau etc*) señalar, indicar; (*fig*) describir, presentar; (: *prouver*) mostrar, demostrar; (: *témoigner*) demostrar; (: *étonnement, courage*) mostrar, revelar; **se** ~ (*paraître*) mostrarse, dejarse ver; **se** ~ **habile** mostrarse hábil; **montreur, euse** nm/f: **montreur d'ours** amaestrador m de osos; **montreur de marionnettes** titiritero.

monture [mɔ̃tyr] nf montura, cabalgadura; (*d'une bague, de lunettes*) montura.

monument [mɔnymɑ̃] nm monumento; ~ **aux morts** monumento a los muertos; ~-**al, aux** a monumental, grandioso(a); colosal.

moquer [mɔke]: **se** ~ **de** vt burlarse o mofarse de; (*suj: mépriser*) importarle (a uno) poco; (*tromper*) engañar a, burlarse de.

moquette [mɔkɛt] nf moqueta.

moqueur, euse [mɔkœr, øz] a burlón(ona), zumbón(ona).

moral, e, aux [mɔral, o] a moral, espiritual // nm moral f, ánimo // nf (*éthique, doctrine*) moral, ética; (*règles*) moral; (*d'une fable etc*) moraleja; **au** ~ en lo moral; **faire la** ~-**e à** dar un sermón a; ~-**isateur,**

trice a moralizador(ora) // nm/f moralista m/f; ~-**iste** nm/f moralista m/f; ~-**ité** nf moral f, moralidad f; (*d'une action, attitude*) moralidad f, conducta; (*conclusion, enseignement*) moraleja.

morbide [mɔrbid] a morboso(a), mórbido(a).

morceau, x [mɔrso] nm trozo, fragmento; (*de ficelle, terre, pain*) trozo, pedazo; **couper/mettre en** ~-**x** cortar en/hacer pedazos.

morceler [mɔrsəle] vt dividir, parcelar.

mordant, e [mɔrdɑ̃, ɑ̃t] a cáustico(a), incisivo(a); penetrante.

mordiller [mɔrdije] vt mordisquear, dentellear.

mordre [mɔrdr(ə)] vt morder; (*suj: insecte*) picar; (: *lime*) corroer, morder; (: *ancre, vis*) penetrar en; (: *froid*) penetrar // vi (*poisson*) morder, picar; ~ **dans** (*fruit, gâteau*) morder; ~ **sur** (*ligne de départ, marge*) pasar, sobrepasar; ~ **à** (*hameçon, appât*) morder, picar; (*fig*) tomarle gusto a, interesarse en.

mordu, e [mɔrdy] nm/f: **un** ~ **de** un apasionado de, un chiflado por.

morfondre [mɔrfɔ̃dr(ə)]: **se** ~ vi impacientarse, exasperarse.

morgue [mɔrg(ə)] nf soberbia, engreimiento; (*lieu*) morgue f.

moribond, e [mɔribɔ̃, ɔ̃d] a/nm/f moribundo/a.

morille [mɔrij] nf colmenilla, cagarria.

morne [mɔrn(ə)] a abatido(a), sombrío(a), destemplado(a), desapacible; insulso(a), hueco(a).

morose [mɔroz] a taciturno(a), apesadumbrado(a).

morphine [mɔrfin] nf morfina; **morphinomane** nm/f morfinómano/a.

morphologie [mɔrfɔlɔʒi] nf morfología f; (*d'un relief, tissu*) forma.

mors [mɔr] nm bocado.

morse [mɔʀs(ə)] *nm* morsa; (*TÉLÉC*) morse *m*.

morsure [mɔʀsyʀ] *nf* mordedura; picadura.

mort [mɔʀ] *nf* muerte *f*; ~ **apparente/clinique** muerte aparente/clínica.

mort, e [mɔʀ, mɔʀt(ə)] *pp de* **mourir** // *a, nm/f* muerto(a) // *nm* (*CARTES*) muerto; ~ **ou vif** muerto o vivo; ~ **de peur/fatigue** muerto de miedo/cansancio.

mortadelle [mɔʀtadɛl] *nf* mortadela.

mortalité [mɔʀtalite] *nf* mortalidad *f*, mortandad *f*.

mortel, le [mɔʀtɛl] *a, nm/f* mortal (*m/f*).

morte-saison [mɔʀtəsɛzɔ̃] *nf* temporada mala.

mortier [mɔʀtje] *nm* mortero; (*TECH. mélange*) mezcla, argamasa.

mortifier [mɔʀtifje] *vt* mortificar, humillar.

mort-né, e [mɔʀne] *a* (*enfant*) nacido(a) muerto(a).

mortuaire [mɔʀtɥɛʀ] *a:* **cérémonie** ~ ceremonia fúnebre; **chapelle** ~ capilla ardiente; **couronne** ~ corona mortuaria; **drap** ~ mortaja, paño mortuorio.

morue [mɔʀy] *nf* bacalao; **mortuier** *nm* (*bateau*) barco para la pesca del bacalao.

mosaïque [mɔzaik] *nf* mosaico.

Moscou [mɔsku] *n* Moscú; **moscovite** [mɔskɔvit] *a, nm/f* moscovita (*m/f*).

mosquée [mɔske] *nf* mezquita.

mot [mo] *nm* palabra; (*message*): **un** ~ unas líneas; **bon** ~ ocurrencia, gracia; ~ **de la fin** conclusión *f*; **à** ~ **à** palabra por palabra, textual // *ad* palabra por palabra, literalmente // *nm* traducción *f* literal; ~ **pour** ~ palabra por palabra; **sur/à ces** ~**s** después de/con estas palabras; **en** ~ **s** una palabra; **prendre qn au** ~ tomarle la palabra a uno; **avoir son** ~ **à dire** tener derecho a

decir la suya; ~ **d'ordre/de passe** contraseña, santo y seña *m*; ~**s croisés** palabras cruzadas, crucigrama *m*.

motard [mɔtaʀ] *nm* motorista *m*.

motel [mɔtɛl] *nm* motel *m*.

moteur, trice [mɔtœʀ, tʀis] *a* motor(ora) // *nm* motor *m*; **troubles** ~**s** trastornos motores; **à 4 roues motrices** a cuatro ruedas motrices; **à** ~ a motor; **à deux/quatre temps** motor de dos/cuatro tiempos; **à explosion** motor de explosión.

motif [mɔtif] *nm* motivo, causa; (*décoratif*) motivo, dibujo; (*d'un tableau, aussi MUS*) motivo, tema *m*; (*JUR*) motivación *f*; **sans** ~ sin motivo o razón.

motion [mɔsjɔ̃] *nf* moción *f*; ~ **de censure** moción de censura.

motivé, e [mɔtive] *a* justificado(a), motivado(a).

motiver [mɔtive] *vt* motivar, justificar; (*suj: chose*) explicar.

moto [mɔto] *nf* moto *f*, motocicleta *f*; ~**cross** *nm* motocross *m*; ~**cyclette** *nf* motocicleta *f*; ~**cyclisme** *nm* carreras de motos; ~**cycliste** *nm/f* motociclista *m/f*; ~**neige** *nf* pequeño vehículo a oruga, con esquíes adelante.

motorisé, e [mɔtɔʀize] *a* motorizado(a).

motrice [mɔtʀis] *af voir* **moteur.**

motte [mɔt] *nf* (*de terre, gazon*) terrón *m*; (*de beurre*) pella.

motus [mɔtys] *excl:* ~, **bouche cousue** ¡chitón!, ¡punto en boca!

mou, molle [mu, mɔl] *a* blando(a); (*bruit*) suave, sordo(a); (*visage, traits*) fofo(a), fláccido(a); (*fig*) blando(a), débil // *nm* (*homme*) flojo, débil // *a* (*abats*) bofe *m*; **avoir/donner du** ~ tener/dar cuerda, aflojar; **avoir les jambes molles** flaquearle las piernas.

mouchard, e [muʃaʀ, aʀd(ə)] *nm/f* chivato/a, delator(ora) // (*péj*) soplón/ona // *nm* (*appareil*) aparato de control.

mouche [muʃ] *nf* mosca; **bateau ~** lancha; **faire ~** hacer centro, dar en el blanco.

moucher [muʃe] *vt* sonar; (*chandelle*) despabilar; **se ~** *vi* sonarse.

moucheron [muʃʀɔ̃] *nm* mosquita.

moucheté, e [muʃte] a moteado(a).

mouchoir [muʃwaʀ] *nm* pañuelo.

moudre [mudʀ(ə)] *vt* moler.

moue [mu] *nf* mueca, mohín *m*; **faire la ~** poner mala cara o cara de asco.

mouette [mwɛt] *nf* gaviota.

moufle [mufl(ə)] *nf* (*gant*) mitón *m*, manopla.

mouillage [mujaʒ] *nm* fondeo; (*NAUT: lieu*) fondeadero.

mouillé, e [muje] a húmedo(a); (*accidentellement, temporairement*) mojado(a).

mouiller [muje] *vt* humedecer, mojar; (*suj: pluie, orage etc*) mojar; (*CULIN*) añadir agua a; (*couper, diluer*) diluir, aguar; (*NAUT: mine*) sembrar; (*ancre*) echar, arrojar // *vi* (*NAUT*) anclar, fondear; **se ~** mojarse; (*fam*) meterse.

moulage [mulaʒ] *nm* moldeado, vaciado; (*objet*) moldeado.

moule [mul] *nf* mejillón *m* // *nm* molde *m*; (*modèle plein*) modelo.

moulent etc *vb* voir **moudre.**

mouler [mule] *vt* moldear; (*visage, bas-relief*) moldear, sacar el molde de; (*suj: vêtement*) ceñir, delinear; **~ qch sur** (*fig*) adaptar algo a.

moulin [mulɛ̃] *nm* molino; **~ à eau/à vent** molino de agua/de viento; **~ à café/à poivre** molinillo de café/de pimienta; **~ à légumes** pasapuré *m*; **~ à paroles** (*fig*) parlanchín(ina).

moulinet [mulinɛ] *nm* (*de treuil*) torniquete *m*; (*de canne à pêche*) carrete *m*; (*mouvement*) molinete *m*.

moulinette [mulinɛt] *nf* triturador *m* de verduras.

moulu, e *pp* de **moudre.**

moulure [mulyʀ] *nf* moldura.

mourant, e [muʀɑ̃, ɑ̃t] a moribundo(a); (*fig*) mortecino(a), desfalleciente; apagado(a), lángui-do(a) // *nm/f* moribundo/a.

mourir [muʀiʀ] *vi* morir; **~ de faim/d'ennui** morir(se) de hambre/aburrimiento; **~ de vieille-se/assassiné** morir de ve-jez/asesinado; **~ d'envie de** mo-rir(se) de ganas de.

mousquetaire [muskətɛʀ] *nm*: **les Trois M~s** los Tres Mosqueteros.

mousse [mus] *nf* musgo; (*écume*) espuma; (*CULIN*) crema batida // *nm* (*NAUT*) grumete *m*; **bas ~** media de espumilla; **~ carbonique** espuma de gas carbónico; **~ à raser** espuma de afeitar; **~ de nylon** espuma de nylon.

mousseline [muslin] *nf* muselina.

mousser [muse] *vi* hacer espuma.

mousseux, euse [musø, øz] a espumoso(a) // *nm* espumante *m*.

mousson [musɔ̃] *nf* monzón *m*.

moussu, e [musy] a musgoso(a), cubierto(a) de musgo.

moustache [mustaʃ] *nf* bigote *m*; **~s** *fpl* bigotes.

moustiquaire [mustikɛʀ] *nf* mosquitero.

moustique [mustik] *nm* mosquito.

moutarde [mutaʀd(ə)] *nf* mostaza.

mouton [mutɔ̃] *nm* carnero; (*CULIN*) cordero; **~s** *mpl* (*fig*) cabrillas; pelusa, motas de polvo.

mouture [mutyʀ] *nf* molienda.

mouvais etc *vb* voir **mouvoir.**

mouvant, e [muvɑ̃, ɑ̃t] a movedizo(a).

mouvement [muvmɑ̃] *nm* movimiento; (*geste*) movimiento, ademán *m*; (*activité*): **aimer le ~** ser activo(a); (*d'un terrain*) ondulación *f*, accidente *m*; (*mécanisme*) mecanismo; (*fig*) explosión *f*, arrebato; (*variation*) variación *f*; (*mettre*) **en ~** (poner) en movimiento; **M~ de libération de la femme, MLF** movimiento de liberación de la mujer; ~é, e a *(terrain)* accidentado(a); *(récit)* ágil, animado(a); *(vie, poursuite, réunion)* agitado(a), movido(a).

mouvoir [muvwaʀ] *vt* mover; *(fig: personne)* animar, impulsar; **se ~** *vi* moverse.

moyen, ne [mwajɛ̃, ɛn] *a* medio(a); *(lecteur, spectateur)* medio(a), corriente; *(passable)* medio(a), mediano(a) // *nm* medio, recurso // *nf* media; *(de notes, températures)* media, promedio; **~s** *mpl* *(capacités)* capacidad *f*, facultades *fpl*; *(financiers)* medios, recursos; **au ~ de** por medio de; **par tous les ~s** por todos los medios; **par ses propres ~s** por sus propios medios; **en ~ne** por término medio, como promedio; **faire/avoir la ~ne** sacar/tener el promedio; ~ **âge** Edad Media; **~courrier** *nm* avión de pasajeros para distancia media; **~ne d'âge** edad media o promedio; **~ne entreprise** mediana empresa; ~ **de transport** medio de transporte.

moyennant [mwajɛnɑ̃] *prép* *(somme)* por; *(service, conditions)* a cambio de; *(travail, effort)* con.

Moyen-Orient [mwajɛnɔʀjɑ̃] *nm:* **le ~** el Oriente Medio.

moyeu, x [mwajø] *nm* cubo.

Mssrs abrév de **Messieurs.**

mu, e *pp* de **mouvoir.**

mucosité [mykozite] *nf* moco, mocosidad *f*.

mucus [mykys] *nm* moco, mocosidad *f*.

mue [my] *nf* muda; piel dejada por la serpiente.

muer [mɥe] *vi* *(animal)* mudar, pelechar; *(voix, garçon)* mudar, cambiar; **se ~** *vi* transformarse en.

muet, te [mɥe, ɛt] *a, nm/f* mudo(a) // *nm*: **le ~** el cine mudo.

mufle [myfl(ə)] *nm* morro; *(goujat)* patán *m*, palurdo.

mugir [myʒiʀ] *vi* mugir; *(fig)* silbar.

muguet [mygɛ] *nm* muguete *m*.

mulâtre, tresse [mylɑtʀ(ə), atʀɛs] *nm/f* mulato/a.

mule [myl] *nf* mula; *(pantoufle)* chancleta, chinela.

mulet [mylɛ] *nm* mulo; *(poisson)* mújol *m*; **~ier, ière** [myljɛ, jɛʀ] *nm/f* muletero/a // *a*: **chemin ~ier** camino de herradura.

mulot [mylo] *nm* ratón *m* de campo.

multicolore [myltikɔlɔʀ] *a* multicolor *inv*.

multidisciplinaire [myltidisiplinɛʀ] *a* multidisciplinario(a).

multimilliardaire [myltimiljaʀdɛʀ] *a, nm/f* multimillonario(a).

multimillionnaire [myltimiljɔnɛʀ] *a, nm/f* multimillonario(a).

multinational, e, aux [myltinasjɔnal, o] *a* multinacional.

multiple [myltipl(ə)] *a* múltiple, numeroso(a); *(nombre)* múltiplo(a) // *nm* múltiplo.

multiplication [myltiplikasjɔ̃] *nf* multiplicación *f*.

multiplicité [myltiplisite] *nf* multiplicidad *f*.

multiplier [myltiplije] *vt* multiplicar; **se ~** *vi* multiplicarse; acrecentarse.

multirisque [myltiʀisk] *a:* **assurance ~** seguro contra varios riesgos.

multitude [myltityd] *nf* multitud *f*, muchedumbre *f*; **une ~ de** una multitud o infinidad de.

municipal, e, aux [mynisipal, o] *a* municipal.

municipalité [mynisipalite] *nf* municipalidad *f*; *(commune)* municipio.

munificent, e [mynifisɑ̃, ɑ̃t] *a* munífico(a), espléndido(a).

munir [myniʀ] *vt:* ~ **qn/qch de** proveer o dotar a alguien/algo de.

munitions [mynisjɔ̃] *nfpl* municiones *fpl*.

muqueuse [mykøz] *nf* mucosa.

mur [myʀ] *nm* muro, pared *f*; *(de terre, rondins)* muro, tapia; *(fig)* piedra, roca; barrera; **faire le** ~ salir sin permiso; (*SPORT*) formar una barrera; ~ **du son** barrera del sonido.

mûr, e [myʀ] *a* maduro(a) // *nf* mora; (*de la ronce*) mora, zarzamora.

muraille [myʀɑj] *nf* muralla.

mural, e, aux [myʀal, o] *a* mural.

mûrement [myʀmɑ̃] *ad*: **ayant** ~ **réfléchi** habiéndolo pensado a fondo.

murène [myʀɛn] *nf* murena.

murer [myʀe] *vt* tapiar; (*personne*) emparedar.

muret [myʀɛ] *nm* muro bajo.

mûrier [myʀje] *nm* morera.

mûrir [myʀiʀ] *vi, vt* madurar.

murmure [myʀmyʀ] *nm* murmullo, rumor *m*; (*commentaire*) murmullo; ~**s** *mpl* (*plaintes*) quejas, protestas; **murmurer** *vi* murmurar, susurrar; (*se plaindre*) quejarse, protestar.

mus *vb voir* **mouvoir**.

musaraigne [myzaʀɛɲ] *nf* musaraña.

musc [mysk] *nm* almizcle *m*.

muscade [myskad] *nf* moscada.

muscat [myska] *nm* moscatel *m*.

muscle [myskl(ə)] *nm* músculo; **musclé, e** *a* musculoso(a); **musculation** [myskylɑsjɔ̃] *nf*: **exercice de musculation** ejercicio para desarrollar los músculos; **musculature** [myskylatyʀ] *nf* musculatura.

muse [myz] *nf* musa.

museau, x [myzo] *nm* hocico.

musée [myze] *nm* museo.

museler [myzle] *vt* poner un bozal a; (*fig*) amordazar.

muselière [myzɔljɛʀ] *nf* bozal *m*.

musette [myzɛt] *nf* (*sac*) bolsa, morral *m* // *a inv* popular.

muséum [myzeɔm] *nm* museo.

musical, e, aux [myzikal, o] *a* musical.

music-hall [myzikol] *nm* teatro de variedades.

musicien, ne [myzisjɛ̃, jɛn] *nm/f*, *a* músico(a).

musique [myzik] *nf* música; (*d'une phrase etc*) música, musicalidad *f*; ~ **de chambre** música de cámara; ~ **de films/militaire** música de película/militar.

musqué, e [myske] *a* almizclado(a).

musulman, e [myzylmɑ̃, an] *a*, *nm/f* musulmán(ana).

mut *vb voir* **mouvoir**.

mutation [mytɔsjɔ̃] *nf* (*ADMIN*) traslado, cambio; (*BIO*) mutación *f*.

muter [myte] *vt* (*ADMIN*) trasladar, cambiar.

mutilé, e [mytile] *a*, *nm/f* mutilado(a).

mutiler [mytile] *vt* mutilar.

mutin, e [mytɛ̃, in] *a* travieso(a), pícaro(a) // *nm/f* amotinado/a; ~**er** [mytine] *vt*: **se** ~**er** *vi* amotinarse; ~**erie** [mytinʀi] *nf* motín *m*, revuelta.

mutisme [mytism(ə)] *nm* mutismo, silencio.

mutualiste [mytɥalist(ə)] *a* mutualista.

mutualité [mytɥalite] *nf* mutualidad *f*.

mutuel, le [mytɥɛl] *a* mutuo(a); (*société*) mutual // *nf* mutualidad *f*.

myocarde [mjɔkaʀd(ə)] *nm voir* **infarctus**.

myope [mjɔp] *a*, *nm/f* miope (*m/f*); **myopie** *nf* miopía.

myosotis [mjɔzɔtis] *nm* miosota.

myriade [miʀjad] *nf* miríada.

myrtille [miʀtij] *nf* mirtilo.

mystère [mistɛʀ] *nm* misterio, enigma *m*; (*REL*) misterio; **mystérieux, euse** *a* misterioso(a).

mysticisme [mistisism(ə)] *nm* misticismo, mística; (*foi*) misticismo.

mystification [mistifikɑsjɔ̃] *nf* mistificación *f*.

mystifier [mistifje] *vt* mistificar.

mystique [mistik] *a*, *nm/f* místico(a).

mythe [mit] *nm* mito; **mythique** *a* mítico(a).

mythologie [mitɔlɔʒi] *nf* mitología

mythologique a mitológico(a).

mythomane [mitɔman] a, nm/f mitómano(a).

N

n' [n] ad voir **ne**.

N abrév de **nord**.

nacelle [nasɛl] nf barquilla.

nacre [nakʀ(ə)] nf nácar m; **nacré, e** a nacarado(a).

nage [naʒ] nf natación f; (style) modo de nadar, estilo; **à la ~ a** nado; ~ **libre/papillon** estilo libre/mariposa; **en ~** bañado(a) en sudor.

nageoire [naʒwaʀ] nf aleta.

nager [naʒe] vi, vt nadar; **nageur, euse** nm/f nadador/ora.

naguère [nagɛʀ] ad no hace mucho.

naïf, ïve [naif, iv] a ingenuo(a), cándido(a).

nain, e [nɛ̃, ɛn] nm/f enano/a.

naissance [nɛsɑ̃s] nf nacimiento; **donner ~ à** dar a luz; (fig) dar nacimiento o origen a.

naître [nɛtʀ(ə)] vi nacer; **~ (de)** nacer (de), ser hijo(a) de; **faire ~** engendrar, dar origen a.

naïveté [naivte] nf ingenuidad f, candidez f.

nana [nana] nf (fam) chica, niña.

nantir [nɑ̃tiʀ] vt proveer; **les nantis** (péj) los ricos, los ricachos.

napalm [napalm] nm napalm m.

nappe [nap] nf mantel m; (fig): ~ **de gaz** capa de gas.

napperon [napʀɔ̃] nm salvamantel m, tapete m.

naquîmes, naquit etc vb voir **naître**.

narcissisme [naʀsisism(ə)] nm narcisismo.

narcotique [naʀkɔtik] a narcótico(a) // nm narcótico.

narguer [naʀge] vt provocar, escarnecer.

narine [naʀin] nf ventana de la nariz.

narquois, e [naʀkwa, waz] a socarrón(ona), burlón(ona).

narration [naʀasjɔ̃] nf narración f, relato.

narrer [naʀe] vt narrar, relatar.

naseau, x [nazo] nm ollar m, ventana de la nariz de algunos animales.

nasiller [nazije] vi (personne) ganguear, nasalizar.

nasse [nas] nf nasa.

natal, e [natal] a natal; ~**iste** a partidario(a) del incremento de la natalidad; ~**ité** nf natalidad f.

natation [natasjɔ̃] nf natación f.

natif, ive [natif, iv] a nativo(a), natural.

nation [nɑsjɔ̃] nf nación f; **les N~s Unies** las naciones Unidas; ~**al, e, aux** a nacional // nf: (route) ~**ale,** **RN** carretera nacional; ~**aliser** vt nacionalizar; ~**alisme** nm nacionalismo; ~**alité** nf nacionalidad f.

natte [nat] nf estera; (cheveux) trenza.

naturalisation [natyʀalizasjɔ̃] nf naturalización f, nacionalización f.

naturaliser [natyʀalize] vt naturalizar, nacionalizar.

naturaliste [natyʀalist(ə)] nm/f naturalista m/f.

nature [natyʀ] nf naturaleza; (tempérament, genre) naturaleza, índole f // a, ad (CULIN) al natural, solo; **payer en ~** pagar en especie; **peindre d'après ~** pintar del natural; ~ **morte** naturaleza muerta; **naturel, le** a natural // nm temperamento, natural m; (aisance) naturalidad f; (péj) natural; **naturellement** ad naturalmente.

naturisme [natyʀism(ə)] nm naturismo.

naufrage [nofʀaʒ] nm naufragio; **faire ~** naufragar; **naufragé, e** a, nm/f náufrago(a).

nausée [noze] nf náusea.

nautique [notik] a náutico(a); **nautisme** nm náutica.

naval, e [naval] a naval.

navet [navɛ] nm nabo; (péj) tostón m.

navette [navɛt] nf lanzadera; (en car etc) recorrido; **faire la ~ de** ir y venir.

navigable [navigabl(ə)] a navegable.

navigateur [navigatœʀ] nm piloto; (NAUT) navegante.

navigation [navigasjɔ̃] nf navegación f.

naviguer [navige] vi navegar.

navire [naviʀ] nm navío, buque m; **~ de guerre** buque de guerra; **~ marchand** navío mercante.

navrer [navʀe] vt desconsolar, afligir.

NB abrév de nota bene.

ne, n' [n(ə)] ad voir **pas, plus, jamais** etc; (explétif) non traduit.

né, e [ne] pp de **naître** // a nacido(a); **~e Dupont** nacida Dupont, de soltera Dupont; **un comédien ~** un comediante nato.

néanmoins [neɑ̃mwɛ̃] ad no obstante, sin embargo.

néant [neɑ̃] nm nada.

nébuleux, euse [nebylø, øz] a confuso(a), nebuloso(a).

nébulosité [nebylozite] nf nubosidad f.

nécessaire [nesesɛʀ] a necesario(a), indispensable; (inéluctable) inevitable, necesario(a) // nm: ~ **de toilette** estuche m de tocador; ~ **de couture** costurero; **le** ~ lo necesario.

nécessité [nesesite] nf necesidad f.

nécessiter [nesesite] vt necesitar, requerir.

nec plus ultra [nekplysyltʀa] nm súmmum m.

nécrologique [nekʀɔlɔʒik] a: **article** ~ noticia necrológica.

néerlandais, e [neɛʀlɑ̃dɛ, ɛz] a, nm/f neerlandés(esa), holandés (esa).

nef [nɛf] nf nave f.

néfaste [nefast(ə)] a nefasto(a).

négatif, ive [negatif, iv] a negativo(a) // nm negativo // nf: **répondre par la négative** responder negativamente.

négation [negasjɔ̃] nf negación f.

négligé [negliʒe] nm descuido, desaliño.

négligeable [negliʒabl(ə)] a desdeñable, despreciable.

négligence [negliʒɑ̃s] nf negligencia, descuido.

négligent, e [negliʒɑ̃, ɑ̃t] a negligente, descuidado(a).

négliger [negliʒe] vt descuidar, desatender; (tenue, santé) descuidar; (avis, précautions) desatender, ignorar; ~ **de faire qch** dejar de hacer algo.

négoce [negɔs] nm negocio; **négociant, e** nm/f negociante m/f.

négociateur, trice [negɔsjatœʀ, tʀis] nm/f negociador/ora.

négociation [negɔsjasjɔ̃] nf negociación f.

négocier [negɔsje] vt negociar; (virage etc) sortear // vi negociar.

nègre [nɛgʀ(ə)] nm (péj) negro; (péj) colaborador/ora (no reconocido/a) // a negro(a); **négresse** nf (péj) negra.

neige [nɛʒ] nf nieve f; ~ **poudreuse** nieve fresca; **battre en** ~ batir a punto de nieve; **neiger** vi nevar; **il neige** nieva.

nénuphar [nenyfaʀ] nm nenúfar m.

néologisme [neɔlɔʒism(ə)] nm neologismo.

néon [neɔ̃] nm neón m.

néo-zélandais, e [neɔzelɑ̃dɛ, ɛz] a, nm/f neocelandés(esa).

nerf [nɛʀ] nm nervio; ~**s** mpl (fig) nervios; ~ **de bœuf** vergajo; **nerveux, euse** a nervioso(a); **nervosité** nf nerviosismo.

nervure [nɛʀvyʀ] nf nervadura, nervio; (de feuille) nervadura.

n'est-ce pas [nɛspa] ad ¿no es cierto?; ~ **que...?** ¿no es cierto que...?; **lui**, ~, **il peut se le permettre** él puede permitírselo ¿no es así?

net, te [nɛt] *a* claro(a), exacto(a); (*distinct*) nítido(a), claro(a); (*évident*) explícito(a), categórico(a); (*propre*) limpio(a), impecable; (COMM) neto(a) // *ad* rotundamente; (*s'arrêter*) en seco, de golpe; (*casser, tuer*) de un golpe // *nm*: **mettre au** ~ poner en limpio; ~**teté** *nf* limpieza, nitidez *f*.

nettoyage [nɛtwajaʒ] *nm* limpieza; ~ **à sec** limpieza a seco.

nettoyer [nɛtwaje] *vt* limpiar.

neuf [nœf] *num* nueve.

neuf, neuve [nœf, nœv] *a* nuevo(a) // *nm*: **repeindre à** ~ dejar como nuevo (repintando).

neurasthénique [nøʀastenik] *a* neurasténico(a).

neurologie [nøʀɔlɔʒi] *nf* neurología; **neurologue** [nøʀɔlɔg] *nm/f* neurólogo.

neutraliser [nøtʀalize] *vt* neutralizar.

neutralité [nøtʀalite] *nf* neutralidad *f*.

neutre [nøtʀ(ə)] *a* neutro(a) // *nm* neutro.

neutron [nøtʀɔ̃] *nm* neutrón *m*.

neuve [nœv] *af voir* neuf.

neuvième [nœvjɛm] *a, nm/f* noveno(a).

neveu, x [nəvø] *nm* sobrino.

névralgie [nevralʒi] *nf* neuralgia.

névrose [nevʀoz] *nf* neurosis *f*.

New-York [njujɔʀk] *n* Nueva York.

nez [ne] *nm* nariz *f*; (*d'avion*) proa; ~ **à** ~ **avec** cara a cara con.

NF *abrév de* nouveaux francs.

ni [ni] *conj*: ~ **l'un** ~ **l'autre ne sont ... ni** uno ni otro son...; **il n'a rien dit** ~ **fait** no ha dicho ni hecho nada.

niais, e [njɛ, ɛz] *a* bobo(a), memo(a).

niche [niʃ] *nf* casilla; (*de mur*) nicho; (*farce*) diablura.

nichée [niʃe] *nf* nidada, prole *f*.

nicher [niʃe] *vi* anidar, vivir.

nickel [nikɛl] *nm* níquel *m*.

nicotine [nikotin] *nf* nicotina.

nid [ni] *nm* nido; ~ **de poule** bache *m*.

nièce [njɛs] *nf* sobrina.

nième [ɛnjɛm] *a*: **la** ~ **fois** por la centésima vez.

nier [nje] *vt* negar.

Nil [nil] *nm*: **le** ~ el Nilo.

n'importe [nɛ̃pɔʀt] *a*: ~ **qui** quienquiera; ~ **quoi** cualquier cosa, lo que sea; ~ **où** dondequiera, en cualquier lugar; ~ **quand** cuando quiera, en cualquier momento; ~ **quel/quelle** cualquier; cualquiera; ~ **lequel/laquelle** cualquiera; ~ **comment** de cualquier modo.

nitouche [nituʃ] *nf* (*péj*): **une sainte** ~ una mosquita muerta.

nitrate [nitʀat] *nm* nitrato.

nitroglycérine [nitʀogliseʀin] *nf* nitroglicerina.

niveau, x [nivo] *nm* nivel *m*; **au** ~ **de** al nivel de; **de** ~ (**avec**) a nivel (con); ~ (**à bulle**) nivel (de aire); ~ **de vie** nivel de vida; **niveler** [nivle] *vt* nivelar, igualar.

noble [nɔbl(ə)] *a, nm/f* noble (*m/f*); **noblesse** [nɔblɛs] *nf* nobleza.

noce [nɔs] *nf* boda, nupcias; **en secondes** ~**s** en segundas nupcias; ~ **d'or/d'argent** bodas de oro/de plata.

nocif, ive [nɔsif, iv] *a* nocivo(a).

nocturne [nɔktyʀn(ə)] *a* nocturno(a) // *nf* (SPORT) partido nocturno.

Noël [nɔɛl] *nm* Navidad *f*.

nœud [nø] *nm* nudo; ~ **coulant** nudo corredizo; ~ **papillon** corbata de pajarita.

noir, e [nwaʀ] *a* negro(a); (*obscur*) sombrío(a), oscuro(a); (*triste*) sombrío(a), negro(a) // *nm/f* negro/a // *nf* (MUS) negra; **dans le** ~ en la oscuridad; ~**ceur** [nwaʀsœʀ] *nf* negrura; ~**cir** [nwaʀsiʀ] *vt* ennegrecer.

noisetier [nwaztje] *nm* avellano.

noisette [nwazɛt] *nf, a* avellana.

noix [nwa] *nf* nuez *f*; (CULIN)

cucharadita; ~ **de coco** coco; ~ **muscade** nuez moscada; ~ **de veau** babilla o rabada de ternera.

nom [nɔ̃] *nm* nombre *m*; (*LING*) sustantivo; **au** ~ **de** en nombre de; ~ **commun** nombre común; ~ **d'emprunt** falso nombre; ~ **de famille** apellido; ~ **de jeune fille** apellido de soltera; ~ **propre** nombre propio.

nomade [nɔmad] *a, nm/f* nómada (*m/f*).

nombre [nɔ̃bʀ(ə)] *nm* número; **ils sont au** ~ **de 3** son 3; **au** ~ **de mes amis** entre mis amigos; **sans** ~ innumerable.

nombreux, euse [nɔ̃bʀø, øz] *a* numeroso(a).

nombril [nɔ̃bʀi] *nm* ombligo.

nomenclature [nɔmɑ̃klatyʀ] *nf* nomenclatura.

nominal, e, aux [nɔminal, o] *a* nominal.

nominatif [nɔminatif] *nm* nominativo.

nomination [nɔminasjɔ̃] *nf* nombramiento, designación *f*.

nommément [nɔmemɑ̃] *ad* por su nombre; especialmente.

nommer [nɔme] *vt* llamar, nombrar; (*mentionner, citer*) nombrar, citar; (*élire*) designar, nombrar; **se** ~ *vb avec attribut* llamarse.

non [nɔ̃] *ad, nm* no; ~ **que...** no porque...; **moi** ~ **plus** yo tampoco.

non-alcoolisé, e [nɔnalkɔlize] *a* no alcohólico(a).

nonchalance [nɔ̃ʃalɑ̃s] *nf* indolencia, dejadez *f*.

non-lieu [nɔ̃ljø] *nm* sobreseimiento.

nonne [nɔn] *nf* monja.

non-sens [nɔ̃sɑ̃s] *nm* disparate *m*, absurdo.

non-violence [nɔ̃vjɔlɑ̃s] *nf* no violencia.

nord [nɔʀ] *nm, a* norte (*m*); **au** ~ **de** al norte de; ~**-africain, e** *a, nm/f* norteafricano(a); ~**-est** *nm* noreste *m*, nordeste *m*; ~**ique** *a* nórdico(a); ~**-ouest** *nm* noroeste *m*.

normal, e, aux [nɔʀmal, o] *a* normal // *nf*: **la** ~ **e** lo normal, la normalidad; ~**ement** *ad* normalmente; ~**iser** *vt* normalizar.

normand, e [nɔʀmɑ̃, ɑ̃d] *a, nm/f* normando(a).

Normandie [nɔʀmɑ̃di] *nf* Normandía.

norme [nɔʀm(ə)] *nf* norma.

Norvège [nɔʀvɛʒ] *nf* Noruega; **norvégien, ne** *a, nm/f* noruego(a).

nos [no] *dét* nuestros(as).

nostalgie [nɔstalʒi] *nf* nostalgia.

notable [nɔtabl(ə)] *a, nm* notable (*m*).

notaire [nɔtɛʀ] *nm* notario.

notamment [nɔtamɑ̃] *ad* particularmente, principalmente.

notarié [nɔtaʀje] *am*: **acte** ~ acta notarial.

notation [nɔtasjɔ̃] *nf* notación *f*; (*note, trait*) bosquejo.

note [nɔt] *nf* nota; (*facture*) cuenta; **prendre des** ~**s** tomar apuntes; ~ **de service** circular *f*.

noter [nɔte] *vt* anotar, apuntar; (*remarquer*) señalar, notar; (*SCOL, ADMIN*) calificar, conceptuar.

notice [nɔtis] *nf* nota, noticia; ~ **explicative** folleto explicativo.

notifier [nɔtifje] *vt* notificar.

notion [nɔsjɔ̃] *nf* noción *f*; ~**s** *fpl* (*rudiments*) nociones *fpl*.

notoire [nɔtwaʀ] *a* destacado(a), notorio(a); (*en mal*) notorio(a).

notre [nɔtʀ(ə)] *dét* nuestro(a).

nôtre [notʀ(ə)] *pron*: **le** ~ **el** o lo nuestro; **la** ~ la nuestra; **les** ~**s** (*amis etc*) los nuestros // *à* nuestro(a).

nouer [nwe] *vt* atar, anudar; (*fig*) trabar.

nougat [nuga] *nm* tipo de turrón.

nouilles [nuj] *nfpl* tallarines *mpl*.

nourrice [nuʀis] *nf* nodriza.

nourrir [nuʀiʀ] *vt* nutrir, alimentar; (*entretenir*) nutrir, mantener; **bien/mal** ~ bien/mal alimentado *m*; ~ **au sein** amamantar, criar al pecho; **se** ~ **de qch** alimentarse con algo;

nourrissant, e a nutritivo(a), alimenticio(a).

nourrisson [nuʀisɔ̃] nm niño de pecho.

nourriture [nuʀityʀ] nf alimento, sustento.

nous [nu] pron nosotros(as); (objet direct, indirect) nos; ~-**mêmes** nosotros(as) mismos(as).

nouveau (nouvel), elle, aux [nuvo, vɛl] a nuevo(a); (original) nuevo(a), novedoso(a) // nm/f nuevo/a // nm: **il y a du** ~ hay novedad // nf noticia, nueva; (TV etc): **nouvelles** noticias; (LITTÉRA-TURE) cuento; **de** ~, **à** ~ de nuevo, nuevamente; ~-**né**, e a, nm/f recién nacido(a); ~ **riche** nm nuevo rico; ~ **venu, nouvelle venue** nm/f recién llegado/a; ~-**té** nf novedad f.

nouvel [nuvɛl] am voir **nouveau.**

nouvelle [nuvɛl] a, nf voir **nouveau;** N~-**Zélande** nf Nueva Zelanda.

novateur, trice [nɔvatœʀ, tʀis] nm/f innovador/ora.

novembre [nɔvɑ̃bʀ(ə)] nm noviembre m.

novice [nɔvis] a, nm/f novicio(a).

noyade [nwajad] nf ahogamiento.

noyau, x [nwajo] nm núcleo; (de fruit) hueso; (de résistants etc) núcleo, célula; ~**ter** vt infiltrar núcleos de división sa.

noyé, e [nwaje] nm/f ahogado/a.

noyer [nwaje] nm nogal m // vt ahogar, anegar (un campo); (fig) ahogar, sumergir; (: délayer) diluir, desleír; ~ **son moteur** ahogar su motor; **se** ~ ahogarse.

nu, e [ny] a desnudo(a); (chambre, plaine, fil) desnudo(a), pelado(a) // nm desnudo; ~-**pieds, (les) pieds** ~**s** descalzo(a), con los pies desnudos; ~-**tête, (la) tête** ~**e** descubierto(a), con la cabeza descubierta; **à l'œil** ~ a simple vista; **se mettre** ~ desnudarse; **mettre à** ~ desnudar.

nuage [nɥaʒ] nm nube f; **nuageux, euse** a nublado(a).

nuance [nɥɑ̃s] nf matiz m; **il y a**

une ~ **(entre...)** hay una leve diferencia (entre...); **nuancer** vt matizar.

nucléaire [nykleɛʀ] a nuclear.

nudisme [nydism(ə)] nm nudismo.

nudiste [nydist(ə)] nm/f nudista m/f.

nudité [nydite] nf desnudez f.

nuée [nɥe] nf nube f, bandada.

nuire [nɥiʀ] vi perjudicar, hacer daño.

nuisible [nɥizibl(ə)] a perjudicial, dañino(a); (animal) dañino(a).

nuit [nɥi] nf noche f; **service de** ~ servicio nocturno; ~ **blanche** noche en vela o blanco; ~ **de noces** noche de bodas.

nuitée [nɥite] nf noche pasada en un hotel.

nul, le [nyl] a ningún, ninguno(a); (minime, péj) nulo(a); (non valable) nulo(a), sin validez; (SPORT): **résultat** ~ empate m // pron nadie; ~**lement** au de ningún modo, en modo alguno; ~**lité** nf nulidad f.

numéraire [nymeʀɛʀ] nm numerario, metálico.

numéral, e, aux [nymeʀal, o] a numeral.

numérateur [nymeʀatœʀ] nm numerador m.

numération [nymeʀasjɔ̃] nf numeración f.

numérique [nymeʀik] a numérico(a).

numéro [nymeʀo] nm número; ~**ter** vt numerar.

numismate [nymismat] nm/f numismático/a.

nuque [nyk] nf nuca.

nutritif, ive [nytʀitif, iv] a nutritivo(a).

nutrition [nytʀisjɔ̃] nf nutrición f.

nylon [nilɔ̃] nm nailon m, nylon m.

nymphe [nɛ̃f] nf ninfa.

nymphomane [nɛ̃fɔman] nf ninfómana.

O

O *abrév de* ouest.

oasis [ɔazis] *nf* oasis *m*.

obédience [ɔbedjɑ̃s] *nf*: d'~ communiste de sumisión al comunismo.

obéir [ɔbeiʀ] *vi* obedecer; ~ à *vt* obedecer a; (*ordre, loi, impulsion*) acatar, obedecer a; (*force, loi naturelle*) ceder u obedecer a; obéissance *nf* obediencia; obéissant, e *a* obediente, dócil.

obélisque [ɔbelisk(ɔ)] *nm* obelisco.

obèse [ɔbɛz] *a* obeso(a), gordo(a).

objecter [ɔbʒɛkte] *vt* objetar.

objecteur [ɔbʒɛktœʀ] *nm*: ~ de conscience objetor *m* de conciencia.

objectif, ive [ɔbʒɛktif, iv] *a* objetivo(a) // *nm* objetivo; ~ grand angulaire/à focale variable objetivo gran angular/de distancia focal variable.

objection [ɔbʒɛksjɔ̃] *nf* objeción *f*.

objectivité [ɔbʒɛktivite] *nf* objetividad *f*.

objet [ɔbʒɛ] *nm* objeto; ~ d'art objeto de arte; ~ volant non identifié, OVNI objeto volante no identificado, OVNI; (bureau des) ~s trouvés (oficina de) objetos perdidos.

objurgations [ɔbʒyʀgɑsjɔ̃] *nfpl* admoniciones *fpl*, exhortaciones *fpl*.

obligation [ɔbligasjɔ̃] *nf* obligación *f*; sans ~ d'achat/de votre part sin compromiso de compra/de su parte; obligatoire *a* obligatorio(a).

obligé, e [ɔbliʒe] *a*: ~ de faire obligado a hacer; être très ~ à qn estar muy agradecido a alguien; obligeamment *ad* atentamente, amablemente; obligeance *nf*: avoir l'obligeance de tener la amabilidad o la bondad de; obligeant, e *a* atento(a), amable.

obliger [ɔbliʒe] *vt*: ~ qn à faire obligar a alguien a hacer; (*JUR*:

engager) obligar, comprometer; (*rendre service à*) complacer, hacer un favor.

oblique [ɔblik] *a* oblicuo(a); en ~ ad oblicuamente, en diagonal.

obliquer [ɔblike] *vi*: ~ à gauche torcer a la izquierda.

oblitérer [ɔblitere] *vt* (*timbre-poste*) poner el matasellos a.

oblong, oblongue [ɔblɔ̃, ɔblɔ̃g] *a* oblongo(a), alargado(a).

obscène [ɔpsɛn] *a* obsceno(a); obscénité *nf* obscenidad *f*.

obscur, e [ɔpskyʀ] *a* oscuro(a); (*écrivain, origine*) desconocido(a); ~cir *vt* oscurecer; s'~cir *vi* oscurecerse; ~ité *nf* oscuridad *f*.

obsédé, e [ɔpsede] *nm/f*: ~ sexuel maníaco sexual.

obséder [ɔpsede] *vt* atormentar, obsesionar.

obsèques [ɔpsɛk] *nfpl* exequias *fpl*.

observateur, trice [ɔpsɛʀvatœʀ, tʀis] *a*, *nm/f* observador(ora).

observation [ɔpsɛʀvasjɔ̃] *nf* observación *f*.

observatoire [ɔpsɛʀvatwaʀ] *nm* observatorio; (*lieu élevé*) puesto de observación.

observer [ɔpsɛʀve] *vt* observar; (*surveiller, épier, MIL*) vigilar, observar; s'~ (*se surveiller*) controlarse, dominarse; faire ~ qch à qn (*le lui dire*) hacer notar algo a alguien.

obstacle [ɔpstakl(ɔ)] *nm* obstáculo.

obstétrique [ɔpstetʀik] *nf* obstetricia.

obstiné, e [ɔpstine] *a* obstinado(a), terco(a); (*effort, travail, résistance*) obstinado(a), tenaz.

obstiner [ɔpstine]: s'~ *vi* obstinarse, empecinarse; s'~ à obstinarse en; s'~ sur qch obstinarse por algo.

obstruer [ɔpstʀye] *vt* obstruir, obturar; s'~ *vi* obstruirse, atascarse.

obtempérer [ɔptɑ̃peʀe] *vi* someterse a, acatar; ~ à *vt* acatar, obedecer.

obtenir [ɔptəniʀ] vt obtener, lograr; (total, température, résultat) obtener, conseguir; ~ **de pouvoir faire** obtener el poder hacer algo; ~ **de qn que** conseguir que alguien; ~ **satisfaction** lograr satisfacción.

obturateur [ɔptyʀatœʀ] nm obturador m; ~ **à rideau/focal** obturador de cortinilla/central.

obturation [ɔptyʀasjɔ̃] nf obturación f; ~ **(dentaire)** empaste m (de un diente).

obturer [ɔptyʀe] vt obturar, tapar.

obtus, e [ɔpty, yz] a obtuso(a), lerdo(a).

obus [ɔby] nm obús m.

obvier [ɔbvje]: ~ **à** vt obviar, evitar.

occasion [ɔkazjɔ̃] nf ocasión f; **à plusieurs** ~**s** en varias ocasiones; **être l'** ~ **de** ser la oportunidad de o para; **à l'** ~ az eventualmente, si llega el caso; **à l'** ~ **de** con motivo de; **d'** ~ **a de** ocasión, de lance // ad de segunda mano; ~**nel, le a** ocasional; ~**ner** vt ocasionar, causar.

occident [ɔksidɑ̃] nm: **l'** ~ el occidente; ~**al, e, aux** [-tal, o] a, nm/f occidental (m/f).

occire [ɔksiʀ] vt matar.

occlusion [ɔklyzjɔ̃] nf: ~ **intestinale** oclusión f u obstrucción f intestinal.

occulte [ɔkylt(ə)] a oculto(a).

occupant, e [ɔkypɑ̃, ɑ̃t] a, nm ocupante (m) // nm/f (d'un appartement) inquilino/a.

occupation [ɔkypasjɔ̃] nf ocupación f; (passe-temps) ocupación f, quehacer m.

occupé, e [ɔkype] a ocupado(a), (fig) abstraído(a), absorto(a).

occuper [ɔkype] vt ocupar; (poste, fonction) ocupar, desempeñar; (personnel) emplear, ocupar; (suj: travail etc) llevar, tomar; **s'** ~ ocuparse; **s'** ~ **de** vt ocuparse de.

occurrence [ɔkyʀɑ̃s] nf: **en l'** ~ en este caso.

océan [ɔseɑ̃] nm océano; **l'** ~ **Indien**

el Océano Índico; **O** ~ **ie** [-ani] nf: **l'O** ~ **ie (la)** Oceanía; ~**ique** [-anik] a oceánico(a); ~**ographie** [-anɔgʀafi] nf oceanografía.

ocre [ɔkʀ(ə)] a inv ocre.

octane [ɔktan] nm octano.

octobre [ɔktɔbʀ(ə)] nm octubre m.

octogénaire [ɔktɔʒenɛʀ] a, nm/f octogenario(a).

octogone [ɔktɔgɔn] nm octágono.

octroyer [ɔktʀwaje] vt otorgar.

oculaire [ɔkylɛʀ] a, nm ocular (m).

oculiste [ɔkylist(ə)] nm/f oculista m/f.

ode [ɔd] nf oda.

odeur [ɔdœʀ] nf olor m.

odieux, euse [ɔdjø, øz] a odioso(a).

odorant, e [ɔdɔʀɑ̃, ɑ̃t] a oloroso(a).

odorat [ɔdɔʀa] nm olfato.

odoriférant, e [ɔdɔʀifeʀɑ̃, ɑ̃t] a aromático(a), fragante.

odyssée [ɔdise] nf odisea.

œcuménique [ekymenik] a ecuménico(a).

œil [œj] nm ojo; **avoir un** ~ **au beurre noir** tener un ojo a la funerala; **à l'** ~ (fam) de balde; **à l'** ~ **nu** a simple vista; **tenir qn à l'** ~ no quitarle los ojos de encima a alguien; **faire de l'** ~ **à qn** guiñar el ojo a alguien; **voir qch d'un bon/mauvais** ~ ver algo con buenos/malos ojos; **à mes/ses yeux** para mí/él; ~ **de verre** ojo de vidrio; ~**lade** nf mirada; **faire des** ~**lades** hacer guiñadas o guiños; ~**lères** nfpl anteojeras.

œillet [œjɛ] nm (BOT) clavel m; (trou) ojete m.

œsophage [ezɔfaʒ] nm esófago.

œstrogène [estʀɔʒɛn] a estrógeno(a).

œuf [œf, pl ø] nm huevo; ~ **à la coque/dur/mollet/au plat/poché** huevo en cáscara/duro/pasado por agua/al plato/escalfado; ~ **à repriser** huevo de zurcir; ~**s brouillés** huevos revueltos; ~**s à la neige** natilla con claras de huevo.

œuvre [œvʀ(ə)] nf, nm obra; (CONSTRUCTION): **le gros** ~ las paredes maestras; ~s *fpl* (REL: *actes*) obras; **mettre en ~** (*moyens*) emplear; **bonnes ~s, ~s de bienfaisance** obras de caridad *o* beneficencia; ~ **d'art** obra de arte.

offense [ɔfɑ̃s] *nf* ofensa, agravio; (REL) falta, pecado; **offenser** *vt* ofender a; (*principes etc*) agraviar, faltar a; **s'offenser de** ofenderse por.

offensif, ive [ɔfɑ̃sif, iv] *a* ofensivo(a) // *nf* ofensiva.

offert, e *pp* de **offrir**.

offertoire [ɔfɛʀtwaʀ] *nm* ofertorio.

office [ɔfis] *nm* oficio; (*agence*) oficina // *nm ou nf* (*pièce*) antecocina; **faire ~ de** hacer las veces de; **d'~** ad de oficio; **bons ~s** (POL) buenos servicios *u* oficios; ~ **du tourisme** oficina de turismo.

officiel, le [ɔfisjɛl] *a* oficial // *nm/f* funcionario; (SPORT) juez *m*, árbitro.

officier [ɔfisje] *nm* oficial *m* // *vi* oficiar, celebrar.

officieux, euse [ɔfisjø, øz] *a* oficioso(a), extraoficial.

officinal, e, aux [ɔfisinal, o] *a*: **plantes ~es** plantas oficinales.

officine [ɔfisin] *nf* (*de pharmacie*) laboratorio; (*pharmacie*) farmacia; (*gén péj*) oficina.

offrais *etc vb voir* **offrir**.

offrande [ɔfʀɑ̃d] *nf* ofrenda.

offrant [ɔfʀɑ̃] *nm*: **au plus ~** al mejor postor.

offre [ɔfʀ(ə)] *nf* oferta; (ADMIN: *soumission*) licitación *f*; ~ **publique d'achat**, **OPA** oferta pública de compra.

offrir [ɔfʀiʀ] *vt*: ~ **(à qn)** ofrecer *u* obsequiar (a alguien); (*proposer*): ~ **(à qn)** ofrecer *o* (a alguien); (*présenter, montrer*) ofrecer, presentar; **s'~** *vi* (*occasion, paysage*) ofrecerse, presentarse // *vt* (*vacances*) ofrecerse; (*voiture*) comprarse; ~ **(à qn)** **de faire qch** proponer (a alguien) hacer algo; ~ **à boire à qn** ofrecer de beber a alguien.

offset [ɔfsɛt] *nm* offset *m*.

offusquer [ɔfyske] *vt* ofender, disgustar.

ogive [ɔʒiv] *nf* ojiva; **arc en ~** arco ojival.

ogre [ɔgʀ(ə)] *nm* ogro.

oie [wa] *nf* (*espèce*) ganso; (*femelle*) gansa.

oignon [ɔɲɔ̃] *nm* cebolla; (*bulbe*) bulbo.

oindre [wɛ̃dʀ(ə)] *vt* ungir.

oiseau, x [wazo] *nm* ave *f*, pájaro; ~ **de nuit** ave nocturna; ~ **de proie** ave de rapiña; **oisellerie** *nf* pajarería.

oiseux, euse [wazø, øz] *a* ocioso(a).

oisif, ive [wazif, iv] *a* ocioso(a) // *nm/f* (*péj*) holgazán/ana.

O.K. [ɔke] *excl* ¡de acuerdo!, ¡muy bien!

oléagineux, euse [ɔleaʒinø, øz] *a* oleaginoso(a); (*liquide*) aceitoso(a), oleaginoso(a).

oléoduc [ɔleɔdyk] *nm* oleoducto.

olive [ɔliv] *nf* aceituna, oliva; (*interrupteur*) perilla // *a inv* verde oliva; **olivier** *nm* olivo.

olympien, ne [ɔlɛ̃pjɛ̃, jɛn] *a* olímpico(a).

olympique [ɔlɛ̃pik] *a* olímpico(a).

ombilical, e, aux [ɔbilikal, o] *a* umbilical.

ombrage [ɔbʀaʒ] *nm* (*ombre*) sombra; (*fig*): **prendre ~ de** quedar resentido(a) por; **ombragé, e** a sombreado(a); **ombrageux, euse** *a* espantadizo(a), inquieto(a); susceptible, receloso(a).

ombre [ɔbʀ(ə)] *nf* sombra; **à l'~** a la sombra; **à l'~ de** a la sombra de; (*fig*) al amparo de; **donner/faire de l'~** dar/hacer sombra; ~ **à paupières** sombra para párpados.

ombrelle [ɔbʀɛl] *nf* sombrilla.

omelette [ɔmlɛt] *nf* tortilla; ~ **aux herbes/au fromage** tortilla de verdura o de queso.

omettre [ɔmɛtʀ(ə)] *vt* omitir, pasar por alto; ~ **de faire qch** omitir hacer algo; **omission** *nf* omisión *f*.

omni... [ɔmni] *préf*: ~**bus** *nm*

(train) ~**bus** (tren) ómnibus *m*; ~**potent, e** *a* omnipotente; ~**vore** *a* omnívoro(a).

omoplate [ɔmɔplat] *nf* omóplato.

OMS *sigle f voir* **organisation.**

on [ɔ̃] *pron* (*indéterminé*): ~ **peut le faire ainsi** se *o* uno lo puede hacer así; (*quelqu'un*): ~ **vous demande au téléphone** le llaman por teléfono; (*nous*): ~ **va y aller demain** iremos mañana; (*les gens*): **autrefois,** ~ **croyait aux fantômes** antes creían *o* se creía en los fantasmas; **alors,** ~ **se promène** nos paseamos ¡eh!; ~ **ne peut plus stupide** estúpido(a) a más no poder.

oncle [ɔ̃kl(ə)] *nm* tío.

onctueux, euse [ɔ̃ktɥø, øz] *a* suave, untuoso(a) (*aliment, saveur*) suave, cremoso(a); (*fig*) meloso(a).

onde [ɔ̃d] *nf* onda; **sur les** ~**s** por radio; **mettre en** ~**s** difundir por radio; **longues** ~**s** ondas largas; ~**s courtes** ondas cortas.

ondée [ɔ̃de] *nf* chaparrón *m*.

on-dit [ɔ̃di] *nm inv* rumor *m*, habladuría.

ondoyer [ɔ̃dwaje] *vi* ondear, ondular // *vt* (*REL*) bautizar.

ondulé, e [ɔ̃dyle] *a* (*route, chaussée*) sinuoso(a).

onduler [ɔ̃dyle] *vi* ondular; (*route*) zigzaguear.

ongle [ɔ̃gl(ə)] *nm* uña; **manger/ronger ses** ~**s** comerse/morderse las uñas; **se faire les** ~**s** arreglarse las uñas.

onglet [ɔ̃glɛ] *nm* (*rainure*) uña, muesca; (*bande de papier*) uñero.

onguent [ɔ̃gɑ̃] *nm* ungüento.

ont *vb voir* **avoir.**

ONU [ɔny] *sigle f voir* **organisation.**

onyx [ɔniks] *nm* ónix *m*, ónice *m*.

onze [ɔ̃z] *num* once; **onzième** *a, nm/f* undécimo(a) // *nm* (*fraction*) onceavo, onzavo.

OPA *sigle f voir* **offre.**

opale [ɔpal] *nf* ópalo.

opalin, e [ɔpalɛ̃, in] *a* opalino(a) // *nf* opalina.

opaque [ɔpak] *a* opaco(a).

opéra [ɔpera] *nm* ópera; ~**comique** *nm* ópera cómica.

opérateur, trice [ɔperatœr, tris] *nm/f* operador /ora; ~ (**de prise de vues**) operador (de la cámara).

opération [ɔperasjɔ̃] *nf* operación f; ~ **de publicité** campaña publicitaria.

opératoire [ɔperatwar] *a* operatorio(a).

opérer [ɔpere] *vt* operar; (*faire, exécuter*) realizar, hacer // *vi* (*faire effet*) hacer efecto, obrar; (*procéder, agir*) actuar, proceder; (*MÉD*) operar; **s'**~ (*avoir lieu*) producirse, efectuarse; **se faire** ~ (**de**) hacerse operar (de).

opérette [ɔperɛt] *nf* opereta.

ophtalmologie [ɔftalmɔlɔʒi] *nf* oftalmología.

opiner [ɔpine] *vi*: ~ **de la tête** asentir con la cabeza.

opiniâtre [ɔpinjɑtr(ə)] *a* empecinado(a).

opinion [ɔpinjɔ̃] *nf* opinión f, parecer *m*; (*jugement collectif*) opinión; ~**s** fpl (*religieuses etc*) convicciones fpl; **l'**~ **américaine** la posición americana.

opium [ɔpjɔm] *nm* opio.

opportun, e [ɔpɔrtœ̃, yn] *a* oportuno(a), conveniente; ~**iste** [-tynist(ə)] nm/f, *a* oportunista (*m/f*).

opposant, e [ɔpozɑ̃, ɑ̃t] *a* opositor(ora); ~**s** mpl opositores mpl.

opposé, e [ɔpoze] *a* opuesto(a); (*personne, faction*) contrario(a) // *nm*: **l'**~ (*côté, sens*) lo contrario, lo inverso; (*contraire*) lo opuesto, lo contrario; **il est tout l'**~ **de son frère** es todo lo contrario de su hermano; **être** ~ **à** ser enemigo de; **à l'**~ al contrario; **à l'**~ **de** enfrente de; (*fig*) en oposición con.

opposer [ɔpoze] *vt* oponer; **s'**~ (*sens réciproque*) oponerse, contrastar; **s'**~ **à** vt oponerse a; **s'**~ **à ce que** oponerse a que.

opposition [ɔpozisjɔ̃] *nf* oposición f; **par** ~ por oposición, en contradicción; **par ~ à** en contradicción con; **être/entrer en ~ avec** estar/entrar en conflicto con; **être en ~ avec** (*idées, conduite*) estar en contraste con; **faire ~ à un chèque** impedir que un cheque sea cobrado; **~ à paiement** oposición legal a un pago.

oppresser [ɔprese] *vt* (*suj: chaleur*) agobiar, ahogar; (*fig*) oprimir, ahogar; **oppresseur** *nm* opresor *m*.

opprimer [ɔprime] *vt* oprimir, avasallar, (*liberté, opinion, suj: chaleur etc*) oprimir.

opprobre [ɔprɔbR(ə)] *nm* oprobio; ignominia; vergüenza, deshonor *m*.

opter [ɔpte]: **~ pour** *vi* optar por.

opticien, ne [ɔptisjɛ̃, ɛn] *nm/f* óptico/a.

optimal, e, aux [ɔptimal, o] *a* óptimo/a.

optimisme [ɔptimism(ə)] *nm* optimismo; **optimiste** *nm/f* optimista *m/f*.

optimum [ɔptimɔm] *nm* óptimo // *a* óptimo/a.

option [ɔpsjɔ̃] *nf* opción *f*; (*SCOL*) asignatura elegida o escogida; **matière/texte à ~** asignatura/texto facultativo(a); **prendre une ~ sur** sacar opción sobre.

optique [ɔptik] *a* óptico(a) // *nf* óptica.

opulent, e [ɔpylɑ̃, ɑ̃t] *a* opulento(a).

or [ɔR] *nm* oro // *conj* luego, ahora bien; **en ~** (*fig*) ventajoso(a).

oracle [ɔRakl(ə)] *nm* profeta *m*, oráculo.

orage [ɔRaʒ] *nm* tormenta, borrasca; **orageux, euse** *a* tormentoso(a); borrascoso(a).

oraison [ɔRɛzɔ̃] *nf* oración *f*.

oral, e, aux [ɔRal, o] *a, nm* oral (*m*).

orange [ɔRɑ̃ʒ] *nf* naranja // *a inv* anaranjado(a) // *nm* anaranjado; **~ amère/sanguine** naranja agria/de sangre; **~ade** *nf* naranjada; **oranger** *nm* naranjo; **~raie** *nf* naranjal *m*.

orang-outan(g) [ɔRɑ̃utɑ̃] *nm* orangután *m*.

orateur [ɔRatœR] *nm* orador *m*.

oratoire [ɔRatwaR] *nm* oratorio // *a* oratorio/a.

orbital, e, aux [ɔRbital, o] *a* orbital.

orbite [ɔRbit] *nf* órbita; **mettre sur ~** poner en órbita.

orchestration [ɔRkɛstRasjɔ̃] *nf* orquestación *f*.

orchestre [ɔRkɛstR(ə)] *nm* orquesta; (*THÉÂTRE*) foso de la orquesta; (*places*) patio de butacas, platea; (*spectateurs*) platea; **orchestrer** *vt* orquestar.

orchidée [ɔRkide] *nf* orquídea.

ordinaire [ɔRdinɛR] *a* ordinario(a) // *nm*: **l'~** lo normal // *nf* (*essence*) gasolina corriente; **d'~** habitualmente, por lo general; **à l'~** habitualmente, de costumbre.

ordinal, e, aux [ɔRdinal, o] *a* ordinal.

ordinateur [ɔRdinatœR] *nm* ordenador *m*.

ordonnance [ɔRdɔnɑ̃s] *nf* disposición *f*; (*MÉD*) receta, prescripción *f*; (*JUR*): **~ de non-lieu** auto de sobreseimiento; (*MIL*) ordenanza *m*, asistente *m*; **officier d'~** ayudante *m* de campo.

ordonnée [ɔRdɔne] *nf* ordenada.

ordonner [ɔRdɔne] *vt* ordenar; (*MÉD*) recetar, prescribir; (*JUR*): **~ le huis-clos** ordenar que la audiencia sea a puerta cerrada.

ordre [ɔRdR(ə)] *nm* orden *m*; (*directive, association, REL*) orden *f*; **~s** *mpl* (*REL*) órdenes *fpl*; (*mettre*) **en ~** (poner) en orden; **payer à l'~ de** pagar a la orden de; **de même ~** de la misma categoría o naturaleza; **de l'~ de** del orden de; **rentrer dans l'~** volver a la normalidad; **rappeler qn à l'~** llamar al orden a alguien; **par ~ d'entrée en scène** por orden de aparición; **jusqu'à nouvel ~** hasta nueva orden; **de premier/second ~** de primer/segundo orden; **~ de grandeur** idea del tamaño; ~ **du jour** orden del día.

ordure [ɔʀdyʀ] nf basura; (*excrément: d'animal*) suciedad f, porquería; (*propos, écrit*) indecencia; ~**s** fpl (*balayures, déchets*) basuras; ~**s ménagères** basura.

oreille [ɔʀɛj] nf oreja; oído; (*d'un écrou*) oreja; (*de marmite, tasse*) asa; **avoir de l'~** tener oído; **avoir l'~ fine** tener buen oído, ser fino(a) de oídos; **dire qch à l'~ de qn** decir algo al oído de alguien.

oreiller [ɔʀeje] nm almohada.

oreillons [ɔʀɛjɔ̃] nmpl paperas.

ores [ɔʀ]: **d'~ et déjà** ad desde ahora.

orfèvre [ɔʀfɛvʀ(ə)] nm orfebre m; ~**rie** nf orfebrería.

organe [ɔʀgan] nm órgano.

organigramme [ɔʀganigʀam] nm organigrama m.

organique [ɔʀganik] a orgánico(a).

organisateur, trice [ɔʀganizatœʀ, tʀis] nm/f organizador/ora.

organisation [ɔʀganizasjɔ̃] nf organización f; **O~ mondiale de la santé, OMS** Organización Mundial de la Salud; **O~ des Nations Unies, ONU** Organización de las Naciones Unidas; **O~ du traité de l'Atlantique Nord, OTAN** Organización del Tratado del Atlántico Norte, OTAN.

organiser [ɔʀganize] vt organizar; **s'~** (*personne*) organizarse; (*choses*) arreglarse.

organisme [ɔʀganism(ə)] nm organismo.

organiste [ɔʀganist(ə)] nm/f organista m/f.

orgasme [ɔʀgasm(ə)] nm orgasmo.

orge [ɔʀʒ(ə)] nf cabada.

orgeat [ɔʀʒa] nm horchata.

orgelet [ɔʀʒəlɛ] nm orzuelo.

orgie [ɔʀʒi] nf orgía.

orgue [ɔʀg(ə)] nm órgano.

orgueil [ɔʀgœj] nm orgullo; ~**leux, euse** a orgulloso(a).

Orient [ɔʀjɑ̃] nm: **l'~** el Oriente.

oriental, e, aux [ɔʀjɑ̃tal, o] a, nm/f oriental (m/f).

orientation [ɔʀjɑ̃tasjɔ̃] nf orientación f.

orienté, e [ɔʀjɑ̃te] a (*fig*) tendencioso(a).

orienter [ɔʀjɑ̃te] vt orientar; **s'~** orientarse.

orifice [ɔʀifis] nm orificio.

oriflamme [ɔʀiflam] nf oriflama.

origan [ɔʀigɑ̃] nm orégano.

originaire [ɔʀiʒinɛʀ] a oriundo(a).

original, e, aux [ɔʀiʒinal, o] a, nm original (m) // nm/f extravagante m/f, excéntrico/a; ~**ité** nf originalidad f; extravagancia.

origine [ɔʀiʒin] nf origen m; (*d'un message, appel*) procedencia, origen; **dès/à l'~** desde el/al principio; **originel, le** a original.

oripeaux [ɔʀipo] nmpl harapos.

orme [ɔʀm(ə)] nm olmo.

ornement [ɔʀnəmɑ̃] nm adorno; (*d'un édifice, texte*) ornamento, ornato; ~**s sacerdotaux** ornamentos sacerdotales; ~**er** vt ornamentar, adornar.

orner [ɔʀne] vt ornar, adornar.

ornière [ɔʀnjɛʀ] nf carril m, surco.

ornithologie [ɔʀnitɔlɔʒi] nf ornitología.

orphelin, e [ɔʀfəlɛ̃, in] a, nm/f huérfano/a; ~**at** [-lina] nm orfanato.

orteil [ɔʀtɛj] nm dedo del pie; **gros ~** dedo gordo del pie.

ORTF sigle m = Office de la radiodiffusion et télévision française.

orthodoxe [ɔʀtɔdɔks(ə)] a ortodoxo(a).

orthographe [ɔʀtɔgʀaf] nf ortografía; **orthographier** vt ortografiar.

orthopédie [ɔʀtɔpedi] nf ortopedia; **orthopédique** a ortopédico(a).

ortie [ɔʀti] nf ortiga.

os [ɔs, pl o] nm hueso.

OS sigle m voir **ouvrier**.

oscar [ɔskaʀ] nm oscar m; ~ **de la chanson** premio de la canción.

osciller [ɔsile] vi oscilar, balancearse; (*fig*): ~ **entre** vacilar entre.

osé, e [oze] a (*plaisanterie etc*)

atrevido(a), desvergonzado(a).

oseille [ozɛj] nf acedera.

oser [oze] vt, vi osar, atreverse; ~ **faire** osar o atreverse a hacer.

osier [ozje] nm mimbre m.

ossature [ɔsatyʀ] nf (ANAT) osamenta; (d'un monument etc) armazón f; (fig) estructura, armazón.

osselet [ɔslɛ] nm huesecillo; ~**s** mpl (jeu) taba.

ossements [ɔsmɑ̃] nmpl huesos, osamenta.

osseux, euse [ɔsø, øz] a óseo(a); (main, visage) huesudo(a).

ossuaire [ɔsɥɛʀ] nm osario.

ostentation [ɔstɑ̃tasjɔ̃] nf ostentación f, exhibición f.

ostréiculture [ɔstʀeikyltyʀ] nf ostricultura.

otage [ɔtaʒ] nm rehén m.

OTAN sigle f voir **organisation**.

otarie [ɔtaʀi] nf león marino.

ôter [ote] vt quitar, sacar; ~ **qch de** quitar algo de; ~ **une somme/un nombre de** restar una cantidad/un número de; ~ **qch à quelqu'un** quitar algo a alguien; **6 ôté de 10 égale 4** 10 menos 6 es igual a 4.

otite [ɔtit] nf otitis f.

oto-rhino(-laryngologiste) [ɔtɔʀino(laʀɛ̃gɔlɔʒist(ə))] nm/f otorrinolaringólogo/a.

ou [u] conj o; (devant 'o' ou 'ho') u; ~ ... ~ ... o ... o; **bien** o, o bien.

où [u] ad, pron donde; (dans lequel) donde, en el cual; de donde, del cual; (sur lequel) donde, en el cual; (sens de 'que'): **au train** ~ **ça va/prix** ~ **c'est** al paso en que va esto/precio en que está; **le jour** ~ **il est parti** el día en que partió; **par** ~ **passer?** ¿por dónde pasar?; **le village d'**~ **je viens** el pueblo de donde o del que vengo; **d'**~ **vient qu'il est parti?** ¿por qué es que partió?

ouate [wat] nf algodón m; (bourre) guata; ~ **de verre** lana de vidrio; **ouaté, e** a (pansement) de algodón; (fig) confortable; **ouater** vt enguatar.

oubli [ubli] nm descuido, olvido;

(absence de souvenirs) olvido.

oublier [ublije] vt olvidar; (négliger) descuidar, olvidar; **s'**~ descuidarse; (enfant, malade) orinarse, mearse; ~ **de faire qch** olvidar hacer algo; ~ **l'heure** olvidarse de la hora.

oubliettes [ublijɛt] nfpl mazmorras.

ouest [wɛst] nm, a inv oeste (m); **l'O**~ (région de France) el Oeste; (POL) el Occidente.

ouf [uf] excl ¡uf!, ¡ufa!

oui [wi] ad sí; **répondre (par)** ~ responder (con un) sí.

ouï-dire [widiʀ] nm inv: **par** ~ de oídas.

ouïe [wi] nf oído; ~**s** fpl (de poisson) agallas.

ouïr [wiʀ] vt: **avoir ouï dire que** haber oído decir que.

ouistiti [wistiti] nm tití m.

ouragan [uʀagɑ̃] nm huracán m.

ourler [uʀle] vt dobladillar.

ourlet [uʀlɛ] nm dobladillo; (de l'oreille) repliegue m.

ours [uʀs] nm oso; ~ **brun/blanc** oso pardo/blanco.

ourse [uʀs(ə)] nf osa; **la Grande/Petite O**~ la Osa Mayor/Menor.

oursin [uʀsɛ̃] nm erizo de mar.

ourson [uʀsɔ̃] nm osezno.

ouste [ust(ə)] excl ¡fuera!

outil [uti] nm herramienta.

outiller [utije] vt equipar.

outrage [utʀaʒ] nm ultraje m, agravio.

outrager [utʀaʒe] vt ultrajar, injuriar; (contrevenir à) ofender.

outrance [utʀɑ̃s] nf: **à** ~ a ultranza; **outrancier, ière** a exagerado(a).

outre [utʀ(ə)] nf odre m // prép además de // ad: **passer** ~ hacer caso omiso; **passer** ~ **(à qch)** no tomar en cuenta (algo), hacer caso omiso (de algo); **en** ~ además; ~ **que** además de que; ~ **mesure** demasiado, más allá de la medida.

outre-Atlantique [utʀatlɑ̃tik] ad

al otro lado del Atlántico.

outrecuidance [utʀəkɥidɑ̃s] *nf* presunción *f*, suficiencia.

outre-Manche [utʀəmɑ̃ʃ] *ad* al otro lado de la Mancha.

outremer [utʀəmɛʀ] *a*: **bleu/ciel ~** azul *m*/cielo de ultramar.

outre-mer [utʀəmɛʀ] *ad* en ultramar; **d'~** de ultramar, ultramarino(a).

outrepasser [utʀəpɑse] *vt* sobrepasar.

outrer [utʀe] *vt* extremar, exagerar; indignar.

outre-Rhin [utʀəʀɛ̃] *ad* allende el Rin.

outsider [awtsajdœʀ] *nm* no favorito.

ouvert, e [uvɛʀ, ɛʀt(ə)] *pp de* **ouvrir** // *a* abierto(a); (*chasse, paris*) levantado(a); (*air, personne*) comunicativo(a), franco(a); (*esprit*) inteligente, despierto(a); **à cœur ~** (*MÉD*) en el interno del músculo cardíaco; **à livre ~** de corrido; **~ement** *ad* abiertamente.

ouverture [uvɛʀtyʀ] *nf* apertura; (*orifice, PHOTO*) abertura; **faire des ~s** (*fig*) hacer propuestas.

ouvrable [uvʀabl(ə)] *a*: **jour ~** día *m* laborable.

ouvrage [uvʀaʒ] *nm* (*travail*) tarea, trabajo; (*COUTURE, TRICOT, ART*) labor *f*; (*texte, livre*) obra.

ouvragé, e [uvʀaʒe] *a* labrado(a).

ouvrant, e [uvʀɑ̃, ɑ̃t] *a*: **toit ~** (*AUTO*) techo corredizo.

ouvre *etc vb voir* **ouvrir**

ouvre-boîte [uvʀəbwat] *nm inv* abrelatas *m inv*.

ouvre-bouteilles [uvʀəbutɛj] *nm inv* abridor *m*, descapsulador *m*.

ouvres *vb voir* **ouvrir**

ouvreuse [uvʀøz] *nf* acomodadora.

ouvrier, ière [uvʀije, jɛʀ] *nm/f, a* obrero(a); **~ spécialisé, OS** obrero semicualificado *o* semiexperto.

ouvrir [uvʀiʀ] *vt* abrir; (*entreprise*: *créer, fonder*) fundar, abrir // *vi* abrir; (*CARTES*): **~ à cœur** abrir con corazón; (*cours, scène*) comenzar;

s'~ *vi* abrirse; **~/s'~ sur** dar a; **s'~ à** (*art etc*) interesarse por; **s'~ à qn** confiarse a alguien; **s'~ à qn de qch** confiar algo a alguien.

ouvroir [uvʀwaʀ] *nm* ropero.

ouvrons *vb voir* **ouvrir**.

ovaire [ɔvɛʀ] *nm* ovario.

ovale [ɔval] *a* ovalado(a).

ovation [ɔvasjɔ̃] *nf* ovación *f*, aclamación *f*; **~ner** *vt* aclamar.

ovin, e [ɔvɛ̃, in] *a* ovino(a); **~s** *mpl* ovinos.

OVNI *sigle m voir* **objet**.

ovule [ɔvyl] *nm* óvulo.

oxyde [ɔksid] *nm* óxido.

oxyder [ɔkside]: **s'~** *vi* oxidarse.

oxygène [ɔksiʒɛn] *nm* oxígeno.

oxygéné, e [ɔksiʒene] *a* oxigenado(a).

oxyure [ɔksjyʀ] *nm* oxiuro.

ozone [ozɔn] *nm* ozono.

P

pachyderme [paʃidɛʀm(ə)] *nm* paquidermo.

pacifier [pasifje] *vt* pacificar; (*fig*) aplacar, calmar.

pacifique [pasifik] *a* pacífico(a), apacible // *nm*: **le P~**, (*Océan*) **P~** el (océano) Pacífico.

pacte [pakt(ə)] *nm* pacto, tratado; **pactiser** *vi*: **pactiser avec** pactar con; (*fig*) transigir con; acallar.

pagaie [pagɛ] *nf* canalete *m*.

pagaille [pagaj] *nf* desorden *m*, desbarajuste *m*; **en ~** a porrillo; en desorden.

pagayer [pageje] *vi* remar.

page [paʒ] *nf* página // *nm* paje *m*; **à la ~** (*fig*) al corriente *o* día; **~ blanche** página en blanco.

pagne [paɲ] *nm* taparrabo.

paie [pɛ] *nf* paga.

paiement [pɛmɑ̃] *nm* pago.

païen, ne [pajɛ̃, jɛn] *a, nm/f* pagano(a).

paillard, e [pajaʀ, aʀd(ə)] *a* lascivo(a), obsceno(a).

paillasse [pajas] *nf* jergón *m*; (*d'un évier*) tablero.

paillasson [pajasɔ̃] *nm* felpudo.

paille [paj] *nf* paja; (*pour boire*) pajita; ~ de fer estropajo de acero.

pailleté, e [pajte] *a* adornado(a) con lentejuelas.

paillette [pajɛt] *nf* lentejuela; **lessive en ~s** lejía en escamas.

pain [pɛ̃] *nm* pan *m*; ~ **grillé/de mie** pan tostado/francés; ~ **de cire** librillo de cera; ~ **complet** pan integral; ~ **d'épice** pan de especias *o* jengibre; ~ **de seigle** pan cuscurroso *o* de centeno.

pair, e [pɛʀ] *a, nm, nf* par (*m*); **aller de** ~ ir a la par, correr parejo(a); (*FINANCE*) a la par; **jeune fille au** ~ muchacha que presta servicios en una casa a cambio de comida y alojamiento.

paisible [pezibl(ə)] *a* tranquilo(a), apacible; (*ville, vie, lac*) tranquilo(a).

paître [pɛtʀ(ə)] *vi* pastar, pacer.

paix [pɛ] *nf* paz *f*; (*fig*) tranquilidad *f*, quietud *f*; **faire la** ~ **avec** hacer las paces con; **ficher la** ~ **à qn** (*fam*) dejar en paz a alguien.

palabre [palabʀə] *vi* chacharear.

palace [palas] *nm* hotel de lujo.

palais [palɛ] *nm* palacio; (*ANAT*) paladar *m*; **le** ~ **de l'Élysée** el palacio del Eliseo.

palan [palɑ̃] *nm* paparejo.

pale [pal] *nf* (*de rame*) pala; (*d'hélice*) paleta, aleta; (*de roue*) paleta.

pâle [pal] *a* pálido(a).

palefrenier [palfʀənje] *nm* palafrenero.

Palestine [palɛstin] *nf*: **la** ~ Palestina; **palestinien, ne** *a, nm/f* palestino(a).

palet [palɛ] *nm* tejo; (*HOCKEY*) disco de juego.

paletot [palto] *nm* gabán *m*.

palette [palɛt] *nf* (*de peintre*) paleta.

pâleur [palœʀ] *nf* palidez *f*.

palier [palje] *nm* (*d'un escalier*) descansillo, rellano; (*plate-forme*) rellano, plataforma; (*TECH. d'une machine*) cojinete *m*; (*d'un graphique*) nivel *m*; (*fig*) nivel estable; **en** ~ **en** terreno plano; **la altura constante**; **par** ~**s** gradualmente, escalonadamente.

palière [paljɛʀ] *af*: **porte** ~ puerta a nivel del descansillo.

pâlir [paliʀ] *vi* (*personne*) palidecer; (*couleur*) descolorirse, desteñirse.

palissade [palisad] *nf* empalizada.

palissandre [palisɑ̃dʀ(ə)] *nm* palisandro.

palliatif, ive [paljatif, iv] *a* paliativo(a), calmante // *nm* paliativo.

pallier [palje] *vi*, ~ **à** vt mitigar.

palmarès [palmaʀɛs] *nm* lista de resultados; lista de premiados.

palme [palm(ə)] *nf* palma; (*en caoutchouc*) aleta; **palmé, e** *a* palmeado(a).

palmeraie [palməʀɛ] *nf* palmar *m*.

palmier [palmje] *nm* palmera.

palmipède [palmiped] *nm* palmípedo.

palombe [palɔ̃b] *nf* paloma torcaz.

pâlot, te [palo, ɔt] *a* paliducho(a).

palourde [paluʀd(ə)] *nf* almeja.

palper [palpe] *vt* palpar, tocar.

palpitant, e [palpitɑ̃, ɑ̃t] *a* emocionante.

palpitation [palpitasjɔ̃] *nf* palpitación *f*.

palpiter [palpite] *vi* palpitar.

paludisme [palydism(ə)] *nm* paludismo.

pâmer [pame] : **se** ~ *vi*: **se** ~ **d'amour** desfallecer de amor; **se** ~ **d'admiration** extasiarse de admiración; **pâmoison** *nf*: **tomber en pâmoison** desmayarse, darle un soponcio.

pampa [pɑ̃pa] *nf* pampa, pampas.

pamphlet [pɑ̃flɛ] *nm* libelo, panfleto; **pamphlétaire** *nm/f* libelista *m/f*, panfletista *m/f*.

pamplemousse [pãpləmus] *nm* pomelo.

pan [pã] *nm* faldón *m* // *excl* ¡pum!; ~ **de mur** lienzo de pared.

panachage [panaʃaʒ] *nm* (*de couleurs*) mezcla; (*POL*) combinación *f*.

panache [panaʃ] *nm* penacho.

panaché, e [panaʃe] *a*: **œillet** ~ clavel matizado // *nm* (*boisson*) cerveza con gaseosa; **glace** ~ *nf* helado de varios gustos.

panade [panad] *nf* sopa de pan.

Panama [panama] *nm* Panamá *m*.

panaris [panaʀi] *nm* panadizo.

pancarte [pãkaʀt(ə)] *nf* cartel *m*.

pancréas [pãkʀeas] *nm* páncreas *m*.

pané, e [pane] *a* empanado(a).

panier [panje] *nm* cesto, canasta; (**à diapositives**) dispositivo que contiene las diapositivas y facilita la proyección sucesiva de las mismas; **mettre au** ~ tirar a la basura; ~ **de crabes** (*fig*) nido de víboras; ~ **percé** (*fig*) despilfarrador(ora), manirroto/a; ~ **à provisions** cesto de la compra.

panique [panik] *nf* pánico, terror *m* // *a* pánico(a); **paniquer** *vt* aterrorizar.

panne [pan] *nf* avería; (*THÉÂTRE*) papel *m* menor; **mettre en** ~ (*NAUT*) poner al pairo, pairar; **en** ~ averiado(a); **être en** ~ **d'essence** *ou* **sèche** quedar sin gasolina; ~ **d'électricité** *ou* **de courant** *ou* **de secteur** apagón *m*.

panneau, x [pano] *nm* (*écriteau*) cartel *m*; (*de boiserie, de tapisserie etc*) panel *m*; (*COUTURE*) paño; **tomber dans le** ~ (*fig*) caer en la trampa; ~ **électoral** proclama electoral; ~ **de signalisation** señal *f* de tránsito.

panonceau, x [panɔso] *nm* placa.

panoplie [panɔpli] *nf* (*d'armes*) panoplia; (*fig*) arsenal *m*; (*jouet*) disfraz *m*.

panorama [panɔʀama] *nm* pano-rama *m*; **panoramique** *a* panorámico(a).

panse [pãs] *nf* panza.

pansement [pãsmã] *nm* cura; (*compresse etc*) vendaje *m*, apósito.

panser [pãse] *vt* (*plaie, blessé*) curar, vendar; (*cheval*) almohazar.

pantalon [pãtalɔ̃] *nm* pantalón *m*.

pantelant, e [pãtlã, ãt] *a* jadeante.

panthère [pãtɛʀ] *nf* pantera.

pantin [pãtɛ̃] *nm* pelele *m*, marioneta.

pantois [pãtwa] *am*: **rester** ~ quedarse patitieso(a) *ou* atónito(a).

pantomime [pãtɔmim] *nf* pantomima.

pantouflard, e [pãtuflaʀ, aʀd(ə)] *a* casero(a).

pantoufle [pãtufl(ə)] *nf* pantufla.

paon [pã] *nm* pavo real.

papa [papa] *nm* papá *m*.

papauté [papote] *nf* papado.

papaye [papaj] *nf* papaya.

pape [pap] *nm* papa *m*.

paperasse [papʀas] *nf* papelería, papelotes *mpl*; ~ **rie** *nf* papeleo.

papeterie [papetʀi] *nf* (*usine*) fábrica de papel; (*magasin*) papelería.

papetier, ière [paptje, jɛʀ] *nm/f* papelero/a.

papier [papje] *nm* papel *m*; (*article*) artículo; ~ **s** *mpl* (*documents, notes*) documentos, papeles *mpl*; **sur le** ~ (*théoriquement*) en teoría; ~ **quadrillé/réglé** papel cuadriculado/rayado; ~ **de brouillon** papel de borrador; ~ **buvard** papel secante; ~ **d'emballage** papel de envolver; ~ **d'étain** papel de estaño; ~ **hygiénique** papel higiénico; ~ **journal** papel de periódico *o* diario; ~ **à lettres** papel de cartas; ~ **peint** papel pintado; ~ **de verre** papel de lija; ~ **s d'identité** documentos (de identidad).

papille [papij] *nf* papila.

papillon [papijɔ̃] *nm* mariposa; (*fam: contravention*) multa; ~ **de nuit** mariposa (nocturna).

papilloter [papijɔte] vi parpadear.

paprika [paprika] nm paprika.

papyrus [papirys] nm papiro.

pâque [pɑk] nf: **la** ~ la Pascua.

paquebot [pakbo] nm paquebote m, transatlántico; ~**-mixte** nm buque mixto.

pâquerette [pɑkʀɛt] nf margarita.

Pâques [pɑk] nfpl Pascua f // nm (période) Semana Santa; **faire ses** ~ comulgar por Semana Santa.

paquet [pakɛ] nm (ballot) atado, bulto; ~**s** mpl (bagages) petates mpl; ~**-cadeau** nm paquete regalo.

par [paʀ] prép por; ~ **où?**: ~ **par dónde?**; ~ **ici/là** por aquí/ahí o allí; ~**-ci**, ~**-là** aquí y allá.

parachever [paʀaʃve] vt acabar, perfeccionar.

parachute [paʀaʃyt] nm, paracaídas m inv; **parachutiste** nm/f paracaidista m/f.

parade [paʀad] nf parada f; (de cirque, bateleurs) exhibición f; (défense, riposte) defensa.

paradis [paʀadi] nm paraíso; ~ **terrestre** paraíso terrenal.

paradoxal, e, aux [paʀadɔksal, o] a paradójico(a).

paradoxe [paʀadɔks(ə)] nm paradoja.

parafer [paʀafe] vt rubricar.

paraffine [paʀafin] nf parafina.

parages [paʀaʒ] nmpl (NAUT) aguas; **dans les** ~ **(de)** en los alrededores o las vecindades (de).

paragraphe [paʀagʀaf] nm párrafo, parágrafo.

Paraguay [paʀagwɛ] nm: **le** ~ el Paraguay.

paraître [paʀɛtʀ(ə)] vb avec attribut parecer, aparentar // vi aparecer; (briller) hacerse notar // vb impersonnel; **il (me) paraît que** (me) parece que; ~ **en justice** comparecer ante la justicia; ~ **en scène/à l'écran** aparecer en escena/en la pantalla.

parallèle [paʀalɛl] a paralelo(a) // nm paralelo // nf paralela; **parallélisme** nm paralelismo;

(AUTO: des roues) alineación f; **parallélogramme** nm paralelogramo.

paralyser [paʀalize] vt paralizar.

paralysie [paʀalizi] nf parálisis f.

paralytique [paʀalitik] a, nm/f paralítico(a).

paramédical, e, aux [paʀamedikal, o] a: **personnel** ~ personal auxiliar médico.

paranoïaque [paʀanɔjak] nm/f paranoico/a.

parapet [paʀapɛ] nm parapeto.

parapher [paʀafe] vt = **parafer**.

paraphrase [paʀafʀɑz] nf paráfrasis f; **paraphraser** vt parafrasear.

parapluie [paʀaplɥi] nm paraguas m inv.

parasite [paʀazit] nm parásito // a parásito(a); ~**s** mpl (TÉLEC) parásitos.

parasol [paʀasɔl] nm sombrilla; ~ **de plage** quitasol m.

paratonnerre [paʀatɔnɛʀ] nm pararrayos m inv.

paravent [paʀavɑ̃] nm biombo.

parc [paʀk] nm parque m; (pour le bétail) cercado; ~ **à huîtres** criadero de ostras.

parcelle [paʀsɛl] nf fragmento, ápice m; (de terrain) parcela.

parce que [paʀsk(ə)] conj porque.

parchemin [paʀʃəmɛ̃] nm pergamino.

parcmètre [paʀkmɛtʀ(ə)] nm parcómetro.

parcourir [paʀkuʀiʀ] vt recorrer; (article, livre) hojear.

parcours [paʀkuʀ] nm recorrido.

par-delà [paʀdəla] prép más allá de, del otro lado de.

par-dessous [paʀdəsu] prép por debajo de // ad por debajo.

pardessus [paʀdəsy] nm sobretodo, abrigo.

par-dessus [paʀdəsy] prép por encima de // ad por arriba o encima.

par-devant [paʀdəvɑ̃] prép ante // ad adelante, por el frente.

pardon [paʀdɔ̃] nm, excl perdón

(m); demander ~ à qn (de) pedir perdón a alguien (por); **je vous demande** ~ (politesse) le pido perdón; (contradiction) discúlpeme.

pardonner [paʀdɔne] vt perdonar; (excuser, tolérer) disculpar, excusar; ~ à qn perdonar o disculpar a alguien.

pare-balles [paʀbal] nm inv chaleco a prueba de balas.

pare-boue [paʀbu] nm guardabarros m inv.

pare-brise [paʀbʀiz] nm inv parabrisas m inv.

pare-chocs [paʀʃɔk] nm inv parachoques m inv.

pareil, le [paʀɛj] a parecido(a), similar; (tel): **en** ~ **cas** en tal caso, en un caso semejante // ad: **habillés** ~ vestidos del mismo modo // nmf: **le/la** ~(**le**) (chose) el/la mismo/a; **vos** ~**s** sus semejantes; ~ **à** parecido o semejante a; **sans** ~ sin igual, sin par; **c'est du** ~ **au même** es igual o lo mismo; ~**lement** ad igualmente, de la misma manera.

parent, e [paʀɑ̃, ɑ̃t] nm/f: **un/une** ~/**e** un/una pariente/a; ~ **à** : **être** ~ **de** ser pariente de; ~**s** mpl (père et mère) padres mpl; ~ **par alliance/en ligne directe** parientes políticos/por línea directa; ~**é** [paʀɑ̃te] nf parentesco.

parenthèse [paʀɑ̃tɛz] nf paréntesis m; **entre** ~**s** ad entre paréntesis.

parer [paʀe] vt (orner) ornar, adornar; (suj: bijou etc) ornar; (CULIN: viande) aderezar, aliñar; (coup, manœuvre) parar, evitar; ~ **à** (danger, inconvénient) precaverse o protegerse de; (éventualité) prevenirse contra; ~ **qch/qn** de adornar algo/a alguien con; ~ **au plus pressé** prever con urgencia.

pare-soleil [paʀsɔlɛj] nm inv visera, parasol m.

paresse [paʀɛs] nf pereza; **paresser** vi holgazanear; **paresseux, euse**

a perezoso(a), holgazán(ana); (démarche, attitude) indolente // nm/f perezoso/a, vago/a // nm (ZOOL) perezoso.

parfaire [paʀfɛʀ] vt perfeccionar.

parfait, e [paʀfɛ, ɛt] a perfecto(a) // nm (LING) pretérito perfecto // excl ¡perfecto!, ¡muy bien!; ~**ement** [-fɛtmã] ad perfectamente // excl ¡seguro!, ¡ciertamente! **cela lui est** ~**ement égal** (eso) le da exactamente lo mismo.

parfois [paʀfwa] ad a veces, algunas veces.

parfum [paʀfœ̃] nm (produit) perfume m; (de fleur, tabac, vin) perfume, aroma m; (de glace, milk-shake) gusto; ~**é, e** [-fyme] a: ~**é au café** aromatizado con café; ~**é** [-fyme] vt perfumar; (crème etc) perfumar, aromatizar; **se** ~ perfumarse; ~**erie** [-fymʀi] nf perfumería.

pari [paʀi] nm apuesta; ~ **mutuel urbain, PMU** apuestas mutuas para las carreras de caballos.

parier [paʀje] vt apostar; **parieur** nm apostador m.

Paris [paʀi] n París; **p**~**ien, ne** [-zjɛ̃, jɛn] a parisino(a), parisién // nm/f parisino/a, parisiense m/f.

paritaire [paʀitɛʀ] a: **commission** ~ comité paritario.

parité [paʀite] nf paridad f.

parjure [paʀʒyʀ] nm perjurio // nm/f perjuro/a; **parjurer: se parjurer** vi perjurar.

parking [paʀkiŋ] nm estacionamiento, aparcamiento; (lieu) aparcamiento, parque m de estacionamiento.

parlant, e [paʀlɑ̃, ɑ̃t] a (fig) de gran semejanza; expresivo(a), elocuente; (CINÉMA) sonoro(a) // ad: **généralement** ~ generalmente hablando; **horloge** ~**e** reloj m parlante.

parlement [paʀləmɑ̃] nm parlamento // ~**aire** a parlamentario(a) // nm/f parlamentario(a), delegado/a.

parlementer [paʀləmɑ̃te] *vi* parlamentar, tratar.

parler [paʀle] *vi* hablar; (*malfaiteur*) hablar, cantar; **~ pour qn** (*intercéder*) hablar en favor de alguien; **~ affaires** *etc* hablar de negocios *etc*; **~ en dormant/du nez** hablar en sueños/gangoso; **~ en l'air** hablar sin fundamento.

parloir [paʀlwaʀ] *nm* locutorio, sala de visitas.

parmi [paʀmi] *prép* entre.

parodie [paʀɔdi] *nf* parodia; **parodier** *vt* parodiar.

paroi [paʀwa] *nf* pared *f*; **~ (rocheuse)** pared *f* (de roca).

paroisse [paʀwas] *nf* parroquia; **paroissial, e, aux** *a* parroquial; **paroissien, ne** *nm/f* parroquiano/a, feligrés/esa.

parole [paʀɔl] *nf* palabra; (*faculté*) habla, palabra; (*ton, débit de voix*) habla, voz *f*; **~s** *fpl* (*MUS*) letra; **prendre la ~** coger la palabra; **croire qn sur ~** creer en la palabra de alguien; **prisonnier sur ~** prisionero bajo palabra; **temps de ~** espacio para hablar; **~ d'honneur** palabra de honor.

parpaing [paʀpɛ̃] *nm* perpiaño.

parquer [paʀke] *vt* encerrar; (*MIL*) establecer, instalar.

parquet [paʀke] *nm* parquet *m*; **le ~** (*JUR: magistrats*) el ministerio fiscal; (*: bureau*) el recinto donde funciona el ministerio fiscal; **~er** [paʀkəte] *vt* colocar el parquet en, entarimar.

parrain [paʀɛ̃] *nm* padrino; **~er** [paʀene] *vt* apadrinar.

parricide [paʀisid] *nm* parricidio // *nm/f* parricida *m/f*.

pars *vb voir* **partir**.

parsemer [paʀsəme] *vt* (*suj: feuilles, papiers*) sembrar, esparcir; **~ qch de** salpicar algo de.

part [paʀ] *vb voir* **partir** // *nf* (*qui revient à qn*) parte *f*, porción *f*; (*d'efforts, de peines*) parte, cuota; (*fraction, partie*) parte; (*FINANCE*) acción *f*; **prendre ~ à** tomar parte

en, participar en; **faire ~ de qch à qn** informar o dar parte de algo a alguien; **pour ma ~** por mi parte; **à ~ entière** de pleno derecho; **de la ~ de** de parte de; **de toute(s) ~(s)** de todas partes, por todas partes; **de ~ et d'autre** por ambas partes, de una y otra parte; **de ~ en ~** de parte a parte, de un lado al otro; **nulle/autre/quelque ~** en ninguna/otra/alguna parte; **d'une ~... d'autre ~** por una parte... por otra parte; **à ~** aparte, separadamente; (*de côté*) de lado // *prép* aparte de, excepto // a parte; **prendre qn à ~** llevar a alguien aparte; **pour une large/bonne ~** en una grave/buena parte.

partage [paʀtaʒ] *nm* partición *f*, participación *f*; (*POL: de suffrages*) empate *m*.

partager [paʀtaʒe] *vt* (*morceler, répartir*) dividir, repartir; (*couper, diviser*) dividir; (*fig*) participar de, compartir; **se ~** *vi* (*héritage etc*) repartirse, dividirse; **~ qch avec qn** compartir algo con alguien; **être partagé entre** sentirse dividido entre; **être partagés sur** (*suj: avis, personnes*) estar divididos sobre, estar en desacuerdo con respecto a; **être partagé** (*torts, amour*) ser compartido.

partais *etc vb voir* **partir**.

partance [paʀtɑ̃s]: **en ~ (pour)** *ad* a punto de partir (para).

partant [paʀtɑ̃] *nm* competidor *m*, participante *m*.

parte *etc vb voir* **partir**.

partenaire [paʀtənɛʀ] *nm/f* pareja, compañero/a; (*POL*) asociado/a.

parterre [paʀtɛʀ] *nm* arriate *m*, parterre *m*; (*THÉÂTRE*) platea, patio de butacas.

parti [paʀti] *nm* partido; (*groupe*) grupo, bando; **tirer ~ de** sacar provecho o partido de; **prendre le ~ de faire** tomar la determinación de hacer; **prendre le ~ de qn** tomar partido por alguien; **prendre son ~**

de considerar como inevitable, resignarse a; ~ **pris** prejuicio.

parti, e *pp de* **partir.**

partial, e, aux [paʀsjal, o] *a* parcial.

participant, e [paʀtisipã, ãt] *nm/f* participante *m/f.*

participation [paʀtisipasjɔ̃] *nf;* ~ **aux bénéfices** participación en las ganancias.

participe [paʀtisip] *nm* participio; ~ **présent/passé** participio presente/pretérito.

participer [paʀtisipe] : ~ **à** *vt* participar en; ~ **au chagrin de qn** compartir la tristeza de alguien.

particularité [paʀtikylaʀite] *nf* particularidad *f.*

particule [paʀtikyl] *nf* partícula.

particulier, ière [paʀtikylje, jɛʀ] *a* (*personnel, privé*) particular; (*individuel: entretien etc*) personal; (*spécial*) particular, propio(a) // *nm* particular *m;* ~ **à** propio de; **en** ~ **ad** (*à part*) aparte; (*en privé*) en privado; (*surtout*) en particular, especialmente.

partie [paʀti] *nf* parte *f;* (*profession, spécialité*) especialidad *f,* ramo; (*de cartes, tennis*) partida; (*lutte, combat*) lucha; ~ **de campagne/de pêche** excursión *f* al campo/de pesca; **en** ~ **ad** en parte; **faire** ~ **de qch** formar parte de algo; **prendre qn à** ~ agarrárselas con alguien; ~ **civile** (*JUR*) parte civil; ~ **publique** (*JUR*) fiscal *m.*

partiel, le [paʀsjɛl] *a* parcial, incompleto(a) // *nm* (*SCOL*) examen *m* parcial.

partir [paʀtiʀ] *vi* (*personne, cheval, avion, lettre*) partir, salir; (*pétard, cris*) estallar; (*fusil*) disparar; (*bouchon*) saltar; (*tache*) desaparecer, irse; (*affaire*) comenzar, iniciarse; (*moteur*) arrancar, ponerse en marcha; ~ **de** (*lieu: quitter*) salir o irse de; (*commencer à: suj: personne*) partir o comenzar de; (: *suj: route*) nacer en, salir de; (: *suj: proposition*) nacer de; (: *suj:*

abonnement) comenzar, ser válido(a) desde; **à** ~ **de** a partir de.

partisan, e [paʀtizã, an] *nm/f,* **a** partidario(a).

partition [paʀtisjɔ̃] *nf* (*MUS*) partitura.

partons etc *vb voir* **partir.**

partout [paʀtu] *ad* por todos lados, en cualquier parte; ~ **où il allait** dondequiera que iba; **de** ~ de todo, de todas partes; **trente** ~ (*TENNIS*) treinta iguales.

paru, e *pp de* **paraître.**

parure [paʀyʀ] *nf* adorno; (*bijoux assortis*) aderezo; (*de table*) mantelería; (*sous-vêtements*) juego de ropa interior.

parus etc *vb voir* **paraître.**

parution [paʀysjɔ̃] *nf* aparición *f,* publicación *f.*

parvenir [paʀvəniʀ] : ~ **à** *vt* llegar a; ~ **à faire qch** lograr o conseguir hacer algo.

parvenu, e [paʀvəny] *nm/f* (*péj*) nuevo/a rico/a, advenedizo/a.

parvis [paʀvi] *nm* atrio.

pas [pa] *nm voir le mot suivant* // *ad* no; **ne...** ~: **je ne vais** ~ **à l'école** no voy a la escuela; **il m'a dit de ne** ~ **le faire** me dijo que no lo haga; **je n'en sais** ~ **plus** no sé más; ~ **un/une ni un(e)/o/a;** **...lui** ~ él no; **et non** ~... y no ...; ~ **de sucre, merci!** ¡sin azúcar, gracias!; ~ **du tout de** ninguna manera, en absoluto; **absolument** ~! ¡en absoluto! **sûrement** ~! ¡claro que no!; ~ **encore** todavía no, aún no; **je ne reviendrai** ~ **de sitôt** no regresaré tan pronto; ~ **plus tard qu'hier** no más tarde de ayer; ~ **mal** *ad* bastante bien // *a* bastante bueno(a) o bonito(a); ~ **mal de** bastante, mucho(a); **ils ont** ~ **mal d'argent** no les falta dinero.

pas [pa] *ad voir le mot précédent* // *nm* paso; (*TECH: de vis, d'écrou*) paso, vuelta; ~ **à** ~ paso a paso; **au** ~ al paso; **au** ~ **de gymnastique** a paso ligero; **au** ~ **de course** a la carrera; **à** ~ **de loup** de puntillas;

faire les cent ~ vagabundear, rondar; **faire les premiers** ~ dar los primeros pasos; ~ **de la porte** umbral m; ~ **de porte** (COMM) llave f; **faux** ~ paso en falso; (fig) desliz m.

passable [pɑsabl(ǝ)] a pasable, regular.

passage [pɑsaʒ] nm paso; (NAUT) travesía; (lieu) paso, pasaje m; (d'un livre etc) pasaje; ~ **clouté** paso peatonal; "~ **interdit**" "prohibido el paso"; ~ **à niveau** paso a nivel; ~ **protégé** "paso protegido".

passager, ère [pɑsaʒe, ɛʀ] a, nm/f pasajero(a); ~ **clandestin** polizón m.

passant, e [pɑsɑ̃, ɑ̃t] a transitado(a) // nm/f transeúnte m/f, **en** ~ de paso.

passe [pɑs] nf pase m // nm (passe-partout) llave maestra, ganzúa.

passé, e [pɑse] a (événement, temps) pasado(a) // (couleur, tapisserie) descolorido(a) // prép después de // nm pasado; (LING) pretérito; **il est midi** ~ son las doce y pico; ~ **simple/composé/antérieur** pretérito indefinido/perfecto/anterior.

passementerie [pɑsmɑ̃tʀi] nf pasamanería.

passe-montagne [pɑsmɔ̃taɲ] nm pasamontañas m inv.

passe-partout [pɑspartu] nm inv llave maestra, ganzúa // a inv adecuado(a) a toda ocasión.

passe-passe [pɑspɑs] nm inv: **tour de** ~ juego de manos.

passeport [pɑspɔʀ] nm pasaporte m.

passer [pɑse] vi pasar; (temps, jour) pasar, transcurrir; (liquide, café) pasar, colar; (projet de loi) ser aprobado(a); (film) proyectarse; (émission) trasmitirse; (pièce de théâtre) representarse; (personne): ~ **à la radio/télévision** trasmitir por radio/televisión; (couleur, papier) desteñirse // vt pasar;

(examen: réussir) aprobar; (: tolérer): ~ **qch à qn** tolerar algo a alguien; (donner, transmettre): ~ **qch à qn** dar o trasmitir algo a alguien; (enfiler: vêtement) ponerse; (café, soupe etc) colar, filtrar; (pièce) representar; (marché, accord) concertar; **se** ~ vi (scène, action) suceder, pasar; (arriver): **que s'est-il passé?** ¿qué ocurrió o sucedió?; (s'écouler: semaine etc) pasar; **se** ~ **de qch** privarse de algo, arreglárselas sin algo; ~ **par** vt pasar por; ~ **sur** vt pasar por alto; ~ **dans les meurs/l'usage** adaptarse en las costumbres/el uso; ~ **au travers de** (corvée, punition) salvarse de; ~ **avant qch/qn** ser más importante que algo/alguien; ~ **dans la classe supérieure** (SCOL) pasar de grado o curso; ~ **en seconde/troisième** (AUTO) pasar a segunda/tercera; ~ **à la radio** sacar una radiografía; ~ **à la visite médicale** hacerse un examen médico; ~ **aux aveux** confesar; ~ **pour** pasar por; **laissez-**~ nm salvaconducto; ~ **une radio** hacer un examen radiográfico; ~ **la seconde/troisième** (AUTO) poner la segunda/tercera; ~ **qch en fraude** (DOUANE) pasar algo de contrabando; ~ **la tête par la portière** sacar la cabeza por la portezuela; **je vous passe M. X** le paso al Sr. X.

passereau, x [pɑsʀo] nm pájaro.

passerelle [pɑsʀɛl] nf (pont étroit) pasarela; (d'un navire, avion) pasarela, escalerilla.

passe-temps [pɑstɑ̃] nm inv pasatiempo, entretenimiento.

passe-thé [pɑste] nm inv colador m de té.

passeur, euse [pɑsœʀ, øz] nm/f (fig) pasador/ora.

passif, ive [pɑsif, iv] a pasivo(a), impasible // nm voz pasiva; (COMM) pasivo.

passion [pɑsjɔ̃] nf pasión f.

passionnant, e [pɑsjɔnɑ̃, ɑ̃t] *a* apasionante.

passionné, e [pɑsjɔne] *a* apasionado(a); entusiasta; exaltado(a).

passionnel, le [pɑsjɔnɛl] *a* pasional.

passionner [pɑsjɔne] *vt* apasionar; (*débat, discussion*) exaltar, avivar; **se ~ pour** apasionarse por.

passoire [pɑswar] *nf* colador *m*.

pastèque [pɑstɛk] *nf* sandía.

pasteur [pɑstœr] *nm* (*protestant*) pastor *m*.

pasteuriser [pɑstœrize] *vt* pasteurizar.

pastille [pɑstij] *nf* pastilla, tableta.

pastis [pɑstis] *nm* anisado.

patate [pɑtat] *nf*: **~ douce** batata.

patch work [patʃwœrk] *nm* labor *f* de retazos.

pâte [pɑt] *nf* (*CULIN*) masa, pasta; (*d'un fromage, substance molle*) pasta; **~s** *fpl* (*macaroni etc*) pastas; **~ brisée/feuilletée/à choux** masa crocante/de hojaldre/de petisú; **~ d'amandes** pasta de almendras; **~ de fruits** dulce *m* de frutas; **~ à modeler** pasta de modelar; **~ à papier** pasta de papel.

pâté [pɑte] *nm* (*friand*) pastel *m*; (*terrine*) pasta de carne o hígado; (*d'encre*) borrón *m*; **~ en croûte** empanada; **~ de foie/de lapin** pasta de hígado/de liebre; **~ de sable**) flan *m* de arena; **~ de maisons** manzana.

pâtée [pɑte] *nf* comida, papilla.

patelin [patlɛ̃] *nm* (*fam*) pueblado.

patente [pɑtɑ̃t] *nf* patente *f*.

patère [pɑtɛr] *nf* percha.

paternel, le [patɛrnɛl] *a* (*amour, soins*) paternal; (*ligne, autorité*) paterno(a).

paternité [patɛrnite] *nf* paternidad *f*.

pâteux, euse [pɑtø, øz] *a* espeso(a), pastoso(a); **avoir la bouche/langue pâteuse** tener la boca/lengua pastosa.

pathétique [patetik] *a* patético(a).

pathologie [patɔlɔʒi] *nf* patología.

patiemment [pasjamɑ̃] *ad* pacientemente.

patience [pasjɑ̃s] *nf* paciencia; (*CARTES*) solitario.

patient, e [pasjɑ̃, ɑ̃t] *a*, *nm/f* paciente (*m/f*).

patienter [pasjɑ̃te] *vi* esperar.

patin [patɛ̃] *nm* patín *m*; **~s** (**à glace**) patines (de cuchilla); **~s à roulettes** patines de ruedas; **faire du ~/du ~ à roulettes** practicar patinaje/patinaje sobre ruedas.

patinage [patinaʒ] *nm* patinaje *m*.

patine [patin] *nf* pátina.

patiner [patine] *vi* patinar; **se ~** cubrirse de pátina; **patineur, euse** *nm/f* patinador/ora; **patinoire** *nf* pista de patinaje.

pâtir [pɑtir] : **~ de** *vt* padecer, sufrir por.

pâtisserie [pɑtisri] *nf* pastelería, repostería; (*boutique*) pastelería, confitería; **~s** *fpl* (*gâteaux*) pasteles *mpl*.

pâtissier, ière [pɑtisje, jɛr] *nm/f* pastelero/a, repostero/a.

patois [patwa] *nm* habla regional.

patriarche [patrijarʃ(ə)] *nm* patriarca *m*.

patrie [patri] *nf* patria.

patrimoine [patrimwan] *nm* patrimonio.

patriote [patrijɔt] *a*, *nm/f* patriota (*m/f*); **patriotique** *a* patriótico(a).

patron, ne [patrɔ̃, ɔn] *nm/f* dueño/a; (*REL*) patrono/a; (*employeur*) empresario/a; (*MÉD*) profesor/ora // *nm* (*COUTURE*) patrón *m*; **~ de thèse** padrino/a de tesis; **~al, e, aux** *a* patronal, empresarial.

patronage [patrɔnaʒ] *nm* patrocinio.

patronat [patrɔna] *nm* empresariado.

patronner [patrɔne] *vt* patrocinar.

patrouille [patruj] *nf* patrulla; **~ de chasse** patrulla de caza.

patrouiller [patruje] *vi* patrullar.

patte [pat] *nf* pata; (*de cuir etc*) lengüeta; **pantalon à ~s d'éléphant** pantalón ancho.

pattemouille [patmuj] nf paño húmedo, trapo mojado.

pâturage [pɑtyraʒ] nm lugar m de pastoreo, pradera.

paume [pom] nf palma.

paumer [pome] vt (fam) perder.

paupière [popjɛr] nf párpado.

pause [poz] nf pausa, alto; (MUS) pausa o silencio de redonda.

pauvre [povr(ə)] a pobre; **les ~s** los pobres; **~té** nf pobreza.

pavaner: **se ~** [pavane] vi pavonearse, vanagloriarse.

pavé, e [pave] a empedrado(a), pavimentado(a) // nm (bloc) adoquín m; (pavage) pavimento; (fam) ladrillo.

pavillon [pavijɔ̃] nm (kiosque, ANAT) pabellón m; (villa) chalet m; (d'hôpital) sala, crujía; (drapeau) pabellón, bandera; **~ de complaisance** bandera de conveniencia.

pavoiser [pavwaze] vt embanderar, empavesar.

pavot [pavo] nm abormidera.

payable [pɛjabl(ə)] a pagadero(a).

payant, e [pɛjɑ̃, ɑ̃t] a (hôte, spectateur) que paga; (billet, spectacle) de pago; (fig) rentable, remunerador(ora).

paye [pɛj] nf = **paie**.

payement [pɛjmɑ̃] nm = **paiement**.

payer [peje] vt pagar // vi (métier, crime etc) rendir, redituar; **~ qn** de (efforts etc) recompensar a alguien por; **~ par chèque** pagar con cheque; **payeur, euse** a pagador(ora).

pays [pei] nm país m; tierra, región f; pueblo; aldea.

paysage [peizaʒ] nm paisaje m.

paysagiste [peizaʒist(ə)] nm/f (ART) paisajista m/f.

paysan, ne [peizɑ̃, an] nm/f, a campesino(a).

Pays-Bas [peiba] nmpl: **les ~** los Países Bajos.

PCV sigle voir **communication**.

PDG sigle m voir **président**.

péage [peaʒ] nm peaje m;

autoroute à ~ autopista m de peaje.

peau, x [po] nf piel f; (du lait) nata; (de la peinture) película; (morceau de peau): **une ~** una piel, un pellejo; **~ de chamois** (chiffon) gamuza; **~ d'orange** (MÉD) piel de naranja; **P~-rouge** nm/f piel roja m/f.

pêche [pɛʃ] nf pesca; (fruit) melocotón m // a: **couleur ~** color melocotón; **~ au large/côtière/à la ligne** pesca en alta mar/costera/con caña.

péché [peʃe] nm pecado.

pêche-abricot [pɛʃabriko] nf melocotón albaricoque m.

pécher [peʃe] vi (REL) pecar; (fig) fallar.

pêcher [peʃe] nm melocotonero // vi, vt pescar; **~ au filet** pescar con red; **~ au chalut** pescar al arrastre o a la rastra.

pécheur, eresse [peʃœr, ʃrɛs] nm/f pecador/ora.

pêcheur [pɛʃœr] nm pescador m.

pectoraux [pɛktɔro] nmpl pectorales mpl.

pécule [pekyl] nm peculio.

pécuniaire [pekynjɛr] a pecuniario(a).

pédagogie [pedagɔʒi] nf pedagogía; **pédagogique** a pedagógico(a); **pédagogue** [-gɔg] nm/f pedagogo/a.

pédale [pedal] nf pedal m; **pédaler** vi pedalear.

pédalo [pedalo] nm bicicleta acuática, hidropedal m.

pédant, e [pedɑ̃, ɑ̃t] a (péj) pedante.

pédéraste [pederast(ə)] nm pederasta m.

pédestre [pedɛstr(ə)] a: **randonnée ~** caminata.

pédiatre [pedjatr(ə)] nm/f pediatra m/f.

pédiatrie [pedjatri] nf pediatría.

pédicure [pedikyr] nm/f pedicuro/a.

pedigree [pedigri] nm pedigree m.

pègre [pɛgr(ə)] nf hampa m.

peignais etc vb voir **peindre**.

peigne [pɛɲ] nm peine m.

peigner [peɲe] vt peinar; se ~ peinarse.

peignis vb voir **peindre**.

peignoir [peɲwaR] nm albornoz m; (déshabillé) bata, salto de cama.

peinard, e [penaR, aRd(ǝ)] a (fam) tranquilo(a).

peindre [pɛ̃dR(ǝ)] vt pintar.

peine [pɛn] nf pena; (effort) esfuerzo, dificultad f; **faire de la ~ à qn** apenar a alguien, ocasionar pena a alguien; **se donner** o **prendre la ~ de** tomarse el trabajo de; **donnez-vous** o **veuillez vous donner la ~ d'entrer** tenga (usted) o ¿quiere tener (usted) la amabilidad de entrar?; **pour la ~** en castigo; **à ~** (presque, très peu) apenas; (tout juste) apenas, sólo; **à ~ endormi** no bien o apenas dormido; **sous ~ de** so pena de; **~ de mort** pena de muerte.

peiner [pene] vi fatigarse, esforzarse // vt apenar, afligir.

peins etc vb voir **peindre**.

peintre [pɛ̃tR(ǝ)] nm pintor m; **~ en bâtiment** pintor de brocha gorda.

peinture [pɛ̃tyR] nf pintura; **~ laquée** pintura laqueada.

péjoratif, ive [peʒɔRatif, iv] a peyorativo(a), despectivo(a).

pelage [pɔlaʒ] nm pelaje m.

pêle-mêle [pɛlmɛl] ad en desorden.

peler [pɔle] vt pelar // vi pelarse, despellejarse.

pèlerin [pɛlRɛ̃] nm peregrino m; **~age** [pɛlRinaʒ] nm peregrinaje f; lugar m de peregrinación.

pélican [pelikɑ̃] nm pelícano.

pelle [pɛl] nf pala; **~ à tarte/gâteau** pala para tarta/pastel; **~ mécanique** pala mecánica; **~ter** vt palear, apalear.

pelletier [pɛltje] nm peletero.

pellicule [pelikyl] nf película; **~s** fpl (MÉD) caspa.

pelote [pɔlɔt] nf ovillo m; (d'épingles)

acerico, almohadilla; **~ (basque)** pelota (vasca).

peloton [plɔtɔ̃] nm pelotón m.

pelotonner : **se ~** vi acurrucarse, hacerse un ovillo.

pelouse [pluz] nf césped m.

peluche [pɔlyʃ] nf: **animal en ~** animal m de felpa; **pelucher** vi soltar pelusa.

pelure [pɔlyR] nf piel f, cáscara.

pénal, e, aux [penal, o] a penal.

pénaliser [penalize] vt sancionar, penar.

pénalité [penalite] nf sanción f, pena; (SPORT) penalidad f.

penalty, ies [penalti, tiz] nm penalty m.

pénard, e [penaR, aRd(ǝ)] a = **peinard**.

pénates [penat] nmpl: **regagner ses ~** volver al hogar.

penaud, e [pɔno, od] a contrito(a), confuso(a).

penchant [pɑ̃ʃɑ̃] nm inclinación f.

penché, e [pɑ̃ʃe] a (écriture) inclinado(a).

pencher [pɑ̃ʃe] vi inclinarse, torcerse // vt inclinar; **se ~** vi inclinarse; **se ~ sur** (fig: problème) interesarse por, examinar; **à/pour** inclinarse a/por.

pendable [pɑ̃dabl(ǝ)] a: **cas ~** cuestión f grave o condenable.

pendaison [pɑ̃dɛzɔ̃] nf horca.

pendant, e [pɑ̃dɑ̃, ɑ̃t] a (ADMIN, JUR) pendiente // prép durante; **faire ~ à** hacer juego con, corresponder a; **les bras ~s** los brazos colgando; **~s d'oreilles** pendientes mpl.

pendeloque [pɑ̃dlɔk] nf colgante m.

pendentif [pɑ̃dɑ̃tif] nm colgante m.

penderie [pɑ̃dRi] nf guardarropa.

pendre [pɑ̃dR(ǝ)] vt colgar; (personne) ahorcar, colgar // vi colgar, pender; (jupe etc) colgar; **se ~ à qch** colgarse de algo; **se ~ à** ahorcarse; **~ la crémaillère** inaugurar la casa.

penduie [pãdyi] *nf* reloj *m* de péndulo // *nm* péndulo.

pendulette [pãdylɛt] *nf* relojito.

pêne [pɛn] *nm* pestillo.

pénétrer [penetʀe] *vi* penetrar, entrar // *vt* entrar, penetrar; *(mystère etc)* descubrir, adivinar; **se ~** de convencerse de.

pénible [penibl(ǝ)] *a* penoso(a); *(personne, caractère)* insoportable; **il m'est ~ de...** me resulta penoso...; **~ment** *ad* difícilmente, penosamente; apenas.

péniche [penif] *nf* balsa, chalana; *(MIL):* **~ de débarquement** barcaza de desembarco.

pénicilline [penisilin] *nf* penicilina.

péninsule [penɛ̃syl] *nf* península.

pénis [penis] *nm* pene *m*.

pénitence [penitãs] *nf* penitencia; **être en ~** estar castigado(a); **mettre en ~** poner en castigo.

pénitencier [penitãsje] *nm* penitenciaría, penal *m*.

pénitentiaire [penitãsjɛʀ] *a* penitenciario(a).

pensant [pãsã] *a:* **bien/mal ~** bien/mal pensante.

pense-bête [pãsbɛt] *nm* recordatorio.

pensée [pãse] *nf* pensamiento.

penser [pãse] *vi, vt* pensar; **~ à** *vt* pensar en; *(se souvenir de)* acordarse de; **~ du bien/du mal de** pensar bien/mal de; **libre penseur** librepensador *m*; **pensif, ive** *a* pensativo(a), absorto(a).

pension [pãsjɔ̃] *nf* pensión *f*; *(école)* internado; **prendre ~ chez qn** hospedarse en la casa de alguien; **prendre qn en ~** hospedar a alguien en su casa; **mettre un enfant en ~ dans un collège** poner un niño interno en un colegio; **~ d'invalidité** pensión por invalidez; **~ complète** pensión completa; **~ de famille** casa de huéspedes; **~naire** [pãsjɔnɛʀ] *nm/f* pensionista *m/f*, interno/a.

pensionnat [pãsjɔna] *nm* internado, pensionado.

pentagone [pɛ̃tagɔn] *nm* pentágono.

pentathlon [pɛ̃tatlɔ̃] *nm* pentatlón *f*.

pente [pãt] *nf* declive *m*, pendiente *f*.

Pentecôte [pãtkot] *nf:* **la ~** Pentecostés *m*.

pénurie [penyʀi] *nf* escasez *f*, penuria.

pépier [pepje] *vi* piar.

pépin [pepɛ̃] *nm* pepita; *(ennui)* engorro, joroba.

pépinière [pepinjɛʀ] *nf* plantel *m*, almáciga.

pépite [pepit] *nf* pepita.

perçant, e [pɛʀsã, ãt] *a* agudo(a).

percée [pɛʀse] *nf* brecha; *(MIL):* **tenter/faire une ~** intentar abrir/abrir una brecha.

perce-neige [pɛʀsɔnɛ:ʒ] *nf inv* narciso de las nieves.

percepteur [pɛʀsɛptœʀ] *nm* recaudador *m*.

perception [pɛʀsɛpsjɔ̃] *nf* percepción *f*; recaudación *f*; *(PSYCH):* **la ~** la percepción; *(bureau)* oficina de recaudación.

percer [pɛʀse] *vt* (*métal, mur, pneu*) agujerear, perforar; *(oreilles etc, aussi suj: bruit: oreilles, tympan)* perforar; *(abcès)* reventar; *(trou, fenêtre, tunnel, avenue)* abrir; *(suj: lumière, soleil: obscurité, nuage)* atravesar; *(mystère, énigme)* penetrar, descifrar // *vi* aparecer; traslucirse, manifestarse; triunfar; hacer carrera; **~ une dent** echar un diente.

perceuse [pɛʀsøz] *nf* perforadora.

percevoir [pɛʀsǝvwaʀ] *vt* percibir, advertir; *(somme d'argent, revenu)* percibir; cobrar; *(taxe, impôt)* cobrar, recaudar.

perche [pɛʀʃ(ǝ)] *nf* pértiga; *(ZOOL)* perca.

percher [pɛʀʃe] *vi, se ~ vi* (*oiseau*) posarse; **perchoir** *nm* percha, palo.

perclus, e [pɛʀkly, yz] *a:* **~ de**

rhumatismes tullido de reumatismo.

perçois etc, **perçoive** etc vb voir **percevoir.**

percolateur [pɛʀkɔlatœʀ] nm cafetera grande.

perçu, e pp de **percevoir.**

percussion [pɛʀkysjɔ̃] nf voir **instrument.**

percuter [pɛʀkyte] vt percutir, golpear // vi: ~ **contre** chocar contra.

perdant, e [pɛʀdɑ̃, ɑ̃t] nm/f perdedor/ora // a (numéro) no premiado(a).

perdition [pɛʀdisjɔ̃] nf (NAUT): **en** ~ en peligro de naufragio.

perdre [pɛʀdʀ(ə)] vt perder; (gaspiller: temps, argent) perder, malgastar // vi perder; (récipient) perder, salirse; se ~ (s'égarer) perderse, desorientarse; (fig) perderse; desaparecer.

perdreau, x [pɛʀdʀo] nm perdigón m.

perdrix [pɛʀdʀi] nf perdiz f.

perdu, e [pɛʀdy] pp de **perdre** (/ a perdido(a), extraviado(a); (isolé) perdido(a), alejado(a); (COMM: emballage, aussi occasion) perdido(a); (malade, blessé) perdido(a), desahuciado(a).

père [pɛʀ] nm padre m; ~**s** mpl (ancêtres) padres; **de** ~ **en fils** de padres a hijos; ~ **de famille** padre de familia; **valeurs de** ~ **de famille** inversiones seguras; **mon** ~ (REL) padre; **le** ~ **Noël** el papá Noel.

perfection [pɛʀfɛksjɔ̃] nf perfección f.

perfectionnement [pɛʀfɛksjɔn-mɑ̃] nm perfeccionamiento; adelanto.

perfectionner [pɛʀfɛksjɔne] vt perfeccionar, mejorar; se ~ **en** perfeccionarse en; **perfectionniste** nm/f perfeccionista m.

perforant, e [pɛʀfɔʀɑ̃, ɑ̃t] a (balle, obus) perforante.

perforation [pɛʀfɔʀasjɔ̃] nf perforación f.

perforatrice [pɛʀfɔʀatʀis] nf (de bandes, cartes) perforadora; (de tickets) perforador m.

perforer [pɛʀfɔʀe] vt perforar.

perforeuse [pɛʀfɔʀøz] nf perforadora.

performance [pɛʀfɔʀmɑ̃s] nf (d'un cheval, athlète) marca, resultado; (d'une machine) rendimiento óptimo; (fig) hazaña, proeza.

perfusion [pɛʀfyzjɔ̃] nf perfusión f.

péricliter [pɛʀiklite] vi declinar, decaer.

péril [pɛʀil] nm peligro, riesgo; **à ses risques et** ~**s** por su cuenta y riesgo; ~**leux, euse** [peʀijø, øz] a peligroso(a), arriesgado(a).

périmé, e [pɛʀime] a perimido(a), caduco(a); (ADMIN) caducado(a).

périmètre [peʀimɛtʀ(ə)] nm perímetro.

période [pɛʀjɔd] nf período, lapso; (PHYSIOLOGIE) período; **périodique** a periódico(a) // nm publicación periódica; **serviette/tampon périodique** paño/tampón higiénico.

périphérie [peʀifeʀi] nf (d'une ville) periferia, extrarradio; **périphérique** a (quartiers) periférico(a).

périphrase [peʀifʀɑz] nf perífrasis f.

périr [peʀiʀ] vi (personne) perecer, morir; (navire) naufragar.

périscope [peʀiskɔp] nm periscopio.

périssable [peʀisabl(ə)] a perecedero(a).

péristyle [peʀistil] nm peristilo.

péritonite [peʀitɔnit] nf peritonitis f.

perle [pɛʀl(ə)] nf perla; (de plastique, verre, métal) perla, cuenta; (de rosée, sang, sueur) gota.

perler [pɛʀle] vi gotear, formar gotas.

permanence [pɛʀmanɑ̃s] nf permanencia, estabilidad f; (ADMIN, MÉD, local) servicio permanente;

(SCOL) sala de estudio; **en** ~ *ad* sin interrupción.

permanent, e [pɛʀmanɑ̃, ɑ̃t] *a (constant, stable)* permanente, estable; *(continu)* permanente, constante; *(spectacle)* continua(o); *(armée, envoyé)* estable, fijo(a) // *nf* permanente *f.*

perméable [pɛʀmeabl(ə)] *a (terrain)* permeable; **à** *(fig)* influenciable a.

permettre [pɛʀmɛtʀ(ə)] *vt* permitir, autorizar; *(suj: santé, diplôme)* permitir, consentir; ~ **que** permitir o consentir que; ~ **de faire qch** permitir hacer algo; **se** ~ **de faire qch** tomarse la libertad de hacer algo.

permis [pɛʀmi] *nm* permiso, autorización *f;* ~ **de chasse/pêche** licencia de caza/pesca; ~ **de conduire** permiso de conducir; ~ **de construire** autorización para construir; ~ **d'inhumer** autorización de inhumar; ~ **poids lourds** permiso para camiones de carga; ~ **de séjour** permiso de residencia.

permission [pɛʀmisjɔ̃] *nf* permiso, consentimiento; *(MIL)* permiso; **avoir la** ~ **de faire** tener la autorización o el permiso para hacer; ~**naire** [pɛʀmisjɔnɛʀ] *nm (MIL)* militar *m* con permiso.

permuter [pɛʀmyte] *vt, vi* permutar.

péroné [peʀɔne] *nm* peroné *m.*

pérorer [peʀɔʀe] *vi* perorar.

Pérou [peʀu] *nm:* **le** ~ el Perú.

perpendiculaire [pɛʀpɑ̃dikylɛʀ] *a, nf* perpendicular *(f).*

perpétrer [pɛʀpetʀe] *vt* perpetrar, consumar.

perpétuel, le [pɛʀpetɥɛl] *a* perpetuo(a), constante; *(dignité, fonction)* vitalicio(a), perenne.

perpétuer [pɛʀpetɥe] *vt* perpetuar, mantener.

perpétuité [pɛʀpetɥite] *nf:* **à** ~ *ad* a perpetuidad; **être condamné à** ~ ser condenado a cadena perpetua.

perplexe [pɛʀplɛks(ə)] *a* perplejo(a).

perquisition [pɛʀkizisjɔ̃] *nf* pesquisa; ~**ner** *vi* indagar, hacer una pesquisa.

perron [pɛʀɔ̃] *nm* escalinata.

perroquet [pɛʀɔke] *nm* loro, papagayo.

perruche [pɛʀyʃ] *nf* cotorra.

perruque [pɛʀyk] *nf* peluca.

persan, e [pɛʀsɑ̃, an] *a, nm,* persa *(m, f).*

Perse [pɛʀs(ə)] *nf* Persia.

persécuter [pɛʀsekyte] *vt* perseguir; *(harceler)* acosar, importunar.

persévérer [pɛʀsevere] *vi* perseverar.

persiennes [pɛʀsjɛn] *nfpl* persianas.

persiflage [pɛʀsiflaʒ] *nm* burla, befa.

persil [pɛʀsi] *nm* perejil *m.*

persistant, e [pɛʀsistɑ̃, ɑ̃t] *a* persistente, tenaz; *(feuilles)* perenne; **arbre à feuillage** ~ árbol *m* de follaje perenne.

persister [pɛʀsiste] *vi* persistir, perdurar; *(personne)* persistir, obstinarse; ~ **à** persistir en.

personnage [pɛʀsɔnaʒ] *nm (notable)* personaje *m.*

personnaliser [pɛʀsɔnalize] *vt* dar un toque personal a; *(impôt, assurance)* personalizar.

personnalité [pɛʀsɔnalite] *nf* personalidad *f.*

personne [pɛʀsɔn] *nf* // *pron* nadie; **en** ~ personalmente, en persona; **grande** ~ persona mayor; ~ **morale ou civile** *(JUR)* persona moral o civil; ~ **âgée** persona de edad; ~ **à charge** *(JUR)* persona a cargo; **personnel, le** *a, nm* personal *(m);* **personnellement** *ad* personalmente; **personnifier** *vt* personificar.

perspective [pɛʀspɛktiv] *nf* perspectiva; ~**s** *fpl (horizons)* perspectivas.

perspicace [pɛʀspikas] *a* perspicaz.

persuader [pɛʀsɥade] vt: ~ qn de/que/de faire persuadir a alguien de/de que/que haga; **persuasif, ive** a persuasivo(a), convincente.

perte [pɛʀt(ə)] nf pérdida; (malheur) pérdida, daño; ~s fpl (personnes tuées) pérdidas, bajas; (COMM) pérdidas; à ~ (COMM) con pérdida; à ~ de vue hasta donde se pierde la vista; (fig) interminablemente; **en pure** ~ inútilmente, para nada; **courir à sa** ~ ir a su perdición; ~ **sèche** pérdida total; ~s **blanches** leucorrea.

pertinent, e [pɛʀtinɑ̃, ɑ̃t] a pertinente.

perturbation [pɛʀtyʀbasjɔ̃] nf perturbación f, alteración f; ~ **atmosphérique** perturbación atmosférica.

perturber [pɛʀtyʀbe] vt perturbar, alterar; (PSYCH) turbar, trastornar.

péruvien, ne [peʀyvjɛ̃, jɛn] a, nm/f peruano(a).

pervenche [pɛʀvɑ̃ʃ] nf vincapervinca.

pervers, e [pɛʀvɛʀ, ɛʀs(ə)] a, nm/f perverso(a).

pervertir [pɛʀvɛʀtiʀ] vt pervertir.

pesage [pəzaʒ] nm peso; (endroit) recinto donde se efectúa el peso.

pesant, e [pəzɑ̃, ɑ̃t] a pesado(a).

pesanteur [pəzɑ̃tœʀ] nf (PHYSIQUE): **la** ~ la gravedad.

pèse-bébé [pɛzbebe] nm balanza de bebé.

pèse-lettre [pɛzlɛtʀ(ə)] nm pesacartas m inv.

peser [pəze] vt pesar; (considérer, comparer) medir, sopesar // vi: ~ **sur** (levier etc) apoyarse contra, hacer fuerza sobre; (fig) pesar en o sobre; pesar o influenciar sobre.

pessimisme [pesimism(ə)] nm pesimismo.

pessimiste [pesimist(ə)] a, nm/f pesimista (m/f).

peste [pɛst(ə)] nf peste f.

pester [pɛste] vi: ~ **contre** echar pestes contra.

pestiféré, e [pɛstifeʀe] nm/f apestado/a.

pestilentiel, le [pɛstilɑ̃sjɛl] a pestilente.

pet [pɛ] nm (fam!) pedo.

pétale [petal] nf pétalo.

pétanque [petɑ̃k] nf petanca.

pétarader [petaʀade] vi producir detonaciones o estampidos.

pétard [petaʀ] nm petardo.

péter [pete] vi (fam!) peer.

pétiller [petije] vi (flamme, bois) chisporrotear, crepitar; (mousse, champagne) burbujear; (joie, yeux) chispear.

petit, e [pəti, it] a pequeño(a); (main, objet, colline, en âge: enfant) pequeño(a), chico(a); (personne, taille, pluie) pequeño(a), menudo(a); (voyage etc) corto(a), breve; (bruit etc) ligero(a), moderado(a); (minime) mínimo(a), pequeño(a); (peu nombreux) pequeño(a), reducido(a) // ad: ~ **à** ~ poco a poco // nm/f (petit enfant) niño/a, chico/a; ~s mpl (d'un animal) cría; **la classe des** ~s la clase de los párvulos; **pour** ~s **et grands** para chicos y grandes; **les tous-**~s los más pequeños, los pequeñuelos; **le** ~ **doigt** el meñique, el dedo pequeño; ~ **four** pasta; ~ **pois** guisante m; ~-**e-fille** nf nieta; ~**ement** [pətitmɑ̃] ad (fig) modestamente, mezquinamente; **être logé** ~**ement** vivir en una casa pequeña; ~-**esse** [ptits] nf pequeñez f; (d'un salaire) escasez f, estrechez f; (d'une existence) mediocridad f; (mesquinerie) mezquindad f, bajeza; ~-**fils** nm nieto.

pétition [petisjɔ̃] nf petición f.

petit-lait [ptilɛ] nm suero.

petits-enfants [ptizɑ̃fɑ̃] nmpl nietos.

pétrifier [petʀifje] vt petrificar.

pétrin [petʀɛ̃] nm (BOULANGERIE) amasadera; (fig) atolladero.

pétrir [petʀiʀ] vt (pâte) amasar; (argile, cire) modelar, trabajar.

pétrole [petʀɔl] nm petróleo;

pétrolier, ière a petrolero(a) // nm petrolero.

peu [pø] ad, nm poco // pron (nombre) pocos(as); (quantité) poco(a); ~ **de** (nombre) pocos(as); (quantité) poco(a); ~ **de temps après/avant** poco después/antes; **en** ~ **de temps** en poco tiempo; **de** ~ **de poco**; **il a gagné de** ~ ganó por poco; **il est de** ~ **mon aîné** es un poco mayor que yo; **éviter qch de** ~ escaparse de algo por poco; ~ **à** ~ poco a poco; ~ **près** ad poco más o menos; **à 10 F/10 kg 10 F/10 kg** poco más o menos; **avant** ~ dentro de poco.

peuplade [pœplad] nf pueblo primitivo.

peuple [pœpl(ə)] nm pueblo.

peupler [pœple] vt poblar.

peuplier [pøplije] nm álamo.

peur [pœr] nf (PSYCH) miedo, temor m; (émotion): **une** ~ un miedo o susto; **avoir** ~ **(de/de faire)** tener miedo (de/de hacer); **avoir** ~ **que** tener miedo de que, temer que; **la/une** ~ **de** el/un temor de; **faire** ~ **à** dar miedo a, asustar a; **de** ~ **de/que** por miedo o temor a/de que; **~eux, euse** a miedoso(a), temeroso(a).

peut vb voir **pouvoir**.

peut-être [pøtɛtr(ə)] ad quizá(s), tal vez; ~ **bien** posiblemente; ~ **que** puede ser que; ~ **fera-t-il beau dimanche** tal vez haga buen tiempo el domingo.

peuvent, peux vb voir **pouvoir**.

phacochère [fakɔʃɛr] nm facocero.

phalange [falɑ̃ʒ] nf falange f.

phallocrate [falɔkrat] nm chauvinista masculino.

phallus [falys] nm falo.

pharaon [faraɔ̃] nm faraón m.

phare [far] nm faro; **se mettre en** ~**s** poner la luz larga o de carretera.

pharmaceutique [farmasøtik] a farmacéutico(a).

pharmacie [farmasi] nf farmacia; (produits) botiquín m.

pharmacien, ne [farmasjɛ̃, ɛn] nm/f farmacéutico/a.

pharynx [farɛ̃ks] nm faringe f.

phase [faz] nf fase f.

phénomène [fenɔmɛn] nm fenómeno; (personne) tipo raro, caso.

philanthrope [filɑ̃trɔp] nm/f filántropo/a.

philatélie [filateli] nf filatelia; **philatéliste** nm/f filatelista m/f.

philharmonique [filarmɔnik] a filarmónico(a).

philistin [filistɛ̃] nm grosero, bárbaro.

philo [filo] nf abrév de **philosophie**.

philodendron [filodɛ̃drɔ̃] nm filodendro.

philosophe [filɔzɔf] nm/f filósofo/a // a juicioso(a), prudente.

philosophie [filɔzɔfi] nf filosofía; **philosophique** a filosófico(a).

phlébite [flebit] nf flebitis f.

phobie [fɔbi] nf fobia.

phonétique [fɔnetik] a fonético(a) // nf fonética.

phonographe [fɔnɔɡraf] nm fonógrafo.

phoque [fɔk] nm foca; (fourrure) piel f de foca.

phosphate [fɔsfat] nm fosfato.

phosphore [fɔsfɔr] nm fósforo; **phosphorescent, e** [fɔsfɔresã, ãt] a fosforescente.

photo [foto] nf (abrév de **photographie**) foto f; **prendre (qn) en** ~ sacar una foto (a alguien); **aimer/faire de la** ~ gustar de/dedicarse a la fotografía; ~ **d'identité** foto de carnet.

photo... [foto] préf: ~**copie** nf fotocopia; ~**copier** vt fotocopiar; ~**génique** a fotogénico(a); ~**graphe** nm/f fotógrafo/a; ~**graphie** nf fotografía; ~**graphier** vt fotografiar; ~**graphique** a fotográfico(a); ~**maton** nm cámara de fotografía superautomática; ~**robot** nf foto robot m.

phrase [fʀɑz] *nf* frase *f*, oración *f*.

phtisie [ftizi] *nf* tisis *f*.

physicien, ne [fizisjɛ̃, jɛn] *nm/f* físico/a.

physiologie [fizjɔlɔʒi] *nf* fisiología; **physiologique** *a* fisiológico/a.

physionomie [fizjɔnɔmi] *nf* fisonomía; **physionomiste** *a* fisonomista.

physique [fizik] *a* físico(a) // (*d'une personne*) físico // *nf* física; **au ~** en lo físico, físicamente; **~ment** *ad* materialmente; físicamente.

pi [pi] *nm* (*GÉOMÉTRIE*) pi *f*.

piaffer [pjafe] *vi* piafar.

piailler [pjaje] *vi* piar.

pianiste [pjanist(ə)] *nm/f* pianista *m/f*.

piano [pjano] *nm* piano.

pianoter [pjanɔte] *vi* teclear; (*tapoter*): **~ sur** tamborilear en.

pic [pik] *nm* pico; (*ZOOL*) pico, pájaro carpintero; **à ~** *ad* a pico; (*fig*) de perilla.

pichet [piʃɛ] *nm* jarro.

pickpocket [pikpɔkɛt] *nm* carterista *m*, ratero.

picorer [pikɔʀe] *vt* picotear, picar.

picoter [pikɔte] *vt* picotear // *vi* (*irriter*) causar picazón.

picrique [pikʀik] *am*: **acide ~** ácido pícrico.

pie [pi] *nf* urraca; (*fig*) cotorra // *af*: **œuvre ~** obra pía.

pièce [pjɛs] *nf* pieza; (*d'un logement*) habitación *f*, cuarto; (*THÉÂTRE*) obra; (*de monnaie*) moneda, pieza; (*COUTURE*) pieza, remiendo; (*document*): **~ d'identité** documento de identidad; (*morceau, fragment*) pedazo, trozo; (*de drap, tissu*) retazo; (*de bétail*) res *f*; **dix francs ~** diez francos cada uno(a); **à la ~** (*vendre*) por unidad; (*travailler, payer*) a destajo; **un deux ~s cuisine** una casa *o* un apartamento de dos habitaciones y cocina; **~ d'eau** estanque *m*; **~ justificative** comprobante *m*; **~ montée** plato montado; **~s détachées** piezas de repuesto, repuestos.

pied [pje] *nm* pie *m*; (*ZOOL*) pata, mano; (*de meuble, table*) pata; **~s nus** *ou* **nu~s** descalzo(a); **à ~** a pie; **à ~ sec** a pie enjuto; **de ~ en cap** de pies a cabeza; **en ~** (*portrait*) de cuerpo entero; **avoir/perdre ~** hacer/perder pie; **sur ~** (*AGR*) en pie *o* sin recoger; (*debout*) en pie; **mettre sur ~** (*affaire, entreprise*) poner en pie *o* marcha; **mettre à ~** (*employé*) poner en la calle; **faire du ~ à qn** dar con el pie a alguien; **~ de salade** planta de ensalada; **~ de vigne** cepa; **~-de-biche** *nm* (*COUTURE*) prensatelas *m inv*; **~-à-terre** *nm inv* vivienda de paso.

piédestal, aux [pjedɛstal, o] *nm* pedestal *m*.

pied-noir [pjenwaʀ] *nm* argelino de origen europeo.

piège [pjɛʒ] *nm* trampa; **prendre au ~** coger en la trampa.

piéger [pjeʒe] *vt* (*avec une bombe, mine*) colocar una trampa explosiva en.

pierraille [pjeʀaj] *nf* grava, gravilla.

pierre [pjɛʀ] *nf* piedra; **première ~** (*d'un édifice*) piedra fundamental; **~ à briquet** piedra de mechero; **~ fine** piedra fina; **~ de taille** sillar *m*, piedra de sillería; **~ries** *fpl* pedrerías.

piété [pjete] *nf* piedad *f*.

piétiner [pjetine] *vi* patalear; (*marquer le pas*) marcar el paso; (*fig*) estancarse // *vt* pisotear.

piéton, ne [pjetɔ̃, ɔn] *nm/f* peatón/ona; **~nier, ière** a peatonal.

piètre [pjɛtʀ(ə)] *a* triste, pobre.

pieu, x [pjø] *nm* estaca.

pieuvre [pjœvʀ(ə)] *nf* pulpo.

pieux, euse [pjø, øz] *a* piadoso(a).

pigeon [piʒɔ̃] *nm* palomo; **~ voyageur** paloma mensajera; **~neau, x** [piʒɔno] *nm* pichón *m*; **~nier** *nm* palomar *m*.

piger [piʒe] *vt* (*fam*) entender.

pigment [pigmã] nm pigmento.

pignon [piɲɔ̃] nm (de mur) aguilón m; (d'engrenage) piñón m; **avoir ~ sur rue** ser propietario(a) de una importante casa de comercio.

pile [pil] nf pila // en seco justo; **jouer à ~ ou face** jugar a cara o cruz.

piler [pile] vt moler, machacar.

pileux, euse [pilø, øz] a: **système ~** sistema piloso.

pilier [pilje] nm pilar m.

pillard, e [pijar, aʀd(ə)] nm/f saqueador/ora.

piller [pije] vt saquear.

pilon [pilɔ̃] nm mano, pisón m.

pilonner [pilɔne] vt aplastar, machacar.

pilori [piloʀi] nm: **mettre ou clouer au ~** poner en la picota.

pilotage [pilotaʒ] nm pilotaje m.

pilote [pilɔt] nm piloto // a (piloto inv, modelo inv); **~ de ligne/d'essai/de chasse** piloto civil/de prueba/de caza.

piloter [pilɔte] vt pilotar.

pilotis [piloti] nm pilote m.

pilule [pilyl] nf píldora.

pimbêche [pɛ̃bɛʃ] nf (péj) remilgada.

piment [pimã] nm pimienta; (fig) sal f.

pin [pɛ̃] nm pino; **~ parasol** pino piñonero o parasol.

pince [pɛ̃s] nf pinza; (d'un homard, crabe) pinza, pata; **~ à sucre/glace** tenacillas para el azúcar/hielo; **~ à épiler** pinza de depilar; **~ à linge** pinza para la ropa; **~s de cycliste** sujetadores mpl, clips mpl de ciclista.

pincé, e [pɛ̃se] a (air, sourire) afectado(a), forzado(a) // nf: **une ~e** de una pizca de.

pinceau, x [pɛ̃so] nm pincel m.

pince-monseigneur [pɛ̃smɔ̃seɲœʀ] nf ganzúa.

pince-nez [pɛ̃sne] nm inv quevedos.

pincer [pɛ̃se] vt pellizcar; (MUS: cordes) puntear; (suj: vêtement)

ajustar; (COUTURE) entallar; (fam) pescar, atrapar.

pince-sans-rire [pɛ̃ssɑ̃ʀiʀ] nm/f inv persona que bromea conservando un aspecto serio.

pincettes [pɛ̃sɛt] nfpl (pour le feu) tenazas; (instrument) pinza.

pinède [pined] nf pinar m.

pingouin [pɛ̃gwɛ̃] nm pingüino.

ping-pong [piŋpɔ̃g] nm ping-pong m, tenis de mesa.

pingre [pɛ̃gʀ(ə)] a roñoso(a).

pinson [pɛ̃sɔ̃] nm pinzón m.

pintade [pɛ̃tad] nf pintada, gallina de Guinea; **pintadeau, x** nm polluelo de pintada.

pioche [pjɔʃ] nf pico, piqueta; **piocher** vt cavar; **piocher dans** hurgar en.

piolet [pjɔlɛ] nm piolet m.

pion, ne [pjɔ̃, ɔn] nm/f (SCOL: péj) vigilante m/f // nm (ÉCHECS) peón m; (DAMES) ficha.

pionnier [pjɔnje] nm pionero; (fig) precursor ma.

pipe [pip] nf pipa; **fumer la ~** fumar en pipa.

pipeau, x [pipo] nm caramillo.

pipe-line [pajplajn] nm oleoducto.

pipi [pipi] nm (fam): **faire ~** hacer pipí.

piquant, e [pikã, ãt] a (barbe) áspero(a), punzante; (rosier etc) espinoso(a), punzante; (saveur, sauce) picante // (épine) púa, espina; (fig) (lo) excitante, lo chistoso.

pique [pik] nf (arme) pica; (fig) indirecta // nm (CARTES: couleur) picos, ≈ espadas; (: carte) pico, ≈ espada.

piqué, e [pike] a (COUTURE) con pespuntes; (livre, glace) manchado(a); (vin) picado(a) // nm (TEXTILE) piqué m.

pique-assiette [pikasjɛt] nm/f inv mogrollo, parásito.

pique-nique [piknik] nm picnic m.

piquer [pike] vt (percer) pinchar; (MÉD) poner una inyección a, vacunar; (: animal blessé) matar mediante una inyección; (*suj: insecte, fumée, ortie, poivre, froid*) picar; (*COUTURE*) pespuntear, coser; (*fam*) soplar, birlar; atrapar, pillar // *vi* (*oiseau, avion*) bajar; ~ **qch dans/à** clavar algo en; ~ **qch sur** prender algo sobre; **se** ~ (*avec une aiguille*) pincharse; (*se faire une piqûre*) inyectarse; **se** ~ **de** alardear de; ~ **du nez** caerse de narices.

piquet [pikɛ] *nm* (*pieu*) estaca, jalón *m*; (*de tente*) estaca; **mettre un élève au** ~ poner a un alumno en penitencia; ~ **de grève** piquete *m* de huelga; ~ **d'incendie** piquete *o* pelotón *m* contra incendios.

piqûre [pikyʀ] *nf* pinchazo, picadura; (*MÉD*) inyección *f*, vacuna; (*COUTURE*) pespunte *m*, costura; (*de ver*) picadura; (*tache*) mancha.

pirate [piʀat] *nm, a* pirata (*m*); ~ **de l'air** pirata del aire.

pire [piʀ] *a, nm* peor (*m*); **pour le meilleur et pour le** ~ en las buenas y en las malas.

pirogue [piʀɔg] *nf* piragua.

pirouette [piʀwɛt] *nf* pirueta; (*fig*) cambio.

pis [pi] *nm* (*pire*): **le** ~ lo peor // *a, ad* peor; ~**-aller** *nm inv* expediente *m*, mal menor *f*; **au** ~ **-aller** *ad* en el peor de los casos.

pisciculture [pisikyltyʀ] *nf* piscicultura.

piscine [pisin] *nf* piscina.

pissenlit [pisɑ̃li] *nm* diente de león *m*.

pisser [pise] *vi* (*fam!*) mear (!).

pissotière [pisɔtjɛʀ] *nf* (*fam*) meadero.

pistache [pistaʃ] *nf* pistacho.

piste [pist(ə)] *nf* pista; (*d'un animal*) pista, rastro; (*d'un magnétophone*) banda; ~ **de danse** pista de baile.

pistil [pistil] *nm* pistilo.

pistolet [pistɔlɛ] *nm* pistola; ~ **à bouchon/air comprimé** pistola con tapón/de aire comprimido; ~ **mitrailleur** *nm* pistola ametralladora.

piston [pistɔ̃] *nm* (*TECH*) pistón *m*; (*MUS*): **cornet/trombone à** ~**s** corneta/trombón *m* de pistones.

pistonner [pistɔne] *vt* (*candidat*) recomendar, enchufar.

pitance [pitɑ̃s] *nf* (*péj*) pitanza.

piteux, euse [pitø, øz] *a* deplorable, lastimoso(a).

pitié [pitje] *nf* piedad *f*; **faire** ~ dar lástima, inspirar piedad; **avoir** ~ **de qn** tener lástima de alguien, sentir piedad por alguien.

piton [pitɔ̃] *nm* (*clou, vis*) clavija.

pitoyable [pitwajabl(ə)] *a* lamentable, lastimoso(a).

pitre [pitʀ(ə)] *nm* payaso; ~**rie** *nf* payasada, bufonada.

pittoresque [pitɔʀɛsk(ə)] *a* pintoresco(a).

pivert [piveʀ] *nm* picoverde *m*, picamaderos *m inv*.

pivot [pivo] *nm* pivote *m*; (*fig*) eje *m*, centro; ~**er** *vi* girar.

pizza [pidza] *nf* pizza.

placard [plakaʀ] *nm* armario empotrado; (*affiche*) cartel *m*, anuncio; ~ **publicitaire** cartel de propaganda; ~**er** *vt* (*affiche*) fijar, pegar.

place [plas] *nf* plaza; (*emplacement*) sitio, lugar *m*; (*espace libre*) lugar, espacio; (*siège: de train, cinéma, voiture, aussi classement*) puesto; (*fig: situation*) condición *f*, situación *f*; (*emploi*) puesto, cargo; **en** ~ en su lugar *o* sitio; **sur** ~ en el lugar *o* sitio; (*sur les lieux*) sobre el terreno; **faire** ~ **à** dejar sitio a; **à la** ~ (**de**) en lugar de(de); **une quatre** ~**s** (*AUTO*) un coche de cuatro plazas; ~ **s avant/arrière** asientos delanteros/traseros; ~ **assise/debout** puesto de sentado/de pie; ~ **forte** plaza fuerte; ~ **d'honneur** puesto de honor.

placé, e [plase] *a* (*HIPPISME*) placé; **haut** ~ (*fig*) importante; **bien/mal** ~ bien/mal ubicado.

placement [plasmɑ̃] *nm* colocación *f*.

placenta [plasɛ̃ta] *nm* placenta.

placer [plase] *vt* colocar; (*convive,*

spectateur) acomodar; *(dans la conversation)* decir; *(récit, événement, pays: situer)* situar; **se ~ au premier rang/devant** colocarse en primera fila/delante de.

plafond [plafɔ̃] *nm* techo; *(AVIAT)* altura máxima; *(fig)* tope *m*; **~ de nuages** capa de nubes bajas.

plafonner [plafɔne] *vi (AVIAT)* alcanzar la altura máxima; *(fig)* llegar al máximo.

plage [plaʒ] *nf* playa; **~ arrière** *(AUTO)* bandeja; **~ musicale** *(RADIO)* espacio musical.

plagiat [plaʒja] *nm* plagio.

plagier [plaʒje] *vt* plagiar.

plaid [plɛd] *nm* manta de viaje.

plaidant, e [plɛdã, ãt] *a (JUR)* pleiteante, litigante.

plaider [plede] *vi* pleitear // *vt (cause)* defender; **~ l'irresponsabilité etc** alegar irresponsabilidad *etc*; **~ coupable/non coupable** declararse culpable/inocente.

plaideur, euse [plɛdœʀ, øz] *nm/f (JUR)* pleitista *m/f*, litigante *m/f*; **plaidoirie** *nf (JUR)* alegato, defensa; **plaidoyer** *nm (JUR)* defensa; *(éloge)* alegato.

plaie [plɛ] *nf* llaga, herida.

plaignant, e [plɛɲã, ãt] *a, nm/f* demandante *m/f*.

plaindre [plɛ̃dʀ(ə)] *vt* compadecer a; **se ~** quejarse; **se ~ que** quejarse *o* lamentarse de que.

plaine [plɛn] *nf* llanura, planicie *f*.

plain-pied [plɛ̃pje] : **de ~** *ad* al mismo nivel.

plaint, e *pp de* **plaindre.**

plainte [plɛ̃t] *nf* gemido, lamento; *(doléance)* queja.

plaintif, ive [plɛ̃tif, iv] *a* quejumbroso(a).

plaire [plɛʀ] *vi* gustar, agradar; **~ à** *vt (suj: personne)* gustar a; (: *spectacle, situation)* gustar *o* agradar a; **se ~ à** *(dans un lieu etc)* estar a gusto; *(plante)* estar bien; **tant qu'il vous plaira** cuánto usted quiera; **s'il vous plaît** por favor.

plaisamment [plɛzamã] *ad* agradablemente, graciosamente.

plaisance [plɛzɑ̃s] *nf*: **la ~** la navegación de recreo.

plaisant, e [plɛzɑ̃, ãt] *a* agradable; *(histoire)* divertido(a), gracioso(a).

plaisanter [plɛzɑ̃te] *vi* bromear, jaranear; **~ie** [-tʀi] *nf* broma, chanza.

plaisent *vb voir* **plaire.**

plaisir [plɛziʀ] *nm* placer *m*; **~s** *mpl (agréments)* encantos; **faire ~ à qn** dar gusto *o* placer a alguien; **prendre ~ à** complacerse en; **M. et Mme X ont le ~ de vous faire part de...** el Sr y la Sra X tienen el agrado de participarle...; **à ~** a gusto; **~** *nm* gusto.

plaisons, plaît *vb voir* **plaire.**

plan, e [plɑ̃, an] *a* plano(a) // *nm* plan *m*; *(d'un bâtiment, d'une machine, ville)* plano; **au premier/second ~** en primer/segundo plano; **de premier/second ~** *a* de primera/segunda plano; **sur le ~ (de)...** en el terreno (de)..., desde el punto de vista (de)...; **sur tous les ~s** en todos los planos *o* aspectos; **(en) gros ~** *(en)* primer plano; **toit en ~ incliné** techo en declive; **~ d'eau** espejo de agua; **~ de sustentation** plano de sustentación.

planche [plɑ̃ʃ] *nf* tabla; *(illustration)* lámina; *(de salades etc)* arriate *m*; *(d'un plongeoir)* tablón *m*, palanca; **les ~s** *(THÉÂTRE)* las tablas; **faire la ~** hacer la plancha; **~ à dessin** tablero de dibujo; **~ à repasser** tabla de planchar.

plancher [plɑ̃ʃe] *nm (entre deux étages)* solera; *(sol)* piso; *(fig)* nivel mínimo.

plancton [plɑ̃ktɔ̃] *nm* plancton *m*.

planer [plane] *vi* planear; *(fig)* cernerse.

planète [planɛt] *nf* planeta *m*.

planeur [planœʀ] *nm* planeador *m*.

planifier [planifje] *vt* planificar.

planning [planiŋ] *nm* planificación *f*, programación *f*; **~ familial** control *m* de la natalidad.

planque [plɑ̃k] *nf (fam)* momio, breva; escondrijo.

plant [plɑ̃] nm planta.

plantation [plɑ̃tasjɔ̃] nf plantación f.

plante [plɑ̃t] nf planta; ~ **d'appartement** planta de interior; ~ **des pieds** planta de los pies.

planter [plɑ̃te] vt plantar; (enfoncer) clavar; (échelle, tente, décors) instalar, montar; (drapeau) enarbolar; ~ **qch de** poblar algo de; **planteur** nm plantador m.

planton [plɑ̃tɔ̃] nm ordenanza m.

plantureux, euse [plɑ̃tyrø, øz] a abundante, copioso(a); exuberante.

plaque [plak] nf placa, plancha; (de verre) hoja; (d'eczéma) placa; (fig: tache) mancha; ~ **de chocolat** tableta de chocolate; ~ **chauffante** calientaplatos m inv; ~ **d'identité** placa de matrícula; ~ **d'immatriculation** (AUTO) placa de matrícula; ~ **tournante** (fig) eje m.

plaqué, e [plake] a: ~ **or/argent** enchapado en oro/plata.

plaquer [plake] vt (bijou) chapar, enchapar; (aplatir) aplastar(se); (RUGBY) hacer un placaje a.

plaquette [plakɛt] nf (de chocolat) tableta; (de beurre) paquete m.

plasma [plasma] nm plasma m.

plastic [plastik] nm explosivo plástico.

plastifié, e [plastifje] a plastificado(a).

plastique [plastik] a plástico(a) // nm plástico.

plastiquer [plastike] vt volar con explosivo plástico.

plat, e [pla, at] a (toit, terrain) plano(a); (pays) llano(a); (chapeau, bateau, ventre, poitrine, style) chato(a); (talons) bajo(a) // nm fuente f; (CULIN, d'un repas) plato; **le** ~ **de la main** la palma de la mano; **le** ~ **d'un couteau** la hoja de un cuchillo; **à** ~ **ventre** de boca abajo; **à** ~ ad de plano // a (pneu) desinflado(a); (batterie) descargado(a); ~ **de résistance** plato fuerte.

platane [platan] nm plátano.

plateau, x [plato] nm (support)

bandeja; (d'une balance) platillo; (GÉO) meseta; (d'un graphique) nivel m; (RADIO, TV) escenario.

plate-bande [platbɑ̃d] nf arriate m.

platée [plate] nf fuente f.

plate-forme [platfɔrm(ə)] nf plataforma; (terre-plein) terraza; ~ **de forage** plataforma de perforación.

platine [platin] nm (métal) platino // nf (d'un tourne-disque) plato.

platitude [platityd] nf simpleza.

plâtras [plɑtra] nm cascote m.

plâtre [plɑtr(ə)] nm yeso; (statue) estatua de yeso; (MÉD) escayola, yeso; **avoir un bras dans le** ~ tener un brazo enyesado; **plâtrer** vt enyesar, enlucir; (MÉD) enyesar, escayolar.

plausible [plozibl(ə)] a plausible.

play-back [plɛbak] nm play-back m.

play-boy [plɛbɔj] nm play-boy m.

plébiscite [plebisit] nm plebiscito.

plein, e [plɛ̃, ɛn] a lleno(a), repleto(a); (journée) pleno(a), completo(a); (porte, roue) macizo(a); (joues, visage, formes) relleno(a); (lune) lleno(a); (mer) alto(a); (chienne, jument) preñada // nm: **faire le** ~ (d'essence etc) llenar el depósito; ~ **de** a lleno de; **à** ~**es mains** a manos llenas; **en** ~ **air** al aire libre; **en** ~ **soleil** a pleno sol; **en** ~**e rue** en medio de la calle; **en** ~ **milieu** en el mismo centro; **en** ~**e nuit** en plena noche; **en** ~ **sur** justo sobre, de lleno sobre; ~ **emploi** nm pleno empleo.

plénière [plenjɛr] af: **assemblée** ~ asamblea plenaria.

pléonasme [pleonasm(ə)] nm pleonasmo.

pléthore [pletɔr] nf: ~ **de** sobreabundancia de.

pleurer [plœre] vi llorar // vt llorar, lamentar; ~ **sur** vt llorar por.

pleurésie [plœrezi] nf pleuresía.

pleurnicher [plœrniʃe] vi lloriquear.

pleurs [plœr] nmpl: **en ~ en**
lágrimas o llanto.

pleutre [pløtr(ə)] a pusilánime.

pleuvoir [pløvwar] vi llover; **il
pleut des cordes** llueve a cántaros.

plexiglas [plɛksiglas] nm plexiglás
m.

pli [pli] nm pliegue m; (de jupe)
pliegue, tabla; (de pantalon) raya;
(du cou, menton) pliegue, arruga;
(enveloppe) sobre m; (lettre) carta;
(CARTES) baza; **faux ~** arruga; **~ de
terrain** repliegue m de terreno,
hondonada.

pliable [plijabl(ə)] a (carton) flexible; (siège) plegable.

pliage [plijaʒ] nm plegado.

pliant, e [plijã, ãt] a plegable // nm
silla de tijera.

plier [plije] vt plegar, doblar;
(tente) desmontar; (table pliante)
plegar; (genou, bras) flexionar;
(fig): **~ qn à** someter a alguien a //
vi plegarse, doblarse; **se ~ à**
someterse a, doblegarse a.

plinthe [plɛ̃t] nf zócalo.

plissé, e [plise] a (GÉO) plegado(a).

plissement [plismã] nm (GÉO)
plegamiento.

plisser [plise] vt plegar, plisar;
(front, bouche) arrugar, fruncir.

plomb [plɔ̃] nm (métal) plomo m;
(d'une cartouche) perdigón m;
(sceau) precinto; (ÉLEC) fusible m; **à
~ a plomo.

plomber [plɔ̃be] vt (canne, ligne)
colocar el plomo en; (colis, wagon)
precintar; (TECH: mur) aplomar;
(dent) empastar, poner una amalgama en.

plomberie [plɔ̃bri] nf fontanería;
(installation) tubería.

plombier [plɔ̃bje] nm fontanero.

plonge [plɔ̃ʒ] nf: **faire la ~** lavar los platos.

plongeant, e [plɔ̃ʒã, ãt] a (vue)
desde lo alto; (décolleté) descendiente; (tir) oblicuo(a).

plongée [plɔ̃ʒe] nf immersión f;

(prise de vue) picado, toma desde lo
alto; **sous-marin ~** submarino
sumergido; **~ (sous-marine)** buceo
(submarino).

plongeoir [plɔ̃ʒwar] nm trampolín
m.

plongeon [plɔ̃ʒɔ̃] nm zambullida.

plonger [plɔ̃ʒe] vi (personne)
zambullirse; (sous-marin) sumergirse; (oiseau, avion) lanzarse,
precipitarse; (gardien de but)
lanzarse, tirarse; (regard) dominar
// vt (immerger) sumergir, hundir;
(enfoncer, enfouir) hundir; (fig): **~
qn dans** sumir a alguien en;
plongeur, euse nm/f (qui plonge)
saltador/ora; buceador/ora // (m
(ZOOL) somorgujo.

ployer [plwaje] vt doblar // vi
doblarse, curvarse; doblegarse.

plu pp de **plaire, pleuvoir.**

pluie [plɥi] nf lluvia; **en ~**
(retomber etc) en gotas.

plume [plym] nf pluma; (de métal)
pluma, plumilla; **dessin à la ~**
dibujo a pluma.

plumeau, x [plymo] nm plumero.

plumer [plyme] vt desplumar.

plumet [plymɛ] nm penacho.

plumier [plymje] nm plumero,
cajita de los lápices.

plupart [plypar] pron: **la ~** la
mayoría; **la ~ du temps** la mayoría
de las veces; **pour la ~ ad** en su
mayoría.

pluriel [plyrjɛl] nm plural m.

plus vb voir **plaire** // ad [ply, plyz +
voyelle], conj [plys] màs // nm
[plys]: (signe) ~ (signo) màs; ~
que màs que; ne... ~ no, màs;
~ **grand que** màs grande que; **~ de 10
personnes/3 heures** màs de 10
personas/de 3 horas; **~ de pain**
màs pan; **~ de possibilités (que)**
màs posibilidades (que); **~ il
travaille, ~ il est heureux** cuanto
màs trabaja, (tanto) màs contento;
le ~ grand el màs grande; **3 heures
de ~ que** 3 horas màs que; **de ~, en**
~ **además; 3 kilos en ~ 3 kilos de**
màs; **en ~ de además en; de ~ en**

~ cada vez más; **(tout) au** ~ cuando más, a lo sumo; ~ **ou moins** más o menos; **ni ~ ni moins** ni más ni menos; **il fait ~ 2** hace dos grados arriba de cero.

plusieurs [plyzjœr] *dét, pron* varios(as).

plus-que-parfait [plyskəparfɛ] *nm* pluscuamperfecto.

plus-value [plyvaly] *nf* plusvalía; utilidad *f*, ganancia.

plut *vb voir* **plaire, pleuvoir.**

plutôt [plyto] *ad* más bien; ~ **que (de) faire** en lugar de hacer.

pluvieux, euse [plyvjø, øz] *a* lluvioso(a).

PMU *sigle m voir* **pari.**

PNB *sigle m voir* **produit.**

pneu, x [pnø] *nm* (*abrév de* pneumatique) neumático; (*missive*) carta neumática *o* tubular; ~ **increvable** neumático contrapinchazos.

pneumatique [pnɔmatik] *a voir* **canot.**

pneumonie [pnɔmɔni] *nf* neumonía.

PO *abrév de* petites ondes.

poche [pɔʃ] *nf* bolsa; (*d'un vêtement, sac*) bolsillo; (*d'eau, de pétrole*) napa *m* (*abrév de livre de* ~) libro de bolsillo.

poché, e [pɔʃe] *a*: **œil** ~ ojo a la funerala; **avoir les yeux** ~**s** tener bolsas bajo los ojos.

pocher [pɔʃe] *vt* (*CULIN*) escalfar; (*PEINTURE*) bosquejar, esbozar.

poche-revolver [pɔʃrevɔlvɛr] *nf* bolsillo posterior *o* de atrás.

pochette [pɔʃɛt] *nf* (*enveloppe, sachet*) sobre *m*; (*mouchoir*) pañuelo de adorno; (*de disque*) funda; ~ **d'allumettes** carterilla de cerillos.

pochoir [pɔʃwar] *nm* (*ART*) plantilla.

podium [pɔdjɔm] *nm* podio.

poêle [pwal] *nm* estufa // *nf*: (à **frire**) sartén *f*.

poêlon [pwalɔ] *nm* cazo.

poème [pɔɛm] *nm* poema *m*.

poésie [pɔezi] *nf* poesía.

poète [pɔɛt] *nm* poeta *m*.

poétique [pɔetik] *a* poético(a).

pognon [pɔɲɔ] *nm* (*fam*) guita.

poids [pwa] *nm* peso; (*pour peser*) pesa; **prendre/perdre du** ~ aumentar/bajar de peso; ~ **plume/mouche/moyen** (*BOXE*) peso pluma/mosca/medio; ~ **lourd** camión de carga *m*; ~ **mort** peso muerto, lastre *m*.

poignant, e [pwaɲɑ̃, ɑ̃t] *a* conmovedor(ora).

poignard [pwaɲar] *nm* puñal *m*; ~ **er** *vt* apuñalar.

poigne [pwaɲ] *nf* fuerza en las manos *o* los puños; (*fig*) energía, firmeza.

poignée [pwaɲe] *nf* puñado; (*de couvercle, valise*) asa; (*de tiroir*) tirador *m*; (*de porte*) manilla, picaporte *m*; (*MÉNAGE: pour le drap etc*) agarrador *m*, asa; ~ **de main** apretón *m* de manos.

poignet [pwaɲɛ] *nm* (*ANAT*) muñeca; (*d'une chemise*) puño.

poil [pwal] *nm* pelo; (*de pinceau, brosse*) cerda; (*pelage*) piel *f*; **poilu, e** a peludo(a).

poinçon [pwɛsɔ] *nm* (*outil*) punzón *m*, buril *m*; (*marque*) contraste *m*; ~ **ner** *vt* contrastar; (*billet, ticket*) picar, perforar.

poing [pwɛ] *nm* puño.

point [pwɛ] *nm* punto; (*jeu, SPORT*) punto, tanto; (*COUTURE, TRICOT*) puntada, punto // *ad* ~ **pas; faire le** ~ (*NAUT*) determinar la posición, tomar la estrella; (*fig*) recapitular, hacer la situación; **en tout** ~ ad en todo, totalmente; **sur le** ~ **de** à punto de; **au** ~ **que** al punto que; à **tel** ~ **que** hasta tal punto que; (**mettre**) **au** ~ (*mécanisme, procédé*) (poner) a punto; (*appareil-photo*) enfocar; à ~ **nommé** a tiempo; ~ **d'interrogation/d'exclamation** signo de interrogación/de exclamación; ~ **de croix/tige/chaînette** punto de cruz/tallo/cadeneta; ~ **chaud** (*fig*) punto álgido; ~ **de côté** punzada en el costado; ~ **final** punto final; **au** ~ **mort** (AUTO) en punto muerto; ~ **noir** (sur le visage) punto negro; ~ **de repère** punto de referencia; ~ **de vente** punto de venta; ~ **de vue** (paysage) vista; (fig) punto de vista; **du** ~ **de vue**... desde el punto de vista...; ~**s de suspension** puntos suspensivos.

pointe [pwɛt] nf punta; (fig): **une** ~ de un poco de; ~**s** fpl (DANSE: chaussons) zapatillas de punta; **être à la** ~ **de** (fig) estar a la vanguardia de; **pousser une** ~ **jusqu'à...** hacer un desvío hasta...; **sur la** ~ **des pieds** en punta de pies, de puntillas; **de** ~ a (industrie etc) de vanguardia; **heures de** ~ horas punta; **faire du 180 en** ~ (AUTO) hacer 180 de máxima; **faire des** ~**s** (DANSE) bailar de puntas.

pointer [pwɛte] vt (cocher) puntear, marcar; (employés) fichar; (diriger: canon, doigt) apuntar, dirigir; (: longue-vue) enfocar // vi (employé) fichar; ~ **la carte** (NAUT) señalar en el mapa; ~ **les oreilles** (suj: chien) parar las orejas.

pointillé [pwɛtije] nm (trait) línea de puntos, punteado; (ART) punteado.

pointilleux, euse [pwɛtijø, øz] a puntilloso(a), quisquilloso(a).

pointu, e [pwɛty] a puntiagudo(a), agudo(a); (son, voix) agudo(a).

pointure [pwɛtyr] nf medida, número.

point-virgule [pwɛvirgyl] nm punto y coma.

poire [pwar] nf (BOT) pera; ~ **à injections** jeringa para inyecciones; ~ **électrique** perilla eléctrica; ~ **à lavement** lavativa.

poireau, x [pwaro] nm puerro.

poireauter [pwarote] vi (fam) estar de plantón.

poirier [pwarje] nm peral m; (GYMNASTIQUE) farol m, piano.

pois [pwa] nm (BOT) guisante m; (sur une étoffe) lunar m; ~ **chiche**

garbanzo; ~ **de senteur** guisante de olor.

poison [pwazɔ̃] nm veneno.

poisse [pwas] nf malapata.

poisser [pwase] vt embadurnar.

poisson [pwasɔ̃] nm pez m; (comme nourriture) pescado; (ASTRO): **les P~s** Piscis m; **être des P~s** ser de Piscis; ~ **scie/volant** pez sierra/volador; ~ **d'avril** inocentada; ~ **chat** siluro; ~**nerie** nf pescadería; ~**neux, euse** a abundante en peces; ~**nier, ière** nm/f pescadero/a, vendedor/ora de pescado.

poitrail [pwatraj] nm pecho.

poitrine [pwatrin] nf pecho.

poivre [pwavr(ə)] nm pimienta; ~ **et sel** a entrecano(a); **poivré, e** a picante; **poivrier** nm pimentero.

poivron [pwavrɔ̃] nm pimiento morrón, pimiento; ~ **vert/rouge** pimiento verde/rojo.

poker [pokɛr] nm póker m.

polaire [polɛr] a polar.

pôle [pol] nm polo; **le** ~ **Nord/Sud** el Polo Norte/Sur.

polémique [polemik] a polémico(a) // nf polémica, controversia; **polémiste** nm/f polemista m/f.

poli, e [poli] a refinado(a), cortés; (lisse) pulido(a), liso(a).

police [polis] nf policía; (discipline) disciplina; **numéro/plaque de** ~ (AUTO) número/placa de matrícula; ~ **d'assurance** póliza de seguros; ~ **mondaine** ou **des mœurs** cuerpo policial para el control de la prostitución; ~ **judiciaire, PJ** policía judicial; ~ **secours** servicio urgente de policía; ~**s parallèles** servicio secretos.

polichinelle [poliʃinɛl] nm polichinela m, títere m.

policier, ière [polisje, jɛr] a policíaco(a) // nm policía m; (aussi: **roman** ~) novela policíaca.

polio(myélite) [poljo(mjelit)] nf polio(mielitis) f; **poliomyélitique** nm/f poliomielítico/a.

polir [poliʀ] *vt* pulir, lustrar.

polisson, ne [polisɔ̃, ɔn] *a* pillo(a), bribonzuelo(a); atrevido(a).

politesse [polites] *nf* cortesía, urbanidad *f*; cumplido; (*civilité*): **la ~** la urbanidad; **rendre une ~ à** devolver una atención a.

politicien, ne [politisjɛ̃, jɛn] *nm/f* político/a, politicastro/a.

politique [politik] *a* político(a) // *nf* política; **politiser** *vt* politizar.

pollen [polɛn] *nm* polen *m*.

polluer [polɥe] *vt* contaminar; **pollution** *nf* polución *f*, contaminación *f*.

polo [polo] *nm* (*sport*) polo.

Pologne [polɔɲ(ə)] *nf* **la ~** Polonia // **polonais, e** [polɔnɛ, ɛz] *a*, *nm/f* polaco(a).

poltron, ne [poltʀɔ̃, ɔn] *a* cobarde.

polycopier [polikɔpje] *vt* multicopiar.

polygamie [poligami] *nf* poligamia.

polygone [poligɔn] *nm* polígono.

Polynésie [polinezi] *nf*: **la ~** la Polinesia.

polype [polip] *nm* pólipo.

polytechnicien, ne [politɛknisjɛ̃, jɛn] *nm/f* alumno/a o ex-alumno/a de la Escuela Politécnica.

polytechnique [politɛknik] *a*: **École ~** Escuela Politécnica.

polyvalent, e [polivalɑ̃, ɑ̃t] *a* polivalente; (*professeur*) que enseña varias materias.

pommade [pɔmad] *nf* pomada.

pomme [pɔm] *nf* (*BOT*) manzana; (*pomme de terre*): **~s frites** patatas fritas; **tomber dans les ~s** (*fam*) darle (a uno) un patatús; **~ d'Adam** nuez *f* (de Adán); **~ d'arrosoir** alcachofa (de regadera); **~ de pin** piña; **~ de terre** patata.

pommé, e [pɔme] *a* (*chou etc*) repolludo(a).

pommeau, x [pɔmo] *nm* (*boule*) puño, pomo; (*de selle*) perilla.

pommette [pɔmet] *nf* pómulo.

pommier [pɔmje] *nm* manzano.

pompe [pɔ̃p] *nf* pompa; **~ de**

bicyclette bomba de aire de la bicicleta; **~ (à essence)** surtidor *m* (de gasolina); **~ à incendie** bomba de incendios; **~s funèbres** pompas fúnebres; **pomper** *vt, vi* bombear.

pompeux, euse [pɔ̃pø, øz] *a* pomposo(a), ampuloso(a).

pompier [pɔ̃pje] *nm* bombero.

pompon [pɔ̃pɔ̃] *nm* borla.

pomponner [pɔ̃pɔne] *vt* emperifollar.

ponce [pɔ̃s] *nf*: **pierre ~** piedra pómez.

ponceau, x [pɔ̃so] *nm* puentecillo.

poncer [pɔ̃se] *vt* alisar, pulimentar.

ponction [pɔ̃ksjɔ̃] *nf*: **~ lombaire** punción *f* lumbar.

ponctuation [pɔ̃ktɥasjɔ̃] *nf* puntuación *f*.

ponctuel, le [pɔ̃ktɥɛl] *a* puntual; constituido(a) por un punto.

ponctuer [pɔ̃ktɥe] *vt* puntuar; (*MUS*) marcar las pausas.

pondéré, e [pɔ̃deʀe] *a* ponderado(a).

pondeuse [pɔ̃døz] *nf* ponedora.

pondre [pɔ̃dʀ(ə)] *vt* poner.

poney [pɔnɛ] *nm* poney *m*.

pont [pɔ̃] *nm* puente *m*; (*NAUT*) cubierta; **faire le ~** hacer puente; **~ d'envol** cubierta de despegue; **~ de graissage** elevador *m* de engrase; **~ suspendu** puente colgante; **P~s et Chaussées** ≈ Caminos, Canales y Puertos.

ponte [pɔ̃t] *nf* puesta // *nm* (*fam*) mandamás *m*.

pontife [pɔ̃tif] *nm* pontífice *m*.

pont-levis [pɔ̃lvi] *nm* puente levadizo.

pop [pɔp] *a inv* pop.

pop-corn [pɔpkɔrn] *nm* palomita de maíz.

populace [pɔpylas] *r.f* (*péj*) populacho.

populaire [pɔpylɛʀ] *a* popular; **popularité** [-laʀite] *nf* popularidad *f*.

population [pɔpylasjɔ̃] *nf* población *f*.

porc [pɔʀ] *nm* cerdo, puerco;

(viande) carne f de cerdo; *(peau)* cuero de cerdo.

porcelaine [pɔrsəlɛn] nf porcelana.

porcelet [pɔrsəlɛ] nm lechón m.

porc-épic [pɔrkepik] nm puerco espín m.

porche [pɔrʃ(ə)] nm porche m.

porcherie [pɔrʃəri] nf porqueriza.

pore [pɔr] nm poro; **poreux, euse** a poroso(a).

porno [pɔrnɔ] a *(abrév de pornographique)* porno.

pornographie [pɔrnɔgrafi] nf pornografía.

pornographique [pɔrnɔgrafik] a pornográfico(a).

port [pɔr] nm uso; *(NAUT, ville)* puerto; *(pour lettre, colis)* porte m, franqueo; ~ **de commerce/de pêche** puerto comercial/pesquero; ~ **dû** porte adeudado; ~ **de tête** porte de cabeza.

portail [pɔrtaj] nm portal m.

portant, e [pɔrtɑ̃, ɑ̃t] a sustentador(ora); **bien/mal** ~ con buena/mala salud.

portatif, ive [pɔrtatif, iv] a portátil.

porte [pɔrt(ə)] nf puerta; **mettre à la** ~ echar a la calle; **à ma** ~ muy cerca o en la puerta de mi casa; **faire du** ~ **à** ~ *(COMM)* pasar de puerta en puerta; ~ **à tambour/coulissante** puerta cancel/corredera; ~ **d'entrée** puerta de entrada.

porte- [pɔrt(ə)] préf: ~**à-faux** nm: **en** ~**à-faux** en vilo; ~**avions** nm inv portaaviones m inv; ~**bagages** nm inv portabultos m inv; *(AUTO)* portaequipajes m inv; ~**bonheur** nm inv amuleto; ~**cigarettes** nm inv pitillera; ~**clefs** nm inv llavero; ~**couteau, x** nm descanso de los cuchillos.

portée [pɔrte] nf alcance m; *(de chatte etc)* cría, camada; *(MUS)* pentagrama m; *(fig)* capacidad f, comprensión f; **à la/hors de** ~ *(de)* al/fuera del alcance (de); **à** ~ **de**

main a mano, al alcance de la mano.

porte-fenêtre [pɔrtfənɛtr(ə)] nf puerta vidriera.

portefeuille [pɔrtəfœj] nm cartera; **faire un lit en** ~ hacer la cama a petaca.

porte-jarretelles [pɔrtʒartɛl] nm inv portaligas m inv.

porte-jupe [pɔrtəʒyp] nm pinza para dobleras.

portemanteau, x [pɔrtmɑ̃to] nm perchero.

porte-mine [pɔrtəmin] nm portaminas m inv, lapicero.

porte-monnaie [pɔrtmɔnɛ] nm inv monedero.

porte-parole [pɔrtparɔl] nm inv portavoz m.

porter [pɔrte] vt llevar; *(fig: responsabilité etc)* soportar, cargar con; *(suj: jambes)* sostener; *(produire: fruits)* producir, dar; *(inscrire)*: ~ **une somme sur un registre** asentar una cantidad en un registro // vi *(voix, regard, canon, coup)* alcanzar; *(mots, argument, événement)* surtir efecto; ~ **sur** qch *(peser)* apoyarse sobre algo; *(heurter)* dar contra algo; *(conférence etc)* tratar de algo, referirse a algo; **se** ~ **si sentirse, estar;** ~ **secours/assistance à qn** prestar socorro/ayuda a alguien; ~ **bonheur à qn** traer suerte a alguien; ~ **son âge** representar su edad; ~ **plainte (contre qn)** presentar una denuncia (contra alguien); **se faire** ~ **malade** declararse enfermo(a); ~ **un jugement sur** emitir un juicio sobre; ~ **la main à son chapeau** llevarse la mano al sombrero; ~ **son attention sur** fijar su atención en; ~ **à faux** estar en falso.

porte-savon [pɔrtsavɔ̃] nm jabonera.

porte-serviettes [pɔrtsɛrvjɛt] nm inv toallero.

porteur, euse [pɔrtœr, øz] a: **être** ~ **de** ser portador de // nm *(de bagages)* mozo de cuerda; *(en* montagne) portador *m* del equipaje; (*COMM: de chèque etc*) portador, tenedor *m*; (*avion*) **gros** ~ avión *m* de gran capacidad.

porte-voix [pɔʀtəvwa] *nm inv* megáfono.

portier [pɔʀtje] *nm* portero.

portière [pɔʀtjɛʀ] *nf* portezuela, puerta.

portillon [pɔʀtijɔ̃] *nm* portillo.

portion [pɔʀsjɔ̃] *nf* (*part*) porción *f*, parte *f*; (*partie*) parte.

portique [pɔʀtik] *nm* barra sueca; (*ARCHIT*) pórtico.

porto [pɔʀto] *nm* oporto.

portrait [pɔʀtʀɛ] *nm* retrato; ~-**robot** *nm* identikit *m*.

portuaire [pɔʀtɥɛʀ] *a* portuario(a).

portugais, e [pɔʀtygɛ, ɛz] *a, nm/f* portugués(esa).

Portugal [pɔʀtygal] *nm*: **le** ~ (el) Portugal.

pose [poz] *nf* instalación *f*; (*attitude, d'un modèle*) pose *f*, postura; (*PHOTO*) exposición *f*.

posé, e [poze] *a* juicioso(a).

posemètre [pozmɛtʀ(ə)] *nm* fotómetro.

poser [poze] *vt* colocar; (*principe*) admitir, establecer; (*problème, difficulté*) plantear, enunciar // *vi* (*modèle*) posar; **se** ~ (*oiseau, avion*) posarse; (*question, problème*) plantearse; **se** ~ **en** (*suj: personne*) dárselas de; ~ **une question à qn** hacer una pregunta a alguien; ~ **sa candidature** presentar su candidatura; **poseur, euse** *nm/f* instalador/ora; (*péj*) presuntuoso/a, engreído/a.

ositif, ive [pozitif, iv] *a* positivo(a).

osition [pozisjɔ̃] *nf* posición *f*; emplacement, localisation) ubicación *f*, disposición *f*; (*fig: circonstances, aussi d'un compte*) situación

osséder [posede] *vt* poseer, tener; bien connaître) dominar, conocer a ondo; (*suj: jalousie, colère*) ominar; (*: force occulte*) poseer,

dominar; **possesseur** *nm* poseedor *m*, detentor *m*; **possessif, ive** a posesivo(a) // *nm* (*LING*) posesivo; **possession** *nf* posesión *f*.

possibilité [pɔsibilite] *nf* posibilidad *f*; ~**s** *fpl* posibilidades *fpl*.

possible [pɔsibl(ə)] *a* posible; (*acceptable: situation, personne*) tolerable // *nm*: **faire (tout) son** ~ hacer (todo) lo posible; **autant que** ~ en la medida *o* dentro de lo posible; **le plus/moins** ~ lo más/menos posible; **le plus/moins de...** ~ la mayor/menor cantidad posible de...; **aussitôt/dès que** ~ tan pronto como/en cuanto sea posible; **au** ~ (*gentil, brave etc*) al máximo, en sumo grado.

postal, e, aux [postal, o] *a* postal.

postdater [postdate] *vt* colocar una fecha posterior en.

poste [post(ə)] *nf* correo // *nm* (*MIL*) puesto; (*fonction*) puesto, cargo; (*de radio etc*) aparato; **où est la** ~? ¿dónde está correos?; **P**~**s, Télégraphes, Téléphones, PTT** ≈ Correo, Telégrafo y Teléfono, CTT; ~ **émetteur** emisora; ~ **d'essence** surtidor *m* de gasolina; ~ **de pilotage** puesto de pilotaje; ~ (**de police**) puesto de policía); ~ **restante** lista de correos; ~ **de secours** puesto de socorro.

poster [poste] *vt* echar al correo; (*soldats, personne etc*) apostar // *nm* [postɛʀ] póster *m*, cartel *m*.

postérieur, e [posteʀjœʀ] *a* posterior // *nm* (*fam*) trasero, asentaderas.

posteriori [posteʀjɔʀi]: **à** ~ *ad* a posteriori.

postérité [posteʀite] *nf* posteridad *f*.

posthume [postym] *a* póstumo(a).

postiche [postiʃ] *nm* postizo.

postillonner [postijone] *vi* espurrear saliva al hablar.

post-natal, e [postnatal] *a* postnatal.

post-scriptum [postskʀiptɔm] *nm inv* posdata.

postulant, e [pɔstylɑ̃, ɑ̃t] *nm/f* postulante *m/f*.

postulat [pɔstyla] *nm* postulado.

postuler [pɔstyle] *vt* (*emploi*) postularse para, solicitar.

posture [pɔstyʀ] *nf* postura; (*fig*) posición *f*.

pot [po] *nm* bote *m*, tarro; **boire un ~** (*fam*) beber una copa; **avoir du ~** (*fam*) tener suerte; **~ (de chambre)** orinal *m*; **~ d'échappement** silenciador *m*; **~ de fleurs** maceta; **~ de peinture** tarro de pintura.

potable [pɔtabl(ə)] *a* (*eau*) potable.

potage [pɔtaʒ] *nm* sopa *f*.

potager, ère [pɔtaʒe, ɛʀ] *a* hortense // *nm* huerto, huerta; **plantes potagères** hortalizas.

potasse [pɔtas] *nf* potasa.

potasser [pɔtase] *vt* empollar.

pot-au-feu [pɔtofø] *nm inv* puchero, cocido.

pot-de-vin [pɔdvɛ̃] *nm* gratificación *f*, guantera.

poteau, x [pɔto] *nm* poste *m*; **~ de but** meta; **~ (d'exécution)** paredón *m* (*de ejecución*); **~ indicateur** poste indicador.

potelé, e [pɔtle] *a* rollizo(a).

potence [pɔtɑ̃s] *nf* horca.

potentiel, le [pɔtɑ̃sjɛl] *a*, *nm* potencial (*m*).

poterie [pɔtʀi] *nf* alfarería; (*objet*) vasija, cerámica.

potiche [pɔtiʃ] *nf* jarrón *m*.

potier [pɔtje] *nm* alfarero, ceramista *m*.

potion [pɔsjɔ̃] *nf* poción *f*.

pou, x [pu] *nm* piojo.

poubelle [pubɛl] *nf* cubo de la basura.

pouce [pus] *nm* pulgar *m*.

poudre [pudʀ(ə)] *nf* polvo; (*fard*) polvos; (*explosif*) pólvora; **en ~** en polvo; **~ à récurer** polvo limpiador; **poudrer** *vt* empolvar; **poudreux, euse** *a* polvoriento(a); polvoroso(a), en polvo; **poudrier** *nm* polvera; **poudrière** *nf* (*fabrique*) polvorín *m*.

pouffer [pufe] *vi*: **~ (de rire)** reventar de risa.

pouilleux, euse [pujø, øz] *a* piojoso(a), miserable; (*fig*) sórdido(a).

poulailler [pulaje] *nm* gallinero.

poulain [pulɛ̃] *nm* potrillo, potro; (*fig*) pupilo, protegido.

poularde [pulaʀd(ə)] *nf* polla.

poule [pul] *nf* (*ZOOL*) gallina; (*RUGBY*) liga; **~ d'eau** polla de agua; **~ mouillée** gallina, cagón/ona; **~ au riz** pollo con arroz.

poulet [pulɛ] *nm* pollo; (*fam*) polizonte *m*.

pouliche [puliʃ] *nf* potranca.

poulie [puli] *nf* polea.

pouls [pu] *nm* pulso; **prendre le ~ de qn** tomar el pulso a alguien.

poumon [pumɔ̃] *nm* pulmón *m*.

poupe [pup] *nf* popa.

poupée [pupe] *nf* muñeca.

poupon [pupɔ̃] *nm* bebé *m*, nene *m*; **~nière** *nf* guardería.

pour [puʀ] *prép* (*direction, temps, intention, destination*) para; (*rapport, comparaison*): **~ un Français, il parle bien espagnol** para un francés habla bien el español; (*durée, à cause de, en faveur de, à la place de, au prix de, en échange de*) por; (*point de vue*): **~ moi, il a tort** para o por mí se equivoca; (*avec infinitif, but*) para; (*: cause*) por // *nm*: **le ~ et le contre** el pro y el contra; **~ que** para que; **~ ce qui est de** por lo que va de; **~ peu que** por poco que; **10 ~ cent** 10 por cien; **10 ~ cent des gens** el diez por ciento de la gente; **~ toujours** para siempre.

pourboire [puʀbwaʀ] *nm* propina.

pourcentage [puʀsɑ̃taʒ] *nm* porcentaje *m*.

pourchasser [puʀʃase] *vt* perseguir.

pourlécher [puʀleʃe] *vi*: **se ~** lamerse.

pourparlers [puʀpaʀle] *nmpl* negociaciones *fpl*, tratos.

pourpre [puʀpʀ(ə)] *a* púrpura.

pourquoi [puʀkwa] *ad* por qué, para qué // *nm inv*: **le ~** el porqué; **~ dis-tu cela?** ¿p...

qué dices eso?; ~ **se taire/faire cela?** ¿por o para qué callar(se)/hacer eso?; ~ **pas?** ¿por qué no?; **expliquer** ~ explicar por qué; **c'est** ~ por eso.

pourrai etc *etc* voir **pouvoir**.

pourri, e [puri] *a* podrido(a); *(roche)* carcomido(a) // *vt*: **sentir le** ~ oler a podrido.

pourrir [purir] *vi* podrirse, pudrirse // *vt* pudrir, podrir; *(enfant)* echar a perder, viciar; **pourriture** *nf* putrefacción *f*.

pourrons etc *etc* voir **pouvoir**.

poursuite [pursɥit] *nf* persecución *f*; prosecución *f*; ~**s** *fpl* *(JUR)* diligencias.

poursuivant, e [pursɥivɑ̃, ɑ̃t] *nm/f* perseguidor/ora.

poursuivre [pursɥivr(ə)] *vt* perseguir; *(presser, relancer)* perseguir, acosar; *(JUR)*: ~ **qn en justice** demandar a alguien ante la justicia; *(continuer)* proseguir; **se** ~ *vi* proseguir, continuar.

pourtant [purtɑ̃] *ad* sin embargo, no obstante; **et** ~ **y** sin embargo, a pesar de ello.

pourtour [purtur] *nm* perímetro.

pourvoi [purvwa] *nm*: ~ **en cassation** recurso de casación; ~ **en grâce** petición *f* de indulto.

pourvoir [purvwar] *vt*: ~ **qch/qn de** proveer o dotar algo/a alguien de // *vi*: ~ **à** subvenir o atender a; *(emploi)* cubrir; **se** ~ **de qch** proveerse de algo.

pourvu [purvy]: ~ **que** *conj* (*si*) siempre que, a condición que; *(espérons que)* con tal que, ojalá que.

pousse [pus] *nf* *(bourgeon)* brote *m*, yema.

poussée [puse] *nf* presión *f*, empuje *m*; *(coup)* empujón *m*; *(MÉD)* acceso.

pousser [puse] *vt* empujar; *(soupir etc)* dar, exhalar; *(élève etc)* hacer adelantar o estimular a; *(moteur)* esforzar; *(recherches, études)* incentivar, profundizar // *vi (croître)*

crecer; *(aller)*: ~ **jusqu'à** ir o seguir hasta; **se** ~ *vi* hacer lugar; *(qn)* hacer a un lado (a alguien) a; **faire** ~ *(plante)* cultivar.

poussette [pusɛt] *nf* cochecito.

poussière [pusjɛr] *nf* polvo; *(grain)* mota; **et des** ~**s** *(fig)* y pico; **poussiéreux, euse** *a* polvoriento(a).

poussif, ive [pusif, iv] *a* que se sofoca fácilmente.

poussin [pusɛ̃] *nm* pollito, polluelo.

poutre [putr(ə)] *nf* viga; ~**s apparentes** vigas falsas; **poutrelle** *nf* vigueta.

pouvoir [puvwar] *vb* + *infinitif* poder // *nm* poder *m*; **il se peut que** puede ser o es posible que; **je n'en peux plus** no puedo más; **on ne peut mieux** *a* lo mejor posible; **on ne peut plus** *ad* a más no poder; ~ **d'achat** poder adquisitivo.

prairie [preri] *nf* pradera.

praliné, e [praline] *a* garapiñado(a); con almendras garapiñadas.

praticien, ne [pratisjɛ̃, ɛn] *nm/f* médico/a, facultativo/a.

pratiquant, e [pratikɑ̃, ɑ̃t] *a* practicante.

pratique [pratik] *nf* práctica; ejercicio; *(coutume, conduite)* práctica, uso // *a* práctico(a); **dans la** ~ en la práctica; ~**ment** *ad* prácticamente.

pratiquer [pratike] *vt* practicar; *(métier, art, sport)* ejercer, practicar // *vi* *(REL)* practicar.

pré [pre] *nm* prado.

préalable [prealabl(ə)] *a* previo(a) // *nm* condición previa, condiciones *fpl*; **au** ~ previamente.

préambule [preɑ̃byl] *nm* preámbulo.

préavis [preavi] *nm*: ~ **(de licenciement)** notificación *f* de despido; ~ **de congé** notificación de permiso; **communication téléphonique avec** ~ comunicación telefónica con aviso.

précaire [prekɛr] *a* precario(a).

précaution [prekosjɔ̃] *nf* precaución *f*, prudencia; **prendre des** ~**s**

tomar precauciones; **par ~ contre qch** en precaución de algo.

précédemment [presedamã] *ad* anteriormente, precedentemente.

précédent, e [presedã, ãt] *a* precedente, anterior // *nm* antecedente *m*, precedente *m*; **sans ~ a** sin precedentes.

précéder [presede] *vt* preceder; (*suj: générations, semaine*) preceder, anteceder; (*selon l'ordre logique, la place occupée*) anteceder.

précepte [presɛpt(ə)] *nm* precepto.

précepteur, trice [preseptœr, tris] *nm/f* preceptor/ora, institutor/triz.

prêcher [preʃe] *vt* predicar.

précieux, euse [presjø, øz] *a* precioso(a); valioso(a); apreciable; rebuscado(a).

précipice [presipis] *nm* precipicio.

précipitamment [presipitamã] *ad* precipitadamente, atropelladamente.

précipitation [presipitasjɔ̃] *nf* precipitación *f*; **~s (atmosphériques)** precipitaciones (atmosféricas).

précipité, e [presipite] *a* precipitado(a); presuroso(a); apresurado(a).

précipiter [presipite] *vt*: **~ qn/qch du haut de** arrojar a alguien/algo desde lo alto de; (*hâter*) apresurar; **se ~ vi** (*pouls etc*) acelerarse; (*événements*) precipitarse; **se ~ sur/vers** arrojarse o precipitarse sobre/hacia; **se ~ au devant de qn** precipitarse al encuentro de alguien.

précis, e [presi, iz] *a* preciso(a); **~ément** [-zemã] *ad* exactamente, precisamente; (*en réponse, justement*) precisamente, justamente; (*dans phrase negative*) precisamente; **~er** [-ze] *vt* precisar, especificar; **se ~er vi** definirse, precisarse; **~ion** [-zjɔ̃] *nf* precisión *f*; (*détail, explication précise*) aclaración *f*, explicación *f*.

précoce [prekɔs] *a* (*végétal, animal*) precoz, temprano(a); (*saison, mariage, calvitie*) precoz, prematuro(a).

préconçu, e [prekɔ̃sy] *a* preconcebido(a).

préconiser [prekɔnize] *vt* preconizar.

précurseur [prekyrsœr] *nm, am* precursor (*m*).

prédécesseur [predesesœr] *nm* predecesor *m*.

prédestiner [predɛstine] *vt*: **~ qn à** predestinar a alguien a.

prédiction [prediksjɔ̃] *nf* predicción *f*.

prédilection [predilɛksjɔ̃] *nf* predilección *f*; **de ~ a** favorito(a), preferido(a).

prédire [predir] *vt* predecir.

prédisposer [predispoze] *vt*: **~ qn à** predisponer a alguien a; **prédisposition** *nf* predisposición *f*.

prédominer [predomine] *vi* predominar.

préfabriqué, e [prefabrike] *a* prefabricado(a) // *nm* material prefabricado.

préface [prefas] *nf* prefacio, prólogo; **préfacer** *vt* prologar.

préfectoral, e, aux [prefɛktɔral, o] *a* prefectoral, gubernativo(a); **par mesure ~e** por decisión gubernativa.

préfecture [prefɛktyr] *nf* prefectura; **~ de police** jefatura de policía.

préférable [preferabl(ə)] *a* preferible, mejor; **être ~ à** ser mejor que.

préféré, e [prefere] *a, nm/f* preferido(a).

préférence [preferãs] *nf* preferencia, predilección *f*; **de ~ a** ad de preferencia; **de ~/par ~ à** prép a preferencia de; **donner la ~ à qn** preferir a alguien, dar la prioridad a alguien; **préférentiel, le** *a* preferencial.

préférer [prefere] *vt* preferir; (*suj: plante*) darse mejor en.

préfet [pʀefɛ] nm prefecto; ~ **de police** jefe m de policía.

préfixe [pʀefiks] nm prefijo.

préhistoire [pʀeistwaʀ] nf prehistoria; **préhistorique** a prehistórico(a).

préjudice [pʀeʒydis] nm perjuicio.

préjugé [pʀeʒyʒe] nm prejuicio.

préjuger [pʀeʒyʒe]: ~ **de** vt prejuzgar.

prélasser [pʀelɑse]: **se ~** vi reposar, estar tendido(a).

prélat [pʀelɑ] nm prelado.

prélever [pʀelve] vt (échantillon) sacar una muestra de; (argent): ~ **qch** (sur) descontar algo (de); (: sur son compte): ~ **qch** (sur) retirar algo (de).

préliminaire [pʀeliminɛʀ] a preliminar; ~**s** nmpl preliminares mpl.

prélude [pʀelyd] nm preludio.

prématuré, e [pʀematyʀe] a prematuro(a).

préméditation [pʀemeditasjɔ̃] nf: **avec ~** con premeditación.

préméditer [pʀemedite] vt premeditar.

premier, ière [pʀəmje, ɛʀ] a primero(a), primer(a) // nm/f primero(a) a // nm (étage) primer piso // a primera; (THÉÂTRE, CINÉMA) estreno; **de ~ choix** (viande) de primera cualidad, de selección; **le ~ venu** un cualquiera; **P~ Ministre** Primer Ministro; ~**s soins** primeros auxilios; **premièrement** ad (d'abord) primero, primeramente, en (dans une énumération) primero, en primer lugar; (introduisant une objection) primero; ~-**né, première-née** a, nm/f primogénito(a).

prémisse [pʀemis] nf premisa.

prémolaire [pʀemɔlɛʀ] nf premolar m.

prémonition [pʀemɔnisjɔ̃] nf premonición f.

prémonitoire [pʀemɔnitwaʀ] a premonitorio(a).

prémunir [pʀemyniʀ]: **se ~ contre** vt tomar precauciones

contra, prevenirse contra.

prendre [pʀɑ̃dʀ(ə)] vt tomar; (objet, place, direction, route, aussi passager) tomar, coger; (ôter): ~ **qch à qn** quitar algo a alguien; (aller chercher) recoger; (empor- ter: vêtement etc) llevar, coger; (s'emparer de: malfaiteur, poisson) atrapar, coger; (: argent) cobrar; (: place, otage) lograr; (moyen de transport) coger; (se procurer: billet) sacar; (ton, attitude) adoptar; (du poids etc, de la valeur) adquirir; (coûter: temps, place) requerir; (prélever: pourcentage etc) sacar, descontar; (fig: personne, problème) coger, manejar; (accrocher, coincer) aferrar, coger // vi (liquide, pâte) tomar consistencia; (peinture, ciment) fraguar; (bouture, greffe, vaccin) agarrar; (plaisanterie, mensonge) ser creído(a); (feu) prender, encenderse; (allumette à feu) encenderse; ~ **à gauche** tirar o coger a la izquierda; ~ **qn par la main/dans ses bras** coger a alguien de la mano/en sus brazos; ~ **qn comme/pour** (associé etc) tomar a alguien como; ~ **sur soi** aguantar; ~ **sur soi de faire** cargar con la responsabilidad de hacer; **à tout ~** después de todo; **s'en ~ à** tomarla con; acusar a; **se ~ d'amitié pour** cobrarle cariño a alguien; **s'y ~** (procéder) proceder, hacer; **il faudra s'y ~ à l'avance** será necesario tomarlo con anticipación.

preneur [pʀənœʀ] nm: **être ~** ser comprador/a.

preniez, prenne vb voir **prendre**.

prénom [pʀenɔ̃] nm nombre m de pila.

prénuptial, e, aux [pʀenypsjal, o] a prenupcial.

préoccupant, e [pʀeɔkypɑ̃, ɑ̃t] a inquietante, serio(a).

préoccuper [pʀeɔkype] vt preocu- par, inquietar; absorber; **se ~ de** preocuparse por.

préparatifs [pʀepaʀatif] nmpl preparativos.

préparation [pʀepaʀasjɔ̃] nf preparación f; (SCOL) ejercicio.

préparatoire [pʀepaʀatwaʀ] a preparatorio(a).

préparer [pʀepaʀe] vt preparar; **se ~ vi** (orage, tragédie) anunciarse, prepararse; **se ~ (à qch/faire)** prepararse (para algo/hacer); **~ qn (à qch/faire)** preparar a alguien (para algo/hacer).

préposé, e [pʀepoze] a: ~ à encargado de // nm (ADMIN: facteur) cartero.

préposition [pʀepozisjɔ̃] nf preposición f.

prérogative [pʀeʀɔgativ] nf prerrogativa, privilegio.

près [pʀɛ] ad cerca, próximo; ~ de **prép** cerca de, próximo a; (environ) cerca de, alrededor de; **de ~** ad de cerca; ~ **de faire qch** a punto de o próximo a hacer algo; **à 5 mn/5 kg ~** 5 mn/5 kg más o menos; **à cela ~ que** salvo o excepto que.

présage [pʀezaʒ] nm presagio.

présager [pʀezaʒe] vt presagiar.

presbyte [pʀɛsbit] a présbita.

presbytère [pʀɛsbiteʀ] nm rectoría, casa parroquial.

presbytérien, ne [pʀɛsbiteʀjɛ̃, jɛn] a, nm/f presbiteriano(a).

presbytie [pʀɛsbisi] nf presbicia, vista cansada.

prescription [pʀɛskʀipsjɔ̃] nf prescripción f.

prescrire [pʀɛskʀiʀ] vt prescribir; (repos etc) prescribir, recetar.

prescrit, e [pʀɛskʀi, it] a (jour, dose) fijado(a), prescrito(a).

préséance [pʀeseɑ̃s] nf prelación f.

présence [pʀezɑ̃s] nf presencia; **en ~** (armées, fig) frente a frente, enfrentado(a); ~ **d'esprit** presencia de espíritu.

présent, e [pʀezɑ̃, ɑ̃t] a, nm presente (m); **à ~** ahora; **dès à ~** desde ahora.

présentateur, trice [pʀezɑ̃tatœʀ, tʀis] nm/f (vendeur) vendedor/ora; (animateur, RADIO, TV) presentador/ora, locutor/ora.

présentation [pʀezɑ̃tasjɔ̃] nf presentación f; ofrecimiento; exposición f.

présenter [pʀezɑ̃te] vt presentar; (plat, billet etc): ~ **qch à qn** ofrecer algo a alguien; (étalage, vitrine, aussi défense, théorie) presentar, exponer; (matière: à un examen) exponer // vi: ~ **mal/bien** tener mal/buen aspecto; **se ~** presentarse.

préservatif [pʀezɛʀvatif] nm preservativo.

préserver [pʀezɛʀve] vt: ~ **qn/qch de** preservar a alguien/algo de.

présidence [pʀezidɑ̃s] nf presidencia.

président [pʀezidɑ̃] nm presidente m; ~ **directeur général, PDG** director gerente m; ~ **du jury** presidente del jurado; (d'examen) presidente del tribunal de exámenes; ~ **de la République** presidente de la República; **présidente** nf presidenta; mujer f del presidente; ~**iel, le** [-dɑ̃sjɛl] a presidencial.

présider [pʀezide] vt presidir.

présomptueux, euse [pʀezɔ̃ptɥø, øz] a presuntuoso(a), petulante.

presque [pʀɛsk(ə)] ad casi.

presqu'île [pʀɛskil] nf península.

pressant, e [pʀesɑ̃, ɑ̃t] a imperioso(a), perentorio(a); urgente, apremiante.

presse [pʀɛs] nf prensa; (affluence): **heures de ~** horas de mayor trabajo; **sous ~** en prensa.

pressé, e [pʀese] a presuroso(a), impaciente; (urgent) urgente // nm: **courir au plus ~** hacer lo más urgente; **orange/citron ~(e)** jugo de naranja/limón.

presse-citron [pʀɛscitʀɔ̃] nm inv exprimidor m, prensa-limones m inv.

pressentiment [pʀesɑ̃timɑ̃] nm presentimiento.

presse-papiers [pʀɛspapje] nm inv pisapapeles m inv.

presser [pʀese] vt (fruit, éponge) exprimir, estrujar; (interrupteur, bouton) apretar, oprimir; (allure, pas) apretar; (harceler) acuciar; (brusquer) apurar, apresurar // vi: **rien ne presse** nada urge o apremia; **se ~** (se hâter) apurarse, darse prisa; (se grouper) apretujarse; **se ~ contre qn** apretujarse contra alguien.

pressing [pʀesiŋ] nm planchado a vapor; (magasin) tintorería.

pression [pʀesjɔ̃] nf presión f; (bouton) automático; **faire ~ sur** presionar o ejercer presión sobre.

pressoir [pʀeswaʀ] nm prensa, lagar m.

pressurer [pʀesyʀe] vt (fig) estrujar, explotar.

pressurisé, e [pʀesyʀize] a: **cabine ~e** cabina comprimida a la presión normal.

prestataire [pʀɛstatɛʀ] nm/f contribuyente m/f, tributario/a.

prestation [pʀɛstasjɔ̃] nf (allocation) subsidio; (d'un artiste) actuación f.

prestidigitateur, trice [pʀɛstidiʒitatœʀ, tʀis] nm/f prestidigitador/ora.

prestidigitation [pʀɛstidiʒitasjɔ̃] nf prestidigitación f.

prestige [pʀɛstiʒ] nm prestigio; **prestigieux, euse** a prestigioso/a.

présumer [pʀezyme] vt presumir, suponer; **~ de** jactarse de; **~ qn coupable** suponer culpable a alguien.

prêt, e [pʀɛ, ɛt] a listo(a), dispuesto(a) // nm préstamo; **~ à** (préparé à) preparado para; (disposé à) dispuesto a; **~ pour** listo para; **~-à-porter** nm ropa de confección.

prétendant [pʀetɑ̃dɑ̃] nm pretendiente m.

prétendre [pʀetɑ̃dʀ(ə)] vt (affirmer) sostener, afirmar; (avoir

l'intention de) tratar de; **~ à** vt aspirar a, pretender; **prétendu, e** a supuesto(a), presunto(a).

prête-nom [pʀɛtnɔ̃] nm testaferro.

prétentieux, euse [pʀetɑ̃sjø, øz] a presumido(a); (villa) pretencioso(a).

prétention [pʀetɑ̃sjɔ̃] nf pretensión f; exigencia; aspiración f; **sans ~** sin pretensiones.

prêter [pʀete] vt prestar; (supposer): **~ à qn** (caractère, propos) atribuir a alguien; (assistance, appui) dar, prestar // vi (aussi: **se ~**: tissu, cuir) estirarse, prestar; **~ à** (commentaires etc) dar motivo a; **se ~ à** prestarse a; **~ sur gage** prestar sobre prenda.

prétérit [pʀeteʀit] nm pretérito.

prétexte [pʀetɛkst(ə)] nm pretexto, excusa; **donner qch pour ~** alegar algo como pretexto; **sous un ~ quelconque** con un pretexto cualquiera; **sous aucun ~** en ningún caso, por ninguna razón; **sous ~/le ~ que/de** so/con el pretexto de que/de.

prétexter [pʀetɛkste] vt pretextar.

prêtre [pʀɛtʀ(ə)] nm sacerdote m, cura m; **~-ouvrier** nm cura obrero.

preuve [pʀœv] nf prueba; **jusqu'à ~ du contraire** hasta prueba en contrario; **faire ~ de** dar pruebas de; **faire ses ~s** demostrar su capacidad; **~ par neuf** prueba del nueve.

prévaloir [pʀevalwaʀ] vi prevalecer; **se ~ de** valerse de, vanagloriarse de.

prévenance [pʀevnɑ̃s] nf (attention) deferencia, consideración f.

prévenant, e [pʀevnɑ̃, ɑ̃t] a solícito(a), deferente.

prévenir [pʀevniʀ] vt prevenir; (police, médecin) informar, avisar; (anticiper) prever.

préventif, ive [pʀevɑ̃tif, iv] a preventivo(a).

prévention [pʀevɑ̃sjɔ̃] nf prevención f; (JUR): **faire six mois de ~** cumplir seis meses de prisión preventiva; ~ **routière** prevención de accidentes de tránsito.

prévenu, e [prevny] nm/f acusado/a.

prévision [previzjɔ̃] nf: ~**s** fpl previsiones fpl; (ADMIN: d'un règlement, texte de loi) disposición f; **en** ~ **de** en previsión de.

prévoir [prevwar] vt prever.

prévoyance [prevwajɑ̃s] nf previsión f.

prévoyant, e [prevwajɑ̃, ɑ̃t] a precavido(a), cauto(a).

prier [prije] vi rogar, rezar // vt rogar; (implorer) rogar, suplicar; (demander) rogar, pedir por favor; ~ **qn à dîner/d'assister à une réunion** invitar a alguien a cenar/a asistir a una reunión; **je vous en prie** por favor, se lo ruego.

prière [prijɛr] nf (REL: oraison, office) oración f, plegaria f; (instance demande) ruego, súplica f; **dire une** ~ decir una plegaria; **à la** ~ **de qn** a ruego de alguien; **"~ de faire/de ne pas faire..."** "se ruega hacer/no hacer...".

primaire [primɛr] a primario(a); (péj) simple, tonto(a) // nm (SCOL) primaria.

primauté [primote] nf (fig) primacía.

prime [prim] nf (bonification) plus m; (subside, ASSURANCES, BOURSE) prima; (COMM: cadeau) obsequio f // a: **de** ~ **abord** de primera, a primera vista.

primer [prime] vt (l'emporter sur) predominar sobre; (récompenser) premiar, recompensar // vi predominar, sobresalir.

primeur [primœr] nf: **la** ~ **de la** primicia de; ~**s** fpl (fruits, légumes) primicias.

primitif, ive [primitif, iv] a primitivo(a); (PEINTURE): **couleurs primitives** colores primarios; (rudimentaire) rudimentario(a) // nm/f primitivo/a.

prince [prɛ̃s, prɛ̃sɛs] nm/f príncipe/princesa; ~ **charmant**

príncipe azul; ~ **de Galles** príncipe de Gales.

principal, e, aux [prɛ̃sipal, o] a principal // nm (d'une collège) director m; (essentiel): **le** ~ lo principal o fundamental.

principauté [prɛ̃sipote] nf principado.

principe [prɛ̃sip] nm (postulat) principio; (d'une discipline, science) fundamento, norma; (d'une opération, machine) rudimento, noción f; ~**s** mpl (sociaux etc) principios; **pour le** ~ por formalidad; **de** ~ a de principio; **par** ~ por principio o norma; **en** ~ en principio.

printemps [prɛ̃tɑ̃] nm primavera.

prioritaire [prijɔritɛr] a prioritario(a).

priorité [prijɔrite] nf prioridad f; **avoir la** ~ **sur** tener prioridad sobre; **en** ~ con prioridad o precedencia.

pris, e [pri, priz] pp de **prendre** // a ocupado(a); (MÉD: enflammé) tomado(a); (saisi): ~ **de peur** lleno de miedo; ~ **de** tomado(a), presa(a).

prise [priz] nf toma f; (de judo, catch) toma, presa; (PÊCHE) pesca, presa; (ÉLEC): ~ **de courant** enchufe m; (moyen de tenir, d'attraper): **avoir** ~ **pour tenir** qch tener cómo sostener algo; **être aux** ~**s avec qn** (fig) estar en conflicto con alguien; ~ **en charge** (taxe) recargo sobre la tarifa normal; ~ **de contact** (AUTO) encendido; ~ **d'eau** toma de agua; ~ **multiple** enchufe múltiple; ~ **de sang** extracción f de sangre; ~ **de son grabación** f, toma de sonido; ~ **de terre** toma de tierra; ~ **de vue** filmación f, toma de vistas.

priser [prize] vt (tabac, héroïne) tomar; (estimer) apreciar.

prisme [prism(ə)] nm prisma m.

prison [prizɔ̃] nf prisión f; **faire de/risquer la** ~ cumplir/arriesgar una condena; **cinq ans de** ~ cinco años de cárcel; ~**nier, ière** nm/f *(détenu)* preso/a; *(soldat)* prisione-ro // a prisionero(a).

prit vb voir **prendre**.

privé, e [prive] a privado(a); **en** ~ en privado; **de source** ~e de fuente particular o oficiosa; **dans le** ~ en la intimidad; *(dans le secteur privé)* en el sector privado.

priver [prive] vt: ~ **qn** de privar a alguien de; **se** ~ (de) privarse (de).

privilège [privilɛʒ] nm privilegio.

prix [pri] nm premio; *(coût, valeur)* precio, coste m; **mettre à** ~ *(aux enchères)* evaluar; **hors de** ~ muy caro(a); **à aucun** ~ por nada del mundo; **à tout** ~ a todo coste; ~ **de gros/détail** precio al por mayor/por menor; ~ **d'excellence** premio al mejor alumno.

probabilité [prɔbabilite] nf probabilidad f.

probable [prɔbabl(ə)] a probable; ~ment ad probablemente.

probant, e [prɔbɑ̃, ɑ̃t] a decisivo(a).

probité [prɔbite] nf probidad f.

problématique [prɔblematik] a problemático(a), dudoso(a).

problème [prɔblɛm] nm problema m.

procédé [prɔsede] nm *(méthode)* procedimiento, método; *(comportement)* proceder m, actitud f.

procéder [prɔsede] vi proceder, actuar; ~ **à** vt proceder a.

procédure [prɔsedyr] nf procedimiento.

procès [prɔsɛ] nm *(JUR)* proceso, causa; **être en** ~ **avec** estar en juicio con.

procession [prɔsesjɔ̃] nf procesión f.

processus [prɔsesys] nm proceso.

procès-verbal, aux [prɔsɛverbal, o] nm *(JUR: constat)* acta, atestado; *(de réunion)* acta; **j'ai eu un** ~ me han hecho una multa.

prochain, e [prɔʃɛ̃, ɛn] a próximo(a) // nm prójimo; **à la** ~**e fois** hasta la vista; ~**ement** [-ʃɛnmɑ̃] ad próximamente.

proche [prɔʃ] a cercano(a); *(dans le temps)* próximo(a); *(fig)* ~ **(de)** próximo(a) o cercano(a) (a); ~**s** nmpl familiares mpl, parientes mpl; **de** ~ **en** ~ poco a poco; **le P**~**-Orient** el Cercano Oriente.

proclamer [prɔklame] vt proclamar.

procréer [prɔkree] vt procrear.

procuration [prɔkyrasjɔ̃] nf poder m; **donner** ~ **à qn** dar poderes a alguien; **par** ~ por poderes.

procurer [prɔkyre] vt: ~ **qch à qn** procurar algo a alguien; *(causer)*: ~ **qch à qn** proporcionar algo a alguien; **se** ~ conseguir, procurarse.

procureur [prɔkyrœr] nm: ~ **(de la République)** fiscal m; ~ **général** fiscal del Tribunal Supremo.

prodige [prɔdiʒ] nm prodigio; *(personne)* prodigio, portento; *(merveille)*: **un** ~ **de** un portento de; **enfant** ~ niño prodigio.

prodigue [prɔdig] a pródigo(a).

prodiguer [prɔdige] vt prodigar.

producteur, trice [prɔdyktœr, tris] a, nm/f productor(ora).

productif, ive [prɔdyktif, iv] a productivo(a).

production [prɔdyksjɔ̃] nf producción f; *(film, émission)* producción f; emisión f.

productivité [prɔdyktivite] nf productividad f, rendimiento.

produire [prɔdɥir] vt producir; *(ADMIN, JUR: documents, témoins)* presentar // vi *(rapporter)* producir, rendir; **se** ~ *(acteur)* presentarse; *(événement)* producirse.

produit [prɔdɥi] nm producto; ~ **de beauté/d'entretien** producto de belleza/limpieza; ~ **national brut, PNB** producto nacional bruto.

proéminent, e [prɔeminɑ̃, ɑ̃t] a prominente, saliente.

profane [prɔfan] a profano(a).

proférer [prɔfere] vt proferir.

professer [prɔfese] vt *(déclarer)* profesar // vi enseñar.

professeur [prɔfesœr] nm profesor/ora; (titulaire d'une chaire) catedrático/a.

profession [prɔfɛsjɔ̃] nf profesión f; ~**nel, le** [-sjɔnɛl] a profesional // nm profesional m.

professorat [prɔfɛsɔra] nm: le ~ el profesorado.

profil [prɔfil] nm perfil m; (d'une voiture) línea; (section, coupe) corte m; **de** ~ de perfil.

profiler [prɔfile] vt perfilar; se ~ perfilarse, recortarse.

profit [prɔfi] nm provecho; (COMM, FINANCE) ganancia, utilidad f; **au** ~ **de** en provecho de; **tirer** ~ **de** sacar provecho de; **mettre à** ~ aprovechar; ~**s et pertes** ganancias y pérdidas.

profitable [prɔfitabl(ə)] a provechoso(a).

profiter [prɔfite] : ~ **de** vt aprovechar; ~ **de ce que...** aprovechar que...; ~ **à** dar ganancia a, ser de provecho a.

profond, e [prɔfɔ̃, ɔ̃d] a profundo(a), hondo(a); (fig) profundo(a); ~**eur** nf profundidad f.

profusion [prɔfyzjɔ̃] nf profusión f.

progéniture [prɔʒenityr] nf progenie f.

progestérone [prɔʒɛsterɔn] nf progesterona.

programme [prɔgram] nm programa m; **programmer** vt (émission) programar; **programmeur, euse** nm/f (d'ordinateur) programador/ora.

progrès [prɔgrɛ] nm progreso, adelanto; (d'un incendie etc) avance m, propagación f; (d'un élève, apprenti) progreso; **être en** ~ estar adelantado(a); **progresser** vi (mal, troupes, inondation) avanzar; (élève) progresar, adelantar.

progressif, ive [prɔgrɛsif, iv] a progresivo(a).

progression [prɔgrɛsjɔ̃] nf avance m; adelanto.

prohiber [prɔibe] vt prohibir.

prohibitif, ive [prɔibitif, iv] a prohibitivo(a).

proie [prwa] nf presa.

projecteur [prɔʒɛktœr] nm proyector m; (de théâtre, cirque) reflector m.

projectile [prɔʒɛktil] nm proyectil m.

projection [prɔʒɛksjɔ̃] nf proyección f.

projet [prɔʒɛ] nm proyecto.

projeter [prɔʒte] vt proyectar.

prolétaire [prɔletɛr] nm/f proletario/a; **prolétariat** [-tarja] nm proletariado.

proliférer [prɔlifere] vi proliferar.

prolixe [prɔliks] a prolijo(a).

prologue [prɔlɔg] nm prólogo.

prolongation [prɔlɔ̃gasjɔ̃] nf prolongación f; (délai) prórroga; (FOOTBALL) prórroga, tiempo suplementario; **jouer les** ~s jugar los suplementarios.

prolongement [prɔlɔ̃gmɑ̃] nm prolongamiento; ~**s** mpl (fig) repercusiones fpl, consecuencias; **dans le** ~ **de** a la continuación de.

prolonger [prɔlɔ̃ʒe] vt prolongar; **se** ~ vi prolongarse.

promenade [prɔmnad] nf paseo; **faire une** ~ dar un paseo; **partir en** ~ salir de paseo.

promener [prɔmne] vt pasear, llevar de paseo; (regard) ~ **sur** pasear algo sobre; ~ **qch sur** pasear algo sobre; (doigts, main) ~ **sur** pasear algo sobre; **se** ~ pasearse, pasear; **promeneur, euse** nm/f paseante m/f.

promesse [prɔmɛs] nf promesa; ~ **d'achat/de vente** compromiso de compra/de venta.

promettre [prɔmɛtr(ə)] vt prometer // vi prometer; asegurar; **se** ~ **de faire** (avoir l'intention de) proponerse hacer; ~ **de faire** prometer hacer.

promiscuité [prɔmiskɥite] nf promiscuidad f.

promontoire [prɔmɔ̃twar] nm promontorio.

promoteur, trice [prɔmɔtœr, tris] nm/f promotor/ora; ~ **immobilier** promotor inmobiliario.

promotion [prɔmosjɔ̃] *nf* promoción *f;* ejecución *f; (avancement)* promoción; ~ **des ventes** promoción de ventas.

promouvoir [prɔmuvwar] *vt* promover, ascender; *(politique, réforme)* llevar a cabo, ejecutar.

prompt, e [prɔ̃, ɔ̃t] *a* pronto(a).

promulguer [prɔmylge] *vt* promulgar.

prôner [prone] *vt* encomiar; preconizar.

pronom [prɔnɔ̃] *nm* pronombre *m;* ~**inal, e, aux** [prɔnɔminal, o] *a* pronominal.

prononcer [prɔnɔ̃se] *vt, vi* pronunciar; **se** ~ *vi* pronunciarse.

prononciation [prɔnɔ̃sjasjɔ̃] *nf* pronunciación *f.*

pronostic [prɔnɔstik] *nm* pronóstico.

propagande [prɔpagɑ̃d] *nf* propaganda.

propager [prɔpaʒe] *vt* propagar, divulgar; **se** ~ *vi* propagarse.

prophète, prophétesse [prɔfɛt, prɔfɛtɛs] *nm/f* profeta/isa; *(devin)* adivino/a.

prophétie [prɔfesi] *nf* profesía, predicción *f;* **prophétiser** [prɔfetize] *vt* profetizar.

propice [prɔpis] *a* propicio(a).

proportion [prɔpɔrsjɔ̃] *nf* proporción *f;* **à** ~ **de** en proporción a; **en** ~ en relación con; *(en comparaison de)* en comparación con; **en** ~ en proporción *o* correspondencia con; **toute(s)** ~**(s) gardée(s)** guardando las proporciones; ~**né, e** [-sjɔne] *a:* **bien** ~**né** bien proporcionado; ~**nel, le** [-sjɔnel] *a* proporcional; ~**ner** [-sjɔne] *vt:* ~**ner (à)** adecuar (a), proporcionar (a).

propos [prɔpo] *nm* palabras, *(intention, but)* propósito; *(sujet):* **à quel** ~? ¿con qué propósito?, ¿por qué motivo?; **à** ~ **de** a propósito de, en relación a; **à tout** ~ a cada momento; **à** ~ *ad* a propósito.

proposer [prɔpoze] *vt* proponer;

(loi, motion) proponer, plantear; **se** ~ *(offrir ses services)* ofrecerse; **se** ~ **de faire** proponerse *o* procurar hacer; **proposition** *nf* propuesta, proposición *f; (POL)* propuesta, moción *f; (offre)* ofrecimiento, oferta; *(LING)* oración *f,* proposición.

propre [prɔpr(ə)] *a (pas sale)* limpio(a), pulcro(a); *(net)* limpio(a), aseado(a); *(cahier etc, métier etc)* limpio(a); *(fait convenablement: travail)* esmerado(a), correcto(a); *(possessif)* propio(a); *(particulier):* ~ **à** propio(a) de; *(approprié):* ~ **à** apropiado(a) *o* apto(a) para; *(de nature à):* ~ **à faire** apropiado(a) para hacer // *nm:* **mettre** *o* **recopier au** ~ pasar *o* poner en limpio; **le** ~ **de** la particularidad de; ~**ment** *ad* limpiamente, pulcramente; esmeradamente, impecablemente; **à** ~**ment parler** hablando con propiedad; ~**ment dit** propiamente dicho; ~**té** *nf* limpieza; aseo.

propriétaire [prɔprijetɛr] *nm/f* propietario/a; *(qui loue)* propietario/a, dueño/a.

propriété [prɔprijete] *nf* propiedad *f.*

propulser [prɔpylse] *vt (missile)* propulsar, impulsar; *(projeter)* arrojar.

prorata [prɔrata] *nm inv:* **au** ~ **de** en proporción a.

proroger [prɔrɔʒe] *vt (échéance)* prorrogar, aplazar; *(assemblée, délai)* prorrogar.

prosaïque [prɔzaik] *a* prosaico(a), ramplón(ona).

proscrire [prɔskrir] *vt* proscribir.

prose [prɔz] *nf* prosa.

prospecter [prɔspɛkte] *vt* prospectar.

prospectus [prɔspɛktys] *nm* prospecto.

prospère [prɔspɛr] *a* próspero(a); **prospérer** *vi* prosperar.

prosterner [prɔsterne] *vt:* **se** ~ prosternarse.

prostituée [prɔstitɥe] *nf* prostituta.

prostitution [prɔstitysjɔ̃] *nf* prostitución *f*.

prostré, e [prɔstre] a postrado(a).

protagoniste [prɔtagonist(ə)] *nm* protagonista *m*.

protecteur, trice [prɔtɛktœr, tris] a, *nm/f* protector(ora).

protection [prɔtɛksjɔ̃] *nf* protección *f*, amparo; (*patronage*) protección, patrocinio; (ÉCON) protección, salvaguardia; ~**nisme** *nm* proteccionismo.

protégé, e [prɔteʒe] *nm/f* protegido/a.

protège-cahier [prɔtɛʒkaje] *nm* forro.

protège-dents [prɔtɛʒdɑ̃] *nm inv* (BOXE) protector *m*.

protéger [prɔteʒe] *vt* proteger; (*personne*) proteger, amparar; (*membres, matériel*) proteger, resguardar; (*carrière*) favorecer, apoyar; se ~ **de/contre** protegerse de/contra.

protéine [prɔtein] *nf* proteína.

protestant, e [prɔtɛstɑ̃, ɑ̃t] a, *nm/f* protestante (*m/f*).

protestation [prɔtɛstasjɔ̃] *nf* (*plainte*) queja, protesta; (*déclaration*) protesta.

protester [prɔtɛste] *vi* protestar.

prothèse [prɔtɛz] *nf* prótesis *f*; ~ **dentaire** prótesis dental.

protocole [prɔtɔkɔl] *nm* (*étiquette*) protocolo, ceremonial *m*; ~ **d'accord** protocolo.

prototype [prɔtɔtip] *nm* prototipo.

protubérance [prɔtyberɑ̃s] *nf* protuberancia; **protubérant, e** a protuberante.

proue [pru] *nf* proa.

prouesse [prues] *nf* proeza; (*exploit*) proeza, hazaña.

prouver [pruve] *vt* probar, demostrar; (*reconnaissance etc*) demostrar.

provenance [prɔvnɑ̃s] *nf* procedencia, origen *m*; **avion/train en ~ de** avión *m*/tren *m* procedente de.

Provence [prɔvɑ̃s] *nf* Provenza.

provenir [prɔvnir]: ~ **de** *vt* (*venir de*) provenir o proceder de; (*tirer son origine de*) provenir de; (*résulter de*) derivarse de.

proverbe [prɔvɛrb(ə)] *nm* proverbio; **proverbial, e, aux** a proverbial.

providence [prɔvidɑ̃s] *nf* providencia; **providentiel, le** a providencial.

province [prɔvɛ̃s] *nf* provincia; **provincial, e, aux** a, *nm/f* provinciano(a).

proviseur [prɔvizœr] *nm* director *m*.

provision [prɔvizjɔ̃] *nf* (*réserve*) provisión *f*; (*avance: à un avocat, avoué*) anticipo; (*COMM*) provisión de fondos; ~**s** *fpl* (*vivres*) provisiones *fpl*; **faire ~** abastecerse de algo; **armoire à ~s** armario de las provisiones.

provisoire [prɔvizwar] a provisional, transitorio(a); (*JUR*) provisional; (*personne*) interino(a); ~**ment** ad provisionalmente.

provocant, e [prɔvɔkɑ̃, ɑ̃t] a' provocativo(a), provocante; (*excitant*) provocativo(a).

provocation [prɔvɔkasjɔ̃] *nf* (*parole, écrit*) provocación *f*.

provoquer [prɔvɔke] *vt* provocar; (*inciter*): ~ **qn** a incitar a alguien a.

proxénète [prɔksenɛt] *nm* proxeneta *m*.

proximité [prɔksimite] *nf* proximidad *f*, cercanía; (*dans le temps*) proximidad; **à ~** en las cercanías, cerca; **à ~ de** cerca de.

prude [pryd] a mojigato(a).

prudence [prydɑ̃s] *nf* prudencia, sensatez *f*; **par (mesure de) ~** como (medida de) precaución.

prudent, e [prydɑ̃, ɑ̃t] a prudente.

prune [pryn] *nf* ciruela.

pruneau, x [pryno] *nm* ciruela pasa.

prunelle [prynɛl] *nf* (ANAT) pupila.

prunier [prynje] *nm* ciruelo.

psaume [psom] *nm* salmo.

pseudonyme [psédɔnim] *nm* seudónimo.

psychanalyse [psikanaliz] *nf* (p)sicoanálisis *m*; **psychanalyste** *nm/f* (p)sicoanalista *m/f*.

psychiatre [psikjatʀ(ə)] *nm/f* (p)siquiatra *m/f*.

psychiatrie [psikjatʀi] *nf* (p)siquiatría *f*; **psychiatrique** *a* (p)siquiátrico(a).

psychique [psiʃik] *a* (p)síquico(a).

psychologie [psikɔlɔʒi] *nf* (p)sicología; **psychologique** [psikɔlɔʒik] *a* (p)sicológico(a); **psychologue** [psikɔlɔg] *a, nm/f* (p)sicólogo(a).

Pte *abrév de* porte.

PTT *sigle fpl voir* poste.

pu *pp de* pouvoir.

puanteur [pɥɑ̃tœʀ] *nf* fetidez *f*, hediondez *f*.

puberté [pybɛʀte] *nf* pubertad *f*.

pubis [pybis] *nm* pubis *m*.

public, ique [pyblik] *a* público(a) // *nm* público; *(assistance, audience)* público, concurrencia.

publication [pyblikasjɔ̃] *nf* publicación *f*.

publicité [pyblisite] *nf* publicidad *f*; **publicitaire** [pyblisitɛʀ] *a* publicitario(a).

publier [pyblije] *vt* publicar; *(bans)* proclamar; *(décret, loi)* promulgar; *(nouvelle)* divulgar, difundir.

puce [pys] *nf* pulga; **~s** *fpl* *(marché)* mercado de pulgas.

pucelle [pysɛl] *nf* doncella, virgen *f*.

pudeur [pydœʀ] *nf* pudor *m*; recato.

pudique [pydik] *a* púdico(a), pudoroso(a); *(discret)* recatado(a).

puer [pɥe] *vt* heder, apestar.

puéricultrice [pɥeʀikyltʀis] *nf* puericultora.

puéril, e [pɥeʀil] *a* pueril, infantil.

pugilat [pyʒila] *nm* pugilato.

puis [pɥi] *vb voir* **pouvoir** // *ad* después, enseguida; *(dans une énumération)* después, luego; et ~ además, y por otra parte; et ~ ensuite e inmediatamente después, y a continuación; et ~ c'est tout y

nada más, eso es todo; et ~ après tout y después de todo.

puisard [pɥizaʀ] *nm* sumidero.

puiser [pɥize] *vt* sacar.

puisque [pɥisk(ə)] *conj* *(du moment que)* ya que, dado que; *(comme)* como, puesto que.

puissance [pɥisɑ̃s] *nf* potencia, poder *m*, vigor *m*; *(POL, ÉLEC, PHYSIQUE)* potencia; **deux (à la) ~** cinq dos a la quinta (potencia).

puissant, e [pɥisɑ̃, ɑ̃t] *a* poderoso(a), potente; *(homme, musculature, voix)* fuerte, vigoroso(a).

puisse *etc vb voir* **pouvoir**.

puits [pɥi] *nm* pozo.

pull(-over) [pul(ɔvœʀ)] *nm* pulóver *m*, jersey *m*.

pulluler [pylyle] *vi* pulular.

pulmonaire [pylmɔnɛʀ] *a* pulmonar.

pulpe [pylp(ə)] *nf* pulpa, carne *f*.

pulsation [pylsasjɔ̃] *nf* *(MÉD)* pulsación *f*.

pulvérisateur [pylveʀizatœʀ] *nm* pulverizador *m*.

pulvériser [pylveʀize] *vt* pulverizar; *(record)* batir ampliamente.

punaise [pynɛz] *nf* chinche *f*.

punch [pœnʃ] *nm* *(BOXE)* pegada; *(boisson)* [pɔ̃ʃ] ponche *m*; **~ing-ball** *nm* punching-ball *m*; saco de arena.

punir [pyniʀ] *vt* castigar; *(suj: chose)*: ~ qn de qch castigar a alguien por algo; *(faute, crime)* condenar; **punitif, ive** *a*: **expédition punitive** expedición punitiva; **punition** *nf* castigo.

pupille [pypij] *nf* *(ANAT)* pupila; *(enfant)* pupilo/a; ~ de l'État hospiciano/a; ~ de la Nation huérfano/a de guerra.

pupitre [pypitʀ(ə)] *nm* *(SCOL)* pupitre *m*; *(REL, MUS: de chef d'orchestre)* atril *m*; *(d'ordinateur)* mesa, tablero.

pur, e [pyʀ] *a* puro(a); ~ et simple simple, mero(a).

purée [pyʀe] *nf* puré *m*.

pureté [pyʀte] *nf* pureza.

purgatif [pyʀgatif] *nm* purgante *m*.

purgatoire [pyʀgatwaʀ] *nm* purgatorio.

purge [pyʀʒ(ə)] *nf* limpieza, purga; (*MÉD*) purga, purgante *m*.

purger [pyʀʒe] *vt* limpiar, purgar; (*MÉD, JUR: peine*) purgar.

purifier [pyʀifje] *vt* purificar.

purin [pyʀɛ̃] *nm* purín *m*, agua de estiércol.

puriste [pyʀist(ə)] *nm/f* purista *m/f*.

puritain, e [pyʀitɛ̃, ɛn] *a* puritano(a); **puritanisme** [-tanism(ə)] *nm* puritanismo.

pur-sang [pyʀsɑ̃] *nm inv* pura sangre *m inv*.

pus [py] *vb voir* **pouvoir** // *nm* pus *m*.

pustule [pystyl] *nf* pústula.

put *vb voir* **pouvoir**.

putain [pytɛ̃] *nf* (*fam*) puta, ramera.

putréfier [pytʀefje] *vt* pudrir, descomponer; **se ~** *vi* pudrirse, descomponerse.

putsch [putʃ] *nm* golpe *m* de estado.

puzzle [pœzl(ə)] *nm* rompecabezas *m inv*.

PV *abrév de* **procès-verbal**.

pygmée [pigme] *nm* pigmeo.

pyjama [piʒama] *nm* pijama *m*, piyama *m*.

pylône [pilon] *nm* (*d'un pont*) pilote *m*, pilar *m*; (*mât, poteau*) poste *m*.

pyramide [piʀamid] *nf* pirámide *f*.

Pyrénées [piʀene] *nfpl*: **les ~** el Pirineo, los Pirineos.

pyromane [piʀɔman] *nm/f* piromano/a.

python [pitɔ̃] *nm* pitón *m*.

Q

QI *sigle m voir* **quotient**.

quadragénaire [kwadʀaʒenɛʀ] *a*, *nm/f* cuarentón(ona).

quadrilatère [kadʀilatɛʀ] *nm* cuadrilátero.

quadriller [kadʀije] *vt* cuadricular; (*POLICE: ville etc*) dividir en zonas.

quadriphonie [kwadʀifɔni] *nf* tetrafonía.

quadrupède [kwadʀyped] *nm* cuadrúpedo.

quadruple [kwadʀypl(ə)] *a* cuádruple // *nm* cuádruplo; **quadrupler** *vt, vi* cuadruplicar; **quadruplés, ées** *nm/fpl* cuatrillizos/as.

quai [ke] *nm* muelle *m*; (*d'une gare*) andén *m*.

qualificatif, ive [kalifikatif, iv] *a* calificativo(a) // *nm* calificativo.

qualification [kalifikasjɔ̃] *nf* calificación *f*; (*aptitude*) capacitación *f*.

qualifier [kalifje] *vt* calificar; **se ~** *vi* (*SPORT*) calificarse; **être qualifié pour** estar capacitado para.

qualité [kalite] *nf* calidad *f*; (*d'une personne*) cualidad *f*.

quand [kɑ̃] *conj* cuando; (*alors que*) cuando, mientras // *ad* cuándo; **~ je serai riche** cuando sea rico; **~ même** sin embargo; de todos modos; vaya; **~ bien même** aun cuando.

quant [kɑ̃]: **~ à** *prép* en cuanto a; (*au sujet de* jsq).

quantifier [kɑ̃tifje] *vt* cuantificar.

quantité [kɑ̃tite] *nf* cantidad *f*.

quarantaine [kaʀɑ̃tɛn] *nf* (*MÉD*) cuarentena; **il a la ~** tiene cuarenta años; **une ~ (de)** unos cuarenta.

quarante [kaʀɑ̃t] *num* cuarenta.

quart [kaʀ] *nm* cuarto; (*surveillance*) guardia; **les ~s** la mayoría; **les trois ~s du temps** la mayor parte del tiempo; **~ d'heure** cuarto de hora; **il est moins le ~/le ~** son las menos cuarto/las y cuarto; **prendre le ~** entrar de guardia.

quartier [kaʀtje] *nm* (*d'une ville*) barrio; (*de bœuf*) trozo; (*de fruit, de fromage*) trozo; **~s** *mpl* (*MIL*) cuarteles *mpl*; **~ général, QG** cuartel general.

quartier-maître [kaʀtjɛmɛtʀ(ə)] nm cabo de la Marina.

quartz [kwaʀts] nm cuarzo.

quasi [kazi] ad, préf casi; ~**ment** ad casi.

quaternaire [kwatɛʀnɛʀ] a: **ère** ~ era cuaternaria.

quatorze [katɔʀz(ə)] num catorce.

quatrain [katʀɛ̃] nm cuarteto.

quatre [katʀ(ə)] num cuatro; à ~ **pattes** en cuatro patas; ~ **à** ~ de cuatro en cuatro; ~**vingt-dix** num noventa; ~**vingts** num ochenta; **quatrième** num cuarto(a).

quatuor [kwatɥɔʀ] nm cuarteto.

que [k(ə)] conj que; si **vous y allez ou** ~ **vous lui téléphoniez** si usted va o le telefonea; **quand il rentrera et qu'il aura mangé** cuando (él) regrese y haya comido; **qu'il te veuille ou non** quiera o no; **elle venait à peine de sortir que** acababa de salir cuando; voir aussi, autant, avant, plus, pour, si etc // ad qué, cuán; ~ **de** ¡cuánto(a)! // pron que; **un jour** ~ **un día en que;** ~ **fais-tu?, qu'est-ce que tu fais?** ¿qué haces?; ¿qué es lo que haces?; ~ **fait-il dans la vie?** ¿de qué se ocupa?

Québec [kebɛk] nm: **le** ~ Quebec m.

quel, quelle [kɛl] a qué; ~ **est cet homme?** ¿quién es este hombre?; ~ **que soit...** cualquiera que sea... // pron cuál.

quelconque [kɛlkɔ̃k] a cualquier, cualquiera; (médiocre) insignificante, mediocre; **un prétexte** ~ un pretexto cualquiera; **une femme** ~ una mujer cualquiera.

quelque [kɛlk(ə)] dét: **cela fait** ~ **temps que** hace un tiempo que; ~**s mots** algunas palabras; **les** ~**s enfants/livres qui** los pocos niños/libros que (//) que (environ): ~ **100 mètres** unos 100 metros; **20 kg et** ~**s** 20 kg y pico; ~ **chose** algo; ~ **chose d'autre** otra cosa; ~ **peu** un poco.

quelquefois [kɛlkəfwa] ad a veces.

quelques-uns, unes [kɛlkəzœ̃, yn] pron algunos/as; ~ **des lecteurs** algunos lectores.

quelqu'un, une [kɛlkœ̃, yn] pron alguien; (avec négation) nadie; ~ **d'autre** algún/una otro/a.

quémander [kemɑ̃de] vt mendigar.

qu'en dira-t-on [kɑ̃diʀatɔ̃] nm inv qué dirán m inv.

querelle [kəʀɛl] nf disputa, reyerta; **se quereller** vi disputar, pelearse.

qu'est-ce que (ou **qui**) [kɛskə(ki)] voir que, qui.

question [kɛstjɔ̃] nf pregunta; (problème) cuestión f, problema m; **il a été** ~ **de** se trató o habló de; **il n'en est pas** ~ no hay cuestión; **en** ~ **a** en discusión, de que se trata; **hors de** ~ fuera de discusión; ~**s économiques** problemas económicos; ~ **piège** pregunta insidiosa; ~**naire** nm cuestionario; ~**ner** vt interrogar, preguntar.

quête [kɛt] nf colecta; **faire la** ~ (à l'église) hacer la colecta; (artiste) pasar el sombrero; **en** ~ **de** en busca de.

quêter [kete] vt mendigar, buscar.

quetsche [kwɛtʃ(ə)] nf ciruela, damascena.

queue [kø] nf cola; (d'animal) cola, rabo; (de lettre) rabo; (de note) vírgula, tallo; (d'une casserole) mango; (d'un fruit, d'une feuille) rabillo; **faire la** ~ hacer cola; **à la** ~ **leu leu** en fila india; ~ **de cheval** cola de caballo; ~**de-pie** nf (habit) chaqué m.

qui [ki] pron (interrogatif) quién; **quiénes** pl; **qu'est-ce** ~ **est sur la table?** ¿qué está sobre la mesa?; **à** ~ **est ce sac?** ¿de quién es este bolso?; (relatif sujet) quien, que; (: chose) que; **l'ami de** ~ **je vous ai parlé** el amigo de quien le hablé; **amenez** ~ **vous voulez** traiga a quien quiera; ~ **que ce soit** quienquiera que sea.

quiconque [kikɔ̃k] pron quienquiera que; (*personne*) quienquiera.

quignon [kiɲɔ̃] nm: ~ **de pain** zoquete m de pan; mendrugo de pan.

quille [kij] nf bolo; quilla; (**jeu de**) ~**s** (juego de) bolos.

quincaillerie [kɛ̃kɑjri] nf quincallería; **quincaillier, ière** nm/f quincallero/a.

quinconce [kɛ̃kɔ̃s] nm: **en** ~ al tresbolillo.

quinine [kinin] nf quinina.

quinquagénaire [kɛ̃kaʒenɛr] a cincuentón(ona), quincuagenario(a).

quintal, aux [kɛ̃tal, o] nm quintal m.

quinte [kɛ̃t] nf: ~ **(de toux)** acceso de tos.

quintuple [kɛ̃typl(ə)] a quíntuplo(a) // nm quíntuplo; **quintupler** vt, vi quintuplicar; **quintuplés, ées** nm/fpl quintillizos/as.

quinzaine [kɛ̃zɛn] nf quincena; **une** ~ **(de)** unos quince, una quincena (de).

quinze [kɛ̃z] num quince; **demain/lundi en** ~ dos semanas a partir de mañana/del lunes.

quiproquo [kiprɔko] nm malentendido.

quittance [kitɑ̃s] nf (*reçu*) recibo; (*facture*) factura.

quitte [kit] a: **être** ~ **envers qn** quedar liberado(a) de una obligación con alguien; (*fig*) estar en paz con alguien; ~ **à** con riesgo de.

quitter [kite] vt dejar, abandonar; (*suj: crainte, énergie*) abandonar; (*vêtement*) quitarse, sacarse; ~ **la route** (*véhicule*) salirse de la carretera; **se** ~ dejarse, separarse; **ne quittez pas** (*au téléphone*) no cuelgue, no se retire.

qui-vive [kiviv] nm: **être sur le** ~ estar en alerta.

quoi [kwa] pron (*interrogatif*) qué; ~ **qu'il arrive** suceda lo que suceda; ~ **qu'il en soit** sea lo que fuere; ~ **que ce soit** lo que sea; **il n'y a pas de** ~ no hay de qué; **de**

neuf? ¿qué hay de nuevo?

quoique [kwak(ə)] conj aunque.

quolibet [kɔlibɛ] nm pitorreo.

quorum [kɔrɔm] nm quórum m.

quota [kɔta] nm cuota.

quote-part [kɔtpaʀ] nf cuota.

quotidien, ne [kɔtidjɛ̃, ɛn] a cotidiano(a); (*banal*) rutinario(a) // nm (*journal*) periódico, diario.

quotient [kɔsjɑ̃] nm cociente m; ~ **intellectuel, QI** cociente intelectual.

quotité [kɔtite] nf cuota.

R

rabâcher [ʀɑbɑʃe] vt repetir.

rabais [ʀabɛ] nm rebaja, descuento; **au** ~ con descuento o rebaja.

rabaisser [ʀabese] vt disminuir, menoscabar; (*dénigrer*) rebajar, menoscabar.

rabattre [ʀabatʀ(ə)] vt bajar, plegar; (*couture*) doblar, dobladillar; (*balle*) rechazar; (*gibier*) ojear; (*d'un prix*) rebajar; **se** ~ vi plegarse, doblarse; (*véhicule*) doblar, torcer; **se** ~ **sur** conformarse con.

rabbin [ʀabɛ̃] nm rabino.

rabot [ʀabo] nm cepillo; ~**er** vt cepillar.

rabougri, e [ʀabugʀi] a raquítico(a).

racaille [ʀakɑj] nf (*péj*) chusma.

raccommoder [ʀakɔmɔde] vt zurcir, remendar.

raccompagner [ʀakɔ̃paɲe] vt acompañar a.

raccord [ʀakɔʀ] nm (*TECH: pièce*) acoplamiento, empalme m; (*CINÉMA*) ajuste m; ~ **de peinture** retoque m de pintura.

raccorder [ʀakɔʀde] vt conectar, empalmar.

raccourci [ʀakuʀsi] nm atajo.

raccourcir [ʀakuʀsiʀ] vt acortar // vi acortarse, encoger.

raccrocher [ʀakʀɔʃe] vt volver a

colgar; (*récepteur*) colgar // vi (*TÉLÉC*) colgar; se ~ à aferrarse a; (*se raccorder* à) concordar con, relacionarse con.

race [ʀas] nf raza; (*ascendance*) linaje m; (*fig*) especie f, casta.

racheter [ʀaʃte] vt comprar nuevamente; (*acheter davantage de*) comprar más; (*après avoir vendu*) volver a comprar; (*d'occasion*) comprar de lance o de segunda mano; (*pension, rente*) liberar, liquidar; (*REL*) redimir; (*défaut*) compensar; se ~ redimirse.

racial, e, aux [ʀasjal, jo] a racial.

racine [ʀasin] nf raíz f; ~ **carrée** raíz cuadrada.

racisme [ʀasism(ə)] nm racismo; **raciste** a, nm/f racista (m/f).

racket [ʀaket] nm extorsión f.

racler [ʀɑkle] vt raspar, frotar; (*tache, boue*) frotar; (*fig*) rascar; se ~ **la gorge** carraspear.

racoler [ʀakɔle] vt enganchar; levantar; pescar.

racontars [ʀakɔ̃taʀ] nmpl habladurías, chismes mpl.

raconter [ʀakɔ̃te] vt contar.

racorni, e [ʀakɔʀni] a endurecido(a).

radar [ʀadaʀ] nm radar m; **écran** ~ pantalla de radar.

rade [ʀad] nf rada.

radeau, x [ʀado] nm balsa.

radial, e, aux [ʀadjal, o] a radial; **pneu à carcasse** ~**e** neumático de cubierta radial.

radiateur [ʀadjatœʀ] nm radiador m.

radiation [ʀadjasjɔ̃] nf supresión f; (*PHYSIQUE*) radiación f.

radical, e, aux [ʀadikal, o] a radical; (*moyen, remède*) infalible // nm radical.

radier [ʀadje] vt suprimir, cancelar.

radieux, euse [ʀadjø, øz] a radiante.

radin, e [ʀadɛ̃, in] a (*ou inv*) a (*fam*) tacaño(a), roñoso(a).

radio [ʀadjo] nf radio f; (*radioscopie*) radioscopía f; (*radiographie*) radiografía f; **avoir la** ~ tener radio.

radioactif, ive [ʀadjɔaktif, iv] a radioactivo(a); **radioactivité** nf radioactividad f.

radiodiffuser [ʀadjɔdifyze] vt radiodifundir.

radiographie [ʀadjɔgʀafi] nf radiografía.

radiologie [ʀadjɔlɔʒi] nf radiología; **radiologue** nm/f radiólogo/a.

radioscopie [ʀadjɔskɔpi] nf radioscopía.

radis [ʀadi] nm rábano.

radium [ʀadjɔm] nm radio.

radoub [ʀadu] nm: **bassin de** ~ dique de carena.

radoucir [ʀadusiʀ] vt templar; se ~ (*se calmer*) serenarse, aplacarse.

rafale [ʀafal] nf ráfaga; **tir en** ~ ráfaga de disparos.

raffermir [ʀafɛʀmiʀ] vt fortalecer, fortificar.

raffiné, e [ʀafine] a (*fig*) refinado(a), fino(a).

raffiner [ʀafine] vt refinar; (*langage, manières*) pulir, afinar; **se** [-finɛ] nf rafinería.

raffoler [ʀafɔle] : ~ **de** vt volverse loco(a) por.

raffut [ʀafy] nm (*fam*) batahola, bulla.

rafistoler [ʀafistɔle] vt (*fam*) chapucear.

rafle [ʀafl(ə)] nf (*de police*) razzia, redada.

rafler [ʀafle] vt (*fam*) alzarse con.

rafraîchir [ʀafʀeʃiʀ] vt refrescar; (*boisson, dessert*) enfriar; (*fig*) renovar, retocar; (*peinture, tableau*) avivar; **se** ~ vi refrescar; (*en buvant etc*) refrescarse; **rafraîchissement** nm (*boisson*) refresco; **rafraîchissements** mpl refrigerio, refrescos.

rage [ʀaʒ] nf rabia; ~ **de dents** dolor m de muelas; **faire** ~ hacer estragos.

ragot [Rago] nm (fam) chisme m, patraña.

ragoût [Ragu] nm guiso.

rai [Rɛ] nm: ~ **de lumière** rayo de luz.

raid [Rɛd] nm raid m; (attaque aérienne) incursión aérea.

raide [Rɛd] a lacio(a); (ankylosé) rígido(a); (tendu) tenso(a); (escarpé) abrupto(a), empinado(a); (guindé) tieso(a), envarado(a); (fam) inusitado(a), increíble; (alcool) fuerte; (osé) escabroso(a) // ad a pique; **raidir** [Redir] vt contraer; (tirer) estirar, poner tenso(a); **se raidir** contraerse, ponerse rígido(a); (câble) ponerse tirante.

raie [Rɛ] nf raya.

rail [Raj] nm riel m; (chemins de fer): **le** ~ el ferrocarril; **les** ~**s** (voie ferrée) las vías; ~ **conducteur** carril m de toma.

railler [Raje] vt burlarse o mofarse de.

rainure [Renyr] nf ranura, acanaladura.

rais [Rɛ] nm = **rai.**

raisin [Rezɛ̃] nm uva; ~**s uvas**; ~**s secs** uvas pasas.

raison [Rezɔ̃] nf razón f, juicio; (motif, cause) razón, causa; (excuse, prétexte) razón, pretexto; **plus que de** ~ más de lo razonable o conveniente; ~ **de plus** mayor razón, razón de más; **à plus forte** ~ con mayor razón; **avoir** ~ tener razón; **donner** ~ **à qn** dar razón a alguien; **se faire une** ~ resignarse, conformarse; ~ **sociale** razón social; ~**nable** a razonable; (doué de raison) racional.

raisonnement [Rezɔnmã] nm raciocinio; (argumentation) razonamiento; ~**s** mpl (objections etc) objeciones fpl, observaciones fpl.

raisonner [Rezɔne] vi razonar, reflexionar; (argumenter) argüir, razonar; (péj) objetar, discutir // vt hacer entrar en razón; (attitude etc) justificar; **se** ~ reflexionar.

rajeunir [Raʒœniʀ] vt rejuvenecer; (moderniser) renovar // vi rejuvenecer, remozar; (entreprise etc) modernizarse, renovarse.

rajouter [Raʒute] vt agregar, añadir.

rajuster [Raʒyste] vt arreglar; (salaires, prix) reajustar.

râle [Rɑl] nm estertor m.

ralenti [Ralɑ̃ti] nm ralentí m, marcha lenta; (CINÉMA) cámara lenta; **au** ~ al ralentí, lentamente.

ralentir [Ralɑ̃tiʀ] vt aminorar; (production etc) disminuir, reducir // vi disminuir la velocidad, ir más despacio; **se** ~ vi frenarse, disminuir.

râler [Rɑle] vi estar con o producir estertores; (fam) gruñir.

rallier [Ralje] vt reunir; (rejoindre) reintegrarse a; (gagner) ganar; **se** ~ **à** (avis, opinion) adherir a.

rallonge [Ralɔ̃ʒ] nf (de table) larguero; (de vêtement etc) añadido.

rallonger [Ralɔ̃ʒe] vt alargar.

rallumer [Ralyme] vt volver a encender.

rallye [Rali] nm rallye m.

ramages [Ramaʒ] nmpl estampado rameado.

ramassage [Ramasaʒ] nm: ~ **scolaire** transporte m escolar.

ramassé, e [Ramase] a rechoncho(a).

ramasser [Ramase] vt recoger; (personne tombée) levantar; (fam) detener, pescar; (: attraper) coger, pescar(se); **se** ~ replegarse, encogerse.

rambarde [Rãbaʀd(ə)] nf barandilla.

rame [Ram] nf remo; (de métro) tren m; (de papier) resma.

rameau, x [Ramo] nm rama, ramo; **les R**~**x** domingo de Ramos.

ramener [Ramne] vt llevar nuevamente; (reconduire) llevar de vuelta; (revenir avec) traer; (rapporter, ramener) devolver; (faire revenir) hacer volver; (rabattre) poner, echar; (*rétablir*) restablecer, devolver; ~ **qch à** hacer volver algo a; (*réduire*) reducir algo a; **se** ~ **à** reducirse a.

ramer [Rame] *vi* remar.

ramifier [Ramifje]: **se** ~ ramificarse.

ramollir [Ramɔlir] *vt* ablandar, debilitar; **se** ~ *vi* debilitarse, ablandarse; (*beurre, asphalte*) ablandarse.

ramoner [Ramɔne] *vt* deshollinar; **ramoneur** *nm* deshollinador *m*.

rampe [Rɑ̃p] *nf* barandilla; (*dans un garage*) rampa; (*montée*) rampa, declive *m*; (*THÉÂTRE*) candilejas; ~ **de lancement** plataforma de lanzamiento.

ramper [Rɑ̃pe] *vi* reptar, arrastrarse; (*personne, aussi péj*) arrastrarse.

rancard [Rɑ̃kaR] *nm* (*fam*) cita; sopladura, soplo.

rancart [Rɑ̃kaR] *nm*: **mettre au** ~ arrumbar.

rance [Rɑ̃s] *a* rancio(a).

rancœur [Rɑ̃kœR] *nf* rencor *m*.

rançon [Rɑ̃sɔ̃] *nf* rescate *m*.

rancune [Rɑ̃kyn] *nf* resentimiento, rencor *m*; **rancunier, ière** *a* rencoroso(a), resentido(a).

randonnée [Rɑ̃dɔne] *nf* excursión *f*, jira.

rang [Rɑ̃] *nm* rango; (*rangée*) fila; (*de perles, de tricot etc*) hilera, vuelta.

rangé, e [Rɑ̃ʒe] *a* (*sérieux*) formal, sensato(a).

rangée [Rɑ̃ʒe] *nf* hilera, fila.

ranger [Rɑ̃ʒe] *vt* ordenar; (*voiture*) aparcar; (*en cercle etc*) acomodar, disponer; (*fig*) clasificar, colocar; **se** ~ disponerse, colocarse; (*s'écarter*) apartarse, echarse a un lado; **se** ~ **à** compartir, adoptar.

ranimer [Ranime] *vt* reanimar; reavivar.

rapace [Rapas] *nm* rapaz *m*.

rapatrier [Rapatrije] *vt* repatriar.

râpe [Rɑp] *nf* rallador *m*; **râpé, e** *a* raído(a); (*CULIN*) rallado(a); **râper**

vt rallar; (*gratter, racler*) raspar.

rapetisser [Raptise] *vt* reducir, achicar; (*suj: distance*) empequeñecer, reducir // *vi*, **se** ~ *vi* encogerse.

rapide [Rapid] *a* rápido(a) // *nm* rápido; **rapidité** *nf* rapidez *f*.

rapiécer [Rapjese] *vt* remendar.

rappel [Rapel] *nm* llamada, revocación *f*; (*THÉÂTRE*) llamada a escena; (*MIL*) llamamiento; (*MÉD*) revacunación *f*; (*de salaire*) retroactividad *f*, atrasos; (*d'une aventure, d'une date etc*) recuerdo, evocación *f*; ~ (**de corde**) descenso con cuerda.

rappeler [Raple] *vt* llamar; (*retéléphoner*) volver a llamar; (*ambassadeur*) retirar; ~ **qch** (**à qn**) recordar algo (a aiguien); **se** ~ recordar, acordarse de.

rapport [RapɔR] *nm* informe *m*; (*profit*) rendimiento, renta; (*lien*) relación *f*, correlación *f*; (*MATH, TECH*) razón *f*; ~**s** *mpl* (*contacts*) relaciones *fpl*; **par** ~ **à** con relación a; **sous le** ~ **de** en lo que se refiere a, desde el punto de vista de.

rapporter [Rapɔrte] *vt* restituir, devolver; (*apporter davantage*) traer más; (*revenir avec*) traer consigo; (*COUTURE*) añadir, agregar; (*suj: investissement etc*) rendir, redituar; (*relater*) referir, relatar; (*JUR*) derogar, revocar // *vi* rendir, rentar; (*péj*) acusar, chivatar; **se** ~ **à** referirse a, relacionarse con; **s'en** ~ **à** fiarse de; **rapporteur, euse** *nm/f* (*d'un procès etc*) ponente *m* // *nm* transportador *m*.

rapproché, e [Raprɔʃe] *a* cercano(a), próximo(a); (*détonations, événements*) seguido(a), consecutivo(a).

rapprochement [RaprɔʃmÃ] *nm* (*rapport*) comparación *f*, cotejo.

rapprocher [Raprɔʃe] *vt* acercar; (*deux tuyaux*) unir, juntar; (*comparer*) cotejar, relacionar; **se** ~ *vi* acercarse; **se** ~ **de** acercarse a; (*être analogue à*) asemejarse a.

rapt [Rapt] nm rapto.

raquette [Raket] nf raqueta; (de ping-pong) pala.

rare [RaR] a raro(a); (cheveux, herbe) ralo(a), escaso(a); **il est ~ que** es extraño que, no es habitual que.

raréfier [RaRefje]: **se ~** vi escasear; (air) rarificarse.

rarement [RaRmã] ad raramente.

ras, e [Ra, az] a corto(a); (tête) rapado(a) // ad al ras, al rape; **à ~ bords** colmado(a); **au ~ de** a ras de; **~ le cou** a a la base al ras.

rasade [Razad] nf vaso lleno o colmado.

rase-mottes [Razmɔt] nm inv: **faire du ~** volar a ras del suelo.

raser [Raze] vt afeitar; (cheveux) rapar; (fam) aburrir; (démolir) arrasar, demoler; (frôler) rozar; **se ~** afeitarse; **être rasé de frais** estar recién afeitado; **être rasé de près** estar bien afeitado; **rasoir** nm navaja, afeitadora; **rasoir électrique** afeitadora; **rasoir mécanique** maquinilla de afeitar.

rassasier [Razasje] vt saciar.

rassemblement [Rasãbləmã] nm (groupe) concentración f.

rassembler [Rasãble] vt reunir; (regrouper) juntar, reunir; **se ~** reunirse, congregarse.

rasseoir [Raswar]: **se ~** vi volver a sentarse.

rassis [Rasi] am: **pain ~** pan sentado.

rassurer [RasyRe] vt tranquilizar; **se ~** tranquilizarse.

rat [Ra] nm rata.

ratatiné, e [Ratatine] a apergaminado(a); arrugado(a).

ratatouille [Ratatuj] nf pisto.

rate [Rat] nf bazo.

raté, e [Rate] nm/nf frustrado(a), malogrado(a) // nm detonación f; (d'arme à feu) fallo.

râteau, x [Rato] nm rastrillo.

rater [Rate] vi fallar; (échouer) fracasar, fallar // vt fallar; (train,

occasion etc) perder; (examen) no aprobar.

ratière [RatjɛR] nf ratonera.

ratifier [Ratifje] vt ratificar.

ration [Rasjɔ̃] nf ración f.

rationnel, le [Rasjɔnɛl] a racional.

rationner [Rasjɔne] vt racionar; (personne) someter a racionamiento; **se ~** ponerse a ración.

ratisser [Ratise] vt rastrillar; (suj: armée, police) batir.

RATP sigle f voir **régie**.

rattacher [Rataʃe] vt atar o ligar de nuevo; (incorporer) anexar; (fig) relacionar, ligar; (lier) ligar, unir.

rattraper [RatRape] vt atrapar o coger de nuevo; (empêcher de tomber) agarrar, sostener; (atteindre, rejoindre) alcanzar; (imprudence, erreur) subsanar, corregir; **se ~** vi (perte de temps) ponerse al día; (perte d'argent etc) recuperarse; (privation) desquitarse; (erreur, bévue) enmendarse, corregirse; **se ~ à** agarrarse o aferrarse a o de; **~ son retard** recuperarse de su retraso; **~ le temps perdu** recuperar el tiempo perdido.

rature [RatyR] nf tachadura; **raturer** [RatyRe] vt tachar.

rauque [Rok] a ronco(a).

ravage [Ravaʒ] nm: **~s** mpl estragos.

ravager [Ravaʒe] vt devastar; (suj: maladie etc) aniquilar.

ravaler [Ravale] vt enlucir; (déprécier) rebajar; (avaler de nouveau) volver a tragar.

ravauder [Ravode] vt zurcir.

rave [Rav] nf naba.

ravi, e [Ravi] a radiante; (enthousiasmé) encantado(a).

ravier [Ravje] nm fuente f.

ravin [Ravɛ̃] nm arroyada, grieta.

raviner [Ravine] vt arroyar.

ravir [RaviR] vt encantar; (de force) raptar, arrebatar.

raviser [Ravize]: **se ~** vi echarse atrás, cambiar de idea.

ravissant, e [ʀavisɑ̃, ɑ̃t] a encantador(ora), admirable.

ravisseur, euse [ʀavisœʀ, øz] nm/f raptor/ora.

ravitaillement [ʀavitajmɑ̃] nm (provisions) provisiones fpl; ~ **en vol** abastecimiento en vuelo.

ravitailler [ʀavitaje] vt abastecer; **se** ~ vi abastecerse.

ravoir [ʀavwaʀ] vt recuperar.

raviver [ʀavive] vt reavivar; (feu, flamme) atizar, avivar.

rayé, e [ʀeje] a (à rayures) a rayas.

rayer [ʀeje] vt rayar; (barrer) tachar; (d'une liste) suprimir, excluir.

rayon [ʀejɔ̃] nm rayo; (GÉOMÉTRIE, d'une roue) radio; (périmètre): **dans un** ~ **de...** en un radio de...; (étagère) estante m, anaquel m; (de grand magasin) sección f; ~**s X** etc rayos x etc; ~ **d'action** radio de acción; ~ **de braquage** radio de giro; ~ **de soleil** rayo de sol.

rayonnage [ʀejɔnaʒ] nm estantería.

rayonner [ʀejɔne] vi irradiar; (fig) influir; (être radieux) resplandecer de gozo; (avenues etc) divergir; (se déplacer) ir de jira por los alrededores.

rayure [ʀejyʀ] nf raya; (rainure, d'un fusil) estría, raya; **à** ~**s** a o de rayas.

raz-de-marée [ʀɑdmaʀe] nm inv maremoto; (fig) conmoción f.

R.d.C. abrév = **rez-de-chaussée.**

ré [ʀe] nm re m.

réacteur [ʀeaktœʀ] nm reactor m.

réactif [ʀeaktif] nm reactivo.

réaction [ʀeaksjɔ̃] nf reacción f; ~**naire** a reaccionario(a).

réadapter [ʀeadapte] vt readaptar; **se** ~ (à) readaptarse a.

réaffirmer [ʀeafiʀme] vt ratificar, reafirmar.

réagir [ʀeaʒiʀ] vi reaccionar; ~ **sur** actuar o repercutir sobre.

réalisateur, trice [ʀealizatœʀ, tʀis] nm/f realizador/ora.

réalisation [ʀealizasjɔ̃] nf (production etc) realización f.

réaliser [ʀealize] vt realizar; (rêve, souhait) cumplir, lograr; (bien, capital) convertir en dinero, cobrar; (comprendre) percatarse de; **se** ~ vi realizarse, cumplirse.

réalisme [ʀealism(ə)] nm realismo; **réaliste** a, nm/f realista (m/f).

réalité [ʀealite] nf realidad f.

réarmement [ʀeaʀməmɑ̃] nm rearme m.

réarmer [ʀeaʀme] vt recargar; vi (état) rearmar.

réassurance [ʀeasyʀɑ̃s] nf reaseguro.

rébarbatif, ive [ʀebaʀbatif, iv] a desagradable, ingrato(a).

rebattu, e [ʀəbaty] a remanido(a).

rebelle [ʀəbɛl] a, nm/f rebelde (m/f); ~ **à** (fermé à) negado(a) para.

rebeller [ʀəbele] : **se** ~ vi rebelarse; **rébellion** [ʀebeljɔ̃] nf rebelión f; (rebelles) rebeldes mpl.

reboiser [ʀəbwaze] vt repoblar de árboles.

rebond [ʀəbɔ̃] nm rebote m.

rebondi, e [ʀəbɔ̃di] a panzudo(a); (visage, personne) relleno(a).

rebondir [ʀəbɔ̃diʀ] vi rebotar; (fig) poner nuevamente sobre el tapete; **rebondissement** nm vuelta a la actualidad.

rebord [ʀəbɔʀ] nm reborde m; (d'un fossé) borde m, orilla.

rebours [ʀəbuʀ] : **à** ~ ad al revés.

rebouteux, euse [ʀəbutø, øz] nm/f ensalmador/ora.

rebrousse-poil [ʀəbʀuspwal] : **à** ~ ad a contrapelo.

rebrousser [ʀəbʀuse] vt: ~ **chemin** dar media vuelta.

rebuffade [ʀəbyfad] nf repulsa.

rébus [ʀebys] nm inv jeroglífico.

rebut [ʀəby] nm: **mettre qch au** ~ desechar algo.

rebuter [ʀəbyte] vt desanimar; (suj: attitude) repeler.

récalcitrant, e [RekalsitRã, ãt] a terco(a), indómito(a).

recaler [Rəkale] vt suspender.

récapituler [Rekapityle] vt recapitular.

recel [Rəsɛl] nm encubrimiento.

receler [Rəsle] vt ocultar, encubrir; (fig) encerrar; **receleur, euse** nm/f encubridor/ora.

récemment [Resamã] ad recientemente.

recensement [Rəsãsmã] nm censo; (des ressources etc) reconocimiento.

recenser [Rəsãse] vt empadronar; (inventorier) enumerar, computar.

récent, e [Resã, ãt] a reciente.

récépissé [Resepise] nm recibo.

récepteur, trice [ResɛptœR, tRis] a receptor(ora) // nm (de téléphone) receptor m, auricular m; ~ **de** (radio) receptor (de radio).

réception [Resɛpsjɔ̃] nf recibo, recepción f; (accueil) recepción; (réunion) recepción; (SPORT) caída; (d'un hôtel etc): **la** ~ **la** recepción, el vestíbulo; ~**ner** vt verificar un envío.

recette [Rəsɛt] nf receta; (COMM) ingreso; (des impôts) oficina de recaudación; ~**s** fpl (COMM) ingresos, entradas.

receveur, euse [RəsvœR, øz] nm/f (des finances, contributions) recaudador/ora; (des postes) jefe m; (d'autobus) cobrador/ora.

recevoir [RəsvwaR] vt recibir; (modifications, solution) admitir, recibir; (SCOL) ingresar, aprobar // vi recibir; **se** ~ vi caer; **être reçu** (SCOL) ser aprobado.

rechange [Rəʃãʒ]: **de** ~ **a** de recambio.

rechaper [Rəʃape] vt recauchutar.

réchapper [Reʃape]: ~ **de** ou **à** vt librarse o salvarse de.

recharge [RəʃaRʒ(ə)] nf (de briquet etc) recarga, recambio.

recharger [RəʃaRʒe] vt (camion) volver a cargar; (fusil, batterie) recargar; (briquet etc) cargar.

réchaud [Reʃo] nm hornillo, infiernillo.

réchauffer [Reʃofe] vt recalentar; (mains, doigts) calentar; **se** ~ calentarse; (température) templarse.

rêche [Rɛʃ] a áspero(a), rugoso(a).

Rech. abrév de **recherche.**

recherche [RəʃɛRʃ(ə)] nf búsqueda, busca; (voir recherché) rebuscamiento; **la** ~ **la** investigación; ~**s** fpl investigaciones fpl.

recherché, e [RəʃɛRʃe] a raro(a), preciado(a); (acteur, femme) solicitado(a); (style, allure) rebuscado(a).

rechercher [RəʃɛRʃe] vt buscar; (causes, procédé) investigar, indagar.

rechigner [Rəʃiɲe] vi rezongar, refunfuñar.

rechute [Rəʃyt] nf recaída; **faire** ou **avoir une** ~ (MÉD) recaer, tener una recaída.

récidive [Residiv] nf reincidencia; **récidiver** vi reincidir; reiterar; **récidiviste** nm/f reincidente m/f.

récif [Resif] nm arrecife f.

récipient [Resipjã] nm recipiente m.

réciproque [ResipRɔk] a recíproco(a); ~**ment** ad recíprocamente.

récit [Resi] nm relato, narración f.

récital [Resital] nm recital m.

récitation [Resitasjɔ̃] nf recitación f.

réciter [Resite] vt (aussi péj) recitar.

réclamation [Reklamasjɔ̃] nf reclamación f, protesta; **service des** ~**s** oficina de reclamación.

réclame [Reklam] nf propaganda, publicidad f; **article en** ~ artículo de reclamo.

réclamer [Reklame] vt reclamar, pedir; (exiger, nécessiter) exigir // vi reclamar; **se** ~ **de** apelar a.

reclasser [Rəklase] vt volver a clasificar; (fig) rehabilitar.

réclusion [Reklyzjɔ̃] nf reclusión f; ~ **à perpétuité** reclusión perpetua.

recoin [Rəkwɛ̃] nm rincón m.

reçois etc vb voir **recevoir**.

récolte [Rekɔlt(ə)] nf cosecha; (fig) stock m, acopio; **récolter** vt cosechar, recoger.

recommandation [Rəkɔmãdɑsjɔ̃] nf recomendación f.

recommandé, e [Rəkɔmãde] nm: **en ~** certificado/a.

recommander [Rəkɔmãde] vt recomendar; (POSTES) certificar; **~ à qn de faire...** recomendar a alguien hacer...; **il est recommandé de...** se recomienda...; **se ~ à qn** encomendarse a alguien; **se ~ de qn** apoyarse en alguien.

recommencer [Rəkɔmãse] vt recomenzar // vi recomenzar; (récidiver) volver a las andadas, comenzar nuevamente; **~ à faire** volver a hacer.

récompense [Rekɔ̃pãs] nf recompensa.

récompenser [Rekɔ̃pãse] vt recompensar; **~ qn de ou pour qch** recompensar a alguien por algo.

réconcilier [Rekɔ̃silje] vt reconciliar; (fig) conciliar; armonizar; **se ~** reconciliarse.

reconduire [Rəkɔ̃dɥiʀ] vt acompañar; (JUR, POL) prorrogar.

réconfort [Rekɔ̃fɔʀ] nm alivio, consuelo.

réconforter [Rekɔ̃fɔʀte] vt reconfortar.

reconnaissance [Rəkɔnɛsãs] nf reconocimiento; **en ~ (MIL) de** reconocimiento.

reconnaissant, e [Rəkɔnɛsã, ãt] a agradecido/a).

reconnaître [Rəkɔnɛtʀ(ə)] vt reconocer; (jumeaux) distinguir; **~ qn/qch à** reconocer a alguien/algo por; **se ~ quelque part** orientarse en un sitio.

reconquérir [Rəkɔ̃keʀiʀ] vt reconquistar.

reconstituer [Rəkɔ̃stitɥe] vt reconstituir; (fortune, patrimoine) rehacer, reconstruir; **reconstitution** nf reconstitución f; reconstrucción f; (JUR) reconstrucción.

reconstruire [Rəkɔ̃stʀɥiʀ] vt reconstruir, reedificar.

reconversion [Rəkɔ̃vɛʀsjɔ̃] nf readaptación f.

record [Rəkɔʀ] a, nm récord (m); **~ du monde** récord mundial.

recoupement [Rəkupmã] nm verificación f; **par ~** atando cabos, confrontando.

recouper [Rəkupe] vt: **se ~** vi coincidir, corresponderse.

recourbé, e [Rəkuʀbe] a encorvado(a); (bec) corvo(a).

recourir [Rəkuʀiʀ]: **~ à** vt recurrir a.

recours [Rəkuʀ] nm recurso; **avoir ~ à** recurrir a; **c'est sans ~** no hay remedio.

recouvrer [Rəkuvʀe] vt recobrar; (impôts, créance) recaudar.

recouvrir [Rəkuvʀiʀ] vt (couvrir à nouveau: livre) forrar de nuevo; (récipient etc) tapar o cubrir de nuevo; (entièrement) recubrir; (suj: attitude etc) ocultar, tapar; (suj: étude, concept etc) cubrir, abarcar.

récréatif, ive [Rekreatif, iv] a recreativo(a), entretenido(a).

récréation [Rekreɑsjɔ̃] nf recreación f; (SCOL) recreo.

récrier [Rekʀije]: **se ~** vi exclamar.

récrimination [Rekʀiminɑsjɔ̃] nf recriminación f, reproche m.

récriminer [Rekʀimine] vi regañar.

recroqueviller [Rəkʀɔkvije]: **se ~** vi retorcerse.

recrudescence [Rəkʀydesãs] nf recrudecimiento.

recrue [Rəkʀy] nf recluta m; (gén) adherente m; **recruter** vt incorporar; (MIL) reclutar.

rectangle [Rektãgl(ə)] nm rectángulo; **rectangulaire** a rectangular.

recteur [Rektœʀ] nm rector m.

rectificatif, ive [Rektifikatif, iv] a rectificativo(a) // nm rectificativo.

rectifier [Rektifje] vt rectificar.

rectiligne [Rektiliɲ] a rectilíneo(a).

rectorat [ʀɛktɔʀa] nm rectorado.

reçu, e [ʀəsy] pp de **recevoir** // a admitido(a), consentido(a) // nm recibo.

recueil [ʀəkœj] nm compilación f.

recueillir [ʀəkœjiʀ] vt recoger; (renseignements, dépositions) reunir; (voix, suffrages) obtener, conseguir; (accueillir) acoger, recoger; **se** ~ vi recogerse.

recul [ʀəkyl] nm retirada, regresión f; (d'une arme) retroceso; **avoir un mouvement de** ~ dar una reculada, hacer un movimiento de retroceso.

reculé, e [ʀəkyle] a alejado(a), apartado(a); (lointain) remoto(a), lejano(a).

reculer [ʀəkyle] vi retroceder; (fig) cejar, retraerse; (se dérober) ceder, recular // vt echar hacia atrás, retirar; (mur, frontières) alejar, correr; (fig) retrasar, diferir; (: date, livraison, décision) aplazar, diferir; ~ **devant** ceder ante.

reculons [ʀkylɔ̃]: **à** ~ ad hacia atrás.

récupérer [ʀekypeʀe] vt recuperar // vi recuperarse.

récurer [ʀekyʀe] vt fregar.

récuser [ʀekyze] vt recusar; (argument etc) impugnar, rechazar; **se** ~ vi declararse incompetente.

reçut etc vb voir **recevoir**.

recyclage [ʀəsiklaʒ] nm reciclado, reconvención f; **cours de** ~ curso de perfeccionamiento.

recycler [ʀəsikle] vt cambiar la orientación de, reconvertir.

rédacteur, trice [ʀedaktœʀ, tʀis] nm/f redactor/ora; ~ **en chef** redactor jefe.

rédaction [ʀedaksjɔ̃] nf redacción f; (SCOL) composición f, redacción.

reddition [ʀedisjɔ̃] nf rendición f.

rédempteur, trice [ʀedɑ̃ptœʀ, tʀis] nm: **le** R~ el Redentor.

rédemption [ʀedɑ̃psjɔ̃] nf redención f; **la** R~ la Redención.

redescendre [ʀədesɑ̃dʀ(ə)] vi volver a bajar // vt bajar.

redevable [ʀədvabl(ə)] a: **être** ~ **de** ser deudor(ora) de.

redevance [ʀədvɑ̃s] nf canon m de suscripción; (de rente, dette) canon.

rédiger [ʀediʒe] vt redactar.

redire [ʀədiʀ] vt repetir; **trouver à** ~ **à** qch encontrar algo que criticar a algo.

redite [ʀədit] nf repetición f.

redondance [ʀədɔ̃dɑ̃s] nf redundancia.

redoublé, e [ʀəduble] a: **frapper à coups** ~**s** golpear con violencia.

redoubler [ʀəduble] vt redoblar; (SCOL) repetir // vi arreciar, intensificarse; (SCOL) repetir; ~ **de** vt redoblar.

redoutable [ʀədutabl(ə)] a temible, pavoroso(a).

redouter [ʀədute] vt temer; ~ **de faire** tener miedo de hacer.

redressement [ʀədʀɛsmɑ̃] nm **maison de** ~ reformatorio.

redresser [ʀədʀese] vt enderezar; (fig) restablecer; **se** ~ vi enderezarse; (fig) restablecerse; **redresseur** nm: **redresseur de torts** desfacedor m de entuertos.

réduction [ʀedyksjɔ̃] nf reducción f; disminución f; (rabais) rebaja, descuento.

réduire [ʀedyiʀ] vt reducir; (texte) sintetizar, compendiar; (CULIN) condensar, concentrar; ~ qch **en** transformar algo en; **se** ~ **à** reducirse a; **se** ~ **en** convertirse en.

réduit [ʀedyi] nm cuartucho.

rééducation [ʀeedykasjɔ̃] nf reeducación f; (de délinquants) rehabilitación f.

réel, le [ʀeɛl] a real // nm: **le** ~ **lo** real.

réélire [ʀeeliʀ] vt reelegir.

réellement [ʀeɛlmɑ̃] ad realmente.

réescompte [ʀeɛskɔ̃t] nm redescuento.

réévaluer [ʀeevalɥe] vt revalorizar.

réexpédier [ʀeɛkspedje] vt reexpedir.

rejoindre

[Reglis] nf regaliz m.
[Rɛɲe] nm reinado;
[Rɛɲe] vi reinar; (BIO) reino.
[Rəgɔrʒe]: ~ de vt rebosar de
[regresjɔ̃] nf regresión

...re) nm melancolía,
...rds) remordimiento,
de mala gana; avec
...grete] vt añorar; (imprudence etc)
de ...tar, deplorar; ~ lamentar; "je regrette"
[Rəgrupe] vt reagrupar.
...gylarize] vt ...o(a),
...vlarite] nf
...yije, jɛR] a ...// vi ...puntual à/sur
...ire) ...écrivain) legi...

jo; ~s mpl
reflejar; se
...levantar, a, nm reflejo;
...er. ...flejo condiciona-
...s mpl [eksjɔ̃] nf reflexión f; ...sonnelle) observación ...méditations) reflexiones ...con inteligencia o ...ento; ~ faite pensándolo

...): [Rəflye] vi refluir; (fig)
...ux [Rəfly] nm reflujo; (fig) ...troceso.
refondre [Rəfɔ̃dr(ə)] vt refundir.
réformation [RefɔRmasjɔ̃] nf: la R~ la Reforma.
réforme [RefɔRm(ə)] nf reforma; (MIL) baja; (REL): la R~ la Reforma.
réformé, e [RefɔRme] a, nm/f, protestante (REL) reformista m/f.

...er [Rəfɔrme] vt ...restaurar; (MIL) ...formar; dar de
...e a repri...nido(a),
(SYCH) inhibición f,
[Rəfule] vt rechazar; (fig)
...aire [Rəfraktœr] a refrac-
...cter [Rəfrakte] vt refractar.
...ain [Rəfrɑ̃] nm estribillo; (fig)
...tinela.
réfréner, réfrener [Rəfrene] vt refrenar, contener.
réfrigérant, e [RefriʒerÑ, ɑ̃t] a refrigerante.
réfrigérer [RefriʒeRe] vt refrigerar; (fam, aussi fig) helar, congelar.
refroidir [RəfRwadiR] vt enfriar; (air, atmosphère) refrescar // vi enfriar; se ~ vi enfriarse; (temps) refrescar; **refroidissement** nm (rhume) enfriamiento, resfriado.
refuge [Rəfyʒ] nm refugio.
réfugié, e [Refyʒje] a, nm/f refugiado(a).
réfugier [Refyʒje] : se ~ vi refugiarse.
refus [Rəfy] nm negación f, rechazo; suspensión f; (opposition) negativa.
refuser [Rəfyze] vt negar, rehusar; (ne pas accepter) (SCOL) suspender; ~ de faire, se ~ de faire negarse a hacer; ~ qch à qn negar algo a alguien.
réfuter [Refyte] vt refutar.
regagner [Rəgaɲe] vt volver a ganar, recuperar; (affection etc) volver a obtener; ~ le (lieu, place) recuperar el tiempo perdido.
regain [Rəgɛ̃] nm: un ~ de un rebrote de.
régal [Regal] nm delicia, deleite m; ~er: se ~er vi obsequiarse, regalarse.
regard [Rəgar] nm mirada; au ~

de respecto a, frente a; **en ~ al** lado, enfrente.

regarder [ʀɔgaʀde] *vt* mirar; (*situation, avenir*) considerar; (*suj: maison*): **~ vers** mirar a - à - vt; (*concerner*) concernir a; **comme** cuidar de; **qn/qch como**; considerar a alguien/algo **consultar** el **dans le dictionnaire con** diccionario.

régate [ʀegat] *nf*, **~s** *nfpl* **regatas**.

régent [ʀeʒã] *nm* regente *m*.

régie [ʀeʒi] *nf* administración *f*; (*THÉÂTRE, CINÉMA, TV*) dirección *f*; **~ autonome des transports parisiens, RATP** organización *f* de los transportes públicos de París.

régime [ʀeʒim] *nm* régimen *m*; (de bananes etc) racimo, ramo; **suivre un ~** (*MÉD*) seguir un régimen; **~ à sans sel** sin sal; **à plein ~** a toda marcha.

régiment [ʀeʒimã] *nm* (*MIL*) regimiento; (*l'armée*): **le ~** el ejército.

région [ʀeʒjɔ̃] *nf* región *f*; **~al, e,** **aux** *a* regional; **~alisation** *nf* regionalización *f*.

régir [ʀeʒiʀ] *vt* regir. **régisseur** *nm* administrador *m*; (*CINÉMA, THÉÂTRE, TV*) director *m*.

registre [ʀɔʒistʀ(ə)] *nm* registro.

réglage [ʀeglaʒ] *nm* reglaje *m*.

règle [ʀɛgl(ə)] *nf* regla; **~s** *fpl* (*menstruation*) reglas; **avoir pour ~ de** tener por norma; **en ~** en regla; **en ~ générale** por regla general.

réglé, e [ʀegle] *a* (vie, personne) ordenado(a), metódico(a); (*femme*): **bien ~e** regular.

règlement [ʀɛglɔmã] *nm* (arrêté) ordenanza; (règles) reglamento; **réglementaire** a reglamentario(a); **réglementation** *nf* reglamentación *f*; (règles) reglamento; **réglementer** *vt* regular.

régler [ʀegle] *vt* regular; (problème etc) arreglar; (facture etc) liquidar, pagar; (fournisseur) pagar a; (papier) rayar, reglar.

réglisse [ʀe...

règne [ʀɛ...

régner [ʀe...

regorger abundar en...

régression *f*, retroceso.

regret [ʀɔg... pena; (remo... pesar *m*; **à ~** ... **~ ad** con pesar...

regretter [ʀe... echar de meno... arrepentirse (déplorer) lamen... de lamentar, sen... "lo lamento o sient...

regrouper [ʀɔʀup... **régulariser** [ʀ... regularizar.

régularité [ʀeg... regularidad *f*.

régulier, ière [ʀe... regular; (employé... cumplidor(ora); (élèv... constante; (réglemen... timo(a), regular.

réhabiliter [Reabil...

rehausser [ʀɔose] *vt* elevar; (fig) realzar, enalte...

rein [ʀɛ̃] *nm* riñón *m*; **~s** *mpl* riñones *mpl*, cintura.

reine [ʀɛn] *nf* reina.

réintégrer [ʀeɛ̃tegʀe] *vt* vo... regresar a; (fonction... reintegrar, rehabilitar.

réitérer [ʀeitere] *vt* reiterar.

rejaillir [ʀɔʒajiʀ] *vi* salpicar; **~ sur** recaer sobre.

rejet [ʀɔʒɛ] *nm* (*POÉSIE*) encabal... miento; **phénomène de ~** fenóme... de rechazo.

rejeter [ʀɔʒte] *vt* devolve... (refouler) arrojar; (écarter... rechazar; (reporter) remitir; **~ la** responsabilité de qch sur ... achacar la responsabilidad de ... a alguien.

rejeton [ʀɔʒtɔ̃] *nm* (fam) retoño.

rejoindre [ʀɔʒwɛ̃dʀ(ə)] *vt* reunirs...

con; (*rattraper*) alcanzar; (*lieu*) llegar a; **se ~** *vi* encontrarse; (*routes*) juntarse; (*fig*) acercarse a.

réjouir [reʒwir] *vt* alegrar, regocijar; **se ~** *vi* alegrarse.

réjouissances [reʒwisɑ̃s] *nfpl* festejos.

relâche [rəlɑʃ]: **faire ~** *vi* hacer escala; (*CINÉMA*) no haber función; **sans ~** *ad* sin tregua.

relâcher [rəlɑʃe] *vt* aflojar; (*animal, prisonnier*) soltar; **se ~** *vi* aflojarse; (*discipline*) relajarse; (*élève etc*) aflojar.

relais [rəlɛ] *nm*: (**course de**) **~** carrera de relevos; (*RADIO, TV*) relé *m*, relevador *m*; **équipe de ~** turno; **travail par ~** trabajo por turnos; **~ routier** parada; **~ de télévision** transmisora.

relancer [rəlɑ̃se] *vt* lanzar de nuevo; (*moteur*) poner nuevamente en marcha; (*économie etc*) reactivar; (*péj*) fastidiar.

relatif, ive [rəlatif, iv] *a* relativo(a).

relation [rəlɑsjɔ̃] *nf* relato; (*rapport*) relación *f*; **~s** *fpl* relaciones *fpl*; **~s publiques** relaciones públicas.

relativement [rəlativmɑ̃] *ad* relativamente; **~ à** en relación a, comparado(a) con.

relativité [rəlativite] *nf* relatividad *f*.

relaxer [rəlakse] *vt* poner en libertad; (*détendre*) relajar; **se ~** *vi* relajarse.

relayer [rəleje] *vt* relevar (*RADIO, TV*) retransmitir; **se ~** relevarse, turnarse.

relégation [rəlegɑsjɔ̃] *nf* (*SPORT*) expulsión *f*.

reléguer [rəlege] *vt* relegar.

relent [rəlɑ̃] *nm* hedor *m*, tufo.

relève [rəlɛv] *nf* relevo.

relevé, e [rəlve] *a* (*virage*) peraltado(a); (*fig*) elevado(a); (: *sauce, plat*) picante, fuerte // *nm* lista, detalle *m*; (*d'un compteur*)

lectura; (*topographique*) relevamiento.

relever [rəlve] *vt* levantar; (*niveau de vie, salaire*) elevar; (*sentinelle, équipe*) relevar; (*fautes, points*) señalar; (*constater*) notar, constatar; (*répliquer à*) responder a; (*défi*) aceptar; (*inscrire*) anotar; (*cahiers etc*) recoger // **~**, **se ~** *vi* levantarse; **~ de** *vt* depender de; **~ qn de** liberar a alguien de; **~ de maladie** reponerse de una enfermedad.

relief [rəljɛf] *nm* relieve *m*; **~s** *mpl* restos; **en ~** en relieve; **donner du ~ à** dar realce a.

relier [rəlje] *vt* comunicar, unir; (*fig*) relacionar; (*livre*) encuadernar; **~ qch à** ligar algo a; **relieur, euse** *nm/f* encuadernador/ora.

religieux, euse [rəliʒjø, øz] *a* religioso(a) // *nm* monje *m*, fraile *m* // *nf* religiosa, monja; (*gâteau*) pastel de crema.

religion [rəliʒjɔ̃] *nf* religión *f*; **entrer en ~** hacerse religioso(a).

reliquat [rəlika] *nm* (*COMM*) saldo.

relique [rəlik] *nf* reliquia.

relire [rəlir] *vt*, **se ~** *vi* releer.

reliure [rəljyr] *nf* encuadernación *f*.

reluire [rəlyir] *vi* relucir.

remailler [rəmɑje] *vt* remallar.

remaniement [rəmanimɑ̃] *nm*: **~ ministériel** reorganización *f* ministerial.

remanier [rəmanje] *vt* (*roman, texte*) modificar, retocar.

remarquable [rəmarkabl(ə)] *a* notable.

remarque [rəmark(ə)] *nf* observación *f*; (*commentaire, note*) advertencia, nota.

remarquer [rəmarke] *vt* notar; **~ que** notar que; (*dire*) señalar que; **se ~** notarse; **faire ~ que** señalar o señalar que; **faire ~ qch** señalar o hacer notar algo.

remballer [rɑ̃bale] *vt* volver a embalar.

remblai [rɑ̃blɛ] *nm* terraplén *m*.

remblayer [Rɑ̃bleje] vt terraplenar.

rembourrer [Rɑ̃buRe] vt rellenar.

remboursement [Rɑ̃buRsəmɑ̃] nm reintegro, devolución f; **envoi contre ~** envío contra reembolso.

rembourser [Rɑ̃buRse] vt abonar, saldar; (personne) resarcir.

rembrunir [Rɑ̃bRyniR] : **se ~** vi ensombrecerse, entristecerse.

remède [Rəmɛd] nm remedio.

remédier [Rəmedje] : **~ à** vt remediar, subsanar.

remembrement [Rəmɑ̃bRəmɑ̃] nm concentración f de parcelas.

remémorer [RəmemoRe] se ~ vt rememorar, recordar(se).

remerciement [RəmɛRsimɑ̃] nmpl: ~s agradecimiento.

remercier [RəmɛRsje] vt agradecer; (congédier) despedir; ~ qn de qch agradecer algo a alguien; ~ qn d'avoir fait qch agradecer a alguien por haber hecho algo.

remettre [RəmɛtR(ə)] vt (vêtement) ponerse de nuevo; (replacer) meter de nuevo; (ajouter) añadir; (rendre) devolver; (donner) confiar; (prix, décoration) otorgar; (ajourner) aplazar; **se ~** vi reponerse; (temps) mejorar; **se ~ à** volver a; **se ~ de** reponerse de; **s'en ~ à** contar con; ~ **qch au net** volver a poner algo en su lugar; ~ **en place** colocar en hora; ~ **à l'heure** volver a poner en marcha/en orden; ~ **en marche/en ordre** poner a funcionar/en orden; ~ **en état** reparar; ~ **en cause/question** poner nuevamente en causa/en tela de juicio; ~ **sa démission** dar su dimisión; ~ **qch à plus tard** dejar algo para más tarde; ~ **à neuf** dejar como nuevo.

remise [Rəmiz] nf (réduction) rebaja; (lieu) cochera; ~ **en selle** saque m; ~ **de peine** remisión f de pena.

remontée [Rəmɔ̃te] nf ascenso, subida; ~s **mécaniques** telesquíes mpl.

remonte-pente [Rəmɔ̃tpɑ̃t] nm telesquí m.

remonter [Rəmɔ̃te] vi volver a subir; (sur un cheval) volver a montar; (jupe) alzarse // vt volver a subir; (fleuve) remontar; (pantalon, col) levantar; (rayon, limite) levantar; (réconforter) reanimar; (moteur, meuble) volver a montar o armar; (collection) renovar; (mécanisme) dar cuerda a; ~ **à** (dater de) remontar a.

remontoir [Rəmɔ̃twaR] nm corona.

remontrance [Rəmɔ̃tRɑ̃s] nf advertencia, amonestación f.

remontrer [Rəmɔ̃tRe] vt volver a mostrar.

remords [RəmɔR] nm remordimiento.

remorque [RəmɔRk(ə)] nf remolque m; **remorquer** vt remolcar; **remorqueur** nm remolcador m.

rémouleur [Rəmulœr] nm afilador m.

remous [Rəmu] nm torbellino; (d'une rivière) remolino.

rempailler [Rɑ̃paje] vt cambiar la paja a.

rempart [Rɑ̃paR] nm muralla; (fig) escudo; ~**s** mpl murallas.

remplaçant, e [Rɑ̃plasɑ̃, ɑ̃t] nm/f sustituto/a; (d'un acteur) doble m/f.

remplacement [Rɑ̃plasmɑ̃] nm (scol) reemplazo, suplencia.

remplacer [Rɑ̃plase] vt reemplazar; (ami, pneu etc) cambiar.

rempli, e [Rɑ̃pli] a (occupé) completo(a); ~ **de** lleno de.

remplir [Rɑ̃pliR] vt llenar; (journée, vie) emplear; (promesses, conditions etc) cumplir con; (fonctions etc) desempeñar; **se ~** vi llenarse; ~ **qch de** llenar algo con o de; ~ **qn** de colmar a alguien de.

remporter [Rɑ̃pɔRte] vt llevar de vuelta; (victoire etc) obtener.

remue-ménage [Rəmymenaʒ] nm inv trasiego, desorden m.

remuer [Rəmɥe] vt mover; (café, salade) remover; (émouvoir) emocionar // *vi* moverse; *(fig)* agitarse; **se** ~ *vi* moverse.

rémunérer [Remyneʀe] *vt* remunerar.

renaissance [Rənɛsɑ̃s] *nf*: **la R** ~ el Renacimiento.

rénal, e, aux [Renal, o] *a* renal.

renard [Rənaʀ] *nm* zorro; *(fourrure)* piel *f* de zorro.

rencart, rencard [Rɑ̃kaʀ] *nm voir* **rancard**.

renchérir [Rɑ̃feʀiʀ] *vi* encarecerse; ~ **(sur)** ir más allá (de).

rencontre [Rɑ̃kɔ̃tʀ(ə)] *nf (entre-vue, congrès, SPORT)* encuentro; **aller à la** ~ **de qn** ir al encuentro de alguien.

rencontrer [Rɑ̃kɔ̃tʀe] *vt* encontrar, *(avoir une entrevue avec)* entrevistarse con; *(SPORT)* enfrentarse con; **se** ~ encontrarse; *(fleuves)* confluir; *(voitures)* chocar.

rendement [Rɑ̃dmɑ̃] *nm* rendimiento; **à plein** ~ con pleno rendimiento.

rendez-vous [Rɑ̃devu] *nm* cita; *(lieu)* lugar *m* de cita; **avoir** ~ **(avec qn)** tener una cita (con alguien); **prendre** ~ **(avec qn)** citarse (con alguien).

rendre [Rɑ̃dʀ(ə)] *vt* devolver; *(otages, prisonniers)* entregar; *(sang)* echar; *(son)* emitir; *(pensée, tournure)* reflejar; ~ **qn célèbre/qch possible** hacer célebre a alguien/posible algo; **se** ~ rendirse; **se** ~ **quelque part** ir a algún lado; ~ **la liberté à qn** restituir la libertad a alguien; ~ **compte de qch à qn** rendir cuenta de algo a alguien; ~ **des comptes à qn** rendir cuentas a alguien.

rênes [Rɛn] *nfpl* riendas.

renfermé, e [Rɑ̃fɛʀme] *a* cerrado(a) // *nm*: **sentir le** ~ oler a cerrado.

renfermer [Rɑ̃fɛʀme] *vt* encerrar, contener; **se** ~ encerrarse.

renflé, e [Rɑ̃fle] *a* abultado(a).

renflouer [Rɑ̃flue] *vt* reflotar.

renforcement [Rɑ̃fɔʀsəmɑ̃] *nm* hueco.

renforcer [Rɑ̃fɔʀse] *vt* reforzar; *(expression, argument)* confirmar; *(soupçons)* reafirmar.

renfort [Rɑ̃fɔʀ] : ~**s** *nmpl* refuerzos; **à grand** ~ **de** a fuerza de.

renfrogner [Rɑ̃fʀɔɲe]: **se** ~ *vi* fruncir el ceño, enfurruñarse.

rengaine [Rɑ̃gɛn] *nf (péj)* cantinela.

rengainer [Rɑ̃gɛne] *vt* envainar.

rengorger [Rɑ̃gɔʀʒe] : **se** ~ *vi (fig)* pavonearse.

renier [Rənje] *vt* renegar de; *(engagements)* eludir, negar.

renifler [Rənifle] *vi* resoplar // *vt (tabac)* aspirar; *(odeur)* oler.

renne [Rɛn] *nm* reno.

renom [Rənɔ̃] *nm* renombre *m*; ~**mé, e** a renombrado(a) // *nf* fama.

renoncer [Rənɔ̃se] : ~ **à** *vt* renunciar a.

renouer [Rənwe] *vt (cravate)* hacer de nuevo el nudo; *(lacets)* atar o anudar nuevamente; *(fig)* reanudar; ~ **avec** reanudar la amistad con; *(tradition, mode)* resucitar, restablecer.

renouveau [Rənuvo] *nm* rebrote *m*.

renouveler [Rənuvle] *vt* renovar; *(exploit, méfait)* repetir; **se** ~ repetirse; *(artiste etc)* renovarse.

rénover [Rənɔve] *vt* renovar.

renseignement [Rɑ̃sɛɲmɑ̃] *nm* información *f*.

renseigner [Rɑ̃sɛɲe] *vt*: ~ **qn (sur)** informar a alguien (sobre); *(suj: expérience etc)* instruir, informar; **se** ~ informarse.

rentable [Rɑ̃tabl(ə)] *a* rentable.

rente [Rɑ̃t] *nf* renta; **rentier, ière** *nm/f* rentista *m/f*.

rentrée [Rɑ̃tʀe] *nf (d'argent)* entrada, ingreso; **la** ~ **(des classes)/(parlementaire)** la reapertura (del curso escolar)/(del Parlamento); **faire sa** ~ volver a escena.

rentrer [ʀɑ̃tʀe] vi volver a entrar; (revenir chez soi) regresar; (air, clou) entrar; (argent etc) entrar, ingresar // vt entrar; (chemise dans pantalon etc) meter; (fig) contener; ~ **dans** entrar en; (heurter) estrellarse contra; ~ **dans son pays** volver a su país; ~ **dans l'ordre** volver al orden; ~ **dans son argent** recuperar su dinero.

renverse [ʀɑ̃vɛʀs(ə)] : **à la** ~ ad de espaldas.

renversé, e [ʀɑ̃vɛʀse] a (écriture, image) invertido(a).

renversement [ʀɑ̃vɛʀsəmɑ̃] nm: ~ **de la situation** cambio o inversión f de la situación.

renverser [ʀɑ̃vɛʀse] vt (retourner) poner boca abajo; (piéton) atropellar; (chaise) derribar; (récipient) hacer caer; (liquide, contenu) volcar; (intervertir) invertir, trastocar; (gouvernement) derrocar; (stupéfier) sorprender; se ~ vi derrumbarse; (véhicule) darse vuelta; (liquide) volcarse; se ~ (en arrière) echarse hacia atrás.

renvoi [ʀɑ̃vwa] nm expulsión f, despido; devolución f; reexpedición f; reflexión f; aplazamiento; (référence) llamada; (éructation) eructo.

renvoyer [ʀɑ̃vwaje] vt (faire retourner) hacer volver; (élève) expulsar; (employé) despedir; (balle) devolver; (colis etc) reexpedir; (lumière, son) reflejar, repetir; (ajourner) aplazar; ~ **qch à qn** devolver algo a alguien; ~ **qch à** (ajourner) aplazar algo para; ~ **qch à** (référer) remitir (a) alguien a.

réorganiser [ʀeɔʀganize] vt reorganizar, restructurar.

réouverture [ʀeuvɛʀtyʀ] nf (COMM) reapertura.

repaire [ʀəpɛʀ] nm guarida.

répandre [ʀepɑ̃dʀ(ə)] vt derramar; (sable etc) esparcir; (lumière, odeur etc) difundir; (fig) propagar; (: terreur etc) sembrar; se ~ vi derramarse; (odeur, fumée)

propagarse; (foule) desparramarse; (fig) propagarse; se ~ **en** deshacerse en; **répandu, e** a difundido(a).

réparation [ʀepaʀasjɔ̃] nf reparación f; ~s fpl (travaux) reparaciones fpl; **en** ~ en reparación o arreglo.

réparer [ʀepaʀe] vt reparar.

repartie [ʀəpaʀti] nf réplica.

repartir [ʀəpaʀtiʀ] vi volver a partir.

répartir [ʀepaʀtiʀ] vt repartir; (personnes, objets) distribuir, dispersar; se ~ vt (travail, rôles) repartirse; **répartition** nf reparto.

repas [ʀəpa] nm comida.

repasser [ʀəpɑse] vi pasar de nuevo, volver a pasar // vt planchar; (examen) examinarse de nuevo; (film) poner de nuevo; (plat, pain) volver a pasar; (leçon, rôle) repasar.

repêcher [ʀəpeʃe] vt (noyé) sacar del agua; (fam) aprobar raspando.

repenser [ʀəpɑ̃se] vi: ~ **à qch** pensar nuevamente en; algo; (considérer à nouveau) repensar algo.

repentir [ʀəpɑ̃tiʀ] : se ~ vi arrepentirse.

répercuter [ʀepɛʀkyte] : se ~ vi repercutir.

repère [ʀəpɛʀ] nm señal f, indicio; (TECH) marca, señal; **repérer** vt identificar, descubrir; (MIL) localizar; **se repérer** orientarse; **se faire repérer** dejarse catalogar.

répertoire [ʀepɛʀtwaʀ] nm repertorio; (carnet) agenda; **répertorier** vt inventariar, catalogar.

répéter [ʀepete] vt repetir; (leçon, rôle) repasar // vi ensayar; se ~ repetirse.

répétition [ʀepetisjɔ̃] nf repetición f; (THÉÂTRE) ensayo; ~s fpl lecciones fpl particulares; **à** ~ a de repetición.

repeupler [ʀəpœple] vt repoblar.

répit [ʀepi] nm reposo; (fig) tregua.

replacer [Rəplase] vt volver a colocar.

replanter [Rəplɑ̃te] vt volver a plantar; trasplantar.

replet, ète [Rəplɛ, ɛt] a rollizo(a), rechoncho(a).

repli [Rəpli] nm pliegue m; (MIL, fig) repliegue m; ~s mpl (d'un drapé) pliegues mpl.

replier [Rəplije] vt plegar; **se** ~ vi (troupes) replegarse.

réplique [Replik] nf réplica; (THÉÂTRE) entrada; **sans** ~ a categórico(a).

répliquer [Replike] vi replicar; ~ **à** replicar; ~ **que** contestar que.

répondre [Repɔ̃dR(ə)] vi responder, contestar; (avec impertinence) contestar; (mécanisme) responder; ~ **à** vt responder a; (avec impertinence) contestar a; ~ **que** responder o contestar que; ~ **de** responder de, garantizar.

réponse [Repɔ̃s] nf respuesta.

report [RəpɔR] nm traslado; postergación f; vuelco.

reportage [RəpɔRtaʒ] nm reportaje m.

reporter [RəpɔRtɛR] nm reportero/a // vt [RəpɔRte] trasladar; (ajourner) postergar; (affection etc): ~ **qch sur** volcar algo sobre; **se** ~ **à** remontarse a; (document etc) remitirse a.

repos [Rəpo] nm reposo, descanso; (après maladie) reposo; (paix, tranquillité) calma, (MIL): ¡descanso!; **en** ~ en paz, en reposo; **au** ~ en reposo, reposando; **de tout** ~ tranquilo(a).

reposer [Rəpoze] vt colocar de nuevo, volver a poner; (rideaux etc) volver a colocar; (question etc) plantear de nuevo; (délasser) reposar, descansar // vi reposar; **se** ~ **sur** apoyarse sobre; **se** ~ vi reposarse, descansar; **se** ~ **sur qn** apoyarse en alguien; **ici repose...** aquí yace o descansa.

repousser [Rəpuse] vi volver a crecer // vt rechazar, repeler;

(proposition etc) rechazar; (différer) prorrogar; (tiroir, table) empujar.

répréhensible [Repreãsibl(ə)] a reprochable, vituperable.

reprendre [RəpRɑ̃dR(ə)] vt volver a coger; (MIL) tomar nuevamente; (chercher) buscar, recoger; (pain, salade) tomar más; (objet prêté, donné) recuperar; (COMM) recomprar; (travail, études) reanudar; (histoire) recomenzar; (argument, prétexte) repetir; (dire) ~ reponer // vi (cours, classes) recomenzar, volver a empezar; (activités, travaux etc) recomenzar; (froid etc) volver; (affaires, industrie) recuperarse; **se** ~ corregirse; ~ **la route** proseguir camino; ~ **connaissance** volver en sí; ~ **haleine** recobrar aliento; ~ **la parole** retirar la palabra.

représentant, e [RəpRezɑ̃tɑ̃, ɑ̃t] nm/f representante m/f; (type) ejemplar m, arquetipo.

représentation [RəpRezɑ̃tɑsjɔ̃] nf representación f; **faire de la** ~ representar, ser representante.

représenter [RəpRezɑ̃te] vt representar; (pays, assemblée, société etc) representar a; (dire) advertir; **se** ~ vi imaginarse.

répression [RepRɛsjɔ̃] nf represión f.

réprimander [RepRimɑ̃de] vt dar una reprimenda, reprender.

réprimer [RepRime] vt reprimir.

repris [RəpRi] nm: ~ **de justice** persona que tiene antecedentes penales.

reprise [RəpRiz] nf nueva toma; nueva compra; corrección f; retoque m; recuperación f; (TV, THÉÂTRE) reposición f; (AUTO) poder m de aceleración; (COMM) recompra; (raccommodage) zurcido; **à plusieurs** ~s varias veces; **repriser** vt zurcir.

réprobation [ʀepʀɔbasjɔ̃] nf reprobación f, condena.

reproche [ʀəpʀɔʃ] nm reproche m.

reprocher [ʀəpʀɔʃe] vt: ~ qch à qn reprochar algo a alguien; ~ qch à (machine, théorie) censurar o criticar algo a; se ~ qch/d'avoir fait qch reprocharse algo/por haber hecho algo.

reproducteur, trice [ʀəpʀɔdyk-tœʀ, tʀis] a reproductor(ora).

reproduction [ʀəpʀɔdyksjɔ̃] nf reproducción f; ~ interdite prohibida la reproducción.

reproduire [ʀəpʀɔdɥiʀ] vt reproducir; se ~ vi reproducirse; (faits etc) repetirse.

réprouver [ʀepʀuve] vt reprobar.

reptile [ʀɛptil] nm reptil m.

repu, e [ʀəpy] a saciado(a).

républicain, e [ʀepyblikɛ̃, ɛn] a, nm/f republicano(a).

république [ʀepyblik] nf república f; **la R~ Française** la República Francesa.

répudier [ʀepydje] vt repudiar.

répugner [ʀepyɲe]: ~ à vt repugnar o repeler a.

répulsion [ʀepylsjɔ̃] nf repulsión f.

réputation [ʀepytasjɔ̃] nf reputación f; **connaître de ~** conocer a alguien/algo por su reputación.

réputé, e [ʀepyte] a célebre.

requérir [ʀəkeʀiʀ] vt requerir, (JUR) exigir; (peine) pedir.

requête [ʀəkɛt] nf petición f; (JUR) demanda.

requiem [ʀekɥijɛm] nm réquiem m.

requiers nm vb voir **requérir**.

requin [ʀəkɛ̃] nm tiburón m.

requis, e pp de **requérir**.

réquisition [ʀekizisjɔ̃] nf requisición f; **~ner** vt requisar.

réquisitoire [ʀekizitwaʀ] nm requisitoria; (fig) denuncia.

RER sigle m (= Réseau express régional) tren de alta velocidad que viaja entre París y sus afueras.

rescapé, e [ʀɛskape] nm/f sobreviviente m/f.

rescousse [ʀɛskus] nf: **venir à la ~ de qn** acudir en ayuda de alguien; **appeler qn à la ~** pedir auxilio a alguien.

réseau, x [ʀezo] nm red f.

réservation [ʀezɛʀvasjɔ̃] nf reserva.

réserve [ʀezɛʀv(ə)] nf reserva; (entrepôt) depósito; **~s** fpl reservas; (restrictions): **faire des ~s** poner peros; **officier de ~** oficial m de complemento; **sous toutes ~s** con muchas reservas.

réservé, e [ʀezɛʀve] a reservado(a).

réserver [ʀezɛʀve] vt reservar; (réponse, diagnostic) reservarse, callar; ~ qch à (usage etc) destinar algo a o para; se ~ qch reservarse o quedarse con algo; se ~ de faire qch reservarse de hacer algo.

réserviste [ʀezɛʀvist(ə)] nm reservista m.

réservoir [ʀezɛʀvwaʀ] nm depósito, tanque m.

résidence [ʀezidɑ̃s] nf residencia; (immeubles) barrio residencial; **~ surveillée** domicilio controlado; **résidentiel, le** a residencial.

résider [ʀezide] vi residir.

résidu [ʀezidy] nm residuo.

résigner [ʀeziɲe] vt resignar, renunciar a; **se ~** vi resignarse.

résilier [ʀezilje] vt rescindir.

résille [ʀezij] nf redecilla.

résine [ʀezin] nf resina; **résineux** nm conífera.

résistance [ʀezistɑ̃s] nf resistencia; **la R~** la Resistencia.

résistant, e [ʀezistɑ̃, ɑ̃t] a resistente, fuerte // nm/f miembro de la Resistencia.

résister [ʀeziste] vi resistir; ~ **à** vt resistir; (personne) oponerse o contrariar a.

résolu, e [ʀezɔly] pp de **résoudre** // a (fig) resuelto(a), decidido(a).

résolution [ʀezɔlysjɔ̃] nf resolución f; **bonnes ~s** buenos propósitos.

résolve etc vb voir **résoudre**.

résonance [Rezɔnɑ̃s] nf resonancia.

résonner [Rezɔne] vi sonar, resonar; (salle, rue) resonar.

résorber [RezɔRbe] : se ~ vi reabsorberse.

résoudre [RezudR(ə)] vt resolver; se ~ à resolverse o decidirse a.

respect [REspɛ] nm respeto; ~s mpl: **présenter ses** ~s **à qn** presentar sus saludos a alguien; **tenir qn en** ~ tener a raya a alguien; ~**able** a respetable; ~**er** vt respetar.

respectif, ive [REspɛktif, iv] a respectivo(a); **respectivement** ad respectivamente.

respectueux, euse [REspɛktɥø, øz] a respetuoso(a).

respiration [REspiRɑsjɔ̃] nf respiración f; **retenir sa** ~ contener la respiración; ~ **artificielle** respiración artificial.

respirer [REspiRe] vi, vt respirar.

resplendir [REspládiR] vi resplandecer.

responsabilité [REspɔ̃sabilite] nf responsabilidad f; ~ **civile** etc responsabilidad civil etc.

responsable [REspɔ̃sabl(ə)] a responsable // nm/f (du ravitaillement etc) encargado/a (d'un parti, syndicat) delegado/a.

resquilleur, euse [REskijœR, øz] nm/f colón/ona.

ressac [Rəsak] nm resaca.

ressaisir [RəseziR] : se ~ vi reponerse.

ressasser [Rəsase] vt rumiar; reiterar, repetir.

ressemblance [Rəsáblás] nf parecido, semejanza; (ART) similitud f, parecido; (analogie) semejanza; (trait commun) parecido.

ressembler [Rəsáble] : ~ **à** vt parecerse a; (moralement, par analogie) asemejarse a; se ~ vi parecerse, asemejarse.

ressemeler [Rəsəmle] vt cambiar la suela a.

ressentir [R(ə)sátiR] vt sentir; se ~ de resentirse por, sufrir.

resserre [RəsɛR] nf cobertizo.

resserrer [RəsɛRe] vt estrechar; (pores) cerrar; (nœud, boulon) apretar, ajustar; se ~ vi estrecharse; (liens, nœuds) ajustarse.

resservir [RəsɛRviR] vt volver a servir; (servir davantage): ~ **qch (à qn)** servir nuevamente algo (a alguien) // vi (être réutilisé) servir nuevamente; se ~ de volver a servirse de; (outil etc) volver a usar.

ressort [RəsɔR] nm resorte m; **en dernier** ~ en última instancia; **être du** ~ **de** ser de la competencia de.

ressortir [RəsɔRtiR] vi salir de nuevo; (projectile etc) salir; (contraster) resaltar // vt volver a salir; **il ressort de ceci que** ... resulta de esto que...

ressortissant, e [RəsɔRtisã, ãt] nm/f natural m/f, nacional m/f.

ressource [RəsuRs(ə)] nf recurso; ~s fpl recursos.

ressusciter [Resysite] vt, vi resucitar.

restant, e [Rɛstã, ãt] a, nm resto // a restante.

restaurant [RɛstɔRã] nm restaurante m; ~ **universitaire** comedor m universitario.

restaurateur, trice [RɛstɔRatœR, tRis] nm/f restaurador/ora; (aubergiste) dueño/a de un restaurante.

restauration [RɛstɔRɑsjɔ̃] nf restauración f; **la** ~ **la** hostelería.

restaurer [RɛstɔRe] vt restaurar; se ~ vi restaurarse.

restauroute nm = **restoroute**.

reste [Rɛst(ə)] nm resto; ~s mpl restos; **pour le** ~, **quant au** ~ ad por lo demás, en cuanto al resto; et **tout le** ~ y todo el resto o lo demás; **demeurer en** ~ quedar en deuda; **du** ~, **au** ~ ad además.

rester [Rɛste] vi quedarse, permanecer; (être encore là,

subsister) permanecer; *(durer)*
quedar // *vb impersonnel:* **il me
reste du pain/10 minutes** (me
queda pan/quedan 10 minutos; **ils
en sont restés à des pourparlers** no
fueron más allá de las negociaciones; **il y est resté** murió.

restituer [Rɛstitɥe] *vt* restituir;
(texte, inscription) reconstruir.

restoroute [RɛstoRut] *nm*
restaurante *m* de carretera.

restreindre [RɛstRɛ̃dR(ə)] *vt*
restringir; **se ~** restringirse.

restriction [RɛstRiksjɔ̃] *nf* restricción *f*; **~s** *fpl (rationnement)*
restricciones *tpl*; **faire des ~s**
(mentales) manifestar reservas.

résultat [Rezylta] *nm* resultado;
~s *mpl* resultados.

résulter [Rezylte] : **~ de** *vt*
derivarse de; **il résulte de ceci que**
de esto se deduce que.

résumé [Rezyme] *nm* resumen *m*;
en ~ *ad* en resumen.

résumer [Rezyme] *vt, se ~ vi*
réfléchi resumir; **se ~** à reducirse a.

résurgence [RezyRʒãs] *nf*
surgente *m*.

résurrection [RezyRɛksjɔ̃] *nf*
resurrección *f*.

rétablir [RetabliR] *vt* restablecer;
se ~ *vi* restablecerse;
(GYMNASTIQUE etc): **se ~ (sur)**
elevarse (sobre); **rétablissement**
nm (GYMNASTIQUE etc) elevación *f*.

rétamer [Retame] *vt* volver a
estañar; estañar de nuevo.

retaper [Rətape] *vt (fam)* arreglar;
(fam) robustecer; *(redactylographier)*
mecanografiar de nuevo.

retard [RətaR] *nm* atraso, retraso;
(d'une personne attendue) atraso;
(d'un train etc) demora, retraso;
arriver en ~ llegar con retraso;
être en ~ estar retrasado(a); **être
en ~ de 2h** llevar un retraso de 2
hs; **avoir un ~ de 2h/2km** tener un
atraso de 2 hs/2km; **avoir du/une
heure de ~** tener/una hora de
retraso; **prendre du ~** *(train, avion)*
atrasarse; **sans ~**

ad sin demora; **~ à l'allumage**
retardo en el encendido.

retardataire [RətaRdatɛR] *nm/f*
atrasado/a, rezagado/a.

retardement [RətaRdəmã] : **à ~**
a de retardo.

retarder [RətaRde] *vt* retrasar,
demorar; *(sur un programme)*
retrasar; *(montre)* atrasar; *(départ,
date)* retardar // *vi* retrasar,
atrasar; **ça m'a retardé d'une heure**
esto me ha demorado *o* atrasado
una hora; **~ son départ de 2 heures**
retrasar su partida en 2 horas.

retenir [RətniR] *vt* retener; *(objet)*
sujetar, sostener; *(odeur, lumière
etc)* conservar; *(fig)* contener;
(suggestion etc) tener en cuenta;
(chambre) reservar; *(MATH)*
llevarse; **se ~** *(euphémisme)*
aguantarse; **se ~ (à)** sostenerse
(de); **se ~ (de faire qch)**
contenerse (de hacer algo); **~ son
souffle** contener la respiración.

retentir [RətãtiR] *vi* resonar;
(salle): **~ de** resonar con; **~ sur** *vt*
repercutir *o* sobre.

retentissant, e [Rətãtisã, ãt] *a*
resonante; *(fig)* clamoroso(a).

retentissement [Rətãtismã] *nm*
estrépito, resonancia; *(éclat)*
repercusión *f*, resonancia.

retenue [Rətny] *nf* descuento;
(MATH) lo que se lleva; *(SCOL)*
penitencia; *(modération)* discreción
f.

réticence [Retisãs] *nf* vacilación *f*;
(omission) reticencia; **sans ~** *ad* sin
reparos.

rétif, ive [Retif, iv] *a* repropio(a).

rétine [Retin] *nf* retina.

retiré, e [RətiRe] *a* retirado(a).

retirer [RətiRe] *vt* retirar;
(vêtement etc) sacar, quitar; **~ qch
à qn** quitar *o* retirar algo a alguien;
~ qch de sacar algo de; **se ~** *vi*
retirarse.

retombées [Rətɔ̃be] *nfpl* lluvia;
(fig) consecuencias.

retomber [Rətɔ̃be] *vi* caer; *(tomber
de nouveau)* caer de nuevo; **~ sur**

qn (fig) recaer sobre alguien.

rétorquer [retɔʀke] vt: ~ qch à qn retrucar algo a alguien.

rétorsion [retɔʀsjɔ̃] nf: mesures de ~ medidas de retorsión.

retoucher [ʀətuʃe] vt retocar.

retour [ʀətuʀ] nm regreso; (fig, du printemps etc) retorno; (COMM, POSTES) devolución f; **au** ~ al regreso; **à mon** ~ a mi regreso; **à** ~ **de** (endroit) de regreso o vuelta de; **être de** ~ (de) estar de vuelta (de); **de** ~ **à/chez...** de regreso a/a lo de...; **en** ~ ad en cambio; **par** ~ **du courrier** a vuelta de correo; **à l'envoyer** devuélvase al remitente.

retourner [ʀətuʀne] vt dar vuelta; (terre, foin) remover; (émouvoir) trastornar; (lettre etc, aussi restituer) devolver; // vi volver; **se** ~ vi darse vuelta; (voiture) volcarse; **se** ~ **contre** volverse contra; **savoir de quoi il retourne** saber de qué se trata.

retracer [ʀətʀase] vt narrar.

rétracter [ʀetʀakte] vt retractar, desdecir; (antenne etc) retraer; **se** ~ vi retractarse; retraerse.

retraduire [ʀətʀaduiʀ] vt traducir de nuevo; (à nouveau) volver a traducir.

retrait [ʀətʀɛ] nm retiro; retirada; (rétrécissement) encogimiento; **en** ~ a, ad hacia atrás; ~ **du permis de conduire** suspensión f del permiso de conducir.

retraite [ʀətʀɛt] nf jubilación f; (d'une armée) retirada; (refuge, REL) retiro; **être à la** ~ estar jubilado(a); **mettre à la** ~ jubilar; **prendre sa** ~ retirarse, jubilarse; **retraité, e** a, nm/f jubilado(a), retirado(a).

retrancher [ʀətʀɑ̃ʃe] vt suprimir; (nombre, somme) descontar; (couper, aussi fig) cercenar, cortar; **se** ~ **derrière/dans** parapetarse detrás de/en.

retransmettre [ʀətʀɑ̃smɛtʀ(ə)] vt retransmitir.

retransmission [ʀətʀɑ̃smisjɔ̃] nf:

~ **en direct/en différé** retransmisión en directo/diferida.

retraverser [ʀətʀavɛʀse] vt atravesar de nuevo.

rétrécir [ʀetʀesiʀ] vt estrechar, angostar // vi encoger; **se** ~ vi estrecharse, angostarse.

rétribuer [ʀetʀibɥe] vt retribuir.

rétro nm (fam) = **rétroviseur.**

rétroactif, ive [ʀetʀoaktif, iv] a retroactivo(a).

rétrofusée [ʀetʀofyze] nf retrocohete m.

rétrograder [ʀetʀogʀade] vi atrasar(se); (AUTO) retroceder.

rétrospective [ʀetʀospɛktiv] nf retrospectiva.

rétrospectivement [ʀetʀospɛktivmã] ad retrospectivamente.

retrousser [ʀətʀuse] vt arremangar; (fig) fruncir.

retrouver [ʀətʀuve] vt encontrar; (fig) recuperar; (reconnaître) reconocer; (revoir) volver a ver; (rejoindre) volver a encontrar; **se** ~ vi encontrarse (de nuevo); (s'orienter) orientarse; **se** ~ **seul** encontrarse solo; **se** ~ **dans** (calculs etc) hallarse a sus anchas en; **s'y** ~ resarcirse; **retrouvailles** [ʀətʀuvaj] nfpl reencuentro.

rétroviseur [ʀetʀovizɛʀ] nm retrovisor m.

réunion [ʀeynjɔ̃] nf reunión f; unión f; (meeting etc) reunión.

Réunion [ʀeynjɔ̃] nf: (île de) la ~ (isla de) la Reunión.

réunir [ʀeyniʀ] vt reunir; (rattacher) unir; ~ **qch à** unir algo a o con; **se** ~ vi reunirse; (états) unirse.

réussi, e [ʀeysi] a perfecto(a); **bien/mal** ~ bien/mal ejecutado(a).

réussir [ʀeysiʀ] vi tener éxito; (plante, culture) darse bien; (à un examen) aprobar; (dans la vie) triunfar // vt lograr, conseguir; ~ **à faire qch** lograr o conseguir hacer algo.

réussite [ʀeysit] nf éxito, logro; triunfo; (CARTES) solitario.

revaloir [ʀəvalwaʀ] *vt*: **je vous revaudrai cela** se lo devolveré o pagaré; me lo pagaré.

revaloriser [ʀəvalɔʀize] *vt* revalorizar; (*salaire*) elevar.

revanche [ʀəvɑ̃ʃ] *nf* revancha.

rêvasser [ʀɛvase] *vi* divagar.

rêve [ʀɛv] *nm* sueño; **faire qch en ~** hacer algo en sueños; **de ~** a irreal.

revêche [ʀəvɛʃ] *a* huraño(a), hosco(a).

réveil [ʀevɛj] *nm* despertar *m*; (*pendule*) despertador *m*; **sonner le ~** (MIL) tocar diana.

réveille-matin [ʀevɛjmatɛ̃] *nm* despertador *m*.

réveiller [ʀeveje] *vt* despertar; **se ~** *vi* despertarse.

réveillon [ʀevejɔ̃] *nm* cena de Nochebuena o de Nochevieja.

révélateur [ʀevelatœʀ] *nm* (*PHOTO*) revelador *m*.

révéler [ʀevele] *vt* revelar; **se ~** *vi* revelarse; **se ~ facile** resultar fácil.

revenant, e [ʀəvnɑ̃, ɑ̃t] *nm/f* aparecido/a.

revendeur, euse [ʀəvɑ̃dœʀ, øz] *nm/f* revendedor/ora.

revendication [ʀəvɑ̃dikasjɔ̃] *nf* reivindicación *f*.

revendiquer [ʀəvɑ̃dike] *vt* reivindicar; (*responsabilité*) asumir // *vi* reivindicar.

revendre [ʀəvɑ̃dʀ(ə)] *vt* revender; (*vendre davantage*) volver a vender.

revenir [ʀəvniʀ] *vi* volver; (*santé, etc*) venir, volver; (*CULIN*): **faire ~** rehogar; **~ à** *vt* (*équivaloir à*) equivaler a; **~ à qn** llegar a los oídos de alguien; (*part etc*) tocar a alguien; (*souvenir, nom*) volverle a la memoria de alguien; **~ de** *vt* (*fig*) salir de; **~ sur** *vt* volver a; (*promesse*) volver a; **cela (nous) revient cher/à 100F** esto (nos) sale caro/a 100F; **~ à soi** volver en si; **n'en pas ~** no salir de su asombro; **cela revient au même** (esto) viene a ser lo mismo; **cela revient à dire que** (esto *o* lo que) quiere decir que.

revente [ʀəvɑ̃t] *nf* reventa.

revenu [ʀəvny] *nm* entrada, ganancia; (*de l'Etat*) renta, producto; (*d'une terre*) rendimiento, producto; (*d'un capital*) renta, rendimiento; **~s** *mpl* ingresos; **~ national brut** producto nacional bruto.

rêver [ʀeve] *vi* soñar // *vt*, **~ de** soñar con; **~ à** soñar con.

réverbération [ʀevɛʀbeʀasjɔ̃] *nf* reverberación *f*, reflejo.

réverbère [ʀevɛʀbɛʀ] *nm* farol *m*.

réverbérer [ʀevɛʀbeʀe] *vt* reflejar.

révérence [ʀeveʀɑ̃s] *nf* reverencia.

révérend, e [ʀeveʀɑ̃, ɑ̃d] *a*: **le ~ père** el reverendo padre.

révérer [ʀeveʀe] *vt* reverenciar.

rêverie [ʀɛvʀi] *nf* ensueño.

revers [ʀəvɛʀ] *nm* reverso, revés *m*; (*de la main*) dorso; (*d'une médaille*) reverso; (*d'une pièce*) cruz *f*; (*TENNIS, aussi fig*) revés; (*d'un veston*) solapa; (*de pantalon*) remango, vuelta; **prendre à ~** (MIL) tomar de flanco.

réversible [ʀevɛʀsibl(ə)] *a* reversible.

revêtement [ʀəvɛtmɑ̃] *nm* revestimiento.

revêtir [ʀəvɛtiʀ] *vt* vestir; **~ qn de** vestir a alguien con; (*autorité*) conferir a alguien; **~ qch de** cubrir *o* revestir algo con.

reviendrai, reviens *etc vb voir* **revenir**.

revient [ʀəvjɛ̃] *nm*: **prix de ~** precio de costo.

revirement [ʀəviʀmɑ̃] *nm* variación *f*; (*d'une personne*) mudanza.

réviser [ʀevize] *vt* revisar; **révision** [ʀevizjɔ̃] *nf* revisión *f*; **conseil de révision** junta de clasificación *f*.

revisser [ʀəvise] *vt* atornillar de nuevo.

revivre [ʀəvivʀ(ə)] *vi, vt* revivir; **faire ~** resucitar.

revoir [ʀəvwaʀ] *vt* volver a ver;

(apercevoir de nouveau, aussi SCOL) ver de nuevo; (région, film) ver nuevamente; (texte, édition) revisar // nm: au ~ ! ¡hasta la vista!; au ~ Monsieur! ¡adiós señor!; dire au ~ à qn decir adiós a alguien; se ~ vi réciproque volverse a ver.

révolte [Revɔlt(ə)] nf revuelta, sedición f; (indignation) rebelión f.

révolter [Revɔlte] vt rebelar a; se ~ (contre) rebelarse (contra); (s'indigner) sublevarse (contra).

révolu, e [Revɔly] a pasado(a); (ADMIN) cumplido(a).

révolution [Revɔlysjɔ] nf revolución f; ~-naire a, nm/f revolucionario(a); ~-ner vt revolucionar; (fam) perturbar.

révolver [Revɔlvɛr] nm revólver m.

révoquer [Revɔke] vt revocar.

revue [Rəvy] nf revista; (inventaire, examen) examen m; ~ de (la) presse revista de prensa.

révulsé, e [Revylse] a: yeux ~s ojos en blanco.

rez-de-chaussée [Redʃose] nm inv planta baja.

RF abrév de République Française.

rhabiller [Rabije] vt vestir nuevamente; se ~ vestirse de nuevo.

rhapsodie [Rapsɔdi] nf rapsodia.

rhésus [Rezys] nm: ~ positif/négatif RH o Rhesus positivo/negativo.

rhétorique [Retɔrik] nf retórica.

Rhin [Rɛ] nm: le ~ el Rin.

rhinocéros [RinɔseRɔs] nm rinoceronte m.

Rhône [Ron] nm: le ~ el Ródano.

rhubarbe [Rybarb] nf ruibarbo.

rhum [Rɔm] nm ron m.

rhumatisme [Rymatism(ə)] nm reumatismo; avoir des ~s sufrir de reumatismo.

rhume [Rym] nm resfriado; ~ de cerveau catarro nasal; ~ des foins rinitis alérgica.

ri pp de rire.

riant, e [Rijɑ, ɑt] a alegre.

ribambelle [Ribɑbɛl] nf retahíla.

ricaner [Rikane] vi reír socarronamente; reír estúpidamente.

riche [Riʃ] a rico(a) // nmpl: les ~s los ricos; ~ de lleno(a) de; **richesse** nf riqueza; **richesses** fpl riquezas.

ricin [Risɛ̃] nm: huile de ~ aceite m de ricino.

ricocher [Rikɔʃe] vi rebotar.

ricochet [Rikɔʃɛ] nm rebote m; faire des ~s hacer cabrillas.

ride [Rid] nf arruga; (fig) onda.

rideau, x [Rido] nm cortina; (THÉÂTRE) telón m; (POL): le ~ de fer la cortina de hierro; ~ de fer cortina metálica.

rider [Ride] vt arrugar; se ~ vi crisparse; (avec l'âge) arrugarse.

ridicule [Ridikyl] a ridículo(a); **ridiculiser** vt ridiculizar; se **ridiculiser** ponerse en ridículo.

rie vb voir **rire**.

rien [Rjɛ̃] pron nada; (quelque chose) nada, algo; il n'a ~ dit no dijo nada; ~ d'autre/d'intéressant nada más/de interesante; ~ que nada más que; ~ que pour eux/faire cela sólo para ellos/hacer eso; il n'y est pour ~ no tiene nada que ver con eso; il n'en est ~ nada de eso es verdad; ça ne fait ~ no es nada; ~ à faire! ¡nada que hacer!; de ~ de nada // nm: un petit ~ una nimiedad; des ~s naderías; avoir peur d'un ~ tener miedo de todo.

rigide [Riʒid] a rígido(a).

rigolade [Rigɔlad] nf: c'est de la ~ es un juego de niños.

rigole [Rigɔl] nf zanja, acequia; (filet d'eau) arroyuelo.

rigoler [Rigɔle] vi chancearse, reírse; divertirse; bromear, chancear.

rigoureux, euse [RiguRø, øz] a riguroso(a).

rigueur [RiguR] nf rigor m; de ~ de rigor; à la ~ en última instancia; tenir ~ à qn de qch guardar rencor a alguien por algo.

rillettes [ʀijɛt] nfpl chicharrones mpl.

rime [ʀim] nf rima.

rimer [ʀime] vi rimar; **ne ~ à rien** no venir a cuento.

rinçage [ʀɛ̃saʒ] nm enjuague m; fregado.

rince-doigts [ʀɛ̃sdwa] nm inv lavafrutas m inv.

rincer [ʀɛ̃se] vt lavar, fregar; (linge) enjuagar; **se ~ la bouche** enjuagarse la boca.

ring [ʀiŋ] nm ring m.

riposte [ʀipɔst(ə)] nf réplica; (contre-attaque) respuesta; **riposter** vi replicar, responder.

rire [ʀiʀ] vi reír, reírse; (se divertir) reírse; (plaisanter) reír // nm risa; **~ aux éclats/aux larmes** reír(se) a carcajadas/hasta las lágrimas; **~ sous cape** reír para sus adentros; **pour ~** ad en broma.

ris [ʀi] nm: **~ de veau** molleja.

risée [ʀize] nf: **être la ~** de ser el hazmerreír de.

risette [ʀizɛt] nf: **faire ~ (à)** sonreír (a).

risible [ʀizibl(ə)] a divertido(a).

risque [ʀisk(ə)] nm riesgo; **aimer le ~** amar el peligro; **au ~ de** a riesgo de; **~ d'incendie** riesgo de incendio.

risqué, e [ʀiske] a arriesgado(a); (plaisanterie) osado(a).

risquer [ʀiske] vt arriesgar; (prison, ennuis) arriesgarse a; **ça ne risque rien** no se arriesga nada con eso; **~ de correr** el peligro de; **il risque de gagner** puede ganar; **se ~** arriesgarse.

rissoler [ʀisole] vi, vt: (faire) **~** (hacer) dorar.

ristourne [ʀisturn(ə)] nf rebaja.

rit vb voir **rire**.

rite [ʀit] nm rito; **~s d'initiation** ritos de iniciación.

rituel, le [ʀitɥɛl] a, nm ritual (m).

rivage [ʀivaʒ] nm costa, ribera.

rival, e, aux [ʀival, o] a, nm/f rival (m/f).

rivaliser [ʀivalize] vi: **~ avec**

rivalizar con; (suj: choses) competir con; **~ de** rivalizar con.

rivalité [ʀivalite] nf rivalidad f.

rive [ʀiv] nf orilla, margen f.

river [ʀive] vt remachar.

riverain, e [ʀivʀɛ̃, ɛn] a, nm/f ribereño(a).

rivet [ʀivɛ] nm remache m; **~er** [ʀivte] vt remachar, roblar.

rivière [ʀivjɛʀ] nf río.

rixe [ʀiks] nf riña, pendencia.

riz [ʀi] nm arroz m; **~ière** [ʀizjɛʀ] nf arrozal m.

RN abrév de **route nationale**.

robe [ʀɔb] nf vestido; (de juge etc) toga; (d'ecclésiastique) hábito; (d'un animal) pelaje m; **~ de soirée/de mariée/de baptême** traje m de noche/de novia/de bautizo; **~ de chambre** bata; **~ de grossesse** vestido de futura mamá.

robinet [ʀɔbinɛ] nm grifo; **~ de gaz** llave f del gas; **~ mélangeur** grifo mezclador; **~terie** f fontanería.

robot [ʀɔbo] nm robot m.

robuste [ʀɔbyst(ə)] a robusto(a); (arbre, moteur) resistente.

roc [ʀɔk] nm roca.

rocaille [ʀɔkaj] nf roquedal m, rocalla; (jardin) decoración con piedras o rocas.

rocambolesque [ʀɔkãbɔlɛsk(ə)] a fantástico(a).

roche [ʀɔʃ] nf roca.

rocher [ʀɔʃe] nm peñasco; (matière) roca.

rochet [ʀɔʃɛ] nm: **roue à ~** rueda de trinquete.

rocheux, euse [ʀɔʃø, øz] a rocoso(a).

rock (and roll) [ʀɔk(ɛnʀɔl)] nm rock m.

rocking-chair [ʀɔkiŋtʃɛʀ] nf mecedora.

rodage [ʀɔdaʒ] nm rodaje m; perfeccionamiento; **en ~** en rodaje.

rodéo [ʀɔdeo] nm rodeo.

roder [ʀɔde] vt rodar; (spectacle etc) perfeccionar.

rôder [ʀode] vi vagar; (péj) merodear.

rôdeur, euse [Rodœʀ, øz] nm/f vagabundo/a.

rogne [Rɔɲ] nf: mettre en ~ poner furioso(a).

rogner [Rɔɲe] vt recortar; (fig) rebajar; ~ **sur** descontar de.

rognons [Rɔɲɔ̃] nmpl riñones mpl.

roi [Rwa] nm rey m; **les R~s** (fête) los Reyes.

roitelet [Rwatlɛ] nm reyezuelo.

rôle [Rol] nm rol m, papel m; (fonction) función f; **jouer un ~ important dans** (fig) desempeñar un papel importante en.

rollmops [Rɔlmɔps] nm arenque escabechado.

romain, e [Rɔmɛ̃, ɛn] a, nm/f romano(a) // nf lechuga romana.

roman, e [Rɔmã, an] a románico(a); (LING) romance // nm novela; ~ **policier** novela policíaca; ~ **photo** fotonovela.

romance [Rɔmãs] nf romanza.

romancer [Rɔmãse] vt novelar.

romancier, ière [Rɔmãsje, jɛR] nm/f novelista m/f.

romand, e [Rɔmã, ãd] a romance.

romanesque [Rɔmanɛsk(ə)] a novelesco(a); (sentimental) romanticón(ona), sentimental.

roman-feuilleton [Rɔmãfœjtɔ̃] nm folletín m.

romanichel, le [Rɔmaniʃɛl] nm/f gitano/a, bohemio/a.

romantique [Rɔmãtik] a romántico(a).

romantisme [Rɔmãtism(ə)] nm romanticismo.

romarin [RɔmaRɛ̃] nm romero.

Rome [Rɔm] n Roma.

rompre [Rɔ̃pR(ə)] vt romper; **se ~** vi romperse.

rompu, e [Rɔ̃py] a deshecho(a); ~ **à** avezado o ducho en.

ronce [Rɔ̃s] nf zarzamora; ~ **de noyer** veta de nogal; ~**s** fpl zarzas.

rond, e [Rɔ̃, ɔ̃d] a redondo(a); (gras) relleno(a); (fam) borracho(a) // nm círculo, redondel // nf ronda; (danse) corro, rueda; **avoir le dos ~** ser cargado(a) de espaldas; **en ~**

en círculo; **je n'ai pas un ~** estoy pelado(a); **à la ~** e **ad** a la redonda; (à chacun) en corro; ~ **de serviette** servilletero; ~**elet, te** a regordete(a); (fig) grueso(a); ~**elle** nf rodaja; (TECH) arandela.

rondement [Rɔ̃dmã] ad pronto, velozmente; sin rodeos.

rondin [Rɔ̃dɛ̃] nm leño.

rond-point [Rɔ̃pwɛ̃] nm glorieta de tráfico.

ronéotyper [Rɔneɔtipe] vt mimeografiar.

ronfler [Rɔ̃fle] vi roncar; (moteur, poêle) zumbar.

ronger [Rɔ̃ʒe] vt roer; (vers, insectes, fig) carcomer; (rouille) corroer; **se ~ les ongles** morderse las uñas; **rongeur, euse** nm/f roedor/ora.

ronronner [Rɔ̃Rɔne] vi ronronear.

roquet [Rɔkɛ] nm gozque m.

roquette [Rɔkɛt] nf cohete m.

rosace [Rozas] nf rosetón m.

rosaire [RozɛR] nm rosario.

rosbif [Rɔsbif] nm rosbif m.

rose [Roz] nf rosa; (vitrail) rosetón m // a, nm rosa (m); ~ **des vents** rosa de los vientos; **rosé, e** a rosado(a) // nm rosado; **~e** nf rocío.

roseau, x [Rozo] nm caña.

roseraie [RozRɛ] nf rosaleda.

rosette [Rozɛt] nf: ~ **de la Légion d'honneur** escarapela de la Legión de honor.

rosier [Rozje] nm rosal m.

rossignol [Rɔsiɲɔl] nm ruiseñor m; (crochet) ganzúa.

rot [Ro] nm eructo.

rotatif, ive [Rɔtatif, iv] a rotativo(a) // nf rotativa.

rotation [Rɔtasjɔ̃] nf rotación f; (cercle, tour) círculo, vuelta; ~ **du stock** renovación f de existencias.

roter [Rɔte] vi (fam) eructar.

rôti [Roti] nm asado.

rotin [Rɔtɛ̃] nm caña de Indias.

rôtir [RotiR] vi, vt (aussi: **faire** ~) asar; **rôtissoire** nf asador m.

rotor [RɔtɔR] nm rotor m.

rotule [Rɔtyl] nf rótula.

roturier, ière [ʀɔtyʀje, jɛʀ] nm/f plebeyo/a.

rouage [ʀwaʒ] nm rueda; (fig) engranaje m.

rouble [ʀubl(ǝ)] nm rublo.

roucouler [ʀukule] vi arrullar; (fig: péj) hacer gorgoritos.

roue [ʀu] nf rueda; **en ~ libre** a rueda libre; **~ avant/arrière** rueda delantera/trasera; **~ à aubes** rueda de paletas; **~ de secours** rueda de repuesto.

rouer [ʀwe] vt: **~ qn de coups** moler a palos a alguien.

rouet [ʀwe] nm torno, hiladora.

rouge [ʀuʒ] a, nf rojo(a) // nm rojo; (vin) tinto; (fard) carmín m; **~ (à lèvres)** lápiz m o barra de labios; **passer au ~** (AUTO) pasar con rojo; **porter au ~** calentar al rojo; **~être** a rojizo(a); **~gorge** nm petirrojo.

rougeole [ʀuʒɔl] nf sarampión m.

rougeoyer [ʀuʒwaje] vi enrojecer.

rouget [ʀuʒe] nm salmonete m.

rougeur [ʀuʒɛʀ] nf: **~s** fpl manchas rojas.

rougir [ʀuʒiʀ] vi enrojecer; (fraise, tomate) ponerse rojo(a).

rouille [ʀuj] nf, a inv herrumbre (f); **rouiller** vt herrumbrar; (fig) entorpecer // vi, **se ~** herrumbrarse.

roulade [ʀulad] nf voltereta; (CULIN) filete relleno; (MUS) trino.

roulant, e [ʀulɑ̃, ɑ̃t] a rodante, de ruedas; **matériel/personnel ~** material/personal m móvil.

rouleau, x [ʀulo] nm rollo; (de pièces) cartucho; (de machine à écrire, à peinture) rodillo; (à mise en plis) tubo; (SPORT) balanceo; **~ compresseur** apisonadora; **~ à pâtisserie** rodillo; **~ de pellicule** carrete m de película.

roulement [ʀulmɑ̃] nm circulación f; (bruit) rodar m; (: du tonnerre) fragor m; (d'ouvriers etc) relevo, rotación f; **~ (à billes)** cojinete m de bolas.

rouler [ʀule] vt hacer rodar; (tissu,

papier etc) enrollar; (cigarette) liar; (CULIN: pâte) pasar el rodillo por; (fam) timar, estafar // vi rodar; (voiture etc, automobiliste, train) marchar; (bateau) balancearse; (tonnerre, tambour) redoblar; (personne, dégringoler) rodar por; **~ sur** (porter sur) girar sobre; **se ~ dans** revolcarse en; (couverture) envolverse en; **~ les épaules** menear los hombros.

roulette [ʀulet] nf ruedecilla; (jeu) ruleta; **à ~s** de ruedas; **la ~ russe** la ruleta rusa.

roulis [ʀuli] nm balanceo.

roulotte [ʀulɔt] nf carromato.

roumain, e [ʀumɛ̃, ɛn] a, nm/f rumano/a // nm rumano.

Roumanie [ʀumani] nf Rumania.

roupie [ʀupi] nf rupia.

roupiller [ʀupije] vi (fam) dormir, echarse un sueño.

rouquin, e [ʀukɛ̃, in] nm/f (péj) pelirrojo/a.

rouspéter [ʀuspete] vi (fam) rezongar, protestar.

rousse [ʀus] a, nf voir **roux**.

rousseur [ʀusœʀ] nf: **tache de ~** peca.

roussir [ʀusiʀ] vt chamuscar // vi (feuilles) amarillear; (CULIN): **faire ~** hacer dorar.

route [ʀut] nf ruta, vía; (moyen de transport) camino; (fig) camino, senda; **il y a 3h de ~** hay 3hs de camino; **en ~** durante el trayecto; **se mettre en ~** ponerse en camino; **mettre en ~** poner en marcha; **faire fausse ~** equivocarse; **routier, ière** a de carretera // nm camionero // nm coche m para carretera.

routine [ʀutin] nf rutina.

rouvrir [ʀuvʀiʀ] vt, vi volver a abrir; **se ~** vi abrirse de nuevo.

roux, rousse [ʀu, ʀus] a rojizo(a); (personne) pelirrojo/a // nm/f pelirrojo/a // nm salsa rubia.

royal, e, aux [ʀwajal, o] a real; (paix etc) total.

royaliste [ʀwajalist(ǝ)] a, nm/f

realista (m/f), monárquico(a).

royaume [ʀwajom] nm reino; le R~ Uni el Reino Unido.

royauté [ʀwajote] nf realeza; (régime) monarquía.

RSVP abrév de répondez s'il vous plaît.

Rte abrév de route.

ruade [ʀɥad] nf coz f.

ruban [ʀybɑ̃] nm cinta; (décoration) condecoración f.

rubéole [ʀybeɔl] nf rubéola.

rubis [ʀybi] nm rubí m.

rubrique [ʀybʀik] nf rúbrica.

ruche [ʀyʃ] nf colmena.

rude [ʀyd] a áspero(a); (métier, manières) rudo(a); (épreuve) duro(a); (climat) riguroso(a); (voix) bronco(a); ~**ment** ad brutalmente; (traiter, reprocher) duramente.

rudimentaire [ʀydimɑ̃tɛʀ] a rudimentario(a).

rudiments [ʀydimɑ̃] nmpl rudimentos.

rudoyer [ʀydwaje] vt tratar con rudeza.

rue [ʀy] nf calle f.

ruée [ʀɥe] nf: ça a été la ~ vers se precipitaron todos hacia.

ruelle [ʀɥɛl] nf callejuela.

ruer [ʀɥe] vi dar coces; se ~ sur arrojarse sobre; se ~ dans precipitarse dentro de.

rugby [ʀygbi] nm rugby m; ~ à treize/quinze rugby de trece/ quince.

rugir [ʀyʒiʀ] vi rugir.

rugueux, euse [ʀygø, øz] a rugoso(a), áspero(a).

ruine [ʀɥin] nf ruina; ~s fpl ruinas; **tomber en** ~ caer en ruinas; **ruiner** vt arruinar; (santé, réputation) echar a perder; **se ruiner** arruinarse.

ruisseau, x [ʀɥiso] nm arroyo; (caniveau) cuneta.

ruisseler [ʀɥisle] vi correr, fluir; (mur, visage) chorrear.

rumeur [ʀymœʀ] nf rumor m.

ruminer [ʀymine] vt, vi rumiar.

rupture [ʀyptyʀ] nf rotura; (fig) ruptura.

rural, e, aux [ʀyʀal, o] a rural // nmpl: les ruraux los campesinos.

ruse [ʀyz] nf: la ~ la astucia; une ~ un ardid, una triquiñuela; par ~ por medio de la astucia; **rusé, e** a astuto(a), pícaro(a).

russe [ʀys] a, nm/f ruso(a) // nm ruso.

Russie [ʀysi] nf: la ~ Rusia.

rustique [ʀystik] a rústico(a).

rustre [ʀystʀ(ə)] nm palurdo.

rut [ʀyt] nm celo.

R-V abrév de rendez-vous.

rythme [ʀitm(ə)] nm ritmo; (des saisons) sucesión f; **au** ~ **de** al ritmo o con la frecuencia de; **rythmé, e** a rítmico(a); **rythmique** a rítmico(a) // nf rítmica.

S

S abrév de Sud.

sa [sa] dét voir son.

SA sigle f voir société.

sable [sabl(ə)] nm arena; ~**s mouvants** arenas movedizas.

sablé, e [sable] a (CULIN) de bizcocho // nm tipo de galleta.

sabler [sable] vt enarenar; ~ **le champagne** beber champaña para celebrar algo.

sableux, euse [sablø, øz] a arenoso(a).

sablier [sablije] nm reloj m de arena.

sablière [sablijɛʀ] nf (carrière) arenal m.

sablonneux, euse [sablɔnø, øz] a arenoso(a).

saborder [sabɔʀde] vt hundir voluntariamente; (fig) suspender voluntariamente.

sabot [sabo] nm zueco; (de cheval) casco; (de bœuf) pezuña; ~ **de frein** zapata de freno.

sabotage [sabɔtaʒ] *nm* sabotaje *m*.

saboter [sabɔte] *vt* sabotear; *(fam)* chafallar, chapucear.

sabre [sabʀ(ə)] *nm* sable *m*.

sac [sak] *nm* saco, bolsa; **mettre à ~** saquear; **~ de couchage** saco de dormir; **~ à dos** mochila; **~ à main** bolso, saco de mano; **~ de plage** bolso de playa o de baño; **~ à provisions** bolsa de la compra; **~ de voyage** bolso de viaje.

saccade [sakad] *nf* sacudida; **saccadé, e** *a (gestes)* brusco(a); *(voix)* entrecortado(a).

saccager [sakaʒe] *vt* saquear, devastar; desordenar, trastocar.

saccharine [sakaʀin] *nf* sacarina.

sacerdoce [sasɛʀdɔs] *nm* sacerdocio; **sacerdotal, e, aux** *a* sacerdotal.

sache *etc vb voir* **savoir**.

sachet [saʃɛ] *nm* saquito, bolsita; **thé en ~s** té *m* en saquitos o sobres; **~ de lavande** saquito o almohadilla de lavanda.

sacoche [sakɔʃ] *nf* bolso; *(de bicyclette etc)* alforja, cartera; *(du facteur)* bolsa, cartera.

sacquer [sake] *vt (fam)* tirar al degüello; poner de patitas en la calle.

sacre [sakʀ(ə)] *nm* coronación f, consagración f.

sacré, e [sakʀe] *a* sacro(a); *(droit, promesse etc)* sagrado(a); *(fam)* maldito(a); colosal, sorprendente.

sacrement [sakʀəmɑ̃] *nm* sacramento.

sacrer [sakʀe] *vt* coronar; *(évêque)* consagrar // *vi* blasfemar.

sacrifice [sakʀifis] *nm* sacrificio; **~s** *mpl (privations)* sacrificios.

sacrifier [sakʀifje] *vt* sacrificar; **~ à** *vt* seguir, acatar; **se ~** sacrificarse.

sacrilège [sakʀilɛʒ] *nm* sacrilegio // *a, nm/f* sacrílego(a).

sacristain [sakʀistɛ̃] *nm* sacristán *m*.

sacristie [sakʀisti] *nf* sacristía.

sacro-saint, e [sakʀɔsɛ̃, sɛ̃t] *a* sacrosanto(a).

sadique [sadik] *a, nm/f* sádico(a).

sadisme [sadism(ə)] *nm* sadismo.

sadomasochisme [sadɔmazɔ ʃism(ə)] *nm* sadomasoquismo.

safari [safaʀi] *nm* safari *m*; **~ photo** *nm* safari fotográfico.

safran [safʀɑ̃] *nm* azafrán *m*.

sagace [sagas] *a* sagaz, perspicaz.

sagaie [sagɛ] *nf* azagaya.

sage [saʒ] *a* sensato(a), razonable; *(enfant)* juicioso(a); *(chaste)* casto(a), serio(a) // *nm* sabio.

sage-femme [saʒfam] *nf* comadrona.

sagesse [saʒɛs] *nf* sensatez f, cordura; *(philosophie)* sabiduría.

Sagittaire [saʒitɛʀ] *nm (ASTRO)*: **le ~** el Sagitario; **être du ~** ser de Sagitario.

Sahara [saaʀa] *nm*: **le ~** el Sahara.

saharienne [saaʀjɛn] *nf* chaqueta de manga corta.

saignant, e [sɛɲɑ̃, ɑ̃t] *a* jugoso(a), poco cocido(a); *(plaie)* sangrante.

saignée [seɲe] *nf* sangría; **la ~ du bras** el pliegue del codo, la sangría.

saignement [sɛɲmɑ̃] *nm* hemorragia; **~ de nez** hemorragia nasal.

saigner [seɲe] *vi* sangrar // *vt* sangrar a; *(fig)* chupar la sangre a; *(animal: égorger)* desangrar; **~ du nez** sangrar por la nariz.

saillait *etc vb voir* **saillir**.

saillant, e [sajɑ̃, ɑ̃t] *a* saliente; *(pommettes, menton)* prominente; *(fig)* sobresaliente, notable.

saillie [saji] *nf* saliente *m*; *(trait d'esprit)* salida, ocurrencia; *(accouplement)* cubrición f; **faire ~** sobresalir.

saillir [sajiʀ] *vi* sobresalir // *vt* cubrir; *(fig)* sobresalir; **faire ~** *(muscles etc)* hacer resaltar.

sain, e [sɛ̃, sɛn] *a* sano(a); *(affaire)* regular, normal; **~ d'esprit** sano de espíritu, equilibrado; **~ et sauf** sano y salvo.

saindoux [sɛ̃du] *nm* manteca de cerdo.

saint, e [sɛ̃, sɛ̃t] *a* san, santo(a); *(fig etc)* santo(a), piadoso(a) // *nm/f* santo/a // *nm* (*statue*) santo; le ~ Pierre/Paul san Pedro/Pablo; le ~ des ~s el sanctasanctorum; ~-bernard *nm inv* san bernardo; le ~-Esprit el Espíritu Santo; la ~e famille la sagrada familia; la S~e Vierge la Virgen Santísima; ~eté *nf* santidad *f*; sa S~eté le pape su Santidad el Papa; le ~-Père el Santo Padre; le ~-Siège la Santa Sede; la ~-Sylvestre el día de Nochevieja.

sais etc *vb voir* **savoir**.

saisie [sezi] *nf* (*JUR*) embargo, secuestro.

saisir [seziʀ] *vt* agarrar, coger; (*fig*) aprovechar; (*comprendre*) captar; (*suj: sensations etc*) arrebatar, sobrecoger; (*CULIN*) soasar; (*JUR*) embargar; (: *publication interdite*) secuestrar; **se ~ de** *vt* (*personne*) apoderarse de, atrapar; **~ un tribunal d'une affaire** someter un caso a un tribunal; **saisissant, e** *a* emocionante, sobrecogedor(ora).

saisissement [sezismã] *nm* sorpresa.

saison [sezɔ̃] *nf* tiempo, época; (*du calendrier*) estación *f*; (*touristique*): **la ~** la temporada; **en/hors ~** de/fuera de temporada; **haute/basse/morte ~** temporada de alta/baja/calma; **la ~ des pluies** la época de las lluvias; (*travail*) **~nier, ière** *a* de la estación, estacional; (*travail*) temporario // *nm* temporero.

salace [salas] *a* libidinoso(a).

salade [salad] *nf* lechuga; escarola; (*CULIN*) ensalada; (*fam*) mescolanza, revoltijo; **~s** *fpl* (*fam*) cuentos; **~ de laitue/d'endives/de concombres** ensalada de lechuga/de endibia/de pepinos; **~ de fruits** ensalada de frutas; **~ niçoise** ensalada que se prepara con aceitunas, anchoas y tomates; **saladier** *nm* ensaladera.

salaire [salɛʀ] *nm* salario, sueldo; (*fig*) recompensa, pago; **~ brut/net** salario bruto/neto; **~ de base** sueldo base; **~ minimum**

interprofessionnel de croissance, **SMIC** ≈ salario mínimo; **~ minimum interprofessionnel garanti, SMIG** ≈ sueldo base.

salaison [salɛzɔ̃] *nf* salazón *f*; **~s** *fpl* conservas saladas.

salamandre [salamãdʀ] *nf* salamandra.

salami [salami] *nm* salchichón *m*.

salant [salã] *nm*: **marais ~** salina.

salarial, e, aux [salaʀjal, o] *a* salarial.

salarié, e [salaʀje] *a*, *nm/f* asalariado(a).

salaud [salo] *nm* (*fam!*) cabrón (!).

sale [sal] *a* sucio(a), mugriento(a); (*fig*) sucio(a), indecente; (*fam*) mal(mala).

salé, e [sale] *a* salado(a); (*fig*) picante, verde; (: *fam*) desmesurado(a), excesivo(a).

saler [sale] *vt* echar sal a; (*pour conserver*) salar.

saleté [salte] *nf* suciedad *f*; (*crasse*) suciedad, mugre *f*; (*chose sale*) suciedad, inmundicia; (*fig*) cochinada, marranada; porquería; (*fam*) indecencia, verdulería.

salière [saljɛʀ] *nf* (*récipient*) salero.

saligaud [saligo] *nm* (*fam!*) marrano.

salin, e [salɛ̃, in] *a* salino(a) // *nf* salina; **salinité** *nf* salinidad *f*.

salir [saliʀ] *vt* ensuciar; (*fig*) manchar, mancillar; **salissant, e** *a* que se ensucia; (*métier*) sucio(a).

salive [saliv] *nf* saliva; **saliver** *vi* salivar.

salle [sal] *nf* sala; (*pièce: gén*) habitación *f*, cuarto; sala; **faire ~ comble** tener un llenazo; **~ d'attente** sala de espera; **~ de bain(s)** cuarto de baño; **~ de bal** sala o salón *m* de baile; **~ de classe** aula; **~ de cinéma** sala cinematográfica o de cine; **~ commune** (*d'hôpital*) sala común; **~ de concert** sala de conciertos; **~ des douches** cuarto de duchas; **~ d'eau** lavadero, cuarto de aseo;

d'embarquement sala de embarque; ~ **des machines** sala de máquinas; ~ **à manger** comedor *m*; ~ **d'opération** sala de operaciones; ~ **de séjour** estar *m*, sala de estar; (*mobilier*) juego de sala; (*exposition*) exposición *f*, salón; (*littéraire etc*) salón, tertulia; ~ **de coiffure** salón de peinados, peluquería; ~ **de thé** salón de té.

salon [salɔ̃] *nm* salón *m*, sala; (*mobilier*) juego de sala; (*exposition*) exposición *f*, salón; (*littéraire etc*) salón, tertulia; ~ **de coiffure** salón de peinados, peluquería; ~ **de thé** salón de té.

salopard [salɔpaʀ] *nm* (*fam!*) cabrón (!).

saloperie [salɔpʀi] *nf* (*fam!*) cochinada; indecencia; basura.

salopette [salɔpɛt] *nf* (*de travail*) mono.

salpêtre [salpɛtʀ(ə)] *nm* salitre *m*.

salsifis [salsifi] *nm* salsifí *m*.

saltimbanque [saltẽbãk] *nm/f* saltimbanqui *m*.

salubre [salybʀ(ə)] *a* salubre, saludable; **salubrité** *nf* salubridad *f*.

saluer [salɥe] *vt* saludar; (*fig*) aclamar.

salut [saly] *nm* salvación *f*; (*pour accueillir*, MIL) saludo // *excl* (*fam*) ¡hola!; (*style relevé*) ¡salve!

salutaire [salytɛʀ] *a* saludable.

salutations [salytasjɔ̃] *nfpl* saludos, recuerdos; **recevez mes ~ distinguées/respectueuses** saludo a Usted muy atentamente/con mi más atenta consideración.

salutiste [salytist(ə)] *nm/f* miembro del Ejército de Salvación.

salve [salv(ə)] *nf* descarga, salva; (*fig*) salva.

samaritain [samaritẽ] *nm*: **le bon** ~ **el** buen samaritano.

samedi [samdi] *nm* sábado.

sanatorium [sanatɔʀjɔm] *nm* sanatorio antituberculoso.

sanctifier [sãktifje] *vt* santificar.

sanction [sãksjɔ̃] *nf* sanción *f*; **prendre des ~s** (**contre**) aplicar sanciones (contra); ~**ner** *vt* sancionar.

sanctuaire [sãktɥɛʀ] *nm* santuario.

sandale [sãdal] *nf* sandalia; **sandalette** *nf* sandalia.

sandow [sãdo] *nm* ® extensor *m*, cable eléctrico.

sandwich [sãdwitʃ] *nm* bocadillo, emparedado; **être pris en** ~ (**entre**) estar comprimido *o* apretado (entre).

sang [sã] *nm* sangre *f*; ~-**froid** *nm* sangre fría; **garder/perdre son** ~-**froid** conservar/perder la sangre fría; **faire qch de** ~-**froid** hacer algo a sangre fría; ~**lant**, **e** [sãglã, ãt] *a* ensangrentado(a); (*bataille*, *fig*) sangriento(a).

sangle [sãgl(ə)] *nf* cincha; **lit de** ~**s** cama *o* catre *m* de tijera; **sangler** *vt* (*animal*) cinchar; (*colis*, *parachutiste*) ceñir, ajustar; **sanglé dans son uniforme** embutido en su uniforme.

sanglier [sãglije] *nm* jabalí *m*.

sanglot [sãglo] *nm* sollozo; ~**er** *vi* sollozar.

sangsue [sãsy] *nf* sanguijuela.

sanguin, e [sãgẽ, in] *a* sanguíneo(a) // *nf* sanguina.

sanguinaire [sãginɛʀ] *a* sanguinario(a).

sanguine [sãgin] *af*, *nf* voir **sanguin**.

sanguinolent, e [sãginɔlã, ãt] *a* sanguinolento(a).

sanitaire [sanitɛʀ] *a* sanitario(a); ~**s** *mpl* aparatos sanitarios.

sans [sã] *prép* sin; ~-**abri** *nm/f inv* desalojado/a; ~-**emploi** *nm/f* desocupado/a; ~-**façon** *nm inv* desenvoltura, soltura; ~-**gêne** *a inv* desenfadado(a), fresco(a) // *nm inv* (*attitude*) desenfado, frescura; ~-**logis** *nm/f inv* desalojado/a; **sin** hogar *m/f*; ~-**travail** *nm/f inv* desocupado/a.

santal [sãtal] *nm* sándalo.

santé [sãte] *nf* salud *f*; **être en bonne** ~ estar bueno(a), estar bien de salud; **boire à la** ~ **de qn** beber a la salud de alguien; **à votre/sa** ~! ¡a su salud!; **la** ~ **publique** la sanidad.

santon [sãtɔ̃] nm figurita de pesebre.

saoul [su] a = **soûl**.

sape [sap] nf: travail de ~ trabajo de zapa.

saper [sape] vt minar, socavar.

sapeur [sapœʀ] nm zapador m; ~-**pompier** nm bombero.

saphir [safiʀ] nm zafiro.

sapin [sapɛ̃] nm abeto, pino; ~ de Noël [sapɛ̃] pino de Navidad; ~ière [sapinjɛʀ] nf abetal m.

sarabande [saʀabãd] nf zarabanda.

sarbacane [saʀbakan] nf cerbatana.

sarcasme [saʀkasm(ə)] nm sarcasmo; **sarcastique** a sarcástico(a), mordaz.

sarcler [saʀkle] vt escardar; **sarcloir** nm escardillo.

sarcophage [saʀkɔfaʒ] nm sarcófago.

Sardaigne [saʀdɛɲ] nf: la ~ (la) Cerdeña.

sarde [saʀd(ə)] a sardo(a).

sardine [saʀdin] nf sardina; ~s à l'huile sardinas en aceite.

sardonique [saʀdɔnik] a irónico(a).

sari [saʀi] nm sari m.

SARL sigle f voir **société**.

sarment [saʀmã] nm: ~ (de vigne) sarmiento (de vid).

sarrasin [saʀazɛ̃] nm alforfón m.

sarrau [saʀo] nm blusón m.

Sarre [saʀ] nf: la ~ el Sarre.

sarriette [saʀjɛt] nf ajedrea.

sarrois, e [saʀwa, waz] a del Sarre // nm/f nativo/a del Sarre.

sas [sɑ] nm (pièce étanche) esclusa de aire; (d'une écluse) cámara.

satané, e [satane] a condenado(a), maldito(a).

satanique [satanik] a satánico(a).

satelliser [satelize] vt poner en órbita; (fig) convertir en estado satélite.

satellite [satelit] nm satélite m; **pays** ~ país m satélite; **retransmis par** ~ trasmitido vía satélite; ~ ob-

servatoire/relais/espion satélite observatorio/repetidor/espía.

satiété [sasjete]: à ~ ad hasta la saciedad.

satin [satɛ̃] nm satén m, raso; ~é, e [satine] a satinado(a); (peau) aterciopelado(a); ~ette [satinɛt] nf rasete m.

satire [satiʀ] nf sátira; **satirique** a satírico(a); **satiriser** vt satirizar.

satisfaction [satisfaksjɔ̃] nf satisfacción f.

satisfaire [satisfɛʀ] vt satisfacer; ~ à vt cumplir con; (suj: chose) colmar, satisfacer.

satisfaisant, e [satisfəzã, ãt] a satisfactorio(a).

satisfait, e [satisfɛ, ɛt] a satisfecho(a), complacido(a); ~ de satisfecho de.

saturation [satyʀasjɔ̃] nf saturación f; **arriver à** ~ llegar a la saturación.

saturer [satyʀe] vt saturar, colmar; **être saturé de qch** estar harto de algo.

satyre [satiʀ] nm sátiro.

sauce [sos] nf salsa; ~ **blanche/tomate** salsa blanca/de tomate; ~ **aux câpres/suprême/vinaigrette** salsa de alcaparras/suprema/vinagreta; **saucer** vt rebañar, limpiar los restos de salsa con el pan; **saucière** nf salsera.

saucisse [sosis] nf salchicha.

saucisson [sosisɔ̃] nm salchichón m; ~ **sec/à l'ail** salchichón seco/al ajo.

sauf [sof] prép salvo; ~ **si...** (excepté) salvo o excepto si; (à moins que) salvo o sólo si; ~ **avis contraire** salvo opinión en contrario.

sauf, sauve [sof, sov] a salvo(a), ileso(a); (fig) salvo(a), indemne; **laisser la vie sauve à qn** perdonarle la vida a alguien.

sauf-conduit [sofkɔ̃dɥi] nm salvoconducto.

sauge [soʒ] nf salvia.

saugrenu, e [sogʀəny] a estrambótico(a).

saule [sol] nm sauce m; ~ **pleureur** sauce llorón.

saumâtre [somɑtʀ(ə)] a salubre.

saumon [somɔ̃] nm salmón m // a inv salmón inv, asalmonado(a); ~**é**, e a: **truite** ~**ée** trucha salmonada.

saumure [somyʀ] nf salmuera.

sauna [sona] nm sauna m.

saupoudrer [sopudʀe] vt espolvorear.

saur [sɔʀ] am: **hareng** ~ arenque ahumado.

saurai etc vb voir **savoir**.

saut [so] nm salto; **faire un** ~ dar un salto; **faire un** ~ **chez qn** dar un salto por lo de o casa de alguien; **au** ~ **du lit** al levantarse; ~ **en hauteur/longueur/à la perche** salto de altura/longitud/pértiga; ~ **périlleux** salto mortal.

saute [sot] nf cambio.

sauté, e [sote] a salteado(a) // nm: ~ **de veau** salteado de ternera.

saute-mouton [sotmutɔ̃] nm: **jouer à** ~ jugar al salto.

sauter [sote] vi saltar; (se précipiter): ~ **dans/sur/vers** abalanzarse en/sobre/hacia; (bateau, pont) saltar, estallar; (corde etc) romperse // vt saltar; (fig) saltarse; **faire** ~ (pont etc) hacer saltar o volar; (CULIN) saltear; ~ **à pieds joints/à cloche-pied** saltar con los pies juntos/a la pata coja; ~ **en parachute** saltar en paracaídas; ~ **à la corde** saltar a la cuerda; ~ **au cou de qn** echarse en brazos de alguien; ~ **aux yeux** saltar a la vista.

sauterelle [sotʀɛl] nf saltamontes m, langosta.

sauterie [sotʀi] nf guateque m.

sauteur, euse [sotœʀ, øz] nm/f saltador/ora // nf (casserole) cacerola para saltear; ~ **à la perche/à skis** saltador de pértiga/con esquíes.

sautiller [sotije] vi dar saltitos.

sautoir [sotwaʀ] nm collar largo;

porter en ~ llevar sobre el pecho.

sauvage [sovaʒ] a salvaje, feroz; (plante) silvestre; (lieu) agreste; (peuplade) salvaje; (insociable) huraño(a), arisco(a); (barbare) salvaje, bárbaro(a); (non officiel) desautorizado(a) // nm/f salvaje m/f; (timide) hosco/a, retraído/a; ~**rie** nf salvajez f; insociabilidad f; barbaridad f.

sauve [sov] af voir **sauf**.

sauvegarde [sovgaʀd(ə)] nf salvaguardia, garantía; **sous la** ~ **de** bajo la protección o el amparo de; **sauvegarder** vt salvaguardar.

sauve-qui-peut [sovkipø] nm desbandada // excl ¡sálvese quien pueda!

sauver [sove] vt salvar; **se** ~ vi largarse, escaparse; (fam) irse; **sauvetage** nm salvamento; **sauveteur** nm salvador m.

sauvette [sovɛt] : **à la** ~ ad precipitadamente; **vente à la** ~ venta ambulante no autorizada.

sauveur [sovœʀ] nm salvador m; (REL): **le S**~ el Salvador.

savais etc vb voir **savoir**.

savamment [savamɑ̃] ad sabiamente.

savane [savan] nf sabana.

savant, e [savɑ̃, ɑ̃t] a sabio(a), docto(a); (édition, revue, travaux) erudito(a); (compétent) erudito(a), sabio(a); (compliqué) arduo(a), complejo(a); (habile) inteligente, hábil // nm sabio, erudito.

saveur [savœʀ] nf sabor m.

Savoie [savwa] nf: **la** ~ (la) Saboya.

savoir [savwaʀ] vt conocer; saber; (date, nom, fait etc) conocer, saber; (être capable de) saber // nm saber m, conocimiento; ~ **que** saber que; **si/comment/combien...** saber si/cómo/cuánto...; **se** ~ saberse; **à** ~ ad a saber; **faire** ~ **à qn** hacer saber o dar a conocer algo a alguien; **ne rien vouloir** ~ no querer saber nada; **pas que je sache** que yo sepa, no; **sans le** ~ ad sin sa-

savoyard, e [savwajar, ard(ə)] *a* saboyano(a).

saxophone [saksɔfɔn] *nm* saxofón *m*; **saxophoniste** *nm/f* saxofonista *m/f*.

saynète [sɛnɛt] *nf* sainete *m*.

sbire [sbir] *nm* (*péj*) esbirro.

scabreux, euse [skabrø, øz] *a* escabroso(a).

scalpel [skalpɛl] *nm* escalpelo.

scalper [skalpe] *vt* escalpar.

scandale [skɑ̃dal] *nm* escándalo; (*tapage*): **faire du ~** armar (un escándalo o alboroto; **au grand ~ de...** con gran indignación de...; **faire ~** causar escándalo; **scandaleux, euse** *a* escandaloso(a); **scandaliser** *vt* escandalizar; **se scandaliser** (**de**) escandalizarse (de o con).

scander [skɑ̃de] *vt* escandir; (*mots, syllabes*) silabear, marcar.

scandinave [skɑ̃dinav] *a, nm, nf* escandinavo(a).

Scandinavie [skɑ̃dinavi] *nf* Escandinavia.

scaphandre [skafɑ̃dr(ə)] *nm* escafandra; (*de cosmonaute*) escafandra, casco; **~ autonome** autorespirador *m*.

scarabée [skarabe] *nm* escarabajo.

scarlatine [skarlatin] *nf* escarlatina.

scarole [skarɔl] *nf* escarola.

scatologique [skatɔlɔʒik] *a* escatológico(a).

sceau, x [so] *nm* sello; **sous le ~ du secret** bajo secreto.

scélérat, e [selera, at] *nm/f*

delincuente *m/f*, malhechor/ora.

sceller [sele] *vt* sellar; (*barreau, chaîne etc*) empotrar.

scellés [sele] *nmpl* (*JUR*): **mettre les ~** sur precintar.

scénario [senarjo] *nm* guión *m*; (*fig*) plan *m*; **scénariste** *nm/f* guionista *m/f*.

scène [sɛn] *nf* escena; (*THÉÂTRE: lieu, estrade, décors*) escenario, escena; (*art dramatique*): **la ~** la escena, el teatro; **entrer en ~** entrar en escena; **par ordre d'entrée en ~** por orden de aparición; **mettre en ~** dirigir; **porter à la ~** llevar a escena; **adapter pour la ~** adaptar para el teatro; **~ de ménage** altercado conyugal; **scénique** *a* teatral, escénico(a).

sceptique [sɛptik] *a, nm/f* escéptico(a).

sceptre [sɛptr(ə)] *nm* cetro.

schéma [ʃema] *nm* esquema *m*; **~tique** *a* esquemático(a).

schisme [ʃism(ə)] *nm* cisma *m*.

schiste [ʃist(ə)] *nm* esquisto.

schizophrène [skizɔfrɛn] *nm/f* esquizofrénico/a.

sciatique [sjatik] *a*: **nerf ~** nervio ciático // *nf* ciática.

scie [si] *nf* serrucho, sierra; (*fam: péj*) lata, cantinela; **~ à bois/métaux** sierra para madera/metales; **~ circulaire** sierra circular; **~ à découper** segueta.

sciemment [sjamɑ̃] *ad* concientemente.

science [sjɑ̃s] *nf* ciencia; (*connaissance, savoir faire*) conocimiento, saber *m*; **~-fiction** *nf* ciencia ficción; **~s naturelles** ciencias naturales; **~s occultes** ciencias ocultas; **scientifique** *a, nm/f* científico(a).

scier [sje] *vt* aserrar, serrar; **scierie** *nf* aserradero; **scieur de long** *nm* aserrador *m*, chiquichaque *m*.

scinder [sɛ̃de] *vt* escindir, dividir; **se ~** *vi* (*parti*) escindirse.

scintiller [sɛ̃tije] vi centellar, destellar.

scission [sisjɔ̃] nf escisión f.

sciure [sjyʀ] nf: ~ (de bois) aserrín (de madera) m.

sclérose [skleʀoz] nf esclerosis f; (fig) esclerosis, estancamiento; ~ **artérielle** esclerosis arterial, arteriosclerosis f; ~ **en plaques** esclerosis en placas; **sclérosé, e** a escleroso(a); (fig) estancado(a).

scolaire [skɔlɛʀ] a escolar.

scolariser [skɔlaʀize] vt escolarizar; **scolarité** nf escolaridad f.

scoliose [skɔljoz] nf escoliosis f.

scooter [skutœʀ] nm scooter m, ciclomoto.

scorbut [skɔʀbyt] nm escorbuto m.

score [skɔʀ] nm número de tantos, tanteo.

scories [skɔʀi] nfpl escorias f.

scorpion [skɔʀpjɔ̃] nm escorpión m; (ASTRO): le S~ Escorpio; **être du** S~ ser de Escorpio.

scout [skut] a explorador(ora), scout // nm scout m, escutista m; ~**isme** nm escutismo f.

scribe [skʀib] nm escribiente m.

script [skʀipt] a, nf: (écriture) ~ (letra) cursiva // nm (CINÉMA) guión m.

script-girl [skʀiptɡœʀl] nf secretaria de dirección, script girl f.

scrupule [skʀypyl] nm escrúpulo f; **scrupuleux, euse** a escrupuloso(a).

scruter [skʀyte] vt escrutar; (motifs, comportement) examinar.

scrutin [skʀytɛ̃] nm escrutinio f; (ensemble des opérations) votación f; ~ **uninominal/de liste** votación nominal/por una lista; ~ **à deux tours** votación en dos vueltas.

sculpter [skylte] vt esculpir; (suj: érosion) esculpir, tallar; **sculpteur** nm escultor m.

sculptural, e, aux [skyltyʀal, o] a escultural.

sculpture [skyltyʀ] nf escultura f.

SDECE sigle m voir **service**.

se, s' [s(ə)] pron se; ~ **casser la jambe** romperse la pierna; ~ **laver** les mains lavarse emplois pronominaux en question.

séance [seɑ̃s] nf se. tenante de inmediato.

séant, e [seɑ̃, ɑ̃t] a senta nm asentarse, trasero.

seau, x [so] nm cubo; ~ à cubo de hielo.

sec, sèche [sɛk, sɛʃ] a seco(a); (cœur, personne) duro(a), frío(a); (style, graphisme) árido(a); (départ, démarrage) brusco(a) // nm: **tenir au** ~ mantener en lugar seco; **à sec** (démarrer) bruscamente; **boire** ~ beber mucho; **je le prends** ou **bois** ~ lo tomo o bebo puro; **à pied** ~ sin mojarse los pies, a pie enjuto; **à** ~ a seco(a).

sécateur [sekatœʀ] nm podadera.

sécession [sesesjɔ̃] nf: **faire** ~ separarse, dividirse.

séchage [seʃaʒ] nm secado.

sèche [sɛʃ] a voir **sec**.

sèche-cheveux [sɛʃ(ə)vø] nm inv secador m de cabellos.

sécher [seʃe] vt secar; (fam) fumarse // vi secar; (fam) estar pegado(a); **se** ~ secarse.

sécheresse [seʃʀɛs] nf sequedad f, aridez f; (absence de pluie) sequía.

séchoir [seʃwaʀ] nm secador m.

second, e [s(ə)ɡɔ̃, ɔ̃d] a segundo(a) // nm (assistant) auxiliar m, ayudante m; (étage) segundo piso; (NAUT) segundo // nf segunda(a); (SCOL) ~ quinto año; (TRANSPORTS) segunda; **doué de** ~ **vue** dotado de sexto sentio; **trouver son** ~ **souffle** recobrar el impulso; **de** ~ **main** de segunda mano; ~**aire** a secundario(a); (SCOL) medio(a); ~**er** vt secundar, ayudar.

secouer [s(ə)kwe] vt sacudir; (passagers) sacudir, zangolotear; (traumatiser) perturbar, traumatizar; (fam) hacer reaccionar; **se** ~ (chien) sacudirse; (fam) moverse, reaccionar.

secourable [s(ə)kuʀabl(ə)] a humanitario(a), caritativo(a).

secourir [səkuʀiʀ] *vt* socorrer, auxiliar; **secourisme** *nm* socorrismo; **secouriste** *nm/f* socorrista *m/f*.

secours [s(ə)kuʀ] *nm* socorro, auxilio // *nmpl* ayuda; (*soins, équipes de secours*) auxilio; **cela lui a été d'un grand** ~ esto le ha sido de gran ayuda; **au** ~**!** ¡socorro!; ¡auxilio!; **appeler au** ~ pedir socorro *o* auxilio; **appeler qn à son** ~ pedir socorro a alguien; **aller au** ~ **de qn** socorrer *o* auxiliar a alguien; **les premiers** ~ los primeros auxilios.

secousse [s(ə)kus] *nf* sacudida; (*électrique*) descarga; (*fig*) conmoción *f*, sacudida; ~ **sismique** *o* **tellurique** sacudimiento *o* temblor sísmico *o* telúrico.

secret, ète [səkʀɛ, ɛt] *a* secreto(a); (*personne*) reservado(a) // *nm* secreto; **en** ~ *ad* en secreto, a escondidas; **au** ~ (*prisonnier*) en celda de aislamiento, incomunicado(a); ~ **professionnel** secreto profesional.

secrétaire [səkʀetɛʀ] *nm/f* secretario/a // *nm* (*meuble*) secreter *m*; ~-**comptable** secretario/a contable; ~ **de direction** secretario/a de dirección; ~ **d'Etat** = ministro *m/f*; ~ **général** secretario/a general; ~ **de mairie** secretario/a municipal; ~ **médicale** ayudante *o* auxiliar médico; ~ **de rédaction** secretario/a de redacción; ~ **sténodactylo** secretario/a taquimecanógrafo/a; **secrétariat** *nm* secretariado; (*bureau, POL etc*) secretaría; **secrétariat d'Etat** ministerio, secretaría de Estado; **secrétariat général** secretaría general.

secréter [səkʀete] *vt* secretar, segregar.

sectaire [sɛktɛʀ] *a* sectario(a).

secte [sɛkt(ə)] *nf* secta.

secteur [sɛktœʀ] *nm* sector *m*; (*ÉLEC*): **branché sur le** ~ conectado con la red.

section [sɛksjɔ̃] *nf* sección *f*; (*coupe*) corte *m*, sección; (*tronçon*) sección, tramo; (*d'un chapitre, d'une œuvre*) parte *f*; (*MUS*): **la** ~ **rythmique/des cuivres** la batería/los cobres; **tube de** ~ **6,5 mm** tubo de 6,5 mm de sección; ~**ner** *vt* seccionar, cortar; **se** ~**ner** *vi* (*câble*) cortarse, romperse.

sectoriel, le [sɛktɔʀjɛl] *a* sectorial.

séculaire [sekylɛʀ] *a* secular.

séculier, ière [sekylje, jɛʀ] *a* seglar.

sécuriser [sekyʀize] *vt* asegurar.

sécurité [sekyʀite] *nf* seguridad *f*; **être en** ~ estar en seguro; **la** ~ **routière** medidas de seguridad para el tránsito de carreteras; **la** ~ **sociale** la seguridad social.

sédatif, ive [sedatif, iv] *a* sedativo(a) // *nm* sedante *m*.

sédentaire [sedɑ̃tɛʀ] *a* sedentario(a).

sédiment [sedimɑ̃] *nm* sedimento; ~**s** *mpl* (*alluvions*) sedimentos.

séditieux, euse [sedisjø, øz] *a* sedicioso(a), insurrecto(a).

sédition [sedisjɔ̃] *nf* sedición *f*, insurrección *f*.

séducteur, trice [sedyktœʀ, tʀis] *a* seductor(ora), cautivante // *nm* seductor *m* // *nf* seductora.

séduction [sedyksjɔ̃] *nf* seducción *f*.

séduire [sedyiʀ] *vt* seducir, conquistar; (*femme: abuser de*) seducir; (*suj: chose*) cautivar, seducir; **séduisant, e** *a* encantador(ora), atractivo(a); (*offre, promesse*) seductor(ora), cautivante.

segment [sɛgmɑ̃] *nm* segmento; ~ (**de piston**) segmento de pistón; ~**er** *vt* segmentar.

ségrégation [segʀegasjɔ̃] *nf* segregación *f*.

seiche [sɛʃ] *nf* sepia.

séide [seid] *nm* (*péj*) fanático, secuaz *m*.

seigle [sɛgl(ə)] *nm* centeno.

seigneur [sɛɲœʀ] *nm* señor *m*;

(REL): le S~ el Señor; ~ial, e, aux a
señorial.

sein [sɛ̃] nm seno; (fig: poitrine)
seno, pecho; **au ~ de** prép en el
seno de; **donner le ~** à dar el pecho
a.

Seine [sɛn] nf: **la ~** el Sena.

séisme [seism(ə)] nm seísmo,
terremoto; **séismique** etc voir
sismique etc.

seize [sɛz] num dieciséis; **seizième**
num decimosexto(a).

séjour [seʒuʀ] nm estadía,
permanencia; (pièce) estar m, sala;
~ner vi permanecer.

sel [sɛl] nm sal f.

sélection [selɛksjɔ̃] nf selección f;
~ner vt seleccionar; ~neur, euse
nm/f seleccionador/ora.

self-service [sɛlfsɛʀvis] nm auto-
servicio.

selle [sɛl] nf silla; (de bicyclette,
motocyclette) sillín m; (CULIN)
faldilla; ~s nfpl deposiciones fpl;
aller à la ~ (MED) hacer del
cuerpo; **se mettre en ~** montar;
seller vt ensillar.

sellette [sɛlɛt] nf: **mettre qn sur la
~** agobiar a preguntas a alguien;
être sur la ~ estar en el banquillo
de los acusados.

sellier [selje] nm sillero,
talabartero.

selon [sɔlɔ̃] prép (en se conformant
à) según, conforme a; (en fonction
de, d'après) según.

semailles [səmaj] nfpl siembra.

semaine [səmɛn] nf semana.

sémantique [semɑ̃tik] a semánti-
co(a) // nf semántica.

sémaphore [semafɔʀ] nm (RAIL)
semáforo.

semblable [sɑ̃blabl(ə)] a pareci-
do(a), semejante // nm semejante
m; ~ à semejante o parecido(a) a;
de ~s mésaventures en semejantes desgracias etc.

semblant [sɑ̃blɑ̃] nm: **un ~ de** una
apariencia de; **faire ~ de faire qch**
aparentar o fingir hacer algo; **faire
~** hacer como si, simular.

sembler [sɑ̃ble] vb avec attribut
parecer // vb impersonnel: **il (me)
semble que/inutile de...** parece
que/inútil...; **il me semble le
connaître** me parece que le
conozco; **comme/quand bon lui
semble** como/cuando le parece o se
le antoja; **me semble-t-il, à ce qu'il
me semble** me parece, a mi
opinión.

semelle [səmɛl] nf suela; (intérieure) plantilla; (de bas etc) soleta; ~s
compensées suelas de zapato
tanque.

semence [səmɑ̃s] nf (graine)
semilla, simiente f; (clou) tachuela.

semer [səme] vt sembrar; (fig)
sembrar, desparramar; (poursuivants) desorientar, perder.

semestre [səmɛstʀ(ə)] nm
semestre m; **semestriel, le** a
semestral.

semi... [səmi] préf semi; ~
automatique a semiautomático(a).

sémillant, e [semijã, ãt] a jovial,
donoso(a).

séminaire [seminɛʀ] nm seminario; **séminariste** nm seminarista m.

semi-remorque [səmiʀəmɔʀk(ə)]
nf, nm semirremolque m.

semis [səmi] nm (terrain) sementera; (plante) macizo, semillero.

sémite [semit] a semita.

sémitique [semitik] a semítico(a).

semoir [səmwaʀ] nm sembradora.

semonce [səmɔ̃s] nf advertencia;
(fig) sermón m, reprimenda; **coup
de ~** disparo de advertencia.

semoule [səmul] nf (farine) sémola; ~ **de riz/maïs** harina de
arroz/maíz.

sempiternel, le [sɑ̃pitɛʀnɛl] a
sempiterno(a).

sénat [sena] nm: le S~ el Senado;
~eur nm senador m.

sénile [senil] a senil; (péj)
chocho(a) senil; **sénilité** nf senilidad
f.

sens [sɑ̃] vb voir **sentir** // nm [sɑ̃s]
sentido // mpl (sensualité) sentidos;
à mon ~ a mi juicio; **reprendre ses**

~ volver en sí; ~ interdit/unique dirección prohibida/única; ~ figuré/propre sentido figurado/recto o propio; ~ dessus, dessous ad patas arriba; en ~ interdit contramano; dans le ~/dans le ~ inverse des aiguilles d'une montre en el sentido/en sentido inverso al de las agujas de un reloj.

sensation [sɑ̃sasjɔ̃] nf sensación f; faire ~ causar sensación; ~nel, le a sensacional; (fam) estupendo(a), sensacional.

sensé, e [sɑ̃se] a sensato(a).

sensibiliser [sɑ̃sibilize] vt: sensibilisé(e) à sensible a, consciente de.

sensibilité [sɑ̃sibilite] nf sensibilidad f.

sensible [sɑ̃sibl(ə)] a sensible; ~ à sensible a; ~ment ad (notablement) sensiblemente; (à peu près): ils ont ~ment le même poids tienen casi el mismo peso; ~rie nf sensiblería.

sensitif, ive [sɑ̃sitif, iv] a sensitivo(a).

sensoriel, le [sɑ̃sɔʀjɛl] a sensorial.

sensualité [sɑ̃sɥalite] nf sensualidad f.

sensuel, le [sɑ̃sɥɛl] a sensual.

sent, sentais etc vb voir **sentir**.

sente [sɑ̃t] nf senda.

sentence [sɑ̃tɑ̃s] nf sentencia; **sentencieux, euse** a sentencioso(a).

senteur [sɑ̃tœʀ] nf fragancia, perfume m.

sentez vb voir **sentir**.

sentier [sɑ̃tje] nm sendero.

sentiment [sɑ̃timɑ̃] nm sentimiento; (impression): avoir le ~ de/que tener la impresión de/de que; (avis) opinión f, punto de vista; recevez mes ~s respectueux reciba Ud. mi consideración más distinguida; faire du ~ (péj) apelar a la sensiblería; ~al, e, aux a sentimental; ~alité nf sentimentalismo.

sentinelle [sɑ̃tinɛl] nf centinela m; en ~ de centinela o guardia.

sentir [sɑ̃tiʀ] vt (percevoir) sentir, percibir; (avoir conscience de) sentir, advertir; (apprécier, goûter) sentir, apreciar; (par l'odorat) sentir, oler; (répandre une odeur de) oler a; (avoir le goût, la saveur de) saber a // vi oler mal; ~ bon/mauvais oler bien/mal; se ~ bien/mal à l'aise sentirse bien/incómodo(a); se ~ mal (être indisposé) sentirse mal; se ~ le courage de faire sentirse con el coraje de hacer; ne plus se ~ de joie desbordar de alegría; ne pas pouvoir ~ qn (fam) no poder tragar a alguien.

seoir [swaʀ]: ~ à vt sentar o quedar bien a.

séparation [sepaʀasjɔ̃] nf separación f; (entre amis etc) separación, alejamiento; (mur etc) separación, división f; ~ de corps separación.

séparatisme [sepaʀatism(ə)] nm separatismo.

séparé, e [sepaʀe] a separado(a); ~ment ad separadamente.

séparer [sepaʀe] vt separar; (suj: divergences etc, aussi délibérément) separar, alejar; (diviser): ~ qch par ou au moyen de dividir algo por medio de; ~ une pièce en deux dividir una habitación en dos; se ~ separarse; (prendre congé: amis etc) separarse, despedirse; (se diviser: route, tige etc) bifurcarse, dividirse; (se détacher): se ~ (de) alejarse o separarse (de); se ~ de (époux) separarse de; (employé, objet personnel) deshacerse de.

sept [sɛt] num siete.

septembre [sɛptɑ̃bʀ(ə)] nm setiembre m.

septennat [sɛptena] nm septenio.

septentrional, e, aux [sɛptɑ̃tʀijɔnal, o] a septentrional.

septicémie [sɛptisemi] nf septicemia.

septième [sɛtjɛm] num séptimo(a).

septique [sɛptik] a: fosse ~ fosa séptica.

septuagénaire [sɛptɥaʒenɛʀ] a, nm/f septuagenario(a).

sépulcre [sepylkʀ(ə)] nm sepulcro.

sépulture [sepyltyʀ] nf (*inhumation*) sepultura.

séquelles [sekel] nfpl secuelas.

séquence [sekɑ̃s] nf secuencia.

séquestre [sekɛstʀ(ə)] nm secuestro, embargo; **mettre sous** ~ embargar.

séquestrer [sekɛstʀe] vt secuestrar; (*biens*) embargar.

serai etc vb voir **être**.

serein, e [səʀɛ̃, ɛn] a sereno(a).

sérénade [seʀenad] nf serenata; (*fam*) jarana, jolgorio.

sérénité [seʀenite] nf serenidad f.

serez vb voir **être**.

serf, serve [sɛʀ, sɛʀv(ə)] nm/f siervo/a.

serge [sɛʀʒ(ə)] nf sarga.

sergent [sɛʀʒɑ̃] nm sargento; ~-**chef** nm sargento primero; ~-**major** nm sargento mayor.

sériciculture [seʀisikyltyʀ] nf sericultura.

série [seʀi] nf (*de questions, d'accidents*) serie f; (*de clefs, casseroles, outils*) juego; (*catégorie: SPORT*) categoría; **fabrication en** ~ fabricación f en serie; **voiture de** ~ coche m de serie; **hors** ~ fuera de serie; **soldes de fin de** ~**s** saldos de restos; **roman de** ~ **noire** novela policial; **série** vt clasificar, seriar.

sérieusement [seʀjøzmɑ̃] ad seriamente; ~? ¿de verdad?; **en** serio?

sérieux, euse [seʀjø, øz] a serio(a); (*sûr*) seguro(a), serio(a); (*moral, rangé*) serio(a), formal; (*maladie, situation*) grave, serio(a); (*important*) considerable // nm seriedad f; **prendre qch/qn au** ~ tomar algo/a alguien en serio.

seriez vb voir **être**.

serin [səʀɛ̃] nm canario.

seriner [səʀine] vt: ~ **qch à qn** machacar algo a alguien.

seringue [səʀɛ̃g] nf jeringa.

serions vb voir **être**.

serment [sɛʀmɑ̃] nm juramento; **prêter** ~ prestar juramento; **sous**

~ **bajo juramento**; ~ **d'ivrogne** promesa de borracho.

sermon [sɛʀmɔ̃] nm sermón m.

serons etc vb voir **être**.

serpent [sɛʀpɑ̃] nm serpiente f; ~ **à lunettes/à sonnettes** serpiente de anteojo/de cascabel.

serpenter [sɛʀpɑ̃te] vi serpentear.

serpentin [sɛʀpɑ̃tɛ̃] nm (*tube*) serpentín m; (*ruban*) serpentina.

serpillière [sɛʀpijɛʀ] nf aljofifa.

serrage [sɛʀaʒ] nm presión f, ajuste m.

serre [sɛʀ] nf (*AGR*) invernadero; ~**s** fpl (*griffes*) garras; ~ **chaude/froide** invernadero templado/frío.

serré, e [seʀe] a apretado(a); (*habits*) estrecho(a), ceñido(a); (*fig*) encarnizado(a), reñido(a) // ad: **jouer** ~ jugar con tino o prudencia; **avoir le cœur/la gorge** ~(**e**) tener el corazón o un puño/un nudo en la garganta.

serre-livres [sɛʀlivʀ(ə)] nm inv sujetalibros m inv.

serrement [sɛʀmɑ̃] nm: ~ **de cœur** congoja, opresión f; ~ **de main** apretón m de manos.

serrer [seʀe] vt (*comprimer*) apretar, ajustar; (*poings, mâchoires*) apretar; (*suj: vêtement*) ceñir; (*rapprocher*) estrechar, comprimir; (*corde, ceinture, nœud*) ajustar; (*frein, vis, robinet*) presionar, ajustar; (*automobile, cycliste*) encerrar // vi: ~ **à droite/gauche** ceñirse a la derecha/izquierda, ir a ~ (*se rapprocher*) estrecharse, apretujarse; **se** ~ **la main** estrecharse la mano; ~ **la main à qn** estrechar la mano a alguien; ~ **qn dans ses bras** estrechar a alguien en sus brazos; ~ **qn de près** seguir de cerca a alguien; ~ **le trottoir** pegarse a la acera; ~ **sa droite/gauche** pegarse a su derecha/izquierda; **se** ~ **contre qn** apretarse contra alguien; **se** ~ **les coudes** ayudarse mutuamente; **se** ~ **la**

ceinture apretarse el cinturón; ~ **la vis à qn** ajustarle las clavijas a alguien.

serre-tête [sɛʀtɛt] *nm* banda elástica; (*bonnet*) casco.

serrure [seʀyʀ] *nf* cerradura; ~**rie** *nf* cerrajería; (*métier*) cerrajería; (*ferronnerie*) forja de hierro; ~**rie d'art** artesanía de hierro forjado; **serrurier** *nm* cerrajero.

sers *vb voir* **servir**.

sertir [sɛʀtiʀ] *vt* (*pierre*) engastar; (*pièces métalliques*) encastrar.

sérum [seʀɔm] *nm* suero; ~ **antitétanique/antivenimeux** suero antitetánico/antiofídico; ~ **de vérité** suero de la verdad.

servage [sɛʀvaʒ] *nm* servidumbre f.

servais *vb voir* **servir**.

servant [sɛʀvɑ̃] *nm* (*REL*) monaguillo; (*MIL*) sirviente *m*.

servante [sɛʀvɑ̃t] *nf* sirvienta, mujer f de servicio.

serve [sɛʀv(ə)] *etc vb voir* **servir** // *nf voir* **serf**.

serveur, euse [sɛʀvœʀ, øz] *nm/f* camarero/a.

servi, e *pp de* **servir**.

serviable [sɛʀvjabl(ə)] *a* servicial.

service [sɛʀvis] *nm* (*série de repas*): **premier/second** ~ primer/segundo turno; (*aide, faveur*) servicio, favor *m*; (*REL: office*) servicio, oficio; (*TENNIS, VOLLEY-BALL*) servicio, saque *m*; ~**s** *mpl* (*travail, ÉCON*) servicios; **faire le** ~ servir; **être en** ~ **chez qn** (*domestique*) estar en servicio en lo de alguien; **être au** ~ **de** estar al servicio de; **rendre** ~ (**à qn**) hacer un favor o servicio (a alguien); (*suj: objet, outil*) ser de utilidad (a alguien); **entrée/escalier de** ~ entrada/escalera de servicio; **après vente** servicio de instalación y reparación; **en** ~ **commandé** en función de servicio; ~ **de documentation extérieure et de contre-espionnage, SDECE** servicio de contra-espionaje; ~ **militaire** servicio mi-

litar; ~ **de presse** servicio de prensa; ~ **à thé** *etc* servicio de té *etc*; ~**s secrets** servicios secretos.

serviette [sɛʀvjɛt] *nf* (*de table*) servilleta; (*de toilette*) toalla; (*porte-documents*) cartera; ~ **hygiénique** paño higiénico.

servile [sɛʀvil] *a* servil, rastrero(a).

servir [sɛʀviʀ] *vt* servir; (*convive, client*) servir, atender; (*fig: aider*) servir, ayudar; (*COMM. rente, intérêts*) pagar // *vi* (*TENNIS*) servir, sacar; (*CARTES*) servir; **se** ~ (*prendre d'un plat*) servirse; **se** ~ **de** servirse; (*voiture, outil*) servirse de, utilizar; (*relations, amis*) servirse *o* valerse de; ~ **à qn** (*diplôme, livre*) servir *o* ser útil a alguien; ~ **à qch/faire qch** servir para algo/hacer algo; **à quoi cela sert-il (de faire)?** ¿de qué sirve (hacer)?; ~ (**à qn**) **de** servir *o* servir (a alguien) de; ~ **la messe** ayudar a *o* servir la misa; ~ **les intérêts de qn** servir a los intereses de alguien; ~ **à dîner/déjeuner** (**à qn**) servir de cenar/almorzar (a alguien).

serviteur [sɛʀvitœʀ] *nm* servidor *m*, criado.

servitude [sɛʀvityd] *nf* servidumbre f.

servons *vb voir* **servir**.

ses [se] *dét voir* **son**.

session [sesjɔ̃] *nf* sesión f, reunión f; (*d'examen*) turno.

set [sɛt] *nm* set m.

seuil [sœj] *nm* umbral m; **recevoir qn sur le** ~ (*de sa maison*) recibir a alguien en la puerta de su casa).

seul, e [sœl] *a* solo(a); (*avec nuance affective: isolé*) solitario(a), solo(a); (*en isolation*) solo(a), aislado(a); **le** ~ **livre/homme** el único libro/hombre; ~ **ce livre/cet homme** sólo este libro/hombre; **à lui** (**tout**) ~ él solo o a solas // *ad* (*vivre*) solo; **parler tout** ~ hablar solo; **faire qch** (**tout**) ~ hacer algo completamente solo *o* a solas // ~ **à** ~ a solas *o* a solas // **un:** **un** ~ uno (solo), sólo uno.

seulement [sœlmɑ̃] *ad* sólo,

solamente; (*pas avant*) ~ **hier/à lOh** sólo ayer/a las lOhs; **non** ~... **mais aussi...** no sólo o solamente... sino que también... .

sève [sɛv] *nf* savia; (*fig*) vigor m.

sévère [sevɛʀ] *a* severo(a); (*fig*) severo(a), austero(a); (: *climat*) riguroso(a), duro(a); (*considérable*) serio(a), grave; **sévérité** *nf* severidad f; rigor m.

sévices [sevis] *nmpl* sevicia, malos tratos.

sévir [seviʀ] *vi* castigar con severidad; (*fléau*) hostigar;~ **contre** proceder con rigor contra.

sevrer [səvʀe] *vt* destetar; (*fig*): ~ **qn de** privar a alguien de.

sexagénaire [sɛgzaʒenɛʀ] *a, nf/f* sexagenario(a).

sexe [sɛks(ə)] *nm* sexo; **sexologue** *nm/f* sexólogo.

sextant [sɛksta] *nm* sextante m.

sexualité [sɛksyalite] *nf* sexualidad f.

sexué, e [sɛksɥe] *a* sexuado(a).

sexuel, le [sɛksɥɛl] *a* sexual.

seyait *etc vb voir* **seoir**.

seyant, e [sɛja, ɑ̃t] *a* que favorece.

shampooing [ʃɑ̃pwɛ̃] *nm* champú m.

short [ʃɔʀt] *nm* short m, pantalón corto.

si [si] *nm inv* (*MUS*) si // *ad* (*oui*) sí; (*tellement*) tan // *conj* si; ~ **gentil/ rapidement** tan amable/rápidamente; (**tant et**) ~ **bien que...** (tanto y) de tal modo que...; ~ **rapide qu'il soit...** por rápido que sea; ~ **seulement** si sólo.

siamois, e [sjamwa, waz] *a* siamés(esa).

Sicile [sisil] *nf:* **la** ~ Sicilia; **sicilien, ne** *a* siciliano(a).

sidéré, e [sideʀe] *a* anonadado(a).

sidérurgie [sideʀyʀʒi] *nf* siderurgia; **sidérurgique** *a* siderúrgico(a).

siècle [sjɛkl(ə)] *nm* siglo.

sied *vb voir* **seoir**.

siège [sjɛʒ] *nm* asiento; (*dans une assemblée, d'un député*) puesto; (*d'un tribunal, d'une assemblée*) sede f, asiento; (*d'organisation*) sede; (*d'une douleur etc*) foco; (*MIL*) sitio; **mettre le** ~ **devant une ville** poner sitio a una ciudad; **se présenter par le** ~ (*MÉD*) estar colocado(a) de trasero; ~ **avant/arrière** asiento delantero/trasero; ~ **éjectable** asiento lanzable; ~ **social** sede o casa central.

siéger [sjeʒe] *vi* (*député*) ocupar un escaño; (*assemblée, tribunal*) celebrar sesión; (*résider, se trouver*) residir.

sien, ne [sjɛ̃, sjɛn] *pron:* **le** ~, **la** ~**ne** el suyo, la suya; **les** ~**s, les** ~**nes** los suyos, las suyas; **y mettre du** ~ poner de su parte.

siérait *etc vb voir* **seoir**.

sieste [sjɛst(ə)] *nf* siesta; **faire la** ~ dormir la siesta.

sieur [sjœʀ] *nm:* **le** ~ **Duval** el señor Duval.

sifflant, e [siflɑ̃, ɑ̃t] *a* (*bruit*) sibilante, silbante; (**consonne**) ~**e** (*consonne f*) sibilante.

sifflement [sifləmɑ̃] *nm* silbido.

siffler [sifle] *vi* silbar // *vt* silbar; (*animal, personne*) silbar a; (*faute, fin d'un match, départ*) pitar; (*fam*) soplarse.

sifflet [siflɛ] *nm* silbato, pito; (*sifflement*) silbido; ~**s** *nmpl* (*de mécontentement*) silbido; **coup de** ~ silbido, pitido.

siffloter [siflɔte] *vi* silbar distraídamente // *vt* silbar negligentemente.

sigle [sigl(ə)] *nm* sigla.

signal, aux [siɲal, o] *nm* señal f; ~ **de détresse** señal de socorro; **signaux (lumineux)** (*AUTO*) semáforo.

signalement [siɲalmɑ̃] *nm* filiación f, señas particulares.

signaler [siɲale] *vt* señalar, indicar; (*faire remarquer, montrer*): ~ **qch à qn/à (qn)** que hacer notar o señalar algo a alguien/(a alguien) que; **se** ~ (**par**) distinguirse (por); **se** ~ **à l'attention de qn** llamar la atención de alguien, hacerse notar por alguien.

signalétique [siɲaletik] *a:* **fiche ~** ficha de filiación o identificación.

signalisation [siɲalizasjɔ̃] *nf* señalización *f.*

signaliser [siɲalize] *vt* señalizar.

signataire [siɲatɛʀ] *nm/f* signatario/a.

signature [siɲatyʀ] *nf* firma.

signe [siɲ] *nm* signo; (*mouvement, geste*) seña; **c'est bon/mauvais ~** es un(a) buen(a)/mal(a) signo o señal; **c'est ~ que** es signo o señal de que; **faire un ~ de la tête/main** hacer una seña con la cabeza/mano; **faire ~ à qn** hacer señas a alguien; **en ~ de** en señal de; **~ de la croix** señal *f* de la cruz; **~s particuliers:** señas particulares: ... .

signer [siɲe] *vt* firmar; **se ~** *vi* santiguarse.

signet [siɲɛ] *nm* registro, señal *f.*

significatif, ive [siɲifikatif, iv] *a* significativo(a).

signification [siɲifikasjɔ̃] *nf* significación *f*, significado; (*d'un mot*) significado, sentido.

signifier [siɲifje] *vt* (*vouloir dire*) significar, expresar; (*faire connaître*): **~ qch (à qn)** comunicar algo (a alguien); (*JUR*): **~ qch à qn** notificar algo a alguien.

silence [silɑ̃s] *nm* silencio; **garder le ~** guardar silencio, callar; **garder le ~ sur qch** guardar silencio sobre algo; **passer qch sous ~** pasar algo en silencio; **réduire qn au ~** hacer callar a alguien; **silencieux, euse** *a* silencioso(a); (*personne*) silencioso(a), callado(a) // *nm* silenciador *m.*

silex [silɛks] *nm* silex *m.*

silhouette [silwɛt] *nf* silueta.

sillage [sijaʒ] *nm* estela; **dans le ~ de** (*fig*) en las huellas de.

sillon [sijɔ̃] *nm* surco.

sillonner [sijɔne] *vt* surcar.

silo [silo] *nm* silo.

simagrées [simagʀe] *nfpl* dengues *mpl*, melindres *mpl.*

similaire [similɛʀ] *a* similar; **similarité** *nf* similitud *f.*

simili... [simili] *préf* simili; **similicuir** *nm* cuero artificial; **similitude** *nf* similitud *f*, semejanza.

simple [sɛ̃pl(ə)] *a* simple // *nm*: **~ messieurs/dames** simples *mpl* caballeros/damas; **~s** *nmpl* (*MÉD*) simples *mpl*; **un ~ particulier** un particular; **varier du ~ au double** duplicarse; **dans le plus ~ appareil** como Dios lo puso al mundo, en cueros; **~ d'esprit** *nm/f* simple *m/f*; **~ soldat** soldado raso; **simplicité** *nf* simplicidad *f*, sencillez *f*; (*candeur*) candidez *f*, simpleza; **en toute simplicité** con toda sencillez; **simplifier** *vt* simplificar; **simpliste** *a* simplista.

simulacre [simylakʀ(ə)] *nm* simulacro.

simulateur, trice [simylatœʀ, tʀis] *nm/f* simulador/ora // *nm*: **~ de vol** aparato de adiestramiento para el vuelo.

simulation [simylɑsjɔ̃] *nf* simulación *f.*

simuler [simyle] *vt* simular.

simultané, e [simyltane] *a* simultáneo(a); **~ment** *ad* simultáneamente.

sincère [sɛ̃sɛʀ] *a* sincero(a); **mes ~s condoléances** mi sentido pésame; **sincérité** *nf* sinceridad *f*, franqueza; (*d'une parole, promesse*) sinceridad, veracidad *f*; **en toute sincérité** con toda franqueza.

singe [sɛ̃ʒ] *nm* mono; **singer** *vt* remedar; **~ries** *nfpl* monerías *fpl*; (*simagrées*) remilgos.

singulariser [sɛ̃gylaʀize] *vt* singularizar, caracterizar; **se ~** caracterizarse, singularizarse.

singularité [sɛ̃gylaʀite] *nf* singularidad *f.*

singulier, ière [sɛ̃gylje, jɛʀ] *a*, *nm* singular (*m*).

sinistre [sinistʀ(ə)] *a* siniestro(a) // *nm* siniestro; **un ~**

imbécile/crétin un tremendo imbécil/cretino; **sinistre, e** a, nm/f siniestrado(a), damnificado(a).

sinon [sinɔ̃] conj (autrement, sans quoi) si no, de lo contrario; (sauf) salvo, excepto; (si ce n'est) si no.

sinueux, euse [sinɥø, øz] a sinuoso(a), serpenteante; (fig) tortuoso(a), laberíntico(a); **sinuosités** nfpl embrollos.

sinus [sinys] nm seno; **~ite** [sinyzit] nf sinusitis f.

siphon [sifɔ̃] nm sifón m; **~ner** vt trasvasar por medio de un sifón.

sire [siʀ] nm (titre): S~ señor m; **un triste** ~ villano.

sirène [siʀɛn] nf sirena.

sirop [siʀo] nm jarabe m; (pharmaceutique) jarabe, sirope m.

siroter [siʀɔte] vt beber a sorbos.

sis, e [si, siz] a sito(a).

sismique [sismik] a sísmico(a).

sismographe [sismɔgʀaf] nm sismógrafo.

sismologie [sismɔlɔʒi] nf sismología.

site [sit] nm paraje m, paisaje m; (emplacement) emplazamiento; ~ (pittoresque) paisaje; **la protection des ~s** la protección del paisaje.

sitôt [sito] ad ni bien, tan pronto como; ~ **parti** ni bien o en cuanto partió; ~ **après** inmediatamente después; **pas de** ~ no enseguida, no tan pronto; ~ **(après)** que tan pronto como, luego que.

situation [situɑsjɔ̃] nf posición f; (d'un édifice etc, circonstances) situación f; (emploi) puesto, cargo.

situé, e [sitɥe] a: **bien/mal** ~ bien/mal situado o orientado; ~ **à/près de** situado en/cerca de.

situer [sitɥe] vt situar, colocar; (en pensée) situar, localizar; **se** ~ vi (être) situarse o colocarse.

six [sis] num seis; ~**ième** [sizjɛm] num sexto(a).

ski [ski] nm esquí m; **aller faire du** ~ ir a esquiar; ~ **de fond/de piste/de randonnée** esquí de fondo/de pista/de paseo; ~**-bob** nm

deslizador m sobre nieve; ~ **nautique** esquí acuático; ~**er** vi esquiar; ~**eur, euse** nm/f esquiador/ora.

slalom [slalɔm] nm slalom m; (fig): **faire du** ~ **entre** hacer gambetas entre; ~ **géant/spécial** slalom gigante/especial.

slave [slav] a eslavo(a).

slip [slip] nm slip m, braslip m; (de bain) calzón m.

slogan [slɔgã] nm slogan m.

SMIC, SMIG [smik, smig] sigle m voir **salaire**.

smoking [smɔkiŋ] nm smoking m.

SNCF sigle f voir **société**.

snob [snɔb] a, nm/f snob (m/f); ~**isme** nm snobismo.

sobre [sɔbʀ(ə)] a sobrio(a), mesurado(a); (élégance, style) sobrio(a), sencillo(a); ~ **de** (gestes, compliments) parco(a) de; **sobriété** nf sobriedad f.

sobriquet [sɔbʀikɛ] nm mote m, apodo.

soc [sɔk] nm reja.

sociable [sɔsjabl(ə)] a sociable, afable.

social, e, aux [sɔsjal, o] a social.

socialisme [sɔsjalism(ə)] nm socialismo; **socialiste** nm/f socialista m/f.

sociétaire [sɔsjetɛʀ] nm/f socio/a.

société [sɔsjete] nf sociedad f; (d'abeilles, de fourmis) comunidad f; (compagnie): **rechercher la** ~ **de** buscar la compañía de; ~ **anonyme, SA/à responsabilité limitée, SARL** sociedad anónima/ de responsabilidad limitada; ~ **française d'enquêtes pour sondages, SOFRES** sociedad francesa para el sondeo de opinión; ~ **immobilière** sociedad inmobiliaria; ~ **nationale des chemins de fer français, SNCF** = red f nacional de ferrocarriles españoles, RENFE.

sociologie [sɔsjɔlɔʒi] nf sociología; **sociologue** [-lɔg] nm/f sociólogo/a.

socle [sɔkl(ə)] nm zócalo, pedestal m.

socquette [sɔkɛt] *nf* calcetín *m* corto.

sodium [sɔdjɔm] *nm* sodio.

sœur [sœr] *nf* hermana.

SOFRES [sɔfʀɛs] *sigle f voir* société.

soi [swa] *pron* sí, sí mismo(a); cela va de ~ eso cae de maduro.

soi-disant [swadizɑ̃] *a inv* presunto(a), supuesto(a) // *ad* presuntamente, aparentemente.

soie [swa] *nf* seda; (poil) cerda.

soient *vb voir* être.

soierie [swaʀi] *nf* sedería.

soif [swaf] *nf* sed, afán *m*; (fig) sed, afán *m*; **avoir** ~ tener sed; **donner** ~ (à qn) provocar sed (a alguien).

soigné, e [swaɲe] *a* cuidado, pulcro(a); (travail) cuidado, esmerado(a); (fam) endiablado(a).

soigner [swaɲe] *vt* cuidar o asistir a; (maladie) curar; (travail, détails) cuidar, esmerarse en; (jardin, chevelure) cuidar; (clientèle, invités) atender, ocuparse de; **soigneur** *nm* (SPORT) entrenador *m*.

soigneux, euse [swaɲø, øz] *a* cuidadoso(a), escrupuloso(a); (travail, recherches) minucioso(a), metódico(a).

soi-même [swamɛm] *pron* sí mismo(a), el(la mismo)(a), uno(a) (mismo)(a)).

soin [swɛ̃] *nm* (application) cuidado, atención *f*; (propreté, ordre) cuidado, prolijidad *f*; (responsabilité): **le** ~ **de qch** el cuidado o cargo de algo; ~ *nmpl* cuidados; (prévenance) cuidados, atenciones *fpl*; **les** ~**s du ménage** las ocupaciones domésticas; **avoir ou prendre** ~ **de** ocuparse de; **sans** ~ a descuidado(a), negligente; **aux bons** ~**s de** por gentileza o atención de.

soir [swar] *nm* tarde *f*; noche *f*; **le** ~ por la tarde; por la noche; **à ce** ~! ¡hasta la tarde!; ¡hasta esta noche!; **la veille au** ~ la tarde de la víspera, la noche de la víspera; **sept heures du** ~ siete de la tarde; **dix** **heures du** ~ diez de la noche; **le repas du** ~ la comida de la noche, la cena; **le journal du** ~ el diario de la tarde o vespertino // *ad*: **dimanche/demain** ~ el domingo/mañana por la tarde; el domingo/mañana por la noche; **hier** ~ ayer por la tarde o noche; anoche.

soirée [sware] *nf* tarde *f*; noche *f*; (réception) velada o fiesta nocturna; (CINÉMA, THÉÂTRE): **en** ~ de noche.

sois *etc vb voir* être.

soit [swa] (à savoir) es decir, o sea; (MATH): ~ **un triangle ...** sea un triángulo; (en corrélation): ~ ..., **sea..., o... //** *ad* sea, está bien; ~ **que..., ou que...** ou ou que... ya sea que..., o que...

soixantaine [swasɑ̃tɛn] *nf*: **la** ~ los sesenta; **une** ~ **(de)...** unos(as) sesenta...

soixante [swasɑ̃t] *num* sesenta.

soja [sɔʒa] *nm* soja; (graines) semillas de soja.

sol [sɔl] *nm* suelo, tierra; (de logement) suelo; (revêtement) suelo, piso; (MUS) sol *m*.

solaire [sɔlɛr] *a* solar, del sol.

soldat [sɔlda] *nm* soldado; ~ **inconnu** soldado desconocido; ~ **de plomb** soldadito de plomo.

solde [sɔld(ə)] *nf* paga, sueldo // *nm* saldo; ~**s** *nmpl ou nfpl* (COMM) saldos; **à la** ~ **de qn** (péj) a sueldo de alguien; **en** ~ de saldo.

solder [sɔlde] *vt* saldar, liquidar; **se** ~ **par** (fig) resultar o terminar en; **article soldé (à 10 F** artículo liquidado en 10 F.

sole [sɔl] *nf* lenguado.

solécisme [sɔlesism(ə)] *nm* solecismo.

soleil [sɔlɛj] *nm* sol *m*; (pièce d'artifice) rueda; (acrobatie) molinete *m*; (BOT) girasol *m*; **il fait du** ~ hace sol; **au** ~ al sol, bajo el sol.

solennel, le [sɔlanɛl] *a* solemne.

solfège [sɔlfɛʒ] *nm* solfeo.

soli [sɔli] *pl de* solo.

solidaire [sɔlidɛʀ] a solidario(a); ~ **de** solidario(a) con; **solidariser: se solidariser avec** vt solidarizarse con; **solidarité** nf solidaridad f.

solide [sɔlid] a (robuste) resistente; (fig) sólido(a), firme; (personne, estomac) fuerte, resistente; (nourriture) consistente, resistente; (PHYSIQUE) sólido(a) // nm (PHYSIQUE, GÉOMÉTRIE) sólido; **avoir les reins** ~**s** (fig) estar bien forrado(a); **solidifier** vt solidificar; **se solidifier** vi solidificarse; **solidité** nf solidez f, firmeza.

soliloque [sɔlilɔk] nm soliloquio.

soliste [sɔlist(ə)] nm/f solista m/f.

solitaire [sɔlitɛʀ] a solitario(a), solo(a); (isolé) solitario(a), aislado(a); (désert) solitario(a), desierto(a) // nm/f solitario(a), ermitaño/a // nm (diamant) solitario.

solitude [sɔlityd] nf soledad f; (paix) soledad, retiro.

solive [sɔliv] nf viga.

sollicitations [sɔlisitɑsjɔ̃] nfpl requerimientos, insistencias; tentaciones fpl, incitaciones fpl; impulso, aceleración f.

solliciter [sɔlisite] vt pedir, solicitar; (suj: occupations, attractions etc) incitar, tentar; ~ **qn de faire qch** pedir a alguien que haga algo.

sollicitude [sɔlisityd] nf solicitud f, diligencia.

solo, pl soli [sɔlo] nm solo.

solstice [sɔlstis] nm solsticio.

soluble [sɔlybl(ə)] a soluble.

solution [sɔlysjɔ̃] nf solución f; (conclusion) solución, desenlace m; ~ **de facilité** solución fácil.

solvable [sɔlvabl(ə)] a solvente.

solvant [sɔlvɑ̃] nm disolvente m.

sombre [sɔ̃bʀ(ə)] a oscuro(a), sombrío(a); (fig) sombrío(a), triste; (: avenir) sombrío(a), negro(a); **une** ~ **brute** una soberana bestia.

sombrer [sɔ̃bʀe] vi (bateau) hundirse, zozobrar; ~ **corps et biens** desaparecer bienes y perso-

nas; ~ **dans** (misère etc) hundirse o caer en.

sommaire [sɔmɛʀ] a suscinto(a), conciso(a); (repas, tenue) escueto(a), ligero(a) // nm sumario; **faire le** ~ **de** hacer el resumen de; **exécution** ~ ejecución sumaria.

sommation [sɔm(m)asjɔ̃] nf intimación f, advertencia; **faire feu sans** ~ disparar sin intimación; ~**s d'usage** intimaciones reglamentarias.

somme [sɔm] nf suma, adición f; (d'argent, fig) suma, cantidad f // nm: **faire un** ~ echar la siesta, dormitar; **en** ~ ad en resumidas cuentas; ~ **toute** ad en resumen.

sommeil [sɔmɛj] nm sueño; (fig) sueño, reposo; **avoir** ~ tener sueño; **avoir le** ~ **léger/lourd** tener el sueño ligero/pesado; **en** ~ (fig) en suspenso; ~**ler** vi dormitar; (fig) estar adormecido(a) o latente.

sommelier [sɔməlje] nm botillero.

sommer [sɔme] vt: ~ **qn de** intimar a alguien a.

sommes vb voir **être**.

sommet [sɔme] nm (d'une montagne) cima, cumbre f; (d'une tour, d'un arbre) punta, cima; (fig) cumbre; (GÉOMÉTRIE: d'un angle) vértice m; (: d'un polygone) cúspide f; (montagne) montaña.

sommier [sɔmje] nm somier m, colchón m de muelles.

sommité [sɔmite] nf eminencia.

somnambule [sɔmnɑ̃byl] nm/f sonámbulo/a.

somnifère [sɔmnifɛʀ] nm somnífero.

somnolent, e [sɔmnɔlɑ̃, ɑ̃t] a somnolento(a), soñoliento(a).

somnoler [sɔmnɔle] vi dormitar.

somptuaire [sɔ̃ptɥɛʀ] a suntuario(a).

somptueux, euse [sɔ̃ptɥø, øz] a suntuoso(a), fastuoso(a).

son, sa, pl ses [sɔ̃, sa, se] dét su(sus).

son [sɔ̃] nm sonido; (résidu) afrecho; ~ **et lumière** a inv luz y sonido.

sonar [sɔnaR] *nm* sonar *m*.

sonate [sɔnat] *nf* sonata.

sondage [sɔ̃daʒ] *nm* sondeo; ~ **d'opinion** sondeo de opinión.

sonde [sɔ̃d] *nf* sonda; (*TECH*) barrena, sonda; **sonder** *vt* sondear; (*plaie, malade*) sondar, examinar.

songe [sɔ̃ʒ] *nm* sueño.

songer [sɔ̃ʒe] : ~ **à** *vt* (*rêver à*) soñar con; (*penser à*) pensar en; (*envisager*) pensar en, considerar; ~ **que** considerar que; ~**ie** [sɔ̃ʒRi] *nf* ensoñación *f*, ensueño; **songeur, euse** *a* pensativo(a), caviloso(a).

sonnaille [sɔnaj] *nf* cencerro; ~s *fpl* campanilleo.

sonnant, e [sɔnɑ̃, ɑ̃t] *a*: **espèces** ~**es et trébuchantes** moneda contante y sonante; **à huit heures** ~**es** a las ocho en punto.

sonné, e [sɔne] *a* (*fam*) chiflado(a); **il est midi** ~ son las doce pasadas; **il a quarante ans bien** ~**s** tiene cuarenta años bien cumplidos.

sonner [sɔne] *vi* sonar; (*cloche*) sonar, tañer; (*à la porte: personne*) llamar, tocar al timbre // *vt* (*cloche*) tañer; (*domestique etc*) llamar a; (*messe, réveil, tocsin*) tocar a; (*fam*) dar un palizón, aporrear; ~ **du clairon** tocar la corneta; ~ **les heures** dar las horas; **minuit vient de** ~ acaba de dar la medianoche; ~ **chez qn** llamar a la casa de alguien.

sonnerie [sɔnRi] *nf* timbre *m*, campanilla; (*d'horloge, de réveil*) campana, timbre; ~ **d'alarme** toque *m* de alarma; ~ **de clairon** toque de corneta.

sonnet [sɔnɛ] *nm* soneto.

sonnette [sɔnɛt] *nf* (*clochette*) campanilla; (*de porte, électrique*) timbre *m*; ~ **d'alarme** timbre de alarma; ~ **de nuit** timbre nocturno.

sono [sɔno] *nf* abrév de **sonorisation**.

sonore [sɔnɔR] *a* sonoro(a).

sonorisation [sɔnɔRizasjɔ̃] *nf* sonorización *f*.

sonorité [sɔnɔRite] *nf* sonoridad *f*;

(*d'une salle*) sonoridad, resonancia; ~s *fpl* sonoridades *fpl*.

sont *vb voir* **être**.

sophistiqué, e [sɔfistike] *a* sofisticado(a).

soporifique [sɔpɔRifik] *a* soporífico(a).

sorbet [sɔRbɛ] *nm* sorbete *m*; ~**ière** [sɔRbɔtjɛR] *nf* sorbetera.

sorbier [sɔRbje] *nm* serbal *m*.

sorcellerie [sɔRsɛlRi] *nf* brujería, hechicería.

sorcier, ière [sɔRsje, jɛR] *nm/f* hechicero/a, brujo/a // *a*: **ce n'est pas** ~ (*fam*) no es nada del otro mundo.

sordide [sɔRdid] *a* sórdido(a); mísero(a); miserable.

sornettes [sɔRnɛt] *nfpl* (*péj*) sandeces *fpl*, necedades *fpl*.

sors *etc vb voir* **sortir**.

sort [sɔR] *nm* (*fortune*) suerte *f*, ventura; (*destinée*) suerte, destino; (*condition, situation*) suerte, fortuna; **jeter un** ~ **sur** qn hacer una brujería a alguien; **un coup de** ~ un golpe de fortuna; **c'est une ironie du** ~ es una ironía del destino; **tirer** (qch) **au** ~ sortear (algo).

sortais *etc vb voir* **sortir**.

sortant, e [sɔRtɑ̃, ɑ̃t] *a* ganador(ora); (*député etc*) saliente.

sorte [sɔRt(ə)] *etc vb voir* **sortir** // *nf* suerte *f*, clase *f*; **une** ~ **de** una suerte o especie de; **de la** ~ *ad* de este(a) modo o manera; **en quelque** ~ de alguna manera, en cierto modo; **de** ~ **à** de manera o modo que; **de (telle)** ~ **que, en** ~ **que** de (tal) modo que, de modo que; **faire en** ~ **que** procurar que; **faire en** ~ **de** procurar.

sorti, e [sɔRti] *pp de* **sortir**.

sortie [sɔRti] *nf* salida; (*MIL*) incursión *f*, (*fig*) invectiva; disparate *m*, dislate *m*; (*d'un gaz, de l'eau*) escape *m*, pérdida; ~ **de bain** (*vêtement*) salida de baño; ~ **de secours** salida de emergencia.

sortilège [sɔRtilɛʒ] *nm* sortilegio, hechicería.

sortir [sɔʀtiʀ] *vi* salir; (*bourgeon, plante*) salir, brotar; (*eau, fumée*) salir, desprenderse // *vt* (*promener*) sacar; (*emmener au spectacle, dans le monde*) sacar, llevar; (*produit, ouvrage, modèle*) sacar, poner en venta; (*fam*) despachar; echar // *vi*: **au ~ de l'hiver** al final del invierno; **~ de** *vt* salir de; (*route, rainure, cadre, compétence*) salirse de; (*famille, université*) venir de, proceder de; **se ~ de** (*affaire, situation*) desembarazarse o librarse de; **~ de table** retirarse o levantarse de la mesa; **~ des gonds** (*fig*) salirse de sus casillas; **~ qn d'affaire/d'embarras** sacar a alguien de un aprieto o apuro; **il ne s'en sort pas** no se las arregla, no sale del apuro.

SOS *sigle m* SOS *m*.

sosie [sozi] *nm* sosia *m*.

sot, sotte [so, sɔt] *a* tonto(a), necio(a) // *nm/f* tonto/a, bobo/a; **~tise** *nf* estupidez *f*; necedad *f*; tontería.

sou [su] *nm*: **être près de ses ~s** ser un(a) agarrado(a); **être sans le ~** estar pelado(a); **économiser ~ à ~** ahorrar céntimo a céntimo.

soubassement [subasmɑ̃] *nm* basamento.

soubresaut [subʀəso] *nm* (*de peur etc*) sobresalto; (*d'un cheval*) corcovo; (*d'un véhicule*) barquinazo.

soubrette [subʀɛt] *nf* doncella de comedia, graciosa.

souche [suʃ] *nf* (*d'un arbre*) tocón *m*; (*fig*) tronco; origen *m*, raíz *f*; (*de carnet*) matriz *f*; **de vieille ~** de rancio linaje; **carnet à ~s** talonario; **chéquier à ~s** talonario de cheques.

souci [susi] *nm* preocupación *f*; (*préoccupation, intérêt*) preocupación, desvelo; (*BOT*) caléndula; **se faire du ~** preocuparse, inquietarse; **avoir (le) ~ de** preocuparse por, tener interés en; **~s financiers** problemas económicos.

soucier [susje]: **se ~ de** *vt* preocuparse por.

soucieux, euse [susjø, øz] *a* preocupado(a), taciturno(a); **~ de/que** preocupado por/que; **peu ~ de/que...** poco cuidadoso de/de que... .

soucoupe [sukup] *nf* platillo; **~ volante** platillo volador *o* volante.

soudain, e [sudɛ̃, ɛn] *a* repentino(a), imprevisto(a) // *ad* súbitamente, repentinamente; **~eté** *nf* lo repentino.

soude [sud] *nf* sosa, soda.

soudé, e [sude] *a* (*fig*) aglutinado(a), adherido(a).

souder [sude] *vt* soldar; (*fig*) agrupar, unir.

soudoyer [sudwaje] *vt* (*péj*) sobornar.

soudure [sudyʀ] *nf* soldadura.

souffert, e *pp de* **souffrir**.

souffle [sufl(ə)] *nm* soplo; (*respiration*) respiración *f*; (*d'une explosion*) onda expansiva; **avoir du/manquer de ~** tener/faltarle el resuello; **être à bout de ~** estar sin aliento; **avoir le ~ court** tener el aliento corto; **~ au cœur** soplo al corazón.

soufflé, e [sufle] *a* (CULIN) inflado(a), soufflé; (*fam: ahuri*) atolondrado(a), aturdido(a) // *nm* soufflé *m*.

souffler [sufle] *vi* (*vent*) soplar; (*personne: haleter*) resoplar, resollar; (*: pour éteindre etc*): **~ sur** soplar, apagar // *vt* (*fumée*) echar; (*détruire*) volar; (*fam*): **~ qch à qn** birlar algo a alguien; **laisser ~** (*fig*) dejar respirar.

soufflet [suflɛ] *nm* (*instrument, entre wagons*) fuelle *m*; (*gifle*) soplamocos *m inv*, sopapo.

souffleur, euse [suflœʀ, øz] *nm/f* apuntador/ora.

souffrais *etc vb voir* **souffrir**.

souffrance [sufʀɑ̃s] *nf* sufrimiento, padecimiento; **en ~** (*marchandise*) detenido(a); (*affaire*) en suspenso.

souffrant, e [sufʀɑ̃, ɑ̃t] a indispuesto(a), enfermo(a); (*air*) doliente, sufriente.

souffre *etc vb voir* **souffrir**.

souffre-douleur [sufʀədulœʀ] nm inv sufrelotodo.

souffreteux, euse [sufʀətø, øz] a enfermizo(a), delicado(a).

souffrir [sufʀiʀ] vi sufrir // vt sufrir, padecer; (*personne, comportement etc*) sufrir, soportar; (*exception, retard*) admitir; ~ de sufrir (de); **ne pas pouvoir ~ qch/que...** no poder aguantar algo/que...; **faire ~ qn** hacer sufrir a alguien.

soufre [sufʀ(ə)] nm azufre m.

souhait [swɛ] nm deseo, anhelo; **tous nos ~s pour** nuestros mejores augurios para; **à ~** ad a pedir de boca; **à vos ~s!** ¡salud!; **~able** a deseable; **~er** vt desear, anhelar; **~er le bonjour/la bonne année à qn** desear los buenos días/feliz año nuevo a alguien.

souiller [suje] vt ensuciar, manchar; (*fig*) mancillar, manchar.

souk [suk] nm zoco.

soûl, e [su, sul] a borracho(a), ebrio(a); (*fig*): ~ de harto o embriagado de // nm: **tout son ~** hasta hartarse.

soulagement [sulaʒmɑ̃] nm alivio.

soulager [sulaʒe] vt aliviar, calmar; ~ (*fam*) hacer sus necesidades; **~ qn de** (*fardeau*) aligerar a alguien de; **~ qn de son portefeuille** afanar la cartera a alguien.

soûler [sule] vt emborrachar, embriagar; (*fig*) embriagar; **se ~** emborracharse, embriagarse; **se ~** (*péj*) borrachera, francachela.

soulèvement [sulɛvmɑ̃] nm insurrección f, sublevación f.

soulever [sulve] vt levantar; (*peuple, province*) levantar, sublevar; (*indigner*) indignar, irritar; (*enthousiasme etc*) excitar, suscitar; (*question, débat*) provocar,

plantear; **se ~** vi (*peuple, province*) levantarse, sublevarse; (*personne couchée*) levantarse, erguirse; (*couvercle etc*) alzar, levantar; **cela (me) soulève le cœur** eso (me) asquea o revuelve el estómago.

soulier [sulje] nm zapato; **~s plats/à talons** zapatos sin tacón/con tacón.

souligner [suliɲe] vt subrayar; (*fig*) marcar; subrayar; destacar.

soumettre [sumɛtʀ(ə)] vt someter; **~ à qn** (*projet etc*) someter o plantear a alguien; **se ~** someterse; **se ~ à** someterse o subordinarse a.

soumis, e [sumi, iz] a sumiso(a); (*peuples*) sometido(a); **revenus ~ à l'impôt** entradas o ganancias sujetas a impuesto.

soumission [sumisjɔ̃] nf sumisión f; sometimiento; obediencia; (*COMM*) licitación f.

soupape [supap] nf válvula; ~ **de sûreté** válvula de seguridad; (*fig*) derivativo.

soupçon [supsɔ̃] nm sospecha, presunción f; **un ~ de** una pizca de; **au dessus de tout** ~ por encima de toda sospecha; **~ner** vt sospechar, presumir; (*piège, manœuvre*) presumir; **~ner que** sospechar que; **~ner qn de qch/d'être** sospechar algo de alguien/que es; **~neux, euse** a desconfiado(a), receloso(a).

soupe [sup] nf sopa.

soupente [supɑ̃t] nf sobrado, desván m.

souper [supe] vi cenar // nm cena; **avoir soupé de** (*fam*) estar hasta la coronilla de.

soupeser [supəze] vt sopesar.

soupière [supjɛʀ] nf sopera.

soupir [supiʀ] nm suspiro; (*MUS*) silencio de negra.

soupirail, aux [supiʀaj, o] nm tragaluz m.

soupirant [supiʀɑ̃] nm (*péj*) pretendiente m, festejante m.

soupirer [supiʀe] vi suspirar.

souple [supl(ə)] a flexible; (*corps, personne*) ágil; (*caractère*) dócil;

(démarche, taille) ágil, ligero(a);
souplesse nf flexibilidad f; agilidad
f; docilidad f; **en souplesse, avec
souplesse** con soltura.

source [surs(ə)] nf vertiente f,
manantial m; (d'un cours d'eau)
naciente f, fuente f; (fig: point de
départ) origen m, causa; (: origine
d'une information) fuente f; **~s** nfpl
(textes, originaux) fuentes fpl;
prendre sa ~ à/dans (suj: cours
d'eau) tener su origen en, nacer en;
tenir qch de bonne ~/de ~ sûre
saber algo de buena fuente/de
ciencia cierta; **~ de chaleur/
lumineuse** fuente de calor/de luz;
~ d'eau minérale vertiente de agua
mineral; **~ thermale** fuente termal.
sourcier [sursje] nm zahorí m.
sourcil [sursi] nm ceja.
sourcilière [sursiljɛr] a voir
arcade.
sourciller [sursije] vi: **sans ~** sin
pestañear.
sourcilleux, euse [sursijø, øz] a
arrogante, altanero(a).
sourd, e [sur, surd(ə)] a sordo(a);
(fig) sordo(a), encubierto(a) //
nm/f sordo/a.
sourdait vb voir **sourdre**.
sourdine [surdin] nf sordina; **en ~**
ad a la sordina; **mettre une ~ à**
(fig) acallar, moderar.
sourd-muet, sourde-muette
[surmɛ, surdmɛt] a, nm/f
sordomudo(a).
sourdre [surdr(ə)] vi manar,
surgir.
souriant, e [surjã, ãt] a sonriente,
risueño(a).
souricière [surisjɛr] nf ratonera.
sourire [surir] nm sonrisa // vi
sonreír; **~ à qn** (fig) agradar a
alguien; sonreír o favorecer a
alguien.
souris [suri] nf ratón m.
sournois, e [surnwa, waz] a
taimado(a), solapada(a).
sous [su] prép bajo, debajo de; **~
terre** ad bajo tierra; **~ vide** a, ad en

vacío; **~ le choc** a causa del
choque; **~ telle rubrique/lettre** en
la sección/letra; **~ Louis XIV** bajo
el reinado de Luis XIV; **~ peu** ad
dentro de poco.
sous... [su] préf sub..., **~-
alimenté/peuplé/équipé** alimenta-
do/poblado/equipado insuficiente-
mente; **~-bois** nm inv maleza;
~-catégorie nf subcategoría;
~-chef nm subjefe m.
souscription [suskripsjɔ̃] nf
suscripción f; **offert en ~** en venta
por suscripción.
souscrire [suskrir] : **~ à** vt
suscribirse a; (fig) adherir a.
sous-cutané, e [sukytane] a
subcutáneo(a).
sous-développé, e [sudevlɔpe] a
subdesarrollado(a).
sous-directeur, trice [sudirɛk-
tœr, tris] nm/f subdirector/ora.
sous-emploi [suzãplwa] nm
subempleo.
sous-entendre [suzãtãdr(ə)] vt
sobrentender; **sous-entendu** nm
sobrentendido, insinuación f.
sous-estimer [suzɛstime] vt
subestimar.
sous-homme [suzɔm] nm (péj)
hombre inferior m.
sous-jacent, e [suʒasã, ãt] a
subyacente.
sous-lieutenant [suljøtnã] nm
subteniente m.
sous-location [sulɔkasjɔ̃] nf
subarriendo.
sous-louer [sulwe] vt subarrendar.
sous-main [sumɛ̃] nm inv
cartapacio; **en ~** ad bajo mano.
sous-marin, e [sumarɛ̃, in] a
submarino(a) // nm submarino.
sous-officier [suzɔfisje] nm
suboficial m.
sous-préfecture [suprefɛktyr] nf
subprefectura.
sous-préfet [suprefɛ] nm subpre-
fecto.
sous-produit [suprɔdɥi] nm
subproducto; (fig: péj) imitación f.
sous-secrétaire [susкretɛr] nm

~ **d'État** subsecretario de Estado.

soussigné, e [susiɲe] a: **je ~...** el que suscribe...; **le/les ~(s)** el/los abajo firmante(s).

sous-sol [susɔl] nm subsuelo; (*d'une construction*) sótano; **en ~** en el subsuelo.

sous-titre [sutitʀ(ə)] nm subtítulo; **sous-titré, e** a con subtítulos.

soustraction [sustʀaksjɔ̃] nf sustracción f.

soustraire [sustʀɛʀ] vt (*nombre*) sustraer, restar; (*document, argent*) sustraer; ~ **qn à** (*curiosité, danger*) alejar a alguien de; **se ~ à** sustraerse a.

sous-traitance [sutʀɛtɑ̃s] nf subcontrato.

sous-verre [suvɛʀ] nm cuadro montado con vidrio y cartón.

sous-vêtement [suvɛtmɑ̃] nm prenda interior; **~s** mpl ropa interior.

soutane [sutan] nf sotana.

soute [sut] nf pañol m, bodega; **~ à bagages** cala de equipaje.

soutenable [sutnabl(ə)] a sustentable, sostenible.

soutenance [sutnɑ̃s] nf: **~ de thèse** defensa de tesis.

soutènement [sutɛnmɑ̃] nm: **mur de ~** muro de contención.

souteneur [sutnœʀ] nm rufián m.

soutenir [sutniʀ] vt sostener; (*personne: fortifier*) dar fuerza a, reponer; (: *réconforter, aider*) reconfortar; (*assaut, choc*) resistir a, sostener; (*intérêt, effort*) mantener; **se ~** (*s'aider*) sostenerse, apoyarse; (*point de vue*) defenderse; (*dans l'eau, sur les jambes*) mantenerse, sostenerse.

soutenu, e [sutny] a (*efforts*) constante, tenaz; (*style*) elevado(a); (*couleur*) intenso(a), vivo(a).

souterrain, e [sutɛʀɛ̃, ɛn] a subterráneo(a) // nm subterráneo.

soutien [sutjɛ̃] nm (*aide*) sostén m, apoyo; (MIL) apoyo.

soutien-gorge [sutjɛ̃gɔʀʒ(ə)] nm sostén m.

soutirer [sutiʀe] vt: ~ **qch à qn** sonsacar algo a alguien.

souvenance [suvnɑ̃s] nf: **avoir ~ de** recordar, tener el recuerdo de.

souvenir [suvniʀ] nm recuerdo // vb: **se ~ de** vt recordar, acordarse de; **se ~ que** recordar que, acordarse de que; **en ~ de** como recuerdo de; **avec mes meilleurs ~s** con mis mejores recuerdos.

souvent [suvɑ̃] ad a menudo, frecuentemente; **peu ~** pocas veces, raramente.

souverain, e [suvʀɛ̃, ɛn] a soberano(a); (*remède*) infalible, radical; (*mépris*) sumo(a), mayúsculo(a) // nm/f soberano/a; **le ~ pontife** el sumo pontífice; **~eté** nf soberanía.

soviétique [sɔvjetik] a soviético(a).

soyeux, euse [swajø, øz] a de seda; (*fig*) sedoso(a).

soyons etc vb voir **être**.

SPA sigle f = Société protectrice des animaux.

spacieux, euse [spasjø, øz] a espacioso(a), amplio(a).

spaghettis [spageti] nmpl espaguetis mpl.

sparadrap [spaʀadʀa] nm esparadrapo.

spartiate [spaʀsjat] a espartano(a); **~s** nfpl (*sandales*) sandalias.

spasme [spasm] nm espasmo.

spasmodique [spasmɔdik] a espasmódico(a).

spatial, e, aux [spasjal, o] a espacial.

spatule [spatyl] nf espátula.

speaker, ine [spikœʀ, in] nm/f locutor/ora.

spécial, e, aux [spesjal, o] a especial; **~ement** ad especialmente.

spécialisé, e [spesjalize] a especializado(a).

spécialiser [spesjalize] vt: **se ~** especializarse.

spécialiste [spesjalist(ə)] nm/f especialista m/f.

spécialité [spesjalite] *nf* especialidad *f*.

spécieux, euse [spesjø, øz] *a* especioso(a), falaz.

spécification [spesifikasjɔ̃] *nf* especificación *f*.

spécifier [spesifje] *vt* especificar, detallar; ~ **que** especificar o precisar que.

spécifique [spesifik] *a* específico(a).

spécimen [spesimɛn] *nm* espécimen *m*, ejemplar *m*; (*revue, manuel*) ejemplar, muestra // *a* muestra.

spectacle [spɛktakl(ə)] *nm* espectáculo, cuadro; (*THÉÂTRE, CINÉMA*) espectáculo; **pièce/revue à grand** ~ obra/revista espectacular; **au** ~ **de...** frente al espectáculo de, a la vista de.

spectaculaire [spɛktakylɛʀ] *a* espectacular.

spectateur, trice [spɛktatœʀ, tʀis] *nm/f* espectador/ora.

spectral, e, aux [spɛktʀal, o] *a* espectral.

spectre [spɛktʀ(ə)] *nm* espectro.

spéculateur, trice [spekylatœʀ, tʀis] *nm/f* (*péj*) especulador/ora.

spéculation [spekylɑsjɔ̃] *nf* especulación *f*.

spéculer [spekyle] *vi* especular, comerciar; (*PHILOSOPHIE*) especular, meditar; ~ **sur** especular (con).

spéléologie [speleɔlɔʒi] *nf* espeleología; **spéléologue** [-lɔg] *nm/f* espeleólogo/a.

spermatozoïde [spɛʀmatozɔid] *nm* espermatozoide *m*.

sperme [spɛʀm(ə)] *nm* esperma *m*.

sphère [sfɛʀ] *nf* esfera; **sphérique** [sferik] *a* esférico(a), redondo(a).

sphincter [sfɛ̃ktɛʀ] *nm* esfínter *m*.

spirale [spiʀal] *nf* espiral *f*.

spiritisme [spiʀitism(ə)] *nm* espiritismo.

spirituel, le [spiʀitɥɛl] *a* espiritual; (*fin, piquant*) ingenioso(a), agudo(a); **musique** ~**le** música sacra.

spiritueux [spiʀitɥø] *nm* bebida espiritosa.

splendeur [splɑ̃dœʀ] *nf* esplendor *m*, fulgor *m*; ~**s** *fpl* esplendores *mpl*.

splendide [splɑ̃did] *a* espléndido(a), esplendoroso(a); (*fête, paysage, femme*) espléndido(a), maravilloso(a); (*effort, réalisation*) extraordinario(a).

spolier [spɔlje] *vt* despojar.

spongieux, euse [spɔ̃ʒjø, øz] *a* esponjoso(a).

spontané, e [spɔ̃tane] *a* espontáneo(a).

sporadique [spɔʀadik] *a* esporádico(a).

sport [spɔʀ] *nm* deporte *m* // *a*: **costume** ~ traje *m* "sport"; **faire du** ~ practicar deportes; ~**if, ive** *a* deportivo(a).

spot [spɔt] *nm* (*lampe*) reflector *m*, foco; (*annonce*): ~ (**publicitaire**) espacio (publicitario).

sprint [spʀint] *nm* sprint *m*, arrancada final; **gagner au** ~ ganar en el sprint; **piquer un** ~ dar una arrancada.

square [skwaʀ] *nm* plazoleta, jardín público.

squelette [skəlɛt] *nm* esqueleto; **squelettique** *a* esquelético(a); (*fig*) esquemático(a), esquelético(a).

stabilisateur, trice [stabilizatœʀ, tʀis] *a* estabilizador(ora) // *nm* estabilizador *m*.

stabiliser [stabilize] *vt* (*monnaie, situation*) estabilizar, fijar; (*terrain*) estabilizar, afirmar; (*véhicule*) estabilizar.

stabilité [stabilite] *nf* estabilidad *f*.

stable [stabl(ə)] *a* estable.

stade [stad] *nm* estadio.

stage [staʒ] *nm* (*d'études*) práctica; (*de perfectionnement*) cursillo; (*d'avocat* stagiaire) pasantía; **stagiaire** [staʒjɛʀ] *nm/f* practicante *m/f*, cursillista *m/f*.

stagnant, e [stagnɑ̃, ɑ̃t] *a* estancado(a); (*fig*) paralizado(a), estancado(a).

stagnation [stagnɔsjɔ̃] nf (fig) estancamiento, paralización f.

stalactite [stalaktit] nf estalactita.

stalagmite [stalagmit] nf estalagmita.

stalle [stal] nf box m, jaula.

stand [stɑ̃d] nm (d'exposition) stand m, puesto; ~ **de tir** (à la foire) barraca de tiro al blanco; (MIL. SPORT) galería de tiro; ~ **de ravitaillement** puesto de avituallamiento.

standard [stɑ̃dar] a inv standard, tipo // nm central telefónica; ~**iser** vt standardizar.

standardiste [stɑ̃dardist(ə)] nm/f telefonista m/f.

standing [stɑ̃diŋ] nm nivel m de vida; **immeuble de grand** ~ inmueble m de gran categoría.

star [star] nf: ~ **(de cinéma)** estrella f (de cine).

starter [startɛr] nm (AUTO) starter m.

station [stasjɔ̃] nf estación f; (de bus) parada; (RADIO, TV) estación emisora; (posture): **la** ~ **debout** la posición de pie; ~ **de taxis** parada de taxis.

stationnaire [stasjonɛr] a estacionario(a).

stationnement [stasjonmɑ̃] nm estacionamiento, ~ **interdit** estacionamiento prohibido, prohibido estacionar.

stationner [stasjone] vi estacionar.

station-service [stasjɔ̃sɛrvis] nf estación f de servicio.

statique [statik] a estático(a).

statisticien, ne [statistisjɛ̃, jɛn] nm/f estadista m.

statistique [statistik] nf estadística // a estadístico(a).

statue [staty] nf estatua.

statuer [statɥe] vi: ~ **sur** resolver.

statuette [statɥɛt] nf estatuilla.

stature [statyr] nf estatura, altura; (fig) estatura, dimensión f.

statut [staty] nm estatuto; ~**s** nmpl (JUR, ADMIN) estatutos; ~**aire** statytɛr] a estatutario(a).

Sté abrév de **société**.

steak [stɛk] nm bifteak m.

stèle [stɛl] nf estela.

stellaire [stelɛr] a estelar.

stencil [stɛnsil] nm sténcil m.

sténo... [steno] préf: ~**(dactylo)** de taquimecanógrafa; ~**graphe** nm/f estenógrafo/a, taquígrafo/a; ~**(graphie)** nf taquigrafía, estenografía; **prendre en** ~ taquigrafiar; ~**graphier** vt estenografiar.

stentor [stɑ̃tɔr] nm: **voix de** ~ voz f de trueno, voz estentórea.

steppe [stɛp] nf estepa.

stéréo(phonie) [stereɔfɔni] nf estereofonía; **stéréo(phonique)** a estereofónico(a).

stéréotype [stereɔtip] nm estereotipo; **stéréotypé, e** a estereotipado(a).

stérile [steril] a estéril.

stérilet [sterilɛ] nm espiral m.

stérilisé, e [sterilize] a pasterizado(a).

stériliser [sterilize] vt esterilizar.

stérilité [sterilite] nf esterilidad f.

sternum [stɛrnɔm] nm esternón m.

stéthoscope [stetɔskɔp] nm estetoscopio.

stick [stik] nm barra.

stigmate [stigmat] nm estigma m.

stigmatiser [stigmatize] vt estigmatizar.

stimulant, e [stimylɑ̃, ɑ̃t] a estimulante, alentador(ora); (excitant) estimulante, excitante // nm estimulante m; (fig) estimulante, aliciente m.

stimulation [stimylɑsjɔ̃] nf estímulo, acicate m.

stimuler [stimyle] vt estimular; (personne) estimular, aguijonear.

stimulus, pl i [stimylys, i] nm estímulo, incentivo.

stipuler [stipyle] vt (énoncer) estipular, acordar; (préciser) estipular, especificar; ~ **que** precisar que.

stock [stɔk] nm (COMM) stock m, existencias; (FINANCE) reservas; (fig) reserva, reserva; ~**er** vt almacenar; ~iste *nm* depositario.

stoïque [stɔik] *a* estoico(a).

stomacal, e, aux [stɔmakal, o] *a* estomacal.

stomachique [stɔmaʃik] *a* estomacal.

stop [stɔp] *nm* (AUTO: *écriteau*) stop *m*; (: *signal*) luz *f* de freno; (*dans un télégramme*) stop, punto // *excl* ¡pare!, ¡alto!

stoppage [stɔpaʒ] *nm* zurcido.

stopper [stɔpe] *vt* (*navire, machine*) detener; (*mouvement, attaque*) detener, parar; (COUTURE) zurcir // *vi* detenerse, pararse.

store [stɔʀ] *nm* (*de bois*) persiana; (*de tissu*) toldo.

strabisme [stʀabism(ə)] *nm* estrabismo.

strangulation [stʀɑ̃gylasjɔ̃] *nf* estrangulación *f*.

strapontin [stʀapɔ̃tɛ̃] *nm* estrapontín *m*, traspontín *m*.

strass [stʀas] *nm* estrás *m*.

stratagème [stʀataʒɛm] *nm* estratagema, ardid *m*.

stratégie [stʀateʒi] *nf* estrategia, táctica; **stratégique** *a* estratégico(a).

stratifié, e [stʀatifje] *a* estratificado(a).

stratosphère [stʀatɔsfɛʀ] *nf* estratósfera.

strict, e [stʀikt(ə)] *a* estricto(a); (*tenue, décor*) severo(a), riguroso(a); (*langage*) riguroso(a); **son droit le plus** ~ su justo derecho; **dans la plus** ~e **intimité** en la más estrecha intimidad; **au sens** ~ **du mot** en el estricto sentido de la palabra; **le** ~ **nécessaire** lo estrictamente necesario; **le** ~ **minimum** lo mínimo.

strident, e [stʀidɑ̃, ɑ̃t] *a* estridente.

stridulations [stʀidylasjɔ̃] *nfpl* chirridos.

strie [stʀi] *nf* estria; **strier** *vt* estriar.

strip-tease [stʀiptiz] *nm* striptease *m*; **strip-teaseuse** *nf* mujer que hace strip-tease.

strophe [stʀɔf] *nf* estrofa.

structure [stʀyktyʀ] *nf* estructura, conformación *f*; **structurer** *vt* estructurar, organizar.

strychnine [stʀiknin] *nf* estricnina.

stuc [styk] *nm* estuco.

studieux, euse [stydjø, øz] *a* estudioso(a); (*vacances, retraite*) de estudio.

studio [stydjo] *nm* estudio.

stupéfaction [stypefaksjɔ̃] *nf* estupefacción *f*, estupor *m*.

stupéfait, e [stypefɛ, ɛt] *a* estupefacto(a), atónito(a).

stupéfiant, e [stypefjɑ̃, ɑ̃t] *a* asombroso(a), sorprendente // *nm* estupefaciente *m*.

stupéfier [stypefje] *vt* pasmar, embotar; (*étonner*) asombrar, dejar estupefacto(a).

stupeur [stypœʀ] *nf* (*inertie*) embotamiento, entorpecimiento; (*étonnement*) estupor, sorpresa.

stupide [stypid] *a* estúpido(a), tonto(a); **stupidité** *nf* estupidez *f*, torpeza.

style [stil] *nm* estilo.

stylé, e [stile] *a* con clase.

stylet [stilɛ] *nm* estilete *m*.

stylisé, e [stilize] *a* estilizado(a).

styliste [stilist(ə)] *nm/f* estilista *m/f*.

stylistique [stilistik] *nf* estilística.

stylo [stilo] *nm*: ~ (**à**) **bille** bolígrafo; ~ (**à encre**) estilográfica; ~ (**à**) **plume** pluma estilográfica.

styptique [stiptik] *a*: **crayon** ~ lápiz estíptico.

su, e [sy] *pp de* **savoir** // *nm*: **au** ~ **de** a sabiendas de.

suaire [sɥɛʀ] *nm* sudario.

subalterne [sybaltɛʀn(ə)] *a, nm/f* subalterno(a).

subconscient [sypkɔsjɑ̃] *nm* subconsciente *m*.

subdiviser [sybdivize] *vt* subdividir; **subdivision** *nf* subdivisión *f*.

subir [sybiʀ] *vt* sufrir, soporta (*influence*) sufrir, experimenta (*traitement*, *examen*) sufrir, pasar; (*suj*: *chose*) sufrir.

subit, e [sybi, it] *a* súbito(a), repentino(a); **~ement** *ad* repentinamente, súbitamente.

subjectif, ive [sybʒɛktif, iv] *a* subjetivo(a).

subjonctif [sybʒɔ̃ktif] *nm* subjuntivo.

subjuguer [sybʒyge] *vt* subyugar.

sublimer [syblime] *vt* sublimar, enaltecer.

submergé, e [sybmɛrʒe] *a* sumergido(a); (*fig*): **~ de** sobrecargado *o* atiborrado de.

submerger [sybmɛrʒe] *vt* sumergir, inundar; (*fig*) abismar, desbordar.

submersible [sybmɛrsibl(ə)] *nm* sumergible *m*.

subordonné, e [sybɔrdɔne] *a* subordinado(a); **~ à** subordinado a, dependiente de // *nm/f* subordinado/a, subalterno/a.

subordonner [sybɔrdɔne] *vt*: **~ qn à** subordinar alguien a; **~ qch à** supeditar algo a, hacer depender algo de.

subornation [sybɔrnasjɔ̃] *nf* soborno.

subrepticement [sybrɛptismɑ̃] *ad* subrepticiamente, furtivamente.

subside [sypsid] *nm* subsidio.

subsidiaire [sypsidjɛr] *a*: **question ~** pregunta subsidiaria.

subsistance [sybzistɑ̃s] *nf* subsistencia, sostenimiento.

subsister [sybziste] *vi* subsistir, perdurar; (*personne*, *famille*) subsistir, sobrevivir.

subsonique [sypsɔnik] *a* subsónico(a).

substance [sypstɑ̃s] *nf* sustancia; (*fig*) tema *m*, esencia; **en ~** *ad* en sustancia *o* esencia.

substantiel, le [sypstɑ̃sjɛl] *a* sustancioso(a), nutritivo(a); (*fig*) sustancial, considerable.

substantif [sypstɑ̃tif] *nm* sustantivo; **substantiver** *vt* sustantivar.

substituer [sypstitɥe] *vt*: **~ qn/qch à** sustituir a alguien/algo por; **se ~ à qn** sustituir *o* reemplazar a alguien.

substitut [sypstity] *nm* sustituto.

substitution [sypstitysjɔ̃] *nf* sustitución *f*.

subterfuge [syptɛrfyʒ] *nm* subterfugio.

subtil, e [syptil] *a* sutil.

subtiliser [syptilize] *vt* sustraer.

subtilité [syptilite] *nf* sutileza, agudeza; (*aussi péj*) sutileza, argucia.

subvenir [sybvənir]: **~ à** *vt* subvenir a, atender a.

subvention [sybvɑ̃sjɔ̃] *nf* subvención *f*, subsidio; **~ner** *vt* subvencionar.

subversif, ive [sybvɛrsif, iv] *a* subversivo(a); **subversion** *nf* subversión *f*.

suc [syk] *nm* jugo, zumo; (*d'une viande*, *d'un fruit*) jugo; **~s gastriques** jugos gástricos.

succédané [syksedane] *nm* sucedáneo.

succéder [syksede]: **~ à** *vt* suceder a; **se ~** *vi* sucederse.

succès [syksɛ] *nm* éxito; (*à un examen*, *une course*) éxito, triunfo; (*d'un produit etc*) éxito, auge *m*; **avoir du ~** (*auteur*, *livre*) tener éxito; **auteur/livre à ~** autor *m*/libro de éxito.

successeur [syksɛsœr] *nm* sucesor *m*; (*JUR*) sucesor, heredero.

successif, ive [syksesif, iv] *a* sucesivo(a).

succession [syksɛsjɔ̃] *nf* sucesión *f*, serie *f*; (*JUR*) sucesión, herencia; (*POL*) sucesión; **prendre la ~ de** suceder a.

succint, e [syksɛ̃, ɛ̃t] *a* sucinto(a), conciso(a).

succion [syksjɔ̃] *nf*: **bruit de ~** ruido de succión.

succomber [sykɔ̃be] *vi* sucumbir, fenecer; (*fig*) sucumbir, ceder; **~ à** *vt* sucumbir *o* rendirse a.

succulent, e [sykylɑ̃, ɑ̃t] *a* suculento(a).

succursale [sykyʀsal] *nf* sucursal *f*; **magasin à ~s multiples** negocio en cadena.

sucer [syse] *vt* chupar; **~ son pouce** chuparse el pulgar.

sucette [sysɛt] *nf* (*bonbon*) pirulí *m*.

sucre [sykʀ(ǝ)] *nm* azúcar *m*; (*morceau de sucre*): terrón *m* de azúcar; **~ en morceaux/cristallisé/en poudre** azúcar de cortadillo/cristalizado/en polvo; **~ d'orge** pirulí *m*, chupón *m*; **sucré, e** *a* azucarado(a); (*péj*) almibarado(a), meloso(a); **sucrer** *vt* (*thé, café*) azucarar; (*personne*) echar azúcar a; **se sucrer** echarse azúcar; (*fam*) ponerse las botas; **~rie** *nf* ingenio azucarero; **~ries** *fpl* (*bonbons*) golosinas; **sucrier, ière** *a* azucarero(a) // *nm* (*fabricant*) fabricante *m* de azúcar; (*récipient*) azucarero.

sud [syd] *nm, a inv* sur (*m*); **au ~** (*situation*) al sur; (*direction*) hacia el sur; **~-africain, e** *a, nm/f* sudafricano(a); **~-américain, e** *a, nm/f* sudamericano(a).

sudation [sydasjɔ̃] *nf* transpiración *f*, sudación *f*.

sud-est [sydɛst] *nm* sudeste *m*, sureste *m* // *a inv* sudeste.

sud-ouest [sydwɛst] *nm* sudoeste *m*, suroeste *m* // *a inv* sudoeste.

Suède [sɥɛd] *nf* Suecia; **suédois, e** *a, nm, nf* sueco(a).

suer [sɥe] *vi* sudar, transpirar; (*fam*) sudar; (*suinter*) rezumarse, trasudar // *vt* (*exhaler*) rezumar; **~ à grosses gouttes** sudar la gota gorda.

sueur [sɥœʀ] *nf* sudor *m*; **en ~** sudado(a), bañado(a) en sudor.

suffire [syfiʀ] *vi* (*être assez*): **~ (à/pour)** bastar *o* ser suficiente (para); (*satisfaire*): **~ à qn** bastar a alguien; **~ à faire qch/pour que** ser suficiente para hacer algo/para

que; **se ~ bastarse** a sí mismo; **il suffit de/que** basta con/que; **il suffit d'une négligence** basta una negligencia; **ça suffit!** ¡basta!

suffisamment [syfizamɑ̃] *ad* suficientemente; **~ de** suficiente, bastante.

suffisance [syfizɑ̃s] *nf* suficiencia, pedantería; (*quantité*): **en ~** bastante, suficientemente.

suffisant, e [syfizɑ̃, ɑ̃t] *a* suficiente.

suffisons *etc vb voir* **suffire.**

suffixe [syfiks(ǝ)] *nm* sufijo.

suffocation [syfɔkasjɔ̃] *nf* sofocación *f*, ahogo; **sensation de ~** sensación *f* de asfixia.

suffoquer [syfɔke] *vt* (*suj: chaleur, fumée*) sofocar, asfixiar; (: *émotion, larmes*) sofocar, reprimir; (*stupéfier*) pasmar, aturdir // *vi* sofocarse, ahogarse; **~ de** (*colère, indignation*) ahogarse de.

suffrage [syfʀaʒ] *nm* (*POL*) sufragio, voto; (*méthode*): **~ universel** sufragio universal; (*gén*): **~s** aprobación *f*; **~s exprimés** votos válidos.

suggérer [syg3eʀe] *vt* sugerir; **~ de faire** sugerir hacer; **suggestif, ive** *a* sugestivo(a); **suggestion** *nf* sugerencia; (*PSYCH*) sugestión *f*.

suicidaire [sɥisidɛʀ] *a* suicida.

suicide [sɥisid] *nm* suicidio; **suicidé, e** *nm/f* suicida *m/f*; **se suicider** *vi* suicidarse.

suie [sɥi] *nf* hollín *m*.

suif [sɥif] *nm* sebo.

suinter [sɥɛ̃te] *vi* (*liquide*) exsudar, brotar; (*mur*) rezumarse.

suis *vb voir* **être, suivre.**

Suisse [sɥis] *nf* Suiza; **~ allemande** *ou* **alémanique** Suiza alemana; **~ romande** Suiza francesa; **s~ a,** *nm/f* suizo(a) // *nm* (*bedeau*) pertiguero, sacristán *m*; **s~ allemand, e** *a, nm/f* suizo(a) alemán(ana); **s~ romand, e** *a, nm/f* suizo(a) francés(esa); **Suissesse** *nf* suiza.

suit *vb voir* **suivre.**

suite [sɥit] *nf* continuación *f*

(*série*): **une ~ de...** una serie de...; (*conséquence*) consecuencia; (*ordre, liaison logique*) coherencia, ilación *f*; (*appartement, MUS*) suite *f*; (*escorte*) comitiva; **~s** *nfpl* (*d'une maladie etc*) secuelas, consecuencia; **prendre la ~ de** (*directeur etc*) suceder a, tomar el puesto de; **donner ~ à** dar curso a; **faire ~ à** ser continuación de; (*faisant*) **~ à votre lettre du...** en respuesta a su carta de...; **de ~** ad (*d'affilée*) seguidos(as); (*immédiatement*) de inmediato, enseguida; **par la ~** luego, más tarde; **à la ~** ad a continuación; **à la ~ de** después de; **par ~ de** a causa de; **attendre la ~ des événements** esperar el desarrollo posterior de los acontecimientos.

suivais *etc vb voir* **suivre.**

suivant, e [sɥivã, ãt] *a* siguiente // *prép* (*selon*) según; **au ~!** ¡el que sigue!, ¡el siguiente!

suive *etc vb voir* **suivre.**

suiveur [sɥivœʀ] *nm* (*CYCLISME*) seguidor *m*; (*d'une femme*) seguidor, cortejador *m*.

suivi, e [sɥivi] *a* (*régulier*) regular, continuo(a); (*COMM*) de producción regular; (*cohérent*) coherente; **très/peu ~** (*cours*) muy/poco frecuentado o concurrido; (*mode, feuilleton*) muy/poco seguido(a).

suivre [sɥivʀ(ə)] *vt* seguir; (*accompagner: mari etc*) acompañar; (*suj: bagages*) seguir, venir después; (*remords, pensées*) perseguir; (*imagination, penchant*) seguir, dejarse llevar por; (*SCOL: être inscrit à: cours*) asistir a; (*: être attentif à: leçon*) seguir, atender; (*: assimiler: programme*) asimilar, comprender; (*COMM: article*) seguir produciendo // *vi* seguir; (*élève*) atender, prestar atención; **se ~** seguirse, sucederse; (*raisonnement*) ser coherente; **~ des yeux** seguir con la mirada; **"faire ~"** (*sur*

lettre) "remítase al destinatario"; **"à ~"** "continuará".

sujet, te [syʒɛ, ɛt] *a*: **être ~ à** ser propenso a // *nm* (*d'un souverain etc*) súbdito/a // *nm* tema *m*, (*raison*) causa, motivo; (*élève*) alumno; (*LING*) sujeto; **un ~ de mécontentement** un motivo de descontento; **avoir ~ de se plaindre** tener razón *o* motivo para quejarse; **un mauvais ~** (*péj*) una mala persona; **au ~ de** *prép* a propósito de; **~ d'expérience** (*BIO etc*) sujeto de experimentación.

sujétion [syʒesjɔ̃] *nf* sujeción *f*.

sulfater [sylfate] *vt* sulfatar.

sulfureux, euse [sylfyʀø, øz] *a* sulfuroso(a).

sulfurique [sylfyʀik] *a*: **acide ~** ácido sulfúrico.

sûmes *vb voir* **savoir.**

summum [sɔmɔm] *nm*: **le ~ de** el súmmum de.

superbe [sypɛʀb(ə)] *a* soberbio(a), espléndido(a); (*situation, performance*) magnífico(a), admirable.

super(carburant) [sypɛʀkaʀbyʀɑ̃] *nm* super(carburante) *m*.

supercherie [sypɛʀʃəʀi] *nf* superchería.

superfétatoire [sypɛʀfetatwaʀ] *a* superfluo(a), redundante.

superficie [sypɛʀfisi] *nf* superficie *f*.

superficiel, le [sypɛʀfisjɛl] *a* superficial, ligero(a); (*péj*) superficial, somero(a).

superflu, e [sypɛʀfly] *a* superfluo(a), innecesario(a) // *nm*: **le ~** lo superfluo.

super-huit [sypɛʀɥit] *a*: **caméra ~** cámara super-ocho.

supérieur, e [sypeʀjœʀ] *a* superior; (*air, sourire*) de superioridad // *nm* (*hiérarchique*) superior *m* // *nm/f* (*REL*) superior/ora; **supériorité** *nf* superioridad *f*; **supériorité numérique** supremacía numérica.

superlatif [sypɛʀlatif] *nm* superlativo.

supermarché [sypɛrmarʃe] *nm* supermercado.

superposer [sypɛrpoze] *vt* superponer; **se ~** *vi* (*images, souvenirs*) superponerse; **lits superposés** literas.

superproduction [sypɛrprɔdyksjɔ̃] *nf* superproducción f.

superpuissance [sypɛrpɥisɑ̃s] *nf* superpotencia.

supersonique [sypɛrsɔnik] *a* supersónico(a).

superstitieux, euse [sypɛrstisjø, øz] *a* supersticioso(a).

superstition [sypɛrstisjɔ̃] *nf* superstición f.

superstructure [sypɛrstryktyr] *nf* superestructura.

superviser [sypɛrvize] *vt* supervisar.

supplanter [syplɑ̃te] *vt* suplantar.

suppléance [sypleɑ̃s] *nf* suplencia.

suppléant, e [sypleɑ̃, ɑ̃t] *a* suplente // *nm/f* suplente/a.

suppléer [syplee] *vt* (*ajouter*) agregar; (*lacune, défaut*) suplir; (*professeur, juge*) suplir, suplantar; **~ à** *vt* suplir, compensar.

supplément [syplemɑ̃] *nm* suplemento; (*de livre etc*) suplemento, apéndice m; **en ~** (*au menu etc*) de más; **~aire** a suplementario(a), adicional; (*train etc*) especial, suplementario.

suppliant, e [syplijɑ̃, ɑ̃t] *a* suplicante, implorante.

supplication [syplikɑsjɔ̃] *nf* súplica, ruego; **~s** *fpl* (*adjurations*) súplicas, imploraciones *fpl*.

supplice [syplis] *nm* suplicio.

supplier [syplije] *vt* suplicar, rogar.

supplique [syplik] *nf* petición f, requerimiento.

support [sypɔr] *nm* soporte m, sostén m; **~ audio-visuel** medio audiovisual; **~ publicitaire** medio de publicidad.

supportable [sypɔrtabl(ə)] *a* (*douleur*) soportable, tolerable; (*conduite*) admisible.

supporter [sypɔrtɛr] *nm* hincha m // *vt* [sypɔrte] (*poids, poussée*) soportar, sostener; (*conséquence, épreuve*) soportar, sobrellevar; (*défaut, personne*) soportar, aguantar; (*suj: chose: chaleur, choc etc*) soportar, resistir; (*suj: personne: chaleur, vin*) soportar, tolerar.

supposer [sypoze] *vt* suponer; **en supposant** *ou* **à ~ que** suponiendo que; **supposition** *nf* suposición f, conjetura.

suppositoire [sypozitwar] *nm* supositorio.

suppôt [sypo] *nm* (*péj*) secuaz m.

suppression [sypresjɔ̃] *nf* supresión f.

supprimer [syprime] *vt* suprimir; (*obstacle, personne, anxiété*) suprimir, quitar; **~ qch à qn** quitar algo a alguien.

suppurer [sypyre] *vi* supurar.

supputations [sypytasjɔ̃] *nfpl* cálculos, supútaciones *fpl*.

supputer [sypyte] *vt* calcular, suputar.

suprématie [sypremasi] *nf* supremacía.

suprême [syprɛm] *a* supremo(a); (*bonheur, habileté*) supremo(a), sumo(a); **un ~ espoir/effort** un(a) último(a) esperanza/esfuerzo; **les honneurs ~s** los honores póstumos.

sur [syr] *prép* sobre, en; (*direction*) a, hacia; (*à propos de*) sobre; **un ~ 10** uno de cada 10, uno sobre 10; **~ 20, 2 sont venus de 20, 2** vinieron; **4m ~ 2** 4m por 2; **~ sa recommandation** bajo su recomendación; **avoir un effet ~** tener un efecto sobre; **avoir ~ accident** tener accidente tras accidente; **~ ce** *ad* dicho esto, después de esto; **~ mesure** a medida.

sur... [syr] *préf* sobre..., super... .

sûr, e [syr] *a* ácido(a).

sûr, e [syr] *a* seguro(a); **~ de/que** seguro de/de que; **~ de soi** seguro de sí mismo.

surabondance [syʀabɔ̃dɑ̃s] *nf* sobreabundancia; *(de couleurs, détails)* exceso, profusión *f.*

surabonder [syʀabɔ̃de] *vi* sobreabundar, superabundar.

suraigu, ë [syʀεgy] *a* muy agudo(a), estridente.

surajouter [syʀaʒute] *vt*: ~ qch à agregar o sobreañadir algo a; **se** ~ **à** *vt* sobreañadirse a.

suralimenté, e [syʀalimɑ̃te] *a* sobrealimentado(a).

suranné, e [syʀane] *a* anticuado(a), desusado(a).

surarmement [syʀaʀməmɑ̃] *nm* armamento excesivo.

surbaissé, e [syʀbese] *a* bajo(a).

surcharge [syʀʃaʀʒ(ə)] *nf* sobrecarga; *(correction, ajout)* enmienda; **prendre des passagers en** ~ tomar sobrecarga de pasajeros; ~ **de bagages** exceso de equipaje.

surchargé, e [syʀʃaʀʒe] *a*: ~ **de travail** *etc* agobiado(a) de trabajo *etc.*

surcharger [syʀʃaʀʒe] *vt* sobrecargar, abarrotar; *(texte, timbreposte)* sobrecargar; *(fig)* recargar, abarrotar; *(décoration)* sobrecargar, recargar.

surchauffé, e [syʀʃofe] *a* sobrecalentado(a); *(fig)* sobreexcitado(a), exaltado(a).

surchoix [syʀʃwa] *a inv* de primera calidad, seleccionado(a).

surclasser [syʀklase] *vt (SPORT)* descollar sobre, aventajar a; *(suj: chose)* superar, aventajar.

surcouper [syʀkupe] *vt* contrafallar.

surcroît [syʀkʀwa] *nm*: ~ **de** aumento de; **par ou de** ~ además; **en** ~ en exceso.

surdité [syʀdite] *nf* sordera.

sureau, x [syʀo] *nm* saúco.

surélever [syʀelve] *vt* alzar, sobrealzar.

sûrement [syʀmɑ̃] *ad* con seguridad; *(certainement)* seguramente.

suremploi [syʀɑ̃plwa] *nm* sobreempleo.

surenchère [syʀɑ̃ʃεʀ] *nf* sobrepuja; *(fig)* pugna; **surenchérir** *vi* sobrepujar en la oferta; *(fig)* prometer más que otro.

surent *vb voir* **savoir.**

surentraîné, e [syʀɑ̃tʀene] *a* sobreentrenado(a).

suréquipé, e [syʀekipe] *a* sobreequipado(a).

surestimer [syʀεstime] *vt* sobrestimar, sobrevalorar.

sûreté [syʀte] *nf* seguridad *f;* autenticidad *f; (JUR: garantie)* seguridad, garantía; **être/mettre en** ~ estar/poner al seguro *o* a salvo; **pour plus de** ~ para mayor seguridad; **la S~ (nationale)** la Policía.

surexciter [syʀεksite] *vt* sobreexcitar.

surexposer [syʀεkspoze] *vt* sobreexponer.

surf [sœʀf] *nm* surf *m.*

surface [syʀfas] *nf* superficie *f;* **faire** ~ salir a la superficie; **en** ~ en la superficie; **100m² de** ~ 100m² de superficie *o* área; ~ **de réparation** área de castigo.

surfait, e [syʀfε, εt] *a* sobrevalorado(a).

surfin, e [syʀfε̃, in] *a* superfino(a).

surgelé, e [syʀʒəle] *a* congelado(a).

surgir [syʀʒiʀ] *vi* surgir.

surhausser [syʀose] *vt* sobrealzar, levantar.

surhumain, e [syʀymε̃, εn] *a* sobrehumano(a).

surimposer [syʀε̃poze] *vt* recargar.

surimpression [syʀε̃pʀesjɔ̃] *nf (PHOTO)* sobreimpresión *f;* **en** ~ en sobreimpresión; *(fig)* simultáneamente.

sur-le-champ [syʀləʃɑ̃] *ad* inmediatamente.

surlendemain [syʀlɑ̃dmε̃] *nm*: **le** ~ a los dos días; **le** ~ **de** dos días después de; **le** ~ **soir** dos días después por la noche.

surmenage [syʀmənaʒ] *nm*

surmenage *m*, agotamiento; ~ **intellectuel** agotamiento intelectual.

surmener [syrməne] *vt* agotar, fatigar; **se** ~ agotarse.

surmonter [syrmɔ̃te] *vt* (*suj: coupole etc*) rematar; (*vaincre*) superar.

surmultiplié, e [syrmyltiplije] *a*: **vitesse** ~e directa multiplicada // *nf*: **en** ~e en superdirecta.

surnager [syrnaʒe] *vi* flotar, sobrenadar.

surnaturel, le [syrnatyrɛl] *a, nm* sobrenatural (*m*).

surnom [syrnɔ̃] *nm* sobrenombre *m*, apodo; (*péj*) apodo.

surnombre [syrnɔ̃br(ə)] *nm*: **en** ~ de más o sobra.

surnommer [syrnɔme] *vt* apodar.

surnuméraire [syrnymerɛr] *nm/f* supernumerario/a.

suroît [syrwa] *nm* sudeste *m*; sueste *m*.

surpasser [syrpase] *vt* sobrepasar a; (*espérances etc*) sobrepujar, superar; **se** ~ superarse a sí mismo.

surpeuplé, e [syrpœple] *a* superpoblado(a).

surplis [syrpli] *nm* sobrepelliz *f*, roquete *m*.

surplomb [syrplɔ̃] *nm* desplomo, saliente *f*; **en** ~ en saliente.

surplomber [syrplɔ̃be] *vi* estar en saliente // *vt* estar suspendido(a) sobre.

surplus [syrply] *nm* (*COMM*) excedente *m*, resto; (*non utilisé*) resto; ~ **américains** excedentes americanos de guerra.

surprenant, e [syrprənɑ̃, ɑ̃t] *a* sorprendente, prodigioso(a).

surprendre [syrprɑ̃dr(ə)] *vt* sorprender; (*suj: orage etc*) sorprender, pescar; **~ la vigilance de qn** engañar la vigilancia de alguien; **se** ~ **à faire qch** descubrirse haciendo algo.

surprime [syrprim] *nf* sobreprima.

surpris, e [syrpri, iz] *a* sorprendi-

do(a), desconcertado(a); ~ **que** sorprendido de que; ~ **e** *nf* sorpresa; **voyage sans** ~**es** viaje *m* sin imprevistos; **par** ~ de sorpresa.

surprise-partie [syrprizparti] *nf* asalto.

surproduction [syrprɔdyksjɔ̃] *nf* superproducción *f*.

surréaliste [syrrealist(ə)] *a* surrealista.

sursaut [syrso] *nm* sobresalto; ~ **d'énergie** impulso o arrebato de energía; **en** ~ *ad* sobresaltado(a).

sursauter [syrsote] *vi* sobresaltarse.

surseoir [syrswar]: ~ **à** *vt* diferir, postergar; (*JUR*) sobreseer, aplazar.

sursis [syrsi] *nm* (*JUR*) sobreseimiento; (: **à la condamnation à mort**) prórroga; (*MIL*): ~ (**d'appel ou d'incorporation**) prórroga (de incorporación); (*fig*) plazo, tregua; **5 mois de prison avec** ~ 5 meses de prisión con la condicional; **sursitaire** *nm* (*MIL*) beneficiario de una prórroga.

sursois, sursoyais *etc vb voir* **surseoir**.

surtaxe [syrtaks(ə)] *nf* sobretasa, recargo; (*POSTES*) sobretasa.

surtout [syrtu] *ad* sobre todo, especialmente; **il songe** ~ **à ses propres intérêts** piensa sobre todo en sus propios intereses; **il aime le sport**, ~ **le football** le gusta el deporte, especialmente el fútbol; **cet été, il a** ~ **fait de la pêche** este verano se dedicó principalmente a la pesca; ~ **pas d'histoires/ne dites rien!** ¡especialmente nada de cuentos/no diga nada!; ~ **pas!** ¡de ninguna manera!; ~ **pas lui!** ¡seguramente no él!; ~ **que...** sobre todo porque... .

surveillance [syrvejɑ̃s] *nf* (*active*, *continuelle*) vigilancia; (*d'un gardien*) vigilancia, custodia; **être sous la** ~ **de qn** estar bajo la custodia de alguien; **sous** ~

médicale bajo control médico *o* observación médica.

surveillant, e [syʀvɛjɑ̃, ɑ̃t] *nm/f* (*de prison*) guardián/ana; (*SCOL*) vigilante *m*, celador/ora; (*de travaux*) capataz *m*.

surveiller [syʀveje] *vt* vigilar; (*enfant, malade, élèves, bagages*) vigilar, cuidar; (*travaux, cuisson, SCOL: examen*) controlar; **se** ~ cuidarse; ~ **son langage** cuidar su lenguaje.

survenir [syʀvəniʀ] *vi* sobrevenir, ocurrir; (*personne*) llegar de improviso.

survêtement [syʀvɛtmɑ̃] *nm* chandal *m*.

survie [syʀvi] *nf* supervivencia; (*REL*) vida eterna; **une** ~ **de quelques mois** algunos meses de vida.

survivant, e [syʀvivɑ̃, ɑ̃t] *nm/f* sobreviviente *m/f*, superviviente *m/f*; (*JUR*) sobreviviente.

survivre [syʀvivʀ(ə)] *vi* sobrevivir.

survol [syʀvɔl] *nm* vuelo sobre.

survoler [syʀvɔle] *vt* sobrevolar; (*fig*) hojear, dar una leída rápida.

survolté, e [syʀvɔlte] *a* (*ÉLEC*) sobrevoltado(a); (*fig*) exaltado(a).

sus [sy] : **en** ~ **de** *prép* además de; **en** ~ *ad* además; ~! *excl* ¡vamos!

susceptible [syseptibl(ə)] *a* susceptible, quisquilloso(a); ~ **de** susceptible de; (*capable de*) capaz de.

susciter [sysite] *vt* suscitar, provocar; (*admiration, enthousiasme*) suscitar, despertar; **des difficultés à qn** crear dificultades a alguien.

susdit, e [sysdi, dit] *a* susodicho(a).

suspect, e [syspɛ, ɛkt(ə)] *a* (*personne, attitude*) sospechoso(a); (*témoignage, opinions*) dudoso(a), sospechoso(a) // *nm/f* (*JUR*) sospechoso/a; **être** ~ **de** ser sospechable de.

suspecter [syspɛkte] *vt* sospechar de; (*honnêteté de qn*) dudar de; ~ **qn de qch/faire** recelar a alguien de algo/que haga.

suspendre [syspɑ̃dʀ(ə)] *vt* suspender; (*vêtement, lustre etc*): ~ **qch (à)** colgar algo (de); (*interrompre*) suspender, interrumpir; **se** ~ **à** colgarse de.

suspendu, e [syspɑ̃dy] *pp de* **suspendre** // *a* (*accroché*): ~ **à** colgado de; (*perché*): ~ **au-dessus de** colgado sobre; (*AUTO*): **bien/mal** ~ con buena/mala suspensión.

suspens [syspɑ̃] : **en** ~ *ad* en suspenso.

suspense [syspɑ̃s] *nm* suspenso.

suspension [syspɑ̃sjɔ̃] *nf* suspensión *f*; (*lustre*) lámpara colgante.

suspicion [syspisjɔ̃] *nf* presunción *f*, recelo.

sustentation [systɑ̃tasjɔ̃] *nf voir* **vitesse**.

sustenter [systɑ̃te] : **se** ~ *vi* sustentarse, alimentarse.

susurrer [sysyʀe] *vt* susurrar, murmurar.

sut *vb voir* **savoir**.

suture [sytyʀ] *nf* : **point de** ~ punto de sutura.

suturer [sytyʀe] *vt* suturar.

suzeraineté [syzʀɛnte] *nf* soberanía feudal.

svelte [svɛlt(ə)] *nf* esbelto(a).

SVP *abrév de* **s'il vous plaît**.

syllabe [silab] *nf* sílaba.

sylvestre [silvɛstʀ(ə)] *a* : **pin** ~ pino silvestre.

sylviculture [silvikyltyʀ] *nf* silvicultura.

symbole [sɛ̃bɔl] *nm* símbolo.

symbolique [sɛ̃bɔlik] *a* simbólico(a) // *nf* simbolismo.

symboliser [sɛ̃bɔlize] *vt* simbolizar.

symétrie [simetʀi] *nf* simetría; **symétrique** *a* simétrico(a).

sympa [sɛ̃pa] *a* (*fam*) *abrév de* **sympathique**.

sympathie [sɛ̃pati] *nf* simpatía; **accueillir avec** ~ (*projet*) acoger con agrado; **avoir de la** ~ **pour qn** sentir simpatía por alguien; **témoignages de** ~ demostraciones

symphonie [sɛ̃fɔni] *nf* sinfonía; **symphonique** *a* sinfónico(a).

symptomatique [sɛ̃ptɔmatik] *a* sintomático(a).

symptôme [sɛ̃ptom] *nm* síntoma *m*.

synagogue [sinagɔg] *nf* sinagoga.

synchronique [sɛ̃kʀɔnik] *a*: **tableau ~** cuadro sincrónico.

synchroniser [sɛ̃kʀɔnize] *vt* sincronizar.

syncope [sɛ̃kɔp] *nf* (MÉD) síncope *m*; **tomber en ~** caer en síncope.

syncopé, e [sɛ̃kɔpe] *a* sincopado(a).

syndic [sɛ̃dik] *nm* administrador *m*.

syndical, e, aux [sɛ̃dikal, o] *a* sindical; **~isme** *nm* sindicalismo; **~iste** *nm/f* sindicalista *m/f*.

syndicat [sɛ̃dika] *nm* (d'ouvriers, employés) sindicato; (autre association d'intérêts) asociación f, unión f; **~ d'initiative** oficina de turismo; **~ patronal** patronal f; **~ de producteurs** sindicato de productores; **~ de propriétaires** unión de propietarios.

syndiquer [sɛ̃dike]: **se ~** *vi* sindicarse, afiliarse a un sindicato.

syndrome [sɛ̃dʀom] *nm* síndrome *m*.

synode [sinɔd] *nm* sínodo.

synonyme [sinɔnim] *a* sinónimo(a) // *nm* sinónimo.

synoptique [sinɔptik] *a*: **tableau ~** cuadro sinóptico.

synovie [sinɔvi] *nf*: **épanchement de ~** derrame *m* sinovial.

syntaxe [sɛ̃taks(ə)] *nf* sintáxis f.

synthèse [sɛ̃tɛz] *nf* síntesis f.

synthétique [sɛ̃tetik] *a* sintético(a).

synthétiser [sɛ̃tetize] *vt* sintetizar.

synthétiseur [sɛ̃tetizœʀ] *nm* sintetizador *m*.

syphilis [sifilis] *nf* sífilis f.

Syrie [siʀi] *nf* Siria; **syrien, ne** *a*, *nm/f* sirio(a).

systématique [sistematik] *a* sistemático(a); (péj) sistemático(a), dogmático(a).

systématiser [sistematize] *vt* sistematizar.

système [sistɛm] *nm* sistema *m*; (combine, moyen) sistema, procedimiento; **le ~ D** la habilidad para salir de un aprieto.

T

ta [ta] *dét voir* **ton**.

tabac [taba] *nm* tabaco; (débit ou bureau de ~) estanco; **~ blond/brun/gris** tabaco rubio/negro/picado; **tabagie** [tabaʒi] *nf* tumadero; **tabatière** [tabatjɛʀ] *nf* tabaquera.

tabernacle [tabɛʀnakl(ə)] *nm* tabernáculo.

table [tabl(ə)] *nf* mesa; **se mettre à ~** sentarse a la mesa; (fig: fam) confesar; **mettre la ~** poner o tender la mesa; **~ d'écoute** tablero de interceptaciones telefónicas; **~ des matières** índice *m*; **~ de multiplication** tabla de multiplicación; **~ de nuit** ou **de chevet** mesita de noche.

tableau, x [tablo] *nm* cuadro; (panneau) tablero; **~ d'affichage** tablero de anuncios; **~ de bord** (AUTO) tablero de mandos; (AVIAT) tablero de instrumentos; **~ noir** pizarra.

tabler [table] *vi*: **~ sur** contar con.

tablette [tablɛt] *nf* (planche) anaquel *m*; **~ de chocolat** tableta de chocolate.

tablier [tablije] *nm* delantal *m*; (de pont) tablero.

tabou [tabu] *nm*, *a* tabú (*m*).

tabouret [tabuʀɛ] nm banqueta, taburete m.

tabulateur [tabylatœʀ] nm tabulador m.

tac [tak] nm: du ~ au ~ en los mismos términos.

tache [taʃ] nf mancha; ~ de rousseur ou de son peca.

tâche [taʃ] nf tarea; travailler à la ~ trabajar a destajo.

tacher [taʃe] vt manchar, ensuciar; (fig) manchar, mancillar.

tâcher [taʃe] vi: ~ de tratar de.

tâcheron [taʃʀɔ̃] nm (fig) destajista m.

tacite [tasit] a tácito(a), implícito(a).

taciturne [tasityʀn(ə)] a taciturno(a).

tacot [tako] nm (péj) cacharro.

tact [takt] nm tacto, tiento.

tactique [taktik] a táctico(a) // nf táctica.

taffetas [tafta] nm tafetán m.

taie [tɛ] nf: ~ (d'oreiller) funda de almohada.

taille [taj] nf talla; poda; (milieu du corps) talle m, cintura; (hauteur) talla, estatura; (grandeur) tamaño; (fig) dimensión f, envergadura; de ~ a importante, enorme.

taille-crayon [tajkʀɛjɔ̃] nm sacapuntas m inv.

tailler [taje] vt (pierre) tallar; (plante) talar, podar; (vêtement) cortar; (crayon) afilar, sacar punta a; se ~ vt cortarse; (fig) lograr // vi (fam) largarse; **tailleur** nm sastre m; (vêtement) traje m; en **tailleur** (assis) a la turca; **tailleur de diamants** tallador m de diamantes.

taillis [taji] nm bosque m, bajo.

tain [tɛ̃] nm azogue m.

taire [tɛʀ] vt callar, ocultar // vi: faire ~ qn hacer callar a alguien; se ~ vi (s'arrêter de parler) callarse; (ne pas parler) callar; **tais-toi!** ¡cállate!

talc [talk] nm talco.

talé, e [tale] a golpeado(a), machucado(a).

talent [talɑ̃] nm (aptitude) aptitud f; le ~ (don) talento; **avoir du** ~ tener talento; **~ueux, euse** a talentoso(a).

talon [talɔ̃] nm talón m; (de jambon, pain) extremo; (de chèque, billet) matriz f; **~s plats/aiguilles** tacones bajos/altos muy finos; **tourner les ~s** (fig) dar media vuelta; **~ner** vt seguir de cerca; (fig) acosar; (RUGBY) talonar.

talquer [talke] vt espolvorear de talco.

talus [taly] nm declive m; ~ de déblai talud m; ~ de remblai terraplén m.

tambour [tɑ̃buʀ] nm tambor m; (porte) cancel m.

tambourin [tɑ̃buʀɛ̃] nm tamboril m.

tambouriner [tɑ̃buʀine] vi: ~ contre tamborilear contra.

tamis [tami] nm tamiz m.

Tamise [tamiz] nf: la ~ el Támesis.

tamiser [tamize] vt tamizar.

tampon [tɑ̃pɔ̃] nm tapón m; (amortisseur) tope m; (cachet, timbre) matasellos m inv; **~ner** vt (timbres) sellar; (heurter) chocar, topar; **~neuse a: autos ~neuses** coches-tope mpl, autos-choque mpl.

tandem [tɑ̃dɛm] nm tándem m.

tandis [tɑ̃di]: ~ que conj mientras, cuando; (opposition: alors que) en tanto que, mientras que.

tangage [tɑ̃gaʒ] nm cabeceo m.

tangent, e [tɑ̃ʒɑ̃, ɑ̃t] a: ~ à tangente a // nf tangente f.

tango [tɑ̃go] nm tango.

tanguer [tɑ̃ge] vi cabecear, balancearse.

tanière [tanjɛʀ] nf madriguera, guarida.

tanin [tanɛ̃] nm tanino.

tank [tɑ̃k] nm tanque m.

tanker [tɑ̃kœʀ] nm buque petrolero m.

tanné, e [tane] a bronceado(a).

tanner [tane] vt curtir; ~ **ie** [tanʀi] nf curtiduría.

tant [tã] ad tanto; ~ **de** (sable, eau) tanto(a); (personnes, livres) tantos(as); ~ **que** conj mientras; (comparatif) tanto como o cuanto; ~ **mieux** tanto mejor o mejor así; ~ **pis** tanto peor; ¡qué le vamos a hacer!; ~ **pis pour lui** peor para él; **un ~ soit peu** un poco; tan; algo.

tante [tãt] nf tía.

tantinet [tãtine] : **un** ~: ~ ad un poquito.

tantôt [tãto] ad: ~...~ unas veces...otras, ya...ya; (cet après-midi) esta tarde, por la tarde.

tapage [tapaʒ] nm escándalo, alboroto; ~ **nocturne** escándalo nocturno.

tape [tap] nf palmada.

tape-à-l'oeil [tapalœj] a inv bambolla.

taper [tape] vt (porte) cerrar de golpe; (fam) sablear, petardear // vi (soleil) pegar; ~ **sur qn** golpear a alguien; ~ **sur qch** golpear sobre algo; (clou etc) martillar algo; ~ **à** (porte etc) llamar o golpear a; ~ **des mains** aplaudir, golpear con las manos; ~ **des pieds** patear; ~ (**à la machine**) escribir a máquina; **il tapa la porte en sortant** dio un portazo al salir.

tapi, e [tapi] a acurrucado(a); agazapado(a).

tapioca [tapjɔka] nm tapioca.

tapis [tapi] nm alfombra, f; (de table) tapete m; ~-**brosse** nf felpudo; ~ **roulant** cinta transportadora.

tapisser [tapise] vt empapelar; (recouvrir): ~ **qch** (de) revestir algo (con).

tapisserie [tapisʀi] nf tapicería; (tenture) tapiz m; (papier peint) empapelado; **faire** ~ quedarse en el poyete.

tapissier, ière [tapisje, jɛʀ] nm/f: ~-(**décorateur**) tapicero.

tapoter [tapɔte] vt dar golpecitos en.

taquet [takɛ] nm cuña; uña, tope m.

taquin, e [takɛ̃, in] a guasón(ona); ~ **er** [-kine] vt hacer rabiar.

tard [taʀ] ad tarde; **au plus** ~ a más tardar; **sur le** ~ al atardecer.

tarder [taʀde] vi (chose) tardar, demorar; (personne): ~ **à tardar o** demorar en; **il me tarde d'être** estoy impaciente por estar; **sans** (plus) ~ sin (más) demora.

tardif, ive [taʀdif, iv] a tardío(a).

tare [taʀ] nf tara.

targuer [taʀge]: **se** ~ **de** vt alardear o jactarse de.

tarif [taʀif] nm (liste) lista de precios; (barème, prix) tarifa; **voyager à plein** ~/**à** ~ **réduit** viajar con tarifa completa/reducida.

tarifer [taʀife] vt tarifar.

tarir [taʀiʀ] vi agotarse, secarse.

tarot(s) [taʀo] nm(pl) naipe(s) m(pl) de adivinación, tarot m.

tarte [taʀt(ə)] nf tarta; ~ **aux pommes** tarta de manzanas; ~**lette** nf tartita.

tartine [taʀtin] nf rebanada de pan; **tartiner** vt: **fromage à tartiner** queso para untar.

tartre [taʀtʀ(ə)] nm sarro.

tas [ta] nm montón m, pila; **formé sur le** ~ formado en el taller.

tasse [tas] nf taza.

tassé, e [tase] a: **bien** ~ (café etc) fuerte, cargado(a).

tasser [tase] vt apisonar; (entasser) amontonar; **se** ~ vi (terrain) hundirse; (fig) arreglarse.

tâter [tate] vt tocar; (fig) tantear; ~ **de** (prison etc) probar; **se** ~ (hésiter) reflexionar.

tatillon, ne [tatijõ, ɔn] a puntilloso(a).

tâtonnement [tatɔnmã] nm: **par** ~**s** (fig) a tientas, por tanteo.

tâtonner [tatɔne] vi andar a tientas.

tâtons [tatõ]: **à** ~ ad a tientas.

tatouer [tatwe] vt tatuar.

taudis [todi] nm pocilga, cuchitril m.

taupe [top] nf topo; **taupinière** nf topinera.

taureau, x [toʀo] nm toro; (ASTRO): **le T~** Tauro; **être du T~** ser de Tauro.

tauromachie [toʀomaʃi] nf tauromaquia.

taux [to] nm (prix) tasa; (proportion) porcentaje m, índice m; **~ d'intérêt** porcentaje de interés; **~ de mortalité** índice de mortandad.

taverne [tavɛʀn(ə)] nf taberna, posada.

taxe [taks(ə)] nf impuesto; (douanière) arancel m; **~ sur la valeur ajoutée, TVA** impuesto al valor agregado, IVA.

taxer [takse] vt (personne) gravar con impuesto a; (produit) tasar; (fig) calificar; tachar, acusar.

taxi [taksi] nm taxi m.

taxiphone [taksifɔn] nm teléfono público (con fichas o monedas).

tchécoslovaque [tʃekɔslɔvak] a checoslovaco(a).

Tchécoslovaquie [tʃekɔslɔvaki] nf Checoslovaquia; **tchèque** [tʃɛk] a, nm, nf checo(a).

te, t' [t(ə)] pron te.

té [te] nm regla te.

technicien, ne [tɛknisjɛ̃, jɛn] nm/f técnico/a.

technique [tɛknik] a técnico(a) // nf técnica; **~ment** ad técnicamente.

technologie [tɛknɔlɔʒi] nf tecnología; **technologique** a tecnológico(a).

teck [tɛk] nm teca.

teckel [tɛkɛl] nm perro pachón.

teignais etc vb voir teindre.

teigne [tɛɲ(ə)] nf voir teindre // a (ZOOL) polilla; (MÉD) tiña.

teindre [tɛ̃dʀ(ə)] vt teñir; **se ~ (les cheveux)** teñirse (el pelo).

teint, e [tɛ̃, tɛ̃t] pp voir teindre // a teñido(a); (bois) teñido(a); **~ de** (fig) matizado de // nm tez f; tinte m, color m // (fig) matiz m; **grand ~** a inv color firme.

teinté, e [tɛ̃te] a (verres) ahumado(a); (bois) teñido(a); **~ de** (fig) matizado de.

teinter [tɛ̃te] vt teñir; **teinture** nf

tintura; **teinture d'iode** tintura de iodo.

teinturerie [tɛ̃tyʀʀi] nf tintorería.

teinturier [tɛ̃tyʀje] nm tintorero.

tek [tɛk] nm = **teck**.

tel, telle [tɛl] a (pareil) tal, semejante; (comme): **~ un/des...** tal como..., como...; (indéfini): **un ~...** tal...; **de ~s...** (de) tales...; **que** conj tal que; **~ quel** tal cual.

tél abrév de **téléphone**.

télé [tele] nf (abrév de **télévision**) (poste) tele f; **à la ~** en la tele.

télé... [tele] préf: **~benne** nf teleférico monocable; **~cabine** nf teleférico monocable; **~commande** nf telemando; **~commander** vt teledirigir; **~communications** nfpl telecomunicaciones fpl; **~férique** nm = **~phérique**; **~gramme** nm telegrama m.

télégraphe [telegʀaf] nm telégrafo; **télégraphie** nf telegrafía; **télégraphier** vt telegrafiar; **télégraphique** a telegráfico(a).

téléguider [telegide] vt teledirigir.

téléobjectif [teleɔbʒɛktif] nm teleobjetivo.

télépathie [telepati] nf telepatía.

téléphérique [teleferik] nm teleférico.

téléphone [telefɔn] nm teléfono; **avoir le ~** tener teléfono; **au ~** por teléfono; **les T~s** Teléfonos; **téléphoner** vt, vi telefonear; **téléphonique** a telefónico(a); **téléphoniste** nm/f telefonista m/f.

télescope [telɛskɔp] nm telescopio; **télescoper** vt, se **~** vi chocar.

télescopique [telɛskɔpik] a telescópico(a).

téléscripteur [teleskʀiptœʀ] nm teleimpresor m.

télésiège [telesjɛʒ] nm telesilla.

téléski [teleski] nm telesquí m; **~ à perche/à archets** telesquí de trole/de arcos.

téléspectateur, trice [telespɛktatœʀ, tʀis] nm/f telespectador/ora.

téléviser [televize] vt televisar.

téléviseur [televizœr] nm televisor m.

télévision [televizjɔ̃] nf televisión f; (poste de) ~ (aparato de) televisión, televisor m; avoir la ~ tener televisión.

télex [teleks] nm télex m.

telle [tɛl] a voir tel.

tellement [tɛlmɑ̃] ad tan; ~...que tan... que; ~ plus grand (que) tanto más grande (que); ~ de (sable, eau) tanto(a); (personnes, livres) tantos(as); il ne mange pas ~ no come tanto.

tellurique [telyrik] a voir secousse.

téméraire [temerɛr] a temerario(a), arrojado(a); (imprudent) temerario(a).

témérité [temerite] nf temeridad f.

témoignage [temwaɲaʒ] nm testimonio.

témoigner [temwaɲe] vt demostrar, manifestar // vi (JUR) testimoniar, atestiguar; ~ que declarar o manifestar que; (fig) demostrar que; ~ de vt dar pruebas de, atestiguar.

témoin [temwɛ̃] nm testigo; (fig) prueba; (CONSTRUCTION) muestra // a testigo; prendre à ~ tomar como testigo; appartement ~ piso de muestra; ~ à charge testigo de cargo.

tempe [tɑ̃p] nf sien f.

tempérament [tɑ̃peramɑ̃] nm temperamento, carácter m; (santé) complexión f, constitución f; à ~ a plazos o crédito.

tempérance [tɑ̃perɑ̃s] nf templanza.

température [tɑ̃peratyr] nf temperatura; feuille de ~ gráfica de la temperatura.

tempéré, e [tɑ̃pere] a templado(a).

tempérer [tɑ̃pere] vt moderar, calmar.

tempête [tɑ̃pɛt] nf tempestad f, tormenta; ~ de sable/neige tormenta de arena/nieve.

tempêter [tɑ̃pete] vi (personne) vociferar.

temple [tɑ̃pl(ə)] nm templo.

temporaire [tɑ̃pɔrɛr] a temporario(a); ~ment ad temporariamente.

temporiser [tɑ̃pɔrize] vi contemporizar.

temps [tɑ̃] nm tiempo; il fait beau/mauvais ~ hace buen/mal tiempo; ~ chaud/froid tiempo caluroso/frío; avoir du ~ de libre tener tiempo libre; prendre son ~ no precipitarse; en ~ utile ou voulu a su debido tiempo; de ~ en ~, de ~ à autre de vez en cuando; en même ~ al mismo tiempo; à ~ con tiempo, a tiempo; entre ~ entre tanto; à plein/mi-~ la jornada completa/media jornada; dans le ~ hace tiempo, antaño; de tout ~ siempre; du ~ que ou où en los tiempos en que, cuando; ~ d'arrêt parada; ~ mort (COMM) tiempo de inactividad.

tenable [tnabl(ə)] a (fig) soportable.

tenace [tənas] a tenaz, firme; (infection) resistente.

tenailles [tnɑj] nfpl tenazas.

tenais etc vb voir **tenir**.

tenancier, ière [tənɑ̃sje, jɛr] nm/f encargado/a.

tenant, e [tənɑ̃, ɑ̃t] a voir séance // nm/f (SPORT): ~ du titre poseedor m del título // nm: d'un seul ~ de una sola pieza; les ~s et les aboutissants (fig) los pormenores.

tendance [tɑ̃dɑ̃s] nf tendencia; (inclination) tendencia, propensión f; avoir ~ à tener propensión a.

tendeur [tɑ̃dœr] nm tensor m; (de vélo) viento.

tendon [tɑ̃dɔ̃] nm tendón m.

tendre [tɑ̃dr(ə)] a tierno(a); (bois, roche) blando(a); (couleur) suave // vt (élastique, peau) extender estirar; (muscle, arc) tensar; (lettre, stylo): ~ qch à qn alcanzar algo a alguien; ofrecer algo a alguien; (fig: piège) tender; (tapisserie) tapizar; se ~ vi (relations) ponerse

tenso(a); ~ **à** tender a; ~ **l'oreille** aguzar el oído; ~ **le bras** alargar el brazo; ~ **la main** tender la mano; ~**ment** *ad* tiernamente; **tendresse** *nf* ternura.

tendu, e [tãdy] *a* estirado(a), tenso(a).

ténèbres [tenɛbʀ(ə)] *nfpl* tinieblas.

teneur [tənœʀ] *nf* contenido; ~ **en cuivre** proporción *f* de cobre.

ténia [tenja] *nm* tenia.

tenir [təniʀ] *vt* tener, sostener; (*magasin, hôtel*) dirigir, regentar; (*promesse*) mantener, cumplir // *vi* (*tableau, nœud*) sujetar; (*neige, gel*) cuajar; (*peinture, colle*) agarrar; (*résister*) resistir; **se** ~ *vi* (*avoir lieu*) tener lugar; (*être situé*) estar; **se** ~ **debout** tenerse en pie; **se** ~ **droit** ponerse derecho, aderezarse; **bien/mal se** ~ comportarse bien/mal; ~ **à** *vt* tener cariño a; deberse a, depender de; **j'y tiens** me importa(n); ~ **à faire** tener ganas de hacer; ~ **de** *vt* remontarse a, salir a; **s'en** ~ **à** limitarse a, atenerse a; ~ **qn pour** considerar a alguien como; ~ **qch de qn** tener algo por alguien; tener algo de alguien; **ça ne tient qu'à lui** es asunto suyo; ~ **les comptes** llevar la contabilidad; ~ **un rôle** desempeñar un papel; ~ **au chaud** mantener caliente; ~ **chaud** (*personne*) abrigar, dar calor a; ~ **prêt** tener listo; ~ **parole** mantener la palabra; ~ **sa langue** retener la lengua; **tiens/tenez, voilà le stylo!** toma/tome, aquí está la pluma; **tiens!** Pierre ¡vaya! Pedro; **tiens?** (*surprise*) ¡vaya!, ¡hombre!

tennis [tenis] *nm* tenis *m*; (*aussi*: **court de** ~) campo de tenis; (**chaussures de** ~) zapatillas de tenis; ~ **de table** tenis de mesa; ~**man** *nm* tenista *m*.

tenons *vb voir* **tenir**.

ténor [tenɔʀ] *nm* tenor *m*.

tension [tãsjɔ̃] *nf* tensión *f*; (*concentration, effort*) concentración *f*, esfuerzo.

tentacule [tãtakyl] *nm* tentáculo.

tentation [tãtasjɔ̃] *nf* tentación *f*.

tentative [tãtativ] *nf* tentativa, intento.

tente [tãt] *nf* tienda; ~ **à oxygène** tienda de oxígeno.

tenter [tãte] *vt* tentar; ~ **qch/de faire** intentar algo/hacer.

tenture [tãtyʀ] *nf* colgadura.

tenu, e [təny] *pp de* **tenir** // *a* tenido(a) // *nf* mantenimiento; dirección *f*; (*vêtements*) vestimenta; (*comportement*) comportamiento; **modales** *mpl*; **bien** ~ (*maison*) bien cuidado; (*comptes*) bien llevado; **mal** ~ (*maison*) descuidado; (*comptes*) mal llevado; **être** ~ **de faire** estar obligado a hacer; **en petite** ~ en paños menores; **une** ~**e de voyage/sport** un traje de viaje/sport; ~**e de soirée/de ville** traje de etiqueta/de calle; ~**e de combat** uniforme *m* de combate; **une** ~**e de jardinier** un uniforme de jardinero; ~**e de route** (*AUTO*) estabilidad *f*.

ter [tɛʀ] *a*: **le 16** ~ el 16 bis.

térébenthine [teʀebãtin] *nf*: (**essence de**) ~ (esencia de) trementina.

tergal [tɛʀgal] *nm* tergal *m*.

tergiverser [tɛʀʒiveʀse] *vi* vacilar, titubear.

terme [tɛʀm(ə)] *nm* término; (*FINANCE*) término *m*; **vente à** ~ venta a plazos; **au** ~ **de** al final de; **à court/moyen/long** ~ a, a corto/mediano/largo plazo; **à** ~ (*MÉD*) a los nueve meses; **avant** ~ (*MÉD*) a prematuro o, antes de tiempo.

terminaison [tɛʀminɛzɔ̃] *nf* terminación *f*.

terminal, e, aux [tɛʀminal, o] *a*, *nm* terminal (*m*).

terminer [tɛʀmine] *vt* terminar, acabar; **se** ~ *vi* (*leçon, vacances*) terminarse, acabarse; (*route, terrain*) terminar, acabar; (**se** ~ **par/en** (*repas, chansons*) acabar

con/en: *(pointe, boule)* acabar o terminar en.

terminologie [tɛʀminɔlɔʒi] *nf* terminología.

terminus [tɛʀminys] *nm* final *m* de línea.

termite [tɛʀmit] *nm* termes *m*.

terne [tɛʀn(ə)] *a* mate, apagado(a).

ternir [tɛʀniʀ] *vt* desteñir, empañar; **se ~** *vi* empañarse, deslustrarse.

terrain [tɛʀɛ̃] *nm* terreno, tierra; *(:à bâtir)* terreno, solar *m*; **sur le ~** en el mismo sitio; **~ de football/rugby** campo de fútbol/rugby; **~ d'aviation** campo de aviación; **~ de camping** camping *m*; **~ de jeu** campo de juego; **~ de sport** campo de deportes; **~ vague** terreno baldío, solar.

terrasse [tɛʀas] *nf* terraza.

terrassement [tɛʀasmɑ̃] *nm* excavación *f*, remoción *f*, terraplén *m*.

terrasser [tɛʀase] *vt* derribar.

terre [tɛʀ] *nf* tierra; *(population)* mundo; **~s** *fpl* *(terrains)* tierras; **travail de la ~** trabajo del campo; **en ~** *(pipe, poterie)* de arcilla o barro; **à ~** *ou* **par ~** en el suelo; *(jeter, tomber)* al suelo; **~ cuite** terracota, barro; **~ glaise** greda; **T~ Sainte** Tierra Santa; **~ à ~** ramplón(ona).

terreau [tɛʀo] *nm* mantillo.

terre-plein [tɛʀplɛ̃] *nm* terraplén *m*.

terrer [tɛʀe]: **se ~** *vi* encerrarse, ocultarse.

terrestre [tɛʀɛstʀ(ə)] *a* terrestre; *(REL)* terrenal.

terreur [tɛʀœʀ] *nf* terror *m*, pavor *m*.

terrible [tɛʀibl(ə)] *a* terrible; *(fam)* formidable; **~ment** *ad* (*fam*) terriblemente.

terrien, ne [tɛʀjɛ̃, jɛn] *nm/f* campesino/a; *(non martien etc)* habitante *m/f* de la tierra.

terrier [tɛʀje] *nm* *(de lapin)* madriguera; *(chien)* terrier *m*.

terrifier [tɛʀifje] *vt* aterrorizar.

terril [tɛʀi] *nm* escorial *m*.

terrine [tɛʀin] *nf* lebrillo, barreño; *(CULIN)* conserva de carne.

territoire [tɛʀitwaʀ] *nm* territorio; **territorial, e, aux** *a* territorial; **armée territoriale** segunda reserva.

terroir [tɛʀwaʀ] *nm* *(AGR)* tierra; **accent du ~** acento regional o del terruño.

terroriser [tɛʀɔʀize] *vt* aterrorizar; **terrorisme** *nm* terrorismo; **terroriste** *nm/f* terrorista *m/f*.

tertiaire [tɛʀsjɛʀ] *a* terciario(a) // *nm* *(ÉCON)* terciario.

tertre [tɛʀtʀ(ə)] *nm* montículo, monte *m*.

tes [te] *dét voir* **ton.**

tesson [tesɔ̃] *nm:* **~ de bouteille** pedazo de botella.

test [tɛst] *nm* test *m*, prueba.

testament [tɛstamɑ̃] *nm* testamento; **~aire** *a* testamentario(a).

testicule [tɛstikyl] *nm* testículo.

tétanos [tetanɔs] *nm* tétanos.

têtard [tɛtaʀ] *nm* renacuajo.

tête [tɛt] *nf* cabeza; *(visage)* cara; *(FOOTBALL)* cabeza, cabezazo; **de ~** *a* *(wagon etc)* delantero(a) // *ad* *(calculer)* mentalmente; **tenir ~ à qn** hacer frente a alguien; **la ~ la première** *(tomber)* de cabeza; **la ~ en bas** la cabeza hacia abajo; **faire une ~** *(FOOTBALL)* dar un cabezazo; **faire la ~** *(fig)* poner mala cara; **en ~** *(SPORT)* a la cabeza; **en ~ à ~** a solas; **de la ~ aux pieds** de pies a cabeza; **~ d'enregistrement/de lecture** cabeza sonora/auditiva; **~ d'affiche** *(THÉÂTRE etc)* cabecera del reparto; **~-bêche** *ad* pies contra cabeza; **~ de bétail** cabeza de ganado; **~ de mort** calavera; **~-de-queue** *nm inv* tornillazo; **~ de série** *(TENNIS)* primero/a de la categoría; **~ de taxi** parada de taxi; **~-à-~** *nm inv* entrevista a solas.

tétée [tete] *nf* mamada.

téter [tete] *vt:* **~ (sa mère)** tomar el pecho, mamar.

tétine [tetin] *nf* teta; *(sucette)* tetina.

téton [tetɔ̃] *nm (fam)* teta.

têtu, e [tety] *a* terco(a), testarudo(a).

texte [tɛkst(ə)] *nm* texto; *(THÉÂTRE)* papel *m*.

textile [tɛkstil] *a* textil // *nm* tejido; industria textil.

texture [tɛkstyʀ] *nf* textura, contextura.

thé [te] *nm* té *m*.

théâtre [teatʀ(ə)] *nm* teatro; *(péj)* exageración *f*; simulación *f*; **faire du ~** hacer teatro.

théière [tejɛʀ] *nf* tetera.

thème [tɛm] *nm* tema *m*; *(SCOL: traduction)* traducción *f*.

théologie [teɔlɔʒi] *nf* teología; **théologien** *nm* teólogo.

théorème [teɔʀɛm] *nm* teorema *m*.

théoricien, ne [teɔʀisjɛ̃, jɛn] *nm/f* teórico/a.

théorie [teɔʀi] *nf* teoría; **théorique** a teórico/a.

thérapeutique [teʀapøtik] a terapéutico/a // *nf* terapéutica.

thermal, e, aux [tɛʀmal, o] a termal.

thermes [tɛʀm(ə)] *nmpl* termas.

thermomètre [tɛʀmɔmɛtʀ(ə)] *nm* termómetro.

thermos [tɛʀmɔs] *nm ou nf* ®: *(bouteille)* ~ termo.

thermostat [tɛʀmɔsta] *nm* termostato.

thésauriser [tezoʀize] *vi* atesorar.

thèse [tɛz] *nf* tesis *f*.

thon [tɔ̃] *nm* atún *m*.

thorax [tɔʀaks] *nm* tórax *m*.

thym [tɛ̃] *nm* tomillo.

thyroïde [tiʀɔid] *nf* tiroides *m*.

tiare [tjaʀ] *nf* tiara.

tibia [tibja] *nm* tibia.

tic [tik] *nm* tic *m*; *(de langage etc)* muletilla.

ticket [tikɛ] *nm* billete *m*.

tiède [tjɛd] a tibio(a); **tiédir** *vt* entibiar.

tien, tienne [tjɛ̃, tjɛn] *pron*: **le ~** (**la tienne**), **les ~s** (**tiennes**) el tuyo(la tuya), los tuyos(las tuyas); **à la tienne!** ¡a tu salud!

tiendrai *etc*, **tienne** *etc vb voir* **tenir**.

tiens *vb, excl voir* **tenir**.

tierce [tjɛʀs(ə)] *a, nf voir* **tiers**.

tiercé [tjɛʀse] *nm* apuesta triple.

tiers, tierce [tjɛʀ, tjɛʀs(ə)] *a* tercer, tercero(a) // *nm (JUR)* tercero; *(fraction)* tercio // *nf (MUS)* tercera; *(CARTES)* escalerilla; **assurance au** ~ seguro contra terceros.

tige [tiʒ] *nf* tallo; *(branche d'arbre)* rama; *(baguette)* varilla.

tignasse [tiɲas] *nf (péj)* pelambrera.

tigre [tigʀ(ə)] *nm* tigre *m*.

tigresse [tigʀɛs] *nf* tigre *f*.

tilde [tild(ə)] *nm* tilde *f*.

tilleul [tijœl] *nm* tilo; *(boisson)* tila.

timbale [tɛ̃bal] *nf* vaso; **~s** *fpl* (MUS) timbales *mpl*.

timbre [tɛ̃bʀ(ə)] *nm* sello; *(sonnette, MUS)* timbre *m*; ~ **fiscal** timbre fiscal.

timbrer [tɛ̃bʀe] *vt* sellar; *(document, acte)* poner un sello a.

timide [timid] a tímido(a), apocado(a); *(timoré)* pusilánime, temeroso(a); *(fig)* débil; **timidité** *f*, apocamiento.

timonerie [timonʀi] *nf* timonera, cámara del timonel.

timoré, e [timɔʀe] a timorato(a).

tintamarre [tɛ̃tamaʀ] *nm* estrépito, estruendo.

tinter [tɛ̃te] *vi* tocar, tañer; *(argent, clefs)* tintinear.

tir [tiʀ] *nm* tiro; *(stand)* barraca de tiro; ~ **au fusil** tiro con fusil; ~ **au pigeon** tiro de pichón (tiro al plato).

tirade [tiʀad] *nf* parlamento.

tirage [tiʀaʒ] *nm (action)* tiraje *m*; *(d'un journal)* tirada; *(de livre)* tirada; edición *f*; *(de loterie)* sorteo; *(désaccord)* dificultad *f*, desacuerdo; ~ **au sort** sorteo.

tirailler [tiʀaje] *vt* dar tirones a // *vi* tirotear; **tirailleur** *nm* tirador *m*.

tirant [tiʀɑ̃] nm: ~ d'eau calado.

tire [tiʀ] nf: vol à la ~ ratería.

tire-au-flanc [tiʀoflɑ̃] nm inv (péj) holgazán/ana, haragán/ana.

tire-bouchon [tiʀbuʃɔ̃] nm sacacorchos m inv.

tire-d'aile [tiʀdɛl]: à ~ ad a aletazos.

tirelire [tiʀliʀ] nf alcancía, hucha.

tirer [tiʀe] vt tirar de; (extraire): ~ qch de sacar algo de; extraer algo de; obtener o producir algo de; (trait, journal, livre, FOOTBALL, PÉTANQUE) tirar; (fermer: porte, trappe) cerrar; (: rideau, panneau) correr; (choisir: carte, lot, conclusion) sacar; (chèque) extender; (loterie) sortear; (balle, coup) tirar, disparar; (animal disparar o tirar a; (disparo) revelar // vi (faire feu) tirar, disparar; (faire du tir, FOOTBALL, cheminée) tirar; se ~ vi (fam) largarse; s'en ~ salir bien; tirar; ~ sur tirar de; (faire feu sur) tirar o disparar a; (pipe) aspirar; (fig) acercarse a; ~ avantage sacar ventaja o provecho de; ~ qn de (embarras) sacar a alguien de; ~ à l'arc/à la carabine tirar con arco/con carabina; ~ les cartes echar las cartas.

tiret [tiʀɛ] nm guión m.

tireur, euse [tiʀœʀ, øz] nm/f tirador/ora; (COMM) librador/ora.

tiroir [tiʀwaʀ] nm cajón m; ~-caisse nm caja.

tisane [tizan] nf tisana.

tison [tizɔ̃] nm tizón m; ~-ner vt atizar; ~nier nm atizador m.

tisser [tise] vt tejer; ~and [tisʀɑ̃] nm tejedor m.

tissu [tisy] nm tejido, tela; (ANAT, BIO) tejido; ~ de mensonges sarta de mentiras.

tissu-éponge [tisypɔ̃ʒ] nm felpa.

titane [titan] nm titanio.

titanesque [titanɛsk(ə)] a titánico(a).

titre [titʀ(ə)] nm título; (de journal) título, nombre m; (CHIMIE) ley f; dosificación f; en ~ a titular,

reconocido(a); à juste ~ con justa razón, con toda razón; à quel ~? ¿por qué razón?; à aucun ~ por ninguna razón; au même ~ (que) por la misma razón (que); à ~ d'exemple como ejemplo; à ~ gracieux gratuitamente.

titrer [titʀe] vt valorar.

tituber [titybe] vi titubear.

titulaire [titylɛʀ] a, nm titular (m).

toast [tost] nm tostada; (de bienvenue) brindis m; porter un ~ à qn brindar por alguien.

toboggan [tɔbɔgɑ̃] nm tobogán m.

toc [tɔk] nm: en ~ de imitación.

tocsin [tɔksɛ̃] nm rebato.

toge [tɔʒ] nf toga.

tohu-bohu [tɔybɔy] nm alboroto, confusión f; caos m, tumulto.

toi [twa] pron (sujet) tú; (après prép) ti; avec ~ contigo; tais-~! ¡cállate!

toile [twal] nf tela; (bâche) lona; (tableau) tela, lienzo; grosse ~ tela burda; ~ d'araignée telaraña; ~ cirée hule m; ~ de jute tela de saco; ~ de lin lienzo; ~ de tente lona.

toilette [twalɛt] nf aseo; (s'habiller et se préparer) arreglo, aliño; (habillement, parure) vestimenta; (costume) vestido; ~s fpl (W.-C.) servicios; faire sa ~ lavarse; produits de ~ productos de tocador; les ~s des dames/messieurs los servicios para damas/caballeros; toiletter vt (animal) lavar, asear.

toi-même [twamɛm] pron tú mismo(a); (après prép) ti mismo(a).

toise [twaz] nf: passer à la ~ tallarse.

toison [twazɔ̃] nf vellón m.

toit [twa] nm (de chaume) techo; (d'ardoises, de tuiles) tejado.

toiture [twatyʀ] nf techado, techo.

tôle [tol] nf chapa; ~s (carrosserie) chapas; ~ ondulée chapa ondulada.

tolérant, e [tɔleʀɑ̃, ɑ̃t] a tolerante.

tolérer [tɔleʀe] vt tolerar; (ADMIN: hors taxe) autorizar, tolerar.

tôlerie [tolʀi] nf fabricación f de chapas; chapistería.

tollé [tɔle] nm: **un ~ de protestations** un clamor o tole de protestas.

TOM sigle m = *Territoire d'outremer.*

tomate [tɔmat] nf tomate m.

tombal, e [tɔbal] a: **pierre ~e** lápida sepulcral.

tombant, e [tɔbã, ãt] a (fig) caído(a).

tombe [tɔb] nf tumba; (avec monument) sepulcro, tumba.

tombeau, x [tɔbo] nm tumba.

tombée [tɔbe] nf: **à la ~ du jour o** de la nuit al atardecer, a la caída de la tarde.

tomber [tɔbe] vi caer(se); (fruit, feuille) caer // vt: **~ la veste** quitarse la chaqueta; **laisser ~** dejar, abandonar; **~ sur** vt (rencontrer) encontrar, dar con; (attaquer) precipitarse contra, caer sobre; **~ en panne** tener una avería.

tombeur [tɔbœʀ] nm (péj) seductor m.

tombola [tɔbola] nf tómbola.

tome [tɔm] nm tomo.

ton, ta, pl tes [tɔ̃, ta, te] dét tu m/f, tus pl.

ton [tɔ̃] nm tono; (d'un livre, texte) estilo, carácter m; **de bon ~ de** buen gusto.

tonalité [tɔnalite] nf (au téléphone) señal f de llamada; (MUS, fig) tonalidad f.

tondeuse [tɔdøz] nf cortacésped m; (du coiffeur) maquinilla para cortar el pelo; (pour la tonte) esquiladora.

tondre [tɔdʀ(ə)] vt cortar; (haie) recortar, podar; (mouton, toison) esquilar; (cheveux) cortar, rapar.

tonifier [tɔnifje] vi, vt tonificar.

tonique [tɔnik] nm tónico // nf tónica.

tonitruant, e [tɔnitʀyã, ãt] a: **voix ~e** voz atronadora.

tonnage [tɔnaʒ] nm tonelaje m.

tonne [tɔn] nf tonelada.

tonneau, x [tɔno] nm tonel m,

cuba; (NAUT) tonelada; **faire des ~x** dar vueltas de campana.

tonnelier [tɔnəlje] nm tonelero.

tonnelle [tɔnɛl] nf cenador m.

tonner [tɔne] vi tronar.

tonnerre [tɔnɛʀ] nm trueno; (fig) salva; **du ~ a** (fam) bárbaro(a), fantástico(a).

tonsure [tɔsyʀ] nf tonsura; calva.

tonte [tɔt] nf esquila.

tonus [tɔnys] nm energía, tono.

top [tɔp] nm: **au 3ème ~ a la 3a** señal // a: **~ secret** de lo más secreto, de reserva absoluta.

topaze [tɔpaz] nf topacio.

toper [tɔpe] vi: **tope-/topez-la!** ¡choca/choque esos cinco!

toque [tɔk] nf (de fourrure) toca; **~ de cuisinier** gorro de cocinero; **~ de jockey** gorra de jockey; **~ de juge** birrete m de juez.

torche [tɔʀ(ʃ)] nf lámpara de pilas; (de paille) tapón m (de paja).

torchère [tɔʀʃɛʀ] nf hachón m.

torchon [tɔʀʃɔ̃] nm (gén) trapo, paño; (à vaisselle) paño.

tordre [tɔʀdʀ(ə)] vt (vêtement, chiffon) retorcer; (barre, métal, fig: visage) torcer; (bras, pied) retorcer, torcer; **se ~** vi (barre, roue) torcerse; (serpent) retorcerse, serpentear; **se ~ le pied** torcerse el pie; **se ~ de douleur** retorcerse de dolor; **se ~ de rire** desternillarse de risa.

toréador [tɔʀeadɔʀ] nm torero.

torero [tɔʀeʀo] nm torero.

torpille [tɔʀpij] nf torpedo; **torpiller** vt torpedear.

torréfier [tɔʀefje] vt tostar, torrar.

torrent [tɔʀã] nm torrente m; **~iel, le** [-sɛl] a torrencial.

torsade [tɔʀsad] nf canelón m; (ARCHIT) espiral f; **torsader** vt retorcer, entorchar.

torse [tɔʀs(ə)] nm torso.

torsion [tɔʀsjɔ̃] nf torsión f.

tort [tɔʀ] nm (défaut) error m; (préjudice) daño; **~s mpl** (JUR) prejuicios; **avoir ~** estar equivocado(a), tener la culpa; **donner ~ à**

qn echar la culpa a alguien; (*suj:
chose*) demostrar que alguien está
equivocado(a); **causer du ~ à**
perjudicar a; **à ~ sin razón; à ~ et
à travers** a tontas y a locas.

torticolis [tɔrtikɔli] *nm* torticolis *f.*

tortiller [tɔrtije] *vt* retorcer; **se ~**
vi retorcerse.

tortionnaire [tɔrsjɔnɛr] *nm* verdugo, torturador *m.*

tortue [tɔrty] *nf* tortuga.

torture [tɔrtyr] *nf* tortura, suplicio;
torturer *vt* torturar.

tôt [to] *ad* temprano; (*au bout de
peu de temps*) pronto; **~ ou tard** tarde o
temprano; **si ~** tan pronto; (*déjà*)
ya, pronto; **au plus ~** cuanto antes;
il eut ~ fait de faire muy pronto
hizo.

total, e, aux [tɔtal, o] *a, nm* total
(*m*); **au ~** en total; **faire le ~ de**
sumar, sacar la suma (de); **~ement**
ad totalmente, completamente.

totalitaire [tɔtalitɛr] *a* totalita-
rio(a).

totalité [tɔtalite] *nf:* **la ~ de** la
totalidad de; **en ~** totalmente.

toubib [tubib] *nm* (*fam*) médico.

touchant, e [tuʃɑ̃, ɑ̃t] *a* conmove-
dor(ora).

touche [tuʃ] *nf* (*de piano, machine à
écrire*) tecla; (*PEINTURE* etc)
pincelada; (*fig*) toque *m*; (*RUGBY*)
línea lateral; (*FOOTBALL: aussi:
remise en ~*) banda, saque *m* de
banda; (: **ligne de ~**) línea de
banda; (*ESCRIME*) tocado; **en ~** fuera
de banda.

toucher [tuʃe] *nm* tacto; (*MUS*)
ejecución *f // vt* tocar; (*manger,
boire*) tomar, tocar; (*rnar, pays*)
lindar con; (*atteindre*) alcanzar;
(*affecter*) afectar; (*émouvoir*)
conmover; (*contacter*) comunicar
con; (*prix, récompense*) recibir;
(*salaire, chèque*) cobrar; **se ~** *vi*
tocarse; **au ~** al tocar, al tacto; **~ à
qch** tocar algo; (*modifier*) constatar
o modificar algo; (*traiter de,
concerner*) atañer a algo; **~ au but**
(*fig*) llegar a la meta; **je vais lui en

~ un mot le voy a decir dos
palabras sobre ello.

touffe [tuf] *nf* (*d'herbe*) mata; (*de
cheveux, de poils*) mechón *m.*

toujours [tuʒur] *ad* siempre;
(*encore*) aún, todavía; **~ plus** cada
vez más; **~ est-il que** lo cierto es
que; **essaie ~** mientras tanto o por
ahora prueba.

toupie [tupi] *nf* trompo.

tour [tur] *nf* torre *f*; (*immeuble*)
rascacielos *m inv // nm* vuelta; (*de
l'excursion*) paseo, excursión *f*;
(*d'être servi ou de jouer etc*) turno,
vuelta; (*tournure*) carácter *m*, cariz
m; (*circonférence*): **de 3 m de ~** de
3 m de circunferencia o perímetro;
(*ruse*) ardid *m*, treta; (*de
prestidigitation*) número de
destreza; (*de cartes*) juego de
destreza; (*de potier, à bois, métaux*)
torno; **faire le ~ de** dar la vuelta a;
(*fig*) examinar; **faire un ~** dar una
vuelta; **fermer à double ~** *vi* cerrar
con dos vueltas; **à ~ de rôle, ~ à ~**
por turno; **~ de poitrine/taille/tête**
contorno de pecho/cintura/cabeza;
~ de chant actuación *f*; **~ de force**
proeza; **~ d'horizon** (*fig*) panorama
m, vista de conjunto; **~ de reins**
lumbago.

tourbe [turb] *nf* turba.

tourbière [turbjɛr] *nf* turbera.

tourbillon [turbijɔ̃] *nm* torbellino;
(*d'eau*) remolino; **~ner** *vi* arremolinarse; (*objet, personne*) girar.

tourelle [turɛl] *nf* torrecilla; (*de
véhicule*) torreta.

tourisme [turism(ə)] *nm* turismo;
faire du ~ hacer turismo; **touriste**
nm/f turista *m/f*; **touristique** *a*
turístico(a).

tourmenter [turmɑ̃te] *vt* atormentar; **se ~** *vi* atormentarse,
acongojarse.

tournage [turnaʒ] *nm* (*d'un film*)
rodaje *m.*

tournant, e [turnɑ̃, ɑ̃t] *a voir*
**plaque, grève // *nm* (*de route*)
vuelta, recodo; (*fig*) viraje *m.*

tournebroche [turnəbrɔʃ] *nm* asador giratorio.

tourne-disque [turnədisk(ə)] *nm* tocadiscos *m inv*.

tournée [turne] *nf* (*du facteur, boucher*) ronda; (*d'artiste, de politicien*) gira; (*au café*) vuelta, ronda.

tourner [turne] *vt* girar, dar vueltas a; (*sauce, mélange*) revolver; (*contourner*) rodear; eludir, sortear; (*CINÉMA*) rodar; actuar *o* trabajar en // girar, dar vueltas; (*voiture, personne*) doblar, torcer; (*vent, chance*) cambiar; (*moteur, compteur*) girar, funcionar; (*lait etc*) cortarse, agriarse; se ~ vi darse vuelta, volverse; se ~ vers volverse hacia; (*fig*) dirigirse *o* acudir a; inclinarse hacia, interesarse por; **bien/mal**: salir bueno/malo; salir bien/mal; ~ **autour de** dar vueltas de; (*suj: terre*) girar alrededor de; à/en volverse; ~ **le dos à** dar la espalda a; ~ **les pouces** estar de brazos cruzados; ~ **la tête** volver la cabeza; ~ **de l'œil** desmayarse; à **la bagarre** *etc* volverse pelea *etc*.

tournesol [turnəsɔl] *nm* girasol *m*.

tournevis [turnəvis] *nm* destornillador *m*.

tourniquet [turnike] *nm* (*pour arroser*) rociadera; (*portillon*) torniquete *m*; (*présentoir*) molinete *m*.

tournoi [turnwa] *nm* torneo.

tournoyer [turnwaje] *vi* (*oiseau*) revolotear; (*fumée*) arremolinarse.

tournure [turnyr] *nf* (*LING*) giro, expresión *f*; forma, estructura; (*direction*): **la ~ des événements** el sesgo *o* giro de los acontecimientos; (*évolution*): **la ~ de qch** el curso *o* la marcha de algo; (*aspect*): **la ~ de** el carácter de; ~ **d'esprit** modo de ver.

tourte [turt(ə)] *nf* tortada.

tourteau [turto] *nm* torta *m*; (*ZOOL*) macera.

tourterelle [turtərɛl] *nf* tórtola.

tous *dét* [tu], *pron* [tus] *voir* **tout**.

Toussaint [tusɛ̃] *nf*: **la ~** el día de Todos los Santos.

tousser [tuse] *vi* toser; **toussoter** *vi* tosiquear.

tout, e, *pl* **tous, toutes** [tu, tus, tut] *dét* todo(a); ~ **un livre/pain** un libro/pan entero; **les 2/3 semaines** cada 2/3 semanas; **tous les 2** ambos, los dos; **toutes les 3** las tres // *pron* todo; todos, **tous, tous, toutes** todos/as; **en** ~ en total // *ad* muy; ~ **ouvert/rouge** completamente abierto/rojo; **en haut** muy *o* bien arriba; **parler** ~ **bas** hablar en voz baja; **le** ~ **premier** el primero de todos; **le livre** ~ **entier** el libro completo; ~ **seul** completamente solo; ~ **droit** derecho // *nm* todo; **le** ~ **est de...** lo esencial es...; ~ **d'abord** en primer lugar; ~ **à coup** de repente; ~ **à fait** completamente; perfectamente; ~ **à l'heure** hace un rato; luego, más tarde; ~ **de même** sin embargo; ~ **le monde** todo el mundo; ~ **de suite** en seguida; ~ **terrain** a todo terreno; ~**-à-l'égout** *nm inv* evacuación directa.

toutefois [tutfwa] *ad* sin embargo, no obstante.

toux [tu] *nf* tos *f*.

toxine [tɔksin] *nf* toxina.

toxique [tɔksik] *a* tóxico(a).

trac [trak] *nm* nerviosismo, temor *m*; **avoir le** ~ estar nervioso(a).

tracas [traka] *nm* inquietud *f*, zozobra; ~**ser** *vt* preocupar, inquietar; molestar.

trace [tras] *nf* huella; (*empreintes*) huella, rastro; (*fig*) imprenta, huella; (*quantité minime*) indicio, resto.

tracé [trase] *nm* trazado; trazo, rasgo.

tracer [trase] *vt* trazar.

trachée(-artère) [traʃe(artɛr)] *nf* tráquea, traquearteria.

tract [trakt] *nm* pasquín *m*, cartel *m*.

tractations [traktɑsjɔ̃] *nfpl* negociaciones *fpl*, convenios.

tracteur [traktœr] nm tractor m.

traction [traksjɔ̃] nf tracción f.

tradition [tradisjɔ̃] nf tradición f; ~ **nel, le** a tradicional.

traducteur, trice [tradyktœr, tris] nm/f traductor/ora.

traduction [tradyksjɔ̃] nf traducción f.

traduire [traduir] vt traducir; ~ **en français** traducir al francés; ~ **en justice** convocar ante la justicia.

trafic [trafik] nm tráfico; **trafiquant, e** nm/f traficante m/f; **trafiquer** vt (péj) falsificar, adulterar.

tragédie [traʒedi] nf tragedia; **tragédien, ne** nm/f actor/triz de tragedias.

tragique [traʒik] a trágico(a), funesto(a); ~**ment** ad trágicamente.

trahir [trair] vt traicionar; (secret) revelar; **trahison** nf traición f.

traie etc vb voir **traire**.

train [trɛ̃] nm tren m, ferrocarril m; (transport): **le** ~ el tren; (allure) paso, marcha; (fig: ensemble) convoy m; **mettre qch en** ~ comenzar algo; **mettre qn en** ~ animar a alguien; **se mettre en** ~ ponerse manos a la obra o en marcha; ponerse en forma; ~ **avant/arrière** tren delantero/trasero; ~ **d'atterrissage** tren de aterrizaje; ~ **de pneus** juego de neumáticos.

traîne [trɛn] nf (de robe) cola; **être à la** ~ ir rezagado/a.

traîneau, x [treno] nm trineo.

traînée [trene] nf reguero, (péj) prostituta, mujerzuela.

traîner [trene] vt (remorque) remolcar, acarrear; (enfant, chien) traer, llevar // vi estar diseminado(a) o esparcido(a); (marcher lentement) demorar; (vagabonder) vagabundear; (agir lentement) rezagarse; (durer) hacerse largo; se ~ vi andar despacio; **se** ~ **par terre** (enfant) arrastrarse por el suelo; ~ **les pieds** arrastrar los pies.

train-train [trɛ̃trɛ̃] nm rutina.

traire [trɛr] vt ordeñar.

trait [trɛ] nm (ligne) raya; (de dessin) rasgo, trazo; (caractéristique) rasgo; ~**s** mpl (du visage) rasgos, facciones fpl; **d'un** ~ (boire) de un trago; **de** ~ a tiro; **avoir** ~ **à** referirse o concernir a; ~ **d'esprit** agudeza; ~ **d'union** guión m.

traite [trɛt] nf (COMM) letra de cambio; (AGR) ordeño; (trajet) trecho; **d'une (seule)** ~ de un (solo) tirón; **la** ~ **des noirs** la trata de negros.

traité [trete] nm tratado.

traitement [trɛtmɑ̃] nm tratamiento; (salaire) sueldo.

traiter [trete] vt, vi tratar; ~ **de** vt tratar sobre.

traiteur [trɛtœr] nm casas de comida de encargo.

traître, esse [trɛtr(ə), trɛs] a traicionero(a), peligroso(a) // nm traidor m.

trajectoire [traʒɛktwar] nf trayectoria.

trajet [traʒɛ] nm trayecto; (fig) recorrido; trayectoria.

tralala [tralala] nm (péj) ceremonia.

tram [tram] nm abrév de **tramway**.

trame [tram] nf trama.

tramer [trame] vt tramar, urdir.

tramway [tramwɛ] nm tranvía.

tranchant, e [trɑ̃ʃɑ̃, ɑ̃t] a afilado(a); (fig) tajante // nm (d'un couteau) filo; (de la main) borde m.

tranche [trɑ̃ʃ] nf (de pain) rebanada; (de jambon) lonja; (de pâté) rodaja; (de fromage, gâteau) porción f; (arête) canto; (partie) parte f; (série) serie f; parte; categoría.

tranché, e [trɑ̃ʃe] a neto(a), marcado(a); claro(a), categórico(a) // nf trinchera, zanja.

trancher [trɑ̃ʃe] vt cortar; (fig) zanjar // vi: ~ **avec** contrastar con.

tranchoir [trɑ̃ʃwar] nm tajadero, cuchilla.

tranquille [tʀãkil] a tranquilo(a); (caractère) sereno(a), tranquilo(a); **se tenir ~** (enfant) quedarse quieto(a); **~ment** ad tranquilamente; **tranquillisant** nm tranquilizante m; **tranquilliser** vt tranquilizar; **tranquillité** nf tranquilidad f.

transaction [tʀãzaksjɔ̃] nf transacción f.

transat [tʀãzat] nm tumbona.

transatlantique [tʀãzatlãtik] a transatlántico(a) // nm transatlántico.

transborder [tʀãsbɔʀde] vt trasbordar.

transcrire [tʀãskʀiʀ] vt transcribir.

transe [tʀãs] nf: **être en ~s** estar enajenado(a); **entrer en ~s** enajenarse.

transférer [tʀãsfeʀe] vt transferir, traspasar; (PSYCH) transferir; **transfert** nm transferencia; traspaso.

transfigurer [tʀãsfigyʀe] vt transfigurar, transformar.

transformateur [tʀãsfɔʀmatœʀ] nm transformador m.

transformation [tʀãsfɔʀmasjɔ̃] nf transformación f; (RUGBY) transformación de ensayo.

transformer [tʀãsfɔʀme] vt transformar; (maison, vêtement) modificar, reformar; **~ du plomb en or** convertir el plomo en oro; **se ~** vi transformarse; (larve, embryon) metamorfosearse.

transfusion [tʀãsfyzjɔ̃] nf: **~ sanguine** transfusión f de sangre.

transgresser [tʀãsgʀese] vt trasgredir, infringir.

transhumance [tʀãzymãs] nf trashumancia f.

transistor [tʀãzistɔʀ] nm transistor m.

transit [tʀãzit] nm tránsito m; **~er** vi estar en tránsito.

transitif, ive [tʀãzitif, iv] a transitivo(a).

transition [tʀãzisjɔ̃] nf transición f.

transmetteur [tʀãsmetœʀ] nm transmisor m.

transmettre [tʀãsmetʀ(ə)] vt transmitir; (passer): **~ qch à qn** transmitir algo a alguien; (secret, recette) comunicar o pasar algo a alguien.

transmission [tʀãsmisjɔ̃] nf transmisión f; **~s** fpl (MIL) cuerpo de comunicaciones o de enlace.

transparaître [tʀãspaʀetʀ(ə)] vi traslucirse, transparentarse.

transparence [tʀãspaʀãs] nf transparencia; **par ~** al trasluz.

transparent, e [tʀãspaʀã, ãt] a transparente.

transpercer [tʀãspeʀse] vt traspasar.

transpiration [tʀãspiʀasjɔ̃] nf transpiración f.

transpirer [tʀãspiʀe] vi transpirar.

transplanter [tʀãsplãte] vt trasplantar.

transport [tʀãspɔʀ] nm transporte m; **~s en commun** transportes públicos.

transporter [tʀãspɔʀte] vt transportar; (énergie, son) transmitir, conducir; **~ qn à l'hôpital** llevar o transportar a alguien al hospital; **transporteur** nm camionero, transportista m.

transposer [tʀãspoze] vt transponer; (MUS) transportar.

transversal, e, aux [tʀãsveʀsal, o] a transversal.

trapèze [tʀapez] nm trapecio; **trapéziste** nm/f trapecista m/f.

trappe [tʀap] nf trampa, escotillón m.

trappeur [tʀapœʀ] nm trampero.

trapu, e [tʀapy] a rechoncho(a).

traquenard [tʀaknaʀ] nm trampa.

traquer [tʀake] vt acorralar.

traumatiser [tʀomatize] vt provocar un traumatismo, traumatizar.

traumatisme [tʀomatism(ə)] nm trauma m; **~ crânien** traumatismo de cráneo.

travail, aux [tʀavaj, o] *nm* trabajo, (*MÉD*) parto // *mpl* trabajos; ~ **(au) noir** trabajo negro *o* clandestino; **travaux dirigés** tareas dirigidas; **travaux forcés** trabajos forzados; **travaux manuels** trabajos manuales, manualidades *fpl*; **travaux ménagers** trabajos domésticos; **Travaux publics** Obras públicas.

travailler [tʀavaje] *vi* trabajar; (*bois*) alabearse, arquearse // *vt* trabajar; (*discipline*) estudiar, perfeccionar; (*fig*) influenciar; **cela le travaille** eso te preocupa *u* obsesiona; ~ **à** trabajar en; ~ **à faire** tratar de *o* esforzarse en hacer; ~ **son piano** ejercitarse en el piano; **travailleur, euse** *a*, *nm/f* trabajador(ora).

travailliste [tʀavajist(ə)] *a* laborista.

travée [tʀave] *nf* fila.

travers [tʀavɛʀ] *nm* defecto, imperfección *f*; **en** ~ **(de)** transversalmente (a); **au** ~ por en medio; **au** ~ **de** a través de, por medio de; **de** ~ a través, atravesado(a) // *ad* oblicuamente; (*fig*) al revés; **à** ~ a través.

traverse [tʀavɛʀs(ə)] *nf* (*RAIL*) traviesa; **chemin de** ~ atajo.

traversée [tʀavɛʀse] *nf* cruce m, travesía; (*en mer*) travesía.

traverser [tʀavɛʀse] *vt* cruzar, atravesar; (*percer*, *fig*, *suj: ligne*) atravesar; (*suj: pluie*) traspasar.

traversin [tʀavɛʀsɛ̃] *nm* cabezal m.

travesti [tʀavɛsti] *nm* disfraz m; (*artiste*, *pervers*) travestido.

travestir [tʀavɛstiʀ] *vt* (*vérité*) alterar, falsificar; **se** ~ disfrazarse; travestirse.

trayais *etc vb voir* **traire**.

trébucher [tʀebyʃe] *vi*: ~ **(sur)** tropezar con.

trèfle [tʀɛfl(ə)] *nm* trébol m.

treille [tʀɛj] *nf* parra; (*tonnelle*) emparrado.

treillis [tʀeji] *nm* (*toile*) arpillera; (*MIL*) traje m de faena.

treize [tʀɛz] *num* trece; **treizième** *num* decimotercero(a).

tréma [tʀema] *nm* diéresis f.

tremblement [tʀɑ̃bləmɑ̃] *nm* temblor m, estremecimiento; ~ **de terre** temblor de tierra.

trembler [tʀɑ̃ble] *vi* temblar; ~ **(de froid/fièvre)** temblar *o* tiritar (de frío/fiebre); **trembloter** *vi* temblequear.

trémolo [tʀemolo] *nm* (*MUS*) trémolo; (: *voix*) temblor m.

trémousser [tʀemuse]: **se** ~ *vi* menearse, zarandearse.

trempe [tʀɑ̃p] *nf* (*fig*) temple m.

trempé, e [tʀɑ̃pe] *a* (*TECH*): **acier** ~ acero templado.

tremper [tʀɑ̃pe] *vt* empapar, mojar; (*aussi*: **faire** ~, **mettre à** ~) mojar, remojar; (*plonger*): ~ **qch dans** mojar algo en // *vi* estar en remojo; (*fig*): ~ **dans** participar en, estar metido(a) en.

tremplin [tʀɑ̃plɛ̃] *nm* trampolín m.

trentaine [tʀɑ̃tɛn] *nf* treintena; **une** ~ **(de)** una treintena (de), unos treinta.

trente [tʀɑ̃t] *num* treinta; **trentième** *num* trigésimo(a).

trépider [tʀepide] *vi* trepidar.

trépied [tʀepje] *nm* trípode f.

trépigner [tʀepiɲe] *vi* patalear.

très [tʀɛ] *ad* muy; **j'ai** ~ **envie de** tengo muchas ganas de.

trésor [tʀezɔʀ] *nm* tesoro; (*ADMIN*) tesoro, hacienda; **trésors** *nm* recursos, fondos; **T**~ **(public)** erario (público); (*service*) fisco.

trésorerie [tʀezɔʀʀi] *nf* tesorería.

trésorier, ière [tʀezɔʀje, jɛʀ] *nm/f* tesorero/a.

tressaillir [tʀesajiʀ] *vi* estremecerse; (*s'agiter*) agitarse, temblar.

tressauter [tʀesote] *vi* sobresaltarse, asustarse.

tresse [tʀɛs] *nf* trenza.

tresser [tʀese] *vt* trenzar.

tréteau, x [tʀeto] *nm* caballete m.

treuil [tʀœj] *nm* torno.

trêve [trɛv] nf tregua; ~ de... basta de...

tri [tri] nm clasificación f; (POSTES) clasificación; sala de batalla.

triage [trijaʒ] nm (RAIL) maniobras; (gare) playa de clasificación.

triangle [trijãgl(ə)] nm triángulo.

tribord [tribɔr] nm: à ~ a estribor m.

tribu [triby] nf tribu f.

tribunal, aux [tribynal, o] nm tribunal m; ~ **pour enfants** tribunal de menores.

tribune [tribyn] nf tribuna f; ~ **libre** tribuna política.

tribut [triby] nm tributo.

tributaire [tribytɛr] a: **être ~ de** depender de; (GÉO) ser un afluente de.

tricher [triʃe] vi hacer trampas; ~**le** [triʃri] nf trampa; **tricheur, euse** nm/f tramposo/a.

tricolore [trikɔlɔr] a tricolor; (français) francés(esa).

tricot [triko] nm tejido de punto; (tissu) género de punto; (vêtement) prenda de punto.

tricoter [trikɔte] vt hacer punto.

tricycle [trisikl(ə)] nm triciclo.

trier [trije] vt clasificar; (sélectionner) seleccionar.

trigonométrie [trigɔnɔmetri] nf trigonometría.

trimbaler [trɛbale] vt acarrear.

trimer [trime] vi apechugar, pringar.

trimestre [trimɛstr(ə)] nm trimestre m; **trimestriel, le** a trimestral.

tringle [trɛgl(ə)] nf barra.

Trinité [trinite] nf Trinidad f.

trinquer [trɛke] vi brindar; (fam) pagar el pato; ~ **à qch** brindar por algo.

trio [trijo] nm trío, terceto.

triomphe [trijɔf] nm triunfo, éxito; **être reçu en** ~ ser recibido con aclamaciones; **être porté en** ~ ser llevado en hombros.

triompher [trijɔfe] vi triunfar,

vencer; ~ **de qch** triunfar sobre algo.

tripes [trip] nfpl callos.

triple [tripl(ə)] a, nm triple (m); **en** ~ **exemplaire** por triplicado; **tripler** vi triplicarse // vt triplicar.

tripot [tripo] nm (péj) timba; chirlata.

tripotage [tripotaʒ] nm (péj) chanchullo, enjuague m.

tripoter [tripote] vt manosear.

trique [trik] nf garrote m, palo.

triste [trist(ə)] a triste; **tristesse** nf tristeza.

troc [trɔk] nm trueque m.

trognon [trɔɲõ] nm (de fruit) corazón m; (de légume) troncho m.

trois [trwa] num tres; ~**ième** [-zjɛm] num tercero(a); ~**ièmement** [-zjɛmmã] ad en tercer lugar; ~**quarts** nmpl tres cuartos m inv.

trolleybus [trɔlɛbys] nm trolebús m.

trombe [trɔb] nf tromba; **des** ~**s d'eau** mangas de agua.

trombone [trɔbɔn] nm (MUS) trombón m; (de bureau) clip m; ~ **à coulisse** trombón de varas; **tromboniste** nm/f trombón m.

trompe [trɔp] nf trompa; ~ **d'Eustache** trompa de Eustaquio; ~**s utérines** trompas de Falopio.

trompe-l'œil [trɔplœj] nm: **en** ~ con efecto.

tromper [trɔpe] vt engañar; (fig) frustrar; burlar; **se** ~ vi equivocarse; **se** ~ **de 20 F** equivocarse en 20 F.

trompette [trɔpɛt] nf trompeta; **nez en** ~ nariz respingona; **trompettiste** nm/f trompeta m.

tronc [trɔ] nm tronco; (d'église) cepillo; ~ **commun** (SCOL) ciclo básico; ~ **de cône** cono truncado.

tronçon [trɔsõ] nm tramo.

tronçonner [trɔsone] vt cortar en trozos.

trône [tron] nm trono.

trôner [trone] vi (fig) dominar, reinar.

trop [tro] ad (avec verbe) demasiado, mucho; (*devant adverbe, adjectif*) muy, demasiado; ~ **peu nombreux** muy poco numerosos(as); ~ **souvent** muy a menudo; ~ **longtemps** demasiado o mucho tiempo; ~ **de** demasiado(a); demasiados(as); **de ~, en ~** de más, de sobra; **du lait en ~** leche en exceso o demasía.

trophée [tʀɔfe] *nm* trofeo.

tropical, e, aux [tʀɔpikal, o] *a* tropical.

tropique [tʀɔpik] *nm* trópico; ~**s** *mpl* trópicos; ~ **du Cancer/Capricorne** trópico de Cáncer/Capricornio.

trot [tʀo] *nm* trote m.

trotter [tʀɔte] *vi* trotar.

trotteuse [tʀɔtøz] *nf* (*de montre*) segundero.

trottinette [tʀɔtinɛt] *nf* patinete m.

trottoir [tʀɔtwaʀ] *nm* acera; **faire le ~** (*péj*) dedicarse a la prostitución; ~ **roulant** plataforma móvil.

trou [tʀu] *nm* hueco, agujero; ~ **d'air** bache m; ~ **de mémoire** laguna, fallo de la memoria; **le ~ de la serrure** el ojo de la cerradura.

trouble [tʀubl(ə)] *a* turbio(a) // *nm* desconcierto; turbación f; (*embarras*) confusión f; (*zizanie*) desavenencia; ~**s** *mpl* (POL) disturbios; (MÉD) trastornos.

troubler [tʀuble] *vt* turbar; (*émouvoir*) turbar; desorientar; perturbar; (*ordre*) alterar; (*réunion*) perturbar; (*liquide*) enturbiar; **se** ~ *vi* (*personne*) turbarse, cortarse.

trouée [tʀue] *nf* boquete m, (GÉO) paso; (MIL) brecha.

trouer [tʀue] *vt* agujerear, perforar.

trouille [tʀuj] *nf* (*fam*): **avoir la ~** tener medrana o canguelo.

troupe [tʀup] *nf* (MIL) tropa; (*groupe*) banda; ~ **(de théâtre)** compañía (de teatro); ~**s de choc** grupos o fuerzas de choque.

troupeau, x [tʀupo] *nm* (*de moutons*) manada, rebaño; (*de vaches*) manada.

trousse [tʀus] *nf* estuche m; (*de docteur*) maletín m; **aux** ~**s de** (*fig*) pisándole los talones a; ~ **de toilette** estuche de tocador.

trousseau, x [tʀuso] *nm* ajuar m; ~ **de clefs** manojo de llaves.

trouvaille [tʀuvaj] *nf* hallazgo.

trouver [tʀuve] *vt* encontrar, hallar; (*temps, occasion*) encontrar; **venir ~ qn** venir a ver a alguien; **je trouve que me parece que**; ~ **à boire/critiquer** tener algo que beber/criticar; **se** ~ *vi* (*être*) encontrarse, estar; (*être soudain*) encontrarse, hallarse; ~ **être/avoir** encontrarse siendo o teniendo/habiendo o teniendo; **il se trouve que** ocurre que; **se** ~ **mal** sentirse mal.

truand [tʀyɑ̃] *nm* pillo, truhán m.

truc [tʀyk] *nm* (*astuce*) maña, artificio; (*de cinéma, prestidigiteur*) truco; (*chose*) cosa, chisme m; (*machin*) aparato, mecanismo.

truelle [tʀyɛl] *nf* llana, trulla.

truffe [tʀyf] *nf* trufa; (*nez*) hocico.

truffer [tʀyfe] *vt* trufar.

truie [tʀчi] *nf* cerda; marrana.

truite [tʀчit] *nf* trucha.

truquer [tʀyke] *vt* (*élections*) hacer fraude en; (*serrure*) falsear, falsificar; (*cartes, dés*) hacer trampas en; (CINÉMA) hacer un trucaje en.

tsar [tsaʀ] *nm* zar m.

tsé-tsé [tsetse] *nf*: **mouche** ~ mosca tsé-tsé.

TSF [teesɛf] *sigle f* = **Télégraphie sans fil** // *nf*: (**poste de** ~) (aparato de) radio f.

tsigane [tsigan] *a, nm/f* = **tzigane**.

TSVP *abrév de* **tournez s'il vous plaît.**

TTC *abrév de* **toutes taxes comprises.**

tu [ty] *pron* tú.

tu, e *pp de* **taire.**

tuba [tyba] *nm* (MUS) tuba; (SPORT) tubo de respiración.

tube [tyb] *nm* tubo; (*chanson, disque*) éxito; ~ **à essai** tubo de ensayo; ~ **digestif** tubo digestivo.

tuberculose [tybɛrkyloz] *nf* tuberculosis *f*.

tubulure [tybylyʀ] *nf* tubo; ~**s** *fpl* tubería.

tué, e [tɥe] *nm/f* muerto/a.

tuer [tɥe] *vt* matar; (*vie, activité*) aniquilar, destruir; (*fig*) arruinar; destruir; apagar; **se** ~ suicidarse; (*dans un accident*) matarse.

tuerie [tyʀi] *nf* matanza.

tue-tête [tytɛt]: **à** ~ *ad* a grito pelado.

tueur [tɥœʀ] *nm* asesino; ~ **à gages** pistolero.

tuile [tɥil] *nf* teja; (*fam*) calamidad *f*, desgracia.

tulipe [tylip] *nf* tulipán *m*.

tulle [tyl] *nm* tul *m*.

tuméfié, e [tymefje] *a* tumefacto/a.

tumeur [tymœʀ] *nf* tumor *m*.

tumulte [tymylt(ə)] *nm* tumulto.

tunique [tynik] *nf* túnica.

Tunisie [tynizi] *nf*: **la** ~ Túnez *m*; **tunisien, ne** *a, nm/f* tunecino/a).

tunnel [tynɛl] *nm* túnel *m*.

turban [tyʀbɑ̃] *nm* turbante *m*.

turbine [tyʀbin] *nf* turbina.

turbulences [tyʀbylɑ̃s] *nfpl* turbulencias, alborotos.

turbulent, e [tyʀbylɑ̃, ɑ̃t] *a* revoltoso(a).

turc, turque [tyʀk(ə)] *a, nm/f* turco(a).

turf [tyʀf] *nm* turf *m*; ~**iste** [tyʀfist] *nm/f* turfista *m/f*.

turpitude [tyʀpityd] *nf* ignominia.

turque [tyʀk(ə)] *a, nf voir* **turc.**

Turquie [tyʀki] *nf*: **la** ~ (la) Turquía.

turquoise [tyʀkwaz] *a inv, nf* turquesa.

tutelle [tytɛl] *nf* tutela.

tuteur [tytœʀ] *nm* tutor *m*.

tutoyer [tytwaje] *vt* tutear.

tuyau, x [tɥijo] *nm* tubo, caño; (*flexible*) tubo, manguera; (*fam*) dato; ~ **d'arrosage** manguera de riego; ~ **d'échappement** tubo de escape; ~**terie** *nf* cañería.

tuyère [tyjɛʀ] *nf* tobera.

TVA *sigle f voir* **taxe.**

tweed [twid] *nm* tweed *m*.

tympan [tɛ̃pɑ̃] *nm* tímpano.

type [tip] *nm* tipo; (*catégorie*) modelo // *a inv* tipo *inv*, modelo *inv*.

typhoïde [tifɔid] *nf* tifoidea.

typhus [tifys] *nm* tifus *m*.

typique [tipik] *a* típico(a).

typographie [tipɔgʀafi] *nf* tipografía; **typographique** *a* tipográfico(a).

tyran [tiʀɑ̃] *nm* tirano/a; ~**nie** [tiʀani] *nf* tiranía; ~**nique** [tiʀanik] *a* tiránico(a); ~**niser** [tiʀanize] *vt* tiranizar, esclavizar.

tzigane [dzigan] *a, nm/f* gitano(a).

U

ulcère [ylsɛʀ] *nm* úlcera; **ulcérer** *vt* ulcerar; (*fig*) herir, agraviar.

ultérieur, e [ylteʀjœʀ] *a* ulterior, posterior; **remis à une date** ~**e** aplazado para una fecha posterior; ~**ement** *ad* ulteriormente, posteriormente.

ultimatum [yltimatɔm] *nm* ultimátum *m*.

ultime [yltim] *a* último(a).

ultra... [yltʀa] *préf*: ~ **moderne** a ultramoderno(a); ~ **rapide** a ultrarrápido(a); ~**sensible** a (*PHOTO*) ultrasensible; ~**son** *nm* ultrasonido; ~**violet,te** a ultravioleta.

un, une [œ̃, yn] *dét, pron, num* uno(a), uno/a).

unanime [ynanim] *a* unánime; **ils sont** ~**s** (à penser que ...) son unánimes (en pensar que ...); **unanimité** *nf* unanimidad *f*; **faire l'unanimité** lograr la unanimidad; **à l'unanimité** por unanimidad.

uni, e [yni] *a* liso(a), parejo(a); (*surface, terrain*) liso(a), llano(a); (*famille, groupe, pays*) unido(a).

unification [ynifikɑsjɔ̃] *nf*
unificación *f*.

unifier [ynifje] *vt* unificar;
(réglements, systèmes) unificar,
uniformar.

uniforme [ynifɔʀm(ə)] *a*
(mouvement) uniforme, regular;
(surface, ton) uniforme, parejo(a);
(objets, maisons) semejante,
uniforme // *nm* uniforme *m*; **être
sous l'~** estar bajo las armas;
uniformiser *vt* igualar, uniformizar;
(objets, styles, systèmes) uniformar;
uniformité *nf* uniformidad *f*;
regularidad *f*.

unijambiste [yniʒɑ̃bist(ə)] *nm/f*
hombre/mujer con una sola pierna.

unilatéral, e, aux [ynilateʀal, o]
a unilateral; **stationnement ~**
estacionamiento en una sola mano.

uninominal, e, aux [yninɔminal,
o] *a voir* **scrutin**.

union [ynjɔ̃] *nf* unión *f*; ~
conjugale/libre unión con-
yugal/libre.

unique [ynik] *a* único(a), solo(a);
(le même) único(a), unitario(a); *(ex-
ceptionnel)* único(a), singular;
ménage à salaire ~ familia de
salario único; **fils/fille ~** hijo/hija
único(a); **~ment** *ad* únicamente;
solamente.

unir [yniʀ] *vt* unir, aunar; *(en
mariage)* unir; *(avoir)* reunir; ~
qch à unir algo a *o* con; **s'~** unirse.

unisson [ynisɔ̃] : **à l'~** *ad* al
unísono.

unitaire [ynitɛʀ] *a* *(COMM)*
unitario(a).

unité [ynite] *nf* unidad *f*.

univers [ynivɛʀ] *nm* universo *m*; *(fig)*
universo, mundo; **~el, le** *a*
universal; **~ellement** *ad*
universalmente.

universitaire [ynivɛʀsitɛʀ] *a*
universitario(a) // *nm/f* docente
universitario/a.

université [ynivɛʀsite] *nf*
universidad *f*.

uranium [yʀanjɔm] *nm* uranio.

urbain, aine [yʀbɛ̃, ɛn] *a*
urbano(a).

urbaniser [yʀbanize] *vt* urbanizar.

urbanisme [yʀbanism(ə)] *nm*
urbanismo; **urbaniste** *nm/f*
urbanista *m/f*.

urbanité [yʀbanite] *nf* urbanidad *f*,
cortesía.

urée [yʀe] *nf* urea.

uretère [yʀetɛʀ] *nm* uréter *m*.

urètre [yʀetʀ(ə)] *nm* uretra.

urgence [yʀʒɑ̃s] *nf* urgencia; *(MÉD)*
caso *m* de urgencia; **d'~, ad** con
urgencia; **service des ~s** *(MÉD)*
servicio de urgencia.

urgent, e [yʀʒɑ̃, ɑ̃t] *a* urgente,
apremiante.

urinal, aux [yʀinal, o] *nm* orinal
m.

urine [yʀin] *nf* orina; **uriner** *vi*
orinar; **urinoir** *nm* urinario.

urne [yʀn(ə)] *nf* urna; **aller aux ~s**
ir a las urnas, votar; **~ funéraire**
urna funeraria.

URSS *[parfois:* yʀs] *nf:* **l'~** la URSS.

urticaire [yʀtikɛʀ] *nf* urticaria.

Uruguay [yʀygwɛ] *nm* el Uruguay.

us [ys] *nmpl:* **~ et coutumes** usos *y*
costumbres.

USA [yɛsa] *sigle mpl:* **les ~** los
EE.UU.

usage [yzaʒ] *nm* uso, empleo;
(coutume) uso, costumbre *f*;
(bonnes manières, éducation)
usanza, costumbre; **l'~ el** uso; **c'est
l'~** es la costumbre; **avoir l'~ de**
poder servirse de, poder hacer uso
de; **à l'~ de** con el uso; **à l'~ de**
para uso de; **à ~ interne/externe**
(MÉD) para uso interno/externo.

usagé, ée [yzaʒe] *a* usado(a),
gastado(a).

usager, ère [yzaʒe, ɛʀ] *nm/f*
usuario/a.

usé, e [yze] *a* gastado(a); *(fig)*
trillado(a).

user [yze] *vt* gastar; *(consommer)*
usar, consumir; *(santé, personne)*
debilitar, agotar; **s'~** vi gastarse,
desgastarse; *(facultés, santé)*
consumirse, desgastarse; **s'~ au**

travail agotarse en el trabajo; ~ **de** *vt* usar, servirse de

usine [yzin] *nf* fábrica; ~ **à gaz** planta de gas; **usiner** *vt* fabricar.

usité, e [yzite] *a* usado(a), usual; **peu** ~ poco usual.

ustensile [ystãsil] *nm* utensilio, aparato; ~ **de cuisine** utensilio de cocina.

usuel, le [yzɥɛl] *a* usual.

usufruit [yzyfrɥi] *nm* usufructo.

usuraire [yzyrɛr] *a* usurario(a).

usure [yzyr] *nf* desgaste *m*; (*de l'usurier*) usura; **avoir qn à l'**~ desgastar a alguien; **usurier, ière** *nm/f* usurero/a.

usurpateur, trice [yzyrpatœr, tris] *nm/f* usurpador/ora.

usurper [yzyrpe] *vt* usurpar; **réputation usurpée** reputación ilegítima.

ut [yt] *nm* do.

utérus [yterys] *nm* útero; **utérin, e** *a* uterino(a).

utile [ytil] *a* útil; ~ **à qn/qch** útil a *o* para alguien/algo.

utilisation [ytilizasjɔ̃] *nf* utilización *f*.

utiliser [ytilize] *vt* utilizar, emplear; (*consommer*) utilizar, consumir; (*péj*) explotar, aprovecharse de.

utilitaire [ytilitɛr] *a* utilitario(a).

utilité [ytilite] *nf* utilidad *f*.

utopie [ytɔpi] *nf* utopia; **utopique** *a* utópico(a); **utopiste** *nm/f* utopista *m/f*.

uvule [yvyl] *nf* úvula, campanilla.

V

va *vb voir* **aller.**

vacance [vakãs] *nf* vacante *f*; ~**s** *fpl* vacaciones *fpl*; **les grandes** ~**s** las vacaciones de verano; **aller en** ~**s** ir de vacaciones; **vacancier, ère**

nm/f veraneante *m/f*, persona de vacaciones.

vacant, e [vakã, ãt] *a* vacante; (*appartement*) desocupado(a).

vacarme [vakarm(ə)] *nm* alboroto, batahola.

vaccin [vaksɛ̃] *nm* vacuna; ~ **bilié de Calmette et Guérin, BCG** vacuna antituberculosa, BCG *f*.

vaccination [vaksinasjɔ̃] *nf* vacunación *f*.

vacciner [vaksine] *vt* vacunar; ~ **qn contre** vacunar a alguien contra.

vache [vaʃ] *nf* vaca // *a* maldito(a), severo(a); ~ **à eau** bolsa de agua; ~**ment** *ad* (*fam*) formidablemente, terriblemente; **vacher, ère** *nm/f* vaquero/a; ~**rie** *nf* (*fam*) maldad *f*, cretinada.

vaciller [vasije] *vi* vacilar, tambalearse; (*flamme, lumière*) vacilar, titilar; (*mémoire, intelligence*) vacilar.

vadrouille [vadruj] *nf*: **être/partir en** ~ estar/salir de paseo.

va-et-vient [vaevjɛ̃] *nm inv* vaivén *m*.

vagabond, e [vagabɔ̃, ɔ̃d] *a* vagabundo(a), errante; (*fig*) errabundo(a) // *nm* vagabundo; (*aventurier, voyageur*) vagabundo, trotamundo.

vagabondage [vagabɔ̃daʒ] *nm* (*JUR*) vagancia.

vagabonder [vagabɔ̃de] *vi* vagabundear, vagar; (*fig*) vagar.

vagin [vaʒɛ̃] *nm* vagina; ~**al, e, aux** [vaʒinal, o] *a* vaginal.

vagir [vaʒir] *vi* chillar, dar vagidos.

vague [vag] *nf* ola; (*d'une chevelure etc*) onda // *a* (*confus*) vago(a), impreciso(a); (*flou*) confuso(a), borroso(a); (*angoisse etc*) vago(a), indefinido(a); (*manteau, robe*) suelto(a) // *nm*: **rester dans le** ~ no dar precisiones, decir vaguedades; **un** ~ **cousin** un primo cualquiera; **être dans le** ~ estar en el aire; **regarder dans le** ~ mirar al vacío; ~ **à l'âme** *nm* melancolía; ~ **d'assaut** *nf* comando, unidad *f* de ataque; **~ment** *ad* vagamente, apenas.

vaguer [vage] *vi* vagar, errar.

vahiné [vaine] *nf* tahitiana.

vaillant, e [vajã, ãt] *a* valiente, valeroso(a); (*en bonne santé*) saludable, robusto(a).

vaille *vb voir* **valoir.**

vain, e [vẽ, vɛn] *a* vano(a), inútil; (*stérile*) vano(a), infructuoso(a); (*fat*) vanidoso(a), engreído(a); **en ~** *ad* en vano, inútilmente.

vaincre [vɛ̃kr(ǝ)] *vt* vencer, derrotar; (*fig*) vencer, superar; **vaincu, e** [vɛ̃ky] *nm/f* derrotado(a), vencido(a); **vainqueur** [vɛ̃kœr] *nm* vencedor, triunfador.

vais [vɛ] *vb voir* **aller.**

vaisseau, x [veso] *nm* vaso; (*NAUT*) nave *f*, navío; **enseigne/capitaine de ~** alférez *m*/capitán de navío; **~ spatial** nave espacial.

vaisselier [veselje] *nm* aparador *m*.

vaisselle [vesɛl] *nf* vajilla; (*plats etc à laver*) platos, vajilla; (*plats etc à laver*) fregado; **faire la ~** fregar los platos.

, **val,** *pl* **vaux** *ou* **vals** [val, vo] *nm* valle *m*.

valable [valabl(ǝ)] *a* válido(a); (*sérieux*) admisible; (: *interlocuteur, écrivain*) de valor o mérito.

Valence [valãs] *n* Valencia.

valet [vale] *nm* mucamo, criado; (*CARTES*) sota; **~ de chambre** ayuda de cámara; **~ de pied** lacayo.

valeur [valœr] *nf* valor *m*; (*prix*) valor, precio; **~s** *fpl* (*morales*) valores *mpl*; **mettre en ~** hacer fructificar, dar valor a; (*fig*) destacar; **avoir/prendre de la ~** tener/adquirir valor; **~s mobilières** valores, títulos.

valide [valid] *a* válido(a), sano(a); (*valable*) válido(a); **valider** *vt* legalizar, validar; **validité** *nf* validez *f*; (*durée de*) **validité** (duración *f* de) validez, válido(a) por.

valise [valiz] *nf* maleta; **~ diplomatique** valija diplomática.

vallée [vale] *nf* valle *m*.

vallon [valɔ̃] *nm* valle pequeño; **~né, e** *a* ondulado(a).

valoir [valwar] *vb avec attribut* valer, costar // *vi* valer, concernir // *vt* (*équivalent à*) valer, equivaler a; (*mériter*) valer, merecer; **~ qch à qn** costar algo a alguien; **se ~** ser equivalente, tener el mismo valor; **faire ~** hacer valer; (*domaine, capitaux*) hacer rendir; **verser un acompte à ~ sur une somme due** entregar una cantidad a cuenta de una deuda; **vaille que vaille** mal que bien; **cela ne me dit rien qui vaille** eso no me dice nada bueno; **ce climat etc ne me vaut rien** este clima etc no me sienta; **~ la peine** valer o merecer la pena; **il vaut mieux** más vale; **ça ne vaut rien** eso no vale nada; **~ cher** costar caro, valer mucho.

valoriser [valɔrize] *vt* valorizar.

valse [vals(ǝ)] *nf* vals; **valser** *vi* bailar el vals.

valve [valv(ǝ)] *nf* (*ZOOL*) valva; (*TECH*) válvula.

vamp [vãp] *nf* vampiresa.

vampire [vãpir] *nm* vampiro.

vandale [vãdal] *nm/f* vándalo(a); **vandalisme** *nm* vandalismo.

vanille [vanij] *nf* vainilla.

vanité [vanite] *nf* futilidad *f*, ineficacia; (*orgueil, fatuité*) vanidad *f*, engreimiento; **vaniteux, euse** *a* vanidoso(a), fatuo(a).

vanne [van] *nf* compuerta.

vanneau, x [vano] *nm* avefría, frailecillo.

vanner [vane] *vt* (*blé*) cribar.

vannerie [vanri] *nf* cestería.

vantail, aux [vãtaj, o] *nm* batiente *m*.

vanter [vãte] *vt* alabar, elogiar; **se ~ vi** vanagloriarse, jactarse; **se ~ de** jactarse de.

va-nu-pieds [vanypje] *nm/f inv* descamisado/a, pordiosero/a.

vapeur [vapœr] *nf* vapor *m*; **locomotive à ~** locomotora de vapor; **à toute ~** a toda máquina;

renverser la ~ cambiar de marcha; *(fig)* cambiar radicalmente; **cuit à la ~** cocinado al vapor; **~s** *fpl* vapores *mpl*; *(fig)* vértigo.

vaporisateur [vapɔʀizatœʀ] *nm* vaporizador *m*.

vaporiser [vapɔʀize] *vt* vaporizar, evaporar; *(parfum etc)* vaporizar.

vaquer [vake] *vi* estar vacante; **~ à ses occupations** dedicarse a sus ocupaciones.

varappe [vaʀap] *nf* escalada en rocas.

varech [vaʀɛk] *nm* varec *m*.

vareuse [vaʀøz] *nf* chaqueta, marinera; *(blouson de marin)* marinera; *(d'uniforme)* guerrera.

variable [vaʀjabl(ə)] *a* variable; *(TECH)* adaptable // *nf* variable *f*.

variante [vaʀjɑ̃t] *nf (d'un texte)* variante *f*.

variation [vaʀjɑsjɔ̃] *nf* variación *f*; cambio; **~s** *fpl (changements)* transformaciones *fpl*, *(de température etc, aussi MUS)* variaciones, *(différences)* variaciones, diferencias.

varice [vaʀis] *nf* várice *f*.

varicelle [vaʀisɛl] *nf* varicela.

varié, e [vaʀje] *a* variado(a); *(divers)* diverso(a), vario(a).

varier [vaʀje] *vi* variar, cambiar; *(TECH, MATH)* modificarse, variar; *(différer, être divers)* variar, diferir; *(différer d'opinion)* discrepar, disentir // *vt* alterar, cambiar; *(faire alterner)* variar, cambiar.

variété [vaʀjete] *nf* variedad *f*; diversidad *f*; *(BOT, ZOOL)* variedad, tipo; *(choix)* variedad, surtido; **~s** *fpl* variedades *fpl*.

variole [vaʀjɔl] *nf* viruelas *fpl*.

vas *vb voir* **aller**.

vase [vaz] *nm* vaso, jarrón *m* // *nf* cieno, fango; **~ de nuit** orinal *m*; **~s communicants** vasos comunicantes.

vaseline [vazlin] *nf* vaselina.

vaseux, euse [vazø, øz] *a* cenagoso(a), fangoso(a); *(fig)*

turbio(a), confuso(a); *(: fatigué)* molido(a), deshecho(a).

vasistas [vazistas] *nm* tragaluz *m*, montante *m*.

vassal, e, aux [vasal, o] *nm/f* vasallo/a.

vaste [vast(ə)] *a* vasto(a), extenso(a); *(fig)* vasto(a), amplio(a).

Vatican [vatikɑ̃] *nm*: **le ~** el Vaticano.

vaudeville [vodvil] *nm* vodevil *m*.

vaudrai *etc vb voir* **valoir**.

vaurien, enne [voʀjɛ̃, ɛn] *nm/f* pillo/a, bribón/ona; *(malfaiteur)* bribón/ona, tunante/a.

vaut *vb voir* **valoir**.

vautour [votuʀ] *nm* buitre *m*.

vautrer: **se ~** *vi* revolcarse.

vaux [vo] *nmpl voir* **val**.

veau, x [vo] *nm* ternero; *(CULIN)* ternera; *(peau)* becerro.

vecteur [vɛktœʀ] *nm* vector *m*.

vécu, e [veky] *pp de* **vivre** // *a* vivido(a).

vedette [vədɛt] *nf* estrella, divo/a; *(fig)* personaje *m*, figura; *(canot)* lancha.

végétal, e, aux [veʒetal, o] *a, nm* vegetal *(m)*.

végétarien, ne [veʒetaʀjɛ̃, ɛn] *a, nm/f* vegetariano/a.

végétation [veʒetɑsjɔ̃] *nf* vegetación *f*; **~s** *fpl (MÉD)* vegetaciones *fpl*.

véhément, e [veemɑ̃, ɑ̃t] *a* vehemente, impetuoso(a).

véhicule [veikyl] *nm* vehículo; *(fig)* vehículo, conducto.

veille [vɛj] *nf*: **l'état de ~** el estado de vigilia; **la ~** la víspera; **la ~ de** la víspera de; **à la ~ de** en vísperas de.

veillée [veje] *nf* velada; **~ d'armes** vela de armas; **~ mortuaire** velatorio.

veiller [veje] *vi, vt* velar; **~ à** ocuparse de; *(faire attention à)* velar por; *(prendre soin de)* cuidar de; **~ à faire/à ce que** ocuparse de hacer/de que; **~ sur** velar por, vigilar; (santé) cuidar de; **veilleur** nm: **veilleur de nuit** sereno.

veilleuse [vɛjøz] nf lamparilla de noche; (flamme) piloto; en ~ a, ad a media luz; (fig) en suspenso, a la espera.

veine [vɛn] nf veta; (ANAT, inspiration) vena; (fam) suerte f, chiripa.

vêler [vele] vi parir (la vaca).

vélin [velɛ̃] a, nm: (**papier**) ~ (papel m) vitela.

vélo [velo] nm (SPORT) ciclismo.

vélodrome [velɔdʀom] nm velódromo.

vélomoteur [velɔmɔtœʀ] nm velomotor m.

velours [vəluʀ] nm terciopelo; ~ côtelé pana.

velouté, e [vəlute] a aterciopelado(a); (à la vue) aterciopelado(a), suave; (au goût) untuoso(a), aterciopelado(a) // nm sopa ~.

velu, e [vəly] a velloso(a).

venaison [vənɛzɔ̃] nf carne de caza mayor.

vénal, e, aux [venal, o] a venal.

venant [vənɑ̃] : à tout ~ ad a todo el mundo, a cualquiera.

vendange [vɑ̃dɑ̃ʒ] nf vendimia; (raisins récoltés) cosecha de uvas; **vendanger** vi, vt vendimiar; **vendangeur, euse** nm/f vendimiador/ora.

vendeur, euse [vɑ̃dœʀ, øz] nm/f vendedor/ora // nm (JUR) vendedor m.

vendre [vɑ̃dʀ(ə)] vt vender; (trahir) vender, entregar; ~ qch à qn vender algo a alguien; se ~ venderse.

vendredi [vɑ̃dʀədi] nm viernes m; **V~ saint** Viernes Santo.

vénéneux, euse [venenø, øz] a venenoso(a), tóxico(a).

vénérer [venere] vt venerar, reverenciar; (fig) venerar, respetar.

vénérien, ne [venerjɛ̃, ɛn] a venéreo(a).

Venezuela [venezɥela] nm

Venezuela; **vénézuélien, ne** a, nm/f venezolano(a).

vengeance [vɑ̃ʒɑ̃s] nf venganza, represalia; (acte punitif) venganza, desquite m.

venger [vɑ̃ʒe] vt vengar, castigar; (honneur) vengar, reparar; (personne, famille) vengar; se ~ vengarse; se ~ sur vengarse en.

véniel, le [venjɛl] a: faute ~ falta leve; péché ~ pecado venial.

venimeux, euse [vənimø, øz] a venenoso(a).

venin [vənɛ̃] nm veneno.

venir [vəniʀ] vi venir; (saison, maladie etc) llegar, venir; (arriver, parvenir) llegar, alcanzar; ~ de venir de; (cause) provenir de; ~ de faire qch acabar de hacer algo; en ~ à faire qch llegar a hacer algo; les générations à ~ las generaciones venideras; il me vient une idée se me ocurre una idea; il me vient des soupçons comienzo a sospechar; laisser ~ dejar que ocurra, dejar pasar; faire ~ (personne) llamar; d'où vient que ...? ¿cómo puede ser que ...?, ¿por qué ...?

vent [vɑ̃] nm viento; au ~ a barlovento; sous le ~ a sotavento; avoir le ~ debout/arrière ou en poupe tener viento en contra/en popa; être dans le ~ (fam) seguir la corriente, estar a la moda; avoir ~ de tener noticias de, llegar a los oídos de uno que.

vente [vɑ̃t] nf venta; ~ de charité venta de beneficencia; ~ par correspondance venta por correspondencia; ~ aux enchères subasta.

venter [vɑ̃te] vb impersonnel: il vente sopla el viento.

ventilateur [vɑ̃tilatœʀ] nm ventilador m.

ventilation [vɑ̃tilasjɔ̃] nf ventilación f, aireación f; (installation) ventilación f.

ventiler [vɑ̃tile] vt ventilar, airear; (répartir) repartir, distribuir.

ventouse [vãtuz] *nf* ventosa.

ventre [vãtr(ə)] *nm* vientre *m*; (*intestins, fig*) vientre, panza; **avoir/prendre du ~** (fam) tener/echar barriga.

ventricule [vãtrikyl] *nm* ventrículo.

ventriloque [vãtrilɔk] *a, nm/f* ventrílocuo(a).

venu, e [v(ə)ny] *pp de* **venir** // *a*: **mal/bien ~** (*plante etc*) poco/bien desarrollado // *nf* venida, llegada.

vêpres [vɛpr(ə)] *nfpl* vísperas.

ver [vɛr] *nm* gusano, oruga; (*intestinaux*) parásito, lombriz *f*; (*dans les fruits etc*) gusano, larva; ~ **blanc** larva de abejorro; ~ **luisant** luciérnaga; ~ **à soie** gusano de seda; ~ **solitaire** tenia, lombriz solitaria; ~ **de terre** lombriz *f*.

véranda [verãda] *nf* solana.

verbal, e, aux [vɛrbal, o] *a* verbal, oral; (*LING*) verbal.

verbaliser [vɛrbalize] *vi* proceder, formalizar un atestado.

verbe [vɛrb(ə)] *nm* verbo; (*expression*) palabra; **avoir le ~ haut** hablar en voz alta.

verbiage [vɛrbjaʒ] *nm* verborrea, chachara.

verdâtre [vɛrdɑtr(ə)] *a* verdoso(a).

verdeur [vɛrdœr] *nf* verdor *m*, lozanía; (*des propos*) rigor *m*, rudeza; (*de fruit, vin*) acidez *f*, agrura.

verdict [vɛrdikt] *nm* (*JUR*) veredicto; (*gén*) veredicto, opinión *f*.

verdir [vɛrdir] *vi* verdear, ponerse verde; (*végétaux*) verdecer, reverdecer // *vt* volver verde, verdear.

verdoyant, e [vɛrdwajã, ãt] *a* que verdece.

verdure [vɛrdyr] *nf* verdor *m*, verdura.

verge [vɛrʒ(ə)] *nf* verga; (*baguette*) vara.

verger [vɛrʒe] *nm* huerto.

vergeture [vɛrʒətyr] *nf* estría.

verglacé, e [vɛrglase] *a* helado(a).

verglas [vɛrgla] *nm* hielo.

véridique [veridik] *a* verídico(a).

vérification [verifikasjɔ̃] *nf* verificación *f*; control *m*; comprobación *f*.

vérifier [verifje] *vt* verificar, revisar; (*hypothèse*) verificar; (*suj: chose*) confirmar, corroborar; **se ~** vi verificarse, comprobarse.

véritable [veritabl(ə)] *a* verdadero(a); (*or, argent*) de ley.

vérité [verite] *nf* verdad *f*; (*d'un fait etc*) verdad, autenticidad *f*; (*d'un portrait*) naturalidad *f*; (*sincérité*) verdad, sinceridad *f*; **en ~, à la ~** *ad* en realidad, a decir verdad.

vermeil, le [vɛrmɛj] *a* bermejo(a) // *nm* coriadura.

vermicelles [vɛrmisɛl] *nmpl* fideos para sopa.

vermifuge [vɛrmifyʒ] *nm* vermicida, antiparasitario.

vermillon [vɛrmijɔ̃] *nm, a inv* bermellón (*m*).

vermine [vɛrmin] *nf* parásitos.

vermisseau, x [vɛrmiso] *nm* gusanillo.

vermoulu, e [vɛrmuly] *a* carcomido(a).

vermout(h) [vɛrmut] *nm* vermut *m*.

verni, e [vɛrni] *a* (*fam*) suertudo(a), afortunado(a); **cuir ~** cuero charolado.

vernir [vɛrnir] *vt* barnizar.

vernis [vɛrni] *nm* barniz *m*; ~ **à ongles** esmalte *m* de uñas.

vernissage [vɛrnisaʒ] *nm* apertura de exposición de arte.

vérole [verɔl] *nf* (*aussi*: **petite ~**) viruela; (*fam*) sífilis *f*.

verrai *etc voir* **voir**.

verre [vɛr] *nm* vaso; (*substance*) vidrio; (*de lunettes*) cristal *m*, lente *f*; **boire ou prendre un ~** beber *o* tomar una copa; ~ **à vin/à liqueur** copa para vino/para licor; ~ **de lampe** tubo; ~ **de montre** cristal de reloj; ~ **à pied** copa; ~**s de contact** lentes de contacto; ~**rie** *nf* cristalería; (fabrique) vidriería, cristalería.

verrière [vɛrjɛr] nf vidriera; (toit vitré) cristalera.

verroterie [vɛrɔtri] nf abalorio.

verrou [vɛru] nm cerrojo; (fig) bloqueo; **mettre qn sous les ~s** poner a alguien en chirona; **~ de sûreté** pasador m de seguridad; **verrouiller** vt cerrar con cerrojo; (MIL) bloquear.

verrue [vɛry] nf verruga.

vers [vɛr] nm verso // mpl versos, poesía // prép hacia; (près de, dans les environs de) cerca de.

versant [vɛrsɑ̃] nm vertiente f, ladera.

verse [vɛrs(ə)] : **à ~** ad: **pleuvoir à ~** llover a baldes.

Verseau [vɛrso] nm le ~ Acuario; **être du ~** ser de Acuario.

versement [vɛrsəmɑ̃] nm (paiement) pago, cuota.

verser [vɛrse] vt verter; (argent) pagar, entregar; (soldat) afectar // vi (véhicule) volcar, tumbar; (fig): **~ dans** adherir(se) a.

verset [vɛrse] nm versículo; (d'un texte poétique) verso, versículo.

verseur [vɛrsœr] a voir **bec**.

versification [vɛrsifikasjɔ̃] nf versificación f.

version [vɛrsjɔ̃] nf versión f, traducción f; (interprétation, récit) versión, interpretación f; (d'un texte) versión; **film en ~ originale** película en su versión original.

verso [vɛrso] nm dorso, reverso; **voir au ~** ver al dorso.

vert, e [vɛr, vɛrt(ə)] a verde // nm verde m; **se mettre au ~** irse al campo; **~ de peur** blanco de miedo; **~-de-gris** nm verdín m, óxido de cobre // a inv verde grisáceo(a); **~ pomme** a inv verde manzana.

vertébral, e, aux [vɛrtebral, o] a vertebral.

vertèbre [vɛrtebr(ə)] nf vértebra; **vertébré, e** a vertebrado(a).

vertical, e, aux [vɛrtikal, o] a

vertical // nf: **la ~e** la vertical; **à la ~e** ad en línea vertical.

vertige [vɛrtiʒ] nm vértigo; (fig) extravío; **ça me donne le ~** eso me produce vértigo; (fig) eso me da vértigo o me marea; (: m'égare) eso me hace perder la cabeza o me desorienta.

vertu [vɛrty] nf virtud f; (d'un médicament etc) virtud, propiedad f; (chasteté) virtud, castidad f; **en ~ de** prép en virtud de; **~eux, euse** a virtuoso(a), honesto(a), (femme) virtuoso(a), casto(a); (action, conduite) loable, meritorio(a).

verve [vɛrv(ə)] nf ingenio, inspiración f.

verveine [vɛrvɛn] nf verbena; (infusion) infusión f de verbena.

vésicule [vezikyl] nf vesícula; **~ biliaire** vesícula biliar.

vespasienne [vɛspazjɛn] nf urinario (público).

vessie [vesi] nf vejiga.

veste [vɛst(ə)] nf chaqueta.

vestiaire [vɛstjɛr] nm guardarropa; (de stade etc) vestuario.

vestibule [vɛstibyl] nm vestíbulo.

vestige [vɛstiʒ] nm vestigio, rastro.

vestimentaire [vɛstimɑ̃tɛr] a de la vestimenta.

veston [vɛstɔ̃] nm chaqueta.

Vésuve [vezyv] nm Vesubio.

vêtement [vɛtmɑ̃] nm vestido, traje m; (industrie): **le ~** el vestido; **~s** mpl ropa.

vétéran [veterɑ̃] nm veterano.

vétérinaire [veterinɛr] a, nm/f veterinario(a).

vétille [vetij] nf nonada, pamplina.

vêtir [vetir] vt vestir; **se ~** vestirse.

véto [veto] nm veto; **mettre ou opposer un ~ à** poner el veto a.

veuf, veuve [vœf, vœv] a, nm/f viudo(a).

veuille etc voir **vouloir**.

veule [vøl] a abúlico(a).

veuvage [vœvaʒ] nm viudez f.

veuve [vœv] a, nf voir **veuf**.

veux vb voir **vouloir**.

vexatoire [vɛksatwar] a: **mesure**

~ medida vejatoria o humillante.

vexer [vɛkse] *vt* ofender, humillar; **se** ~ *vi* ofenderse, resentirse.

viabiliser [vjabilize] *vt* proveer de mejoras.

viable [vjabl(ə)] *a* viable.

viaduc [vjadyk] *nm* viaducto.

viager, ère [vjaʒe, ɛʀ] *a*: **rente viagère** renta vitalicia // *nm* renta vitalicia; **mettre en** ~ hacer un vitalicio.

viande [vjɑ̃d] *nf* carne *f*; ~ **rouge** carne de vaca o cordero; ~ **blanche** carne blanca.

vibraphone [vibʀafɔn] *nm* vibráfono *f*.

vibration [vibʀasjɔ̃] *nf* vibración *f*.

vibrato [vibʀato] *nm* vibrato.

vibrer [vibʀe] *vi* vibrar // *vt* (*TECH*) someter a vibraciones.

vibro-masseur [vibʀɔmasœʀ] *nm* masajeador vibratorio.

vicaire [vikɛʀ] *nm* vicario.

vice [vis] *nm* vicio, perversión *f*; (*défaut*) defecto; ~ **de forme** vicio de forma; ~ **de procédure** vicio de procedimiento.

vice... [vis] *préf* vice; ~**consul** *nm* vicecónsul *m*; ~**président, e** *nm/f* vicepresidente/a; ~**roi** *nm* virrey *m*.

vice-versa [visvɛʀsa] *ad* viceversa.

vicieux, euse [visjø, øz] *a* vicioso(a).

vicinal, e, aux [visinal, o] *a*: **chemin** ~ camino vecinal.

vicomte, esse [vikɔ̃t, ɛs] *nm/f* vizconde/esa.

victime [viktim] *nf* víctima.

victoire [viktwaʀ] *nf* victoria, triunfo; **victorieux, euse** [viktɔʀjø, øz] *a* victorioso(a), vencedor(ora); (*sourire etc*) victorioso(a), triunfante.

victuailles [viktɥqij] *nfpl* vituallas, víveres *mpl*.

vidange [vidɑ̃ʒ] *nf* vaciado *m*; (*AUTO*) cambio de aceite; (*de lavabo*) desagüe *m*; ~**s** *fpl* (*matières*) aguas

fecales; **vidanger** *vt* vaciar; **vidangeur** *nm* pocero.

vide [vid] *a* vacío(a), (*fig*) vacío(a), vano(a) // *nm* vacío; (*espace, creux*) hueco, espacio; ~ **de** desprovisto(a) de; **emballage sous** ~ envase *m* en vacío; **parler dans le** ~ hablar en el aire; **à** ~ *ad* vacío(a), desocupado(a); **tourner à** ~ (*moteur*) girar en falso, girar loco; ~**-ordures** *nm inv* vertedero de basuras; ~**-poches** *nm inv* guantero, guantera.

vider [vide] *vt* vaciar; (*boire*) vaciar, beber; (*CULIN*) destripar, limpiar; **se** ~ *vi* vaciarse.

vie [vi] *nf* vida, existencia; (*fig*) vida, vitalidad *f*; (: *gaieté, animation*) vida, animación *f*; (*biographie*) vida, biografía; **membre à** ~ miembro vitalicio o permanente.

vieillard [vjɛjaʀ] *nm* anciano, viejo.

vieilleries [vjɛjʀi] *nfpl* antiguallas; (*péj*) antiguallas, obras caducas.

vieillesse [vjɛjɛs] *nf* vejez *f*, ancianidad *f*; (*dernier âge*) vejez; (*vieillards*) ancianos.

vieillir [vjejiʀ] *vi* envejecer; (*se flétrir etc*) envejecer, ajarse; (*institutions, doctrine, auteur*) envejecer, caducar; (*vin, alcool*) añejarse // *vt* avejentar.

vielle [vjɛl] *nf* zanfonía, chifonía.

viendrai *etc voir* **venir**.

vierge [vjɛʀʒ(ə)] *a* virgen // *nf* virgen *f*; (*ASTRO*): **la V**~ Virgo; **être de la V**~ ser de Virgo.

Viet-Nam [vjetnam] *nm* Vietnam *m*; ~ **du Nord/Sud** Vietnam del Norte/Sur; **vietnamien, ne** *a, nm/f* vietnamita (*m/f*).

vieux(vieil), vieille [vjø, vjɛj] *a* viejo(a), antiguo(a); (*âgé*) viejo *a* // *nm/f* viejo/a, anciano/a; **les** ~ los viejos; **un petit** ~ un viejecito; **mon** ~ (*fam*) ¡hombre!; **ma vieille** ¡mujer!; ~ **garçon** *nm* solterón *m*; ~ **jeu** *a inv* anticuado(a), chapado(a) a la antigua; **vieille fille** *nf* solterona.

vif, vive [vif, viv] a vivo(a), vivaz; (*alerte*) vivo(a), despierto(a); (*brusque, emporté*) impulsivo(a), violento(a); (*aigu*) agudo(a); (*lumière, froid etc*) vivo(a), intenso(a); (*fort*) fuerte, agudo(a); **eau vive** agua que corre; **source vive** manantial m; **à ~ en carne viva**; (*fig*) a flor de piel; **de vive voix** a viva voz; **sur le ~** (*ART*) del natural; **dans le ~ du sujet/débat** en el núcleo del tema/debate.

vif-argent [vifaRʒã] nm azogue m.

vigie [viʒi] nf vigilancia; (*personne*) vigía m; (*poste*) torre f de vigía.

vigilance [viʒilɑ̃s] nf vigilancia.

vigne [viɲ] nf vid f; (*plantation*) viña, viñedo m; **~ vierge** viña loca o virgen; **~ron, ne** nm f viñador/ora, viñatero/a.

vignette [viɲɛt] nf etiqueta; (*motif, illustration*) viñeta f.

vignoble [viɲɔbl(ə)] nm viñedo m; (*d'une région*) viñedos.

vigoureux, euse [viguRø, øz] a vigoroso(a).

vigueur [vigœR] nf vigor m, fuerza; (*JUR*): **être/entrer en ~** estar/entrar en vigor; **en ~** vigente.

vil, e [vil] a vil, innoble; **à ~ prix** regalado(a), tirado(a).

vilain, e [vilɛ̃, ɛn] a feo(a), horrible; (*mauvais*) feo(a), malo(a).

vilebrequin [vilbRəkɛ̃] nm herbiquí m; (*AUTO*) cigüeñal m.

villa [villa] nf villa.

village [vilaʒ] nm pueblo, aldea; **~ de toile** campamento; **~ois, e** [-wa, waz] a pueblerino(a), aldeano(a) // nm f aldeano/a.

ville [vil] nf ciudad f, urbe f; (*administration*): **la ~** el municipio.

villégiature [vileʒjatyR] nf veraneo.

vin [vɛ̃] nm vino; (*liqueur*) licor m; **~ ordinaire** ou **de table** vino común o de mesa; **~ blanc/rouge/rosé** vino blanco/tinto/rosado o clarete; **~ d'honneur** vino de honor; **~ de messe** vino de consagrar; **~**

mousseux vino espumoso; **~ de pays** vino de la zona.

vinaigre [vinɛgR(ə)] nm vinagre m; **vinaigrette** nf vinagreta; **vinaigrier** nm vinagrero; (*flacon*) vinagrera f.

vindicatif, ive [vɛ̃dikatif, iv] a vengativo(a).

vingt [vɛ̃] num veinte; **~ quatre heures sur ~ quatre** las veinticuatro horas del día; **~aine** nf veintena; **~ième** num vigésimo(a); **le ~ième siècle** el siglo veinte.

vinicole [vinikɔl] a vitivinícola.

viol [vjɔl] nm violación f, estupro.

violation [vjɔlasjɔ̃] nf violación f; **~ de sépulture** (*JUR*) profanación f de sepultura.

violemment [vjɔlamɑ̃] ad violentamente, brutalmente.

violence [vjɔlɑ̃s] nf violencia; agresión f; **la ~** la violencia; **~s** fpl agresiones fpl.

violent, e [vjɔlɑ̃, ɑ̃t] a violento(a), agresivo(a); (*choc, remède, vent etc*) violento(a), fuerte; (*fort*) violento(a), impetuoso(a).

violer [vjɔle] vt violar; (*lieu, sépulture*) violar, profanar.

violet, te [vjɔlɛ, ɛt] a morado(a) // nm morado, violeta m // nf violeta.

violon [vjɔlɔ̃] nm violín m; (*fort*): **d'Ingres** pasatiempo artístico.

violoncelle [vjɔlɔ̃sɛl] nm violoncelo; **violoncelliste** nm/f violoncelista m/f.

violoniste [vjɔlɔnist(ə)] nm/f violinista m/f.

vipère [vipɛR] nf víbora.

virage [viRaʒ] nm viraje m; (*d'une route, piste*) curva; **~ sur l'aile** virada sobre el ala.

viral, e, aux [viRal, o] a vírico(a).

virée [viRe] nf vuelta.

virement [viRmɑ̃] nm transferencia; **~ bancaire/postal** giro bancario/postal.

virer [viRe] vt (*COMM*) transferir; (*PHOTO*) virar, cambiar // vi torcer, doblar; (*CHIMIE, PHOTO*) virar, cambiar; (*MÉD*) volverse positivo/-

~ **au bleu/rouge** cambiar al azul/rojo; ~ **de bord** (NAUT) virar de bordo.

virevolte [viʀvɔlt(ə)] nf pirueta; **virevolter** vi girar.

virginité [viʀʒinite] nf virginidad f.

virgule [viʀgyl] nf coma.

viril, e [viʀil] a viril, varonil; (attitude, air etc) viril, resuelto(a).

virtuel, le [viʀtɥɛl] a virtual.

virtuose [viʀtɥoz] nm/f virtuoso/a.

virulent, e [viʀylɑ̃, ɑ̃t] a virulento(a).

virus [viʀys] nm virus m.

vis [vi] vb voir **vivre** // nf [vis] tornillo; ~ **sans fin/à tête plate** tornillo sin fin/de cabeza chata; ~ **de pressoir** clavija.

visa [viza] nm visado; ~ **de censure** visado de censura.

visage [vizaʒ] nm rostro, cara; **visagiste** nm/f técnico,a facial.

vis-à-vis [vizavi] ad frente a frente; ~ **de** prép frente a; (fig) ante, frente a; (: en comparaison de) nm persona o cosa situada frente a otra; **en** ~ frente a frente, cara a cara.

viscères [viseʀ] nmpl vísceras.

visée [vize] nf puntería, mira.

viser [vize] vi apuntar // vt apuntar a; (poste etc) aspirar a; (concerner) atañer a, concernir a; (apposer un visa sur) visar; ~ **à** vt tratar de, tender a; **viseur** nm mira; (PHOTO) visor m.

visibilité [vizibilite] nf visibilidad f.

visible [vizibl(ə)] a visible.

visière [vizjɛʀ] nf visera.

vision [vizjɔ̃] nf visión f, percepción f; (image mentale) representación f; (fig) visión, concepción f; (apparition) visión, aparición f; **en première** ~ en estreno; ~**ner** vt ver; (CINÉMA) examinar.

visite [vizit] nf visita; (d'inspection) inspección f; (médicale, à domicile) visita, examen médico; **la** ~ (MIL) la consulta; (MIL) la revista; **rendre**

~ **à qn** visitar a alguien; **être en** ~ (chez qn) estar de visita (en lo de alguien).

visiter [vizite] vt visitar; **visiteur, euse** nm/f visita; (à l'hôpital etc, touriste) visitante m/f.

vison [vizɔ̃] nm visón m.

visqueux, euse [viskø, øz] a viscoso(a); (peau, surface) viscoso(a), pegajoso(a).

visser [vise] vt atornillar; (couvercle) enroscar.

visu [vizy]: **de** ~ ad de visu.

visuel, le [vizɥɛl] a visual.

vit vb voir **vivre**.

vital, e, aux [vital, o] a vital.

vitalité [vitalite] nf vitalidad f.

vitamine [vitamin] nf vitamina.

vitaminique [vitaminik] a vitamínico(a).

vite [vit] ad de prisa, rápidamente; (sans délai) pronto, rápidamente; **il s'agit de faire** ~ hay que apurarse; **ce sera** ~ **fini** pronto estará terminado.

vitesse [vites] nf velocidad f, rapidez f; (hâte, promptitude) rapidez; (d'un véhicule, corps, du son etc) velocidad; (AUTO): **les** ~**s** las velocidades; **prendre de la** ~ adquirir velocidad; **à toute** ~ a toda velocidad, con rapidez; **changer de** ~ (AUTO) cambiar la velocidad; **en première/seconde** ~ en primera/segunda velocidad; **de pointe** máximo de velocidad.

viticole [vitikɔl] a vitícolo(a), vitivinícolo(a).

viticulteur [vitikyltœʀ] nm viticultor m, vinicultor m.

vitrage [vitʀaʒ] nm encristalado; (cloison) mampara; (toit) claraboya, lucernario; (rideau) visillo.

vitrail, aux [vitʀaj, o] nm vitral m, vidriera; (technique) vitral.

vitre [vitʀ(ə)] nf vidrio, cristal m; **vitré, e** a con vidrios o cristales; **porte** ~**e** vidriera; **vitrer** vt poner vidrios o cristales.

vitreux, euse [vitʀø, øz] a

vítreo(a); (*terne*) vidrioso(a).

vitrier [vitʀje] *nm* vidriero.

vitrifier [vitʀifje] *vt* vitrificar.

vitrine [vitʀin] *nf* vitrina; (*devanture*) escaparate *m*.

vitriol [vitʀjɔl] *nm* vitriolo.

vivace [vivas] *a* duradero(a), resistente; (*fig*) tenaz, pertinaz // *ad* (*MUS*) vivace.

vivacité [vivasite] *nf* (*voir vif*) vivacidad *f*; violencia.

vivant, e [vivã, ãt] *a* vivo(a), viviente; (*animé*) animado(a) // *nm*: **du ~ de qn** en vida de alguien, cuando alguien vivía; **les ~s** los vivos.

vive [viv] *af voir vif // excl*: **~ le roi!** ¡viva el rey!; **~ les vacances!** ¡vivan las vacaciones!

vivement [vivmã] *ad* (*voir vif*) vivamente; violentamente // *excl*: **~ qu'il s'en aille!** ¡que se vaya!

vivier [vivje] *nm* vivero de peces.

vivifier [vivifje] *vt* vivificar, fortalecer; (*fig*) avivar, revivir.

vivipare [vivipaʀ] *a* vivíparo(a).

vivisection [vivisɛksjɔ̃] *nf* vivisección *f*.

vivoter [vivɔte] *vi* subsistir, ir tirando.

vivre [vivʀ(ə)] *vi* vivir, existir; (*habiter*) vivir, residir; (*subsister*) vivir; (*souvenir, institution*) durar, subsistir // *vt* vivir // *nm*: **le ~ et le logement** comida y alojamiento; **~s** *mpl* víveres *mpl*; **se laisser ~** dejarse estar; **ne plus ~** (*fig*) no vivir más, no vivir; **être facile/difficile à ~** ser de buen/mal carácter; **faire ~ qn** mantener a alguien.

vocabulaire [vɔkabylɛʀ] *nm* vocabulario.

vocal, e, aux [vɔkal, o] *a* vocal, oral.

vocalique [vɔkalik] *a* vocálico(a).

vocalise [vɔkaliz] *nf* vocalización *f*.

vocaliser [vɔkalize] *vi* vocalizar.

vocatif [vɔkatif] *nm* vocativo.

vocation [vɔkasjɔ̃] *nf* vocación *f*;

(*pour une profession, un état*) vocación, inclinación *f*.

vodka [vɔdka] *nf* vodka *m*.

vœu, x [vø] *nm* promesa; (*souhait*) augurio, deseo; **faire ~ de** hacer voto de; **~x de bonne année** augurios de feliz año; **avec tous nos ~x** con nuestras mejores felicitaciones.

vogue [vɔg] *nf* boga, reputación *f*; **en ~** a en boga, de moda.

voguer [vɔge] *vi* bogar, navegar.

voici [vwasi] *prép* he aquí, acá está; **~ que...** he aquí que...; **~ deux ans** hace (ya) dos años; **en ~ un** he aquí uno, aquí hay uno; **"~"** "acá está", "aquí tiene".

voie [vwa] *nf* vía, ruta; (*RAIL*) vía; (*fig*) camino, senda; **route à 2/3 ~s** carretera de 2/3 carriles; **à ~ étroite** de trocha angosta; **les ~s de Dieu** los designios de Dios; **par ~ buccale** por vía bucal; **par la ~ aérienne/maritime** por vía aérea/marítima; **être en bonne ~** andar por buen camino; **mettre qn sur la ~** encaminar o orientar a alguien; **être en ~ de** estar en vías de; **~ prioritaire/à sens unique** (*AUTO*) vía prioritaria/de dirección única; **~ d'eau** vía de agua; **~ ferrée** vía férrea; **~ de garage** vía de estacionamiento; **~ lactée** vía láctea; **~ privée** camino o calle privado(a); **~ publique** vía pública.

voilà [vwala] *prép* he ahí, ahí está; **les ~** helos ahí, ahí están; **en ~ un** he ahí uno, ahí hay uno; **~ deux ans** hace dos años; **et ~!** ¡y nada más, eso es todo; **~ tout** eso es todo; **"~"** "aquí tiene", "acá está".

voile [vwal] *nm* velo; (*devant une ouverture etc*) cortina; (*tissu*) vual *m*; (*fig*) velo, capa; (*PHOTO*) veladura // *nf* vela; (*sport*): **la ~** la vela, la regata; **mettre à la ~** alzar velas; **~ au poumon** mancha en el pulmón; **voiler** *vt* cubrir, tapar; (*fig*) velar, disimular; (*PHOTO*) velar; (*TECH*) alabear, torcer; **se ~r** *vi* (*lune*) ocultarse; (*ciel*) nublarse;

(*regard, voix*) velarse, empañarse;
(*TECH*) alabearse, torcerse; **se ~ r la
face** taparse la cara; **voilette** nf
velo; **voilier** nm velero; **voilure** nf
velamen m; (*d'un avion*) superficie
sustentadora; (*d'un parachute*) tela
de paracaídas.

voir [vwar] vi ver; (*comprendre*)
ver, comprender // vt ver, percibir;
(*être témoin de*) ver, vivir;
(*concevoir*) ver, imaginar;
(*recevoir, fréquenter*) ver,
frecuentar; (*considérer, examiner*)
ver, analizar; (*constater*) ver; **se ~
critiquer** verse criticado; **~ à faire
qch** ver o encargarse de hacer algo;
~ loin (*fig*) imaginar, prever; **avoir
quelque chose à ~** avec tener algo
que ver con, tener relación con.

voire [vwar] ad hasta, incluso.

voirie [vwari] nf servicio de higiene
urbana; (*administration*) vialidad f;
(*enlèvement des ordures*) servicio
de recolección de basura.

vois vb voir **voir**.

voisin, e [vwazɛ̃, in] a cercano(a),
próximo(a); (*analogue*) parecido(a),
semejante // nm/f vecino/a; **~ de
palier** vecino de piso; **~age**
[vwazinaʒ] nm vecindad f,
proximidad f; (*environs, quartier*)
vecindad, cercanía; (*voisins*)
vecindario.

voisiner [vwazine] vi estar cerca o
próximo.

voit vb voir **voir**.

voiture [vwatyr] nf coche m; **en ~!**
(*RAIL*) ¡al tren!; **~ d'enfant**
cochecito; **~ d'infirme** cochecillo
de inválido.

voix [vwa] nf voz f; (*MÚS*) voz,
sonido(a); (*POL*) voto.

vol [vɔl] nm vuelo; (*mode
d'appropriation*) robo; (*larcin*) robo,
hurto; **~ de perdrix** bandada de
perdices; **à ~ d'oiseau** en línea
recta; **au ~** al vuelo; **prendre son
~** levantar el vuelo; **libre** ou **sur
aile delta** (*SPORT*) vuelo libre; **~
qualifié/simple** hurto calificado/
simple; **~ avec effraction** robo con

fractura; **~ à main armée** robo a
mano armada, asalto; **~ de nuit**
vuelo nocturno; **~ à voile** vuelo a
vela.

volage [vɔlaʒ] a veleidoso(a).

volaille [vɔlaj] nf aves fpl de corral;
(*viande*) ave f; (*oiseau*) ave de
corral; **volailler** nm vendedor m de
aves.

volant, e [vɔlã, ãt] a voir **poisson**
etc // nm volante m; (*feuillet
détachable*) talón m; **le personnel
~, les ~s** el personal de a bordo, la
tripulación.

volatile [vɔlatil] nm ave f, volátil m.

volatiliser [volatilize] : **se ~** vi
volatilizarse, evaporarse.

vol-au-vent [vɔlovã] nm volován
m.

volcan [vɔlkã] nm volcán m; **~ique**
[volkanik] a volcánico(a); **~ologue**
[volkanɔlɔg] nm/f especialista m/f
en vulcanología.

volée [vɔle] nf bandada; (*TENNIS*)
voleo; **~ d'obus** descarga de obuses;
~ de flèches lluvia de flechas; **à la
~** al vuelo; **lancer/semer à la ~**
arrojar/sembrar al voleo; **à toute
~** a vuelo; (*lancer un projectile*) al
voleo.

voler [vɔle] vi volar; (*commettre un
vol*) robar, hurtar // vt robar,
hurtar; (*idée*) robar, quitar;
(*dévaliser*) despojar a, robar; **à
~ qch à qn** robar
asaltar a, robar; **~ qch à qn** robar
algo a alguien.

volet [vɔlɛ] nm postigo, contraventana; (*AVIAT*) flap m, alerón m; (*de
feuillet etc*) hoja.

voleter [vɔlte] vi revolotear.

voleur, euse [vɔlœr, øz] a, nm/f
ladrón(ona).

volière [vɔljɛr] nf pajarera.

volontaire [vɔlɔ̃tɛr] a volunta-
rio(a), deliberado(a); (*décidé*) vo-
luntarioso(a), resuelto(a); (*MIL, gén*)
voluntario(a) // nm/f voluntario/a.

volonté [vɔlɔ̃te] nf voluntad f;
(*fermeté*) voluntad, resolución f;
(*souhait*) voluntad, deseo; **boire** etc
à ~ beber etc a discreción; **les**

dernières ~**s de qn** la última voluntad de alguien.

volontiers [vɔlɔ̃tje] *ad* con gusto; *(avec plaisir)* de buen grado, de buena gana; *(habituellement)* habitualmente; "~" "con mucho gusto".

volt [vɔlt] *nm* voltio; ~**age** *nm* voltaje *m*.

volte-face [vɔltəfas] *nf* media vuelta; *(fig)* cambiazo.

voltige [vɔltiʒ] *nf* acrobacia; *(ÉQUITATION)* volteo; *(AVIAT)* acrobacia aérea; **haute** ~ acrobacia.

voltiger [vɔltiʒe] *vi* revolotear; *(cheveux etc)* ondear, flamear.

voltigeur, euse [vɔltiʒœʀ, øz] *nm/f* acróbata *m/f* // *nm* (MIL) tirador *m*.

voltmètre [vɔltmɛtʀ(ə)] *nm* voltímetro.

volubile [vɔlybil] *a* locuaz.

volume [vɔlym] *nm* volumen *m*; *(solide)* volumen, cuerpo; **volumineux, euse** *a* voluminoso(a).

volupté [vɔlypte] *nf* voluptuosidad *f*; *(esthétique etc)* gozo, deleite *m*.

volute [vɔlyt] *nf* voluta.

vomi [vɔmi] *nm* vómito.

vomir [vɔmiʀ] *vi* vomitar // *vt* vomitar; *(exécrer)* abominar, execrar; **vomissement** *nm* vómito; **vomissure** *nf* vómito; **vomitif** *nm* vomitivo.

vont *vb voir* **aller.**

vorace [vɔʀas] *a* voraz.

vos [vo] *dét* *(voir* **vous)** vuestros(as); sus, de ustedes; sus, de usted.

Vosges [voʒ] *nfpl*: **les** ~ los Vosgos.

votant, e [vɔtɑ̃, ɑ̃t] *nm/f* elector/ora; *(participant au vote)* votante *m/f*.

vote [vɔt] *nm* voto; *(suffrage, élection, consultation)* votación *f*; ~ **à main levée/secret** voto a mano alzada/secreto; ~ **par correspondance/procuration** voto por correspondencia/poder.

voter [vɔte] *vi* votar // *vt* aprobar.

votre [vɔtʀ(ə)] *dét* *(voir* **vous)** vuestro(a); su, de ustedes; su, de usted.

vôtre [votʀ(ə)] *pron*: **le** ~, **la** ~ el vuestro *m*, la vuestra *f*, lo vuestro *n*; *(forme polie)* el suyo *m*, la suya *f*, lo suyo *n*; **les** ~**s** los vuestros *mpl*, las vuestras *fpl*; los suyos *mpl*, las suyas *fpl*; *(vos parents, alliés)* los vuestros; los suyos; **à la** ~ a vuestra salud; a su salud.

voudrai *etc voir* **vouloir.**

voué, e [vwe] *a*: ~ **à** *(fig)* condenado(a) a.

vouer [vwe] *vt*: ~ **qch à** consagrar algo a; **se** ~ **à** consagrarse a.

vouloir [vulwaʀ] *vi* querer // *vt* querer, desear // *nm*: **le bon** ~ **de qn** la buena voluntad *f* de alguien; ~ **que/faire** querer que/hacer; **je voudrais** (yo) quisiera; **veuillez attendre** haga el favor de esperar; **je veux bien** estoy de acuerdo en; *(concession)* admito, reconozco; **si on veut** si se quiere; **que me/lui veut-il?** ¿qué quiere de mí/de él?; **sans le** ~ sin querer; ~ **qch à qn** desear algo a alguien; **en** ~ **à qn/qch** agarrárselas con alguien/algo; **s'en** ~ **d'avoir fait qch** arrepentirse de o reprocharse por haber hecho algo; ~ **de qch/qn** aceptar algo a alguien; **voulu, e** *a* exigido(a), requerido(a); *(délibéré)* deliberado(a), intencional.

vous [vu] *pron* *(sujet: pluriel)* vosotros/as // *(: forme polie)* ustedes; *(: singulier)* usted; *(objet direct: pluriel)* os; *(: forme polie)* les *m*, las *f*; *(: singulier)* le, la, *f*; *(objet indirect)* os; les *m/f*; le; le; le *m/f*; os; *(réfléchi direct, indirect)* os; se; **dire** ~ **à qn** tratar de usted a alguien; ~~**même** usted mismo(a); *(après prép)* sí (mismo(a)); ~~**mêmes** vosotros(as) mismos(as); *(forme polie)* ustedes mismos(as); *(après prép)* sí (mismos(as)).

voûte [vut] *nf* bóveda; ~ **en ogive/en berceau** bóveda ojival/de medio punto; ~ **plantaire** arco plantar; **voûter** vt abovedar; (dos, personne) encorvar; **se voûter** vi encorvarse.

vouvoyer [vuvwaje] vt tratar de usted.

voyage [vwajaʒ] nm viaje m; **être/partir en ~** estar/partir de viaje; **aimer le ~** gustar de los viajes; **les gens du ~** la gente de circo; **~ d'agrément/d'affaires** viaje de placer/de negocios; **~ de noces** viaje de novios; **~ organisé** viaje organizado.

voyager [vwajaʒe] vi viajar; **voyageur, euse** nm/f viajero/a // à aventurero(a); **voyageur (de commerce)** viajante m (de comercio).

voyais etc voir **voir**.

voyant, e [vwajɑ̃, ɑ̃t] a estridente, chillón(ona) // nm señal luminosa // nf adivina, vidente f.

voyelle [vwajɛl] nf vocal f.

voyeur, euse [vwajœʀ, øz] nm/f mirón/ona.

voyez vb voir **voir**.

voyou [vwaju] nm pilluelo, granuja m; (petit truand) granuja, bribón m // a pícaro(a).

vrac [vʀak]: **en ~** a, ad en desorden; (COMM) a granel.

vrai, e [vʀɛ] a verdadero(a) // nm: **le ~** lo verdadero; **son ~ nom** su verdadero nombre; **un ~ comédien** un auténtico comediante; **à ~ dire** a decir verdad; **il est ~ que** es cierto que; **être dans le ~** estar en lo cierto; **~ment** ad ciertamente, verdaderamente; (dubitatif): **"~ment?"** ¿realmente?; ¿de veras?

vraisemblable [vʀɛsãblabl(ə)] a verosímil; (probable) probable.

vraisemblance [vʀɛsãblãs] nf verosimilitud f; **selon toute ~** con toda seguridad, indudablemente.

vrille [vʀij] nf zarzillo m; (outil) barrena f; (hélice, spirale) espiral f; **faire une ~** hacer la barrena; **vrillé, e** a ensortijado(a), retorcido(a); **vriller** vt barrenar.

vrombir [vʀɔ̃biʀ] vi zumbar.

vu [vy] prép en vista de, a causa de; **~ que** visto que, dado que.

vu, e [vy] pp de **voir** // a: **bien/mal ~** bien/mal visto // nm: **au ~ et au su de** a la vista y conocimiento de // nf vista; **vues** fpl (idées) opiniones fpl; (dessein) proyectos; **ni ~ ni connu** ni visto ni oído; **à la ~ (de)** a la vista; **tirer à vue** disparar sin dar la voz de alto; **à vue d'œil** a ojos vistas; **en vue** a la vista; **en vue de** a la vista de; **en vue de faire qch** con el objeto de hacer algo; **vue de l'esprit** teoría pura.

vulgaire [vylgɛʀ] a vulgar; (péj): **de ~s touristes** vulgares o simples turistas; **nom ~** (BOT, ZOOL) nombre vulgar; **~ment** ad vulgarmente.

vulgarisation [vylgaʀizasjɔ̃] nf: **ouvrage de ~** obra de divulgación.

vulgariser [vylgaʀize] vt difundir, divulgar; (rendre vulgaire) vulgarizar.

vulgarité [vylgaʀite] nf vulgaridad f.

vulnérable [vylneʀabl(ə)] a vulnerable.

vulve [vylv(ə)] nf vulva f.

W

wagon [vagɔ̃] nm vagón m; **~-citerne** vagón cisterna; **~-lit** coche-cama m; **~-poste** coche-correo m; **~-restaurant** coche-restaurante m.

Washington [waʃintɔn] n Washington.

waters [watɛʀ] nmpl retretes mpl, waters mpl.

watt [wat] nm vatio m.

WC [dublivese] nmpl w.c. m.

week-end [wikɛnd] nm fin m de semana.

western [wɛstɛʀn] nm western m, película del oeste.

whisky [wiski] nm whisky m.

X

xénophobe [ksenɔfɔb] nm/f xenófobo/a.

xérès [gzeʀɛs] nm jerez m.

xylographie [ksilɔgʀafi] nf xilografía.

xylophone [ksilɔfɔn] nm xilófono.

Y

y [i] ad (à cet endroit) allí, ahí; (dessus) (ahí o allí) encima o arriba; (dedans) (ahí o allí) dentro // pron lo: vérifier la syntaxe du verbe employé; j'y pense piènso en ello; voir aussi **aller, avoir**.

yacht [jɔt] nm yate m.

yaourt [jauʀt] nm = **yoghourt**.

yeux [jø] pl de **œil**.

yoga [jɔga] nm yoga m.

yoghourt [joguʀt] nm yogur m.

yole [jɔl] nf yola, bote m de chumaceras.

yougoslave [jugɔslav] a, nm/f yugoeslavo(a).

Yougoslavie [jugɔslavi] nf Yugoeslavia.

youyou [juju] nm lanchón m, gabarra.

yo-yo [jojo] nm inv yo-yo.

Z

zèbre [zɛbʀ(ə)] nm cebra.

zébré, e [zebʀe] a marcado(a) con rayas, cebrado(a).

zébrure [zebʀyʀ] nf raya.

zélateur, trice [zelatœʀ, tʀis] nm/f adepto/a, defensor/ora.

zèle [zɛl] nm celo, afán m; **faire du ~** (péj) excederse en el celo; **zélé, e** a afanoso(a).

zénith [zenit] nm cenit m; (fig) cenit, cumbre f.

zéro [zeʀo] nm cero; **au dessus/au-dessous de ~** (température) sobre/bajo cero; **réduire à ~** reducir a la nada; **partir de ~** partir de cero, comenzar desde el principio; **trois (buts) à ~** tres (tantos) a cero.

zeste [zɛst(ə)] nm cáscara.

zézayer [zezaje] vi cecear.

zibeline [ziblin] nf marta cebellina; (fourrure) cibelina.

zigouiller [ziguje] vt (fam) escabechar.

zigzag [zigzag] nm zigzag m; **zigzaguer** vi zigzaguear.

zinc [zɛg] nm cinc m, zinc m; (comptoir) barra.

zingueur [zɛ̃gœʀ] nm: (plombier) ~ fontanero que trabaja con cinc.

zinnia [zinja] nm zinnia, rascamoño.

zizanie [zizani] nf cizaña.

zodiaque [zɔdjak] nm zodíaco.

zona [zona] nm zona.

zone [zon] nf zona, región f; **~ bleue** zona azul; **~s monétaires** zonas monetarias.

zoo [zoo] nm zoo, parque zoológico.

zoologie [zɔɔlɔʒi] nf zoología; **zoologique** a zoológico(a); **zoologiste** nm/f zoólogo/a.

zut [zyt] excl ¡caracoles!; ¡recórcholis!

ESPAGNOL - FRANÇAIS
ESPAÑOL - FRANCÉS

A

a *prep* (a + el = al) à; (*situación, lugar*): ~ **la derecha/izquierda** à droite/ gauche; **al lado de** à côté de; (*dirección*): **subir** ~ **un avión/tren** monter dans un avion/train; **voy al dentista** je vais chez le dentiste; (*con nombres propios*): **voy** ~ **París/Colombia** je vais à Paris/en Colombie; (*destino*): **dirigirse** ~ **la estación** se diriger vers la gare; (*tiempo*): **las cuatro** à quatre heures; ¿~ **qué hora?** à quelle heure?; **al día siguiente** le jour suivant; **al poco tiempo** peu après; (*manera*): **hacerlo** ~ **la fuerza** le faire par *ou* de force; (*evaluación*): **poco** ~ **poco** peu à peu; **ocho horas al día** huit heures par jour; (*con verbo*): **empezó** ~ **llover** il se mit à pleuvoir; **voy** ~ **llevarlo** je vais l'emporter; (*complemento de objeto*): **quiero** ~ **mis padres** j'aime mes parents; (*complemento indirecto*): **se lo dije** ~ **él** je le lui ai dit; (*complemento circunstancial*): **cercano** ~ **près de**; **por miedo** ~ par peur de; (*frases elípticas*): ¡~ **comer!** mangeons!; ¡al patio! allons dans le patio!; ¿~ **qué viene eso?** qu'est-ce que cela signifie?; ~ **ver** voyons.

abacero, a *nm/f* épicier/ière.

abad *nm* abbé m.

abadejo *nm* (*pez*) morue *f*; (*pájaro*) roitelet m; (*insecto*) méloé m.

abadía *nf* abbaye f.

abajo *ad* dessous, en bas; ~ **de** *prep* sous; ¡~ **el gobierno!** à bas le gouvernement!; **el** ~ **firmante** le soussigné; **más** ~ plus bas; **echar** ~ (*gobierno*) renverser; (*edificio*) abattre; (*avión*) descendre; **venirse** ~ s'effondrer; s'écrouler.

abalanzar *vt* équilibrer; ~ **se** *vr* s'élancer.

abalorio *nm* verroterie f.

abanderado *nm* porte-drapeau m.

abandonado, a a abandonné(e).

abandonar *vt* (*familia, casa*) abandonner, quitter; (*carrera, partido*) abandonner; (*la bebida*) renoncer à; ~ **se** *vr* se laisser aller; ~ **se a** s'abandonner à.

abandono *nm* abandon m; forfait m.

abanicar *vt* éventer; (*enfermo*) faire de l'air à; ~ **se** *vr* s'éventer.

abanico *nm* éventail m; (*NAUT*) bigue f.

abaratar *vt* baisser; *vi*, ~ **se** *vr* baisser.

abarca *nf* sandale f.

abarcar *vt* embrasser, cerner; (*fig*) embrasser; (*AM*) accaparer, monopoliser.

abarrotar *vt* surcharger; (*NAUT*) arrimer; (*habitación, calle*) encombrer; (*AM*) accaparer.

abarrote *nm* ballot m; ~ **s** *nmpl* (*AM*) articles mpl d'épicerie.

abarrotero, a *nm/f* (*AM*) épicier/ière.

abastecer *vt* approvisionner; (*de víveres*) ravitailler; (*de libros: una biblioteca*) alimenter.

abastecimiento *nm* ravitaillement m.

abasto *nm* (*de provisiones*) ravitaillement m; (*abundancia*) abondance f; (*de bordado*) partie f secondaire d'une broderie; (*AM*) abattoir m; **mercado de** ~ marché m, halles fpl; **dar** ~ **con** arriver à faire.

abate *nm* abbé m.

abatido, a a abattu(e).

abatimiento *nm* (*acto*) démolition; (*moral*) abattement *m*; (*NAUT*) abattée *f*.

abatir *vt* (*gen*) abattre; (*pájaro*) descendre; (*fig*) humilier, abaisser; (*vela, bandera*) amener; (*rumbo*) abattre; (*desmontar*) démonter; (*naipes*) abattre // *vi* dériver; **~se** *vr* s'humilier.

abdicación *nf* abdication *f*.

abdicar *vt* abdiquer.

abdomen *nm* abdomen *m*.

abecedario *nm* abécédaire *m*.

abedul *nm* bouleau *m*.

abeja *nf* abeille *f*.

abejón *nm* (*ZOOL*) bourdon *m*.

aberración *nf* aberration *f*.

abertura *nf* ouverture *f*; (*de borde de mar, río*) crique *f*; (*en montaña*) crevasse *f*; (*entre montañas*) trouée *f*; (*en falda, chaqueta*) fente *f*.

abeto *nm* sapin *m*.

abierto, a *pp de* **abrir** // *a* ouvert(e); (*flor*) épanoui(e).

abigarrado, a *a* bigarré(e).

abintestato, a *a* intestat(e).

abiselar *vt* biseauter.

abismado, a *a* abîmé(e).

abismar *vt* ruiner; humilier; engloutir; **~se** *vr* s'abîmer; (*en el trabajo*) se plonger.

abismo *nm* abîme *m*.

abjuración *nf* abjuration *f*.

abjurar *vt* abjurer // *vi*: **~ de** abjurer de.

ablandar *vt* amollir; (*carne*) attendrir; (*lentejas*) faire tremper; (*a alguien enfadado*) calmer, radoucir; (*con ternezas*) attendrir, fléchir.

ablución *nf* ablution *f*.

abnegación *nf* abnégation *f*.

abnegado, a *a* désintéressé(e), altruiste.

abnegarse *vr* se dévouer.

abobado, a *a* niais(e); ahuri(e).

abocar *vt* (*con la boca*) saisir (avec la bouche); (*acercar*) approcher; **~se** *vr* (*a alguien*) s'adresser; *vi*: **~** a parvenir à; (*tarea*) s'atteler à.

abochornado, a *a* honteux(euse).

abochornar *vt* suffoquer; **~se** *vr* avoir honte, rougir; (*BOT*) griller.

abofetear *vt* gifler.

abogacía *nf* barreau *m*.

abogaderas *nfpl* (*AM*) arguties *fpl*.

abogado *nm* avocat *m*.

abogar *vi*: **~ por** *o* **en** plaider en faveur de.

abolengo *nm* ascendance *f*, lignée *f*.

abolición *nf* abolition *f*.

abolir *vt* abolir.

abolladura *nf* bosse *f*, bosselure *f*.

abollar *vt* bosseler.

abombarse *vr* (*AM: fam*) se saouler; (*carne*) pourrir; (*leche*) tourner.

abominación *nf* abomination *f*.

abonado, a *a* (*a revista, teatro*) abonné(e); (*deuda*) payé(e), réglé(e); (*tierras*) fumé(e).

abonanzar *vi* se calmer.

abonar *vt* (*deuda*) payer; (*terreno*) fumer; (*idea*) accréditer // *vi* se calmer; **~se** *vr* s'abonner.

abono *nm* paiement *m*; (*de deuda*) règlement *m*; (*de tierra*) engrais *m*; (*a teatro*) abonnement *m*.

abordar *vt* aborder.

abordo *nm* abordage *m*.

aborigen *nm* aborigène *m*.

aborrecer *vt* détester; (*suj: pájaro*) abandonner.

aborrecible *a* haïssable.

abortar *vi* avorter; échouer.

aborto *nm* avortement *m*; échec *m*.

abotonar *vt* boutonner // *vi* bourgeonner.

abovedado, a *a* voûté(e).

abra *nf* (*en playa*) crique *f*; (*en montaña*) crevasse *f*, petite vallée; (*en el suelo*) crevasse; (*en bosque*) clairière *f*.

abrasar *vt* embraser; (*AGR*) brûler, griller.

abrazar *vt* embrasser.

abrazo *nm* étreinte *f*, accolade *f*; **un ~ con carta** affectueusement.

abrevadero *nm* abreuvoir *m*; (*AM*) mine inondée.

abrevar *vt* (*animal*) abreuver; donner à boire à; (*piel*) faire boire à; (*planta*) arroser.

abreviar vt abréger; (plazo) raccourcir.

abreviatura nf abréviation f.

abrigar vt (proteger) protéger; (NAUT) abriter; (esperanza) nourrir.

abrigo nm abri m; (prenda) pardessus m, manteau m; (TEC) abrivent m.

abril nm avril m.

abrir vt ouvrir; (horadar) percer; (tratos) inaugurer; (las piernas) écarter; (calle) percer // vi (flor) s'épanouir; ~se vr s'ouvrir; (cielo) se dégager; (campo) prendre le large, partir; ~se paso s'ouvrir un chemin.

abrochador nm tire-bouton m; (AM) agrafe f.

abrochar vt (vestido) boutonner, fermer; (AM) agrafer; (zapato) lacer.

abrogación nf abrogation f.

abrogar vt abroger.

abrojo nm (BOT) chardon m; (MIL) chausse-trappe f; ~s nmpl (zarzas) ronces fpl; (NAUT) écueils mpl.

abrumado, a a accablé(e).

abrumar vt accabler, écraser; ennuyer; ~se vr s'ennuyer; (nublarse) s'embrumer.

abrupto, a a abrupt(e).

absceso nm abcès m.

ábside nm abside f.

absolución nf (de pecado) absolution f; (de condenado) acquittement m.

absolutamente ad absolument.

absolutismo nm absolutisme m.

absoluto, a a absolu(e); en ~ ad absolument pas; pas du tout; (no negativo) absolument pas; **no tiene miedo en** ~ il n'a pas du tout peur, il n'a absolument pas peur.

absolver vt (pecador) absoudre; (acusado) innocenter; (de promesa) délier.

absorber vt absorber.

absorción nf absorption f.

absorto, a pp de **absorber** // a absorbé(e).

abstención nf abstention f.

abstenerse vr s'abstenir.

abstinencia nf abstinence f.

abstracción nf abstraction f.

abstraer vt abstraire // vi: ~ **de** faire abstraction de; ~se vr s'absorber.

abstraído, a a abstrait(e); (fig) distrait(e).

abstruso, a a abstrus(e), abscons(e).

absuelto pp de **absolver**.

absurdo, a a absurde // nm imbécillité f.

abuchear vt huer.

abuela nf grand-mère f.

abuelo nm grand-père m.

abultado, a a gros(se), volumineux(euse).

abultar vt grossir; (fig) exagérer; (costo) gonfler.

abundancia nf abondance f.

abundante a abondant(e).

abundar vt abonder.

aburrido, a a (hastiado) ennuyé(e); las(se); (que aburre) ennuyeux(euse) // nm/f ennuyeux/euse.

aburrimiento nm ennui m.

aburrir vt ennuyer; ~se vr s'ennuyer.

abusar vi abuser; ~ **de** abuser de.

abuso nm abus m.

abyecto, a a abject(e).

A.C. abr de Año de Cristo ap. J.-C. (après Jésus-Christ).

a/c abr de al cuidado de c/o (chez).

acá ad ici; **de ayer** ~ d'hier à aujourd'hui; **¿desde cuándo** ~? depuis quand?; **mas** ~ **de** au delà de; **de** ~ **para allá** de ci, de là.

acabado, a a achevé(e); terminé(e); (producto) fini(e); (perfecto) parfait(e); (persona: agotado) fini // nm fini m.

acabar vt (llevar a su fin) achever; (llegar al final de) terminer; (perfeccionar) perfectionner; (consumir) consommer; (rematar) achever; // vi finir, se terminer; ~ **con** en finir avec; ~ **de venir de**; ~ **por**

finir par; ~**se** vr prendre fin; **¡se acabó!** c'est tout!

academia nf académie f.

académico, a a académique // nm académicien/ne.

acaecer vi arriver, avoir lieu.

acallar vt faire taire; (aplacar) apaiser; (hambre) assouvir.

acaloramiento nm (calentamiento) échauffement m; (excitación) ardeur f.

acalorar vt (calentar) chauffer; (fomentar) encourager; ~**se** vr (fig) s'enflammer.

acamastronarse vr devenir rusé(e).

acampanado, a a en forme de cloche.

acampar vi camper.

acanalado, a a cannelé(e); (río) encaissé(e).

acanalar vt (metal) strier; (tela) canneler.

acantilado, a a escarpé(e) // nm falaise f.

acantonar vt cantonner.

acaparamiento nm accaparement m, monopolisation f.

acaparar vt accaparer.

acariciar vt caresser; (fig) caresser, nourrir.

acarrear vt (llevar) transporter; (arrastrar) charrier; (en carro) charroyer; (fig) occasionner.

acarreo nm (transporte) transport m; (arrastre) charriage m; (precio) prix m du transport.

acaso ad peut-être // nm hasard m; **por si** ~ au cas où; **si** ~ par hasard; **al** ~ par hasard.

acatamiento nm obéissance f; soumission f; respect m; déférence f.

acatar vt honorer, respecter; observer; obéir.

acatarrarse vr s'enrhumer; (AM) s'enivrer.

acaudalado, a a fortuné(e).

acaudalar vt thésauriser.

acaudillar vt commander.

acceder vi (consentir) accéder,

consentir; (asentir) acquiescer, consentir.

accesible a accesible.

acceso nm accès m; (camino) voie f d'accès; ~ **de tos** quinte f de toux.

accesorio, a a accessoire // nm accessoire m.

accidentado, a a accidenté(e); (viaje) mouvementé(e).

acciden·al a accidentel(le).

accidente nm accident m; (LING) flexion f; (MED) syncope f; **vida sin** ~**s** vie sans histoire.

acción nf action f; (de actor) jeu m; (MIL) combat m; **acciones ordinarias/preferentes** actions ordinaires/privilégiées.

accionar vt actionner.

accionista nm/f actionnaire m/f.

acebo nm houx m.

acebuche nm olivier m sauvage.

acecinar vt boucaner.

acechanza nf = **acecho**.

acechar vt guetter.

acecho nm guet m; **estar al** ~ être à l'affût.

acedía nf (acidez) aigreur f; (de estómago) acidité f; (de plantas) jaunissement m; (pez) plie m, carrelet m, limande f; (aspereza) âpreté f.

acedo, a a aigre, acide.

aceitar vt huiler.

aceite nm huile f; (de oliva) huile d'olive.

aceitera nf huilier m; marchande f d'huile.

aceitoso, a a huileux(euse).

aceituna nf olive f.

aceitunado, a a olivâtre.

acelerar vt accélérer.

acémila nf bête f de somme, butor m.

acendrado, a a pur(e).

acendrar vt (depurar) épurer; (oro, plata) affiner.

acento nm accent m.

acentuar vt accentuer; (intensificar) intensifier; (luz) augmenter.

acepción nf acception f; préférence f.

acepillar vt brosser; (*CARPINTERÍA*) raboter.

aceptación nf acceptation f; approbation f; satisfaction f; (*éxito*) succès m.

aceptar vt accepter.

acequia nf canal m d'irrigation, (*AM*) ruisseau m.

acera nf trottoir m.

acerado, a a acéré(e); acéré(e); résistant(e); mordant(e).

acerbo, a a a acerbe.

acerca de ad à propos de, au sujet de.

acercar vt approcher; ~**se** s'approcher, ~**se** a s'approcher de.

acero nm acier m; (*arma*) fer m; (*coraje, valor*) courage m, intrépidité f.

acérrimo, a a très fort(e), robuste; (*fig*) tenace; acharné(e).

acertado, a a juste; opportun(e); habile, heureux(euse); (*contestación*) adroit(e).

acertar vt (*dar en: el blanco*) atteindre; (*llegar a encontrar*) trouver; (*alcanzar*) réussir // vi taper dans le mille; (*tener éxito*) réussir; ~ **a** réussir à; ~ **con** trouver.

acervo nm tas m; amas m.

acético, a a acétique.

aciago, a a funeste.

acíbar nm aloès m; (*fig*) amertume f, douleur f.

acibarar vt rendre amer(ère).

acicalar vt (*armas*) fourbir; (*fig*) parer; ~**se** vr se faire beau(belle).

acicate nm éperon m à broche; (*fig*) aiguillon m.

acicatear vt stimuler, aiguillonner.

acidez nf acidité f.

ácido, a a acide; (*personne*) amer(ère) // nm acide m.

acierto nm réussite f; (*de enigma*) résolution f; (*destreza*) habileté f.

aclamación nf acclamation f.

aclamar vt acclamer.

aclaración nf éclaircissement f; mise au point f.

aclarar vt éclaircir; (*ropa*) rincer // vi (*tiempo*) s'éclaircir; (*día*) se lever; ~**se** vr s'éclaircir.

aclimatación nf acclimatation f.

aclimatar vt acclimater; ~**se** vr s'acclimater.

acobardar vt faire peur à, intimider.

acocote nm calebasse f.

acodar vt (*árbol*) étayer; (*AGR*) marcotter; ~**se** vr s'accouder.

acodo nm marcottage m.

acogedor, a a accueillant(e).

acoger vt accueillir, recevoir; ~**se** vr se réfugier; ~**se** a recourir à.

acogida nf accueil m.

acolchar vt (*muebles*) capitonner; (*colchón*) matelasser.

acolchonar vt matelasser.

acólito nm acolyte m.

acomedido, a a (*AM*) obligeant(e); serviable.

acomedirse vr (*AM*) rendre service, être serviable; ~ **a** se proposer pour.

acometer vt assaillir, attaquer; (*empresa*) entreprendre.

acometida nf attaque f, assaut m.

acomodado, a a convenable; commode; (*precio*) modéré(e), raisonnable; (*persona*) aisé(e).

acomodador, a a accommodateur(trice) // nm/f placeur/ ouvreuse.

acomodar vt (*ropa*) arranger; (*habitación*) aménager; (*persona*) placer; (*instrumento*) régler; ~**se** vr (*en espectáculo*) se placer; (*en sillón*) s'installer; ~**se con** se contenter de; (*AM*) s'arranger avec.

acomodo nm place f; situation f.

acompañamiento nm (*comitiva*) suite f; (*TEATRO*) figuration f; (*MUS*) accompagnement m; (*AM*) cortège m funèbre.

acompañar vt accompagner, tenir compagnie à; (*fig*) partager; (*documentos*) joindre; (*MUS*): ~ **con** accompagner à.

acondicionar vt (*casa*) préparer, aménager; (*mercancías, aire*) conditionner.

acongojar vt angoisser.

aconsejar vt conseiller; ~se vr: ~se con se faire conseiller par.

acontecer vi arriver.

acontecimiento nm événement m.

acopio nm provision f.

acoplamiento nm (TEC) accouplement m; (ensambladura) assemblage m.

acoplar vt (TEC) accoupler; (ELEC) coupler.

acorazado, a a (buque) cuirassé(e); (cámara) blindé(e); (fig) endurci(e) // nm cuirassé m.

acordar vt se mettre d'accord sur; (MUS) accorder; (PINTURA) harmoniser; (permiso) délivrer; (beca) accorder // vi s'accorder; ~se vr se souvenir, se rappeler; ~se de se souvenir de, se rappeler; (ponerse de acuerdo) se mettre d'accord sur.

acorde a (MUS) accordé(e); harmonieux(euse); (sentimiento) identique // nm accord m; estar ~s être d'accord; estar ~ con être en accord avec.

acordeón nm accordéon m.

acordonado, a a entouré(e) d'un cordon.

acorralar vt (ganado) parquer; (presa) mettre aux abois; (malhechor) acculer.

acortar vt (camino, falda, historia) raccourcir; (distancia, tiempo) réduire; ~se vr (días) raccourcir.

acosar vt poursuivre; (fig) harceler.

acostar vt (en cama) coucher; (en suelo) coucher, étendre; (barco) accoster; ~se vr se coucher.

acostumbrar vt habituer, accoutumer; ~se vr s'habituer.

acotación nf (nota) annotation f, (GEO) cote f.

acotar vt borner, délimiter; (AGR) ébrancher, étêter; (GEO) coter; (manuscrito) annoter.

acre a âcre, (fig) mordant(e) // nm acre m.

acrecentar vt augmenter.

acreditar vt (cheque) créditer; (embajador): ~ cerca de accréditer auprès de; ~se (embajador) présenter ses lettres de créances.

acreedor, a a a: ~ a digne de // · nm/f créancier/ière.

acribar vt cribler.

acribillar vt cribler.

acrisolar vt (metal) affiner; (fig) faire briller.

acritud nf âcreté f, (fig) aigreur f.

acta nf acte m; (de comisión) rapport m; ~s nfpl procès-verbal m, compte rendu m.

actitud nf attitude f.

activar vt activer; ~se vr s'activer.

actividad nf activité f.

activo, a a actif(ive) // nm actif m.

acto nm acte m.

actor, a nm/f (JUR) demandeur/ euse // nm acteur m.

actriz nf actrice f.

actuación nf comportement m; conduite f; rôle m; (JUR) procédure f; (AM) jeu m; **actuaciones** nfpl dossiers mpl.

actual a actuel(le).

actualidad nf actualité f, ~es nfpl actualités fpl; **en la ~** à l'heure actuelle.

actualizar vt actualiser.

actuar vi (obrar) agir; (actor) jouer un rôle; (JUR) instruire un procès; (función) remplir une fonction ou une charge.

actuario nm greffier m.

acuarela nf aquarelle f.

Acuario nm le Verseau; **ser (de)** ~ être (du) Verseau.

acuático, a a aquatique.

acuciar vt (urgir) presser; (apremiar) contraindre.

acucioso, a a diligent(e); avide, désireux(euse).

acuclillarse vr s'accroupir.

acudir vi arriver; (con prontitud) accourir; (caballo) obéir; (presentarse) se présenter; (venir) venir; ~ a recourir à.

acueducto nm aqueduc m.

acuerdo *vb ver* **acordar** // *nm* accord *m*; décision *f*; ¡de ~! d'accord!; **de ~ con** (*persona*) d'accord avec; (*acción, documento*) en accord avec; **volver en su ~** revenir à la raison.

acullá *ad* là-bas, par-là.

acumulación *nf* accumulation *f*.

acumulador *nm* accumulateur *m*.

acumular *vt* (*gen*) accumuler; (*empleos*) cumuler.

acunar *vt* bercer.

acuñar *vt* (*moneda*) frapper; (*poner cuñas*) coincer.

acuoso, a *a* aqueux(euse).

acurrucarse *vr* se blottir.

acusación *nf* accusation *f*.

acusar *vt* accuser.

acuse *nm*: ~ **de recibo** accusé *m* de réception.

acústico, a *a* acoustique // *nf* acoustique *f* // *nm* appareil *m* acoustique.

achacar *vt* imputer.

achacoso, a *a* (*persona*) malade; (*objeto*) défectueux(euse).

achaque *nm* (*indisposición*) malaise *m*; (*defecto*) infirmité *f*; (*excusa*) excuse *f*.

achicar *vt* (*gen*) diminuer; (*NAUT*) écoper; (*fig*) humilier; **~se** *vr* se laisser abattre.

achicoria *nf* chicorée *f*.

achicharrar *vt* griller; (*fastidiar*) tourmenter; (*AM*) aplatir.

achiguarse *vr* se bomber; (*pared, madera*) se gauchir; (*persona*) prendre de l'embonpoint.

acholado, a *a* (*AM*) au teint cuivré; (: *fig*) penaud(e); honteux(euse).

acholar *vt* (*AM*) faire rougir, faire honte à; **~se** *vr* (*AM*) rougir.

achucutarse *vr* (*AM*) faire rougir, faire honte à.

achuchar *vt* (*fam*) aplatir; (*fig*) bousculer, pousser.

adagio *nm* adage *m*; (*MUS*) adagio *m*.

adalid *nm* chef *m*.

adaptación *nf* adaptation *f*.

adaptar *vt* adapter.

adarga *nf* bouclier *m*.

a. de C. *abr* = **a. de J.C.**

A. de C. *abr* = **A.C.**

adecuado, a *a* (*apropiado*) adéquat(e); (*apto*) apte.

adefesio *nm* (*fam*) épouvantail *m*; absurdité *f*.

a. de J.C. *abr de antes de Jesucristo* av. J.-C. (avant Jésus-Christ).

adelantado, a *a* (*alumno*) avancé(e); (*reloj*): **estar ~** avancer // *nm* gouverneur d'une province; **pagar por ~** payer à l'avance.

adelantamiento *nm* (*AUTO*) dépassement *m*; (*de país*) progrès *m*.

adelantar *vt* avancer; (*el paso*) presser; (*trabajo*) faire avancer; (*AUTO, DEPORTE*) dépasser // *vi* avancer; (*AUTO, DEPORTE*) dépasser; **~se** *vr* s'avancer.

adelante *ad* en avant // *excl* (*pase*) entrez!; (*siga*) continuez!; (*MIL*) en avant!; **de hoy en ~** désormais, à partir de maintenant; **más ~** plus loin; (*tiempo*) plus tard; **ir ~** aller de l'avant; **llevar ~** pousser, faire vivre; **sacar ~** (*niño*) élever; (*proyecto*) faire avancer; **salir ~** s'en tirer; **seguir ~** continuer.

adelanto *nm* avance *f*; (*progreso*) progrès *m*.

adelfa *nf* laurier rose *m*.

adelgazar *vt* affiner; (*persona*) faire maigrir // *vi* maigrir; (*al estar a dieta*) se faire maigrir; **~se** *vr* maigrir; (*al estar a dieta*) se faire maigrir; (*imagen*) s'effacer, s'estomper.

ademán *nm* expression *f*; en ~ **de** en signe de; **hacer ~ de** faire mine de; **ademanes** *nmpl* manières *fpl*.

además *ad* en plus; de plus; **~ de** en plus de.

adentro *ad* à l'intérieur, dedans; **mar ~** au large; **tierra ~** à l'intérieur des terres.

adepto, a *nm/f* partisan/e.

aderezar *vt* (*mesa*) dresser; (*comida, tela*) apprêter; (*ensalada*) assaisonner; **~se** *vr* se préparer.

aderezo nm (de persona) parure f; (de tela) apprêt m; (de comida) préparation f; (de caballo) harnais m.

adeudar vt devoir // vi s'apparenter; ~**se** vr s'endetter.

adherir vt, vi coller; ~**se** vr: ~**se a** adhérer à.

adhesión nf adhésion f.

adición nf addition f.

adicionar vt additionner.

adicto, a a attaché(e); (amigo) fidèle // nm/f fidèle m/f, dévoué(e); ~ **a** enclin à.

adiestrar vt (animal) dresser; (niño) instruire; (la mano) guider; ~**se** vr s'exercer, s'entraîner.

adinerado, a a riche.

adiós excl adieu!; au revoir! // nm adieu m; au revoir m.

aditamento nm addition f, supplément m.

aditivo nm additif m.

adivinanza nf divination f; (acertijo) devinette f.

adivinar vt deviner.

adivino, a nm/f devin/ devineresse f.

adj a (abr de adjunto) inc. (inclus).

adjudicación nf adjudication f.

adjudicar vt adjuger; ~**se** vr s'adjuger.

adjuntar vt adjoindre.

adjunto, a a adjoint(e); (documento) ci-inclus(e), ci-joint(e) // nm/f adjoint/e // nm accessoire m.

administración nf administration f.

administrador, a nm/f administrateur/trice.

administrar vt administrer.

administrativo, a a administratif(ive).

admirable a admirable.

admiración nf admiration f; (LING) point d'exclamation m.

admirar vt admirer; ~**se** vr s'étonner.

admisible a admissible.

admitir vt (aceptar) admettre; (conceder) consentir.

admonición nf admonition f.

adobar vt (carne) mettre en daube; (pescado) préparer à la marinade.

adobe nm brique crue f.

adobo nm (de carne) daube f; (de pescado) marinade f; (de piel, tela) apprêt m; (del rostro) fard m.

adolecer vi tomber malade; ~ **de** souffrir de.

adolescente a adolescent(e) // nm adolescent/e.

adónde ad = dónde.

adopción nf adoption f.

adoptar vt adopter.

adoquín nm pavé m; (fig: fam) cruche f.

adoración nf adoration f

adorar vt adorer.

adormecer vt endormir; assoupir; (fig) calmer; ~**se** vr s'assoupir, somnoler, s'endormir; (pierna etc) s'engourdir; ~**se en** s'obstiner à.

adormidera nf stupéfiant m; (BOT) pavot m.

adornar vt orner; (casa) décorer; (vestido) parer; (fig: estilo) travailler; ~**se** vr se parer.

adorno nm (de cosa) garniture f; (de persona) parure f; (TAUR) fioriture f.

adquiero etc vb ver **adquirir**.

adquirir vt acquérir.

adquisición nf acquisition f.

adrede ad exprès, à dessein.

Adriático nm: el (Mar) ~ la mer Adriatique, l'Adriatique f.

adscribir vt assigner, attribuer; **estar adscripto a** être affecté à.

aduana nf douane f.

aduanero, a a douanier(ière).

aduar nm douar m, campement m.

aducir vt alléguer.

adueñarse vr s'approprier; s'emparer de.

adulación nf flatterie f.

adular vt flatter.

adulete a (AM) flatteur(euse), flagorneur(euse) // nm/f flatteur/euse, flagorneur/euse.

adulteración nf adultération f;

(*de producto alimenticio*) falsification *f*.

adulterar *vt* (*gusto*) adultérer; (*documento*) falsifier // *vi* commettre un adultère.

adulterio *nm* adultère *m*.

adulto, a *a, nm/f* adulte *m/f*.

adusto, a *a* sévère; austère.

advenedizo, a *nm/f* (*forastero*) étranger/ère; (*arribista*) arriviste *m/f*; (*nuevo rico*) parvenu/e.

advenimiento *nm* avènement *m*; (*de hijo*) venue *f*.

adventicio, a *a* adventice; (*JUR : bienes*) adventif(ive).

adverbio *nm* adverbe *m*.

adversario, a *a* adversaire // *nm/f* adversaire *m/f*.

adversidad *nf* adversité *f*.

adverso, a *a* adverse; contraire.

advertencia *nf* avertissement *m*; (*en libro*) avant-propos *m*; (*NAUT*) semonce *f*; observation *f*.

advertir *vt* remarquer.

adviento *nm* avent *m*.

adyacente *a* adjacent(e).

aéreo, a *a* aérien(ne).

aerodeslizador, aerodeslizante *nm* aéroglisseur *m*.

aeronáutica *nf* aéronautique *f*.

aeroplano *nm* aéroplane *m*.

aeropuerto *nm* aéroport *m*.

afabilidad *nf* affabilité *f*.

afable *a* affable.

afamado, a *a* renommé(e).

afán *nm* (*trabajo*) labeur *m*; (*anhelo*) soif *f*, ardeur *f*.

afanar *vt* harceler; (*AM: fam*) faire; ~**se** *vr* travailler beaucoup, se donner de la peine; ~ **e por** s'efforcer de, s'évertuer à.

afanoso, a *a* pénible, laborieux(euse).

afear *vt* enlaidir.

afección *nf* affection *f*.

afectación *nf* affectation *f*.

afectado, a *a* affecté(e).

afectar *vt* (*fingir*) feindre, affecter; (*atañer*) toucher, affecter.

afectísimo, a *a* affectueux(euse); ~ **suyo** je vous prie d'agréer

Monsieur/Madame l'expression de mes sentiments respectueux.

afecto, a *a* cher(ère); affectionné(e) // *nm* affection *f*, attachement *m*; ~ **a** enclin à.

afectuoso, a *a* affectueux(euse).

afeitar *vt* (*barba*) raser; (*cordero*) tondre; ~**se** *vr* se raser.

afeite *nm* fard *m*.

afeminado, a *a* efféminé(e).

afeminar *vt* efféminer.

aferrado, a *a* obstiné(e).

aferrar *vt* (*NAUT*) mouiller; (*con garfio*) gaffer // *vi* (*NAUT*) mordre.

afianzamiento *nm* cautionnement *m*; garantie *f*, consolidation *f*.

afianzar *vt* (*respaldar*) cautionner; (*garantizar*) garantir; (*consolidar*) consolider; (*fijar*) fixer; (*apoyar*) soutenir; (*reforzar*) renforcer; (*afirmar*) affermir; ~**se en su trabajo** s'affirmer dans son travail.

afición *nf* (*inclinación*) penchant *m*; (*afán*) ardeur *f*, zèle *m*; (*aficionados*) amateurs *mpl*; **hago música por** ~ je fais de la musique par goût; **tener** ~ aimer.

aficionado, a *a* (*entusiasta*) enthousiaste; (*no profesional*) amateur; ~ **a** amateur de // *nm/f* amateur *m*; (*de equipo*) supporter *m/f*; (*de cantante*) fan *m/f*; ~ **de** amateur de.

aficionar *vt* faire prendre goût à; ~**se** *vr*: ~**se a** prendre goût à, se passionner pour; ~**se a alguien** s'attacher à qn.

afilado, a *a* (*cuchillo*) affilé(e), aiguisé(e); (*diente*) pointu(e).

afilar *vt* affûter; aiguiser; (*lápiz*) tailler.

afiliación *nf* affiliation *f*.

afiliar *vt* affilier; ~**se** *vr* s'affilier.

afiligranado, a *a* filigrané(e); (*fig*) menu(e).

afín *a* (*próximo*) contigu(ë); (*país*) limitrophe; (*análogo*) analogue; (*conexo*) connexe; (*ideas*) voisin(e); **afines** *nmpl* proches *mpl*.

afinación nf (TEC) affinage m; (MUS) accordage m.

afinar vt (TEC) affiner; (MUS) accorder // vi jouer (ou chanter) juste.

afinidad nf affinité f; parientes por ~ parents par alliance.

afirmación nf affirmation f.

afirmar vt (aseverar) affirmer, soutenir, assurer; (sostener) affermir; ~se vr prendre appui.

afirmativo, a a affirmatif(ive).

aflicción nf affliction f.

afligir vt (angustiar) affliger; (dar) infliger.

aflojar vt relâcher; (tornillo) desserrer; (nudo) détendre; (tensión) faire baisser // vi (temperatura, precios, interés) diminuer, baisser; ~se vr se relâcher, se détendre.

afloramiento nm affleurement m.

afluencia nf affluence f.

afluente a affluent(e) // nm (GEO) affluent m.

afluir vi (gente) affluer; (río) confluer.

afmo, a abr de **afectísimo, a suyo, a.**

afonía nf extinction f de voix.

aforismo nm aphorisme m.

afortunado, a a (feliz) heureux(euse); (que tiene suerte) chanceux(euse); (NAUT) orageux(euse); (de dinero) fortuné(e).

afrancesado, a a francisé(e).

afrecho nm son m.

afrenta nf (insulto) affront m, outrage m; (deshonor) déshonneur m, opprobre m.

afrentar vt faire affront à, outrager; ~se vr rougir, avoir honte.

afrentoso, a a ignominieux(euse); humiliant(e); deshonorant(e).

África nf Afrique f; ~ del Sur Afrique du Sud.

africano, a a africain(e) // nm/f Africain/e.

afrontar vt affronter; ~ dos personas mettre deux personnes l'une en face de l'autre.

afuera ad dehors // excl dehors!; ~s nfpl alentours mpl.

afutrarse vr (AM) s'endimancher.

agachar vt (la cabeza) baisser; ~se vr se baisser; (someterse) céder; (ocultarse) laisser passer l'orage.

agalla nf (BOT) galle f, noix f de galle; (ANAT) amygdale f; (ZOOL) ouïe f; (AM) gaffe f; ~s nfpl (MED) angine f; (ZOOL) ouïes fpl; (fig) courage m.

agalludo, a a audacieux(euse); (AM: desvergonzado) effronté(e); (: tacaño) radin.

ágape nm agape f.

agarradera nf (AM) poignée f; (: fam) **tiene una buena ~** il a du piston.

agarradero nm (de taza) poignée f; (de pala) manche m; (de cortina) embrasse f; (fam): **tener ~** avoir du piston.

agarrado, a a pris(e); empoigné(e); (fam) radin.

agarrar vt attraper, saisir, accrocher; (flor) cueillir; (empleo) décrocher; (fiebre) attraper; (AM: autobús) prendre // vi (pintura) prendre bien; (planta) pousser bien; (AM): ~ **por una calle** prendre une rue; ~se vr: ~se (de) se cramponner (à); (AM: fam) **se la agarró conmigo** il s'en prit contre moi.

agarrotar vt (con cuerda) garrotter; (suj: frío) raidir; (reo) faire subir le supplice du garrot; ~se vr (motor) gripper, bloquer; (persona) avoir des crampes.

agasajar vt fêter, accueillir chaleureusement.

agasajo nm bon accueil; réception f; (regalo) cadeau m; présent m.

agazapar vt (fam) attraper; ~se vr se cacher; (detrás de un muro) se blottir.

agencia nf agence f; (fig) démarche f; ~ **de viajes/inmobiliaria/de cambios** agence de voyages/immobilière/de change;

de colocaciones agence de placement.

agenciar vt préparer, agencer; (fig) procurer; ~**se** vr (fam) se débrouiller.

agenda nf agenda m.

agente nm agent m; ~ **inmobiliario/de policía** agent immobilier/de police.

agigantado, a a gigantesque; (fig) prodigieux(euse).

ágil a agile; souple; (estilo) alerte, enlevé(e).

agio nm agio m.

agiotista nm agioteur m.

agitación nf agitation f.

agitar vt agiter; (fig) troubler; ~**se** vr s'agiter.

aglomerar vt agglomérer; ~**se** vr s'agglomérer, s'entasser, s'attrouper.

agnóstico, a a agnostique // nm/f agnostique m/f.

agobiar vt (las espaldas) courber, écraser; (con penas) accabler, épuiser; (con preguntas) ennuyer, fatiguer; (con trabajo) déprimer, abattre; ~**se** vr: ~**se con** s'ennuyer avec; ~**se de** se fatiguer de.

agolparse vr se presser, se rassembler; s'entasser.

agonía nf agonie f.

agonizante vr se agonisant(e).

agonizar vt (fam) harceler // vi (aussi estar agonizando) agoniser, être agonisant(e).

agorero, a nm/f devin/eresse // a: **noticia agorera** mauvaise nouvelle; **ave** ~ oiseau m de malheur.

agostar vt dessécher, faner; (AGR) sarcler // vi paître.

agosto nm août m.

agotado, a a épuisé(e).

agotar vt vider; (recursos, edición, tierra) épuiser; (tema) traiter à fond; (paciencia) pousser à bout, épuiser; ~**se** vr (persona) s'exténuer; (libro) s'épuiser.

agraciar vt grâcier; (con premio) remettre un prix à.

agradable a agréable.

agradar vt plaire.

agradecer vt remercier.

agradecimiento nm reconnaissance f.

agrado nm plaisir m.

agrandar vt (vestido, casa) agrandir; (dificultades) grossir; (patrimonio) augmenter; ~**se** vr (niño) grandir; (fig) s'agrandir.

agrario, a a agraire.

agravar vt aggraver; ~**se** vr s'aggraver.

agraviar vt (de palabra) offenser; (por acto) nuire à, faire du tort à; ~**se** vr s'offenser.

agravio nm offense f; (JUR) plainte f (en appel).

agravión, ona a (AM) susceptible, irritable.

agraz nm (AGR) verjus m, raisin vert; (BOT) épinevinette f; **en** ~ encore vert, en herbe.

agredir vt attaquer, agresser.

agregado nm agrégat m, ensemble m; ~ **cultural** attaché culturel.

agregar vt agréger; (al servicio diplomático) affecter.

agresión nf agression f.

agresivo, a a agressif(ive).

agreste a agreste; (fig) sauvage, grossier(ière).

agriar vt aigrir; ~**se** vr (vino) s'aigrir; (leche) tourner; (fig) s'aigrir.

agrícola a agricole.

agricultor, a nm/f agriculteur/trice.

agridulce a aigre-doux (douce).

agrietarse vr (tierra) crevasser; (piel, labios) gercer; (muro) lézarder.

agringarse vr se conduire comme un étranger.

agrio, a a aigre.

agronomía nf agronomie f.

agrónomo a agraire // nm agronome m.

agrupación nf groupement m; ~ **musical** groupe musical; ~ **de jóvenes** mouvement m de jeunesse.

agrupar vt grouper; ~**se** vr se grouper.

agua nf eau f; (ARQ) pente f; ~**s** nfpl (de piedra preciosa, tela) reflet m; (MED): hacer ~**s** uriner; (MED): ~**s** mayores selles fpl, matières fécales; (NAUT): ~**s** de flujo y reflujo marée f; ~**s** jurisdiccionales eaux territoriales; **pera de ~** poire fondante; ~**s** abajo/arriba en aval/amont; (nadar) en descendant/en remontant le courant; **estar entre dos ~s** être indécis(e); ~ **de colonia** eau de Cologne; ~ **bendita** eau bénite.

aguacate nm (BOT) avocatier m; (AM) nigaud/a.

aguacero nm averse f, ondée f; (fig) ennuis mpl.

aguachar vt noyer, inonder.

aguado, a a coupé(e), baptisé(e) // nf (AGR) eau f; (NAUT) point m d'eau, aiguade f; (MINERÍA) inondation f; (PINTURA) gouache f; (AM) abreuvoir m.

aguador nm porteur m d'eau.

aguafiestas nm/f trouble-fête m inv.

aguaitar vt (AM) guetter, épier.

aguamala nf méduse f.

aguamanil nm pot m à eau.

aguamarina nf aigue-marine f.

aguantable a supportable.

aguantar vt (frío) endurer, supporter; (alguien) supporter, souffrir; (rabia) contenir; (espera) patienter; (suj: muro) tenir // vi résister; (TAUR) attendre de pied ferme; ~**se** vr se contenir.

aguar vt mélanger d'eau, couper; (vino, leche) couper; (crema) délayer; ~**se** vr: **se agua la fiesta** la fête se gâte.

aguardar vt attendre.

aguardiente nm eau-de-vie f.

aguarrás nm essence f de térébenthine.

agudeza nf (de instrumento) finesse f; (de sentido) acuité f; (fig): ~ **de ingenio** esprit m.

agudo, a a (cuchillo) coupant(e);

(voz) aigu(ë); fin(e); (MUS, LING, ángulo) aigu; (espíritu) vif(vive); (escritor) mordant(e); (dolor, enfermedad) aigu; (ingenio) perçant(e).

agüero nm augure m, présage m.

aguijar vt aiguillonner; (fig) stimuler // vi se hâter.

aguijón nm aiguillon m.

aguijonear vt = aguijar.

águila nf aigle m; (fig) as m.

aguileño, a a aquilin(e); (nariz) crochu(e); (rostro) allongé(e).

aguilucho nm (ZOOL) aiglon m; (BLASÓN) aiglerion m.

aguinaldo nm étrennes fpl.

aguja nf (gen) aiguille f; (AGR) greffon m; (ARQ) flèche f, aiguille f; (TEC) burin m; ~**s** nfpl (ZOOL) côtes fpl; (FERROCARRIL) aiguillage m.

agujerear vt percer, faire des trous dans.

agujero nm trou m; (vendedor) vendeur m d'aiguilles; (para agujas) aiguillier m.

agujetas nfpl courbatures fpl.

agustino, a a agustin(e).

aguzar vt tailler; ~ **el oído** tendre l'oreille; ~ **la vista** regarder attentivement.

aherrojar vt enchaîner; (fig) opprimer.

ahí ad là; ~ **está su casa** voilà sa maison; ~ **llega** le voilà; **hasta** ~ jusque-là; **por** ~ par là; **no más** ici-même.

ahijado, a nm/f filleul/e; (fig) protégé/e.

ahínco nm véhémence f.

ahitar vt (MED) causer une indigestion à; (terreno) jalonner; ~**se** vr se gaver.

ahíto, a a: **estoy** ~ j'ai une indigestion; (fam) fatigué(e); **estar** ~ **de** en avoir marre de.

ahogar vt noyer; (animal) étouffer, noyer; (planta, habitación, fuego, rebelión) étouffer; ~**se** vr (en el agua) se noyer; (por asfixia) s'étouffer; (por estrangulamiento) s'étrangler.

ahogo *nm* étouffement *m*; *(fig)* angoisse *f*.

ahondar *vt* creuser // *vi* creuser, pénétrer.

ahora *ad* maintenant, à présent; ~ voy j'arrive; ~ **mismo** tout de suite; **desde** ~ à partir de maintenant; **hasta** ~ jusqu'à présent; **por** ~ pour le moment; *conj:* ~ **bien, si no te gusta** cela dit, si cela ne te plaît pas.

ahorcajadas *ad* à califourchon.

ahorcar *vt* pendre; ~**se** *vr* se pendre.

ahorita *ad* *(fam)* tout de suite.

ahorrar *vt* *(dinero)* économiser, épargner; *(esfuerzos)* économiser; ~**se** *vr* s'épargner.

ahorro *nm* économie *f*.

ahuecar *vt* *(árbol, piedra)* évider; *(tierra)* creuser; *(voz)* enfler; ~**se** *vr* se gonfler d'orgueil.

ahumar *vt* *(carne)* fumer; *(habitación)* enfumer // *vi* *(chimenea)* fumer; ~**se** *vr* *(habitación)* s'enfumer; *(muros)* noircir.

ahuyentar *vt* *(pájaro)* mettre en fuite; *(pensamiento)* chasser; ~**se** *vr* *(AM)* s'enfuir.

aindiado, a *a* d'aspect indien.

airado, a *a* furieux(euse); *(de mala vida)* de mauvaise vie; **palabra airada** gros mot.

airar *vt* fâcher; ~**se** *vr* se fâcher.

aire *nm* air *m*; vent *m*; *(MUS)* mouvement *m* // *excl* *(fam)* de l'air!; du vent!; ~**s** *nmpl:* **darse** ~**s** se donner des airs.

airoso, a *a* aéré(e); *(TIEMPO)* venteux(euse); *(fig)* élégant(e); **salir** ~ bien s'en tirer.

aislador, a *a* isolant(e) // *nm* isolant *m*.

aislar *vt* isoler.

ajar *vt* *(vestido)* défraîchir, user; *(color)* défraîchir; *(flor, piel)* flétrir.

ajedrez *nm* échecs *mpl*.

ajenjo *nm* absinthe *f*.

ajeno, a *a* *(extranjero)* étranger(ère); *(extraño)* étrange; *(diverso)* divers(e); différent(e).

ajetreo *nm* déploiement *m* d'activité.

ají *nm* *(pimiento)* poivre *m* de Guinée; piment *m* rouge; *(salsa)* sauce *f* au piment.

ajicero, a *a* du piment.

ajo *nm* ail *m*; ~ **porro** poireau *m*.

ajolote *nm* axolote *m*.

ajonjolí *nm* sésame *m*.

ajorca *nf* bracelet *m*.

ajuar *nm* *(de casa)* mobilier *m*; *(de novia)* trousseau *m*.

ajustado, a *a* réglé(e); correct(e); *(tornillo)* serré(e); *(cálculo)* exact(e); *(ropa)* ajusté(e), étroit(e); *(DEPORTE: resultado)* serré // *nm* ajustage *m*.

ajustar *vt* *(TEC)* ajuster; *(IMPRENTA)* mettre en pages; *(criado)* engager; *(cuenta)* régler; *(empleado)* embaucher; *(matrimonio)* arranger; *(AM: presupuesto)* équilibrer // *vi* être bien ajusté(e); ~**se** *vr* s'adapter; *(fig: enemigos)* se réconcilier; ~ **cuentas** régler ses comptes; ~ **el trabajo a un horario** aménager un horaire; ~ **un precio** convenir d'un prix.

ajuste *nm* *(TEC)* assemblage *m*, emboîtement *m*, ajustage *m*; *(CINE)* raccord *m*; *(entre enemigos)* accord *m*; *(de cuenta)* règlement *m*; *(de precios)* fixation *f*; *(IMPRENTA)* imposition *f*; *(musical)* arrangement *m*.

ajusticiar *vt* exécuter.

al = *a* + *el*, ver *a*.

ala *nf* *(gen)* aile *f*; *(de sombrero)* bord *m*; *(del corazón)* oreillette *f*; *(de techo)* avant-toit(s) *m(pl)*; *(de hélice)* pale *f* // *nmf:* ailier/ière.

alabanza *nf* *(elogio)* éloge *m*, louange *f*; *(jactancia)* vantardise *f*.

alabar *vt* louer, vanter; ~**se** *vr* se vanter.

alabarda *nf* hallebarde *f*.

alabastro *nm* albâtre *m*.

alabear *vt* se gauchir; ~**se** *vr* se gondoler.

alacena *nf* placard *m*.

alacrán *nm* scorpion *m*.

alado, a a ailé(e); (*BOT*) en forme d'aile; (*fig*) éthéré(e).

alambicado, a a distillé(e); (*idea*) alambiqué(e); (*persona*) compliqué(e).

alambicar vt distiller; (*precio*) étudier.

alambique nm alambic m.

alambre nm fil m de fer ou d'acier; ~ **de púas** fil de fer barbelé.

alameda nf (*de álamos*) allée f de peupliers; (*plantío*) peupleraie f; (*lugar de paseo*) allée, promenade f.

álamo nm peuplier m; ~ **blanco/negro** peuplier blanc/noir; ~ **temblón** tremble m.

alano nm dogue nm.

alar nm avant-toit m, auvent m.

alarde nm (*MIL*) parade f, revue f; (*en cárcel*) visite f; (*ostentación*) étalage m.

alargar vt (*vestido*) allonger; (*paso*) allonger, presser; (*brazo*) allonger; (*cuerda*) dérouler; (*conversación, vacación*) prolonger; (*plazo de pago*) augmenter; ~**se** vr (*días*) s'allonger; (*viento*) tourner; (*persona*) s'allonger, s'étendre.

alarido nm hurlement m.

alarma nf alarme f; inquiétude f.

alba nf aube f.

albacea nm/f exécuteur/trice, testamentaire m/f.

Albania nf Albanie f.

albañal nm égout m.

albañil nm maçon m.

albarca nf = **abarca**.

albarda nf bât m.

albaricoque nm abricot m.

albedrío nm: **libre** ~ libre arbitre m.

albéitar nm vétérinaire m.

alberca nf (*para bañarse*) bassin m; (*depósito*) citerne f.

albérchigo nm alberge f.

albergar vt (*persona*) héberger, loger; (*planta*) abriter; (*esperanzas*) nourrir; ~**se** loger; se protéger.

albergue nm logement m; ~ **de juventud** auberge f de jeunesse; ~ **de carretera** relais m, auberge.

albis : en albis ad: **quedarse en** ~ ne rien piger.

albóndiga nf boulette f.

albor nm (*color*) blancheur f; (*del día*) aube f.

alborada nf (*del día*) aube f; (*MUS*) aubade f; (*MIL*) attaque f à l'aube.

alborear vi poindre (*le jour*).

albornoz nm (*de los árabes*) burnous m; (*para el baño*) peignoir m de bain.

alborotar vi faire du tapage; ~**se** vr (*persona, el mar*) s'agiter.

alboroto nm (*desorden*) désordre m, tumulte m; (*gritería*) tintamarre m.

alborozar vt réjouir, causer de la joie à; ~**se** vr se réjouir.

alborozo nm grande joie, allégresse f.

albricias nfpl cadeau m // excl chic!, réjouissons-nous!

álbum nm album m.

albur nm (*pez*) cabot m; ~**es** nmpl jeu de cartes; **correr un** ~ tenter sa chance.

alcachofa nf (*BOT*) artichaut m; (*de regadera*) pomme f d'arrosoir; (*de bañera*) crapaudine f.

alcahueta nf entremetteuse f; (*fig: fam*) maquerelle f.

alcahuete nm entremetteur m; (*fig: fam*) maquereau m; (*TEATRO*) rideau m d'entracte.

alcaide nm (*de fortaleza*) gouverneur m d'une forteresse; (*de prisión*) geôlier m.

alcalde nm maire m; ~ **mayor** juge m de paix.

alcaldía nf mairie f.

alcance nm portée f; (*COM*) déficit m; (*de periódico*) dernière minute; (*enfermedad*) atteinte f; ~ **de última hora** levée supplémentaire.

alcanforado, a a camphré(e).

alcanforar vt camphrer.

alcantarilla nf (*de aguas cloacales*) égout m; (*en la calle*) caniveau m.

alcanzar vt (*algo: con la mano, el pie*) atteindre, saisir; (*alguien en* *camino, autobús*) rattraper; *vi*: ~ **a hacer** arriver à faire.

alcatraz *nm* pélican *m*.

alcázar *nm* palais royal; forteresse *f*; (*NAUT*) gaillard *m* d'arrière.

alcoba *nf* alcôve *f*; chambre *f* à coucher.

alcohol *nm* alcool *m*; ~**ismo** *nm* alcoolisme *m*.

alcornoque *nm* chêne-liège *m*; (*fig*) andouille *f*, buse *f*.

alcubilla *nf* château *m* d'eau, réservoir *m*.

alcurnia *nf* lignage *m*; extraction *f*.

alcuza *nf* burette *f* à huile.

aldaba *nf* heurtoir *m*, marteau *m* de porte; (*fig*) appui *m*; protection *f*.

aldea *nf* village *m*, hameau *m*.

aldeano, a *a* campagnard(e); villageois(e); (*fig*) rustre, paysan(ne) // *nm/f* villageois(e).

aleación *nf* alliage *m*.

aleccionar *vt* instruire, enseigner; faire la leçon.

aledaño, a *a* voisin(e), limitrophe; accessoire, annexe; ~**s** *nmpl* confins *mpl*.

alegación *nf* allégation *f*, exposé *m*, plaidoirie *f*.

alegar *vt* alléguer, plaider, citer comme preuve; (*AM*) discuter, disputer.

alegato *nm* (*JUR*) plaidoirie *f*, allégation *f*; (*AM*) discussion *f*, querelle *f*, dispute *f*; (*fig*) plaidoyer *m*.

alegoría *nf* allégorie *f*.

alegrar *vt* (*causar alegría*) réjouir, égayer; (*fuego*) attiser; (*TAUR*) exciter; (*NAUT*) donner du mou à; (*fiesta*) animer; ~**se** *vr* (*alegrarse*) se réjouir de; (*achisparse*) être un peu gris(e).

alegre *a* gai(e), joyeux(euse); (*fam*) éméché(e); (*licencioso*) leste, libre.

alegría *nf* joie *f*, gaîté *f*; (*BOT*) sésame *m*.

alejamiento *nm* éloignement *m*; distance *f*.

alejar *vt* éloigner; écarter; ~**se** *vr* s'éloigner.

aleluya *nm* (*canto*) alléluia *m*; (*Pascuas*) temps pascal // *nf* petite image pieuse; gâteau *m* à la crème; (*fam*) sot(te); (*cuadro*) croûte *f*, navet *m*; (*AM*) excuse *f* frivole // *excl* alléluia!, bravo!

alemán, ana *a* allemand(e) // *nm/f* Allemand/e // *nm* allemand *m*.

Alemania *nf*: ~ **Federal/Oriental** Allemagne fédérale/de l'Est.

alentado, a *pp de* **alentar** // *a* vaillant(e); résistant(e) à la fatigue; hautain(e).

alentar *vt* (*animar*) encourager, exciter; ~**se** *vr* s'enhardir; **estar alentado** être remis(e).

alerce *nm* mélèze *m*.

alergia *nf* allergie *f*.

alero *nm* (*de tejado*) avant-toit *m*; (*de carruaje*) garde-boue *m*.

alerta *nf*: ~ *vigilance // a* vigilant(e) // *excl* alerte! // *nf* alerte *f*.

aleta *nf* (*ZOOL*) aile *f*, nageoire *f*; (*TEC: de muro, techo, columna*) aile; (: *de radiador, proyectil*) ailette *f*; (*de nariz*) aile; (*de coche*) garde-boue *m*; (*de barco*) armature *f* de la poupe.

aletargar *vt* engourdir; faire tomber en léthargie; endormir avec un médicament; ~**se** *vr* (*cocodrilo*) s'endormir.

aletear *vi* battre des ailes; battre des nageoires; agiter les bras.

aleve *a* perfide, traître.

alevosía *nf* perfidie *f*.

alfabeto *nm* alphabet *m*.

alfanje *nm* (*sable*) alfange *f*, cimeterre *m*; (*pez*) espadon *m*.

alfarero *nm* potier *m*.

alfeñique *nm* sucre d'orge *m*; (*fam: persona*) gringalet *m*; (: *remilgo*) simagrée *f*.

alférez *nm* (*official*) souslieutenant *m*; (*abanderado*) porte-drapeau *m*; (*NAUT*) enseigne *m* de vaisseau.

alfil *nm* fou *m* (*du jeu d'échec*).

alfiler *nm* épingle *f*; ~ **de**

seguridad épingle de nourrice ou de sûreté.

alfombra nf tapis m.

alfombrar vt recouvrir de tapis, tapisser.

alfombrilla nf (MED) rubéole f; (alfombra) carpette f.

alforja nf sacoche f.

alforza nf pli m, rempli m en couture; (fig) balafre f.

alga nf algue f.

algarabía nf arabe m; (BOT) plante f à balais; ¡qué ~! quel brouhaha!

algarroba nf vesce f, caroube f.

algazara nf (gritería) vacarme m, brouhaha m, clameurs fpl.

álgido, a a algide; (fig) brûlant(e).

algo pron quelque chose; ~ asombroso quelque chose d'étonnant // ad un peu; quelque peu // por ~ será il y a sûrement une raison.

algodón nm coton m; (planta) cotonnier m; ~ hidrófilo coton m hydrophile; ~ pólvora coton-poudre m; fulmicoton m.

algodonero, a a cotonnier(ière) // nm/f cotonnier/ière // nm cotonnier m.

alguacil nm gendarme m; (TAUR) alguazil m; (ZOOL) araignée d'eau f.

alguien pron quelqu'un.

alguno, a, algún a quelque; ~ que otro libro quelques livres; algún día iré j'irai un des ces jours // pron l'un, quelques-uns; sin interés ~ sans aucun intérêt; ~ que otro quelques-uns; ~s piensan certains pensent; d'aucuns pensent.

alhaja nf (joya) bijou m; (objeto precioso) joyau m; ¡qué ~! (fig: pey) quel numéro!

alharaquiento, a a futile et creux(euse); vain(e).

alhóndiga nf halle f au grain.

aliado, a a allié(e).

aliaga nf ajonc m.

alianza nf alliance f.

aliar vt allier; mettre d'accord; ~se vr s'allier.

alias ad autrement dit, alias, dit.

alicaído, a a affaibli(e), sans forces.

alicantino, a a d'Alicante // nm/f habitant/e d'Alicante.

alicates nmpl: ~ de uñas pince f à ongles.

aliciente nm attrait m, intérêt m.

alienación nf aliénation f.

aliento nm haleine f; respiration f; sin ~ hors d'haleine.

aligerar vt alléger, rendre plus léger(ère); (carga) alléger; (abreviar) abréger; (dolor) soulager, calmer.

alijador nm allège m.

alimaña nf bête f nuisible, vermine f.

alimentación nf alimentation f.

alimentar vt nourrir, alimenter; (fuego) entretenir; (máquina) alimenter; (esperanzas) nourrir, caresser; ~se vr s'alimenter.

alimenticio, a a alimentaire.

alimento nm nourriture f; ~s nmpl (JUR) pension f alimentaire.

alinear vt aligner; vr: ~se en faire partie de.

aliñar vt arranger, préparer, parer; (guiso) assaisonner; (TAUR) préparer (le taureau pour la mise à mort).

aliño nm (de casa) tenue f, propreté f; (de persona) correction f; (de plato) assaisonnement m.

alisar vt (superficie) lisser, polir; (tela, pelo) lisser, polir; (TEC) polir; ~se vr: ~se el pelo mettre l'ordre dans sa coiffure.

aliso nm alisier m, aulne m.

alistamiento nm enrôlement m, recrutement m.

alistar vt (reclutar) enrôler, recruter; (registrar) inscrire sur une liste; ~se vr s'engager; (AM) se préparer.

aliviar vt (carga) alléger; (dolor) soulager, calmer; (trabajo) soulager; (pena a uno) adoucir; ~se vr (paciente) aller mieux; ~se de se dégager de.

alivio nm (de carga) allègement m;

(físico) soulagement *m*; *(moral)* réconfort *m*.

aljibe *nm* citerne *f*.

aljofaina *nf* = **jofaina.**

alma *nf* âme *f*; *(viga)* baliveau *m*.

almacén *nm* magasin *m*; *(depósito)* entrepôt; comptoir *m*.

almacenar *vt* emmagasiner.

almacenero *nm* magasinier *m*.

almáciga *nf* mastic *m*; *(AGR)* pépinière *f*.

almadraba *nf* *(red)* madrague *f*; *(pesca)* pêche *f* au thon; *(lugar)* pêcherie *f* de thon.

almanaque *nm* almanach *m*.

almeja *nf* clovisse *f*.

almena *nf* créneau *m*.

almendra *nf* amande *f*; *(amarga)* amande amère, praline *f*; *(fig)* caillou *m*; ~s *nfpl* pendeloques *fpl*.

almendro *nm* amandier *m*.

almiar *nm* meule *m*.

almíbar *nm* sirop *m*.

almibarado, a *a* doucereux(euse); *(fig)* sirupeux(euse).

almidón *nm* amidon *m*.

almidonar *vt* empeser, amidonner.

almirantazgo *nm* amirauté *f*; *(alto consejo)* tribunal *m* de l'amirauté.

almirante *nm* amiral *m*.

almohada *nf* oreiller *m*, coussin *m*.

almohadilla *nf* coussinet *m*; *(para sellos)* tampon *m*; *(para planchar)* pattemouille *f*; *(AM)* pelote *f*; *(ARQ: piedra)* bosse *f*.

almoneda *nf* *(subasta)* vente *f* aux enchères; *(saldo)* soldes *fpl*; *(tienda)* antiquité *f*.

almorzar *vt* déjeuner de, manger au déjeuner // *vi* déjeuner.

almuerzo *nm* déjeuner *m*.

alnado, a *nm/f* beau-fils/belle-fille.

alocado, a *a* étourdi(e), écervelé(e).

alocución *nf* allocution *f*.

alojamiento *nm* logement *m*; *(MIL)* camp *m*.

alojar *vt* loger; ~se *vr* se loger.

alondra *nf* alouette *f*.

alpargata *nf* espadrille *f*.

Alpes *nmpl*: **los** ~ les Alpes *fpl*.

alpiste *nm* *(BOT)* millet long, alpiste *m*.

alquería *nf* ferme *f*, hameau *m*.

alquilar *vt* louer; **se alquilan casas** maisons à louer.

alquiler *nm* location *f*; *(de apartamento)* loyer *m*; **coche de** ~ voiture de location; **aparatos en** ~ appareil à louer.

alquimia *nf* alchimie *f*.

alquimista *nm* alchimiste *m*.

alquitrán *nm* goudron *m*.

alrededor *ad* autour, tout autour; ~ **de** *(aproximadamente)* environ; *(rodeando)* autour de; ~**es** *nmpl* environs *mpl*; **mirar a su** ~ regarder autour de soi.

alta *nf ver* **alto.**

altanería *nf* morgue *f*, arrogance *f*; *(de aves)* haut-vol *m*.

altanero, a hautaine(e), altier(ère), orgueilleux(euse); **de vuelo** ~ de haut vol.

altar *nm* autel *m*; *(grada)* gradin *m* de mine.

altavoz *nm* haut-parleur *m*.

alterable *a* altérable.

alteración *nf* *(del pulso)* dérèglement *m*; *(del orden público)* désordre *m*, trouble *m*; *(del tiempo)* altération *f*; *(disputa)* dispute *f*, querelle *f*.

alterar *vt* altérer, changer; ~**se** *vr* s'altérer, se troubler; *(persona)* se fâcher, s'énerver.

altercado *nm* altercation *f*, démêlé *m*.

alternar *vt* alterner; faire alterner // *vi*, ~**se** *vr* se relayer.

alternativo, a *a* alternatif(ive); *(horario)* tournant(e) // *nf* alternative *f*, alternance *f*; **alternativas** *nfpl* alternatives *fpl*.

alteza *nf* *(tratamiento)* altesse *f*; *(altura)* hauteur *f*; *(fig)* grandeur *f*.

altibajo *nm* *(ESGRIMA)* coup *m* de haut en bas; ~**s** *nmpl* aspérités *fpl*; *(fig)* vicissitudes *fpl*.

altillo *nm* coteau *m*.

altiplanicie nf = altiplano nm.

altiplano nm haut plateau.

altisonante a pompeux(euse), ronflant(e).

altivez nf arrogance f.

altivo, a a arrogant(e).

alto, a a grand(e), haut(e); (precio) élevé(e); (relieve) haut; (río) en crue // nm haut m; halte f; (MUS) alto m; (AM) tas m // ad fort // nf bulletin m de santé // excl halte!, stop!; **tiene 2 metros de ~** il mesure 2 mètres; **en alta mar** en haute mer; **en voz alta** à voix haute; **a altas horas de la noche** à une heure avancée de la nuit; **en lo ~ de** au sommet de; **mantener en ~** maintenir bien haut; **pasar por ~** oublier; **dar de alta** (enfermo) donner l'exeat à; **dar el alta** (MIL) entrer en service actif.

altoparlante nm (AM) haut-parleur m.

altura nf altitude f; hauteur f; (NAUT): **barco de ~** bateau de haute mer, long courrier; **navegación de ~** navigation au long cours; (fig): **a esta ~ del año** à l'heure actuelle; **~s** nfpl hauteurs fpl; **cincuenta metros de ~** cinquante mètres de haut.

alubia nf haricot m.

alucinación nf hallucination f.

alud nm avalanche f.

aludir vi: **~ a** faire allusion a, se référer à; renvoyer à; **darse por ~** se sentir visé; **no darse por aludido** faire la sourde oreille.

alumbrado, a a éclairé(e); (hereje) illuminé(e); (chimenea) allumé(e) // nm éclairage m.

alumbramiento nm (ELEC) éclairage m, éclairement m; (MED) accouchement m.

alumbrar vt éclairer; (ciego) rendre la vue à; (TEC) plonger dans l'alun; (aguas subterráneas) découvrir; (impr) frapper.

aluminio nm aluminium m.

alumno, a nm/f élève m/f; (discípulo) élève, disciple m.

alusión nf allusion f, référence f.

alusivo, a a allusif(ive).

aluvión nm crue f, alluvion f; (fig) foule f; multitude f; **tierras de ~** alluvions.

alza nf hausse f; **estar en ~** (fam) avoir la cote.

alzada nf (de caballos) hauteur f du garrot; (pastos) pâturage m d'été; (JUR) pourvoi m, appel m, recours m.

alzamiento nm action f de lever ou de soulever; (en subasta) surenchère f; (sublevación, rebelión) soulèvement m (populaire); (COM) banqueroute frauduleuse.

alzar vt (la mano) lever; (voz, muro) élever; (precios) hausser; (cuello de abrigo, algo del suelo) relever; (AGR) rentrer; (IMPRENTA) assembler; **~se** se lever, se relever, s'élever; (rebelarse) se soulever; (COM) faire banqueroute; (JUR) faire appel, se pourvoir; (AM: animal) retourner à l'état sauvage; (: persona) s'enfuir; **~ el vuelo** prendre son vol; **~ velas** mettre à la voile.

allá ad (lugar) là-bas; (tiempo) autrefois; **más ~** plus loin; **por ~** par là; **el más ~** (el otro mundo) l'au-delà m.

allanar vt aplanir, niveler; (fig) vaincre; (JUR) violer // **~se** vr (edificio) s'effondrer, s'écrouler; (fig): **~se a** se soumettre à.

allegado, a a proche, voisin(e) // nm/f (discípulo) partisan/e; **sus ~s** (parientes) ses proches mpl.

allegar vt réunir, ajouter, ramasser, recueillir; **~se** vr (a persona) s'approcher; (a opinión) adhérer à.

allende ad au-delà de, de l'autre côté de; (además) outre, en outre.

allí ad (lugar) là; **~ mismo** ici-même; **hasta ~** jusque-là; **por ~** par là.

ama nf maîtresse f de maison; propriétaire f; gouvernante f; (que cría niños ajenos) nourrice f; ~ de llaves gouvernante.

amabilidad nf amabilité f, gentillesse f.

amable a aimable.

amachinarse vr vivre en ménage avec quelqu'un.

amaestrar vt dresser.

amagar vt être sur le point de; menacer, s'annoncer.

amago nm (amenaza) menace f, signe m; (gesto) semblant m, geste m; (de comienzo) commencement m, signe; (de enfermedad) symptôme m.

amainar vt (las velas) amener; (fig) modérer // vi (calmarse, el viento) se calmer, tomber.

amalgama nf (aleación) alliage m; (mezcla) amalgame m.

amalgamar vt (QUÍMICA) amalgamer; (fig) mélanger.

amamantar vt allaiter, nourrir au sein.

amanecer vi faire jour, se lever, poindre // nm aube f, lever m du jour; **el día amaneció nublado à l'aube el cielo était couvert; el niño amaneció afiebrado** l'enfant s'est réveillé avec une forte fièvre.

amansador, a a dresseur(euse) // nm/f (domador) dompteur/euse.

amansar vt dompter, apprivoiser; (fig) calmer, apaiser.

amante a amoureux(euse) // nm/f amoureux/euse, amant/e // nf maîtresse f.

amanzanar vt lotir.

amapola nf coquelicot m.

amar vt aimer; chérir.

amargado, a a amer(ère); aigri(e); pessimiste.

amargar vt rendre amer; (fig) affliger, faire de la peine à; ~se vr s'empoisonner.

amargo, a a amer(ère); (fig) triste, amer, aigri(e).

amargura nf amertume f.

amarillento, a a jaunâtre; (tez) blême, jaune.

amarillo, a a jaune // nm jaune m; blondeur f.

amarrar vt (barco, zapatos, paquete) amarrer, attacher; (animal, persona) ficeler, ligoter; (fig) attirer, obliger; ~se vr (a un trabajo) s'atteler.

amartelar vt rendre jaloux/amoureux; ~se vr: ~se de s'éprendre passionnément de.

amartillar vt = **martillar** vt.

amasar vt (pan) pétrir; (TEC) gâcher; (MED) masser; (fam) combiner, manigancer; (fortuna) amasser.

amasijo nm (mezcla) pâte pétrie; (de cal, yeso) gâchis m, mortier m; (fig) fatras m, ramassis m.

amatista nf améthyste f.

amazona nf amazone f, écuyère f; **A~s** nm: **el A~s** l'Amazone f // en amazone.

ambages nmpl ambages mpl; **sin ~** sans ambages.

ámbar nm ambre m; ~ **gris** ambre gris.

ambición nf ambition f.

ambicionar vt ambitionner.

ambicioso, a a ambitieux(euse).

ambidextro, a a ambidextre.

ambiente a ambiant(e) // nm air ambiant, atmosphère f; climat m; (fig) milieu ambiant, ambiance f; climat.

ambigüedad nf ambiguïté f.

ambiguo, a a ambigu(ë).

ámbito nm enceinte f; (fig) milieu m, atmosphère f; **en el ~ nacional** sur le plan national; **dentro del ~** de dans le cadre de.

ambos, ambas apl les deux // pron pl tous/toutes les deux; **por ambas partes** de tous côtés.

ambulancia nf ambulance f.

ambulante a ambulant(e); (actor) itinérant(e) // nm/f itinérant/e.

amedrentar vt effrayer, intimider.

amenaza nf menace f.

amenazar vt menacer // vi:

amenaza llover il menace de pleuvoir.

amenguar vt amoindrir, diminuer; (fig) déshonorer.

amenidad nf aménité f, charme m.

amenizar vt égayer, agrémenter.

ameno, a a amène, agréable.

América nf: ~ **del Norte/del Sur/Latina** Amérique f du Nord/du Sud/Latine.

americano, a a américain(e) // nf (chaqueta) veston m, veste f // nm/f Américain/e; ~ **del sur** Sud-Américain m.

ametralladora nf mitrailleuse f.

amigable a amiable.

amigo, a a ami(e) // nm/f ami/e.

amilanar vt faire peur à, décourager; ~**se** vr s'effrayer, se décourager.

aminorar vt diminuer, amoindrir; (marcha, temperatura) ralentir.

amistad nf amitié f; ~**es** nfpl (fig) affinité f.

amistoso, a a amical(e).

amnistía nf amnistie f.

amo nm maître m, propriétaire m; ~ **de casa** maître de maison.

amodorrarse vr s'assoupir.

amolar vt aiguiser, faire raser, casser les pieds; **piedra de** ~ pierre meulière.

amoldar vt mouler, ajuster; ~**se** vr se mouler, s'ajuster.

amonestación nf admonestation f, avertissement m; **amonestaciones** nfpl: **correr las** ~**es** publier les bans.

amonestar vt admonester; publier les bans de.

amontonar vt entasser, amonceler; ~**se** vr se masser.

amor nm amour m; **hacer el** ~ faire l'amour.

amoratado, a a violacé(e).

amordazar vt bâillonner, museler.

amorío nm (fam) amourette f.

amoroso, a a tendre, affectueux(euse).

amortajar vt ensevelir, mettre dans un linceul.

amortiguador nm amortisseur m.

amortiguar vt amortir; (fig) atténuer, étouffer.

amortización nf amortissement m.

amotinar vt soulever, ameuter; ~**se** vr se soulever, se mutiner.

amparar vt protéger; ~**se** vr se protéger.

amparo nm protection f, abri m, appui m, soutien m; **al** ~ **de** à l'abri de.

ampliación nf (de crédito) extension f, accroissement m, élargissement m; (de edificio, fotografía) agrandissement m; (de tratado) extension f.

ampliar vt agrandir, élargir, accroître; augmenter; étendre.

amplificación nf (agrandamiento) amplification f; (desarrollo) développement m; (AM: de fotografía) agrandissement m.

amplificar vt amplifier, agrandir.

amplio, a a ample; large.

amplitud nf amplitude f; étendue f; envergure f; ~ **de ideas** largeur f d'esprit.

ampolla nf (MED: lesión) ampoule f, cloque f; (: inyección) ampoule f.

ampulosidad nf style ampoulé.

amueblar vt meubler.

amurallar vt fortifier.

anacoreta nm/f anachorète m.

anacronismo nm (error) anachronisme m; (antigualla) vieillerie f, antiquaille f.

ánade nm/f canard m.

anales nmpl annales mpl.

analfabeto, a a analphabète.

análisis nm analyse f.

analítico, a a analytique.

analizar vt analyser.

analogía nf analogie f.

análogo, a a analogue.

ananá(s) nm ananas m.

anaquel nm rayon m, étagère f, tablette f.

anaranjado, a a orangé(e) // nm orange m.

anarquía nf anarchie f.

anárquico, a a anarchique.

anarquismo nm anarchisme m.

anatema nm anathème m.

anatomía nf (del cuerpo) anatomie f, dissection f, autopsie f; (ciencia) anatomie f.

anca nf croupe f; (fam) fesse f.

anciano, a a vieux (vieille) // nm ancien m // nm/f vieillard/e; personne âgée.

ancla nf ancre f; **echar/levar ∼s** jeter/lever l'ancre.

ancladero nm mouillage m, ancrage m.

anclar vi mouiller, ancrer.

ancho, a a large; (falda) ample; (pared) épais(se) // nm largeur f; (FERROCARRIL) écartement m; **estar muy ∼** (fam) se gonfler; **estar a sus anchas** (fam) être à ses aises; **quedarse tan ∼** (fam) ne pas s'affoler, ne pas s'en faire.

anchoa nf anchois m.

anchura nf largeur f; (fig) sans gêne m, ouverture f (d'esprit).

anchuroso, a a vaste, très large.

andada nf longue marche; **volver a las ∼s** retomber dans les mêmes erreurs.

andadura nf marche f, allure f.

Andalucía nf Andalousie f.

andaluz, a a andalou(ouse) // nm/f Andalou/ouse.

andamio nm échafaudage m.

andanada nf (MIL) bordée f, volée f; (TAUR) promenoir m; (fig) bordée.

andar vt parcourir, faire // vi marcher // nm démarche f; ∼ **a pie/a caballo/en bicicleta** aller à pied, cheval/en bicyclette; ∼ **bien/.nal** aller bien/mal; ∼ **triste/alegre** être triste/gai(e); ∼ **a gatas** marcher à quatre pattes; **¡anda!, ¡andando!** en avant, en route; **anda en los 40** il va sur ses 40 ans; ∼ **con cuidado** faire attention; ∼ **diciendo** dire.

andariego, a a bon marcheur(euse); (callejero)

flâneur(euse); (vagabundo) vagabond(e).

andarín, ina nm/f marcheur/euse // nf hirondelle f.

andas nfpl: **llevar en ∼** porter sur ses épaules.

andén nm (FERROCARRIL) quai m; (NAUT) accotement m; (de carretera) bas-côté m, parapet m.

Andes nmpl: **los ∼** les Andes fpl.

Andorra nf Andorre f.

andrajo nm guenille f.

andrajoso, a a déguenillé(e) // nm/f loqueteux/euse.

andurriales nmpl (rincón perdido) coin perdu; (barrio alejado) bout m du monde.

anduve etc vb ver **andar**.

anécdota nf anecdote f.

anegar vt (inundar) inonder; (ahogar) noyer; ∼**se** vr (ahogarse) se noyer; (NAUT: hundirse) sombrer, couler.

anejo, a a (anexo) annexe // nm annexe m; (dos poblaciones) syndicat m de communes.

anemia nf anémie f.

anexar vt annexer.

anexión nf annexion f.

anexo, a a annexe // ∼**s** nmpl (ANAT) annexes fpl // nm annexe f.

anfibio, a a amphibie // nm amphibien m.

anfiteatro nm amphithéâtre m.

anfitrión nm amphitryon m.

ángel nm ange m.

angélico, a, angelical a angélique.

angina nf (MED) angine f; ∼ **de pecho/diftérica** angine de poitrine/ couenneuse.

anglicano, a a anglican(e) // nm/f anglican/e.

angosto, a a étroit(e), resserré(e).

angostura nf étroitesse f; (paso) gorge f, défilé m; (BOT) angusture f.

anguila nf anguille f.

angular a angulaire.

ángulo nm angle m.

angustia nf angoisse f.

angustiar vt angoisser, affliger.

anhelante a essouflé(e), haletant(e); désireux(euse).

anhelar vt briguer, désirer // vi haleter.

anhelo nm désir ardent; ~s nmpl désirs, aspirations fpl.

anidar vt loger, accueillir // vi nicher, faire son nid.

anilina nf aniline f.

anillo nm anneau m; ~ **de boda** alliance f.

ánima nf âme f; **sonar las** ~**s** sonner l'Angélus.

animación nf animation f; (actividad) entrain m, allant m; foule f; (de mecanismo) mise en marche f.

animado, a a animé(e).

animadversión nf animadversion f.

animal a animal(e); (fig: bruto) brute; (: estúpido) bête // nm animal m.

animar vt (BIO: dar vida) animer; (alegrar) mettre de l'ambiance dans; (estimular) encourager; (incitar) inciter; ~**se** vr (cobrar ánimo) s'enhardir; (decidirse) se décider.

ánimo nm âme f; esprit m // excl courage!; **dar** ~**s** donner des encouragements.

animosidad nf animosité f.

animoso, a a courageux(euse).

aniquilación nf, **aniquilamiento** nm anéantissement m.

aniquilar vt (acabar) annihiler; (destruir) anéantir; (echar por tierra) abattre; (fig) réduire à néant; ~**se** vr (deteriorarse) se détériorer; (desaparecer) s'anéantir.

anís nm anis m.

anisado nm anisette f.

aniversario nm anniversaire m.

ano nm anus m.

anoche ad hier soir, la nuit dernière; **antes de** ~ avant hier soir.

anochecer vi commencer à faire nuit // nm crépuscule m; tombée f

de la nuit; ~ **en el mar** être surpris par la nuit en mer.

anodino, a a anodin(e); inoffensif(ive).

anomalía nf anomalie f.

anómalo, a a anomal(e).

anonadamiento nm accablement m, anéantissement m; abattement m.

anonadar vt (aniquilar, destruir) anéantir; (perder el ánimo) être altéré(e); ~**se** vr être accablé(e).

anónimo, a a anonyme // nm anonymat m.

anormal a (irregular) anormal(e); irrégulier(ière); (niño) anormal, handicapé(e) // nm anormal/e.

anotación nf annotation f; note f.

anotar vt noter, prendre en note; (faltas) souligner; (libro) annoter.

ansia nf anxiété f, angoisse f; convoitise f, avidité f; désir ardent.

ansiar vt convoiter.

ansiedad nf (angustia) anxiété f; avidité f.

ansioso, a a (inquieto) anxieux(euse); avide; (deseoso) désireux (euse).

antagónico, a a antagonique.

antagonista nm/f antagoniste m/f.

antaño ad l'année dernière; jadis, autrefois; **la moda de** ~ la mode d'antan.

Antártico nm: **el** ~ l'Antarctique m.

ante prep (delante) devant; (adelante) en avant; ~ **todo** avant tout.

anteanoche ad avant-hier soir, il y a deux nuits.

anteayer ad avant-hier.

antebrazo nm avant-bras m.

antecámara nf antichambre f.

antecedente a antécédent(e) // nm (MAT) nombre antécédent; (FILO, LING) antécédent m; ~**s penales** casier m judiciaire.

anteceder vt précéder.

antecesor, a nm/f (predecesor) prédécesseur m; (antepasado) ancêtre *m*, aïeul *m* // à précédent(e).

antedicho, a *a* susdit(e); précédent(e).

antelación *nf* anticipation *f*; con ~ à l'avance.

antemano: de ~ *ad* d'avance.

antena *nf* antenne *f*.

antenoche *ad* avant-hier soir.

anteojo *nm* lunette *f*; ~ **de larga vista** lunette d'approche, longue-vue *f*; ~ **prismático** jumelles *fpl*; ~**s** *nmpl* lunettes *fpl*.

antepasados *nmpl* aïeux *mpl*, ancêtres *mpl*.

antepecho *nm* (*balaustrada*) garde-fou *m*, parapet *m*; (*de ventana*) appui *m*, accoudoir *m*; (*del caballo*) poitrail *m* du harnais; (MIL) gradin *m* de tir.

anteponer *vt* mettre devant; (*fig*) faire passer avant.

anteportada *nf* faux-titre *m*.

anterior *a* antérieur(e).

anterioridad *nf* antériorité *f*; **con** ~ **a su carta** avant sa lettre.

antes *ad* avant; (*anteriormente*): **lo había hecho** ~ il l'avait déjà fait; ~ **bien** plutôt; ~ **que** avant que; **dos días** ~ deux jours auparavant; ~ **muerto que esclavo** plutôt la mort que l'esclavage; **tomo el avión** ~ **que el barco** je préfère prendre l'avion plutôt que le bâteau; **cuanto** ~ dès que possible; **lo** ~ **posible** le plus tôt possible // *prep*: ~ **de** avant de venir // *conj*: ~ **(de) que** avant que.

antesala *nf* antichambre *f*.

anticipación *nf* anticipation *f*.

anticipado, a *a* anticipé(e).

anticipar *vt* anticiper; (*fecha, viaje, pago*) avancer; ~**se** *vr* devancer, prévenir; ~ **a los deseos de alguien** aller au-devant des désirs de qn; ~ **a su época** devancer son époque.

anticuado, a *a* vieilli(e), vieux (vieille); (*palabra, persona*) vieillot(te); (*vestido*) démodé(e).

anticuario *nm* (*persona*) anti-

quaire *m*; (*negocio*) magasin *m* d'antiquités.

antídoto *nm* antidote *m*, contrepoison *m*.

antifaz *nm* masque *f*, loup *m*.

antífona *nf* antienne *f*.

antigualla *nf* vieillerie *f*, antiquaille *f*.

antiguamente *ad* anciennement.

antigüedad *nf* (*época*) antiquité *f*; (*tiempo*) ancienneté *f*; (*que fue*) ancien; ~**s** *nmpl* anciens *mpl*; **el** ~ **ministro** l'ancien ministre.

antílope *nm* antilope *f*.

antillano, a *a* antillais(e) // *nm/f* Antillais/e.

Antillas *nfpl*: **las** ~ les Antilles *fpl*.

antiparra *nf* paravent *m*.

antipatía *nf* antipathie *f*.

antipático, a *a* antipathique.

antípoda *nm* antipode *m*; ~**s** *nmpl* antipodes *mpl*.

antiquísimo, a *a* très ancien(ne).

antítesis *nf* antithèse *f*.

antojadizo, a *a* (*caprichoso*) capricieux(euse); (*volable*) luna-tique, changeant(e).

antojarse *vr* (*desear*) avoir envie de; (*pensar*) avoir l'idée de.

antojo *nm* caprice *m*; envie *f*; désir *m*; (*mancha*) envie.

antología *nf* anthologie *f*; **de** ~ (*fam*) magnifique, fantastique.

antorcha *nf* torche *f*, flambeau *m*; (*fig*) flambeau.

antro *nm* antre *m*.

antropófago, a *a* anthropophage // *nm* anthropophage *m*.

antropología *nf* anthropologie *f*.

anual *a* annuel(elle).

anualidad *nf* annuité *f*.

anuario *nm* annuaire *m*.

anublar *vt* obscurcir; (*fig*) ternir; ~**se** *vr* se couvrir; (*planta*) se faner; (*fig*) s'évanouir.

anudar *vt* (*cinta, corbata*) nouer; (*zapatos*) attacher; (*amistad*) renouer; (BOT) se rabougrir; ~**se** *vr* attacher.

anulación nf annulation f; décommandement m.

anular vt (cancelar) résilier, annuler; (revocar) révoquer, abroger; (ley) abroger; (efectos de un medicamento) supprimer; (MAT) annuler // nm annulaire m; ~**se** vr (persona) s'annuler.

anunciación nf annonciation f.

anunciar vt déclarer; aviser; (manifestar) annoncer, proclamer; (visita) prévenir; (film) faire de la publicité pour, signaler; (plan de gobierno) exposer; ~**se** vr se présenter.

anuncio nm annonce f; ~**s por palabras** petites annonces; ~ **luminoso** enseigne lumineuse.

anverso nm (de moneda) avers m, face f; (de página) recto m.

anzuelo nm hameçon m.

añadido a (agregado) ajouté(e) // nm (agregado) ajouté m; (cabellos) postiche m.

añadidura nf (suplemento) ajout m; (de texto) ajouté m; (de vestido) allonge f; **por** ~ en outre.

añadir vt ajouter.

añejo, a vieux(vieille).

añicos nmpl (mil pedazos) miettes fpl, morceaux mpl; **hacer** ~ mettre en morceaux.

año nm an m, année f; **¡Feliz A~ Nuevo!** Bonne Année!; **tener 15** ~**s** avoir 15 ans; ~ **bisiesto/ entrante/escolar** année bissextile/qui commence/scolaire.

añoranza nf regret m.

añoso, a a âgé(e).

aojar vt jeter un sort sur.

apacentamiento nm pâturage m.

apacentar vt paître, faire paître.

apacible a paisible, calme, tranquille; (niño, vida) tranquille, doux (douce); (el tiempo) calme; (fig: carácter) affable.

apaciguamiento nm apaisement m.

apaciguar vt apaiser, calmer.

apadrinar vt parrainer.

apagado, a a éteint(e); (color)

sans éclat, terne; (ruido) sourd(e); étouffé(e).

apagar vt éteindre; (sonido) assourdir, étouffer; (sed) étancher; (fig) étouffer, tarir.

apalabrar vt convenir verbalement, décider; (contratar) engager.

apalear vt (animal, persona) battre, rosser; (ropa) battre; (frutos) gauler; (grano) éventer.

apaleo nm (de trigo) bastonnage m, éventage m; (de fruto) gaulage m.

apandillarse vr se grouper en bande.

apañado, a a adroit(e), habile; (fam) pratique.

apañar vt (recoger) disposer, arranger; (asir) saisir, prendre; (ataviar) orner, parer; (remendar) rapiécer, raccommoder; ~**se** vr se débrouiller, s'arranger.

aparador nm (mueble) buffet m; (escaparate) vitrine f.

aparato nm machine f; pompe f, apparat m; (TEC) appareil m, poste m; (doméstico) appareil ménager; ~ **digestivo/circulatorio** appareil ou système digestif/circulatoire.

aparatoso, a a pompeux(euse), ostentatoire.

aparecer vi apparaître; (libro) paraître; (en lista) figurer; (en escena) paraître; (llegar) venir, arriver; ~**se** vr se montrer, surgir.

aparecido nm revenant m, fantôme m.

aparejado, a a préparé(e), convenable, adéquat(e).

aparejar vt préparer; disposer; (caballo) harnacher; (NAUT) gréer; ~**se** vr se préparer, s'apprêter.

aparejo nm préparation f, arrangement m; (de caballo) harnais m, bât m; (NAUT) gréement m; (TEC) mouffle m.

aparentar vt feindre, simuler; faire semblant, affecter.

aparente a (simulado) apparent(e); (falso) faux(ausse); (adecuado) approprié(e); propre.

aparición nf (visión) apparition f,

(publicación) parution f.

apariencia nf apparence f; **en ~** apparemment, en apparence.

apartado, a a *(retirado)* écarté(e), distant(e); *(remoto)* lointain(e) // m boîte postale; paragraphe m, alinéa m.

apartamento nm appartement m.

apartamiento nm *(acción)* écartement m; *(selección)* tri m, triage m; *(apartamento)* appartement m.

apartar vt *(separar)* écarter, éloigner, séparer; *(alejar)* éloigner; *(elegir)* mettre de côté, choisir; *(minerales)* trier; *(persona)* tenir à l'écart, écarter; **~se** vr *(alejarse)* s'éloigner, s'écarter; *(retirarse)* se retirer.

aparte ad *(separadamente)* de côté, *(en otro lugar)* ailleurs, en dehors; *(además)* en plus, en outre // m aparté m; **punto y ~** point à ligne.

apasionado, a a passionné(e); ardent(e), acharné(e); partisan(e).

apasionar vt *(tener pasión a, por)* passionner; **~se** vr se passionner.

apatía nf *(abulia)* apathie nf; *(desgano)* dégoût nm.

apático, a a apathique, dégoûté(e).

apdo nm abr de **apartado** *(de correos)*.

apeadero nm *(FERROCARRIL)* halte f, petite gare; *(apartamento)* pied-à-terre m.

apearse vr *(de un caballo)* mettre pied à terre; *(de un coche)* descendre.

apechugar vi se coltiner, s'appuyer; affronter.

apedrear vt jeter des pierres à; lapider // vi grêler; **~se** vr être grêlé(e); se battre à coups de pierres.

apegarse vr: **~se a** s'attacher à, avoir de l'affection pour.

apego nm *(inclinación)* affection f, inclination f; *(afecto)* attachement m.

apelación nf *(JUR)* appel m; *(MED)* consultation f de médecins.

apelante nm/f appelant/e.

apelar vi faire appel; **~ a** en appeler ou s'en remettre ou avoir recours à.

apellidar vt nommer, surnommer; **~se** vr se nommer, s'appeler.

apellido nm nom m *(de famille)*.

apenar vt affliger, peiner; **~se** vr s'affliger.

apenas ad *(escasamente)* à peine, presque pas; *(en cuanto)* dès que, aussitôt que.

apéndice nm appendice m.

apercibimiento nm préparation f; avertissement m, avis m; *(JUR)* sommation f.

apercibir vt préparer, disposer; avertir, admonester; *(JUR)* faire une sommation; **~se** vr se préparer; *(AM)* percevoir.

aperitivo nm apéritif m.

apero nm matériel m agricole; **~s** nmpl *(AM)* harnachement m.

apertura nf ouverture f.

apesadumbrar vt *(entristecer)* attrister, accabler; *(afligir)* faire de la peine à, affliger; **~se** vr s'affliger.

apestar vt *(MED)* donner la peste à, contagionner; *(fastidiar)* ennuyer, assommer // vi empester, puer; **~se** vr *(persona)* tomber malade; *(planta)* attraper la peste.

apetecer vt: **¿te apetece una tortilla?** est-ce qu'une omelette te dirait?, as-tu envie d'une omelette?

apetecible a *(deseable)* désirable, appétissant(e); *(atractivo)* attirant(e); *(agradable)* agréable.

apetencia nf appétit m, appétence f.

apetito nm appétit m.

apetitoso, a a *(sabroso)* appétissant(e), savoureux(euse); *(agradable)* délicieux(euse), agréable.

apiadarse vr s'apitoyer, s'attendrir.

ápice nm pointe f, extrémité f; *(parte mínima)* brin m, vétille f.

apiñar vt *(amontonar)* entasser, empiler; *(apretar)* serrer.

apio nm céleri m.

apisonar vt damer, tasser.

aplacar vt calmer, apaiser; ~se vr se calmer.

aplanamiento nm aplanissement m.

aplanar vt (nivelar) niveler; (allanar) aplanir; ~se vr (fig: fam) se laisser abattre.

aplastar vt aplatir, écraser; ~se vr (AM) s'effondrer, s'écrouler, dépérir.

aplaudir vt applaudir; (fig) applaudir à, approuver.

aplauso nm applaudissement m; (fig) éloges mpl.

aplazamiento nm ajournement m, remise f.

aplazar vt ajourner, remettre, retarder.

aplicación nf application f; (puesta en marcha) mise en œuvre f; (adorno) placage m.

aplicado, a a appliqué(e), studieux(euse).

aplicar vt (ejecutar) appliquer; (emplear) employer, appliquer; (sobreponer) superposer, rajouter; ~se vr (esmerarse) s'appliquer; (ponerse) se mettre; (inyección, reprimenda) se faire, s'infliger.

aplomo nm sérieux m, jugement m; verticalité f, aplomb m.

apocado, a a timide.

apocalipsis nm apocalypse f.

apocamiento nm timidité f, pusillanimité f; état dépressif.

apocar vt (disminuir, amoindrir; ~se vr s'humilier, s'avilir.

apócrifo, a a apocryphe.

apodar vt surnommer.

apoderado nm agent m, mandataire m.

apoderar vt déléguer comme fondé de pouvoir; autoriser; ~se vr s'approprier, s'emparer; prendre possession.

apodo nm surnom m, sobriquet m.

apogeo nm apogée m.

apolítico, a a apolitique.

apología nf apologie f; défense f, plaidoyer m.

apoplejía nf apoplexie f.

apoplético, a a apoplectique.

apoquinar vt (fam) cracher, lâcher (de l'argent).

aporrear vt battre, frapper, cogner; ~se vr se battre.

aporreo nm bastonnade f, volée f.

aportar vt apporter // aborder, débarquer; ~se vr (AM) arriver, apparaître.

aposentar vt loger, héberger; ~se vr s'installer.

aposento nm (habitación) chambre f; (hospedaje) logement m.

aposta, apostadamente ad exprès, à dessein.

apostar vt parier; rivaliser; ~se vr se poster.

apostasía nf apostasie f.

apostilla nf apostille f, annotation f, note f.

apóstol nm apôtre m.

apóstrofe nm apostrophe f.

apóstrofo nm apostrophe f.

apostura nf élégance f, allure f.

apotegma nm apophtegme m.

apoteosis nf apothéose f.

apoyacodos nm inv accoudoir m.

apoyar vt appuyer; (fig) confirmer; appuyer.

apoyo nm (soporte) appui m; protection f; (auxilio) secours m.

apreciable a appréciable; (fig) estimable.

apreciación nf évaluation f, appréciation f.

apreciar vt apprécier; (fig) estimer.

aprecio nm appréciation f; (fig) estime f, sympathie f, considération f.

aprehender vt appréhender, saisir; concevoir; comprendre.

aprehensión nf appréhension f, prise f, capture f; compréhension f.

apremiante a urgent(e), pressant(e); (JUR) contraignant(e).

apremiar vt contraindre, force (JUR) contraindre // vi presser.

apremio nm (obligación) c

trainte f; urgence f; (JUR) contrainte
f.

aprender vt apprendre.

aprendiz, a nm/f apprenti/e.

aprendizaje nm apprentissage m.

aprensión nm (recelo) appréhension f; (miedo) peur f; (escrúpulo) scrupules mpl; **aprensiones** nfpl idées fausses.

aprensivo, a a (receloso) peureux(euse), méfiant(e); (temeroso) craintif(ive), pusillanime.

apresamiento nm prise f, saisie f, capture f.

apresar vt (asir) saisir; (NAUT) capturer; (JUR) incarcérer.

aprestar vt (preparar) apprêter; (disponer) disposer, ordonner; (TEC) apprêter; ~**se** vr s'apprêter.

apresto nm préparatifs mpl; (TEC) apprêt m.

apresurado, a a (falto de tiempo) pressé(e); (precipitado) hâtif(ive).

apresuramiento nm (prisa) empressement m; (precipitación) hâte f, précipitation f.

apresurar vt presser, hâter; ~**se** vr se presser, se hâter.

apretado, a a serré(e), pincé(e); (difícil) difficile; (peligroso) périlleux(euse); (falto de dinero o de espacio) chiche; (mezquino) mesquin(e).

apretar vt (estrechar) serrer; (comprimir) presser, comprimer; (oprimir) presser, appuyer; (activar) presser, hâter; (fig) affliger, contrarier.

apretón nm (de manos) serrement m; (dolor) pincement m; (fam: situación) embarras m, situation f critique; (: carrera) sprint m, course rapide et courte.

apretura nf (opresión: de gentío) cohue f, foule f; (presión: de manos etc) serrement m; (apuro) situation f difficile, mauvais pas m; (escasez) gêne f; (pasaje, estrecho) espace exigu.

aprieto nm (opresión) gêne f,

oppression f; (dificultad) difficulté f, situation f critique.

aprisa ad rapidement, vite.

aprisionar vt emprisonner; (fig) enchaîner.

aprobación nf (consentimiento) consentement m, approbation f; (de un examen) succès m.

aprobar vt (consentir) approuver; (ley) adopter; (examen) réussir, être reçu à // vi être reçu.

aprontar vt préparer rapidement.

apropiación nf appropriation f.

apropiado, a a réussi(e), pertinent(e).

apropiar vt adapter, approprier; ~**se** vr s'attribuer, s'approprier.

aprovechado, a a appliqué(e), travailleur(euse); économe, studieux(euse); (pey) sans scrupules, profiteur(euse) // nm/f profiteur/euse.

aprovechamiento nm profit m, parti m; utilisation f, exploitation f.

aprovechar vt (utilizar) servir, (explotar) exploiter; (tiempo, conocimientos, tierras) profiter de // vi avancer, prospérer; etre utile ou utilisé; ~**se** vr: ~**se de** profiter de; ¡que aproveche! bon appétit!

aprovisionar vt approvisionner, ravitailler.

aproximación nf approximation f, proximité f; (MAT) calcul m par approximation; (LOTERÍA) lot de consolation m.

aproximado, a a approximatif(ive).

aproximar vt approcher; ~**se** vr s'approcher.

aptitud nf aptitude f, disposition f.

apto, a a apte, capable.

apuesta nf pari m.

apuesto, a a élégant(e), de belle prestance.

apuntación nf annotation f, remarque f; (MUS) notation f.

apuntador nm souffleur m.

apuntalar vt étayer; (fig) soutenir.

apuntar vt (con arma) pointer, braquer; (con dedo) montrer du doigt; (*anotar*) noter, prendre note de; (*TEATRO*) souffler; (*dinero*) ponter, miser // vi (*planta*) pousser; ~**se** vr poindre.

apunte nm note f, annotation f; (de *dibujo*) croquis m, esquisse f; (*TEATRO*) texte m du souffleur; (*apuesta*) mise f.

apuñalar vt poignarder.

apurado, a a (*necesitado*) gêné(e), dans la gêne; (*dificultoso, peligroso*) difficile, périlleux(euse); (*exhausto*) épuisé(e), tari(e); (*preciso*) exact(e); (*AM*) pressé(e), à court de temps.

apurar vt (*purificar*) épurer, purifier; (*extremar*) épuiser, pousser à l'extrême; (*agotar*) vider, épuiser; (*molestar*) mettre ou pousser à bout; (*apremiar*) harceler, presser; ~**se** vr s'affliger, s'attrister; (*AM*) se dépêcher.

apuro nm (*aprieto*) gêne f, embarras m; (*escasez*) manque m, pénurie f; (*aflicción*) affliction, tristesse f; (*AM*) urgence f, hâte f.

aquejar vt peiner, affliger; (*MED*) souffrir de.

aquel, aquella, aquellos, as det (m) ce; (f) cette; (mpl) ces; (fpl) cettes.

aquél, aquélla, aquéllos, as pron (m) celui-là; (f) celle-là; (mpl) ceux-là; (fpl) celles-là.

aquello pron cela.

aquí ad (*lugar*) ici, là; (*tiempo*) alors, maintenant; **andar de ~ para allá** marcher çà et là; ~ **arriba** là-haut; ~ **mismo** ici même; ~ **yace** ci-gît; **de ~ a siete días** dans sept jours; **de ~ en adelante** désormais.

aquiescencia nf acquiescement m, assentiment m.

aquietar vt (*sosegar*) rassurer, apaiser; (*calmar*) calmer.

aquilatar vt (el *oro*) déterminer, estimer; (*fig*) jauger, mesurer.

ara nf autel m // nm (*AM*) ara m; **en ~s de** au nom de.

árabe a arabe // nm/f arabe m/f.

Arabia Saudita nf l'Arabie f Saoudite.

arado nm (*AGR*) charrue f; (*AM*) labours mpl.

aragonés, esa a aragonais(e) // nm/f Aragonais/e.

arana nf (*mentira*) mensonge m; (*fraude, estafa*) escroquerie f, fraude f.

arancel nm tarifs mpl; droits mpl de douane.

araña nf (*ZOOL*) araignée f; (*tela de araña*) toile f d'araignée; (de *mar*) araignée de mer; (de *luces*) lustre m; (*fam*) fourmi f.

arañar vt griffer, égratigner.

arañazo nm égratignure f.

arar vt labourer.

arbitraje nm arbitrage m.

arbitrar vt (*dirimir*) régler un différend; (*determinar*) déterminer, décider; (*entre adversarios*) arbitrer; ~**se** vr s'ingénier; s'arranger.

arbitrariedad nf arbitraire nm.

arbitrario, a a arbitraire.

arbitrio nm (*voluntad*) volonté f; (*JUR*) arbitrage m; (*impuesto*) taxes fpl, charges fpl.

árbitro nm arbitre m.

árbol nm (*BOT*) arbre m; (*NAUT*) mât m; (*TEC*) arbre (moteur) m.

arbolado, a a boisé(e), couvert(e) // nm plantation f (d'arbres).

arboladura nf mâture f.

arbolar vt (*enarbolar*) arborer; (*NAUT*) mâter; ~**se** vr se cabrer.

arboleda nf bois m, bosquet m.

arbotante nm arc-boutant m.

arbusto nm arbrisseau m, arbuste m.

arca nf (*cofre*) coffre m; (de *caudales*) coffre-fort m; ~**s** nfpl coffres mpl.

arcada nf (*serie de arcos*) arcade f; (de *puente*) arche f; ~**s** nfpl nausées fpl.

arcade, arcádico, a, arcadio a arcadien(ne).

arcaduz nm (*caño*) conduite f tuyau m; (*cangilón*) godet m, auge f.

arcaico, a a (*antiguo*) archaïque; (GEO) archéen(ne).

arcángel nm archange m.

arcano, a a secret(ète), caché(e) // nm mystère m; secret m, arcane m.

arce nm érable m.

arcediano nm archidiacre m.

arcilla nf argile f.

arco nm arc m; (*de violín*) archet m; (ANAT) arcade f (dentaire); (*de puente*) arche f; ~ **iris** arc-en-ciel m.

arcón nm grand coffre.

archipiélago nm archipel m.

archivar vt classer; (fig) mettre au rancart, oublier.

archivo nm (*lugar*) archives mpl; (*registro*) archives, documents mpl.

arder vi brûler; (fig) brûler (euse), bouillir de colère // vt brûler; ~**se** vr brûler, griller.

ardid nm ruse f, artifice m.

ardido a hardi(e), brave.

ardiente a ardent(e); (fig) passionné(e), fervent(e).

ardilla nf écureuil m.

ardor nm (*calor*) canicule f, chaleur f; (*pasión, vehemencia*) ardeur f; ~**es** nmpl brûlures fpl (d'estomac).

ardoroso, a a = **ardiente**.

arduo, a a ardu(e).

área nf (*superficie*) aire f; (GEOM) surface f; (*medida agraria*) are m; (DEPORTE) surface de réparation.

arena nf sable m; (*de una lucha*) arène f; (*redondel*) arènes fpl; (MED) calculs mpl, sable.

arenal nm (*terreno*) étendue de sable f; (*arenas movedizas*) sables mouvants; (NAUT) banc m de sable.

arenga nf harangue f; (fam) sermon m, harangues.

arengar vt haranguer.

arenisco, a a sablonneux(euse), aréneux(euse) // nf grès m.

arenoso, a a sablonneux(euse).

arenque nm hareng m.

argamasa nf mortier m.

argamasar vt (*mezclar la argama-*

sa) gâcher; (*unir con*) mélanger, cimenter.

Argel n Alger.

Argelia nf Algérie f.

argelino, a a algérien(ne) // nm/f Algérien/ne.

argentino, a a argentin(e) // nm/f: **Argentina** Argentine/e // nf: **Argentina** Argentine f.

argolla nf (*arco*) anneau m; (*juego*) croquet m; (*castigo*) carcan m, pilori m; (*adorno*) collerette f, parure f de femme; (fig) carcan; (AM) alliance f.

argucia nf argutie f.

argüir vt arguer, déduire; faire voir, prouver, démontrer; reprocher, accuser // vi argumenter, discuter.

argumentación nf argument m, argumentation f, raisonnement m.

argumentar vt argumenter, discuter, prouver; déduire, conclure.

argumento nm argument m; (AM) discussion f.

aridez nf aridité f; (fig) aridité f.

árido, a a (*seco, estéril*) aride; (*falto de amenidad*) sec (sèche) // ~**s** nmpl (*granos, legumbres*) grains mpl, céréales fpl.

Aries nm le Bélier; **ser (de)** ~ être (du) Bélier.

ariete nm bélier m.

ario, a a aryen(ne) // nf aria f.

arisco, a a (*áspero, intratable*) bourru(e), intraitable, sauvage; (*huidizo*) peureux(euse), farouche.

arista nf (*del grano*) arête f; (*del trigo*) barbe f; (ARQ) voûte f d'arêtes.

aristócrata nm/f aristocrate m/f.

aritmética nf arithmétique f.

arlequín nm arlequin m; (fig) pantin m, polichinelle m.

arma nf arme f.

armada nf armée f de mer, flotte f; escadre f.

armado, a a armé(e).

armadura nf (MIL) armure f; (TEC) armature f, charpente f; (*de techo*) lattis m; (ZOOL) squelette m; (FISICA) armature; (MUS) armature, armure.

armamento nm armement m.

armar vt (soldado) armer; (máquina) monter; (navío) armer, équiper; (fig) préparer, organiser; **~se** vr s'armer de; (AM) s'obstiner.

armario nm armoire f.

armatoste nm monument m, objet m inutile; (fam) gros tas.

armazón nf armature f, carcasse f; (AUTO) châssis m; (TEC) charpente f, monture f; (ZOOL) squelette m, carcasse f // nm (AM) charpente f en bois.

armella nf piton m.

armería nf (depósito) arsenal m; (museo) musée m de l'armée; (tienda, arte) armurerie f.

armiño nm hermine f.

armisticio nm armistice m.

armonía nf harmonie f.

armonioso, a a harmonieux (euse).

armonizar vt harmoniser // vi être en harmonie.

arnés nm harnais m; **arneses** nmpl harnais m.

aro nm (argolla) anneau m, cercle m; (juego) cerceau m; (AM: anillo) bague f; (: pendiente) boucle d'oreille f.

aroma nm arôme, parfum m.

aromático, a a aromatique.

arpa nf harpe f.

arpía nf harpie f.

arpista nm/f harpiste m/f.

arpón nm harpon m.

arquear vt (doblar) plier, arquer; (lana) arçonner; (navío) jauger; **~se** vr se courber.

arqueo nm (gen) courbure f, cambrure f; (de navío) jauge f; (de lana) arçonnage m; (COM) caisse f, compte m de la caisse.

arqueología nf archéologie f.

arquero nm (soldado) archer m; (cajero) caissier m; (fabricante) fabricant m de cerceaux.

arquitecto nm architecte m.

arquitectónico, a a architectonique.

arrabal nm faubourg m.

arracada nf boucle d'oreille f.

arracimarse vr se réunir, se disposer en grappes.

arraigado, a a a enraciné(e).

arraigar vt enraciner // vi s'enraciner, prendre racine; **~se** vr se fixer, s'établir.

arrancar vt (sacar) déraciner; (separar) arracher; (fig) arracher, extorquer // vi démarrer, partir.

arranque nm (de alguien) départ m; (de coche) démarrage m; (fig) élan m; (ANAT) attache f, articulation f; (ARQ) point m de départ, base f; (TEC) démarreur m; (de AM, generosidad) sursaut m; accès m; **botón de ~** démarreur.

arranquera nf (AM) = **arranque**.

arras nfpl arrhes fpl.

arrasar vt (aplanar) aplanir; (destruir) raser; (llenar) remplir à ras bords // vi s'éclaircir.

arrastrado, a a misérable; (AM) servile // nm/f coquin/e // f traînée f; **llevar algo ~** trimballer qch.

arrastrar vt (algo por el suelo) traîner; (los pies) traîner; (a alguien al cine) traîner, entraîner; (suj: agua, viento) entraîner // vi traîner; **~se** vr (persona, animal) ramper, se traîner; (humillarse) ramper, s'humilier.

arrayán nm myrte m.

arrear vt (animal) exciter, stimuler; (: poner arreos a) harnacher // vi se dépêcher; **¡arre(a)! hue!**

arrebatado, a a emporté(e), impétueux(euse); violent(e); (enrojecido) rouge, congestionné(e).

arrebatar vt (quitar) enlever, arracher; (fig) ravir, transporter; (AM) bousculer, renverser; **~se** vr (enfurecerse) s'emporter, sortir de ses gonds; (entusiasmarse) s'enthousiasmer; (torta) se gâcher.

arrebato nm emportement m, fureur f; enthousiasme m; extase f; transport m.

arrebol nm (colorete) rouge m; (de las nubes) rougeoiement (des nu ages) m; embrasement m; (*enroje-cimiento*) rougissement m.

arrebujarse vr s'envelopper.

arreciar vi redoubler.

arrecife nm chaussée f; (NAUT) récif m.

arreglado, a a (*ordenado, limpio*) réglé(e), soumis(e); (*moderado*) modéré(e).

arreglar vt (*poner orden*) régler; (*algo roto*) réparer, arranger; (*concertar*) conclure; (*problema*) régler; (MUS) accorder; **~se** vr (*vestirse*) s'habiller; (*el pelo*) s'arranger; (*contentarse*) se contenter.

arreglo nm (*poner orden*) accord m; (*conciliación*) arrangement m; (MUS) arrangement m.

arremangar vt retrousser, relever; **~se** vt retrousser; (*fam*) se disposer à faire qch.

arremeter vt s'attaquer, tomber sur // vi: **~ a** foncer sur.

arremetida nf attaque f; assaut m; (*empujón*) bousculade, poussée f; (*de caballo*) ruade f.

arremolinarse vr (*hojas*) tournoyer, tourbillonner; (*aguas*) tourbillonner; (*gente*) s'entasser.

arrendador, a nm/f loueur m.

arrendamiento nm (*alquiler*) location f, affermage m; (*contrato*) bail m.

arrendar vt louer.

arrendatario, a nm/f locataire m, affermataire m.

arreo nm parure f, ornement m; **~s** nmpl harnais mpl; (AM) acte m de conduire les animaux au pâturage.

arrepentimiento nm repentir m.

arrepentirse vr: **~ de** se repentir de; regretter.

arrestado, a a détenu(e), arrêté(e).

arrestar vt arrêter; (MIL) mettre aux arrêts.

arresto nm détention f; (MIL) arrêts mpl; (*audacia, arrojo*) audace f; hardiesse f; **~ domiciliario** résidence forcée.

arriar vt (*velas, bandera*) amener;

(*un cable*) affaler, mollir; **~se** être inondé.

arriate nm plate-bande f; chaussée f.

arriba ad (*posición*) en haut; (*dirección*) là-haut, en haut; **~ de** au-dessus de; **~ del todo** tout en haut; **en el piso de ~** à l'étage au-dessus; au dernier étage; **calle ~** en remontant la rue; **lo ~ mencionado** le mentionné ci-dessus; **~ de 20 francos** plus de 20 francs; **de ~** gratis, à l'œil; **¡~ las manos!** haut les mains!

arribar vi (NAUT) accoster; (*persona*) arriver.

arribo nm arrivée f.

arriendo nm (*alquiler*) location f; affermage m; (*contrato*) bail m.

arriero nm muletier m.

arriesgado, a a (*peligroso*) dangereux(euse); risqué(e); (*audaz*) hardi(e), audacieux(euse).

arriesgar vt hasarder; **~se** vr: **~se a** s'exposer à, se risquer à.

arrimar vt (*acercar*) approcher; (*adosar*) adosser; (*apoyar*) appuyer; (*dar golpes*) donner, flanquer; **~se** vr (*apoyarse*) s'appuyer; (*aproximarse*) s'approcher; (*juntarse*) se réunir, se rapprocher.

arrimo nm approche f; (*fig*) appui m, soutien m.

arrinconado, a a (*apartado*) laissé(e) de côté, jeté(e) dans un coin; (*fig: desatendido: persona*) délaissé(e); (*olvidado*) oublié(e), négligé(e).

arrinconar vt (*poner en un rincón*) mettre dans un coin; (*dejar de lado*) abandonner, laisser de côté; (*olvidar*) oublier; (*acosar*) acculer, traquer; **~se** vr se renfermer, vivre à l'écart.

arrizar vt (*lastrar*) lester; (*atar*) attacher, lier; **~ (la vela)** prendre des ris.

arroba nf arrobe f.

arrobamiento nm extase f, ravissement m.

arrodillarse *vr* s'agenouiller.

arrogancia *nf* arrogance f; superbe f; élégance f.

arrogante a arrogant(e); élégant(e); vaillant(e), courageux (euse).

arrogarse *vr* s'arroger, s'approprier.

arrojado, a a courageux(euse), téméraire.

arrojar *vt* lancer, jeter; (*demostrar, señalar*) démontrer, faire apparaître, signaler; (*fam*) vomir, cracher; ~**se** *vr* se jeter, se précipiter, se ruer.

arrojo *nm* courage m, intrépidité f.

arrollar *vt* enrouler, rouler; entraîner; mettre en déroute; confondre; (*AM*) = **arrular**.

arropar *vt* (*cubrir*) couvrir; (*abrigar con mantas*) envelopper, emmitoufler; (*fig*) protéger; (*vino*) mêler du moût cuit à; ~**se** *vr* se couvrir.

arrope *nm* moût cuit m; (*almíbar de miel*) sirop m de miel; (*jarabe*) sirop; (*AM*) confiture f.

arroró *nm* dodo m.

arrostrar *vt* affronter, braver; faire face à, résister à; ~**se** *vr* se mesurer, tenir tête.

arroyo *nm* (*de agua*) ruisseau m; (*de la calle*) caniveau m; (*fig*) rue f.

arroz *nm* riz m.

arrozal *nm* rizière f.

arruga *nf* (*de cara*) ride f; (*de vestido*) pli m.

arrugar *vt* chiffonner, froisser; ~**se** *vr* (*encogerse*) se rétrécir; (*vestido*) se froisser.

arruinar *vt* ruiner; démolir; ~**se** *vr* se démolir, (*AM*) être ruiné f.

arrullar *vi* (*palomo*) roucouler // *vt* (*fig: niño*) bercer en chantant; (: *fam*) roucouler auprès de qn.

arrullo *nm* roucoulement m; (*canción*) berceuse f.

arrumaco *nm* (*fam: mimo*) câlinerie f, chatterie f; (: *adorno*) fanfreluche f.

arrurruz *nm* arrow-root m.

arsenal *nm* arsenal m.

arsénico *nm* arsenic m.

arte *nm* (*gen m en sing y siempre f en pl*) art m; ~**s** *nfpl* arts mpl.

artefacto *nm* machine f; ~**s explosivos** engins explosifs.

artejo *nm* (*nudillo*) jointure f; articulation f; (*de insectos*) article m.

arteria *nf* artère f.

artesa *nf* (*de panadero*) pétrin m; (*de albañil*) auge f.

artesano *nm* artisan m.

artesonado *nm* plafond m à caissons; mur lambrissé.

ártico, a a arctique // *nm*: **el Á~** l'Arctique m.

articulación *nf* (*ANAT*) articulation f; (*LING*) articulation, prononciation f; (*TEC*) joint m.

articulado, a a articulé(e) // *nm* ensemble m des articles d'une loi; (*ZOOL*) articulé m.

articular a articulaire // *vt* articuler.

artículo *nm* (*de periódico*) article m; (*de alimentación*) denrée f; (*LING*) article m.

artífice *nm* artiste m; auteur m.

artificio *nm* artifice m; habileté f, art m; (*fig*) astuce f.

artificioso, a a ingénieux(euse); (*disimulado*), engañoso) artificieux(euse).

artillería *nf* artillerie f.

artillero *nm* artilleur m.

artimaña *nf* (*trampa*) piège m, traquenard m; (*artificio, astucia*) ruse f, artifice m.

artista *nm/f* artiste m/f.

artístico, a a artistique.

artritis *nf* arthrite f.

arzobispado *nm* archevêché m.

arzobispo *nm* archevêque m.

arzón *nm* arçon m.

as *nm* as m.

asa *nf* (*de vasija, cesta*) anse f; (*BOT*) assa f.

asado *nm* grillade f // à rôti(e).

asador *nm* (*varilla*) broche f; (*AM*) rôtisseur m.

asalariar vt salarier.

asaltador, a a nm/f, **asaltante** nm/f assaillant/e.

asaltar vt assaillir, attaquer.

asalto nm assaut m; (DEPORTE) round m; (MIL) surprise-partie f.

asamblea nf assemblée f; (MIL) rassemblement m.

asar vt griller; ~**se** vr (fig) étouffer, cuire de chaleur.

asaz ad assez.

asbesto nm asbeste f.

ascendencia nf (antepasados) ascendance f, lignée f; (origen) ascendance, origine f; (AM: fig) ascendant m.

ascender vi (subir) monter, s'élever; (ser promovido) être promu(e); ~ a s'élever à.

ascendiente nm ascendant m // nm/f ascendant/e.

ascensión nf (subida) ascension f; (promoción) avancement m.

ascensor nm ascenseur m.

asceta nm/f ascète m/f.

ascético, a a ascétique.

asco nm dégoût m.

ascua nf braise f.

aseado, a a (limpio) propre, net(te); (elegante) bien mis(e), élégant(e).

asear vt (limpiar) laver; (arreglar) arranger; (adornar) parer, orner.

asechanza nf traquenard m, embûche f, piège m.

asechar vt tendre un piège pour; (AM) tendre un traquenard pour // vi (fig) attendre son heure.

asediar vt (sitiar) assiéger; (perseguir) poursuivre, harceler; (molestar) harceler.

asedio nm siège m.

asegurado, a a assuré(e).

asegurador, a nm/f assureur m.

asegurar vt (consolidar) assurer; (dar garantía de) garantir; (preservar) préserver, garantir; (afirmar, dar por cierto) certifier; (tranquilizar) rassurer; (tomar un seguro) assurer, prendre une assurance sur; ~**se** vr s'assurer.

asemejarse vr se ressembler.

asendereado, a a fréquenté(e), battu(e); (fig) surmené(e), accablé(e); expérimenté(e).

asentado, a a placé(e); situé(e); (fig) stable, équilibré(e).

asentar vt (sentar) asseoir; (poner) placer; (fundar) fonder; (alisar) aplatir; (anotar) porter, inscrire; (afirmar) poser, établir; (afinar) aiguiser.

asentimiento nm assentiment m, consentement m.

asentir vi assentir, consentir.

aseo nm (limpieza) propreté f; (pulcritud) soin m.

asequible a accessible; abordable, à la portée de.

aserción nf assertion f.

aserrado, a a dentelé(e).

aserrar vt scier.

aserrín nm sciure f.

aserto nm assertion f.

asesinar vt assassiner; (fig) affliger, causer une vive affliction à.

asesinato nm assassinat m.

asesino, a a assassin(e) // nm/f assassin m/f.

asesor, a nm/f conseiller/ère.

asesorar vt conseiller; ~**se** vr: ~**se con** o **de** prendre conseil de.

asestar vt braquer, pointer; (golpear) asséner.

aseveración nf affirmation f.

aseverar vt affirmer.

asfalto nm asphalte m.

asfixiar vt asphyxier; (fig) étouffer; ~**se** vr s'asphyxier.

asgo etc vb ver **asir**.

así ad (de esta manera) ainsi, comme cela; (aunque) même si, quand bien même; (tan luego como) tant que, dès que; ~ **que** o **como** dès que; ~ **que** ce qui fait que; ~ **y todo** tout de même; ~ **como** ~ comme ci, comme ça; de toute manière; ¡**no es** ~? n'est-ce pas?

Asia nf Asie f.

asiático, a a asiatique.

asidero nm manche m, poignée f;

(fig) occasion f, prétexte m; *(fig)* appui m.

asiduidad nf assiduité f.

asiduo, a a assidu(e) // nm/f familier m; ~ a habitué à.

asiento nm *(silla, sillón, sofá)* siège m; *(de coche)* banquette f; *(base)* assise f; *(sitio)* emplacement m; *(fondo de botella, caja)* fond m; *(localidad)* place f; *(colocación)* pose f, mise en place f; *(depósito)* dépôt m, lie f; *(ARQ: sedimento)* tassement m de matériaux; *(COM: en libro)* enregistrement m, inscription f; *(TEC)* siège m, embouchure f; *(cordura)* sagesse f, bon sens.

asignación nf *(atribución)* assignation f; *(subsidio)* attribution f; *(sueldo)* traitement m, émoluments mpl.

asignar vt assigner, attribuer, accorder.

asignatura nf matière f.

asilo nm *(refugio, establecimiento)* asile m; *(amparo)* protection f.

asimilación nf assimilation f.

asimilar vt *(asemejar)* assimiler, ressembler à; *(sustancias nutritivas)* assimiler; ~se vr s'assimiler, se ressembler.

asimismo ad de la même manière; aussi, de même.

asir vt prendre, saisir; ~se vr se saisir; s'accrocher.

asistencia nf assistance f; présence f; secours m.

asistir vt assister; secourir // vi être présent(e).

asno nm âne m.

asociación nf association f.

asociado, a a associé(e) // nm/f associé/e; *(socio)* membre m/f.

asociar vt associer.

asolar vt ravager; ~se vr se déposer, former un dépôt.

asolear vt mettre au soleil; ~se vr *(acalorarse)* se chauffer au soleil.

asomar vt montrer, laisser voir // vi apparaître; ~se vr se montrer, apparaître; *(fam)* être un peu gris(e); ~ la cabeza por la ventana

se pencher par la fenêtre.

asombrar vt *(dar sombra)* ombrager; *(pintura)* obscurcir; *(a alguien: causar admiración, sorpresa)* épater, stupéfier; *(asustar)* effrayer; ~se vr s'effrayer; s'étonner.

asombro nm frayeur f, étonnement m.

asombroso, a a étonnant(e), prodigieux(euse).

asomo nm indice m, signe m; apparence f; ombre f; soupçon m.

asonada nf tumulte m, émeute f.

asonancia nf assonance f, *(fig)* rapport m, relation f.

aspa nf *(cruz)* croix f de Saint André; *(de molino)* aile f; *(BLASÓN)* sautoir m; *(cuerno)* corne f.

aspar vt dévider; mortifier; ~se vr s'égosiller.

aspaviento nm outrance f, ~s nmpl simagrées fpl.

aspecto nm *(apariencia)* aspect m; *(semblante)* allure f; *(terreno)* domaine m; **bajo este** ~ à ce point de vue.

aspereza nf aspérité f, *(fig)* rudesse f.

áspero, a a âpre; *(al gusto, de carácter)* dur(e), acerbe.

aspersión nf aspersion f.

áspid(e) nm aspic m.

aspillera nf meurtrière f.

aspiración nf aspiration f.

aspirar vt aspirer; prétendre.

asquerosidad nf saleté f.

asqueroso, a a dégoûtant(e).

asta nf haste f, lance f, pique f; manche f; corne f, **a media** ~ en berne.

astilla nf *(de madera, piedra)* éclat m, fragment m de bois/pierre; *(de leña)* écharde f; *(de hueso)* esquille f.

astillero nm *(NAUT)* chantier naval; *(percha)* râtelier m.

astreñir vt = **astringir.**

astringente a astringent(e) // nm astringent m.

astringir vt astreindre, resserrer.

astro nm astre m; (fig) vedette f, étoile f, star f.

astrólogo nm astrologue m.

astronomía nf astronomie f.

astrónomo nm astronome m.

astucia nf astuce f, ruse f.

asturiano, a a asturien(enne).

astuto, a a astucieux(euse), madré(e).

asueto nm congé m.

asumir vt assumer.

asunción nf prise f en charge; (REL) assomption f.

asunto nm (tema) sujet m; (negocio) affaire f; (caso) fait m; (molestia) ennui m.

asustadizo, a a (temeroso, miedoso) craintif(ive); (nervioso) ombrageux(euse).

asustar vt effrayer; ~se vr avoir peur.

atabal nm timbale f.

atacar vt (acometer, embestir) attaquer; (impugnar) combattre; (MUS) attaquer; (QUÍMICA) attaquer, ronger.

atado, a a lié(e); (fig) embarrassé(e), gauche // nm paquet m.

atadura nf (ligazón) attache f; (fig: unión) lien m; (traba) entrave f.

atajar vt arrêter, couper; interrompre // vi prendre un raccourci; ~se vr (AM) se protéger; (fig) se troubler; (:fam) s'enivrer.

atajo nm (camino) raccourci m; (medio) expédient m; (RUGBY) plaquage m; (FÚTBOL) tackle m.

atalaya nf (torre) tour f de guet; (elevado) éminence f, hauteur f // nm guetteur m, vigie f.

atañer vi concerner.

ataque nm (MED) attaque f, crise f; (MIL) attaque f; (MUS) attaque f; ~ **de risa** fou-rire m.

atar vt (unir, sujetar: animal, paquete, persona) attacher; (zapatos) lacer; ~se vr (concluir, deducir) tirer des conclusions; (fig: embarazarse, intimidarse) se troubler, s'embrouiller; (ceñirse a una cosa o

persona) s'en tenir; ~**se la lengua** rester muet(te).

atarantar vt étourdir; ~**se** vr se précipiter.

atareado, a a affairé(e).

atarear vt donner une tâche à; ~**se** vr s'affairer.

atarjea nf (cañería) conduite f d'eau; (alcantarilla) égout m.

atarugar vt (fijar) cheviller; (tapar) boucher; (fam) clouer le bec à; ~**se** vr (fam: callarse) rester court, ne savoir que répondre; (: atragantarse) s'empiffrer; (: confundirse) se troubler.

atasajar vt découper.

atascamiento nm = atasco.

atascar vt (cañería) boucher, engorger; ~**se** vr s'embourber, s'enliser.

atasco nm (de cañería) engorgement m, obstruction f; (AUTO) embouteillage m; (impedimento) empêchement m.

ataúd nm cercueil m; bière f.

ataviado, a a paré(e).

ataviar vt parer, orner; ~**se** vr se parer, s'habiller avec soin.

atavío nm parure f.

atavismo nm atavisme m.

atemorizar vt effrayer; ~**se** vr s'effrayer.

atemperar vt tempérer, modérer; adapter; ~**se** vr se modérer; s'adapter.

Atenas n Athènes f.

atención nf attention f; politesse f; courtoisie f; intérêt m // excl attention!

atender vt s'occuper de; servir, accueillir; assurer // vi faire attention.

ateneo nm athénée m.

atenerse vr: ~ a (ajustarse) s'en tenir à; (acogerse) recourir à.

atentado nm attentat m.

atentar vi: ~ a attenter à.

atento, a a attentif(ive); (cortés) prévenant(e), attentionné(e).

atenuación nf atténuation f.

atenuante a atténuant(e) // nm (AM) circonstance atténuante.

atenuar vt (disminuir) atténuer; (minimizar) diminuer.

ateo, a a athée // nm/f athée m/f.

aterido, a a transi(e) de froid.

aterrador, a a effroyable.

aterrar vt (echar por tierra) renverser à terre; (MIN) décombrer; (atemorizar) effrayer; (AM) remplir de terre; ~**se** vr (estar aterrado) être aterré(e); (tener pánico) être terrorisé(e).

aterrizar vi atterrir.

aterrorizar vt terroriser; ~**se** vr être terrorisé(e).

atesorar vt thésauriser; (fig) réunir.

atestación nf (deposición) témoignage m, déclaration f.

atestar vt bourrer, remplir, bonder; (JUR) témoigner; ~**se** vr (fig: fam) s'empiffrer.

atestiguar vt (JUR) témoigner; (fig) démontrer.

atezar vt (ennegrecer) brunir, noircir; (pulir) polir; ~**se** vr brunir.

atiborrar vt bourrer; (fig: fam) remplir; ~**se** vr se gaver; (AM) bonder, remplir.

ático, a a attique // nm attique m, dernier étage.

atildamiento nm critique f; censure f; (fig) parure f, ornement m.

atildar vt mettre un tilde sur; critiquer; censurer; ~**se** vr se pomponner, se parer.

atinado, a a judicieux(euse); pertinent(e); approprié(e), adéquat(e).

atinar vt trouver, découvrir.

atisbar vt (acechar) guetter; (mirar con disimulo) regarder discrètement; observer.

atizar vt (fuego, luz) tisonner; (fig) attiser; ~ **un golpe** flanquer un coup; ~**se** vr (AM: fam: con marijuana) se défoncer.

atlántico, a a atlantique // nm: **el (océano) A**~ l'(océan) Atlantique m.

atlas nm atlas m.

atleta nm athlète m.

atlético, a a athlétique.

atmósfera nf atmosphère f; (fig) climat m.

atolón nm atoll m.

atolondrado, a a écervelé(e), étourdi(e).

atolondramiento nm étourderie f.

atolladero nm bourbier m; (fig) impasse f.

atollar vi engorger, embourber; ~**se** vr s'embourber, s'enliser; (fig) s'embrouiller, s'empêtrer.

átomo nm atome m.

atónito, a a abasourdi(e), stupéfait(e).

atontado, a a (aturdido) étourdi(e); (boquiabierto) ébahi(e); (confundido) confondu(e).

atontar vt (aturdir) étourdir; (volver tonto) abrutir; ~**se** vr (aturdirse) entêter, étourdir; (embrutecerse) abrutir.

atorar vt (cañería) engorger, obstiner; (tapar) boucher; ~**se** vr s'engorger, s'obstiner; (AM: fam) avaler de travers.

atormentador, a a (persona) tourmenteur(euse); (cosa) pénible, douloureux(euse).

atormentar vt torturer; inquiéter; vexer; préoccuper; ~**se** vr s'inquiéter, se tourmenter.

atornillar vt visser.

atosigar vt empoisonner; (fig) harceler, presser; ~**se** vr être obsédé(e) ou harcelé(e).

atrabiliario, a a atrabilaire.

atrabilis nf atrabile f; (fig) mauvaise humeur.

atracar vt (NAUT) amarrer; (robar) attaquer, dévaliser; (fam) bourrer, gaver // vi amarrer; ~**se** vr (fam) se gaver, s'empiffrer.

atracción nf attraction f; (simpatía) attirance f.

atraco nm agression f.

atractivo, a a attractif(ive) // nm/f charmeur(euse).

atraer vt attirer.

atrancar vt (con tranca, barra) barrer, barricader; (obstruir) boucher; ~**se** s'embourber; s'obstiner.

atrapar vt attraper; (fig) décrocher, obtenir; (: engañar) tromper.

atrás ad (movimiento) en arrière; (tiempo) plus tôt, auparavant; **ir hacia** ~ aller en arrière; **estar** ~ être à l'arrière.

atrasado, a en retard; (mentalmente) arriéré(e); **estar** ~ **de** être à court de.

atrasar vt (reloj) retarder; ~**se** vr (quedarse atrás) rester en arrière; (llegar tarde) se mettre en retard; (endeudarse) s'endetter; (en crecimiento físico o mental) être retardé(e).

atraso nm retard m; (de pago) arriéré m.

atravesar vt (poner al revés) mettre en travers; (traspasar) percer, transpercer; (la calle) traverser; (fig: pasar) traverser; (NAUT) mettre à la cape; (AM) monopoliser; ~**se** vr se mettre en travers; **me atraviesa** (fam) je ne peux pas le sentir.

atrayente a attrayant(e).

atrenzo nm (AM) difficulté f, épreuve f.

atreverse vr oser; manquer de respect.

atrevido, a a osé(e); hardi(e), audacieux(euse) // nm/f insolent/e.

atrevimiento nm insolence f, effronterie f; audace f.

atribución nf (asignación) attribution f, assignation f; (concesión, otorgamiento) attribution.

atribuir vt (adjudicar) attribuer; (conceder, otorgar) accorder.

atribular vt affliger, consterner; ~**se** vr être affligé(e), être consterné(e).

atributo nm (propiedad o cualidad) attribut m, apanage m; (símbolo) attributs mpl; (LING) attribut m.

atril nm lutrin m, appui-livres m.

atrincherar vt retrancher; ~**se** vr se retrancher.

atrio nm (de iglesia) parvis m; (zaguán) vestibule m.

atrocidad nf atrocité f, horreur f; (fam) cruauté f.

atrofiarse vr s'atrophier.

atronar vt (aturdir) assourdir; (matar: un animal) assommer.

atropellado, a a á précipité(e).

atropellar vt (derribar) renverser; (empujar) bousculer violemment; (pasar por encima de) passer outre à; (agraviar) malmener, maltraiter; (ultrajar) outrager; ~**se** vr se bousculer.

atropello nm (accidente) accident m; (agravio) mauvais traitement m; (empujón) bousculade f; (insulto) outrage m; (fig) violation f.

atroz a atroce, démesuré(e).

atto, a abr de **atento**.

atún nm thon m.

aturdido, a a á étourdi(e).

aturdir vt (perturbar con ruidos) étourdir, ahurir; (confundir) confondre.

aturrullar vt décontenancer, troubler; ~**se** vr se troubler, s'affoler.

atusar vt (recortar) tondre; (acariciar) caresser; ~**se** vr se pomponner.

audacia nf audace f, hardiesse f.

audaz a audacieux(euse) // nm/f audacieux/euse.

audiencia nf audience f; (tribunal) tribunal m, cour f, Palais de Justice; (AM) audience.

auditor nm (JUR) assesseur m, conseiller m juridique; (AM) écoute f.

auditorio nm (oyentes) auditoire m; (edificio) auditorium m.

auge nm apogée m.

augurar vt augurer, prédire; conjecturer, présumer.

aula nf salle f, amphithéâtre m.

aulaga nf ajonc m.

aullar vi hurler.

aullido nm hurlement m.

aumentar vt augmenter; (con microscopio, anteojos) grossir;

(*fuego, luz*) intensifier // *vi*, ~se *vr* s'agrandir, s'accroître; se mettre en quatre; se reproduire.

aumento *nm* augmentation *f*, grossissement *m*; amplification *f*; élargissement *m*; intensification *f*.

aun *ad* même, cependant, malgré tout.

aún *ad* encore, toujours.

aunar *vt* unir, réunir; unifier.

aunque *conj* quoique, bien que.

aura *nf* zéphir *m*; (*fig*) faveur *f* populaire, approbation *f*.

áureo, a *a* d'or, doré(e).

aureola *nf* auréole *f*.

auricular *a* auriculaire // *nm* (*dedo*) auriculaire *m*; (*del teléfono*) combiné *m*.

aurífero, a *a* aurifère.

aurora *nf* aurore *f*.

ausencia *nf* absence *f*.

ausentarse *vr* s'absenter.

ausente *a* absent(e) // *nm/f* absent/e *m/f*.

auspicio *nm* protection *f*.

austeridad *nf* austérité *f*.

austero, a *a* austère.

austral *a* austral(e).

Australia *nf* Australie *f*.

australiano, a *a* australien(ne).

Austria *nf* Autriche *f*.

austríaco, a *a* autrichien(ne).

autenticar *vt* légaliser.

auténtico, a *a* authentique.

auto *nm* (*JUR*) sentence *f*, arrêté *m*; (*drama*) drame religieux; (*fam*) voiture *f*; ~s *nmpl* (*JUR*) acte *m*.

autócrata *nm/f* autocrate *m/f*.

autógrafo, a *a* autographe // *nm* autographe *m*.

autómata *nm* automate *m*.

automático, a *a* automatique; machinal(e).

automotor, triz *a* automoteur-(trice) // *nm* (*tren*) autorail *m*; (*AM*) véhicule *m*.

automóvil *a* automobile // *nm* automobile *f*.

autonomía *nf* autonomie *f*; indépendance *f*.

autónomo, a *a* autonome.

autopista *nf* autoroute *f*.

autopsia *nf* autopsie *f*.

autor, a *nm/f* auteur *m*.

autoridad *nf* (*persona*) autorité *f*; (*poder*) pouvoir *m*.

autorización *nf* autorisation *f*.

autorizado, a *a* autorisé(e); (*respetado*) accrédité(e).

autorizar *vt* autoriser; légaliser; confirmer; accréditer.

autoservicio *nm* self-service *m*.

auxiliar *vt* aider, porter secours à.

auxilio *nm* secours *m*, aide *f*.

Av *abr* de **Avenida**.

avalancha *nf* avalanche *f*.

avalentonado, a *a* fanfaron(ne).

avalorar *vt* valoriser; (*valorar*) évaluer, estimer; (*fig*) encourager.

avaluar *vt* évaluer, estimer.

avance *nm* progression *f*; avance *f*.

avanzada *nf* avancée *f*.

avanzar *vt* avancer // *vi*, ~se *vr* progresser; (*transcurrir*) passer; (*en edad*) vieillir.

avaricia *nf* avarice *f*.

avariento, a *a* avaricieux(euse).

avaro, a *a* avare // *nm/f* avare *m/f*.

avasallar *vt* asservir, soumettre; ~se *vr* s'asservir.

Avda *abr* de **Avenida**.

ave *nf* oiseau *m*.

avecinarse *vr* s'approcher; se domicilier.

avecindar *vt* domicilier; ~se *vr* s'établir, élire domicile.

avellana *nf* noisette *f*.

avellanar *nm* coudraie *f* // *vt* fraiser; ~se *vr* se ratatiner.

avellaneda *nf*, **avellanedo** *nm* coudraie *f*.

avellano *nm* noisetier *m*; coudrier *m*.

avena *nf* avoine *f*.

avenencia *nf* accord *m*.

avenida *nf* (*calle*) avenue *f*; (*de río*) crue *f*.

avenimiento *nm* accord *m*.

avenir *vt* accorder; ~se *vr* s'accorder; se conformer.

aventajado, a *a* (*notable*) remarquable; (*adelantado*) avancé(e).

aventajar vt (*sobrepasar*) dépasser; (*superar*) surpasser; (*preferir*) préférer; ~**se** vr se dépasser, être avantagé(e).

aventamiento nm (*acción*) éventement m; (AGR) vannage m.

aventar vt éventer; disperser; (AGR) vanner; (*fig: fam*) renvoyer, mettre dehors; ~**se** vr se gonfler d'air; (*fig*) prendre la clé des champs.

aventura nf aventure f; (*casualidad*) hasard m; (*peligro*) risque m.

aventurado, a a risqué(e).

aventurero, a a aventureux (euse); (*fig*) indécent(e); malhonnête // nm/f aventurier(ière) m/f.

avergonzar vt faire honte à; intimider; ~**se** vr avoir honte.

avería nf avarie f; ~ **gruesa** (NAUT) avarie commune.

averiado, a a en panne; (*echado a perder*) avarié(e), gâté(e).

averiarse vr tomber en panne; (*dañarse*) s'abîmer; (*echarse a perder*) se gâter.

averiguación nf enquête f; vérification f; (*búsqueda*) recherche f.

averiguar vt (*buscar, investigar*) rechercher, enquêter; ~**se** vr: ~**se con uno** (*fam*) s'entendre avec qn.

aversión nf opposition f; (*disgusto*) contrariété f; (*repugnancia*) aversion f: **tener** ~ **a** avoir du dégoût pour.

avestruz nm autruche f.

aviación nf aviation f.

aviador, a nm/f aviateur/trice.

avidez nf avidité f.

ávido, a a avide.

avieso, a a retors(e).

avinagrado, a a aigre.

avinagrar vt aigrir; ~**se** vr tourner au vinaigre; (*fig: fam*) être amer(ère) ou acariâtre.

avío nm apprêts mpl; ~**s** nmpl nécessaire m; ¡**al** ~! au travail; **ir a su** ~ ne penser qu'à soi.

avión nm avion m; ~ **de reacción/sin piloto** avion à réaction/ téléguidé.

aviso nm (*noticia*) avis m, nouvelle f; (*advertencia*) avertissement m; (*prudencia*) précaution f, soin m.

avispa nf guêpe f.

avispado, a a éveillé(e), vif(vive).

avispar vt fouetter; (*fig: fam*) éveiller; ~**se** vr se réveiller.

avispero nm (*nido*) guêpier m; (MED) anthrax m.

avistar vt apercevoir; ~**se** vr se réunir.

avituallar vt ravitailler.

avivar vt stimuler; (*fig*) exciter; ~**se** vr reprendre des forces.

avizorar vt guetter.

axioma nm axiome m.

ay excl (*dolor*) aïe!; (*aflicción*) hélas!; ~ **de mí!** pauvre de moi!; ¡~ **del que!** malheur à celui qui.

aya nf gouvernante f.

ayer ad hier; **antes de** ~ avant hier // nm hier m.

ayo nm précepteur m.

ayuda nf (*cooperación*) aide f; (*socorro*) secours m; (MED) lavement m; (AM) laxatif m // nm: ~ **de cámara** valet m de chambre.

ayudanta nf (AM) domestique f.

ayudante nm/f aide m/f, assistant/e; maître auxiliaire m; assistant/e; (MIL) adjudant m.

ayudar vt (*asistir*) aider; (*socorrer*) secourir; ~**se** vr s'aider.

ayunar vi jeûner.

ayunas nfpl: **estar en** ~ (*no haber comido*) être à jeûn; (*ignorante*) ne pas être au courant.

ayuno nm jeûne m; ignorance f.

ayuntamiento nm conseil municipal; hôtel m de ville, mairie f; assemblée f, réunion f; copulation f.

azabache nm jais m.

azada nf houe f.

azadón nm houe f.

azafata nf (*criada*) dame f d'atour; (*en avión*) hôtesse f de l'air.

azafrán nm safran m.

azafate nm corbeille f (d'osier).

azafrán nm safran m.

azahar nf fleur f d'oranger (ou de citronnier).

azar nm (casualidad) hasard m; (desgracia) malheur m, revers m.

azararse vr = azorarse.

azaroso, a a (arriesgado) hasardeux(euse); (desgraciado) malheureux(euse).

ázimo a azyme.

azogue nm mercure m, vif-argent m.

azor nm autour m.

azoramiento nm effarement m, trouble m, gêne f.

azorar vt alarmer; effrayer, surprendre; ~se vr se troubler.

Azores nmpl: los ~ les Açores fpl.

azotar vt (dar azotes) fouetter; (viento, lluvia) frapper, cingler; (pasear) promener; ~se vr flâner.

azote nm (látigo) fouet m; (latigazo) coup m de fouet; (golpe en las nalgas) fessée f; (tira de cuero) lanière f; ~ del viento coup de vent; (persona) fléau m.

azotea nf terrasse f.

azteca a aztèque // nm/f aztèque m/f.

azúcar nm sucre m.

azucarado, a a sucré(e).

azucarero, a a a sucrier(ière) // nm sucrier m // nf (AM) sucrier.

azucarillo nm sucre spongieux.

azucena nf lis m, lys m.

azud nm, **azuda** nf roue f hydraulique; barrage m.

azufre nm soufre m.

azul a bleu(e) // nm indigo m, bleu m.

azulejo nm carreau m de faïence émaillée.

azuzar vt exciter; (fam) asticoter (fam), pousser, embêter.

B

B.A. abr de **Buenos Aires**.

baba nf (saliva) bave f; (mucus) mucus m.

babear vi baver.

babel nm o f (fig) capharnaüm m.

babor nm bâbord m.

babosa nf limace f.

baboso, a a baveux(euse).

babucha nf (zapato) babouche f; (AM) corsage m; llevar a ~ porter à califourchon.

bacalao nm morue f.

bacanal nf (fig) bacchanale f.

bacilo nm bacille m.

bacín nm pot m de chambre.

bacteria nf bactérie f.

bacteriología nf bactériologie f.

báculo nm bâton m; (fig) appui m; ~ pastoral houlette f.

bache nm nid m de poule.

bachiller nm/f ≈ bachelier/ière f.

bachillerato nm (ESCOL) ≈ baccalauréat m.

badajo nm (de campana) battant m; (fig: fam) pie f.

badajocense a de Badajoz.

badana nf basane f.

badulaque nm ballot m; (fig: fam) nigaud m, crétin m.

bagaje nm bagages mpl; (fig) bagage (intellectuel).

bagatela nf bagatelle f.

bagazo nm bagasse f.

bagual (AM) a sauvage // nm cheval m sauvage.

bahía nf baie f.

bailar vt, vi danser.

baile nm (danza) danse f; (reunión) bal m; (lugar) salle f de bal.

baja nf ver bajo.

bajada nf descente f; (camino) pente f, descente; la ~ de bandera la prise en charge.

bajamar nf marée basse.

bajar vi descendre; (temperatura precios) baisser // vt (cabeza) baisser; (temperatura) faire baisser (*escalera*) descendre; (*llevar abajo*) descendre; (*humillar*) rabaisser; ~se *vr* (*de tren*) descendre; (*doblarse*) se baisser.

bajeza nf bassesse f.

bajío nm (NAUT) banc m de sable.

bajo, a a (*terreno, mueble, número, precio*) bas(se); (*de estatura*) petit(e); (*color*) pâle, terne; (*sonido, voz*) bas; (*metal*) vil(e); (*fig: humilde, vil, vulgar*) vil, humble, vulgaire // ad (*hablar, volar*) bas // prep sous // nm (*piso*) rez-de-chaussée m // nf baisse f; (MIL) perte f; (MUS): ~ **cantante/cifrado/continuo/profundo** basse chantante/chiffrée/continue/profonde; ~ **palabra** sur parole; ~ **cero** au-dessous de zéro; ~s **fondos** mpl; **dar de baja** (*soldado*) porter disparu; (*empleado*) congédier.

bajón nm (MUS) basson m; (*baja*) grande baisse.

bajorrelieve nm bas-relief m.

bala nf (MIL) balle f, boulet m; ~ **perdida** balle perdue; (*fig*) écervelé/e, tête brûlée; ~ **trazadora** balle traçante; ~ **de algodón** (COM) balle de coton.

baladí a futil(e), insignifiant(e).

baladrón, ona a fanfaron(ne).

baladronada nf fanfaronnade f.

bálago nm paille f.

balance nm (*balanceo*) balancement m; (NAUT) roulis m; (COM) balance f; **hacer un** ~ faire le bilan.

balancear vt (*equilibrar*) mettre en équilibre // vi (*fig*) hésiter, osciller; ~se vr se balancer.

balanceo nm balancement m; (*de barco*) roulis m.

balancín nm palonnier m; balancier m; bascule f; culbuteur m.

balandra nf sloop m.

balandro nm yacht m, voilier m.

balanza nf balance f; ~ **comercial/de cuentas/de pagos** balance commerciale/des comp-

tes/des paiements; (ASTRO): **B**~ = Libra.

balar vi bêler.

balaustrada nf balustrade f.

balay nm (AM) corbeille f en jonc.

balazo nm coup m de feu.

balbucear, balbucir vi, vt balbutier.

balbuceo nm balbutiement m.

balcón nm balcon m.

baldar vt infirmité f.

baldaquín, baldaquino nm baldaquin m.

baldar vt estropier; (*fig*) contrarier; (NAIPES) couper.

balde nm seau m; **de** ~ ad gratis; **en** ~ ad en vain.

baldear vt (*lavar*) laver à grande eau; (*achicar*) écoper.

baldío, a a (*terreno*) en friche, inculte; (*esfuerzo*) vain(e) // nm terrain m inculte.

baldón nm affront m.

baldosa nf carreau m.

balear vt (AM) blesser ou tuer d'un coup de feu.

Baleares nfpl: **las Islas** ~ les (îles) Baléares fpl.

balido nm bêlement m.

balística nf balistique f.

baliza nf (AVIAT, NAUT) balise f.

balneario, a a: **estación balnearia** station f balnéaire // nm station f balnéaire; établissement m de bains; station thermale.

balón nm ballon m.

balotaje nm (AM) ballottage m.

balsa nf radeau m; (BOT) balsa m.

balsámico, a a balsamique.

bálsamo nm baume m.

baluarte nm rempart m; (*fig*) bastion m.

ballena nf baleine f; (ASTRO): **B**~ Baleine.

ballenero, a a baleinier(ière) // nm (*barco*) baleinière f; (*pescador*) baleinier m.

ballesta nf arbalète f; (AUTO) ressort m à lames.

ballestero nm arbalétrier m.

ballet nm ballet m.

bambolear(se) *vi,* (*vr*) osciller; (*cabeza*) dodeliner.

bamboleo *nm* balancement *m.*

bambolla *nf* (*fam*) esbroufe *f;* (*AM*) épate *f.*

bambú *nm* bambou *m.*

bambuco *nm* (*AM*) air et danse populaire.

banca *nf* (*asiento*) banquette *f;* (*piragua*) pirogue *f;* (*juego*) jeu de hasard; (*COM*) banque *f;* (*AM*) siège *m.*

bancada *nf* (*banco*) banc *m;* (*NAUT*) banc *m* de poisson; (*TEC*) socle *m.*

bancal *nm* (*AGR*) carré *m;* (*terraza*) terrasse *f.*

bancario, a *a* bancaire.

bancarrota *nf* banqueroute *f.*

banco *nm* banc *m;* (*TEC*): ~ de carpintero établi *m;* ~ de prueba banc d'essai; ~ de crédito établissement *m* de crédit; ~ de arena banc de sable; ~ de hielo banquise *f.*

banda *nf* (*faja, cinta*) bande *f;* écharpe *f;* (*MUS*) fanfare *f;* (*NAUT*) bord *m;* (*de gente*) bande *f;* (*de animales*) bande *f,* volée *f;* **la B~ Oriental** l'Uruguay *m;* ~ de carretera voie *f* d'autoroute; ~ de magnética/de sonidos bande magnétique/sonore.

bandada *nf* bande *f.*

bandear *vt* (*AM: cruzar*) traverser; (: *perseguir*) harceler; (: *atravesar, herir*) transpercer; ~**se** *vr* se débrouiller.

bandeja *nf* plateau *m.*

bandera *nf* drapeau *m;* **bajo** ~ sous les drapeaux.

banderilla *nf* (*TAUR*) banderille *f;* (*TEC*) béquet *m.*

banderillero *nm* banderillero *m.*

banderín *nm* (*MIL*) fanion *m,* enseigne *f.*

banderola *nf* banderole *f.*

bandido *nm* bandit *m.*

bando *nm* édit *m;* faction *f;* **los ~s** les bans.

bandolera *nf* bandoulière *f.*

bandolero *nm* bandit *m.*

bandurria *nf* sorte de mandoline *f.*

banquero, a *a* bancaire // *nm* banquier *m.*

banqueta *nf* (*asiento*) banquette *f;* (*escabel*) tabouret *m;* (*AM*) trottoir *m.*

banquete *nm* banquet *m;* ~ de boda banquet de noces.

banquillo *nm* (*al tribunal*) banc *m* des accusés; (*pequeño banco*) petit banc; (*de zapatero*) billot *m.*

bañadera *nf* (*AM*) baignoire *f.*

bañado *nm* (*AM*) prairie *f* inondable.

bañar *vt* (*niño*) baigner; (*objeto*) enduire; ~**se** *vr* (*en el mar*) se baigner; (*en la bañera*) prendre un bain; **bañado en** baigné de.

bañera *nf* baignoire *f.*

bañero *nm* maître-nageur *m.*

bañista *nm/f* baigneur/euse.

baño *nm* (*en bañera*) bain *m;* (*en río*) bain, baignade *f;* (*cuarto*) salle *f* de bain; (*bañera*) baignoire *f;* (*capa*) couche *f;* (*fig*) vernis *m;* **tomar un** ~ (*en bañera*) prendre un bain; (*en río*) se baigner; ~ de pintura bain de peinture; ~ de chocolate enrobement *m* de chocolat.

baptisterio *nm* baptistère *m.*

baqueta *nf* (*MIL, MUS*) baguette *f;* **mandar** o **tratar a la** ~ faire marcher à la baguette.

baquetear *vt* harceler.

baqueteo *nm* (*traqueteo*) cahotement *m;* (*molestia*) tracas *m.*

baquiano, a *a* connaisseur // *nm/f* (*AM: guía*) guide *m/f.*

báquico, a *a* bachique.

bar *nm* bar *m.*

barahúnda *nf* vacarme *m.*

baraja *nf* jeu *m* de cartes; **jugar a** o **con dos** ~**s** jouer un double jeu.

barajar *vt* (*naipes*) battre; (*fig*) embrouiller; ~**se** *vr* se brouiller.

baranda *nf* (*de escalera*) rampe *f;* (*de balcón*) barre *f* d'appui; (*de billar*) bande *f.*

barandilla *nf* rambarde *f.*

baratija nf (fruslería) bagatelle f; (joya) babiole f.

baratillo nm (tienda) boutique f de brocante; (subasta) braderie f; (conjunto de cosas) bric-à-brac m.

barato, a a bon marché; (fig) facile // nm liquidation f // nf (AM) liquidation // ad bon marché.

baratura nf bas prix m.

baraúnda nf = **barahúnda**.

barba nf (ANAT) menton m; (pelo) barbe f; ~s fpl barbe; ~s de chivo bouc m.

barbacoa nf (parrilla) barbecue m; (carne) viande grillée; (lecho) lit m rustique; (choza) chaumière f; (emparrado) vigne f en tonnelle.

barbado, a a (barbudo) barbu(e) // nm (sarmiento) sarment m; (esqueje) bouture f; (hijuelo) rejeton m.

barbaridad nf barbarie f; (fig: palabra) énormité f; (: hecho) sottise f; **comer una** ~ (fam) manger énormément; **una** ~ **de gente** (fam) une foule de gens; **¡qué** ~**!** (fam) quelle horreur!; **cuesta una** ~ (fam) cela coûte une fortune.

barbarie nf barbarie f.

barbarismo nm barbarie f; (LING) barbarisme m.

bárbaro, a a barbare; cruel(le); inculte; **¡qué** ~**!** (fam) fantastique!; **un éxito** ~ (fam) un succès fantastique; **es un tipo** ~ (fam) c'est un type formidable // ad: **lo pasamos** ~ (fam) cela a été magnifique // nm/f barbare m/f.

barbear vt raser; (AM: fam: adular) flatter; (AM: res vacuna) (fam) toucher (par une torsion exercée sur les cornes).

barbecho nm jachère f.

barbero nm barbier m.

barbijo nm (AM) = **barbiquejo**.

barbilampiño a glabre // nm (fig) blanc bec.

barbilla nf menton m.

barbitúrico nm barbiturique m.

barbiquejo, barboquejo mentonnière f; jugulaire f.

barbot(e)ar vt, vi bredouiller.

barbudo, a a barbu(e).

barca nf barque f; ~ **de pesca** barque de pêche; ~ **de pasaje** bac m.

barcaza nf barcasse f; ~ **de desembarco** (MIL) péniche f de débarquement.

Barcelona n Barcelone.

barcelonés, esa a barcelonais(e).

barco nm (gen) bateau m; ~ **de pasajeros** paquebot m; ~ **de carga** cargo m.

barda nf (caballo) barde f; (tapia) couronnement m en ronce.

bardar vt barder.

bardo nm barde m.

bargueño nm cabinet m (meuble).

bario nm baryum m.

barítono nm baryton m.

barlovento nm dessus m du vent.

barman nm barman m.

Barna abr de **Barcelona**.

barniz nm vernis m.

barnizar vt vernir.

barómetro nm baromètre m.

barón nm baron m.

baronesa nf baronne f.

barquero nm batelier m.

barquillo nm cornet m.

barquinazo nm canot m.

barra nf barre f; (de pan) baguette f; (AM) bande f de jeunes; (palanca) levier m; ~ **de carmín** bâton m de rouge (à lèvres); ~ **de cortina** tringle f de rideau.

barrabasada nf rosserie f.

barraca nf baraque f, chaumière f; (AM: cobertizo, depósito) hangar m.

barranca nf ravin m; précipice m.

barranco nm ravin m; précipice m; (fig) obstacle m.

barredero, a a balayeur(euse) // nf balayeuse f.

barredor, a a balayeur(euse).

barreminas nm démineur m.

barrena nf (sin mango) mèche f; (con mango) vrille f; (de minero)

barre f à mine; (para madera) tarière f.

barrenar vt forer; (fig) déjouer.

barrendero, a nm/f balayeur/ euse.

barreno nm grande vrille.

barrer vt balayer; (fig) éliminer // vi balayer; ~ **hacia** o **para dentro** veiller à son propre intérêt.

barrera nf (paso a nivel) barrière f; (cierre de camino) barrage m; (obstáculo) obstacle m; (TAUR: del torero) barrière f; (de fútbol) mur m; (de jardín) portail m.

barriada nf faubourg m.

barricada nf barricade f.

barrido, nm, barrida nf balayage m.

barriga nf ventre m; panse f; (de vasija) panse f; **echar** ~ prendre du ventre.

barrigón, ona, barrigudo, a a ventru(e), ventripotent(e).

barriguera nf sous-ventrière f.

barril nm baril m.

barrilero nm tonnelier m.

barrilete nm (de carpintero) valet m; (de revólver) barillet m; (AM) cerf-volant m.

barrio nm (en el pueblo) quartier m; (fuera del pueblo) faubourg m; **el otro** ~ (fam) l' autre monde m; ~**s bajos** bas quartiers.

barro nm (lodo) boue f; (MED) point noir; (AM) cocido terre cuite; ~ **de alfarero** glaise f.

barroco, a a baroque; (pey) extravagant(e) // nm baroque m.

barroso, a a boueux(euse).

barrote nm barreau m.

barruntar vt pressentir.

barrunto nm pressentiment m.

bártola : a la ~ on s'en fait rien; **tirarse a la** ~ se la couler douce.

bártulos nmpl affaires fpl.

barullero, a a tapageur(euse).

barullo nm (alboroto) pagaille f; (multitud) cohue f.

basa nf base f.

basalto nm basalte m.

basamento nm soubassement m.

basar vt baser; (fig) fonder; ~**se** vr: ~**se en** se fonder sur.

basca nf nausée f.

báscula nf bascule f.

bascular vi basculer.

base nf base f; ~ **imponible** assiette f de l'impôt.

básico, a a basique.

basílica nf basilique f.

basilisco nm (MITOLOGÍA) basilic m; (ZOOL) iguane m.

bastante ad assez // a assez de; **lo** ~ **para** assez pour.

bastar vi suffire; ~ **con** suffire de ou que; ~ **de** avoir assez de; ~ **para** suffire pour; **¡basta!** assez!; **¡basta y sobra!** c'est trop!

bastardilla nf italique m o f.

bastardo, a a o bâtard(e).

bastidor nm (gen) châssis m; (bordado) métier m à broder; (decorado) praticable m; ~**es** nmpl coulisses fpl.

bastimento nm (embarcación) bâtiment m; ~**s** nmpl provisions fpl.

bastión nm bastion m.

basto, a a grossier(ière) // (arnés) bât m; (cojinete) coussinet m de selle // f (hilvanado) bâti m; (costura de colchón) piqûre f; ~**s** nmpl (NAIPES) trèfle m.

bastón nm (gen) bâton m; (para el paseo) canne f.

bastonero nm fabricant m de cannes; (comerciante) marchand m de cannes; (BALLET) maître m de ballet.

basura nf ordure f; **cubo de** ~ poubelle f.

basural nm (AM) décharge f.

basurero nm (hombre) boueux m, éboueur m; (lugar) décharge f.

bata nf (salto de cama) robe f de chambre; (de alumno etc) blouse f.

batacazo nm (ruido) vacarme m; (caída) chute f; (AM) triomphe éclatant.

batahola nf raffut m.

batalla nf (MIL) bataille f; (esgrima) assaut m; **dar** o **librar**

(fig) se battre; **de ~ de** tous les jours; **marca de** marque courante; **~ campal** bataille *f* rangée.

batallar *vi* batailler; disputer.

batallón *nm* bataillon *m*.

batata *nf* patate douce; *(AM: fam)* timidité *f*.

batea *nf* (*bandeja*) plateau *m*; *(barco)* bac *m*; *(vagón)* wagon-plat *m*; *(AM)* petit tonneau.

batel *nm* canot *m*.

batelero *nm* batelier *m*.

batería *nf* batterie *f*; **~ de cocina** batterie de cuisine.

batey *nm* *(AM)* sucrerie raffinerie *f*.

batiborrillo, batiburrillo *nm* *(revoltijo)* méli-mélo *m*; *(confusión de palabras)* galimatias *m*.

batido, a *a* (*camino*) battu(e); *(tela)* chatoyant(e) // *nm* (*huevos*) œufs battus; *(de mantequilla*) barattage *m* // *nf* *(de caza)* battue *f* de chasse; *(de policía)* rafle *f*; *(de leche)* lait parfumé; **batida del oro** batte *f*.

batidor, a *a* batteur(euse) // *nm* *(MIL)* éclaireur *m* // *nm o f* *(de metales, de cocina)* batteur *m*.

batiente *nm* (*puerta*) battant *m*; *(hoja de puerta*) battant d'une porte; *(marco de puerta*) chambranle *m*; *(marina)* brisant *m*.

batifondo *nm* *(AM)* pagaille *f*.

batir *vt* battre; *(vencer)* vaincre; *(acuñar*) frapper; *(pelo)* crêper; **~se** *vr* se battre.

batiscafo *nm* bathyscaphe *m*.

batista *nf* batiste *f*.

batuque *nm* *(AM)* pagaille *f*.

batuquear *vt, vi* *(AM: batir)* battre, agiter; *(: armar gresca*) semer la pagaille.

baturro, a *nm/f* paysan/ne aragonais(e).

batuta *nf* baguette *f*.

baúl *nm* malle *f*; *(AUTO)* coffre *m*.

bautismo *nm* baptême *m*.

bautista *nm* baptiste *m*.

bautizar *vt* baptiser.

bautizo *nm* baptême *m*.

baya *nf* ver **bayo**.

bayeta *nf* *(tejido*) flanelle *f*; *(trapo de fregar)* serpillière *f*; *(AM: persona)* paillasson *m*.

bayo, a *a* bai(e) // *nf* baie *f*.

bayoneta *nf* baïonnette *f*.

bayonetazo *nm* coup *m* de baïonnette.

baza *nf* ver **bazo**.

bazar *nm* bazar *m*.

bazo, a *a* bis(e) // *nm* rate *f* // *nf* levée *f*; **hacer baza** *(fig)* faire son chemin; **meter baza** *(fig)* fourrer son nez.

bazofia *nf* *(de comida)* restes *mpl*; *(cosa sucia)* saleté *f*; *(comida mala)* mangeaille *f*.

beata *nf* ver **beato**.

beatificar *vt* béatifier.

beatitud *nf* béatitude *f*.

beato, a *a* béatifié(e); *(piadoso)* pieux(pieuse) // *nm* *(devoto/a)* bigot/e; *(fig: que finge virtud)* cagot/e // *nf* *(fam: peseta)* pésete *f*.

bebé *nm* bébé *m*.

bebedero, a *a* buvable // *nm* *(para pájaros)* auge *f*; *(para animales)* abreuvoir *m*; *(de vasija)* bec *m*.

bebedizo, a *a* buvable // *nm* *(remedio)* potion *f*; *(filtro)* philtre *m*.

bebedor, a *a* buveur(euse).

beber *vt* boire // *vi* boire; *(emborracharse)* s'enivrer; *(brindar)* porter un toast.

bebida *nf* boisson *f*.

beca *nf* bourse *f* d'études.

becerro *nm* veau *m*; **~ marino** veau marin.

bedel *nm* appariteur *m*.

beduino *a* a bédouin(e); *(fig)* barbare, sauvage.

befa *nf* raillerie *f*.

befar *vi* remuer les lèvres // *vt* se moquer de.

befo, a *a* = **belfo, a**.

begonia *nf* bégonia *m*.

beldad *nf* beauté *f*.

belén *nm* crèche *f*; *(fam)* pagaille *f*, foutoir *m*.

belfo, a a lippu(e) // nm (de caballo) lèvre f; (de perro) babine f.

belga a belge // nm/f Belge m/f.

Bélgica nf Belgique f.

bélico, a a de guerre.

belicoso, a a belliqueux(euse).

beligerante a belligérant(e).

bellaco, a a (pícaro) coquin(e); (astuto) fripon(ne); (AM) rétif(ive).

bellaquería nf friponnerie f.

belleza nf beauté f.

bello, a a beau(belle); **bellas artes** beaux arts.

bellota nf gland m.

bembo, a a (AM: de labios gruesos) lippu(e); (: bobo) nigaud(e) // nm (AM) lippe f.

bemol nm (MUS) bémol m; **tener ~es** (fam) être difficile.

bencina nf benzine f; (AM) essence f.

bendecir vt bénir.

bendición nf bénédiction f.

bendito, a a pp de **bendecir** // a (bienaventurado) béni(e); (feliz) bienheureux(euse).

benedictino, a a bénédictin(e) // nm (licor) bénédictine f.

beneficencia nf bienfaisance f.

beneficiar vt (hacer bien a) faire du bien à; (cosa, terreno) mettre en valeur; (tierra) cultiver; (mina) exploiter; (mineral) traiter // vi: ~ de bénéficier de; **~se** vr: **~se con** o **~se de** bénéficier de, tirer profit de.

beneficio nm (bien) bienfait m; (ganancia) bénéfice m, profit m; (AGR) culture f; (REL) bénéfice; (TEC) exploitation f; a ~ de au bénéfice de; en ~ propio pour soi-même.

beneficioso, a a avantageux(euse).

benéfico, a a bienfaisant(e); (fiesta, obra) de bienfaisance.

benemérito, a a méritant(e).

beneplácito nm approbation f.

benevolencia nf bienveillance f.

benévolo, a a bénévole.

bengala nf fusée f.

benignidad nf bénignité f; (de clima) douceur f.

benigno, a a (enfermedad) bénin(igne); (clima) doux(douce).

benito, a a benoît(e).

benjamín nm benjamin m.

benjuí nm benjoin m.

beodo, a a ivre.

berberecho nm coque f.

berenjena nf aubergine f.

berenjenal nm champ m d'aubergines; (fam) pagaille f.

bergamota nf bergamote f.

bergantín nm brigantin m.

Berlín n Berlin.

berlina nf (vehículo) berline f; (de diligencia) coupé m.

bermejo, a a vermeil(le).

bermellón nm vermillon m.

Berna n Berne.

berrear vi mugir; (fig) brailler.

berrido nm mugissement m; (grito) hurlement m; (fig) fausse note.

berrinche nm (fam) rogne f.

berro nm cresson m.

berza nf chou m // nm/f (fam) andouille f.

besamanos nm baisemain m.

besar vt embrasser; (mano, pies) baiser; **~se** vr s'embrasser.

beso nm baiser m.

bestia nf bête f; (fig) brute f; **~ de carga** bête de somme.

bestial a bestial(e); (fam) extraordinaire; (fam) énorme.

bestialidad nf bestialité f; stupidité f; (fam) énormité f.

besugo nm daurade f; (fam) niais/e.

besuquear vt (fam) bécoter; **~se** vr se bécoter.

betún nm bitume m; (para calzado) cirage m.

biberón nm biberon m.

Biblia nf bible f; **papel ~** papier m bible.

bíblico, a a biblique.

bibliófilo, a nm/f bibliophile m/f.

bibliógrafo, a nm/f bibliographe m/f.

biblioteca nf bibliothèque f; **~ itinerante** o **ambulante** bibliobus m.

bibliotecario, a nm/f bibliothécaire m/f.

B.I.C. nf (abr de Brigada de Investigación Criminal) P.J. f (Police Judiciaire).

bicicleta nf bicyclette f.

bicho nm animal m; (pequeño) bestiole f; (TAUR) taureau m de combat.

biela nf bielle f.

bielda nf fenaison f.

bieldar vt vanner.

bieldo nm (AGR) fourche f à faner.

bien nm bien m // ad bien; (oler) bon; (mucho: malo, caliente, caro) très; **más ~** plutôt // excl: ¡(muy) ~! (très) bien! // conj: **no ~ llovió, bajó la temperatura** à peine s'est-il mis à pleuvoir que la température a baissé; **~es inmuebles/muebles** biens immeubles/meubles; **~es de consumo** biens de consommation; **~es raíces** biens-fonds m.

bienal a biennal(e).

bienandanza nf bonheur m.

bienaventurado, a a (feliz) bienheureux(euse).

bienestar nm bien-être m.

bienhadado, a a heureux(euse), fortuné(e).

bienhechor, a a bienfaiteur (trice).

bienio nm espace m de deux ans.

bienquisto, a pp de **bienquerer** // a bien vu(e).

bienvenida nf bienvenue f.

bife nm (AM) bifteck m; (AM: fam) claque f.

biftec nm (AM) bifteck m.

bifurcación nf bifurcation f.

bígamo, a a bigame // nm/f bigame m/f.

bigote nm moustache f; (de horno) trou m de coulée; ¡es de ~! c'est du tonnerre!

bilbaíno, a a de Bilbao.

bilingüe a bilingue.

bilioso, a a bilieux(euse).

bilis nf bile f.

billar nm billard m.

billete nm (de metro, tranvía,

andén) ticket m; (de banco, espectáculo, lotería, tren) billet m; (carta) petite lettre, mot m; **~ simple/de ida y vuelta/kilométrico** billet simple/aller et retour/kilométrique; **~ amoroso** billet doux.

billetera nf, **billetero** nm portefeuille m.

billón nm billion m.

bimensual a bimensuel(le).

bimestral a bimestriel(le).

bimotor a bimoteur // nm bimoteur m.

binóculo nm binocle m.

biografía nf biographie f.

biógrafo, a nm/f biographe m/f // nm (AM) cinéma m, ciné m.

biología nf biologie f.

biólogo, a nm/f biologiste m/f.

biombo nm paravent m.

biplano nm biplan m.

birlar vt chiper; (fig: fam) faucher; (: matar) descendre.

birlibirloque : por arte de ~ ad comme par enchantement.

birlocha nf cerf-volant m.

birreta nf barrette f.

birrete nm toque f.

birria nf horreur f; (AM: fam) haine f; (capricho) caprice m, manie f; **de ~** (AM) sans intérêt.

bis excl bis // ad: **viven en el 27 ~** ils habitent au numéro 27 bis.

bisabuelo, a nm/f arrière-grand-père/-mère.

bisagra nf charnière f.

bisbisar, bisbisear vt chuchoter.

bisbiseo nm chuchotement m.

bisel nm biseau m.

biselar vt biseauter.

bisexual a (sexuellement) ambivalent(e).

bisiesto a: **año ~** année bissextile f.

bisnieto, a nm/f arrière-petit-fils/-petite-fille.

bisonte nm bison m.

bisoño, a a (principiante) débutant(e); (fig: fam) novice // a (MIL) nouvelle recrue.

bisturí *nm* (MED) bistouri *m*.

bizarría *nf* (*valor*) courage *m*; générosité *f*; (*gallardía*) prestance *f*.

bizarro, a *a* (*valeroso*) courageux(euse); généreux(euse); (*gallardo*) de belle prestance.

bizcar *vi* loucher.

bizco, a *a* bigle // *nm/f* loucheur/euse, bigle *m/f*; **dejar a uno ~** (*fam*) laisser qn pantois.

bizcocho *nm* (*masa*) biscuit *m*; (*pastel*) gâteau *m*; (*de porcelana*) biscuit; **~ borracho baba au** rhum.

bizcochuelo *nm* génoise (CULIN*f*).

bizquear *vi* (*fam*) loucher.

blanco, a *a* (*gen*) blanc(he) // *nm/f* blanc/he // *nm* (*color, intervalo*) blanc *m*; (*hueco*) trou *m*; (*para tirar*) cible *f*; (*fig*) objectif *m*, but *m* // *cf* (*moneda*) ancienne monnaie; (MUS) blanche *f*; **dejar en ~** (*sin escribir*) laisser en blanc; **noche en ~** nuit blanche; **dar en el ~**, **hacer ~** frapper au but, faire mouche; **estar o quedarse sin blanca** être fauché; **~ de la uña** lunule *f*.

blancura *nf* blancheur *f*.

blandengue *a* (*fam*) faible.

blandir *vt* brandir.

blando, a *a* mou(molle); (*muelle*) moelleux(euse); (*tierno*) tendre; (*suave*) doux(douce); (*carácter*) faible; (*fam*) froussard(e).

blandura *nf* (*calidad de blando*) mollesse *f*; (*de temperatura*) douceur *f*; délicatesse *f*; affability *f*; (*halago*) flatterie *f*.

blanquear *vt* blanchir; (*encalar*) chauler // *vi* (*ponerse blanco*) blanchir, devenir blanc; (*tirar*) tirer sur le blanc.

blanquecino, a *a* blanchâtre; (*luz*) blafard(e).

blanqueo *nm* (*acción*) blanchiment *m*; (*encalado*) chaulage *m*.

blanquillo, a *a* blanc(he) // *nm* (AM: *huevo*) œuf *m*; (: *melocotón*) pêche blanche; (: *pez*) poisson *m*.

blasfemar *vi* blasphémer.

blasfemia *nf* blasphème *m*.

blasón *nm* blason *m*; (*fama*) honneur *m*.

blasonar *vt* blasonner // *vi* se vanter.

bledo *nm* (*planta*) blette *f*; **(no) me importa un ~** je m'en moque.

blindado, a *a* blindé(e).

blindaje *nm* blindage *m*.

blindar *vt* blinder.

bloque *nm* bloc *m*; (*de motor*) (AUTO) bloc-moteur *m*; **en ~** en bloc.

bloquear *vt* bloquer.

bloqueo *nm* (MIL) blocus *m*; (COM) blocage *m*.

blusa *nf* (*de alumno*) blouse *f*; (*de mujer*) corsage *m*.

boa *nf* boa *m*.

boardilla *nf* = **buhardilla**.

boato *nm* faste *m*.

bobada *nf* bêtise *f*.

bobalicón, ona *a* (*fam*) a bête // *nm/f* imbécile *m/f*.

bobería *nf* sottise *f*.

bobina *nf* (*carrete*) bobine *f*.

bobinar *vt* embobiner.

bobo, a *a* (*tonto*) sot(te); (*cándido*) niais(e) // *nm* (TEATRO) bouffon *m*.

boca *nf* bouche *f*; (*de crustáceo*) pince *f*; (*de vasija*) bec *m*; (*de pinza*) mâchoire *f*; (*de martillo*) panne *f*; (*de calle*) débouché *m*; (*de vino*) bouquet *m*; (*entrada*) entrée *f*; **~s** *nfpl* (*fig*) bouches *fpl*, embouchure *f*; **~ abajo/arriba** sur le ventre/dos.

bocacalle *nf* débouché *m*.

bocadillo *nm* (*emparedado*) sandwich *m*; (*comida ligera*) casse-croûte *m*.

bocado *nm* bouchée *f*; (*lo que coge el ave*) becquée *f*; (*mordisco*) morsure *f*, coup *m* de dent; (*de caballo*) mors *m*.

bocanada *nf* bouffée *f*; **~ de gente** flot *m* de gens; **~ de viento** coup *m* de vent.

boceto *nm* esquisse *f*, épreuve *f*, ébauche *f*.

bocina *nf* (MUS) corne *f*, trompe *f*;

(AUTO) klaxon m; (para hablar) porte-voix m; (para gramófono) pavillon m; (para sordos) cornet m acoustique; (ASTRO) Petite Ourse; (ZOOL) buccin m.

bocoy nm tonneau m.

bocha nf boule f; ~s nfpl jeu m de boules.

bochinche nm (fam) tapage m; (AM) bastringue m; **armar** ~ faire du bruit.

bochorno nm (calor) chaleur lourde; (vergüenza) honte f; (rubor) rougeur f; (mareo) bouffée f.

bochornoso, a a (opresivo) lourd(e); (vergonzoso) honteux (euse); (día) orageux(euse); (reunión) orageux.

boda nf (casamiento) noce f, mariage m; (fiesta) fête f de noces; ~s **de plata** o **oro** noces d'argent/d'or.

bodega nf (de vino) cave f; (depósito) dock m; (almacén) magasin m de vin-liqueurs, cave f; (de barco) cale f.

bodegaje nm (AM) emmagasinage m.

bodegón nm (pequeño restaurante) bistrot m; (pey) gargote f; (ARTE) nature morte.

bodegonero, a a nm/f gargotier/ière.

bodeguero, a nm/f (cuidador) sommelier/ière; (propietario) propriétaire m/f d'une cave.

bofe nm, **bofes** nmpl mou m.

bofetada nf gifle f; (fig) affront m.

bofetón nm = **bofetada**.

boga nf (ZOOL) bogue f; (NAUT) nage f; **en** ~ (fig) en vogue.

bogar vi ramer, nager; (fig) naviguer.

bogavante nm (NAUT) chef m de nage; (ZOOL) homard m.

Bogotá nf Bogota f.

bogotano, a a de Bogotá // nm/f habitant/e de Bogotá.

bohardilla nf = **buhardilla**.

bohemio, a a bohémien(ne) // nm/f bohémien/ne.

bohío nm (AM) hutte f.

boicot nm boycottage m.

boicotear vt boycotter.

boicoteo nm boycottage m.

boina nf béret m.

boj nm (AGR) buis m.

bola nf boule f; (NAIPES) chelem m; vole f; (betún) cirage m; (de carbón) boulet m; (AM: cometa) cerf-volant m; (: feria) foire f, émeute f; (: tamal) tourte f; (fam: embuste) bobard m; ~ **de nieve** boule de neige.

boleadoras nfpl (AM) lasso terminé par des boules.

bolero, a a a qui fait l'école buissonnière; (fam) menteur(euse) // nm bolero m; (AM: lustrabotas) cireur m // nm/f danseur/euse.

boleta nf (billete) billet m; (vale) bon m; (AM) bulletin m.

boletería nf (AM) guichet m.

boletín nm (periódico) bulletin m; (billete) billet m; ~ **escolar/meteorológico/de prensa** bulletin scolaire/météorologique/de presse; **el** ~ **(de noticias)** les informations fpl, ~ **de precios** tarif m.

boleto nm (hongo) bolet m; (billete) billet m; (AM) promesse f de vente; (: fam) bobard m; ~ **de compra-venta** engagement m de vente.

bolígrafo nm stylo m à bille.

bolívar nm bolivar m.

Bolivia nf Bolivie f.

boliviano, a a bolivien(ne) // nm/f Bolivien/ne.

bolo nm (JUEGO) quille f; (eje) axe m; (de escalera) noyau m; (píldora) bol m; (cuchillo) coutelas m; ~s quilles.

bolsa nf (cartera) bourse f; (saco) sac m; (ZOOL) poche f; (MINERÍA) poche f; ~ **de los ojos** poche sous les yeux; B~ **de Comercio/de Trabajo** bourse de commerce/du travail; ~ **de agua caliente** bouillotte f; ~ **de papel** sac en papier.

bolsillo nm (de vestido) poche f; (de chaleco) gousset m; (cartera) porte-monnaie m.

bolsista nm boursier m.

bolso nm (bolsa) sac m; (de mujer) sac à main.

bollo nm (pan) pain au lait m; (bulto) bosse f; (AM: fam) coup m de poing; ~s nmpl pépins mpl.

bomba nf (pan) pompe f; (lámpara) ampoule f; (MIL) bombe f; (poema ~) poème improvisé; (AM) bombe m (fam): **éxito** ~ succès fou; **noticia** ~ nouvelle sensationnelle // ad (fam): **pasarlo** ~ s'amuser comme un fou; ~ **atómica/de humo/de retardo** bombe atomique/fumigène/à retardement; ~ **centrifuga/de incendios** pompe centrifuge/à incendies; ~ **lacrimógena** grenade f lacrymogène.

bombacha nf (AM) pantalon bouffant.

bombardear vt bombarder.

bombardeo nm bombardement m.

bombardero nm bombardier m.

bombear vt (agua) pomper; (arquear) arquer, bomber; (fig: fam) chanter les louanges de.

bombero nm pompier m.

bombilla nf (ELEC) ampoule f; (AM): ~ **para el mate** pipette f.

bombo nm (MUS) grosse caisse; (TEC) tambour m.

bombón nm (caramelo) bonbon m.

bonachón, ona a bon enfant.

bonaerense a de Buenos Aires // nm/f habitant/e de Buenos Aires.

bonancible a calme.

bonanza nf (NAUT) bonace f (calma) calme m; (fig: prosperidad) prospérité f; (MINERÍA) filon m très riche.

bondad nf bonté f.

bondadoso, a a bon(ne).

bonete nm bonnet m; (de clérigo)

barrete f; a **tente** ~ ad (fam) à n'en plus pouvoir.

bonetería nf (AM) bonneterie f.

bongo nm (AM) bac m.

bonito, a a joli(e) // nm (pez) bonite f, thon m.

bono nm bon m.

boquear vi ouvrir la bouche; (expirar: morir) agoniser; (fig: fam) mourir.

boquerón nm (anchoa) anchois m; (agujero) brèche f, grand trou.

boquete nm (agujero) trou m; (entrada) passage étroit; (brecha) brèche f.

boquiabierto, a a (fig) bouche bée.

boquilla nf (para cigarro) fume-cigare m; (para riego) saignée f, prise f d'eau; (MUS) bec m; (de fusil) embouchoir m; (orificio) ouverture f.

boquirroto, a a (fam) bavard(e).

borboll(e)ar, borbotar vi bouillonner.

borbotón nm bouillonnement m.

borceguí nm brodequin m.

borda nf (NAUT: vela) grand-voile f; (costado) bord m; **motor de** ~ moteur m hors-bord.

bordado nm broderie f.

bordar vt broder; (fig) fignoler, soigner.

borde nm bord m.

bordelés, esa a bordelais(e) // nm/f habitant/e de Bordeaux.

bordo nm (NAUT) bord m; **dar** ~s tirer des bords; **a** ~ à bord.

bordón nm (de peregrino) bourdon m; (estribillo) refrain m; (muletilla) ritournelle f; (MUS, IMPRENTA) bourdon; (fig) soutien m, appui m.

Borinquén nm Porto Rico m.

borinqueño, a a portoricain(e).

borla nf (adorno) gland m; (MIL) pompon m; (de doctor) bonnet m; (para polvos) houppette f; (BOT) amarante f.

borona nf (mijo) millet m; (maíz) maïs m; (AM) miette f.

borra *nf* bourre *f*; (*sedimento*) dépôt *m*; (*fig*) fadaise *f*.

borrachera *nf* (*ebriedad*) ivresse *f*; (*orgía*) beuverie *f*; **coger una ~** prendre une cuite.

borracho, a *a* ivre; (*color*) rouge // *nm/f* (*que bebe mucho*) ivrogne/sse; (*temporalmente*) homme/ femme ivre.

borrado, a *a* effacé(e).

borrador *nm* (*escritura*) brouillon *m*; (*cuaderno*) cahier *m* de brouillon; (*goma*) gomme *f*.

borrajear *vt, vi* gribouiller.

borrar *vt* effacer; **~se** *vr*: **~ del mundo** disparaître ou se retirer du monde.

borrasca *nf* bourrasque *f*.

borrascoso, a *a* orageux(euse).

borrego, a *nm/f* agneau/agnelle; (*fam: joven*) môme *m/f*; (: *tonto*) nigaud/e; (: *servil*) mouton *m*, personne moutonnière.

borrica *nf* ânesse *f*, (*fig: fam*) bourrique *f*.

borricada *nf* (*asnos*) troupeau *m* d'ânes *m*; (*paseo*) promenade *f* à ânes; (*necedad*) ânerie *f*.

borrico *nm* (*asno*) âne *m*; (*de carpintero*) chevalet *m*; (*fig: fam*) âne.

borrón *nm* (*mancha*) tache *f*, (*de tinta*) pâté *m*; (*proyecto*) brouillon *m*; (*de cuadro*) ébauche *f*.

borroso, a *a* (*confuso, impreciso*) confus(e); (*vago, nebuloso*) vague, nébuleux(euse); (*fotografía*) flou(e).

boruquiento, a *a* turbulent(e).

bosque *nm* bois *m*.

bosquejar *vt* (*pintura, escultura*) ébaucher; (*idea, proyecto*) esquisser.

bosquejo *nm* ébauche *f*; esquisse *f*.

bosta *nf* bouse *f*.

bostezar *vi* bâiller.

bostezo *nm* bâillement *m*.

bota *nf* (*saco*) gourde *f*, (*calzado*) botte *f*.

botador *nm* (*pértiga*) gaffe *f*; (*de carpintero*) repoussoir *m*.

**dentista*) davier *m*; (*IMPRENTA*) mentonnière *f*.

botadura *nf* lancement *m*.

botánica *nf* botanique *f*.

botánico, a *a* botanique.

botar *vt* lancer; (*fam*) ficher dehors; (*AM*) gaspiller; **~se** *vr* se jeter.

botarate *nm* (*fam*) idiot *m*; (*AM*) gaspilleur *m*; panier percé *m*.

bote *nm* bond *m*; (*de caballo*) haut-le-corps *m*; (*vasija*) pot *m*; (*de tabaco*) pot *m* à tabac; (*embarcación*) canot *m*; **de ~ en ~** (*fam*) plein à craquer; **~ salvavidas** canot de sauvetage.

botella *nf* bouteille *f*.

botica *nf* pharmacie *f*; (*fig*) boutique *f*.

boticario, a *nm/f* pharmacien/ne.

botija *nf* cruche *f* // *nm/f* (AM: *fam*) môme *m/f*.

botijo *nm* cruche *f*.

botín *nm* (*calzado*) bottine *f*; (MIL) butin *m*.

botiquín *nm* (*armario*) armoire *f* à pharmacie; (*portátil*) trousse *f* à pharmacie.

botón *nm* (*de vestido*) bouton *m*; (*de flor*) bouton *m*; (*de planta*) bourgeon *m*; **~ de oro** bouton d'or *m*; **~ de florete** bouton; **~ de sintonización** bouton de recherche de station.

botones *nm* groom *m*.

bototo *nm* (AM) calebasse *f*; **~s** *nmpl* (*fam*) godasses *fpl*.

botulismo *nm* botulisme *m*.

bóveda *nf* (*techo*) voûte *f*; (*cripta*) crypte *f*.

bovino, a *a* bovin(e).

boxeador *nm* boxeur *m*.

boxeo *nm* boxe *f*.

boya *nf* (NAUT) bouée *f*; (*flotador*) flotteur *m*.

boyante *a* (TAUR: *toro*) facile; (NAUT) qui flotte (bien).

boyero *nm* bouvier *m*.

bozal *a* (*fig: fam*) sot(te); (*caballo*) sauvage // *nm* (*de caballo*) licou *m*; (*de perro*) muselière *f*.

bozo nm (vello) duvet m; (boca) bouche f; (cabestro) licou m.

bracear vt (NAUT) sonder // (agitar los brazos) agiter les bras; (nadar) nager le crawl.

bracero nm manœuvre m.

bracete nm: **de ~** ad (fam) bras dessus, bras dessous.

braga f (cuerda) verboquet m; **~s** nfpl (de mujer) culotte f, slip m; (de bebé) couche f; (pantalón) braies fpl.

bragazas nm (fig: fam) chiffe f.

bragueta nf braguette f.

bramar vi (ZOOL) mugir, bramer, barrir; (fig: persona) rugir; (: el viento, el mar) mugir.

bramido nm (ZOOL) mugissement m, brame m, barrissement m; (fig: de viento, mar) hurlement m, mugissement m.

brasa nf braise f.

brasero nm (vasija) brasero f; (hoguera) brasier m; (AM) foyer m.

Brasil nm: **el ~** le Brésil.

brasileño, a a brésilien(ne) // nm/f Brésilien(ne).

Brasilia n Brasilia.

bravata nf bravade f; fanfaronnade f.

braveza nf courage m; (de los elementos) violence f.

bravío, a a sauvage; (fig) rustre.

bravo, a a (valiente, bueno) brave; (feroz) féroce; (salvaje) sauvage // nm (aplauso) bravo m, applaudissement m // excl bravo!

bravura nf (de animal) férocité f; (de persona) bravoure f, (pey) bravade f.

braza nf (de brasse f; (cuerda) bras m; **nadar a la ~** nager la brasse.

brazada nf brasse f.

brazado nm brassée f.

brazalete nm (pulsera) bracelet m; (banda) brassard m.

brazo nm (gen) bras m; (ZOOL) patte antérieure f; (BOT) branche f; (de lámpara) branche f; **ir del ~** se donner le bras.

brea nf (vegetal) brai m; (mineral) brai de goudron.

brebaje nm breuvage m.

brecha nf (gen) brèche f; (en selva) trouée f; (MIL) percée f.

brega nf (lucha) lutte f; (trabajo) travail dur.

bregar vi (luchar) lutter; (reñir) quereller; (trabajar) travailler dur // vt (toro) travailler.

breña nf broussaille f.

breñal nm terrain broussailleux.

breva nf (higo) figue fleur f; (bellota) jeune noisette f; (cigarro) cigare m; (AM) tabac m à chiquer; (fam) aubaine f.

breve a bref(brève) // nm bref m; **~ nota** f (MUS) brève f.

brevedad nf brièveté f.

breviario nm bréviaire m.

brezal nm bruyère f (terrain).

brezo nm bruyère f.

bribón, ona a (haragán) coquin(e) // nm/f (vagabundo) vaurien/ne; (pícaro) fripon/ne.

bribonear vi mener une vie de fripon; (cometer bribonadas) faire des friponneries.

bricolaje nm bricolage f.

brida nf (TEC) collerette f (d'un tuyau); **a toda ~** à bride abattue.

bridge nm bridge m.

brigada nf (unidad) brigade f; (animales) troupe f; (trabajadores) équipe f // nm (grade) adjutant m.

brillante a brillant(e); (fig) brillant, intelligent(e) // nm brillant m.

brillar vi briller.

brillo nm éclat m; (fig) splendeur f, lustre m; **sacar ~** a faire reluire.

brincar vi bondir; **está que brinca** il est fou furieux.

brinco nm bond m, saut m.

brindar vi porter un toast // offrir; **~ el toro** (TAUR) dédier le taureau.

brindis nm toast m; (TAUR) fait de dédier le taureau à quelqu'un avant l'estocade.

brío *nm* courage *m*.

brioso, a *a* courageux(euse); (*caballo*) fougueux(euse).

brisa *nf* brise *f*; (*orujo*) marc *m*.

británico, a *a* britannique // *nm/f* Britannique *m/f*.

brizna *nf* brin *m*.

brocado *nm* broché *m*.

brocal *nm* margelle *f*; ~ **de la vaina** chape *f*.

brocha *nf* (*para pintar*) brosse *f*; (*para polvos*) houppette *f*; (*DADOS*) dé pipé; (*de afeitar*) blaireau *m*.

broche *nm* broche *f*; ~ **para papeles** trombone *m*.

broma *nf* (*ZOOL*) taret *m*; (*bulla*) bruit *m*; (*chanza*) plaisanterie *f*, blague *f*; **tomar a** ~ tourner en dérision.

bromear *vi* plaisanter.

bromista *a* farceur(euse) // *nm/f* casse-pieds *m*.

bronca *nf ver* **bronco**.

bronce *nm* bronze *m*.

bronceado, a *a* bronzé(e) // *nm* bronzage *m*.

broncear *vt*: ~**se** se bronzer.

bronco, a *a* âpre // *nf* (*riña*) bagarre *f*; (*represión*) réprimande *f*; (*desagrado colectivo*) chahut *m*; **¡tengo una bronca!** je suis furieux!

bronquial *a* des bronches.

bronquitis *nf* bronchite *f*.

brotar *vi* (*trigo*) pousser; (*renuevo de planta*) bourgeonner; (*aguas*) jaillir; (*erupción cutánea*) apparaître; (*las ideas*) jaillir.

brote *nm* (*BOT*) bourgeon *m*; (*de aguas*) jaillissement *m*; (*de fiebre*) apparition *f*.

broza *nf* broche *f*; **meter** ~ (*fig*) faire du remplissage.

brozar *vt* (*retrato, pintura*) brosser.

bruces: de ~ **ad: caer** *o* **dar de** ~ s'étaler de tout son long; **estar de** ~ être à plat ventre.

bruja *nf* sorcière *f*; (*lechuza*) chouette *f*.

brujería *nf* sorcellerie *f*.

brujo *nm* sorcier *m*.

brújula *nf* boussole *f*.

brujulear *vt* (*NAIPES*) filer // *vi* (*fig*) flâner; (*fig: fam*) deviner.

bruma *nf* brume *f*.

brumoso, a *a* brumeux(euse).

bruñido *nm* bruni *m*.

bruñir *vt* (*metal, piedra*) polir; (*espejo*) lustrer; (*fam: rostro*) brunir; (*AM*) embêter.

brusco, a *a* brusque // *nm* fragon épineux.

Bruselas *n* Bruxelles.

brutal *a* brutal(e); (*fam: temperatura*) terrible; (*: precio*) énorme.

brutalidad *nf* brutalité *f*.

bruto, a *a* (*idiota*) stupide; **producto nacional** ~ produit national brut; **material en** ~ matériel brut // *nm/f* idiot/e.

Bs.As. *abr de* **Buenos Aires**.

buba *nf* pustule *f*.

bucanero *nm* boucanier *m*.

bucear *vi* plonger // *vt* (*fig*) explorer.

buceo *nm* (*del buzo*) plongée *f*; (*del nadador*) plongeon *m*.

bucle *nm* boucle *m*.

bucólico, a *a* bucolique.

buche *nm* (*de ave*) jabot *m*; (*de animal*) panse *f*; (*de líquido*) gargarisme *m*; (*estómago*) estomac *m*; (*borrico*) ânon *m*.

budare *nm* (*AM*) plat pour cuire le pain de maïs.

budín *nm* flan *m* de pain perdu.

buenamente *ad* tout bonnement.

buenaventura *nf* bonne aventure.

bueno, a, buen *a* bon(ne); **buen día,** ~**s días** bonjour; **buenas tardes** bonjour; bonsoir; **buenas noches** bonne nuit; **¡buen sinvergüenza resultó!** voilà un drôle d'effronté!; **¡buena jugada me has hecho!** (*fam*) tu m'as roulé! // *ad excl* (*¡ya basta!*) bon!, assez!; ~, **¿y qué?** bon et alors?

Buenos Aires *n* Buenos Aires.

buey *nm* bœuf *m*; ~ **marino** lamantin *m*.

búfalo *nm* buffle *m*.

bufanda *nf* (*de lana*) cache-nez *m*; (*de seda*) écharpe *f*.

bufar vi (toro) souffler; (caballo) s'ébrouer.

bufete nm (mesa) bureau m; (habitación) cabinet m; (de abogado) étude f.

bufido nm (de toro) mugissement m; (de caballo) ébrouement m; (de felino) feulement m.

bufo, a a bouffe.

bufón, ona a bouffon(ne) // nm bouffon m.

buhardilla nf mansarde f.

búho nm hibou m.

buhonero nm camelot m.

buitre nm vautour m.

bujía nf bougie f.

bula nf bulle f; **tener ~ para todo** (fam) avoir carte blanche.

bulbo nm bulbe m.

búlgaro, a a bulgare // nm/f Bulgare m/f.

bulto nm (paquete) paquet m; (tamaño) volume m; (MED) bosse f, grosseur f; (silueta) silhouette f; (estatua) sculpture f; **hacer ~** faire le nombre; **de mucho/poco ~** qui a beaucoup/peu de poids.

bulla nf tapage m.

bullanga nf agitation f.

bullanguero, a a tapageur(euse).

bullicio nm brouhaha m.

bullicioso, a a (fiesta) bruyant(e); (calle) animé(e); (niño) turbulent(e).

bullir vi bouillir.

buñolero, a nm/f marchand/e de beignet.

buñuelo nm beignet m; (fam) pagaille f.

buque nm bateau m; **~ insignia** vaisseau amiral.

burbuja nf bulle f.

burdel nm bordel m.

burdo, a a grossier(ière).

burgalés, esa a de Burgos // nm/f habitant/e de Burgos.

burgués, esa a bourgeois(e) // nm/f bourgeois/e.

burguesía nf bourgeoisie f.

buril nm burin m.

burla nf moquerie f; **~ burlando** (fam) en badinant.

burlador, a a moqueur(euse) // nm séducteur m.

burlar vt tromper; **~se** vr: **~se de** se moquer de.

burlesco, a a burlesque.

burlón, ona a moqueur(euse) // nm/f moqueur/euse.

burocracia nf bureaucratie f.

burócrata nm/f (empleado oficial) fonctionnaire m/f; (pey) bureaucrate m/f.

burra nf ânesse f; (fig: fam) ânesse ignorante; **~ de carga** (fig: fam) bête f de somme (fig).

burrada nf troupe f d'ânes; (fig: fam) bêtise f.

burro nm (ZOOL, fig) âne m; (de aserradero) chevalet m; (juego) bourre f.

bursátil a boursier(ière).

busaca nf (AM) sacoche f.

busca nf recherche f; **a la ~ de** à la recherche de; **en ~ de** en quête de.

buscapiés nm crapaud m.

buscapleitos nm chicaneur m.

buscar vt, vi chercher; **se busca empleada** on cherche une employée.

buscón, ona a chercheur(euse) // nm filou m // nf pute f.

busilis nm hic m.

busque etc vb ver **buscar**.

búsqueda nf = **busca**.

busto nm buste m.

butaca nf fauteuil m.

butifarra nf saucisse catalane.

buzo nm scaphandrier m.

buzón nm boîte f aux lettres; (de estanque) bonde f; **echar una carta al ~** mettre une lettre à la poste.

C

c. *abr de* **capítulo.**

C. *abr de* **centígrado**; *abr de* **compañía.**

C/ *abr de* **calle.**

c.a. *abr de* **corriente alterna.**

cabal *a* exact(e); juste; (*acabado, completo*) accompli(e); total(e); parfait(e); **~es** *nmpl:* **estar en sus ~es** avoir toute sa tête.

cábala *nf* cabale *f.*

cabalgadura *nf* monture *f.*

cabalgar *vt* couvrir // *vi* monter *ou* aller à cheval.

cabalgata *nf* défilé *m;* chevauchée *f.*

cabalmente *ad* parfaitement.

caballa *nf* maquereau *m.*

caballar *a* (*raza*) chevalin(e); (*cría*) de chevaux.

caballeresco, a *a* chevaleresque.

caballería *nf* (*bestia*) monture *f;* (*MIL*) cavalerie *f;* (*orden*) chevalerie *f;* (*fig*) manières *fpl,* compliments *mpl.*

caballeriza *nf* écurie *f.*

caballerizo *nm* écuyer *m.*

caballero *nm* (*hidalgo, noble*) noble *m,* gentilhomme *m;* (*de la orden de caballería*) chevalier *m;* (*señor, término de cortesía*) monsieur *m;* (*hombre galante*) galant homme, homme de cœur // *a* (*a caballo*) à cheval.

caballerosidad *nf* noblesse *f,* esprit *m* chevaleresque; générosité *f.*

caballete *nm* (*del tejado*) faîte *m;* (*de tortura*) chevalet *m;* (*soporte*) tréteau *m;* (*de chimenea*) mitre *f;* (*ANAT*) dos *m,* arête *f;* (*ARTE: de pintor*) chevalet *m.*

caballo *nm* cheval *m;* (*AJEDREZ, NAIPES*) cavalier *m;* **estar a ~ de algo** (*fig*) être à cheval sur qch; **~ de vapor** *o* **de fuerza** cheval-vapeur *m;* **~ marino** hippocampe *m;* **~ padre** étalon *m.*

cabaña *nf* (*casita*) cabane *f;* (*rebaño*) troupeau *m;* (*riqueza ganadera*) cheptel *m.*

cabaré, cabaret (*pl* **cabarets**) *nm* boîte *f* de nuit.

cabás *nm* cartable *m.*

cabecear *vt* (*DEPORTE*): **~ la pelota** faire une tête // *vi* (*balancear*) hocher la tête; (*negar*) dire non de la tête; (*al dormirse*) dodeliner de la tête; (*el caballo*) battre à la main; (*barco*) tanguer.

cabecera *nf* (*de cama*) tête *f;* (*de mesa*) haut bout; (*de río*) source *f;* (*de distrito*) chef-lieu *m;* (*IMPRENTA*) frontispice *m,* tranchefile *f,* manchette *f.*

cabecilla *nm/f* meneur/euse; (*fig: fam*) écervelé/e, étourdi/e.

cabellera *nf* chevelure *f;* (*de cometa*) queue *f.*

cabello *nm* cheveu *m;* **se le pusieron los ~s de punta** cela lui fit se dresser les cheveux sur la tête.

cabelludo, a *a* chevelu(e).

caber *vi* (*entrar*) entrer, rentrer, tenir; (*corresponder*) revenir; (*contener*) contenir; (*MAT*): **en 12, caben cuántas veces 4?** en 12, combien de fois 4?; **dentro de lo que cabe** dans la mesure du possible; **¡esto no me cabe en la cabeza!** cela me dépasse!; **no cabe duda** cela ne fait aucun doute; **no cabía en sí de alegría/dolor** il ne se tenait pas de joie/de douleur.

cabestrillo *nm* écharpe *f.*

cabestro *nm* (*rienda*) bride *f;* (*buey*) sonnailler *m.*

cabeza *nf* tête *f;* (*POL*) chef *m;* **a la ~ de** en tête de; **lavarse la ~** se laver les cheveux; **no se le pase por la ~** n'y songe pas; **quebradero de ~** casse-tête *m.*

cabezada *nf* (*golpe*) coup de tête *m;* (*al dormirse*) dodeliement *m* de la tête; (*saludo*) salut *m* de la tête; (*del caballo*) caveçon *m;* (*NAUT*) tangage *m.*

cabezudo, a *a* qui a une grosse tête // *nm/f* (*fam*) cabochard/e; **~s**

nmpl nains *mpl*, grosses têtes.

cabida *nf* capacité *f*.

cabildo *nm* (*de iglesia*) chapitre *m*; (*ayuntamiento*) conseil municipal; réunion *f*; salle *f* de réunion (du chapitre *ou* du conseil).

cabizbajo, a *a* abattu(e), mélancolique.

cable *nm* câble *m*; ~ **eléctrico/de remolque/submarino** câble électrique/remorque/sous-marin.

cabo *nm* (*extremidad, pedazo*) bout *m*; (*de herramienta, escoba*) manche *f*; (MIL) caporal *m*, brigadier *m*; (NAUT) cordage *m*; (GEO) cap *m*; **al ~ de 3 días** au bout de trois jours; **al fin y al ~** finalement, en fin de compte; **atar ~ juntar** ~ procéder par recoupements; **de ~ a rabo** d'un bout à l'autre; **llevar a ~** mener à bien, venir à bout de.

cabotaje *nm* cabotage *m*.

cabra *nf* chèvre *f*.

cabré *etc vb ver* **caber**.

cabrero, a *nm/f* chevrier/ère *m*.

cabrestante *nm* cabestan *m*.

cabria *nf* chèvre *f*.

cabrilla *nf* (*de carpintero*) baudet *m*; ~s *nfpl* moutons *mpl*.

cabrío, a *a* caprin(e); **macho** ~ bouc *m*.

cabriola *nf* (*brinco, voltereta*) cabriole *f*; **hacer** ~s caracoler.

cabriolé, cabriolet *nm* cabriolet *m*.

cabritilla *nf* chevreau *m*.

cabrito *nm* chevreau *m*, cabri *m*.

cabrón *nm* bouc *m*; (*fig: fam*) salaud/salope.

cabruno, a *a* = **cabrío**.

cacahuete *nm* (AGR) cacahuète *f*, (AM) = **maní**.

cacahuetero *nm* marchand *m* de cacahuètes.

cacao *nm* (*árbol*) cacaoyer *m*; (*grano*) cacao *m*.

cacarear *vi* caqueter // *vt* (*fig: fam*) crier sur les toits.

cacareo *nm* caquet *m*; (*fig: fam*) jactance *f*.

cacería *nf* chasse *f*.

cacerola *nf* casserole *f*, marmite *f*.

cacique *nm* (*jefe*) cacique *m*; (*fig*) personnage influent; (*fam*) coq *m* du village.

caciquismo *nm* caciquisme *m*.

caco *nm* filou *m*; (*fam*) timide *m*, poltron *m*.

cacofonía *nf* cacophonie *f*.

cacto, cactus *nm* cactus *m*.

cacumen *nm* (*fig: fam*) flair *m*, perspicacité *f*.

cachalote *nm* cachalot *m*.

cachar *vt* (*romper*) briser; (*la madera*) fendre; (AM: *el tranvía, el ómnibus*) prendre; (: *sorprender*) surprendre; (: *ridiculizar*) railler.

cacharrería *nf* (*cacharros*) poterie *f*; (*almacén*) magasin *m* de faïences et de poteries.

cacharro *nm* (*recipiente, vasija*) pot *m*, récipient *m*, poterie *f*; (*bártulos*) affaires *fpl*; (*de cocina*) ustensiles *mpl* de cuisine.

cachaza *nf* (*fam*) (*lentitud*) lenteur *f*; (*flema*) flegme *m*; (*aguardiente*) tafia *m*.

cachear *vt* fouiller.

cachemira *nf* cachemire *f*.

cacheo *nm* fouille *f*.

cachetada *nf* (AM) gifle *f*.

cachete *nm* (*mejilla*) joue *f*; (*fam: bofetada*) claque *f*; (: *puñal*) poignard *m*.

cachimba *nf*, **cachimbo** *nm* pipe *f*, bouffarde *f*.

cachiporra *nf* massue *f*.

cachivache *nm* ustensile *m*, récipient *m*; (*fig: fam*) pauvre type *m*; ~**s** *nmpl* babioles *fpl*.

cacho, a *a* courbé(e) // *nm* morceau *m*; (AM) corne *f*.

cachorro, a *nm/f* (*perro*) chiot *m*; (*león*) lionceau *m*.

cada *a* chaque; ~ **día** tous les jours; ~ **uno/a** chacun/e; ~ **dos por tres** à tout bout de champ; ~ **vez más** de plus en plus; **uno de** ~ **diez** un sur dix.

cadalso *nm* échafaud *m*, gibet *m*.

cadáver *nm* cadavre *m*.

cadena nf chaîne f; (JUR) travaux forcés, emprisonnement m; **trabajo en ~** travail à la chaîne; **~ perpétua** détention perpétuelle.

cadencia nf cadence f.

cadera nf hanche f.

cadete nm cadet m.

caducar vi (permiso, ley) être périmé(e), expirer; (persona) radoter, être gâteux(euse).

caduco, a a caduc(caduque); périmé(e); (idea) dépassé(e).

C.A.E. abr de cóbrese al entregar envoi contre remboursement.

caer vi (gen) tomber; **~se** vr tomber; **~ enfermo** tomber malade; **~ dentro de su jurisdicción** faire partie de sa jurisdiction; **~ a tiempo** tomber à pic; **~ de su peso** aller de soi, tomber sous le sens; **~ en la cuenta** comprendre, se rendre compte; **¡ya caigo!** j'y suis!

café nm (pl ~s) café m.

cafetal nm caféière f.

cafetero, a a (industria) relatif(ive) au café; (utensilio) cafetière f; (fam) tacot m // nm/f (proprietario de bar) patron/ne de café, cafetier/ère; **es ~** il marche au café, il boit énormément de café.

cáfila nf bande f.

caída nf (gen) chute f; (declive) pente f; (disminución) diminution f; **~ de ojos** (fig) yeux doux.

caigo etc vb ver **caer**.

caimán nm caïman m; (fig) vieux renard.

caimiento nm chute f.

caja nf boîte f, caisse f; (de escalera, ascensor) cage f; (COM) caisse, coffre-fort m; (MUS) caisse; **~ craneana** boîte crânienne; **~ de ahorros** caisse d'épargne; **~ de cambios** boîte de vitesses; **~ de jubilaciones** caisse de retraite; **~ torácica** cage thoracique.

cajero, a nm/f (encargado de la caja) caissier/ière.

cajetilla nf paquet m.

cajista nm/f compositeur/trice.

cajón nm caisse f; (de mueble)

tiroir m; (de herramientas) boîte f à outils.

cal nf chaux f.

cala nf (GEO) crique f; (de barco) cale f; (MED) suppositoire m.

calabaza nf (BOT) courge f; (recipiente) gourde f.

calabozo nm cachot m.

calabrote nm câble m.

calado nm (bordado) broderie ajourée; (perforado) découpage m; (TEC) calage m.

calafatear vt (barcos) calfater.

calaíta nf turquoise f.

calamar nm calmar m, encornet m.

calambre nm crampe f.

calamidad nf (desastre) calamité f; (plaga) fléau m.

calamina nf calamine f.

calamitoso, a a calamiteux(euse).

calandria nf calandre f; (TEC: torno) treuil m.

calaña nf (muestra) forme f; (de personas) nature f; (de cosas) qualité f.

calañés nm chapeau m à bords relevés.

calar a calcaire // nm carrière f de pierre à chaux // vt (comprender) pénétrer, saisir; (hacer calados) deviner, percer à jour; (sumergir: las redes) caler; **~se** vr (empaparse) se pénétrer, s'imbiber.

calavera nf tête de mort f // nm (fig) noceur m.

calaverada nf frasque f.

calcañar, calcañal, calcaño nm talon m.

calcar vt (reproducir) calquer, décalquer; (imitar) calquer; (pisar) fouler.

calce nm (de rueda) jante f; (de instrumentos cortantes) acérure f; (cuña) coin m.

calceta nf bas m; **hacer ~** tricoter.

calcetín nm chaussette f.

calcina nf béton m.

calcinar vt calciner; (fig: fam) bassiner.

calcio nm calcium m.

calco nm calque m.

calculadora nf calculatrice f; ~ **de bolsillo** calculatrice de poche.

calcular vt (MAT) calculer; (suponer, creer) supposer, croire.

cálculo nm calcul m; (de gastos) évaluation f; **obrar con mucho ~** agir avec beaucoup de prudence.

calda nf (acción de calentar) chauffage m; (introducción del combustible) chauffe f; ~**s** nfpl eaux thermales.

caldear vt chauffer; (los metales) porter au rouge; (habitación) chauffer, réchauffer; ~**se** vr (fig) s'échauffer.

caldera nf (de vapor) chaudière f; (caldero) chaudron m; (MINERÍA) puisard m.

calderada nf chaudière f.

calderería nf chaudronnerie f, forge f.

calderilla nf (REL) bénitier m; (moneda) menue monnaie.

caldero nm (recipiente) chaudron m; (contenido) chaudronnée f; (TEC) poche f.

calderón nm gros chaudron.

caldo nm bouillon m; (para la ensalada) sauce f, assaisonnement m; ~**s** nmpl liquides mpl alimentaires.

calefacción nf chauffage m.

calendario nm calendrier m.

calentador nm calorifère m.

calentar vt chauffer, faire chauffer; (habitación, horno) chauffer; ~**se** vr se réchauffer; (AM: fig) s'échauffer; ~ **al blanco/rojo** porter au blanc/rouge; ~**se la cabeza** se fatiguer les méninges.

calentura nf (MED) fièvre f, température f.

calenturiento, a a fiévreux (euse); (fig) fiévreux; fébrile.

calera nf carrière f de pierre à chaux; (horno) four m à chaux.

calero a de la chaux // nm chaufournier m.

calesa nf calèche f.

calesero nm postillon m.

calesín nm calèche f.

caleta nf crique f, anse f.

caletre nm (fam) jugeote f.

calibrar vt (medir) calibrer; (mandrilar) aléser; (fig: juzgar) jauger.

calibre nm (MIL) calibre m; (TEC) calibre, jauge m; (fig) importance f.

calicanto nm maçonnerie f.

calidad nf (gen) qualité f; (fig) importance f, poids m; **en ~ de** en qualité de.

cálido, a a chaud(e).

caliente a chaud(e); (fig) chaud, ardent(e); (furioso) furieux(euse), bouillant(e); **hacer algo en caliente** faire qch sur le champ.

califa nm calife m.

calificación nf qualification f; (de alumno) note f.

calificado, a a qualifié(e), compétent(e); manifeste.

calificar vt qualifier; (enaltecer) annoblir; (alumno) noter; (determinar) déterminer; ~**se** vr (AM) qualifier.

caligrafía nf calligraphie f.

calizo a à calcaire.

calma nf calme m; (pachorra) nonchalance f, décontraction f.

calmante a calmant(e) // nm calmant m, tranquillisant m.

calmar vt (un dolor) calmer; (los ánimos) apaiser // vi tomber.

calmoso, a, calmudo, a a calme; (fam) indolent(e).

calofrío nm = **escalofrío** nm.

calor nm chaleur f; **dar ~ a** tenir chaud à; (fig) encourager.

calórico, a a calorique.

calorífero, a a calorifère // nm chauffage m.

calumnia nf calomnie f.

calumniador, a a calomniateur (trice).

calumnioso, a a calomnieux (euse).

caluroso, a a chaud(e); (fig) chaleureux(euse).

calva nf calvitie f; (en bosque) clairière f.

calvario nm calvaire m.

calvicie nf calvitie f.

calvo, a a chauve; (terreno) dénudé(e), pelé(e); (tejido) râpé(e), élimé(e).

calza nf cale f; (fam) bas m.

calzado, a a chaussé(e) // nm chaussure f // nf chaussure f.

calzador nm chausse-pied m.

calzar vt (los pies) chausser; (un mueble) caler; **~se** vr mettre; ¿qué (número) calza? quelle est votre pointure?; **~(se) un empleo** (AM) se caser.

calzón nm culotte f.

calzoncillos nmpl caleçon m.

callado, a a silencieux(euse); réservé(e), discret(ète).

callar vt (un secreto) taire; (la boca) fermer // vi, **~se** vr se taire.

calle nf rue f; **~ arriba/abajo** en remontant/en descendant la rue; **~ de un solo sentido** rue à sens unique.

calleja nf ruelle f.

callejear vi flâner, battre le pavé.

callejero, a a (persona) flâneur(euse) (animación, venta) de la rue, ambulant(e).

callejón nm ruelle f; (TAUR) couloir m courant le long de l'arène et servant de refuge aux toreros; **~ sin salida** impasse f, cul-de-sac m.

callejuela nf ruelle f.

callista nm/f pédicure m/f.

callo nm (MED: en los pies) cor m, durillon m; (: de una fractura) cal m; **~s** nmpl gras-double m, tripes fpl.

calloso, a a calleux(euse).

cama nf lit m; (AGR) litière f (GEO) stratte f, couche f; **estar en ~** être alité(e); **hacer la ~** retaper le lit; **irse a la ~** se coucher; **~ de campaña/de matrimonio/de tijera** lit de campagne/à deux places/pliant; **~ turca** cosy m.

camada nf portée f; (de personas) bande f.

camafeo nm camée m.

camaleón nm caméléon m.

camandulear vi (fingir) feindre, simuler; (contar chismes) médire; (AM) intriguer.

camandulero, a a hypocrite, fourbe; (AM) intrigant(e).

cámara nf chambre f; (CINE) caméra f; (fotográfica) appareil m photo(graphique); **~ de aire** chambre à air.

camarada nm/f camarade m/f.

camarera nf serveuse f; servante f; hôtesse f; habilleuse f.

camarero nm garçon m; valet m; (TEATRO) habilleur m.

camarilla nf (clan) coterie f, clan m; (POL) lobby m.

camarín nm (detrás de altar) niche f; (despacho) cabinet m, bureau m; (tocador) cabinet de toilette; (TEATRO) loge f.

camarista nf camériste f.

camarón nm crevette f.

camarote nm cabine f.

camastro nm grabat m.

camastrón, ona nm/f roublard·e.

cambiable a (variable) changeant(e); (intercambiable) inter-changeable.

cambiante a (el tiempo) changeant(e), instable; (persona) instable, inconstant(e) // nm (de colores) chatoiement m; (COM) cambiste m, changeur m.

cambiar vt (gen) changer; (de moneda) changer; (dinero) faire la monnaie de; (saludos) échanger // vi (gen) changer; **~se** vr (mudarse) déménager; (de ropa) se changer; **~(se) de** changer de.

cambio nm échange m; (trueque) échange, troc m; (COM) change f monnaie f; (de tiempo) changement m; (de ideas) volte-face f, revirement m; (de gobierno) changement; **tener ~** avoir de la monnaie; **dar el ~** donner le change; **en ~** par contre; **~ de velocidades** changement de vitesses; **~ de vía** aiguillage m.

cambista nm (COM) cambiste m; (FERROCARRILES) aiguilleur m.

cambray nm cambrai m.

camelar vt (galantear) baratiner; (engañar) tromper.

camelia nf camélia m.

camello nm chameau m.

camilla nf (cama) lit m de repos; (angarillas) brancard m, civière f; (de hospital) chariot m; (mesa) table f sous laquelle on place le brasero.

caminante nm/f voyageur/euse à pied.

caminar vi (marchar) cheminer à pied; (viajar) voyager // vt (recorrer) marcher; ~ **200 m.** marcher pendant 200 m.

caminata nf randonnée f.

camino nm chemin m; (fig) chemin m, voie f; **a medio** ~ à moitié chemin; **en el** ~ en route, en cours de route; **hacer algo de** ~ faire qch en chemin ou en passant; **ponerse en** ~ se mettre en route.

camión nm camion m.

camisa nf chemise f; (BOT) enveloppe f; (de serpiente) dépouille f; (TEC) chemise, crépi m; ~ **de dormir** chemise de nuit; ~ **de fuerza** camisole f de force.

camisería nf chemiserie f.

camiseta nf (prenda) chemisette f; (de deportista) maillot m.

camisón nm chemise f de nuit.

camorra nf (fam) bagarre f, querelle f.

camorrista, camorrero, a a querelleur(euse), bagarreur(euse) // nm/f querelleur/euse, bagarreur/euse.

camote nm (AM: batata) patate douce; (: fig) béguin m.

campal a: **batalla** ~ bataille rangée.

campamento nm campement m.

campana nf cloche f; (TEC) manteau m, hotte f; **dar una vuelta de** ~ capoter; ~ **de buzo** cloche à plonguer.

campanada nf coup m de cloche;

(fig) éclat m, scandale m.

campanario nm clocher m.

campaneo nm volée f; (fig: fam) dandinement m.

campanilla nf (campana) clochette f; (burbuja) bulle f d'air; (ANAT) luette f.

campante a (fam: satisfecho) satisfait(e); (: ufano) fier(ère), orgueilleux(euse).

campanudo, a a en forme de cloche; (ampuloso) ampoulé(e), ronflant(e).

campánula nf campanule f.

campaña nf campagne f.

campañol nm campagnol m.

campar vi camper; (sobresalir) exceller, briller.

campechano, a a bon enfant, sans façon.

campeche nm campêche m.

campeón, ona nm/f champion/ne.

campeonato nm championnat m.

campesino, a a champêtre // nm/f paysan/ne.

campestre a champêtre; rustique; rural(e).

campiña nf champ m, campagne f.

campo nm (AGR) champ m; (fuera de la ciudad) campagne f; (AVIAT) terrain m; (de fútbol, golf) terrain; (de tenis) court m; (ELEC, FÍSICA) champ; (MIL) champ, camp m; **a** ~ **traviesa** à travers champs; **a** ~ **raso** à ciel ouvert, à la belle étoile; **el** ~ **de la ciencia** le domaine de la science; ~ **operativo** (MED) champ opératoire.

camposanto nm cimetière m.

can nm (perro) chien m; (gatillo) gâchette f, chien m.

cana nf ver **cano**.

Canadá nm Canada m.

canadiense a canadien(ne) // nm/f Canadien/ne // nf canadienne f.

canal nm (cauce) canal m; (comercial) circuit m; (de televisión) chaîne f; (de tejado) noue f; **abrir en** ~ ouvrir de haut en bas.

canalizar vt canaliser.

canalón nm (conducto vertical) descente f; (del tejado) gouttière f; (REL) chapeau m d'ecclésiastique.

canalla nf canaille f // nm fripouille f, canaille f.

canapé nm (pl ~s) canapé m.

canario, a a canarien(ne) // nm/f Canarien/ne // nm serin m, canari m.

canasta nf (cesto) corbeille f; (NAIPES) canasta f.

canastilla nf (de recién nacido) layette f; (cesto pequeño) corbillon m.

canastillo nm corbillon m.

canasto nm corbeille f; ¡~s! excl sapristi!

cancel nm tambour m; (AM) paravent m.

cancelación nf annulation f.

cancelar vt annuler; (una deuda) régler, solder.

cancelario nm recteur m d'université.

cáncer nm (MED) cancer m; C~ (ASTRO) le Cancer; **ser (de)** ~ être (du) Cancer; (fig) plaie f.

canciller nm chancelier m.

cancillería nf chancellerie f.

canción nf chanson f; ~ **de cuna** berceuse f.

cancionero nm recueil m de poésies.

cancha nf (de fútbol) terrain m; (de tenis) court m.

candado nm cadenas m.

candeal a: **pan:** ~ pain blanc; **trigo** ~ froment m.

candela nf (vela) chandelle f; (BOT) chaton m; (FÍSICA) candela f; **en** ~ debout, verticalement.

candelabro nm candélabre m.

candelaria nf (fiesta) chandeleur f; (BOT) bouillon m, blanc m.

candelero nm (para vela) chandelier m; (de aceite) lampe f à huile; (para la pesca) pharillon m; **estar en el** ~ être très en vue, tenir le haut du pavé.

candente a incandescent(e);

(problema) brûlant(e), à l'ordre du jour.

candidato nm/f candidat/e; (AM) prétendant/e.

candidez nf candeur f.

cándido, a a candide.

candil nm (lámpara) lampe f à huile; (cuerno) andouiller m; (de sombrero) corne f.

candileja nf (lámpara) petite lampe; (BOT) nielle f; ~**s** nfpl rampe f.

candor nm candeur f.

canelo, a a (color) cannelle // nm cannelier m // nf cannelle f.

canelón nm (canal descendente) descente f; (carámbano) glaçon m; (pasamanería) torsade f; (pasta rellena) cannelloni m.

cangrejo nm (ZOOL) crabe m, écrevisse f; (NAUT) corne f; (de ferrocarril) wagonnet plat; C~ (ASTRO) le Cancer.

canguro nm kangourou m.

caníbal a cannibale; (fig) sauvage // nm/f cannibale m/f.

canica nf bille f.

canícula nf canicule f.

canicular a caniculaire.

canijo, a a chétif(ive).

canilla nf (ANAT) os m; (: de la pierna) tibia m; (TEC caño) cannelle f, canette f; (para el hilo) canette f; (AM: grifo) robinet m.

canillera nf jambière f.

canino, a a canin(e) // nm canine f, croc m.

canje nm échange m.

canjear vt échanger.

cano, a a blanc (blanche); (fig) vénérable; (pey: viejo) vieux (vieille) // nf cheveu blanc; (AM) police f; **echar una cana al aire** faire une incartade.

canoa nf canoë m, canot m.

canon nm canon m; (pensión) redevance f.

canonesa nf chanoinesse f.

canónico, a a canonique.

canónigo nm chanoine m.

canonización nf canonisation f.

canonizar *vt* canoniser; *(fig)* approuver.

canonjía *nf* canonicat *m*; *(fig: fam)* sinécure *f*.

canoro, a *a* *(los pájaros)* chanteur(euse); *(melodioso)* mélodieux(euse).

canoso, a *a* à chenu(e); grisonnant(e).

cansado, a *a* fatigué(e); *(tedioso)* ennuyeux(euse).

cansancio *nm* fatigue *f*, lassitude *f*.

cansar *vt* *(fatigar)* fatiguer; *(fastidiar)* ennuyer; *(aburrir)* lasser, ennuyer; **~se** *vr* *(agotarse)* se fatiguer; *(fastidiarse)* s'ennuyer.

cantalear *vi* *(AM: repetir)* râbacher; (: *exagerar)* exagérer.

cantante *a* chantant(e) // *nm/f* chanteur/euse.

cantar *vt* *(gen)* chanter; *(persona)* célébrer; *(copla)* fredonner // *vi* *(gen)* chanter; *(rechinar)* grincer; *(NAIPES)* annoncer; *(fam)* avouer, se mettre à table // *nm* chanson de geste *f*.

cántara *nf* broc *m*, cruche *f*; mesure = 16,13 l.

cántaro *nm* broc *m*, cruche *f*; **llover a ~s** pleuvoir à seaux.

cantatriz *nf* cantatrice *f*.

cantera *nf* carrière *f*; *(fig)* pépinière *(fig)* *f*.

cantería *nf* *(tallado de piedra)* taille *f* de pierres; *(ARQ: obra)* ouvrage *m*.

cantero *nm* tailleur *m* de pierres.

cántico *nm* cantique *m*.

cantidad *nf* quantité *f*.

cantiga *nf* *(MUS)* chanson *f*, *(HISTORIA)* cantique *f*.

cantil *nm* falaise *f*; *(AM)* bord *m* d'un précipice.

cantilena *nf* **= cantinela.**

cantimplora *nf* *(frasco)* gourde *f*; *(sifón)* siphon *m*.

cantina *nf* *(de escuela)* cantine *f*; *(de estación)* buvette *f*; *(sótano)* cave *f*; *(AM)* taverne *f*, café *m*, bistrot *m*.

cantinela *nf* cantilène *f*.

cantinero, a *nm/f* cantinier/ière *f*.

canto *nm* *(gen)* chant *m*; *(borde)* bord *m*; *(de un cuchillo)* dos *m*; *(de un libro)* tranche *f*; **~ rodado** *(m)* tomber de côté, verser; **~ rodado** galet *m*.

cantor, a *a* chanteur(euse) // *nm/f* chanteur/euse.

cantorral *nm* terrain pierreux.

canturrear, canturriar *vi* fredonner.

caña *nf* *(BOT: tallo)* chaume *f*, tige *f*; *(de la bota)* tige *f*; *(de cerveza)* demi *m*; *(del buis)* fût *m*; *(ANAT: del brazo)* os *m* du bras; *(: de la pierna)* tibia *m*; (: *del caballo)* canon *m*; (: *tuétano)* moelle *f*; *(ARQ: fuste)* fût *m*, tige *f*; *(MINERÍA)* galerie *f*; *(MUS)* chanson populaire andalouse; *(NAUT)* barre *f*; *(AM: aguardiente)* eau-de-vie *f*, tafia *m*; **~s** *nfpl* *(torneo)* fontes *fpl*; **~ de azúcar** canne *f* à sucre; **~ de Indias** rotin *m*; **~ de pescar** canne à pêche.

cañada *nf* *(entre dos montañas)* vallon *m*, gorge *f*; *(camino)* chemin creux; *(AM)* ruisseau *m*.

cañamazo *nm* *(estopa)* étoupe *f*; *(tela)* toile *f* d'étoupe; *(para bordar)* canevas *m*; *(bosquejo)* canevas *m*.

cañamiel *nf* canne *f* à sucre.

cáñamo *nm* *(AGR)* chanvre *m*.

cañaveral *nm* cannaie *f*, plantation *f* de canne à sucre.

cañería *nf* canalisation *f*.

caño *nm* *(tubo)* tuyau *m*, tube *m*; *(de aguas servidas)* égout *m*; *(MUS: de órgano)* tuyau *m*; *(NAUT: canal)* chenal *m*; *(de fuente)* jet *m*.

cañón *nm* *(de chimenea)* tuyau *m*; *(de pluma de ave)* tuyau; *(GEO)* cañon *m*.

cañonazo *nm* *(MIL)* coup *m* de canon; *(FÚTBOL)* shoot *m*.

cañonear *vt* canonner.

cañonera *nf* *(MIL)* embrasure *f*; *(NAUT)* canonnière *f*; *(AM)* fonte *f*.

cañonero *nm* canonnière *f*.

caoba *nf* acajou *m*.

caos *nm* chaos *m*.

capa nf cape f; (de barniz) couche f; (fig: apariencia) apparence f; (GEO) couche f, banc m; (pretexto) prétexte m.

capacidad nf (medida) capacité f; (aptitud) habilité f, capacité f; (talento) talent m.

capacitación nf formation f.

capacho nm couffin m; cabas m.

capar vt châtrer.

caparazón nm (arnés) caparaçon m; (de ave) carcasse f; (de tortuga, crustáceo) carapace f.

capataz nm contremaître m.

capaz a capable, habile; (amplio) spacieux(euse); qui contient beaucoup.

capcioso, a a captieux(euse).

capea nf action f d'exciter le taureau avec la cape.

capeador nm torero m.

capear vt (TAUR) faire des passes avec la cape; (fam: engañar) tromper; (: sortear) surmonter; (NAUT) braver // vi braver la tempête.

capellán nm chapelain m.

caperuza nf chaperon m.

capilar a capillaire.

capilla nf chapelle f; (capucha) capuchon m; (clan, camarilla) clan m, chapelle f; ~ **ardiente** chapelle ardente; **estar en** ~ être sur des charbons ardents.

capirotazo nm chiquenaude f.

capirote nm (tintura) hennin m; (de doctores) chausse f, chaperon m; (de halcón) chaperon; (de coche) capote f; (capirotazo) chiquenaude f.

capitación nf capitation f.

capital a essentiel(le), fondamental(e) // nm capital m, richesse f // nf capitale f; **pena** ~ peine capitale; **pecados** ~es péchés capitaux; ~ **circulante** fonds mpl de roulement; ~ **de provincia** chef- lieu de département; ~ **social** capital social.

capitalista a capitaliste // nm capitaliste m/f.

capitalizar vt capitaliser.

capitán nm capitaine m; (NAUT) commandant m, capitaine m.

capitana nf (NAUT: nave principal) vaisseau amiral; (galera) capitane f.

capitanear vt commander, diriger.

capitanía nf charge f du capitaine; région f militaire.

capitel nm chapiteau m.

capitolio nm capitole m.

capitoné nm camion de déménagement; (AM) édredon m.

capitulación nf (rendición) capitulation f; (acuerdo, pacto matrimonial) accords mpl, contrat m.

capitular vi capituler // a capitulaire.

capítulo nm chapitre m; ~**s** nmpl: ~**s matrimoniales** accords mpl ou contrat m de mariage.

capó nm capot m.

capón nm (golpe) bosse f; (ZOOL) chapon m, castré m.

caporal nm contremaître m.

capota nf capote f.

capote nm (abrigo, de militar) capote f; (de torero) cape f; (nubarrón) gros nuage; (NAIPES) capot m; (AM: de monte): poncho m, capote.

Capricornio nm le Capricorne; **ser** (el) ~ être (du) Capricorne.

capricho nm caprice m.

caprichoso, a a capricieux(euse); (extraño) bizarre, fantaisiste.

cápsula nf capsule f.

captar vt capter.

captura nf capture f.

capturar vt capturer.

capucha nf (abrigo) capuce m; (de bebé) capuchon m, capuche f; (LING) accent m circonflexe.

capuchino, a nm/f (religioso) capucin/e // nm (mono) capucin m.

capullo nm (ZOOL) cocon m; (BOT: de flor) bouton m; (: de bellota) cupule f; (ANAT) prépuce m.

capuz nm capuchon m, pèlerine f.

cara nf (ANAT) visage m, figure f,

face f; (GEOMETRÍA) face; (de moneda, disco) face; (de edificio: lado) côté m; ~ a ad face à; de ~ en face; dar la ~ prendre la responsabilité d'une chose; echar en ~ regarder de travers; mirarse a ~ se regarder dans les yeux; que ~ dura! quel culot!, quel toupet!; a la pared face au mur; tener el sol de ~ avoir le soleil en face.

carabela nf caravelle f.

carabina nf carabine f; (fam) courtisane f.

carabinero nm (MIL) carabinier m; (crustáceo) grosse crevette.

caracol nm (ZOOL) escargot m, colimaçon m; (ANAT) limaçon m; hacer ~es caracoler; ¡~es! excl mince!, sapristi!; escalera de ~ escalier m en colimaçon.

caracolear vi caracoler.

carácter (pl caracteres) nm (gen) caractère m; (AM: LITERATURA, TEATRO) personnage m; tener mal ~ avoir mauvais caractère; tener mucho ~ être emporté(e).

característica nf caractéristique f; (TEATRO) duègne f; (AM) orchestre m.

característico, a a caractéristique // nm barbon m.

caracterizar vt (distinguir) caractériser; (honrar) conférer une distinction à; (TEATRO) jouer, interpréter.

caracú nm (AM) moelle f.

caramba excl sapristi!, tiens!, allons donc!

carámbano nm glaçon m.

carambola nf carambolage m; (fig: fam) coup m double; acertar de ~ trouver par hasard.

caramelo nm (dulce) bonbon m; (azúcar fundida) caramel m.

caramillo nm (flauta) chalumeau m; (montón) tas m, fatras m; (chisme, enredo) histoire f, tour m.

carapacho nm carapace f.

caraqueño, a a de Caracas // nm/f habitant/e de Caracas.

carátula nf (careta, máscara) masque m; (TEATRO) planches fpl; (AM) frontispice m.

caravana nf caravane f; (sucesión de autos) file f; (fam) groupe m, troupeau m; (AM) politesses fpl.

caray excl mince!, diable!

carbón nm charbon m; (dibujo al ~) dessin m au fusain.

carbonada nf pelletée f.

carbonato nm carbonate m.

carbonero, a a nm/f charbonnier/ière.

carbonilla nf suie f.

carbonizar vt carboniser.

carbono nm carbone m.

carbunclo, carbunco nm (MED) anthrax m, charbon m; (joya) pierre précieuse.

carburador nm carburateur m.

carcaj nm (para flechas) carquois m; (porta-estandarte) porte-étendard m.

carcajada nf éclat m de rire.

carcamal nm vieille barbe f.

carcamán nm (NAUT) vieux rafiot.

cárcel nf prison f; (TEC) sergent m; serre-joint m.

carcelero, a a de la prison // nm/f geôlier/ère; gardien/ne.

carcoma nf artison m, vrillette f; (ansiedad) hantise f; (persona: fastidiosa) sangsue f, pot de colle m; (: gastadora) dépensier/ière.

carcomer vt tarauder; (fig) consumer; ~se vr se ronger.

carcomido, a a vermoulu(e); (fig) épuisé(e); usé(e).

cardar vt (lana) carder; (pelo) crêper.

cardenal nm (REL) cardinal m; (pájaro) cardinal m; (equimosis) bleu m.

cardenalato nm cardinalat m.

cardenillo nm vert-de-gris m.

cárdeno, a a (color) violacé(e); (lívido) livide; (agua) opalin(e).

cardíaco, a a cardiaque.

cardillo nm pissenlit m.

cardinal a cardinal(e).

cardo nm (comestible) cardon m; (espinosa) chardon m.

cardumen nm banc m de poissons.

carear vt confronter; **~se** vr (entrevistarse) se rencontrer; (encararse) s'expliquer; s'affronter.

carecer vi: **~ de** (recursos) manquer, être à court de; (inteligencia) être dépourvu(e) de.

carena nf (NAUT) carénage m; (fig) brimade f.

carenar vt radouber, caréner.

carencia nf (de datos, de dinero) manque m; (de vitaminas) carence f.

careo nm confrontation f.

carestía nf (escasez) pénurie f, disette f; (de los precios) cherté f.

careta nf masque m; **~ antigás** masque à gaz.

carey nm (tortuga) caret m; (peine) peigne m en écaille.

carga nf (peso, ELEC, MIL) charge f; (de barco) chargement m; (barco) cargo m; (TEC) poids m, charge f; (obligación, responsabilidad) charge f, obligation f.

cargadero nm (lugar) lieu m de chargement; (ARQ) linteau m.

cargado, a a (de bultos) chargé(e); lourd(e); (de años, de espaldas, de alcohol) lourd; (mujer: encinta) enceinte; (café, té) fort(e); tassé(e); (el cielo) lourd, chargé; (la atmósfera) tendu(e); lourd.

cargador, a a chargeur(euse) // nm (MIL, TEC) chargeur m; (AM) docker m.

cargamento nm cargaison f, chargement m.

cargar vt (barco, maleta, arma, ELEC) charger; (estilográfica) remplir; (COM: algo en cuenta) porter au débit, débiter; (MIL: enemigo) charger; (NAUT: velas) carguer; (fam: molestar) faire tuer, tanner, ennuyer // vi charger; (LING: el acento) charger // **~se** vr se charger; **~ con** charger sur son ou ses épaule(s); **~ en o sobre** s'appuyer sur; **~ las tintas** en

rajouter, forcer la note; **~ la mano** forcer la main; **¡esto me carga!** (AM) ça me pèse!

cargazón nf (NAUT) chargement m, cargaison f; (del cielo) amoncellement m.

cargo nm (puesto) charge f, poste m; (responsabilidad) charge; **hacerse ~ del gobierno** assumer les fonctions du gouvernement; **girar o poner a ~ de la empresa** mettre à compte de l'entreprise; **testigo de ~** (JUR) témoin m à charge; **un ~ de conciencia** (fig) un poids sur la conscience.

carguero nm cargo m.

cariacontecido, a a (AM) soucieux(euse).

cariar vt carier; **~se** vr se carier.

caribe a originaire de la Caraïbe // nm Caraïbe m.

Caribe nm: **el ~ les** Caraïbes fpl.

caricatura nf caricature f.

caricia nf caresse f.

caridad nf charité f.

caries nfpl carie f.

carilampiño, a a imberbe.

carimbo nm marque f.

cariño nm affection f, tendresse f; (caricia) caresse f; (en carta) sentiments affectueux.

cariñoso, a a affectueux(euse).

caritativo, a a charitable.

cariz nm aspect m.

carmelita nm/f (REL) carmélite m/f // nf (BOT) fleur f de la capucine // a (AM) havane, marron clair.

carmen nm (quinta) villa f; (composición) composition f poétique; (REL): **orden del ~** carmel m.

carmesí a cramoisi(e) // nm cramoisi m.

carmín nm carmin f; (BOT) églantier m.

carnada nf appât m.

carnal a charnel(le); **primo ~** cousin germain; **tío ~** oncle m au premier degré.

carnaval nm carnaval m.

carnaza nf derme m.

carne nf chair m; (del ternero, oveja,

cerdo) viande f; **echar** ~s grossir; **metido en** ~**s** bien en chair; **herida en** ~ **viva** (*fig*) piqûre f au vif, offense f; **tener** ~ **de gallina** avoir la chair de poule.

carnerada nf troupeau m de moutons.

carnero nm mouton m; (*marino*) phoque m.

carnestolendas nfpl carême-prenant m.

carnicería nf boucherie f; (*fig*) carnage m, massacre m; (*AM*) abattoir m.

carnicero, a a (*animal*) carnassier(ière); (*fig: fam*) sanguinaire; (*que come mucha carne*): **ser** ~ être un gros mangeur de viande // nm/f (*vendedor de carne*) boucher/ère // nm carnassier m.

carnívoro, a a carnassier(ière), carnivore.

carnosidad nf (*MED*) excroissance f; (*gordura*) embonpoint m.

carnoso, a a (*persona*) charnu(e); **planta carnosa** plante grasse.

caro, a a cher(ère) // ad cher.

carozo nm (*de maíz*) rafle f (*de aceituna, durazno*) noyau m.

carpa nf (*ZOOL*) carpe f; (*AM*) grapillon m.

carpeta nf (*para escribir*) sous-main m; (*para documentos*) chemise f; ~ **de mesa** tapis m de table.

carpidor nm sarcloir m.

carpintería nf menuiserie f; **obra de** ~ menuiserie.

carpintero nm charpentier m; **pájaro** ~ pic-vert m.

carraca nf (*navío*) caraque f; (*astillero*) chantier naval; (*MUS*) crécelle f; (*TEC*) cliquet m.

carrada nf charretée f; (*fam*) flopée f, tapée f.

carral nm tonneau m (pour le vin).

carraspera nf enrouement m.

carrera nf (*DEPORTE*) course f; (*viga*) lambourde f; (*del sol*) cours m; (*calle*) cours m; (*trayecto*) trajet m, parcours m; (*profesión*) carrière

f; (*ESCOL*) études fpl; **hacer** ~ faire carrière.

carreta nf (*de bueyes*) charrette f; (*AM*) brouette f; chariot m; ~ **de mano** brouette f.

carretada nf (*carga de una carreta*) charretée f; (*gran cantidad*) flopée f, tas m.

carrete nm bobine f; (*TEC*) rouleau m; (*de caña de pescar*) moulinet m.

carretear vt charrier.

carretel nm (*de caña de pescar*) moulinet m; (*NAUT*) touret m; (*AM*) bobine f.

carretela nf caliche f.

carretera nf route f.

carretería nf (*oficio*) charronnage m; (*taller*) atelier m de charron.

carretero a (*camino*) carrossable // nm (*constructor*) charron m; (*conductor*) charretier m; **mapa** ~ carte routière.

carretilla nf (*de mano*) brouette f; (*juguete*) chariot m; (*cohete*) serpenteau m; (*carro*) chariot m; **saber de** ~ savoir sur le bout des doigts.

carril nm (*huella*) ornière f; (*surco*) sillon m; (*camino*) chemin muletier; (*de vía férrea*) rail m; (*AUTO*) voie f.

carrillera nf (*quijada*) mâchoire f; (*correa*) jugulaire f, mentonnière f.

carrillo nm (*ANAT*) joue f; (*mesa*) table roulante; (*TEC*) poulie f.

carrindango nm tacot m.

carrizo nm roseau m à balais, laîche f.

carro nm chariot m; (*juego*) morpion m; (*IMPRENTA*) train m; (*MIL*) char m; (*AM: coche*) automobile f; (: *tranvía*) tramway m; (: *vagón*) wagon m.

carrocería nf carrosserie f.

carroña nf charogne f.

carroza nf (*de*) carrosse m; (*de carnaval*) char m; ~ **fúnebre** char funèbre.

carruaje nm voiture f, véhicule m.

carta nf lettre f; (*CULIN, mapa*) carte f; ~ **de aviso/de**

crédito lettre d'avis/de crédit; ~ **simple/ certificada/expreso** lettre ordinaire/recommandée/exprès; ~ **de amparo** sauf-conduit m; ~ **de ciudadanía** certificat m de résidence.

cartabón nm (de agrimensor, de dibujante) équerre f; (de zapatero) pied m à coulisse.

cartapacio nm (para libros) cartable m; (para dibujos) carton m; (cuaderno) carnet de notes m; (de documentos) dossier m.

cartearse vr correspondre.

cartel nm (anuncio) affiche f; (alfabeto) alphabet mural; **obra continúa en** ~ la pièce tient l'affiche; **prohibido fijar** ~**es** défense d'afficher; **tener gran** ~ avoir bonne presse.

cartelera nf (en un muro) porte-affiche m; (de espectáculos) rubrique f des spectacles.

cartera nf (de bolsillo) portefeuille m; (de colegial) cartable m; (de señora) pochette f; (para documentos) porte-documents m; (de cobrador, cartero) sacoche f; (COM, POL) portefeuille m.

cartero nm facteur m.

cartilla nf (ESCOL) abécédaire m; (de racionamiento, ahorros) livret m; (REL) ordo m.

cartógrafo, a nm/f cartographe m/f.

cartón nm carton m.

cartuchera nf cartouchière f.

cartucho nm (MIL) cartouche f; (cucurucho) sac m.

cartujo nm chartreux m, ermite m.

cartulario nm cartulaire m.

cartulina nf bristol m.

casa nf (habitación) maison f; (edificio) immeuble m; (de tablero de ajedrez) case f; (de billar) quartier m; **ir a** ~ **de X** aller chez X; **estar en** ~ être à la maison; **una mujer de** ~ une femme d'intérieur; **¡está en su** ~! faites comme chez vous!; ~ **de campo/ editorial/matriz** maison de cam-

pagne/d'édition/mère; ~ **consistorial** hôtel de ville m; ~ **cuna** crèche f; ~ **de citas** maison de passe; ~ **de socorro** clinique f d'urgence; ~ **real** famille royale, maison f du Roi; ~ **remolque** roulotte f, caravane f.

casaca nf casaque f; (fam) mariage m.

casadero, a a en âge d'être marié(e), à marier.

casal nm (casa de campo) maison f de campagne; (ZOOL) couple m de mâle et de femelle.

casamata nf casemate f.

casamentero, a marieur(euse).

casamiento nm mariage m.

casar vt marier; (JUR) casser // nm hameau m; ~**se** vr se marier.

casca nf (de uva) marc m; (para curtir) tan m.

cascabel nm grelot m; (MIL) bouton m de culasse; **serpiente de** ~ serpent m à sonnettes.

cascada nf cascade f.

cascajo nm (guijarro, escombros) gravier m, gravats mpl; (fruto) fruit m à coquille; (de persona) croulant m; (: coche) tacot m.

cascanueces nm inv casse-noix m inv.

cascar vt (un huevo) fêler; (fam: dar una paliza a) cogner; (: pagar) casquer // vi (fam: charlar) bavarder; ~**se** vr (quebrarse) se briser; (la voz) casser; (fam: morirse) casser sa pipe.

cáscara nf (del huevo) coquille f; (de frutas secas) coque f; (de las frutas) peau f; (del queso) croûte f.

cascarón nm coquille f, écorce f; ~ **de nuez** (fig) coquille f de noix.

cascarrabias nm/f (gruñón) grincheux/euse // a: **es** ~ il/elle est soupe au lait.

cascarriento, a a crasseux(euse).

cascarudo, a a (AM) dont l'écorce est dure et épaisse.

casco nm (de hombre, soldado) casque m; (de sombrero) coiffe f; (de auricular) serre-tête m; (cráneo) crâne m; (de botella, obús)

éclat m; (BOT: de cebolla) tunique f; (de naranja) quartier m; (de población) périmètre urbain; (tonel) fût m; (NAUT: de barco) coque f; (ZOOL: de caballo) sabot m; (botella) bouteille f vide (consignée); **hay 5 pesetas de ~** il y a 5 pesetas de consigne.

cascote nm gravats mpl, décombres mpl.

caserío nm hameau m.

casero, a a domestique; (fam) popote, casanier(ière); (ropa) d'intérieur // nm/f (propietario) propriétaire m/f; (administrador) intendant; (AM: parroquiano) habitué/e; **pan ~** pain m maison; **remedio ~** remède m de bonne femme.

casi ad presque; **~ te caes** un peu plus tu allais tomber.

casilla nf (casita) maisonnette f; (caminera, de guarda) maison f; (TEATRO) guichet m; (de ajedrez) case f; (de estante) casier m; (de crucigrama) grille f, case.

casillero nm casier m.

casino nm casino m.

caso nm cas m; (JUR) affaire f; **en ~ de...** en cas de...; **~ es que** le fait est que; **en el peor/mejor de los ~s** dans le pire/meilleur des cas; **en último ~** en dernier recours.

caspa nf pellicules fpl.

casquete nm (gorro) toque f, calotte f; (polar) calotte glaciaire.

casquijo nm gravillon m.

casquillo nm (TEC anillo) bague f; (de lámpara) culot m, douille f; (de bayoneta, de rosca) culot m; (cartucho) culot m; (de flecha) pointe f; (AM) fer m à cheval.

casquivano, a a tête en l'air; (de poco juicio) écervelé/e.

cassette nf cassette f.

casta nf race f, (fig) espèce f, qualité f.

castaña nf ver **castaño**.

castañar nm, **castañal** nm, **castañeda** nf châtaigneraie f.

castañero, a nm/f marchand/e de marrons.

castañeta nf (chasquido) claquement m de doigts; (instrumento) castagnette f.

castañetear vt jouer aux castagnettes // vi (MUS) jouer des castagnettes; (los dientes) claquer; (los huesos) craquer; (las perdices) cacaber.

castaño, a a châtain, marron // nm châtaignier m, marronnier m // nf (fruto) châtaigne f; (damajuana) dame-jeanne f; (fam) marron m, châtaigne.

castañuela nf (instrumento) castagnette f; (planta) souchet m.

castellano, a a castillan(e) // nm (lengua) castillan m, espagnol m; (señor) châtelain m.

castidad nf chasteté f.

castigar vt (reo) châtier; (niño) punir; (afligir) affliger.

castigo nm châtiment m, punition f, sanction f.

castillo nm château fort; (NAUT) château m, gaillard m; **~ de fuego** pièce f d'artillerie.

castizo, a a (LING) pur(e); (de buena casta) de bonne souche; (fam) typique.

casto, a a (puro) chaste; (virtuoso) vertueux(euse).

castor nm castor m.

castración nf castration f; (de árbol) taille f.

castrado, a a châtré(e), castré(e).

castrar vt (capar) châtrer, castrer; (colmena) châtrer; (AGR: árbol) tailler; (herida) cicatriser; (fig) affaiblir.

castrense a militaire.

casual a casuel(le); accidentel(le); fortuit(e); imprévu(e).

casualidad nf hasard m; accident m; coïncidence f.

casualmente ad par hasard; d'aventure; par accident.

casucha nf bicoque f.

casulla nf chasuble f.

cata nf (desgustación, prueba

dégustation f; (porción) échantillon m, morceau m; (AM: excavación metalífera) gisement m métallifère.

cataclismo nm cataclysme m.

catacumbas nfpl catacombes fpl.

catador nm (que prueba alimentos) dégustateur m; (que prospecta) prospecteur m; (fig) connaisseur m.

catadura nf dégustation f; (fig: fam) mine f, tête f.

catalán, ana a catalan(e) // nm/f Catalan/e.

catalejo nm longue-vue f.

cataléptico, a a cataleptique // nm/f cataleptique m/f.

catálogo nm catalogue m.

Cataluña nf Catalogne f.

cataplasma nm cataplasme m; (fam) pot de colle m.

catapulta nf catapulte f.

catar vt (alimento) goûter; (vino, té) déguster; (colmenas) châtrer.

catarata nf (GEO) chute f; (MED) cataracte f.

catarro nm catarrhe m, rhume m.

catastro nm cadastre m.

catástrofe nf catastrophe f, désastre m.

cataviento nm penon m.

cateador nm (AM) prospecteur m.

catear vt (buscar) chercher, guetter; (investigar) investiguer; (AM) prospecter.

catecismo nm catéchisme m.

cátedra nf chaire f.

catedral nf cathédrale f.

catedrático, a nm/f professeur m de faculté ou d'université.

categoría nf catégorie f; (calidad, prestigio) rang m.

categórico, a a catégorique.

catequista nm/f catéchiste m.

catequizar vt catéchiser; (fig) endoctriner.

caterva nf (banda) bande f; (cosas viejas) ramassis m.

catilinaria nf catilinaire f.

catire a (AM) roux(rousse) // nm/f (AM) roux/rousse.

catolicismo nm catholicisme m.

católico, a a catholique // nm/f catholique m/f.

catorce num quatorze.

catre nm lit m de camp; (fam) pieu m.

cauce nm (de río) lit m; (canal) canal m; (acequia) rigole f; (fig: vía) voie f; (: curso, camino) cours m.

caución nf (garantía) caution f, garantie f; (fianza) cautionnement m.

caucionar vt cautionner; (JUR) garantir.

caucho nm caoutchouc m; **árbol del ~** caoutchoutier m.

caudal nm (de río) débit m; (volumen) volume m; (fortuna) fortune f, capital m, richesse f; **~ de conocimientos** puits m de science.

caudaloso, a a (río) abondant(e), de grand débit; (persona) riche, fortuné(e).

caudillo nm capitaine m, chef m; personnage influent.

causa nf cause f, raison f, motif m; (JUR) cause f, procès m, affaire f; **hacer ~ común** con faire cause commune avec.

causar vt (provocar) causer; (originar) provoquer, occasionner; (acarrear) entraîner.

cáustico, a a a caustique.

cautela nf précaution f, prudence f.

cauteloso, a a prudent(e); cauteleux(euse); timoré(e); (pey) rusé(e).

cauterio nm cautère m, (fig) remède m énergique.

cauterizar vt cautériser; (fig) extirper.

cautivar vt faire prisonnier, capturer; (fig) captiver, séduire.

cautiverio nm, **cautividad** nf captivité f.

cautivo, a a captif(ive) // nm prisonnier/ière; esclave m/f; **un canario ~** un canari en cage.

cauto, a a (prudente, reservado) prudent(e); circonspect(e); (astuto) rusé(e).

cavar vt (un pozo) creuser; (AGR) bêcher // vi (fig) pénétrer, approfondir.

caverna nf caverne f.

cavernícola a cavernicole; (fig) réactionnaire // nm troglodyte m; (fig) casanier/ière.

cavernoso, a a caverneux(euse).

cavidad nf cavité f.

cavilación nf méditation f, réflexion f.

cavilar vi méditer, réfléchir.

caviloso, a a préoccupé(e); pensif(ive).

cayado nm (de pastor) houlette f; (de obispo) crosse f; ~ **de la aorta** crosse f de l'aorte.

cayo nm récif m, écueil m.

cayó etc vb ver **caer**.

caz nm canal m de dérivation.

caza nf (gen) chasse f; (animales) gibier m // nm chasse f.

cazador, a a chasseur(euse) // nm chasseur m // nf blouson m.

cazar vt (animales) chasser; (fam) dénicher, dégoter; (sorprender) attraper, débusquer; (NAUT) border.

cazatorpedero nm contre-torpilleur m.

cazo nm (vasija) louche f; (cucharón, cacerola) casserole f.

cazuela nf (cacerola) casserole f; (guisado) ragoût m; (TEATRO) poulailler m, paradis m.

cazurro, a a (huraño) renfermé(e); (reservado) réservé(e); (taimado) roublard(e); (tonto) niais(e); (testarudo) têtu(e).

c/c abr de **cuenta corriente**.

CC.OO. abr de Comisiones Obreras.

c.d. abr de corriente directa.

C de J abr de Compañía de Jesús.

ceba nf (para animales) gavage m; (de horno) chargement m; (AM) amorce f.

cebada nf ver **cebado**.

cebadal nm champ m d'orge.

cebadera nf mangeoire f; (NAUT) civadière f; (TEC) appareil m de chargement du gueulard.

cebado, a a gavé(e); (AM) féroce // nf orge f.

cebar vt (animal) gaver, engraisser; (pez) appâter; (MIL) amorcer; (TEC) charger; (AM: el mate) préparer // vi pénétrer, mordre; ~**se** vr s'acharner.

cebellina nf zibeline f.

cebo nm (para animales) pouture f; (para peces, fig) appât m; (de arma) amorce f; (para horno) combustible pour amorcer un four.

cebolla nf (AGR) oignon m; (ristra de cebollas) chapelet m d'oignons; (fig: de madera) roulure f; (de regadera) pomme f d'arrosoir.

cebolludo, a a bulbeux(euse).

cebra nf zèbre m.

ceca nf: **ir de la** ~ **a la Meca** aller à droite et à gauche.

cecear vi zézayer.

ceceo nm zézaiement m.

cecina nf viande séchée ou boucanée.

cedazo nm tamis m.

ceder vt céder // vi (renunciar) renoncer; (someterse) céder; (disminuir) s'apaiser, se calmer; (romperse) céder, rompre.

cedro nm cèdre m.

cédula nf billet m; ~ **de aduana** papiers mpl de douane; ~ **de identificación** carte f d'identité; ~ **real** brevet m du roi.

C.E.E. (abr de Comunidad Económica Europea) CEE f (Communauté économique européenne).

céfiro nm zéphyr m.

cegar vt rendre aveugle; (fig: pozo) combler; (paso, camino) boucher, obstruer // vi perdre la vue; ~**se** vr s'aveugler.

ceguedad, ceguera nf cécité f; (fig) aveuglement m.

ceiba nf fromager m.

ceibo nm flamboyant m.

ceja nf (ANAT) sourcil m; (ARQ) rebord m; (en vestido) passepoil m; (de libro) mors m; (de sierra) crête

f; (de guitarra) sillet m; (TEC:
pestaña) boudin m.
cejar vi céder, renoncer.
cejijunto, a a aux sourcils épais;
(fig) renfrogné(e).
celada nf (de armadura) salade f;
(emboscada, trampa) embuscade f,
guet-apens m.
celador, a nm/f surveillant/e.
celaje nm claire-voie f; (fig)
présage m; (nubes) nuages colorés.
celar vt (vigilar) surveiller, observer; (encubrir) celer, occulter.
celda nf cellule f.
celebración nf (de acto) célébration f; (aplauso) célébration f,
acclamation f.
celebrante nm célébrant m.
celebrar vt (alabar) célébrer;
(misa) célébrer, dire; (asamblea,
congreso) tenir; (éxito) célébrer;
(cumpleaños, etc) fêter; ~se vr
avoir lieu.
célebre a (chistoso) amusant(e),
rigolot(e).
celebridad nf (gen) célébrité f;
(persona) célébrité; (festividad)
festivité f.
celeridad nf célérité f, rapidité f.
celeste a céleste // nm bleu ciel m.
celestial a céleste; (fig) parfait(e);
délicieux(euse); divin(e).
celestina nf entremetteuse f.
celibato nm célibat m, célibataire
m.
célibe a célibataire // nm/f célibataire m/f.
célico, a, celical a céleste.
celo nm (cuidado) zèle m; (de
animales) rut m; ~s nmpl jalousie f.
celofán nm cellophane f.
celosía nf (persiana) jalousie f;
(pasión) jalousie, envie f.
celoso, a a (envidioso) jaloux
(ouse); (trabajo) sensible; (descon-
fiado) méfiant(e).
celta nm/f Celte m/f // nm celte m.
céltico, a a celtique.
célula nf cellule f; ~ nerviosa
cellule nerveuse.
celular a cellulaire.

celuloide nm celluloïd m.
celulosa nf cellulose f.
cementar vt (calle, edificio) cimenter; (TEC: metal) cémenter.
cementerio nm cimetière m.
cemento nm ciment m; béton m;
(para dientes) cément, plomb m; ~
armado o reforzado béton armé.
cena nf dîner m, souper m.
cenáculo nm cénacle m.
cenador nm tonnelle f, charmille f.
cenagal nm bourbier m; (fig)
bourbier, pétrin m.
cenagoso, a a fangeux(euse);
bourbeux(euse).
cenar vt manger // vi dîner.
cenceño, a a sec(sèche); maigre.
cencerro nm sonnaille f, clarine f.
cendal nm voile f.
cenefa nf (de pañuelo, cortina)
bordure f, lisière f; (en muro,
pavimento) plinthe f.
cenicero nm cendrier m.
ceniciento, a a cendré(e).
cenit nm zénith m.
ceniza nf cendre f; ~s nfpl cendres
fpl.
cenizo, a a cendreux(euse); cen-
dré(e).
censo nm (empadronamiento)
recensement m; (JUR: tributo) cens
m, redevance f; (: renta) contrat m
de) rente f; (: carga sobre una casa)
charge f.
censor nm censeur m.
censura nf (POL) censure f; (moral)
blâme m.
censurable a blâmable, censurable, criticable.
censurar vt (idea) censurer, critiquer; (cortar: película) censurer.
centauro nm centaure m.
centavo nm (AM) centime m, cent
m.
centella nf éclair m, foudre f.
centell(e)ar vi scintiller, briller.
centelleo nm scintillement m.
centena nf centaine f.
centenar nm centaine f; ~es de
des centaines de.
centenario, a a centenaire //

nm/f centenaire *m/f* // *nm* centenaire *m*.

centeno *nm* seigle *m*.

centésimo, a *a* centième // *nm* centième *m*.

centígrado, a *a* centigrade.

centímetro *nm* centimètre *m*.

céntimo, a *a* centième // *nm* centime *m*.

centinela *nm* sentinelle *f*.

centón *nm* (*poesía*) centon *m*; (*manta*) bâche *f*.

central *a* central(e); (*calle*) principal(e) // *nf* central *m*; ~ **de correos** bureau de poste principal; ~ **hidroeléctrica** centrale *f* hydro-électrique; ~ **obrera** centrale ouvrière.

centralismo *nm* centralisme *m*.

centralización *nf* centralisation *f*.

centralizar *vt* centraliser.

centrar *vt* centrer.

céntrico, a *a* central(e).

centrífugo, a *a* centrifuge.

centrípeto, a *a* centripète.

centro *nm* centre *m*.

centroamericano, a *a* de l'Amérique centrale // *nm/f* habitant(e) d'Amérique centrale.

centuplicar *vt* centupler.

centuria *nf* siècle *m*.

ceñido, a *a* (*vestimenta*) ajusté(e); (*economía*) économe.

ceñidor *nm* (*cinturón*) ceinture *f*; (*cordón*) cordelière *f*.

ceñir *vt* (*apretar*, *ajustar*) serrer, ajuster; (*abrazar*) entourer, ceinturer; ~**se** *vr* (*presupuesto*) se restreindre; (*al programa establecido*) se limiter; (*a las exigencias*) se faire; (*TAUR*) s'approcher tout près du taureau; ~**se el cinturón** se serrer la ceinture; ~**se la espada** ceindre son épée; ~**se a un amigo** s'en tenir à un ami.

ceño *nm* aspect menaçant; (*de casco de caballo*) bourrelet *m*; **fruncir el** ~ froncer le sourcil.

ceñudo, a *a* renfrogné(e); sombre; taciturne.

cepa *nf* (*de vid*) cep *m*; (*tronco de*

un *árbol*) souche *f*; (*fig*) souche.

cepillar *vt* brosser; (*una madera*) raboter; (*AM*) flatter.

cepillo *nm* (*gen*) brosse *f*; (*de barrer*) balai *m*; (*de carpintero*) rabot *m*.

cepo *nm* (*rama*) rameau *m*, branche *f*; (*de tortura*) cep *m*; (*trampa para animales*) piège *m*; (*en iglesia*) tronc *m*.

cera *nf* (*de abejas*) cire *f*; (*de lustrar*) cirage *m*, cire *f*; (*del oído*) cérumen *m*.

cerámico, a *a* à céramique // *nf* céramique *f*; **gres** ~ **grès** à céramique; ~ céramique.

cerbatana *nf* (*MIL*) sarbacane *f*; (*MED*) cornet *m* acoustique.

cerca *nf* clôture *f*, enceinte *f* // *ad* près // ~**s** *nmpl* premiers plans; **de** ~ de près; **mirar de** ~ regarder de près.

cercado *nm* (*huerto*) enclos *m*; (*valla*) clôture *f*.

cercanía *nf* proximité *f*; (*de montaña*, *ciudad*) alentours *mpl*, environs *mpl*; (*de invierno*) approches *fpl*.

cercano, a *a* (*pariente*) proche; (*país*) voisin(e).

cercar *vt* (*gen*) clôturer, clore; (*MIL*: *al enemigo*) encercler, cerner.

cercén : a ~ *ad* à ras.

cercenar *vt* rogner, retrancher; (*fig*) réduire les libertés de.

cerciorar *vt* assurer; ~**se** *vr* s'assurer.

cerco *nm* cercle *m*; (*AM*: *valla*) clôture *f*, haie *f*; (*ASTRO*) halo *m*; (*MIL*) siège *m*; (*de hechicería*) cerne *m*.

cerda *nf* (*de cerdo*) soie *f*; (*de caballo*) crin *m*; (*hembra del cerdo*) truie *f*.

cerdo *nm* porc *m*; (*fig*: *fam*) cochon *m*.

cerdoso, a *a* couvert(e) de soies.

cereal *nm* céréale *f*.

cerebral *a* cérébral(e).

cerebro *nm* cerveau *m*.

ceremonia *nf* cérémonie *f*.

ceremonial a cérémonial(e) // nm cérémonial m.

ceremonioso, a a cérémonieux(euse).

cerería nf magasin m du cirier; métier m du cirier.

cerero, a nm/f cirier/ière.

cereza nf cerise f.

cerezo nm cerisier m; (silvestre) merisier m.

cerilla nf (fósforo) allumette f; (vela) bougie f; (de los oídos) cérumen m.

cerner vt bluter; (fig) observer, scruter // vi être en fleur; (lloviznar) pleuviner, bruiner; ~se vr (planear) planer; (fig) planer, menacer; (balancearse) se dandiner.

cernícalo nm buse f; (fig) buse, cruche f.

cernido nm criblage m; (harina) farine blutée.

cero nm zéro m.

cerote nm poix (de cordonnier) f; (fig: fam) trouille f, frousse f.

cerquillo nm (de monje) couronne f, tonsure f; (de zapato) trépointe f.

cerrado, a a fermé(e); (cielo, lluvia, noche) couvert(e), nuageux(euse); (curva) à la corde; (acento) très prononcé; (herida) fermé, refermé(e); (fig: fam) ren- fermé(e); (poco inteligente) bor- né(e); orden f (MIL) formation f en masse.

cerradura nf serrure f.

cerraja nf serrure f; (BOT) laiteron m.

cerrajería nf serrurerie f.

cerrajero nm serrurier m.

cerrar vt fermer; (paso, carretera) fermer, barrer; (trato, cuenta, negocio) conclure; (debate) clore // vi fermer; ~se vr (la noche) s'obscurcir, descendre; (persona) s'enfoncer, s'absorber.

cerrazón nf obscurité f; (fig) étroitesse f d'esprit.

cerrero, a a vagabond(e);

(caballo) sauvage; (fig) rustre, inculte.

cerril a (terreno) accidenté(e); (animal) sauvage; (fig) gros- sier(ière); rustre.

cerro nm colline f, coteau m; (AM) mamelon m, montagne peu élevée; (ZOOL) cou m, croupe f; (de lino) quenouille f.

cerrojo nm verrou m.

certamen nm (torneo) joute f, duel m; (concurso) concours m.

certero, a a juste; adroit(e); sûr(e); fondé(e).

certeza, certidumbre nf certitude f, assurance f; **tener la ~ de que** avoir la certitude que.

certificación nf (aprobación, atestación) certification f; (de una carta) recommandation f.

certificado, a a recommandé(e) // nm certificat m.

certificar vt (asegurar, atestar) certifier, assurer; (carta) recom- mander.

cerusa nf céruse f.

cerval a cervin(e); du cerf.

cervato nm faon m.

cervatillo nm porte-musc m.

cervecería nf brasserie f.

cervecero nm brasseur m.

cerveza nf bière f.

cerviz nf nuque f.

cesación nf cessation f.

cesante a en chômage; mis(e) en pied; révoqué(e) // nm/f chômeur/euse.

cesantía nf mise à pied f; chômage m.

cesar vi cesser, prendre fin; ~ **de hacer** arrêter de faire.

cese nm (de trabajo) révocation f; (de pago) cessation f.

cesión nf cession f.

cesionario, a a cessionnaire.

césped nm gazon m, pelouse f.

cesta nf panier m; (para pelota vasca) chistera f.

cestero, a nm/f vannier/ière.

cesto nm (para papeles) panier m, corbeille f; (cesta grande) manne f.

cesura nf césure f.

cetrería nf fauconnerie f.

cetrero nm fauconnier m.

cetrino, a a citrin(e); olivâtre; (fig) mélancolique.

cetro (gen) sceptre m; (para halcones) perchoir m; **bajo el ~ de** sous le règne de.

ch... voir sous la lettre **CH**, après **C**.

cía nf ischion m.

Cía abr de **compañía**.

cianuro nm cyanure m.

ciar vi (retroceder) reculer; (remar) ramer en arrière; (fig) renoncer, abandonner.

ciática nf sciatique f.

cicatería nf ladrerie f, lésinerie f.

cicatero, a a lésineur(euse), ladre.

cicatriz nf cicatrice f.

ciclismo nm cyclisme m.

ciclo nm cycle m.

ciclón nm cyclone m, ouragan m.

cicuta nf ciguë f.

ciego, a a aveugle // nm/f aveugle m/f.

cielo nm ciel m; (ARQ) voûte f; **¡~!** Ciel!

ciempiés nm mille-pattes m.

cien a ver **ciento**.

ciénaga nf marécage m.

ciencia nf science f; **saber algo a ~ cierta** être sûr et certain de qch.

cieno nm vase f, bourbe f.

científico, a a scientifique // nm/f scientifique m/f, savant/e.

ciento, cien a nm cent m; **~s de** des centaines de; **20 por ~ de descuento** 20de remise; **pagar al 10 por ~** payer 10

cierne nm floraison f; **estar en ~** être en germe.

cierre nm fermeture f; **~ a cremallera** o **relámpago** fermeture éclair ou à glissière.

cierro etc vb ver **cerrar**.

cierto, a a certain(e); (un tal) un certain (une certaine); (correcto) certain, sûr(e); **~ hombre** un certain homme; **sí, es ~** oui, c'est sûr; **estar en lo ~** être dans le vrai;

lo **~ es que ocurrió** ce qui est certain c'est que c'est arrivé.

ciervo nm cerf m.

cierzo nm bise f.

cifra nf chiffre m; (cantidad) quantité f; **en ~** en code, dans un langage codé.

cifrar vt chiffrer; (resumir) résumer, abréger.

cigarra nf cigale f.

cigarral nm villa f.

cigarrera nf (persona) cigarière f; (para cigarros) porte-cigares m.

cigarrería nf (AM) bureau m de tabac.

cigarrillo nm cigarette f.

cigarro nm cigare m.

cigüeña nf (ZOOL) cigogne f; (TEC) manivelle f.

cilindrar vt cylindrer.

cilíndrico, a a cylindrique.

cilindro nm cylindre m.

cima nf (de montaña) sommet m; (de árbol) cime f; (fig) cime.

cimarrón, ona a (AM) sauvage; (: fugitivo) marron(ne).

címbalo nm (campanita) clochette f; (platillo) cymbale f.

cimborrio, cimborio nm ciborium m.

cimbrar, cimbrear vt faire vibrer; (fam) frapper; (bóveda) cintrer; **~se** vr (con el viento) vibrer; (doblarse) se plier, se ployer.

cimbreo nm cintrage m.

cimentar vt (muro) cimenter; (hacer los cimientos de) creuser les fondations de; (fig) consolider.

cimera nf cimier m.

cimiento nm (ARQ) fondation f; **~s** fondations fpl; (fig) origine f, source f.

cimitarra nf cimeterre m.

cinc nm zinc m.

cincel nm ciseau m.

cincelar vt ciseler.

cinco num cinq.

cincuenta num cinquante.

cincha nf sangle f.

cinchar vt (caballo) sangler; (tonel) cercler.

cincho nm (para la cintura) ceinture f; (para toneles) cercle m, cerceau m; (AM) sangle f.

cine nm cinéma m.

cinematográfico, a a cinématographique.

cinerario, a a cinéraire // nf cinéraire f.

cíngulo nm cordon m.

cínico, a a cynique // nm/f cynique m/f.

cinismo nm cynisme m.

cinta nf (para un paquete) ruban m; (de seda, lana, algodón) galon m; (película) film m, bande f; (de máquina de escribir) ruban, rouleau m; (métrica) décamètre m à ruban; (magnetofónica) bande; (adhesiva) ruban.

cintillo nm (de sombrero) bourdalou m; (anillo) alliance f avec des pierres précieuses.

cinto nm ceinturon m.

cintura nf taille f; ceinture f.

cinturón nm (MIL: para el sable) ceinturon m; (de cuero) ceinture f; ~ **de seguridad** ceinture de sécurité; ~ **salvavidas** bouée f de sauvetage.

ciprés nm cyprès m.

circo nm cirque m.

circuir vt entourer; clore.

circuito nm circuit m.

circulación nf circulation f.

circulante a (dinero) circulant(e); (noticia) qui circule.

circular a circulaire // nf lettre f circulaire // vi circuler // vt faire circuler.

círculo nm (MAT) cercle m; (club, cenáculo) club m, cercle m; ~**s nmpl**: ~**s diplomáticos** milieux mpl diplomatiques; ~ **polar ártico** cercle polaire arctique; ~ **vicioso** cercle vicieux.

circuncidar vt circoncire; (fig) diminuer, retrancher, modérer.

circuncisión nf circoncision f.

circunciso, a pp de **circuncidar** // a circoncis(e).

circundar vt environner, entourer.

circunferencia nf circonférence f.

circunflejo nm circonflexe m.

circunlocución nf, **circunloquio** nm circonlocution f.

circunnavegación nf circumnavigation f.

circunnavegar vt (en círculo) circumnaviguer; ~ **el mundo** faire le tour du monde en bateau.

circunscribir vt circonscrire; (fig) limiter; ~**se** vr se limiter, s'en tenir.

circunscripción nf circonscription f.

circunspección nf circonspection f.

circunspecto, a a circonspect(e); réservé(e).

circunstancia nf circonstance f.

circunstanciado, a a circonstancié(e); détaillé(e).

circunstante nm/f assistant/e.

circunvalar vt entourer, ceindre.

circunvecino, a a circonvoisin(e).

cirio nm cierge m (pascal).

cirro nm (nube) cirrus m; (BOT) cirre m, vrille f; (MED) squirre m; (ZOOL) cirre m.

ciruela nf prune f.

ciruelo nm prunier m.

cirugía nf chirurgie f; ~ **estética** o **plástica** chirurgie esthétique.

cirujano nm chirurgien m.

cisco nm charbonnaille f; (fig: fam) foin m, grabuge m.

cisma nm schisme m; (fig) discorde f.

cismático, a a schismatique.

cisne nm cygne m.

cisterna nf (vagón, buque) citerne f; (depósito) réservoir m.

cisura nf incision f.

cita nf rendez-vous m; (referencia) citation f; **darse** ~ **en un café** se donner rendez-vous dans un café.

citación nf (JUR) assignation f; (referencia) citation f.

citar vt (gen) donner rendez-vous à; (JUR) citer, appeler; (un autor)

texto) citer; (*TAUR*) provoquer; ~**se**
vr prendre rendez-vous.

cítara *nf* cithare f.

citerior *a* citérieur(e).

cítrico, a *a* citrique; ~**s** *nmpl*
agrumes *mpl*.

ciudad *nf* ville f.

ciudadanía *nf* citoyenneté f.

ciudadano, a *nm/f* (*de ciudad*)
citadin/e; (*de estado*) citoyen/ne.

ciudadela *nf* citadelle f.

cívico, a *a* civique // ~ *nm* (*AM*)
agent *m* de police.

civil *a* civil(e) // *nm* (*guardia*)
garde-civile m; (*ciudadano*) civil m.

civilidad *nf* civilité f.

civilista *nm* civiliste m.

civilización *nf* civilisation f.

civilizar *vt* civiliser; ~**se** *vr*
s'intégrer.

civismo *nm* civisme m.

cizalla *nf* cisailles fpl.

cizaña *nf* ivraie f; (*fig*) discorde f,
zizanie f.

cizañar, cizañear *vt* semer la
discorde entre.

clac *nm* claque m // *excl* clac!

clamar *vt* clamer, crier // *vi*
implorer; réclamer.

clamor *nm* (*grito*) clameur f,
(*gemido*) gémissement m; (*vítores*)
acclamation f; (*de campana*) glas
m.

clamorear *vt* réclamer // *vi* (*de
júbilo*) clamer; (*campana*) sonner.

clamoreo *nm* (*clamor*) clameur f,
(*ruego*) prière agaçante.

clamoroso, a *a* (*plañidero*)
retentissant(e); (*rotundo, ruidoso*)
éclatant(e).

clandestino, a *a* clandestin(e).

claque *nf* (*fam*) claque f.

clara *nf* (*de huevo*) blanc m de
l'œuf; (*del día*) œuf m du jour.

claraboya *nf* (*tragaluz*) lucarne f,
(*en un tejado*) fenêtre f à tabatière.

clarear *vi* (*el día*) éclairer; (*el
cielo*) éclaircir; ~**se** *vr* s'éclaircir,
devenir transparent(e); (*fig: fam*)
laisser voir ses intentions.

clarete *nm* rosé m, clairet m.

claridad *nf* clarté f.

claridoso, a *a* sincère.

clarificación *nf* (*de líquido*)
clarification f; (*explicación*)
éclaircissement m.

clarificar *vt* (*líquido*) clarifier;
(*explicar*) éclaircir, expliquer.

clarín *nm* clairon m.

clarinete *nm* (*instrumento*)
clarinette f; (*instrumentista*)
clarinettiste m.

clarión *nm* craie f.

clarividencia *nf* clairvoyance f.

claro, a *a* (*gen*) clair(e); (*evidente*)
évident(e), clair; (*ralo*) clair-
semé(e) // *nm* (*en escritura*)
espace *m*, blanc m; (*tiempo
disponible*) temps m libre; (*en
discurso*) pause f; (*en bosque*)
clairière f; (*de luna*) clair m de lune
// *ad* net, clairement // *excl* bien
sûr!, évidemment! // ~ que ~ parler
clairement; **poner las cosas en** ~
tirer les choses au clair.

claroscuro *nm* clair-obscur m.

clase *nf* classe f; (*zool*) classe,
genre *m*; (*MIL*) hommes *mpl* de
troupe; **tener** ~ avoir de la classe;
~**s particulares** leçons particulières; ~ **nocturna** cours m du
soir; ~ **media** classe moyenne.

clásico, a *a* classique; (*fig*)
typique.

clasificación *nf* classification f,
classement m; (*de correo*) triage m;
(*de equipo*) classement.

clasificar *vt* classer, trier.

claudicar *vi* céder, se soumettre.

claustro *nm* (*de convento*) cloître
m; (*de profesores*) conseil m,
assemblée f des professeurs; ~
materno matrice f.

cláusula *nf* clause f.

clausura *nf* clôture f.

clava *nf* massue f.

clavar *vt* (*clavo*) clouer; (*cuchillo,
tenedor*) enfoncer; planter;
(*mirada*) fixer, braquer; (*fam*)
rouler; ~**se** *vr* être roulé(e), se
laisser rouler.

clave *nf* clef f; (*de mapa*) légende f

// nm clavecin m // a clef inv.

clavel nm œillet m.

clavero nm giroflier m.

clavicordio nm clavecin m.

clavícula nf clavicule f.

clavija nf cheville f, (ELEC) fiche f.

clavillo nm vis f; ~ de olor clou m de girofle.

clavo nm (de metal) clou m, pointe f; (BOT) clou de girofle; (forúnculo) clou; (callo) cor m.

claxon nm klaxon m.

clemencia nf clémence f.

clemente a clément(e).

clerecía nf (clero) clergé m; (oficio) cléricature f; (privilegio) clergie f.

clerical a clérical(e) // nm clérical m.

clérigo nm ecclésiastique m.

clero nm clergé m.

cliente nm/f client/e.

clientela nf clientèle f.

clima nm climat m.

clínica nf clinique f.

clip nm trombone m.

clisé nm cliché m.

cloaca nf cloaque m.

clocar vi glousser.

cloque nm croc m.

cloquear vi = clocar.

clorhídrico, a a chlorhydrique.

cloroformizar vt chloroformer.

cloroformo nm chloroforme m.

club nm (pl ~s o ~es) club m.

cluniacense a clunisien(ne).

cm abr de **centímetro**.

C.N.T. abr de Confederación Nacional de Trabajo.

coacción nf contrainte f.

coactivo, a a coercitif(ive).

coadjutor, a nm/f coadjuteur/trice.

coadyuvante a qui aide.

coadyuvar vt contribuer, aider; secourir.

coagular vt coaguler.

coágulo nm (de leche) coagulum m; (de sangre) caillot m.

coalición nf coalition f.

coartada nf alibi m.

coartar vt limiter.

coba nf (fam: embuste) blague f; (adulación) flatterie f.

cobalto nm cobalt m.

cobarde a lâche; poltron(ne), peureux(euse) // nm lâche m, poltron m.

cobardía nf (miedo) poltronnerie f; (falta de ánimo) lâcheté f.

cobayo nm, **cobaya** nf cobaye m.

cobertera nf couvercle m.

cobertizo nm (tejado) auvent m; (para trastos viejos, maquinarias) hangar m, remise f.

cobertor nm couverture f, dessus-de-lit m.

cobertura, cubierta nf couverture f.

cobija nf (teja) tuile faîtière, enfaîteau m; (AM) couverture f de lit.

cobijar vt couvrir, abriter; (fig) héberger; protéger.

cobra nf courroie f d'attelage; (serpiente) cobra m, naja m.

cobrador nm (de autobús, tren) receveur m; (de impuestos, gas) encaisseur m.

cobranza nf encaissement m.

cobrar vt (cheque, sueldo) toucher; (deuda) encaisser; ~se vr (hacerse pagar) se payer; (desquitarse) se dédommager, se payer; ~ ánimo o coraje reprendre courage; ~ cariño a uno prendre qn en affection; ~ fama de acquérir réputation de; ¡vas a ~! (AM) qu'est-ce que tu vas prendre!

cobre nm cuivre m; ~s nmpl cuivres mpl.

cobrizo, a a cuivré(e).

cobro nm (paga) paye f; (cobranza) encaissement m.

coca nf (BOT) coca f ou m; (fam) boule f, calotte f.

cocacho nm haricot m.

cocaína nf cocaïne f.

cocción nf cuisson f.

cocear vi ruer.

cocer vt cuire // vi cuire, bouillir; ~se vr cuire.

cocido nm pot-au-feu m // a cuit(e).

cocimiento nm (de comida) cuisson f; (tisana) décoction f.

cocina nf cuisine f; (aparato) cuisinière f.

cocinar vt, vi cuisiner.

cocinero, a nm/f cuisinier/ière.

coco nm (árbol) cocotier m; (fruto) noix m de coco; (microbio) coccus m; (gusano de las frutas) ver m; (fam) boule f.

cocodrilo nm crocodile m.

cocotal nm lieu planté de cocotiers.

cocotero nm cocotier m.

coche nm (de caballos) voiture f; (automóvil) voiture f, automobile f; (de tren) voiture, wagon m; (fúnebre) corbillard m; (para niños) poussette f; ~ **celular** panier m à salade.

cochera a cochère // nf garage m.

cochero nm cocher m.

cochinada nf (fam) cochonnerie f, grossièreté f.

cochinería nf cochonnerie f.

cochinilla nf (crustáceo) cloporte m; (insecto, colorante) cochenille f.

cochino, a a cochon(ne) // nm porc m, cochon m, (fig) cochon.

codal a (medida) qui mesure une coudée; (forma) coudé(e); en forme de codo // nm (de armadura) cubitière f; (de vid) marcotte f de la vigne; (ARQ) étresillon m.

codazo nm coup m de coude.

codear vi jouer des coudes.

codelincuente a complice // nm/f complice m/f.

codera nf coudière f.

códice nm codex m.

codicia nf cupidité f, (fig) convoitise f.

codiciar vt convoiter.

codicioso, a a cupide, convoiteur(euse).

código nm code m; **mensaje en** ~ message codé.

codillo nm (codo) coude m; (espalda) épaule f; (de árbol) fourche f.

codo nm (ANAT, de tubo) coude m; (medida) coudée f.

codorniz nf caille f.

coeducación nf coéducation f, enseignement m mixte.

coeficiente nm coefficient m; ~ **de incremento** taux m d'accroissement.

coerción nf coercition f.

coercitivo, a a coercitif(ive).

coetáneo, a a contemporain(e).

coexistencia nf coexistence f.

coexistir vi coexister.

cofia nf (para el cabello) résille f; (de proyectil) coiffe f.

cofrade nm confrère m.

cofradía nf confrérie f, association f.

cofre nm coffre m.

cogedero, a a cueillir m.

cogedor, a ramasseur(euse) // nf pelle f.

coger vt (gen) prendre; (frutas) cueillir; (resfriado) attraper; (la lluvia, la noche) se laisser surprendre par; (un ladrón) attraper // vi: ~ **por el buen camino** prendre le bon chemin; ~se vr (robar) voler.

cogida nf (AGR) cueillette f; (TAUR) coup m de corne.

cogido, a a (tomado) pris(e); (apresado: ladrón) capturé(e); (torero) encorné(e); blessé(e); **caminar** ~s **del brazo** aller bras dessus, bras dessous.

cognado, a nm/f cognat m.

cogollo nm (de lechuga, col) cœur m; (de árbol) rejeton m, bourgeon m, pousse f.

cogote nm nuque f.

cogulla nf habit m.

cohabitar vi cohabiter.

cohechar vt suborner, corrompre.

cohecho nm subornation f, corruption f.

coheredero, a nm/f cohéritier/ière.

coherente a cohérent(e).

cohesión nm cohésion f.

cohete nm fusée f.

cohetero nm artificier m.

cohibición nf contrainte f.

cohibir vt réprimer, intimider.

cohombrillo nm petit concombre.

cohombro nm (BOT) concombre m; (churro) sorte de beignet; (molusco) holothurie f; concombre de mer.

cohonestar vt présenter sous un jour favorable.

coincidencia nf coïncidence f.

coincidir vi (en idea) coïncider; (en lugar) se rencontrer par hasard.

coito nm coït m.

cojear vi (persona) boiter, clocher; (mueble) être bancal(e); boiter; (fig: fam) agir mal.

cojera nf boiterie f; claudication f.

cojín nm coussin m.

cojinete nm coussinet m; (TEC) roulement m.

cojo, a a boiteux(euse); bancal(e) // nm/f boiteux/euse.

cojuelo, a a légèrement boiteux(euse).

cok nm coke m.

col nf chou m.

cola nf queue f; (de vestido) traîne f; (para pegar) colle f; **hacer la ~** faire la queue.

colaborador, a nm/f collaborateur/trice // a serviable.

colaborar vi collaborer.

colación nf collation f.

colada nf (lavado) lessivage m; (de lava) coulée f; (TEC) coulée f; (filtrado) filtrage m; (camino) chemin m pour les troupeaux.

coladera nf passoire f.

colador nm collateur m.

coladura nf (filtración) filtration f; (residuo) résidus m; (fig: fam) gaffe f, maladresse f.

colapso nm (MED) collapsus m; (COM) effondrement m.

colar vt (líquido, ropa) passer, filtrer; (beneficio) collationner; (metal) couler // vi se glisser; s'infiltrer; **~se** vr se faufiler; resquiller; **esto no parece ~** ça ne semble pas correspondre.

colateral a collatéral(e) // nm parents collatéraux mpl.

colcha nf couvre-lit m.

colchón nm matelas m.

colchoneta nf (colchón) matelas m; (cojín) coussin m; **~ de aire** coussin d'air.

coleada nf (de animal) coup m de queue; (del viento) coup de vent.

colear vi (perro) remuer la queue; (tren) se balancer.

colección nf collection f.

colecta nf collecte f.

colectar vt (recaudar) collecter, recouvrer; (recoger) recueillir, ramasser.

colectividad nf collectivité f.

colectivo, a a collectif(ive) // nm collectif m.

colector nm collecteur m; (sumidero) collecteur, égout m; **~ de basuras** vide-ordures m.

colega nm/f collègue m/f, confrère/consœur.

colegial a collégial(e) // nm écolier m; lycéen m; collégien m.

colegiala nf écolière f; lycéenne f; collégienne f.

colegio nm (escuela) collège m; (corporación) corporation f; (de abogados, médicos) ordre m.

colegir vt (juntar, reunir) réunir, rassembler; (deducir) déduire.

cólera nf (ira) colère f; (MED) bile f // nm choléra m.

colérico, a a (irritado, rabioso) colérique; coléreux(euse); (MED) cholérique) // nm/f cholérique m/f.

coleta nf (trenza) queue f; (de pelo sin trenzar) couette f.

coletazo nm coup m de queue.

coleto nm collet m de fourrure; (fig) for intérieur.

colgadero, a a croc m, crochet m.

colgadizo, a a qui doit être accroché(e) // nm auvent m.

colgadura nf tenture f.

colgante a suspendu(e) // nm (ARQ) feston m; breloque f; pendeloque f; (de araña) pendeloque f.

colgar vt (cuadro, ropa, tapiz) accrocher, étendre, pendre; (hábitos) suspendre; (teléfono) accrocher; (fam: en examen) coller, refuser // vi pendre; ~ **de** pendre à; ~**se** vr se pendre.

colibrí nm colibri m.

cólico nm colique f.

coliflor nf chou-fleur m.

coligarse vr s'unir, se liguer.

colilla nf mégot m.

colina nf colline f.

colindante a limitrophe, contigu(ë).

colindar vi être contigu(ë).

coliseo nm colisée f.

colisión nf collision f; (fig) choc m, heurt m.

colmado, a a plein(e); rempli(e) // nm bistrot m, guinguette f.

colmar vt remplir à ras bord; ~ **la paciencia** dépasser les bornes de la patience; ~ **de regalos** combler de faveurs.

colmena nf ruche f; (fig) fourmilière f.

colmenar nm rucher m.

colmenero, a nm/f apiculteur/trice.

colmillo nm (diente) canine f; (de elefante) défense f; (de perro) croc.

colmo nm comble m.

colocación nf placement m; (empleo) situation f; (de mueble) emplacement m.

colocar vt placer; ~**se** vr se placer.

colofón nm cul-de-lampe m.

Colombia nf Colombie f.

colombiano, a a colombien(ne) // nm/f Colombien/ne.

colombino, a a relatif(ive) à Christophe Colomb.

colon nm côlon m.

colonia nf colonie f; ~ **de vacaciones/obrera** colonie de vacances/ouvrière.

colonialismo nm (AM) période f de colonialisme.

colonización nf colonisation f.

colonizador, a nm/f colonisateur(trice) // nm/f colonisateur/trice.

colonizar vt coloniser.

colono nm (de colonia) colon m; (granjero) fermier m.

coloquio nm conversation f; (congreso) colloque m.

color nm couleur f; **los** ~**es** les couleurs.

colorado, a a (que tiene color) coloré(e); (rojo) rouge // nm rouge m; **ponerse** ~ rougir.

colorar vt colorer.

colorear vt colorer, colorier // vi rougir.

colorete nm fard m, rouge m.

colorido nm (de un cuadro) coloris m; (color) couleur f.

colosal a colossal(e); (fig) extraordinaire.

coloso nm colosse m.

columbrar vt apercevoir; (fig) conjecturer, deviner, prévoir.

columna nf colonne f; (apoyo) appui m, pilier m; ~ **de dirección** colonne de direction; ~ **vertebral** colonne vertébrale.

columpiar vt balancer; ~**se** vr se balancer; (al caminar) se dandiner.

columpio nm balançoire f.

collado nm (cerro) coteau m; (camino) col m.

collar nm collier m; (de condecoración) chaîne f; (TEC) bague f.

collera nf collier m.

coma nf virgule f // nm coma m.

comadre nf (partera) sage-femme f; (madrina) marraine f; (vecina) commère f.

comadrear vi cancaner.

comadreja nf belette f.

comadreo nm commérage m.

comadrona nf sage-femme f; (fam: vecina) commère f.

comandancia nf commandement m.

comandante nm commandant m.

comandar vt commander.

comandita nf: **sociedad en** ~ société f en commandite.

comanditario, a a commanditaire // nm commanditaire m.

comarca nf contrée f, région f.

comarcano, a a voisin(e), limitrophe.

comarcar vi: ~ con être limitrophe de.

comba nf courbure f; **saltar a la** ~ sauter à la corde.

combar vt courber, tordre.

combate nm combat m.

combatiente a combattant(e) // nm combattant m.

combatir vt combattre.

combinación nf combinaison f; cocktail m.

combinar vt combiner; ~**se** vr se combiner.

combo, a a courbé(e), cambré(e) // nm (AM) masse f.

combustión nf combustion f.

comedero nm (para animales) mangeoire f; (comedor) salle à manger f.

comedia nf comédie f.

comediante nm/f comédien/ne.

comedido, a a (moderado) modéré(e), mesuré(e); (cortés) courtois(e), poli(e); (AM: servicial) obligeant(e).

comedirse vr se modérer; (AM) s'offrir, se proposer.

comedor, a nm/f (persona) mangeur/euse // nm (habitación, muebles) salle à manger f; (restaurante) restaurant m; (cantina) cantine f.

comendador nm commandeur m.

comendadora nf mère-supérieure f.

comensal nm/f convive m/f.

comentador, a nm/f = comentarista.

comentado, a a commenté(e); (mencionado) mentionné(e), nommé(e); (suceso de actualidad) commenté(e), discuté(e).

comentar vt commenter.

comentario nm commentaire m; (AM) cancan m, sous-entendu m.

comentarista nm/f commentateur/trice.

comento nm = comentario.

comenzar vt, vi commencer.

comer vt (gen) manger; (QUÍMICA) ronger; (DAMAS, AJEDREZ) prendre // vi, ~**se** vr manger.

comercial a commercial(e); (calle) commerçant(e).

comerciante a commerçant(e) // nm/f commerçant/e.

comerciar vi (comerciante) faire le commerce; (países) commercer; (fig: dos personas) avoir des relations.

comercio nm commerce m.

comestible a comestible // nm épicerie f.

cometa nm comète f // nf cerf-volant m.

cometer vt commettre; ~ **algo a uno** charger qn de qch, confier qch à qn.

cometido nm (misión) tâche f, mission f; (deber) devoir m.

comezón nf démangeaison f; (fig) envie folle.

cómico, a a comique // nm/f comédien/ne.

comida nf (alimento) nourriture f; (almuerzo, cena) repas m; (de mediodía) déjeuner m.

comidilla nf (afición) occupation favorite; (pey: chisme) fable f; **es la** ~ **del barrio** on ne parle que de cela.

comienzo nm commencement m; **dar** ~ a commencer.

comilón, ona a glouton(ne) // nm/f goinfre m/f // nf ripaille f, gueuleton m.

comillas nfpl guillemets mpl.

comino nm cumin m.

comisar vt confisquer, saisir.

comisario nm commissaire m.

comisión nf commission f.

comisionado, a a mandaté(e) // nm/f mandataire m/f.

comisionista nm commissionnaire m.

comité nm comité m.

comitiva nf suite f, cortège m.

como ad comme; (aproximadamente) à peu près // conj (ya que, puesto que) comme; (en seguida que) au moment où, aussitôt que; **~ él hay pocos** il y en a peu comme lui; **eran ~ las ocho** il était à peu près huit heures; **~ no lo haga hoy** si vous ne le faites pas aujourd'hui; **~ no sea para terminarlo** à moins que ce ne soit pour le terminer; **si como** si; **tan alto ~ ancho** aussi haut que large.

cómo ad comment // excl comment! // nm: **el ~ y el porqué** le pourquoi et le comment; **¿~ son?** comment sont-ils?; **no sé ~ hacerlo** je ne sais comment le faire; **¿~ no vino?** pourquoi n'est-il pas venu?; **¿~ es de alto?** combien mesure-t-il?; **¡~ no!** (AM) mais bien sûr!

cómoda nf commode f.

comodidad nf commodité f, confort m; intérêt m.

comodín nm (NAIPES) joker m; (fig) bouche-trou m.

cómodo, a a confortable; facile, commode.

comodón, ona a qui aime ses aises.

compacto, a a compact(e).

compadecer vt (alguien) plaindre, avoir pitié de; (dolor, pena) compatir à; **~se vr: ~se de** plaindre, avoir pitié de.

compadre nm (padrino) parrain m; (vecino, amigo) compère m, ami m.

compaginar vt (reunir) assembler, réunir; (libro) mettre en pages; (fig) concilier, combiner; **~se** vr s'accorder, s'harmoniser.

compañerismo nm camaraderie f.

compañero, a nm/f (gen) camarade m/f, compagnon m, compagne f; (de colegio) camarade m/f; (NAIPES etc) partenaire m/f.

compañía nf compagnie f; **hacer ~ a uno** tenir compagnie à qn.

comparación nf comparaison f;

en ~ con par rapport à.

comparar vt comparer.

comparativo, a a comparatif(ive) // nm comparatif m.

comparecer vi comparaître.

comparsa nf (TEATRO) figuration f; (de carnaval) mascarade f; nm/f figurant(e).

compartimiento nm compartiment m; (acto) partition f; distribution f.

compartir vt (repartir, dividir) répartir, diviser; (fig) partager.

compás nm (MUS) mesure f; (MAT, NAUT) compas m; **~ de 2 x 4** rythme 2 x 4; **bailar a ~** danser en mesure.

compasado, a a modéré(e).

compasión nf compassion f, pitié f.

compasivo, a a compatissant(e).

compatibilidad nf compatibilité f.

compatible a compatible.

compatriota nm/f compatriote m.

compeler vt contraindre, forcer.

compendiar vt abréger, résumer.

compendio nm résumé m; abrégé m.

compensación nf dédommagement m; contrepoids m; récompense f.

compensar vt équilibrer, compenser; dédommager, indemniser.

competencia nf (incumbencia) compétence f; (aptitud, idoneidad) ressort m, domaine m; (rivalidad) concurrence f.

competente a (persona, jurado, tribunal) compétent(e); (conveniente) convenable.

competer vi: **~ a** relever de, être du ressort ou de la compétence de.

competición nf compétition f.

competir vi concourir, rivaliser.

compilar vt compiler.

compinche nm/f copain/ copine.

complacencia nf (placer) plaisir m; satisfaction f; (buena voluntad, tolerancia) complaisance f.

complacer vt plaire, être agréable à; **~se** vr se complaire.

complaciente a complaisant(e).

complejo, a a complexe, difficile // nm complexe m.

complementario, a a complémentaire.

completar vt compléter.

completo, a a (lleno) complet(ète); (perfecto) parfait(e) // nm petit déjeuner copieux.

complexión nf complexion f.

complicación nf complication f.

complicar vt (situación) compliquer; (persona) impliquer dans, mêler à.

cómplice nm/f complice m/f.

complicidad nf complicité f.

complot nm complot m.

componenda nf accommodement m; arrangement m; compromis m.

componer vt (completar, formar) composer, former; (MUS, LITERATURA, IMPRENTA) composer; (algo roto) réparer, arranger; (fam: salud) retaper, remettre; (adornar, arreglar) arranger; (reconciliar) réconcilier.

comportamiento nm conduite f, comportement m.

comportar vt (tolerar) supporter, tolérer; (contener) comporter, comprendre; ~se vr se conduire.

composición nf composition f.

compositor, a nm/f compositeur/trice.

compostelano, a a de Saint-Jacques-de-Compostelle.

compostura nf (reparación) réparation f, composition f; (actitud) contenance f.

compra nf achat m; **hacer la ~s** faire les achats; **ir de ~s** faire les courses; **~ a plazos/en cuotas/al contado** achat à terme/à tempérament/comptant.

comprador, a nm/f acheteur/euse.

comprar vt acheter.

compraventa nf contrat m d'achat et de vente.

comprender vt comprendre; ~se vr se comprendre; **viaje todo comprendido** voyage tout compris.

comprensibilidad nf compréhensibilité f.

comprensión nf compréhension f.

comprensivo, a a compréhensif(ive).

compresa nf compresse f.

compresibilidad nf compressibilité f.

compresión nf compression f.

comprimir vt comprimer; (fig) réprimer; ~se vr (apretujarse) se comprimer; (controlarse, reprimirse) se retenir.

comprobación nf vérification f, preuve f.

comprobante a probant(e) // nm (justificación) preuve f; (recibo) reçu m, récépissé m.

comprobar vt vérifier; contrôler; prouver, démontrer.

comprometer vt compromettre; ~se vr (obligarse) se compromettre; (involucrarse) s'engager; **literatura comprometida** littérature engagée.

compromiso nm (obligación) compromis m; (político, literario) accommodement m; (COM) engagement m; (matrimonial) promesse f; (dificultad) embarras m, difficulté f.

compuerta nf vanne f, porte f.

compuesto, a a (LING) composé(e); (ARQ) composite; (arreglado: objeto) arrangé(e); (mujer) pomponné(e); (discreto, reservado) réservé(e), discret(ète) // nm composé m; **compuestas** nfpl composacées fpl.

compulsar vt (JUR: confrontar) confronter, comparer.

compulsión nf contrainte f.

compunción nf (arrepentimiento) componction f; (compasión) compassion f.

computador nm, **computadora** nf calculateur m, calculatrice f.

computar vt calculer, computer.

cómputo nm calcul m, computation f.

comulgar vt donner la communion à // vi communier.

común a (*frecuente*) commun(e); courant(e); (*LING*) commun // nm: **el ~** le commun m; **bienes comunes** biens communs.

comuna nf (*AM*) commune f.

comunal a commun(e); communal(e).

comunero, a a populaire // nm copropriétaire m.

comunicación nf (*gen*) communication f, contact m; (*telefónica, férrea, naval*) communication; **~ a larga distancia** communication à longue distance f.

comunicado, a a desservi(e) // nm communiqué m.

comunicar vt, vi communiquer; **~se** vr (*personas*) correspondre; (*casas, habitaciones*) communiquer.

comunicativo, a a communicatif(ive).

comunidad nf communauté f; **en bien de la ~** pour le bien de tous.

comunión nf communion f.

comunismo nm communisme m.

comunista a communiste // nm/f communiste m/f.

comúnmente ad généralement.

con prep avec, à; **~ que** et alors; **¿~ que Vd. es el famoso campeón?** c'est donc vous le fameux champion?; **torta ~ crema** tarte à la crème; **chocar ~ se** cogner contre; **luchar ~ las dificultades** se battre contre les difficultés; **estar contento ~** être content de; **amistoso ~ sus empleados** amical envers ses employés; **confiar ~ un amigo** avoir confiance en un ami; **obrar ~ independencia** travailler en toute indépendance; **~ apretar el botón** en appuyant sur le bouton; **tener cuidado ~** faire attention à.

conato nm tentative f; **~ de robo** tentative de vol.

concavidad nf concavité f.

cóncavo, a a concave.

concebir vt, vi concevoir.

conceder vt accorder, concéder; (*reconocer*) reconnaître.

concejal nm conseiller municipal.

concejo nm conseil municipal.

concentración nf concentration f.

concentrar vt concentrer; **~se** vr se concentrer.

concepción nf conception f.

conceptista a conceptiste // nm/f conceptiste m/f.

concepto nm concept m.

conceptuar vt considérer, estimer, juger.

conceptuoso, a a ingénieux (euse), sentencieux(euse); (*pey: estilo*) précieux(euse).

concerniente a concernant(e).

concernir vi concerner, avoir rapport à.

concertar vt (*MUS*) accorder; (*acordar: precio*) se mettre d'accord sur; (: *tratado*) conclure; (*combinar: esfuerzos*) concerter; (*reconciliar: personas*) mettre d'accord // vi (*MUS*) chanter en harmonie; **~se** vr (*MUS*) chanter en harmonie; (*ponerse de acuerdo*) s'entendre, se mettre d'accord; **~ con** s'accorder avec.

concertista nm/f concertiste m/f.

concesión nf concession f.

concesionario nm concessionnaire m.

conciencia nf conscience f.

concienzudo, a a consciencieux(euse).

concierne etc vb ver **concernir**.

concierto nm (*MUS: sesión*) concert m; (*obra*) concerto m; (*fig*) concert, accord, entente f, harmonie f.

conciliábulo nm conciliabule m; (*pey*) intrigue f.

conciliación nf conciliation f.

conciliador, a a indulgent(e), arrangeant(e) // nm/f conciliateur/trice; **medidas ~as** mesures fpl d'apaisement.

conciliar vt (*personas*) réconcilier, mettre d'accord; (*actitudes distintas*) concilier // a conciliaire // nm membre m d'un concile; **~se** vr se concilier.

conciliatorio, a *a* conciliant(e); arrangeant(e).

concilio *nm* concile *m*.

concisión *nf* concision *f*.

conciso, a *a* concis(e).

concitar *vt* attirer.

conciudadano, a *a* concitoyen(ne) // *nm/f* concitoyen/ne.

conclave, cónclave *nm* conclave *m*.

concluir *vt* finir, achever, terminer; (*deducir*) déduire, conclure; (*determinar*) décider // *vi* conclure, en finir; ~se *vr* se terminer, prendre fin.

conclusión *nf* conclusion *f*; en ~ en somme, en conclusion.

concluyente *a* concluant(e).

concomitante *a* concomitant(e).

concordancia *nf* (*LING*) concordance *f*, accord *m*; (*MUS*) accord.

concordar *vt* mettre d'accord, réconcilier // *vi* être d'accord; (*LING*) s'accorder.

concordato *nm* concordat *m*.

concordia *nf* concorde *f*.

concretar *vt* concrétiser; matérialiser; (*resumir*) résumer; ~se *vr* se matérialiser; ~se a se limiter au, se borner à.

concreto, a *a* concret(ète) // *nm* concrétion *f*; (*AM*) béton *m*; en ~ en somme, en bref; en el caso de ~ dans le cas précis de; no tengo nada en ~ je n'ai rien de concret.

concubina *nf* concubine *f*.

concupiscencia *nf* concupiscence *f*.

concurrencia *nf* (*público*) assistance *f*; (*COM*) concurrence *f*.

concurrido, a *a* fréquenté(e).

concurrir *vi* (*juntarse: ríos*) confluer; (*: personas*) se rejoindre; (*ponerse de acuerdo*) se mettre d'accord; (*coincidir*) coïncider; (*competir*) concourir; (*: COM*) se faire concurrence; (*contribuir*) ~ a concourir à.

concurso *nm* (*de público*) affluence *f*; (*ESCOL, DEPORTE*) concours *m*; (*competencia*)

concurrencia *f*; (*coincidencia*) coïncidence *f*; **prestar su** ~ prêter son concours.

concusión *nf* concussion *f*, exaction *f*.

concha *nf* (*de molusco*) coquille *f*; (*de tortuga*) carapace *f*; (*TEATRO*) trou *m* du souffleur; (*de oreja*) conque *f*.

conchabar *vt* (*unir*) grouper, associer; (*AM*) embaucher; ~se *vr* (*confabularse*) s'aboucher; (*AM*) s'employer.

condado *nm* (*territorio*) comté *m*; (*de conde*) dignité *f* de comte.

conde *nm* comte *m*.

condecoración *nf* décoration *f*.

condecorar *vt* décorer.

condena *nf* condamnation *f*.

condenación *nf* (*JUR*) condamnation *f*; (*REL*) damnation *f*.

condenado, a *a* condamné(e).

condenar *vt* condamner; (*AM*) irriter; ~se *vr* (*JUR*) se déclarer coupable; (*REL*) se damner.

condensar *vt* condenser; (*fig*) abréger, résumer; ~se *vr* se condenser.

condescendencia *nf* condescendance *f*.

condescender *vi* condescendre.

condescendiente *a* condescendant(e).

condestable *nm* connétable *m*.

condición *nf* condition *f*; (*carácter*) caractère *m*; en mi ~ de padre en ma qualité de père; las condiciones de pago les modalités *fpl* de règlement; tener condiciones para avoir des aptitudes pour.

condicionado, a *a* conditionné(e).

condicional *a* conditionnel(le).

condimentar *vt* assaisonner, épicer.

condimento *nm* condiment *m*.

condiscípulo, a *nm/f* condisciple *m/f*.

condolerse *vr* s'apitoyer sur, compatir à.

condominio *nm* condominium *m*.

condonar vt remettre.

cóndor nm condor m.

conducción nf conduite f; (FÍSICA) conduction f.

conducente a (conveniente) approprié(e); convenable; ~ a a qui conduit ou mène à.

conducir vt, vi conduire; ~se vr se conduire, se comporter.

conducta nf conduite f.

conducto nm conduit m; (fig) intermédiaire m.

conductor, a a conducteur(trice) // nm (FÍSICA) conducteur m; (de vehículo) conducteur m, machiniste m.

condueño, a nm/f copropriétaire m/f.

conduje etc vb ver **conducir**.

conduzco etc vb ver **conducir**.

conectar vt connecter.

conejera nf (abierta) terrier m; (: de varios) terriers mpl; (cerrada) cabane f, clapier m; (fig) bouge m.

conejo nm lapin m.

conexión nf connexion f; (fig) liaison f.

confabular vi conférer, deviser; ~se vr se concerter, comploter.

confección nf confection f; (FARMACIA) préparation f.

confeccionar vt confectionner.

confederación nf confédération f.

confederarse vr se confédérer, s'unir.

conferencia nf conférence f; (TELEC) communication f.

conferenciante nm/f conférencier/ière.

conferenciar vi s'entretenir.

conferencista nm/f = **conferenciante**.

conferir vt (medalla) conférer; (ministerio) attribuer; (dignidades) accorder; (varios documentos) comparer.

confesar vt confesser; ~se vr (REL) se confesser; (cansado, inquieto etc) se déclarer, s'avouer.

confesión nf (JUR) aveux mpl, confession f; (REL) confession.

confesionario nm confessionnal m.

confesor nm confesseur m.

confiado, a a (crédulo) confiant(e), crédule; (presumido) présomptueux(euse).

confianza nf confiance f; (pey) vanité f; ~ en sí mismo confiance en soi; ~s nfpl (secretos) confidences f; **tomarse demasiadas ~s** prendre trop de libertés.

confiar vt confier // vi avoir confiance; ~se vr se confier; (hacer confidencias) faire des confidences.

confidencia nf confidence f.

confidencial a confidentiel(le).

confidente a de confiance, fidèle // nm/f (el que confiesa) confident/e; (policía) informateur/trice.

configuración nf configuration f.

configurar vt (proyecto) configurer; (el pasado) se souvenir de.

confín nm limite f.

confinar vt confiner; (desterrar) exiler, reléguer; ~se vr se confiner.

confirmación nf confirmation f.

confirmar vt confirmer.

confiscación nf confiscation f.

confiscar vt confisquer.

confite nm sucrerie f.

confitería nf confiserie f.

confitero, a nm/f confiseur/euse.

confitura nf confiture f.

conflagración nf incendie m; (fig) conflagration f.

conflictivo, a a (situación) tendu(e).

conflicto nm conflit m.

confluencia nf (de ríos) confluence f, confluent m; (de caminos) croisement m; (de opiniones) point m de rencontre.

confluente a confluent(e).

confluir vi (ríos) confluer; (caminos) se rejoindre; (personas) confluer.

conformación nf conformation f.

conformar vt conformer // vi être

d'accord; ~**se** *vr* se conformer, se soumettre.
conforme *a* (*gen*) conforme; (*de acuerdo*) d'accord; (*resignado*) résigné // *ad* conformément, suivant // *excl* d'accord! // *nm*: **dar el** ~ donner son accord; **quedar ~ con el resultado** être d'accord.
conformidad *nf* (*semejanza*) conformité *f*; (*acuerdo*) accord *m*; (*resignación*) résignation *f*; soumission *f*; **de** ~ (*por común acuerdo*) à l'unanimité; **de** *o* **en** ~ **con** conformément à; **dar su** ~ donner son consentement.
confortable *a* confortable.
confortante *a* réconfortant(e).
confortar *vt* réconforter.
confraternidad *nf* confraternité *f*.
confrontación *nf* confrontation *f*.
confrontar *vt* (*carear dos personas*) confronter; (*cotejar*) confronter, comparer // *vi* (*lindar*) être contigu(ë); être attenant(e).
confundir *vt* (*mezclar*) confondre, mêler; (*equivocar, turbar, humillar*) confondre; ~**se** *vr* (*equivocarse*) se confondre, se tromper; (*humillarse, turbarse*) se troubler.
confusión *nf* (*desorden*) désordre *m*; (*desconcierto*) confusion *f*; embarras *m*.
confuso, a *a* confus(e).
confutación *nf* attaque *f*, contestation *f*.
confutar *vt* réfuter.
congelación *nf* congélation *f*; ~ **de precios/salarios** blocage de prix/salaires.
congelar *vt* (*comida, líquido*) congeler; (*precios*) bloquer; (*créditos*) geler; ~**se** *vr* (*sangre, grasa*) se figer; (*persona*) se geler.
congénere *nm/f* congénère *m/f*.
congeniar *vi* (*llevarse bien*) s'entendre.
congénito, a *a* congénital(e).
congestión *nf* congestion *f*.
congestionarse *vr* se congestionner.

conglomeración *nf* conglomération *f*.
conglomerar *vt* conglomérer.
congoja *nf* (*angustia, aflicción*) angoisse *f*, douleur *f*; (*desmayo*) évanouissement *m*.
congraciarse *vr*: ~ **con** gagner *ou* s'attirer les bonnes grâces de.
congratulación *nf* congratulation *f*.
congratular *vt* congratuler; ~**se** *vr* se congratuler.
congregación *nf* congrégation *f*.
congregar *vt* réunir, rassembler.
congresal *nm/f* (*AM*) congressiste *m/f*.
congresista *nm/f* congressiste *m/f*.
congreso *nm* congrès *m*.
congruencia *nf* (*igualdad*) congruence *f*; (*conveniencia*) convenance *f*; (*MAT*) congruence.
congruente *a* (*conveniente, oportuno*) congruent(e); congru(e); (*MAT*) congruent.
congruo, a *a* congruent(e).
cónico, a *a* conique.
conífero, a *a* conifère *f* // *nf* conifère *m*.
conjetura *nf* conjecture *f*.
conjeturar *vt* conjecturer.
conjugar *vt* conjuguer.
conjunción *nf* conjonction *f*.
conjuntamente *ad* (*juntamente*) conjointement; (*en unión con*) ensemble.
conjunto, a *a* conjoint(e) // *nm* ensemble *m*; **hacer algo en** ~ faire qch ensemble.
conjura, conjuración *nf* complot *m*, conspiration *f*.
conjurar *vt* conjurer // *vi* (*conspirar*) comploter, conspirer; (*juramentar*) jurer; ~**se** *vr* se conjurer.
conjuro *nm* (*imprecación*) exhortation *f*; (*invocación*) invocation *f*; (*ruego*) prière *f*.
conllevar *vt* (*soportar*) supporter; (*compartir*) partager; (*fig*): ~ **a uno** enjôler qn.

conmemoración *nf* commémoration *f*.

conmemorar *vt* commémorer.

conmensurable *a* commensurable.

conmigo *pron* avec moi.

conminar *vt* (*amenazar*) menacer; (*intimidar*) intimer, enjoindre.

conmiseración *nf* commisération *f*.

conmoción *nf* (*cerebral*) commotion *f*; (*política, social*) secousse *f*.

conmovedor, a *a* émouvant(e); touchant(e); poignant(e).

conmover *vt* (*emocionar*) émouvoir; (*perturbar*) ébranler, toucher.

conmutador *nm* commutateur *m*.

conmutar *vt* (*trocar, permutar*) échanger; (*JUR: pena*) commuer.

connaturalizarse *vr*: ~ **con** s'habituer *ou* se faire à.

connivencia *nf* connivence *f*; **estar en** ~ **con** être de connivence avec.

connotación *nf* (*LING*) connotation *f*; (*relación*) relation *f*; (*parentesco*) parenté lointaine.

connotar *vt* connoter.

cono *nm* cône *m*.

conocedor, a *a* connaisseur(euse), expert(e) // *nm/f* connaisseur/euse.

conocer *vt* (*gen*) connaître; (*reconocer*) reconnaître; ~**se** *vr* se connaître; ~ **de oído** connaître d'une cause; **se conoce que** on voit que.

conocido, a *a* connu(e) // *nm/f* connaissance *f*, relation *f*.

conocimiento *nm* connaissance *f*; (*NAUT*) connaissement *m*; ~**s** *nmpl* connaissances *fpl*; **perder el** ~ perdre connaissance; **con** ~ **de causa** en connaissance de cause.

conozco *etc vb ver* **conocer**.

conque *conj* ainsi donc, alors.

conquista *nf* conquête *f*.

conquistador, a *a* conquérant(e) // *nm* conquistador *m*.

conquistar *vt* (*gen*) conquérir;

(*mujer*) faire la conquête de.

consabido, a *a* bien connu(e); classique.

consagración *nf* consécration *f*; (*de obispo*) sacre *m*.

consagrar *vt* (*REL*) consacrer; (*rey, obispo*) sacrer; (*dedicar*) consacrer, vouer; ~**se** *vr* se consacrer.

consanguíneo, a *a* consanguin(e).

consanguinidad *nf* consanguinité *f*.

consciente *a* conscient(e).

consecución *nf* obtention *f*; réalisation *f*; (*encadenamiento*) consécution *f*.

consecuencia *nf* conséquence *f*; **a** ~ **de** par suite de; **como** ~ **de** à la suite de.

consecuente *a* conséquent(e).

consecutivo, a *a* consécutif(ive).

conseguir *vt* obtenir; (*sus fines*) arriver à.

conseja *nf* (*cuento, fábula*) conte *m*; (*mentira*) fable *f*.

consejero, a *nm/f* conseiller/ère; **ser un buen** ~ être de bon conseil.

consejo *nm* conseil *m*.

consenso *nm* consentement *m*.

consentido, a *a* gâté(e).

consentimiento *nm* consentement *m*.

consentir *vt* (*permitir, tolerar*) consentir; (*mimar*) gâter; (*admitir*) permettre, admettre // *vi*: ~ **en** consentir à; ~**se** *vr* (*quebrarse*) se fendre, se fêler.

conserje *nm* concierge *m*.

conserva *nf* conserve *f*.

conservación *nf* conservation *f*.

conservador, a *a* conservateur(trice) // *nm/f* conservateur/trice.

conservar *vt* conserver; ~**se** *vr* se conserver, se garder.

conservatorio *nm* conservatoire *m*.

considerable *a* considérable.

consideración *nf* considération *f*; **en** ~ **a** eu égard à.

considerado, a _a_ (_prudente, reflexivo_) réfléchi(e); (_respetado_) considéré(e).

considerar _vt_ considérer.

consigna _nf_ (_orden_) mot d'ordre _m_; (_para equipajes_) consigne _f_.

consignación _nf_ consignation _f_; (_de créditos_) allocation _f_; **en ~** en consigne.

consignar _vt_ consigner.

consigo _pron_ avec soi; avec lui; avec elle; avec vous; avec eux, avec elles; **tenerlas todas ~** (_fam_) être chanceux(euse).

consiguiente _a_ (_consecutivo_) consécutif(ive); (_resultado_) résultant(e); **en ~** en conséquence; **por ~** par conséquent, donc.

consistencia _nf_ consistance _f_.

consistente _a_ (_sólido, durable_) consistant(e); (_válido_) valide.

consistir _vi_: **~ en** (_componerse de_) consister en; (_ser resultado de_) consister dans; **¿en qué consiste tu trabajo?** en quoi consiste votre travail?; **¿en qué consiste la dificultad?** en quoi consiste la difficulté?; **la casa consiste en 4 piezas** la maison consiste en 4 pièces.

consistorio _nm_ (_de cardenales_) consistoire _m_; (_ayuntamiento_) conseil municipal, hôtel _m_ de ville.

consocio _nm/f_ coassocié(e).

consolación _nf_ consolation _f_.

consolar _vt_ consoler; **~se** _vr_ se consoler.

consolidación _nf_ consolidation _f_.

consolidar _vt_ consolider.

consonancia _nf_ (_rima_) rime _f_; (_MUS_) consonance _f_; (_fig_) conformité _f_, accord _m_.

consonante _a_ consonant(e) // _nf_ consonne _f_.

consorcio _nm_ (_asociación_) association _f_; (_COM_) consortium _m_.

consorte _nm/f_ conjoint(e).

conspicuo, a _a_ illustre, notable.

conspiración _nf_ conspiration _f_.

conspirador, a _nm/f_ conspirateur/trice.

conspirar _vi_ conspirer.

constancia _nf_ (_perseverancia_) persévérance _f_; (: _en el estudio_) acharnement _m_; (_certeza_) certitude _f_; (_testimonio_) preuve _f_, témoignage _m_.

constante _a_ constant(e).

constar _vi_ (_evidenciarse_) être certain(e); (_componerse de_) se composer de; **la obra consta de tres volúmenes** l'œuvre comprend trois volumes; **me consta (que)** je suis certain(e) que; **en su pasaporte no consta su dirección** son addresse ne figure pas dans son passeport.

constatar _vt_ constater.

constelación _nf_ constellation _f_.

constelado, a _a_ constellé(e).

consternación _nf_ consternation _f_.

consternar _vt_ consterner; **~se** _vr_ être consterné(e).

constipado _nf_ = **constipado** _nm._

constipado, a _a_ enrhumé(e) // _nm_ rhume _m._

constitución _nf_ constitution _f._

constitucional _a_ constitutionnel(le).

constituir _vt_ (_formar, componer_) constituer; (_fundar, erigir, ordenar_) fonder, ordonner; **~se** _vr_: **~se parte/en fiador** se porter partie/en garant; **~se prisionero** se constituer prisonnier.

constitutivo, a _a_ constitutif(ive).

constituyente _a_ constituant(e) // _nm/f_ électeur/trice; **la Constituyente** l'Assemblée Constituante (d'Espagne).

constreñir _vt_ (_obligar, compeler_) contraindre; (_restringir_) restreindre, forcer; (_arteria, intestinos_) resserrer.

construcción _nf_ construction _f_; (_industria_) bâtiment _m._

constructor, a _a_ constructeur(trice) // _nm/f_ constructeur _m._

construir _vt_ construire.

consuelo _nm_ consolation _f._

consuetudinario, a _a_ consuétudinaire.

cónsul nm consul m.

consulado nm consulat m.

consulta nf consultation f; **libro de** ~ livre m de consultation.

consultar vt consulter.

consultivo, a a consultatif(ive).

consultor, a a consultant(e) // nm/f consulteur m.

consultorio nm cabinet m; (oficina de información) bureau m de renseignements.

consumación nf consommation f.

consumado, a a consommé(e); (fig) parfait(e); **hecho** ~ fait accompli.

consumar vt consommer.

consumición nf consommation f.

consumido, a a (fuego) éteint(e); (flaco, descarnado) décharné(e); efflanqué(e); (de cansancio, por la fiebre) épuisé(e); exténué(e).

consumidor, a nm/f consommateur/trice.

consumir vt consommer; ~se vr (en incendio) se consumer; (de impaciencia, rabia) se consumer, brûler; (volverse flaco) dépérir.

consumo nm consommation f.

consunción nf consomption f.

consustancial a consubstantiel(le).

contabilidad nf comptabilité f.

contacto nm contact m; (MED) contagion m.

contado, a a (dicho) conté(e); raconté(e); ~s (escasos) compté(e)s; **contadas veces** rarement // nm: **pagar al** ~ payer comptant.

contador nm (aparato) compteur m; (COM) comptable m/f.

contaduría nf (contabilidad) comptabilité f; (oficina) bureau m du comptable; (de teatro) bureau m de location.

contagiar vt contaminer; (fig) transmettre, contaminer; ~se vr se transmettre.

contagio nm (contaminación) contagion f; (agente de contagio) contage m.

contagioso, a a contagieux(euse).

contaminación nf contamination f.

contaminar vt polluer; (fig) contaminer.

contante a: **dinero** ~ comptant m.

contar vt (páginas, dinero) compter; (anécdota) raconter // vi compter, calculer; ~ **con** (ayuda, amigo) compter sur; (pensión) disposer de; ~**se** vr (incluirse) se compter.

contemplación nf contemplation f; **contemplaciones** nfpl ménagements mpl.

contemplar vt contempler; (situación) considérer.

contemporáneo, a a contemporain(e) // nm/f contemporain/e.

contemporizar vi temporiser, composer.

contención nf (de aguas) contention f; (MIL) maintien m.

contencioso, a a contentieux(euse); (capcioso: persona) captieux(euse).

contender vi (batallar) lutter, se battre; (fig: disputar) disputer; (: competir) rivaliser.

contendiente a opposé(e) // nm/f adversaire m/f.

contener vt contenir; (retener: respiración, lágrimas, emoción) contenir, retenir.

contenido, a a (moderado) mesuré(e); pondéré(e); (reprimido) réprimé(e) // nm (de vasija) contenu m; (de documento) teneur f.

contentadizo, a a a facile à contenter.

contentar vt (satisfacer) satisfaire; (dar placer a) contenter.

contento, a a a content(e) // nm contentement m; joie f; satisfaction f.

contertuliano, a a, **contertulio, a** nm/f membre/habitué(e) d'un cercle, qui a un café ou d'une réunion.

contestable a contestable.

contestación nf réponse f; (discusión) contestation f, débat m.

contestar vt (responder) répondre; (atestiguar) confirmer, prouver, attester; (*impugnar*) contester, discuter.

contexto nm contexte m.

contextura nf contexture f.

contienda nf conflit m; (*fig*) dispute f, altercation f.

contigo pron avec toi.

contigüidad nf contiguïté f.

contiguo, a a contigu(ë).

continencia nf continence f.

continental a continental(e).

continente a continent(e) // nm (GEO) continent m; (*receptáculo*) contenant m; (*fig*) contenant, maintien m.

contingencia nf contingence f.

contingente a (*eventual, aleatorio*) contingent(e), aléatoire // nm contingent m.

continuación nf continuation f, prolongement m; **a ~** ensuite, à la suite.

continuar vt continuer; (*camino*) continuer, poursuivre // vi continuer.

continuidad nf continuité f.

continuo, a a continu(e); (*alegría*) continuel(le); **de ~** ad continuellement, constamment.

contonearse vr se dandiner.

contoneo nm dandinement m.

contorno nm (*de cuerpo o espacio*) contour m; (*de moneda o medalla*) tranche f; (*de población*) alentours mpl, environs mpl.

contorsión nf contorsion f.

contorsionarse vr se contorsionner.

contra prep contre // ad contre // nm contre m // (*dificultad*) difficulté f; **llevar la ~ a alguien** (*fam*) faire obstacle à qn; **votar en ~** voter contre.

contraalmirante nm contre-amiral m.

contraataque nm contre-attaque f.

contrabajo nm contrebasse f.

contrabandista nm/f contrebandier/ière f.

contrabando nm contrebande f;

pasar algo de ~ passer qch en contrebande; **hacer ~ de** faire la contrebande de.

contracambio nm échange m.

contracarril nm contre-rail m.

contracción nf contraction f.

contracifra nf clef f.

contracorriente nf contre-courant m.

contrachapado nm contre-plaqué m.

contradanza nf contredanse f.

contradecir vt (*desdecir*) contredire; (*refutar, discutir*) réfuter, discuter; **~se** vr se contredire.

contradicción nf contradiction f; (*fig*) incompatibilité f.

contradictorio, a a contradictoire // nf contradictoire f.

contraer vt contracter; (*limitar*) limiter; **~se** vr se contracter; (*limitarse*) se limiter.

contraespionaje nm contre-espionnage m.

contrafuerte nm contrefort m.

contragolpe nm contre-coup m.

contrahacer vt imiter, falsifier, contrefaire; (*fingir*) feindre, simuler, déguiser.

contrahecho, a a contrefait(e), difforme.

contrahechura nf contrefaçon f.

contraintelegencia nf contre-espionnage m.

contrainterrogatorio nm contre-interrogatoire m.

contralto nf contralto m // nm haute-contre m.

contraluz : a ~ ad à contre-jour.

contramaestre nm contre-maître m.

contramandar vt contremander.

contramarcha nf (*retroceso*) contremarche f; (MIL) contremarche, volte-face f inv; (NAUT) changement m de cap.

contraorden nf contrordre m.

contraparte, contrapartida nf balance f, bilan m; (*fig*) compensation f, contre-partie f.

contrapelo : a ~ ad (al revés) à rebrousse-poil; hacer algo a ~ faire qch à l'envers.

contrapesar vt contre-balancer; (fig) compenser.

contrapeso nm contrepoids m; compensation f.

contraponer vt (oponer) opposer; (cotejar) confronter, comparer; ~se vr s'opposer.

contraposición nf (comparación) comparaison f; (contraste) contraste m.

contraproducente a qui a des effets contraires ou fait plus de mal que de bien.

contrapunto nm contrepoint m.

contrariar vt (contradecir) contrarier; (oponerse) contre-carrer.

contrariedad nf (oposición) opposition f; (contratiempo) contre-temps m, obstacle m; (carácter de contrario) esprit m de contradiction.

contrario, a a contraire, opposé(e); (fig) nocif(ive), adverse // nm/f adversaire m/f; al o por el ~ au contraire; de lo ~ dans le cas contraire, sinon.

contrarreferencia nf renvoi m.

contrarrestar vt (resistir) contrecarrer; (oponer) opposer; (devolver) renvoyer.

contrarrevolución nf contre-révolution f.

contrasentido nm (contra-dicción) contresens m; (disparate) non-sens m.

contraseña nf mot de passe m, contremarque f.

contrastar vt (resistir) résister à, faire front à; (sellar) contrôler; (pesos, medidas) contrôler // vi contraster; ~se vr trancher.

contraste nm contraste m; résistance f, opposition f; (en las joyas) poinçon m; (de pesos y medidas) étalonnage m, contrôle m; en ~ con en opposition avec.

contratante nm/f contractant,e.

contratar vt (firmar un acuerdo

para) s'engager pour; (empleados, obreros) engager, embaucher; ~se vr s'employer.

contraterrorismo nm contre-terrorisme m.

contratiempo nm (accidente) contretemps m; (MUS) contre-mesure f.

contratista nm/f entrepreneur/euse.

contrato nm contrat m.

contravención nf contravention f, infraction f.

contraveneno nm contrepoison m.

contravenir vi: ~ a contrevenir à.

contraventana nf volet m, contrevent m.

contraventor, a a contrevenant(e).

contribución nf (municipal etc) contribution f; (ayuda) contribution, aide f.

contribuir vt contribuer // vi (COM) payer ses contributions.

contribuyente nm/f (que paga sus impuestos) contribuable m/f; (que ayuda) collaborateur/trice.

contrición nf contrition f.

contrincante nm/f concurrent/e, compétiteur/trice, rival/e.

contristar vt affliger.

contrito, a a contrit(e); affligé(e).

control nm (comprobación) contrôle m; (inspección) inspection f.

controlar vt contrôler.

controversia nf controverse f.

controvertir vt controverser // vi discuter, contester.

contumacia nf contumace f.

contumaz a opiniâtre, obstiné(e); tenace, rebelle; incorrigible.

contumelia nf injure f, affront m.

contundente a contondant(e); (fig) accablant(e), frappant(e).

conturbar vt alarmer, inquiéter, troubler.

contusión nf contusion f.

contusionar vt contusionner; (herir) blesser.

contuso, a a contusionné(e).

convalecencia nf convalescence f.

convalecer vi entrer ou être en convalescence; (fig) récupérer.

convaleciente a convalescent(e) // nm/f convalescent/e.

convecino, a a voisin(e) // nm voisin/e.

convencer vt convaincre, persuader; ~se vr se convaincre, se persuader.

convencimiento nm conviction f.

convención nf convention f.

convencional a conventionnel(le); usuel(le), courant(e).

convenible a (apto) approprié(e); (precio) raisonnable; (persona) obligeant(e).

convenido, a a établi(e) d'avance, entendu(e).

conveniencia nf (conformidad) opportunité f; (utilidad, provecho) convenance f; (comodidad) convenance, commodité f; (COM) biens mpl, revenus mpl.

conveniente a satisfaisant(e); (concorde) convenable.

convenio nm convention f, accord m.

convenir vi convenir; ~se vr se mettre d'accord, s'accorder; ~ en hacer convenir de faire.

convento nm couvent m.

convenzo etc vb ver **convencer**.

convergencia nf convergence f.

convergente a convergent(e).

converger, convergir vi converger.

conversación nf (plática) conversation f; entretien m; (cambio de ideas) échange m.

conversador, a nm/f causeur/euse.

conversar vi parler, converser.

conversión nf conversion f; (COM) convertissement m; (TEC) convertissage m.

converso, a a converti(e) // nm/f converti/e.

convertible a convertible.

convertidor nm (ELEC) convertisseur m.

convertir vt changer, transformer; (COM, ELEC, TEC, REL) convertir; ~se vr se transformer; (REL) se convertir.

convexo, a a convexe.

convicción nf conviction f.

convicto, a a (culpable) reconnu(e) coupable; (condenado) condamné(e).

convidado, a nm/f (invitado) invité/e; (comensal) convive m/f.

convidar a (invitar) inviter, convier; (ofrecer) offrir; (fig) pousser, inciter.

convincente a convaincant(e).

convite nm invitation f; (banquete) banquet m, fête f.

convivencia nf (coexistencia) vie f en commun; (vida compartida) cohabitation f.

convivir vi (vivir juntos) cohabiter; (fig) coexister.

convocación nf convocation f.

convocar vt convoquer.

convocatoria nf = **convocación**.

convoy nm convoi m.

convoyar vt convoyer.

convulsión nf convulsion f; (fig) trouble m.

convulsionar vt convulsionner.

convulso, a a convulsé(e); (fig) troublé(e).

conyugal a conjugal(e).

cónyuge nm/f conjoint/e.

coñac nm cognac m.

cooperación nf coopération f.

cooperador, a a coopérateur (trice) // nm/f coopérant/e.

cooperar vi coopérer.

cooperativo, a a coopératif(ive) // nf coopérative f.

coordenada nf coordonnée f.

coordinación nf coordination f.

coordinar vt coordonner.

copa nf coupe f; (vaso) verre m (à

pied); (de árbol) tête f, cime f; (de sombrero) calotte f; ~s nfpl (NAIPES) ≈ cœur m.

copado, a a touffu(e).

copar vt (acaparar) accaparer, rafler; (ganar) envelopper, encercler; ~ **la banca** faire banco.

copartícipe nm/f coparticipant/e, (el que comparte) copartageant/e.

copero nm (persona) échanson m; (mueble) étagère f à verres.

copete nm (de cabellos) toupet m; (de pájaro) huppe f, aigrette f; (de helado) comble m; **de alto ~** (fam) de la haute.

copia nf copie f, imitation f; (de fotografía) épreuve f.

copiador, a nm/f copiste m/f // nm (cuaderno) cahier m; (máquina) machine f à photocopier.

copiar vt (transcribir) transcrire; (reproducir) reproduire, copier; (calcar) décalquer.

copiloto a, nm/f copilote m/f.

copioso, a a (abundante) copieux (euse); (lluvia) abondant(e).

copista nm/f copiste m/f.

copita nf petit verre à pied.

copla nf couplet m; (canción) chanson f.

copo nm flocon m; (AM: de árbol) cime f; (: nube) nuage m.

coposo, a a touffu(e).

coproducción nf coproduction f.

copropietario, a nm/f copropriétaire f.

copudo, a a = **coposo**.

cópula nf (LING) copule f; (sexual) copulation f.

coque nm coke m.

coqueta a (mujer) coquette f; (mueble) coiffeuse f.

coquetear vi (mujer) faire la coquette; (fig: flirtear) flirter.

coqueteo nm (acto) flirt m; (tendencia) coquetterie f.

coquetería nf coquetterie f; (afectación) affectation f.

coracha nf sac en cuir.

coraje nm courage m; brio m,

énergie f; irritation f, colère f, emportement m.

corajudo, a a irrité(e).

coral a choral(e) // nf (coro) chorale f; (serpiente) serpent corail // nm corail m.

corambre nf cuirs mpl, peaux fpl.

coraza nf (armadura) cuirasse f; (fig) carapace f, protection f; (NAUT) blindage m; (ZOOL) carapace f.

corazón nm cœur m.

corazonada nf pressentiment m; impulsion f, élan m.

corbata nf cravate f.

corbeta nf corvette f.

corcel nm coursier m.

corcova nf bosse f.

corcovado, a a bossu(e).

corchea nf croche f.

corchete nm grafe f; (CARPINTERÍA, TIPOGRAFÍA) crochet m.

corcho nm liège m; (tapón) bouchon m de liège; (para pescar) bouchon flotteur.

cordaje nm cordages mpl.

cordel nm corde f.

cordelero, a nm/f cordier m.

cordero nm agneau m.

cordial a cordial(e); aimable, affectueux(euse) // nm tonique m.

cordialidad nf cordialité f.

cordillera nf cordillère f, chaîne f (de montagnes).

cordobán nm cuir m de Cordoue.

cordobés, esa a cordovan(e).

cordón nm (cuerda) cordon m; (de zapatos) lacet m; (zona prohibida) cordon; **cordones** nmpl fourragère f, aiguillettes fpl.

cordura nf sagesse f, bon sens.

coreografía nf chorégraphie f.

coreógrafo nm chorégraphe m/f.

coriáceo, a a de cuir; (fig: fam) coriace.

corista nm/f choriste m/f // nf girl f.

cornada nf coup m de corne.

cornamenta nf cornes fpl; (de ciervo) ramure f, bois mpl.

cornamusa nf cornemuse f.

corneja nf corneille f.

córneo, a a corné(e).

corneta nf (*militar*) cornet m; (*de llaves*) cornet à pistons; (*bandera*) clairon m // nm clairon m.

cornisa nf corniche f.

cornucopia nf corne f d'abondance.

cornudo, a a cornu(e) // nm cocu m.

coro nm chœur m; **hablar en** ~ parler tous à la fois.

corolario nm corollaire m.

corona nf couronne f; (*de astro*) couronne f, auréole f; (*tonsura*) tonsure f.

coronación nf couronnement m.

coronamiento nm couronnement m.

coronar vt couronner; (*DAMAS*) damer.

coronel nm colonel/le.

coronilla nf sommet m de la tête; (*de religioso*) tonsure f.

corpiño nm corsage m.

corporación nf corporation f.

corporal, corpóreo, a a corporel(le).

corpulencia nf corpulence f.

Corpus nm Fête-Dieu f.

corpúsculo nm corpuscule m.

corral nm (*de aves*) basse-cour f; (*de vacas*) écurie f; (*de cerdos*) porcherie f; (*de maderas*) chantier m (de bois).

corralón nm grande cour.

correa nf courroie f; **tener** ~ (*fam*) être patient(e).

corrección nf correction f.

correcto, a a correct(e).

corredera nf (*TEC*) coulisse f; (*de molino*) meule courante; (*ZOOL*) cloporte m; (*DEPORTE*) cirque m; hippodrome m.

corredizo, a a coulant(e); (*techo*) ouvrant(e).

corredor, a a coureur(euse) // nm (*COM*) commissionnaire m; (*pasillo*) couloir m, corridor m; (*DEPORTE*) coureur m; ~ **de fondo** coureur de fond.

corregible a corrigible.

corregidor nm corrégidor m.

corregidora nf femme f du corrégidor.

corregir vt (*error*) corriger; (*rectificar*) rectifier; (*amonestar, reprender*) corriger; ~**se** vr se corriger.

correlación nf corrélation f.

correo nm (*mensajero*) courrier m; (*servicio postal*) poste f; (*cartas recibidas*) courrier, correspondance f; (*JUR*) complice m/f; ~ **certificado/urgente** lettre recommandée/ exprès; ~ **aéreo** poste aérienne; ~ **diplomático** courrier diplomatique.

correr vt (*silla, cortinas, cerrojo*) tirer // vi courir; (*sangre*) couler; (*moneda*) avoir cours; ~**se** vr couler; ~ **a cargo de** être à la charge de; ~ **con los gastos** prendre à ses frais.

correría nf (*MIL*) raid m, incursion f; (*fig*) excursion f; ~**s** nfpl voyage m rapide.

correspondencia nf correspondance f; (*correo*) correspondance, courrier m.

corresponder vi correspondre; (*pagar*) rendre, payer; (*pertenecer*) être à; ~**se** vr (*por escrito*) correspondre; (*amarse*) s'aimer; **me corresponde pagar a mí** c'est à moi de payer.

correspondiente a correspondant(e) // nm correspondant m.

corresponsal nm/f correspondant/e.

corretaje nm commission f, courtage m.

correvedile, correvedidile nm/f commère f.

corrido, a a (*avergonzado*) confus(e), déconfit(e); (*media*) filé(e); (*fam*) rusé(e), roué(e) // nm danse andalouse // nf course f; (*de toros*) course de taureaux; (*MINERÍA*) affleurement m; **un kilo** ~ un bon kilo; **cine** ~ cinéma permanent; **3 noches corridas** 3 nuits de suite;

leer de ~ lire couramment; **hacer de corrida** faire à la hâte; **andar a las corridas** être pressé(e).

corriente a courant(e); (común) ordinaire // nf courant m; a **mediados del ~ mes** vers le 15 courant; **estar al ~ de** être au courant de; ~ **alterna/directa** courant alternatif/ continu.

corrillo nm cercle m, petit groupe; (fig) clan m, coterie f, clique f.

corro nm (de personas) cercle m; (infantil) ronde f.

corroboración nf corroboration f, fortification f, confirmation f.

corroborar vt fortifier, corroborer; confirmer.

corroer vt corroder, détruire.

corromper vt corrompre; pourrir; suborner, sudoyer; altérer.

corrosivo, a corrosif(ive).

corrupción nf corruption f; altération f; erreur f; abus m.

corruptor, a a corrupteur(trice) // nm/f pervers(e).

corsé nm corset m.

corsetero, a nm/f corsetier/ière.

corso, a a corse // nm/f Corse m/f.

cortabolsas nm/f (fam) pick-pocket m/f.

cortado, a a (con cuchillo) coupé(e); (leche) tourné(e); (confuso) court(e), confus(e); (estilo) haché(e), saccadé(e) // nm café m avec un nuage de lait.

cortador, a a coupeur(euse) // nm/f coupeur/euse // nf (de césped) tondeuse f; (de fiambre) coupe-jambon m inv.

cortadura nf (en la piel) coupure f, incision f; (entre montañas) gorge f, défilé m.

cortante a coupant(e).

cortapapel(es) nm (inv) coupe-papier m; guillotine f.

cortapisa nf restriction f, condition f; (traba) obstacle m, entrave f; (fig) charme m, piquant m.

cortaplumas nm inv canif m.

cortar vt couper // vi couper; ~**se** vr (turbarse) se troubler; (leche)

tourner; ~**se el pelo** se faire couper les cheveux.

cortaviento nm coupe-vent m.

corte nm coupure f; (filo) tranchant m, fil m; (de tela) métrage m; (NAIPES) coupe f; **las C~s** les Cortès; **la ~ Suprema** (AM) la cour Suprême.

cortedad nf petitesse f; (timidez) timidité f; ~ **de alcances** manque m d'intelligence; ~ **de vista** myopie f.

cortejar vt (halagar) flatter; (mujer) courtiser, faire la cour à.

cortejo nm (séquito) cortège m, suite f; (acompañamiento) cortège, cour f, suite.

cortés a courtois(e), poli(e).

cortesanía nf courtoisie f, politesse f.

cortesano, a a de la cour; (cortés) courtois(e), poli(e) // nm courtisan m // nf courtisane f.

cortesía nf amabilité f, bonne éducation; (regalo) cadeau m; (favor) grâce f; (COM) délai m de grâce (pour le paiement d'une traite).

corteza nf (de árbol) écorce f; (de pan) croûte f; (terrestre) croûte, écorce; (apariencia, exterior) extérieur m; (rusticidad) rudesse f, rusticité f.

cortijo nm ferme f, métairie f.

cortina nf rideau m; (dosel) dais m.

corto, a a (breve) court(e); (tímido) timide, timoré(e); (poco inteligente) bouché(e); ~ **de vista** myope; **estar ~ de fondos** être à court (d'argent); **a corta distancia** à faible distance; **a la corta o a la larga** tôt ou tard.

corveta nf courbette f.

corvo, a a courbe.

corzo, a nm/f chevreuil m, chevrette f.

cosa nf chose f; **es mía** c'est mon affaire; **es ~ de 10 minutos** c'est une question de 10 minutes; **se quedó como si tal ~** il resta comme si rien n'était; ~ **que** (AM) pour que.

cosecha nf (AGR) récolte f; (de frutas) cueillette f; (de cereales) moisson f; (de vino) cru m; (fig) moisson, abondance f.

cosechar vt faire la récolte, (fig) cueillir.

coser vt coudre; ~se vr: ~se a uno se coller à qn.

cosmético, a a cosmétique // nm maquillage m.

cosmografía nf cosmographie f.

cosmopolita a cosmopolite // nm/f cosmopolite m/f.

coso nm (plaza de toros) arènes fpl; (calle) cours m; (carcoma) artison m, cossus m.

cosquillas nfpl: **hacer** ~ faire des chatouilles; **tener** ~ être chatouilleux(euse).

cosquilloso, a a chatouilleux(euse); (fig) susceptible.

costa nf (gasto) dépense f, frais mpl; (AM) côte f; **condenar a** ~**s** condamner aux dépens; **a** ~ **de** au prix de.

costado nm côté m.

costal a costal(e) // nm (bolsa) sac m (d'environ 50 kg); (puntal) étai m.

costanero, a a (inclinado) en pente; (costero) côtier(ière) // nf côte f; ~**s** nfpl poutres fpl.

costar vt (valer) coûter, valoir; (necesitar) coûter // vi coûter.

Costa Rica nf Costa Rica m.

costarricense, costarriqueño, a a costaricien(ne), de Costa Rica // nm/f Costaricien(ne).

coste nm = costo.

costear vt (pagar) payer; (NAUT) longer la côte de.

costeño, a a côtier(ière).

costilla nf côte f; (fam: esposa) moitié f, bourgeoise f.

costo nm (gasto, precio) prix m; (de construcción) coût m; ~ **de la vida** coût de la vie.

costoso, a a coûteux(euse).

costra nf croûte f; ~ **láctea** croûte de lait.

costumbre nf coutume f.

costura nf couture f.

costurera nf couturière f.

costurero nm (pequeña mesa) table f à ouvrage; (mueble con cajones) chiffonnier m; (caja, cesto) nécessaire m de couture.

cota nf (altura) cote f; (cuota) cote(-part) f; ~ **de malla** cotte f de mailles.

cotejar vt confronter, collationner, comparer.

cotejo nm comparaison f, collationnement m.

coterráneo, a a compatriote // nm/f compatriote m/f.

cotidiano, a a quotidien(ne).

cotillón nm cotillon m.

cotización nf (COM) cours m (de la Bourse); (cuota) cote f.

cotizar vt (COM) coter; (contribuir) cotiser; ~**se** vr (COM) être coté(e); (AM: fig) être bien coté(e).

coto nm (terreno cercado) clos m; (mojón) borne f; (precio) cours m; (fig) terme m, limite f.

cotonada nf cotonnade f.

cotorra nf (ZOOL) perruche f, pie f; (fig) pie.

cotorrear vi (fam) jacasser.

covachuela nf (fam) ministère m, bureau m.

coyote nm coyote m.

coyunda nf courroie f du joug; courroie de sandale; lien conjugal; domination f, assujettissement m.

coyuntura nf (ANAT) jointure f, articulation f; (fig) conjoncture f, occasion f.

coz nf (de caballo) ruade f; (patada) coup m de pied; (de fusil: culata) crosse f; (: retroceso) recul m; (fig) juron m.

C.P. abr de contestación pagada réponse payée.

cráneo nm crâne m.

crapuloso, a a crapuleux(euse); dissolu(e).

craso, a a gras(se); (fig) crasse, grossier(ière).

cráter nm cratère m.

creación nf création f.

creador, a *a* créateur(trice) // *nm/f* créateur/trice.

crear *vt* créer, faire.

crecer *vi* (*niño*) grandir; (*planta*) pousser; (*días*) allonger; (*la luna*) croître; (*río*) grossir; (*ciudad*) s'agrandir; **~se** *vr* se redresser.

creces *nfpl* augmentation *f* de volume; **pagar con ~** payer avec intérêts.

crecido, a *a* (*aumentado, importante*) important(e), considérable; **niño muy ~** enfant qui a beaucoup grandi.

creciente *a* (*que aumenta*) croissant(e) // *nf* crue *f*.

crecimiento *nm* croissance *f*; (*de río*) grossissement *m*.

credencial *a* de créance; **carta ~** lettre de créance; **~es** *nfpl* lettres *fpl* de créance.

crédito *nm* crédit *m*; **~ a corto/largo plazo** crédit à court/long terme; **~ hipotecario** créance *f* hypothécaire; **~ inmobiliario** crédit foncier.

credo *nm* credo *m*.

credulidad *nf* crédulité *f*.

crédulo, a *a* crédule.

creencia *nf* croyance *f*.

creer *vt, vi* croire; **~se** *vr* se croire; **~ en** (*Dios, alguien*) croire en; (*fantasmas, promesas etc*) croire à; **¡ya lo creo!** je crois bien!; **creérselas** se croire, avoir bonne opinion de soi; **¡que te has creído!** qu'est-ce que tu t'es imaginé!

creíble *a* croyable.

creído, a *a* confiant(e), crédule; présomptueux(euse).

crema *nf* crème *f*; (*betún*) cirage *m*; (*LING*) tréma *m* // *a* crème.

cremación *nf* crémation *f*.

cremallera *nf* fermeture éclair *f*.

cremar *vt* incinérer.

crepitación *nf* crépitement *m*.

crepitar *vi* crépiter.

crepuscular *a* crépusculaire; (*de siglo*) de fin de siècle.

crepúsculo *nm* crépuscule *m*.

crespo, a *a* (*cabello*) crépu(e);

(*vegetal*) frisé(e); (*fig*) irrité(e), en colère.

crespón *nm* crêpe *m*.

cresta *nf* crête *f*; **~ de gallo** crête-de-coq *f*.

creta *nf* craie *f*.

cretense *a* crétois(e) // *nm/f* (*fig*) Crétois/e.

cretino, a *a* crétin(e) // *nm/f* (*fig*) crétin/e.

cretona *nf* cretonne *f*.

creyente *a* crédule; (*REL*) croyant(e) // *nm/f* crédule *m*; (*REL*) croyant/e, pieux/euse.

creyó *etc vb ver* **creer.**

cría *nf* (*de animales*) élevage *m*; (*animal*) petit(s) *m(pl)* (d'un animal); (*niño*) nourrisson *m*.

criadero *nm* (*de gallinas*) élevage *m*; (*MINERÍA*) gisement *m*; **~ de ostras** parc *m* à huîtres.

criado, a *a* élevé(e); éduqué(e) // *nm* domestique *m* // *nf* bonne *f*, domestique *f*; **mal/bien ~** mal/bien élevé(e).

criador *nm* éleveur *m*.

crianza *nf* (*de animales*) élevage *m*; (*de niños*) éducation *f*; **buena/mala ~** bonne/mauvaise éducation.

criar *vt* (*niño, animal*) allaiter, nourrir; (*instruir, formar*) élever, éduquer; (*fig*) occasionner, faire naître, provoquer; **~se** *vr* (*alimentarse*) se nourrir; (*crecer*) pousser, croître.

criatura *nf* créature *f*; (*niño*) nourrisson *m*.

criba *nf* crible *m*.

cribar *vt* tamiser, cribler; (*fig*) trier.

crimen *nm* crime *m*.

criminal *a* à criminel(le) // *nm/f* criminel/le.

criminalidad *nf* criminalité *f*.

crin *nf* crin *m*.

crío *nm* (*fam*) bébé *m*, gosse *m/f*, marmot *m*.

criollo, a *a* créole, national(e), indigène // *nm/f* Créole *m/f*; **fiesta criolla** fête *f* typique.

cripta nf crypte f.

crisálida nf chrysalide f.

crisis nf inv crise f.

crisma nf (aceite) chrême m; (fig: fam) figure f.

crisol nm (TEC) creuset m; (fig) fonte f.

crispar vt crisper; **~se** vr se crisper.

cristal nm cristal m; (de ventana) vitre f; (lente) verre m.

cristalino, a a cristallin(e) // nm cristallin m.

cristalizar vt cristalliser // vi cristalliser; (fig) se cristalliser; **~se** vr se cristalliser.

cristianar vt (fam) baptiser.

cristiandad nf (conjunto de cristianos) chrétienté f; (virtud) christianisme m.

cristianismo nm christianisme m.

cristianizar vt christianiser.

cristiano, a a chrétien(ne) // nm/f chrétien/ne; **hablar en ~** (fam) parler correctement en espagnol.

Cristo nm (dios) Le Christ; (crucifijo) crucifix m.

criterio nm jugement m; discernement m; (norma) critère m; **a mi ~** à mon avis.

criticar vt critiquer.

crítico, a a critique // nm critique m // nf (juicio, censura) critique f; (reproche) reproche m.

cromo nm (metal) chrome m; (cromolitografía) chromo m.

crónico, a a chronique // nf chronique f.

cronista nm/f chroniqueur m.

cronología nf chronologie f.

croqueta nf croquette f.

croquis nm croquis m.

cruce nm (encrucijada) carrefour m, croisement m; (acto) traversée f; (BIO) croisement m; (TELEC): **hay un ~ en las líneas** les lignes sont embrouillées; **~ a nivel/de peatones** passage m à niveau/clouté; **~ giratorio** rondpoint m.

crucero nm (MIL: de batalla) croiseur m; (ARQ) transept m; (NAUT: viaje) croisière f; **C~** (ASTRO) Croix f du Sud.

crucificar vt crucifier; (fig) martyriser, tourmenter.

crucifijo nm crucifix m.

crucigrama nm mots croisés, problème m de mots croisés.

crudeza nf (gen) crudité f; (rigor) rigueur f; **la ~ del invierno** la dureté de l'hiver.

crudo, a a (no cocido) cru(e); (no maduro) vert(e); (indigesto) indigeste; (petróleo) brut(e); (seda) grège; (rudo, cruel) rigoureux (euse), rude.

cruel a cruel(le); brutal(e).

crueldad nf cruauté f.

cruento, a a sanglant(e).

crujía nf couloir m, corridor m; (en hospital) salle commune.

crujido nm (de mueble) craquement m; (del viento) mugissement m; (de látigo) claquement m.

crujir vi (madera, dedos) craquer; (dientes) grincer; (nieve, arena) crisser.

crustáceo nm crustacé m.

cruz nf croix f; (de moneda) pile f.

cruzado, a a croisé(e); (cheque) barré(e) // nm croisé m // nf croisade f; (fig) campagne f.

cruzamiento nm croisement m.

cruzar vt (brazos) croiser; (calle) traverser; (cheque) barrer; (animales) croiser; **~se** vr se croiser; (personas: en la calle) croiser; (unas palabras) échanger.

c.s.f. (abr de costo, seguro y flete) c.a.f. (coût, assurance, fret).

c/u abr de cada uno.

cuadernillo nm (librito) carnet m; (cinco pliegos de papel) cahier m.

cuaderno nm cahier m; (NAUT) livre de bord m.

cuadra nf (caballeriza) écurie f; (gran sala) grande salle; (de hospital) dortoir m; (de cuartel) chambrée f; (AM) pâté m de maisons.

cuadrado, a a (MAT) carré(e); (fig) parfait(e) // nm (MAT) carré m; (regla) carrelet m; (IMPRENTA) cadrat m.

cuadrangular a quadrangulaire.

cuadrante nm (ASTRO, GEOMETRÍA) quadrant m; (reloj) cadran m solaire.

cuadrar vt donner la forme d'un carré à; (número) élever au carré; (en compaginación) cadrer; (cuadricular) graticuler // vi: ~ con s'accorder avec; ~se vr (soldado) se mettre au garde-à-vous; (caballo) s'arrêter ferme; (AM): no me cuadra ese horario cet horaire ne me convient pas.

cuadrilátero, a a quadrilatéral(e) // nm quadrilatère m; (BOXEO) ring m.

cuadrilla nf (TAUR) équipe qui accompagne le matador; (fig) bande f; (de obreros) équipe f; (baile) quadrille m.

cuadrillero nm chef m d'équipe.

cuadro nm (de vidrio, tela) carreau m; (PINTURA, TEATRO) tableau m; (DEPORTE) équipe f; (ARQ, TEC, MIL) cadre m; dentro del ~ de sus atribuciones dans le cadre de ses attributions; ~ vivo/de costumbres tableau vivant/de mœurs; ~ de ventana cadre de fenêtre.

cuádruplo, a, cuádruple a quadruple.

cuajada nf (de la leche) caillé m; (requesón) fromage blanc.

cuajar vt (leche) cailler; (sangre) coaguler; (adornar) surcharger; ~se vr (sangre) se coaguler; (leche) se cailler; (dulce) se figer; (laguna) prendre; (llenarse) se remplir; (adormilarse) s'endormir; (proyecto) aboutir.

cuajo nm (de leche) présure f; (de sangre) caillement m; (fig: fam) calme m; arrancar de ~ (árbol) déraciner; (vicio) extirper.

cual ad comme; tel que; tel un(e) //

pron: el ~ lequel; la ~ laquelle; los ~es lesquels; las ~es lesquelles; lo ~ ce qui; ce que; abrieron la caja, de la ~ extrajeron el dinero ils ouvrirent le coffre, duquel ils sortirent l'argent; seis pinturas, de las ~es tres... 6 peintures, dont 3...; el padre del ~ te hablé le padre dont je t'ai parlé; cada ~ chacun/e; ~ más, ~ menos plus ou moins; tal ~ tel quel.

cuál pron interrogativo ¿~ será la decisión? quelle sera la décision? // ad: ¡~ no sería su sorpresa! quelle serait sa surprise!

cualesquier(a) pl de cualquier(a).

cualidad nf qualité f.

cualquiera, cualquier a n'importe quel/le; quelconque // pron n'importe qui; n'importe lequel/laquelle; quiconque; en cualquier parte n'importe où; cualquier día de éstos un de ces jours; no es un hombre ~ ce n'est pas n'importe qui; ~ que sea qui que ce soit; quoi que ce soit; ~ de los presentes n'importe qui parmi los présents; es un ~ c'est un pas-grand-chose ou le premier venu.

cuán ad: ¡~ agradable es el día! quelle journée splendide!

cuando ad quand, lorsque; (aún si) si, même si, quand bien même // conj (puesto que) puisque // prep: yo, ~ niño, quand j'étais enfant, je...; ~ no sea así même si ce n'est pas le cas; ~ más tout au plus; ~ menos au moins; ~ no dans le cas contraire, sinon; de ~ en ~ de temps en temps.

cuándo ad quand; ¿desde ~?, ¿de ~ acá? depuis quand?

cuantía nf (cantidad) quantité f; (importe) montant m; (importancia) importance f; qualité f; de mayor/menor ~ important/peu important, sans importance.

cuantioso, a a (considerable) considérable; (importante) important(e).

cuanto, a *a* tout le, toute la, tous les, toutes les // *pron* tout ce qui; tout ce que; leyó ~ libro caía en sus manos il a lu tous les livres qui lui tombaient entre les mains; **llévate todo** ~ **quieras** emporte tout ce que tu voudras; ~ **quedaba, se bebió** a bu tout ce qui restait; ~**s más, mejor** plus il y en a, mieux c'est; **en** ~ (*en seguida que*) dès que; (*ya que*) puisque; **en** ~ **profesor** en tant que professeur; **en** ~ **a** quant à; ~ **más difícil sea** si ou pour aussi difficile que ce soit; ~ **más hace (tanto) menos avanza** plus il fait moins il progresse; ~ **antes** dès que possible; **unos** ~**s libros** quelques livres.

cuánto, a *a* combien de // *pron, ad* combien; **¡cuánta gente!** que de gens!; **¿** ~ **cuesta?** combien ça coûte?; **no sabes** ~ **lo siento** tu ne sais pas combien je le regrette; **¿** ~ **dura la obra?** combien de temps dure la pièce?; **¿** ~ **hay de aquí a la esquina?** combien cela fait-il d'ici au coin?; **¿a** ~ **s estamos?** le combien sommes-nous?; **Señor no sé** ~**s** Monsieur Untel.

cuáquero, a *nm/f* quaker/esse.

cuarenta *num* quarante.

cuarentena *nf* quarantaine *f*.

cuaresma *nf* carême *m*.

cuartear *vt* diviser en quatre; (*fragmentar*) mettre en pièces; (*descuartizar*) dépecer; ~**se** *vr* se lézarder, se fendre, se crevasser.

cuartel *nm* (*de ciudad*) quartier *m*; (*en jardín*) carré *m*; (*MIL*) quartier; ~ **general** quartier général; ~ **de las tropas** caserne *f*.

cuartelada *nf*, **cuartelazo** *nm* putsch *m*, coup d'État *m*.

cuarteta *nf* quatrain *m*.

cuarteto *nm* (*poema*) quatrain *m*; (*formación musical*) quatuor *m*, quartette *m*.

cuartilla *nf* (*de papel*) feuillet *m*.

cuarto, a *a* quatrième *a* // *nm* (*MAT*) quart *m*; (*habitación*) chambre *f*, pièce *f*, logement *m*; (*de animal*)

quartier *m*; (*de la luna*) quartier // *nf* (*MAT*) quart *m*; (*palmo*) empan *m*; (*en una fila*) quatrième *f*; (*MUS*) quarte *f*; (*MAT*) quadrant *m*; ~ **de baño/estar** salle *f* de bains/séjour; ~ **de hora** quart d'heure; ~ **oscuro** chambre noire.

cuarzo *nm* quartz *m*.

cuasi *ad* = **casi.**

cuatro *num* quatre.

cuba *nf* cuve *f*; tonneau *m*; (*fig*) ivrogne/sse.

Cuba *nf* Cuba *f*.

cubano, a *a* cubain(e) // *nm/f* Cubain/e.

cubero *nm* tonnelier *m*.

cubicar *vt* cuber.

cúbico, a *a* cubique; **un metro** ~ un mètre cube.

cubierta *nf* couverture *f*, (*neumático*) pneu *m*; (*funda*) housse *f*; (*NAUT*) pont *m*; (*AM*) enveloppe *f*.

cubierto, a *pp de* **cubrir** // *a* couvert(e) // *nm* couvert *m*; **a** ~ **de** à l'abri de.

cubo *nm* seau *m*; (*de madera*) cuveau *m*; (*MAT*) cube *m*.

cubrecama *nm* dessus-de-lit *m*, couvre-lit *m*.

cubrir *vt* (*gen*) couvrir; (*un muro con pintura, papel, tela*: *recubrir*) couvrir, recouvrir; (*la vista, la verdad*: *ocultar*) cacher; (*proteger*) couvrir, protéger; (*una distancia*: *recorrer*) couvrir, parcourir; ~**se** *vr* (*cielo*) se couvrir.

cucaña *nf* (*palo*) mât *m* de cocagne; (*fig*: *fam*) aubaine *f*, profit *m*.

cucaracha *nf* (*insecto*) blatte *f*, cafard *m*; (*tabaco*) tabac *m* à priser.

cuclillas: **en** ~ *ad* accroupi(e); **ponerse en** ~ s'accroupir, se mettre sur les talons.

cuclillo *nm* coucou *m*.

cuco, a *a* (*lindo*) joli(e), gentil(le); (*taimado, astuto*) malin(igne), rusé(e); (*tramposo*) tricheur(euse) // *nm* coucou *m*; (*fam*) croque-mitaine *m*.

cuchara nf cuiller f; (NAUT) écope f; (TEC) godet m; benne preneuse; (AM) truelle f.

cucharada nf cuillerée f.

cucharilla, cucharita nf petite cuiller.

cucharón nm louche f.

cuchichear vi chuchoter.

cuchicheo nm chuchotement m.

cuchilla nf (de carnicero) couperet m; (de curtidor) plane f; (de arma blanca) lame f; (de arado) coutre m; ~ **de afeitar** lame f de rasoir.

cuchillería nf coutellerie f.

cuchillero nm coutelier m; (AM) bagarreur m.

cuchillo nm couteau m; (de guillotina) couperet m; (ARQ) aiguille f.

cuchipanda nf (fam: comilona) ripaille f; bombance f; (: juerga) bombe f.

cuchitril nm taudis m, bouge m.

cuchufleta nf blague f, plaisanterie f.

cuello nm (ANAT) cou m; (de botella) goulot m; (de vestido, camisa) col m.

cuenca nf (escudilla) écuelle f de bois; (ANAT) orbite f; (GEO) vallée f; bassin m.

cuenta nf (cálculo) compte m; (factura) note f; (en café, restaurante) addition f; (COM: en banco) compte m; (: factura) facture f; (de collar) grain m; **a fin de** ~'s au bout du compte; **caer en la** ~ **y** être, piger (fam); **dar** ~ **de** rendre compte de; **darse** ~ de constater, se rendre compte de; **más de la** ~ trop, plus que de raison; **tener en** ~ tenir compte de, considérer; **echar** ~s tirer le point; **vivir a** ~ de vivre aux crochets de; ~ **corriente/de ahorros** compte courant/épargne.

cuento vb ver **contar** // nm (LITERATURA) conte m; (relato) conte, histoire f, récit oral; (fam: chisme) ragot m; (mentira)

boniment m; ~ **de hadas** conte de fées.

cuerdo, a a (sano de juicio) raisonnable, (prudente, sensato) sage, prudent(e) // nf corde f; (de reloj) chaîne f; (en cachette; **dar cuerda a un reloj** remonter une horloge; **cuerdas** mpl: **las cuerdas** les instruments mpl à cordes; **cuerdas vocales** cordes vocales.

cuerno nm corne f; (de insecto) antenne f; (MUS) cor m.

cuero nm (ZOOL) cuir m; (odre) outre f; (AM) fouet m; **andar en** ~s se promener tout(e) nu(e); **el** ~ **cabelludo** le cuir chevelu.

cuerpo nm corps m; **tomar** ~ prendre corps; ~ **del delito** corps du délit; **lucha** ~ **a** ~ lutte f corps à corps; **de** ~ **entero** en pied; **de medio** ~ de buste.

cuervo nm corbeau m; ~ **marino** cormoran m.

cuesta nf côte f, pente f; **ir** ~ **arriba** monter; **ir** ~ **abajo** descendre; **llevar a** ~s porter sur le dos.

cuesto etc vb ver **costar**.

cueva nf grotte f, caverne f.

cuidado nm soin m; (dependencia) charge f; (preocupación) souci m; prudence f, précaution f // excl (fais) attention!

cuidadoso, a a (aplicado) soigneux(euse); (prudente) soucieux(euse), prudent(e).

cuidar vt (MED) soigner; (ocuparse de) s'occuper de // vi: ~ **de** prendre soin de; ~**se** vr faire attention; ~**se del frío** faire attention au froid; ~**se del qué dirán** se soucier du qu'en-dira-ton.

cuita nf peine f, souci m.

cuitado, a a (afligido) affligé(e),

malheureux(euse); *(apocado)* timoré(e).

culada *nf* chute *f* sur le derrière.

culata *nf (de cañón)* culasse *f; (de escopeta)* crosse *f; (de animal)* croupe *f.*

culatazo *nm* recul *m.*

culebra *nf* couleuvre *f.*

culebrear *vi* serpenter, zigzaguer.

culinario, a *a* culinaire.

culminación *nf* point culminant; *(ASTRO)* culmination *f.*

culo *nm (nalgas)* fesses *fpl,* cul *m; (ano)* anus *m; (piedra falsa)* pierre fausse.

culpa *nf* faute *f,* tort *m.*

culpabilidad *nf* culpabilité *f.*

culpable *a* coupable // *nm/f* coupable *m/f.*

culpado, a *a* coupable // *nm/f (acusado)* accusé(e); *(responsable)* coupable *m/f.*

culpar *vt (inculpar)* inculper; *(acusar)* accuser; *(reprochar)* reprocher; **~se** *vr* s'accuser, se reprocher.

cultismo *nm* mot recherché.

cultivable *a* cultivable.

cultivador, a *nm/f* cultivateur/trice // *nf* cultivateur *f.*

cultivar *vt* cultiver; *(fig)* cultiver, entretenir.

cultivo *nm* culture *f.*

culto, a *a* cultivé(e) // *nm (adoración religiosa)* culte *m; (homenaje)* culte, hommage *m;* **lenguaje ~** langue choisie.

cultura *nf* culture *f;* **~ física** culture physique.

cumbre *nf (de montaña)* sommet *m; (fig)* apogée *m.*

cumpleaños *nm* anniversaire *m.*

cumplido, a *a* accompli(e); *(deber)* complet(ète), accompli(e) // *nm* compliments *mpl;* **hacer por ~** faire par pure politesse.

cumplimentar *vt (felicitar)* complimenter, adresser ses compliments à; *(JUR)* exécuter.

cumplimiento *nm (ejecución)* accomplissement *m,* exécution *f;*

(acatamiento, respeto) respect *m; (cortesía)* compliment *m,* politesse *f.*

cumplir *vt (orden)* accomplir; *(promesa)* accomplir, tenir; *(condena)* exécuter, appliquer; *(años)* avoir // *vi:* **~ con** *(deberes)* faire, remplir; *(su palabra)* respecter; **~se** *vr (plazo establecido)* expirer; *(aniversario)* avoir lieu; *(deseo)* se réaliser, s'accomplir.

cumular *vt* = **acumular.**

cúmulo *nm* accumulation *f,* tas *m,* amoncellement *m; (nube)* cumulus *m.*

cuna *nf* berceau *m.*

cundir *vi* se répandre, se propager.

cuneta *nf (de carretera)* fossé *m; (de calle)* caniveau *m.*

cuña *nf* cale *f; (fig: fam)* appui *m,* piston *m.*

cuñado, a *nm/f* beau-frère/belle-sœur.

cuñete *nm* petit tonneau.

cuño *nm (troquel)* coin *m; (marca que deja el cuño)* empreinte *f; (fig: marca)* marque *f,* empreinte; **de nuevo ~** moderne, nouveau(elle).

cuota *nf (parte proporcional)* quote-part *f; (cotización)* cotisation *f; (AM)* versement *m.*

cupe *etc vb ver* **caber.**

cupé *nm* coupé *m.*

cupo *nm* quota *m.*

cupón *nm (de valores bancarios)* coupon *m; (de racionamiento)* ticket *m; (de pedido)* billet *m,* bon *m.*

cúpula *nf (ARQ)* coupole *f; (BOT)* cupule *f; (NAUT)* tourelle *f.*

cura *nf* soin *m,* traitement *m* // *nm* curé *m,* prêtre *m,* abbé *m.*

curable *a* guérissable, curable.

curación *nf* guérison *f.*

curado, a *a* endurci(e), aguerri(e).

curador, a *nm/f (JUR: tutor)* curateur/trice, tuteur/trice; *(curandero)* guérisseur/euse; *(administrador)* administrateur/trice, régisseur *m.*

curandero, a nm/f guérisseur/euse.

curar vt (herida) guérir, panser; (enfermo) guérir; (carne, pescado) sécher; (cuero) tanner // vi soigner; ~se vr se rétablir.

curativo, a a curatif(ive).

curato nm cure f.

cureña nf (de cañón) affût m; (de mortero) crapaud m; a ~ rasa sans défense.

curia nf (romana) curie f; (JUR) tribunal m du contentieux.

curiosear vt fouiner dans // mettre son nez partout.

curiosidad nf curiosité f; indiscrétion f; (objeto) curiosité.

curioso, a a curieux(euse); indiscret(ète); (raro) bizarre, étrange // nm/f curieux/euse.

curro, a a spirituel(le).

cursante nm/f (AM) élève m/f qui suit un cours, étudiant/e.

cursar vt (carta, circular) envoyer; (orden) transmettre; (ESCOL: curso) suivre.

cursi a (fam) de mauvais goût, maniéré(e) // nm/f crâneur/euse.

cursilería nf mauvais goût.

cursillo nm (curso) cours m; (ciclo de conferencias) cycle m de conférences.

cursivo, a a cursif(ive) // nf italique m o f.

curso nm cours m; (de astro) course f; en ~ en cours; **moneda de ~ legal** foire f à cours légal; en ~ de au cours de; **estar en segundo** ~ être en cinquième; **dar** ~ a donner suite à.

curtido, a a (la piel por el sol) basané(e); tanné(e); (cuero) tanné(e); (fig) rompu(e) // nm tannage m.

curtidor nm tanneur m.

curtir vt (cuero) tanner, corroyer; (cara) hâler; (fig) endurcir, aguerrir; ~se vr s'endurcir.

curvatura nf courbure f.

curvo, a a (gen) courbe; (camino) sinueux(euse), courbe // nf (gen)

courbe f; (de camino) tournant m, virage m; (de río) boucle f.

cuscurro nm croûton m.

cúspide nf sommet m.

custodia nf (vigilancia) surveillance f; (guardián) garde m; (REL) ostensoir m.

custodiar vt (guardar) garder; (vigilar) surveiller; (proteger) protéger.

custodio nm gardien m.

cutáneo, a a cutané(e).

cutis nm peau f.

cuyo, a pron dont le, dont la, dont les; duquel, de laquelle, desquels, desquelles; en ~ caso no iremos auquel cas, nous n'irons pas.

c.v. abr de **caballo de vapor**.

CH

chabacano, a a ordinaire, quelconque.

chacal nm chacal m.

chacona nf chaconne f.

chacota nf plaisanterie f.

chacotear vi blaguer, plaisanter.

chacra nf (AM) ferme f, métairie f.

chal nm châle m.

chalán nm maquignon m; (AM) dresseur m de chevaux.

chalanear vi maquignonner // vt (AM) dresser.

chalanería nf maquignonnage m.

chaleco nm gilet m; ~ de fuerza (AM) camisole f de force; ~ salvavidas (AM) gilet de sauvetage.

chalupa nf (barco pequeño) chaloupe f; (lancha) barque f, canot m.

chamarasca nf (leños) bourrée f; (fuego) flambée f.

chambelán nm chambellan m.

chambón, ona a (fam) veinard(e), chanceux(euse).

champú nm shampooing m.

chamuchina *nf* (*AM: pey*) populace *f*.

chamuscar *vt* flamber; roussir.

chancear *vi* plaisanter, blaguer.

chancero, a *nm/f* blagueur/euse.

chancillería *nf* chancellerie *f*.

chancleta *nf* (*pantufla*) pantoufle *f*, savate *f*; (*AM*) petite-fille *f*, gosse *f* // *nm/f* bon/ne à rien.

chanclo *nm* (*zueco de madera*) socque *m*; (*calzado de goma*) caoutchouc *m*; (*galocha*) galoche *f*.

chancho, a a (*AM*) sale // *nm* (*AM*) porc *m*, cochon *m*.

chanchullo *nm* affaire *f* louche, tripotage *m*.

chantaje *nm* chantage *m*.

chantre *nm* chantre *m*.

chanza *nf* plaisanterie *f*.

chapa *nf* (*de metal, madera*) plaque *f*; (*de botella*) capsule *f*, bouchon *m*; ~ **ondulada** tôle ondulée; **jugar a las** ~s jouer à pile ou face.

chapado, a a plaqué(e); ~ **a la antigua** vieux jeu.

chaparro *nm* (*mata de arbustos*) buisson *m* d'yeuses; (*gordo*) personne boulotte.

chaparrón *nm* averse *f*.

chapear *vt* couvrir de plaques.

chapetón, ona *a* novice, débutant(e).

chapín *nm* claque *f*.

chapitel *nm* (*de torre*) flèche *f*; (*de columna*) chapiteau *m*.

chapón *nm* pâté *m*.

chapotear *vt* mouiller // *vi* (*fam*) patauger.

chapoteo *nm* barbotage *m*.

chapucero, a a bâclé(e) // *nm/f* bâcleur/euse.

chapurr(e)ar *vt* (*idioma*) baragouiner; (*bebidas*) mélanger.

chapuz(a) *nm* (*nf*) bricole *f*, chose bâclée.

chapuzar *vt* plonger // *vi*, ~**se** *vr* se baigner.

chaqueta *nf* veston *m*.

charada *nf* charade *f*.

charanguero *nm* (*chapucero*)

bousilleur *m*, massacreur *m*, bricoleur *m*.

charca *nf* mare *f*.

charco *nm* flaque *f*.

charla *nf* bavardage *m*; (*conferencia*) causerie *f*, conférence *f*.

charlar *vi* bavarder, causer; (*pey*) faire des commérages.

charlatán, ana a bavard(e) // *nm* (*curandero*) charlatan *m*; (*mentiroso*) camelot *m*.

charlatanería *nf* (*locuacidad*) charlatanerie *f*; (*pey*) commérage *m*.

charol *nm* vernis *m*.

charola *nf* (*AM*) plateau *m*.

charretera *nf* épaulette *f*.

charro, a a rustre, balourd(e); (*adornado con mal gusto*) rococo, de mauvais goût.

chas *excl* crac!

chascarrillo *nm* (*fam*) histoire *f* drôle, plaisanterie *f*.

chasco *nm* (*broma, engaño*) niche *f*, tour *m*; (*fracaso, desengaño*) fiasco *m*, échec *m*, désillusion *f*.

chasquear *vt* (*engañar, bromear*) jouer des tours à, duper, tromper; (*látigo*) faire claquer; (*lengua*) claquer; ~**se** *vr* (*sufrir un desengaño*) avoir une déception; (*fracasar*) essuyer un échec.

chasquido *nm* (*de lengua, látigo*) claquement *m*; (*ruido seco y súbito*) craquement *m*.

chato, a a (*aplastado*) camus(e), aplati(e); (*AM: expresión de afecto*) mon chou // *nf* (*barco*) chaland *m*; (*vagón plano*) wagon plat.

chaval, a *nm/f* gamin/e, gosse *m/f*.

checo(e)slovaco, a a tchécoslovaque // *nm/f* Tchécoslovaque *m/f*.

Checo(e)slovaquia *nf* Tchécoslovaquie *f*.

chelín *nm* shilling *m*.

cheque *nm* chèque *m*; ~ **sin fondos** *o* **sin provisión** chèque sans provision; ~ **de viajero** chèque de voyage.

chequeo *nm* (*MED*) examen

médical; (AUTO) vérification f.

chicle nm chewing-gum m.

chico, a a petit(e) // nm/f (niño, niña) garçon/fille; (muchacho) enfant m/f.

chicoria nf = **achicoria**.

chicote, a nm/f grand garçon/grande fille.

chicharra nf (ZOOL) cigale f; (AM) sonnette f électrique.

chicharrón nm (carne) viande carbonisée, (fig) pruneau m.

chichear vi siffler.

chichón nm bosse f.

chichonera nf (de niño) bourrelet m; (de paracaidista) casque m.

chiflado, a a toqué(e), piqué(e) // nm: **es un ~ por** il est fou de.

chifladura nf (silbido) sifflement m; (fam: capricho) manie f, dada m.

chiflar vt siffler; **~se** vr: **~se por** se toquer de, aimer à la folie.

chile nm piment m.

Chile nm Chili m.

chileno, a a chilien(ne) // nm/f Chilien/ne.

chillar vi (niño) crier; (animal) glapir; (puerta) grincer; (AM) protester, crier; **~se** vr (AM) se fâcher, s'irriter.

chillido nm (de persona) cri perçant; (de animal) glapissement m; (de rueda) grincement m.

chillón, ona a (niño) criard(e), braillard(e); (color) criard.

chimenea nf cheminée f.

chimpancé nm chimpanzé m.

China nf: **la ~** la Chine.

chinche nf punaise f // a/m/f enquiquineur/euse, empoisonneur/euse.

chinchilla nf chinchilla m.

chinchona nf (AM) quinquina m.

chinela nf mule f; claque f.

chinesco, a a chinois(e) // nm chapeau chinois.

chino, a a chinois(e) // nm/f Chinois/e // nm chinois m; **cuento ~** (fam) histoire f à dormir debout.

Chipre nf Chypre f.

chipriota, chipriote a chypriote // nm/f Chypriote m/f.

chiquero nm (pocilga) porcherie f; (toril) toril m.

chiquillada nf gaminerie f, enfantillage m.

chiquillo, a nm/f gamin/e.

chiquito, a a tout(e) petit(e) // nm/f petit/e, gosse m/f // nm petit verre de vin.

chiribitil nm galetas m; cagibi m.

chirimbolo nm (fam: utensilio, vasija) machin m, truc m, chose f; **~s** mpl (fam) bric-à-brac m.

chirimía nf (MUS) chalumeau m, flageolet m.

chiripa nf (fam: broma) quolibet m; (BILLAR) raccroc m; (casualidad) coup m de veine.

chirle a insipide, fade; (aguado) coupé(e); sans consistance; sans intérêt.

chirlo nm balafre f.

chirriar vi (goznes) grincer; (pájaros) piailler; (fam: cantar mal) chanter faux, brailler.

chirrido nm (de pájaro) cri m; (de rueda) grincement m; (de aceite hirviendo, de agua) grésillement m; (de zapatos) craquement m.

chirrión nm charrette f.

chis excl chut!

chisgarabís nm (fam) gringalet m, freluquet m; fouinard m.

chisme nm (habladurías) cancan m, potin m, ragot m; (fam: objeto) babiole f.

chismoso, a a cancanier(ière) // nm/f cancanier/ière.

chispa nf étincelle f; (viveza, ingenio) lueur f, esprit m; (fam: borrachera) cuite f.

chispazo nm étincelle f.

chispeante a étincelant(e).

chispear vi (echar chispas) étinceler; (lloviznar) pleuviner, tomber quelques gouttes.

chisporrotear vi (fuego) pétiller, crépiter; (aceite) grésiller, crépiter.

chisporroteo nm (de leña)

crépitement m; (de aceite) pétillement m.

chistar vi: **no ~ se taire; lo aceptó sin ~** il l'a accepté sans répliquer ou sans mot dire.

chiste nm bon mot, plaisanterie f; **caer en el ~** comprendre, piger.

chistera nf (sombrero) tube m, chapeau haut-de-forme m; (de pescador) panier m de pêcheur.

chistoso, a a (gracioso) spirituel(le); (bromista) blagueur(euse).

chita nf astragale m.

chito nm (juego) bouchon m, palet m.

chitón excl chut!

chivar vt (fam: fastidiar) casser les pieds à; **~se** vr (fam: delatar) moucharder; (AM) hurler, se mettre en colère.

chivatear vi moucharder.

chivato nm chevreau m.

chivo, a nm/f chevreau/ chevrette.

chocante a désagréable; (antipático) choquant(e).

chocar vi (coches, trenes) se heurter // vt choquer; **~ con** (tropezar con) heurter; (fig: enfrentarse con) s'accrocher avec; **¡chócala!** tope là!

chocarrería nf grosse blague.

chocarrero, a a grossier(ière) // nm/f blagueur/euse.

chocolate a chocolat // nm chocolat m.

chochear vi (anciano) radoter; (fig) perdre la tête.

chochera nf (de anciano) radotage m, gâtisme m; (fig) toquade f.

chocho, a a (senil) radoteur(euse); (fig) gâteux(euse) // nm sucrerie // nf bécasse f.

cholo, a nm/f (AM) métis/se; (AM) homme/femme du peuple.

chopo nm peuplier noir.

choque nm (golpe) choc m; (oposición) collision f; (combate) heurt m.

choricero, a nm/f charcutier/ière.

chorizo nm chorizo m (fam) filou m.

chorlito nm chevalier m.

chorlito nm chevalier m.

chorrear vi (agua, sudor) couler; (gotear) dégoutter, dégouliner; (lluvia) ruisseler, dégouliner; **~se** vr s'approprier.

chorrillo nm filet m; **sembrar a ~** semer en ligne.

chorro nm (de líquido) jet m; (de luz) rayon m.

choto, a nm/f (cabrito) cabri m, chevrette f; (ternero) veau m // a accommodant(e), arrangeant(e).

choza nf (cabaña) cabane f; (rancho de paja) chaumière f.

chubasco nm (aguacero) averse f; (fig) contretemps m, nuage m.

chuchería nf (fruslería) babiole f, colifichet m; (golosina) friandise f, sucrerie f.

chufa nf (planta) souchet m comestible; (fig) raillerie f.

chufleta nf (fam) plaisanterie f, blague f, raillerie f.

chuleta nf côtelette f, côte f.

chulo, a a effronté(e), insolent(e), dévergondé(e) // nm (pícaro) mauvais garçon; (fam: joven lindo) gommeux m, petit maître; (pey) type du bas peuple de Madrid.

chunga nf (fam) farce f, plaisanterie f.

chupado, a a (delgado) maigre, émacié(e); (ajustado) serré(e), étroit(e); (AM) ivrogne.

chupar vt sucer; (absorber) pomper, absorber; (AM) fumer; sucer; (AM: beber) boire (trop); **~se** vr (adelgazar) maigrir, se creuser.

chupón, ona a suceur(euse) // nm (BOT) branche gourmande; (paleta, AM: chupete) sucette f // nm/f pique-assiette m // f inv.

churrigueresco, a a (ARQ) churriguéresque; (fig) surchargé(e).

churro, a a (lana) jarreux(euse) // nm (CULIN) beignet m; (fam) bricolage m.

chuscada *nf* plaisanterie *f*, drôlerie *f*, facétie *f*.

chusco, a *a* plaisant(e), cocasse // *nm* (*fam*) petit pain.

chusma *nf* (*conjunto de galeotes*) chiourme *f*; (*gente pícara, vil*) populace *f*.

chuzo *nm* pique *f*.

D

D. *abr de* **Don**.

Da. *abr de* **Doña**.

D.A. *abr de* **duración ampliada** double durée.

dable *a* possible.

dactilógrafo, a *nm/f* dactylo(graphe) *f*.

dádiva *nf* (*donación*) don *m*; (*regalo*) présent *m*.

dadivoso, a *a* généreux(euse).

dado, a *pp de* **dar** // *nm* dé *m* // *a*: **dadas las circunstancias** étant donné les circonstances; **~ a la bebida** enclin à la boisson.

dador, a *nm/f* (*gen*) donneur/ euse; (*de letra de cambio*) tireur *m*.

daga *nf* (*puñal*) dague *f*; (*AM*) couteias *m*.

daguerrotipo *nm* daguerréotype *m*.

dama *nf* (*gen*) dame *f*; (*AJEDREZ*) reine *f*; **~s** *nfpl* (*jeu m de*) dames *fpl*.

damajuana *nf* dame-jeanne *f*.

damasco *nm* (*tela*) damas *m*; (*BOT*) variété *f* d'abricotier et d'abricot.

damnificado, a *nm/f* sinistré/e.

damnificar *vt* endommager.

danés, esa *a* danois(e) // *nm/f* Danois/e.

Danubio *nm*: **el ~** le Danube // *nf* danse *f*.

danza *nf* danse *f*.

danzar *vt, vi* danser.

dañar *vt* nuire à.

dañino, a *a* nuisible.

daño *nm* (*detrimento*) dommage *m*; (*perjuicio*) tort *m*; (*menoscabo*) dégât *m*; (*MED*) mal *m*; (*AM*) (mauvais) sort *m*.

dañoso, a *a* nuisible.

dar *vt* (*gen*) donner; (*lección*) réciter; (*CINE*) jouer; donner; (*TEATRO*) monter; jouer; (*la hora*): **~ las 3** sonner 3 heures // *vi*: **~ a** donner sur; **~ con** tomber sur; **~ contra** heurter; **~ en** (*solución*) trouver; **~se** *vr* (*ocurrir*) arriver; **~se por** (*considerarse*) se donner pour, se considérer; **~ alegría** faire plaisir; **da lástima** *o* **pena verle** cela fait de la peine de le voir; **~ por** *o* **como** donner pour; **~ de comer/beber** donner à manger/ boire; **lo mismo** *o* **qué más da** peu importe, ça ne fait rien; **~ en el blanco** mettre dans le mille; **se dió a conocer que** on apprit que, la nouvelle se répandit que.

dardo *nm* dard *m*.

dársena *nf* bassin *m*, dock *m*.

data *nf* date *f*.

datar *vt* dater // *vi*: **~ de** dater de, remonter à.

dátil *nm* datte *f*.

dato *nm* donnée *f*; renseignement *m*; **~s personales** renseignements personnels.

dcha *abr de* **derecha**.

d. de J.C. *abr de después de Jesucristo* ap. J-C (après Jésus-Christ).

de *prep* de, à; **libro ~ cocina** livre de cuisine; **día ~ lluvia** jour de pluie; **el hombre ~ largos cabellos** l'homme aux longs cheveux; **broche ~ oro** broche en or; **guantes ~ cuero** gants de *ou* en cuir; **fue a Londres ~ profesor** il est allé à Londres comme professeur; **largo ~ contar** long à raconter; **dormir ~ aburrido** s'endormir d'ennui; **una ~ dos de dous choses l'une**; **~ mañana** le matin; **~ tarde** l'après-midi; **~ noche** de nuit; **~ cabeza** la tête la première; **~ cara a** face à.

debajo ad dessous; ~ **de** sous; **por** ~ **de** en-dessous de.

debate nm débat m.

debatir vt débattre.

debe nm débit m; **el** ~ **y el haber** le doit et l'avoir.

deber nm devoir m // vt devoir // vi devoir; **debe de hacer calor** il doit faire chaud.

debidamente ad (justamente) dûment; (convenientemente) convenablement, comme il faut.

debido, a qu'on doit, qui convient.

débil a (persona) faible, débile; (luz, carácter) faible // nm/f: **una/uno** ~ **mental** un/e débile mental(e), un/e faible d'esprit.

debilidad nf (de cuerpo, carácter) faiblesse f; (mental) débilité f (mentale); (atracción) penchant m.

debilitar vt affaiblir, débiliter // vi (salud) ébranler; (voluntad) épuiser.

débito nm dette f.

década nf décade f.

decadencia nf décadence f.

decadente a décadent(e); ~**s** nm/fpl décadents mpl.

decaer vi (declinar) déchoir; (debilitarse) dépérir; (cultura) décliner, tomber; (salud) décliner; (fiesta) baisser; (el ánimo) baisser.

decaimiento nm (declinación) décadence f; (desaliento) abattement m; (MED: debilitamiento de la salud) affaiblissement m; (: abatimiento) abattement m.

decálogo nm décalogue f.

decano, a nm/f doyen/ne.

decantar vt décanter.

decapitación nf décapitation f; (fig) mise f à bas.

decapitar vt décapiter; (fig) mettre à bas.

decasílabo, a a décasyllabe // nm décasyllabe m.

decena nf dizaine f.

decencia nf (modestia) modestie f, décence f; (pudor) pudeur f;

(recato) retenue f; (honestidad) honnêteté f.

decenio nm décennie f.

decente a (conveniente) décent(e); (correcto) convenable, correct(e), confortable; (honesto) honnête; (respetable) respectable.

decepción nf (contrariedad) déception f, contrariété f; (desilusión) désillusion f; (desengaño) désillusion, leçon f.

decidir vt (persuadir) décider; (resolver) résoudre; (orden) décréter // vi décider; ~**se vr**: ~**se** à se décider à; ~**se por** se décider pour.

décimo, a a dixième.

decir vt (expresar) dire; (afirmar) affirmer; (ordenar) ordonner; **se dice que** on dit que; **dicho sea de paso** soit dit en passant; **por decirlo así** pour ainsi dire; **dicho y hecho** aussitôt dit, aussitôt fait.

decisión nf (resolución) décision f; (firmeza) détermination f.

decisivo, a a décisif(ive).

declamación nf déclamation f.

declamar vt, vi déclamer.

declaración nf (explicación) déclaration f; (manifestación) déclaration de principe; ~ **de quiebra** déposition f de bilan.

declarar vt déclarer, annoncer; expliquer; faire savoir, manifester // vi: ~ **ante el juez** déposer devant le juge; ~**se vr** se déclarer; ~ **quiebra** déposer son bilan, faire faillite; ~**se enfermo** se faire porter malade; ~**se en huelga** se mettre en grève.

declaratorio, a a déclaratoire.

declinación nf déclinaison f; (de período) déclin m; (de terreno) pente f.

declinar vt (gen) décliner; (JUR) récuser // vi (ASTRO) décliner; (el día) décliner, baisser; (salud) baisser.

declive nm (cuesta) pente f; (inclinación) déclivité f.

decocción nf décoction f.

decolorar vt décolorer; **~se** vr se décolorer, passer.

decomisar vt confisquer.

decoración nf décoration f.

decorado nm décor m.

decorar vt décorer.

decorativo, a a décoratif(ive).

decoro nm (respeto) respect m; (dignidad) dignité f; (recato) réserve f, retenue f.

decoroso, a a correct(e); digne, respectable; convenable.

decrecer vi décroître, diminuer.

decreciente a décroissant(e).

decrépito, a a décrépit(e).

decrepitud nf décrépitude f.

decretar vt décréter.

decreto nm décret m.

decuplicar vt décupler.

décuplo, a a décuple // nm décuple m.

dechado nm (modelo) modèle m; (ejemplo) exemple m.

dedal nm dé à coudre m.

dédalo nm labyrinthe m, dédale m.

dedicación nf dévouement m; (al estudio) acharnement m.

dedicar vt (libro) dédier; (palabras: decir, dinero) consacrer; (palabras: decir, ofrecer) adresser; **~se** vr: **~se a** (tener afición de) se dévouer à; (pasar el tiempo) passer son temps à.

dedicatoria nf dédicace f.

dedil nm doigtier m, doigt m.

dedillo nm: **saber algo al ~** savoir qch sur le bout des doigts.

dedo nm doigt m; **~ del pie** orteil m, doigt de pied; **~ pulgar** pouce m; **~ índice** index m; **~ mayor o cordial** majeur m, médius m; **~ anular** annulaire m; **~ meñique** auriculaire m; **~ gordo/chico** gros/petit orteil.

deducción nf déduction f.

deducir vt (concluir) déduire; (COM) déduire; (de un salario) retenir; (AM) produire.

defección nf défection f.

defecto nm (físico) tare f, défaut m; (imperfección) défectuosité f.

defectuoso, a a défectueux(euse).

defender vt défendre; **~se** vr se défendre.

defensa nf défense f.

defensiva nf: estar/ponerse a la **~** être/se mettre sur la défensive; (DEPORTE): jugar a la **~** jouer la défense.

defensivo, a a défensif(ive).

defensor, a a défensif(ive) // nm/f (abogado) avocat/e; (protector) protecteur/trice, défenseur m.

deferencia nf déférence f.

deferente a déférent(e).

deferir vt déférer // vi: **~ a** s'en remettre à, s'appuyer sur.

deficiencia nf déficience f.

deficiente a (mediocre) médiocre; (defectuoso) déficient(e); (imperfecto) imparfait(e).

déficit nm déficit m; (fig) manque m.

definición nf définition f.

definir vt (determinar) définir; (decidir) décider; (clarificar) clarifier.

definitivo, a a définitif(ive); **en definitiva** en définitive.

deformación nf (alteración) déformation f; (distorsión) distorsion f.

deformar vt (gen) déformer; (desfigurar) défigurer; **~se** vr se déformer.

deforme a (informe) difforme; (contrahecho) contrefait(e); (mal hecho) mal bâti(e), mal fait(e).

deformidad nf difformité f; (moral) difformité, défaut m.

defraudación nf fraude f; (~ fiscal) fraude (fiscale).

defraudador, a a (engañador) fraudeur(euse); (frustrador) qui déçoit ou frustre (des espoirs) // nm/f fraudeur/euse.

defraudar vt frauder; (frustrar) frustrer, décevoir.

defuera ad dehors, au-dehors, du dehors.

defunción nf décès m.

degeneración nf (de las células)

dégénérescence f; (moral) dégénération f.

degenerar vi dégénérer.

deglutir vt, vi déglutir.

degollación nf décollation f; (fig) massacre m.

degolladero nm (ANAT) gorge f; (lugar) abattoir m.

degollar vt (animal) égorger; (decapitar) décoller, décapiter; (arruinar) ruiner, détruire.

degollina nf (fam) tuerie f, massacre m.

degradación nf (de empleado, soldado) dégradation f; (envilecimiento) avilissement m.

degradar vt dégrader; ~se vr s'avilir, se dégrader.

degüello nm égorgement m; (fig) massacre m.

degustación nf dégustation f.

dehesa nf pâturage m.

deidad nf divinité f, déité f.

deificar vt (persona) déifier; (cosa) diviniser.

dejación nf (abandono) abandon m; (JUR) cession f.

dejadez nf (negligencia) négligence f; (descuido) laisser-aller m, abandon m.

dejado, a a (negligente) négligent(e); (indolente) indolent(e); (apático) apathique, abattu(e) // nm/f personne négligente.

dejar vt laisser; (abandonar) abandonner; (beneficios) rapporter; ~ a un lado laisser de côté // vi: ~ de arrêter de; ~se vr: ~ se llevar por la música se laisser porter par la musique; ~ estar laisser faire; ~se ver apparaître, se montrer.

dejo nm (abandono) abandon m; (LING) accent m; (sabor) arrière-goût m.

del = de + el, voir de.

delación nf (acusación) délation f; (denuncia) dénonciation f.

delantal nm tablier m.

delante ad devant; por ~ devant; ~ de devant.

delantero, a a de devant, qui va

devant // nm avant m // nf (de vestido, casa) devant m; (de vehículo) avant m; (de equipo) avants mpl; ~ izquierdo/centro/derecho avant-gauche/-centre/-droit; llevar la delantera a uno prendre les devants, devancer qn.

delatar vt dénoncer.

delator, a a dénonciateur(trice) // nm/f (acusador) accusateur/trice; (informante) informateur/trice.

delectación nf délectation f.

delegación nf délégation f; (edificio) délégation, bureau m; ~ de policía commissariat m de policía; ~ municipal mairie f.

delegado, a a délégué(e) // nm/f délégué/e.

delegar vt déléguer, confier.

deleitar vt enchanter, charmer; ~se vr: ~se con o en se délecter de; prendre plaisir à.

deleite nm délectation f, délice m, plaisir m.

deleitoso, a a délicieux(euse); délectable.

deletéreo, a a délétère.

deletrear vi épeler; (fig) déchiffrer.

deletreo nm épellation f; (fig) déchiffrage m.

deleznable a (que se rompe) friable; (resbaladizo) glissant(e); (fugaz) peu durable; (inestable) instable; (desagradable, horrible) détestable, horrible.

delfín nm (ZOOL) dauphin m; (príncipe) Dauphin m.

delgadez nf minceur f, finesse f.

delgado, a a (poco grueso) mince, fin(e); (flaco) maigre; (delicado) délicat(e); (sutil, ingenioso) spirituel(le), ingénieux(euse).

deliberación nf délibération f.

deliberar vt délibérer.

delicadeza nf (gen) délicatesse f; (refinamiento, sutileza) attention f, marque f de délicatesse.

delicado, a a délicat(e); (material) fragile.

delicia nf délice m.

delicioso, a *a* *(gracioso)*
spirituel(le); *(placentero)* plaisant(e), agréable; *(exquisito)* exquis(e), délicieux(euse).

delincuencia *nf* délinquance *f.*

delincuente *a* délinquant(e) // *nm/f* délinquant/e.

delineación *nf*, **delineamiento** *nm* délinéation *f*; *(de terreno, figura)* tracé *m*; limite *f*; *(de programa, libro)* plan *m.*

delinear *vt* délinéer.

delinquir *vi* commettre un délit.

deliquio *nm* évanouissement *m*; extase *f.*

delirante *a* délirant(e).

delirar *vi* délirer.

delirio *nm* *(desvarío)* délire *m*, égarement *m*; *(manía)* manie *f*, folie *f.*

delito *nm* *(infracción a las leyes)* délit *m*; *(crimen)* crime *m*; *(ofensa)* outrage *m*; ~ **político/común** crime politique/de droit commun.

delta *nf* delta *m* // *nm* delta *m.*

demacración *nf* amaigrissement *m.*

demacrar *vt* amincir, rendre mince; ~**se** *vr* s'émacier, maigrir.

demagogo *nm* démagogue *f.*

demanda *nf* *(pedido)* demande *f*, requête *f*; *(COM)* demande; *(JUR)* action *f.*

demandante *nm/f* demandeur/eresse.

demandar *vt* *(gen)* demander; *(JUR)* poursuivre en justice.

demarcación *nf* *(de terreno)* démarcation *f*; *(de límites entre países)* délimitation *f.*

demarcar *vt* délimiter.

demás *a*: los ~ **niños** les autres enfants // *pron*: **los/las** ~ les autres; **lo** ~ le reste // *ad* inutile.

demasía *nf* *(exceso)* excès *m*; *(atrevimiento)* audace *f*; *(insolencia)* insolence *f*; **comer en** ~ manger à l'excès.

demasiado, a *a* trop de // *ad* trop; **¡es ~!** c'est trop!

demencia *nf* *(locura)* démence *f*;

(insensatez) manque *m* de bon sens.

demente *nm/f* dément/e // *a* dément(e), démentiel(le).

demisión *nf* démission *f.*

demitir *vi* renoncer.

democracia *nf* démocratie *f.*

demócrata *nm/f*, a démocrate *m/f.*

democrático, a *a* démocratique, bas.

demoler *vt* démolir; *(fig)* mettre à bas.

demolición *nf* démolition *f.*

demonio *nm* démon *m*; **¡demonios!** diable!, mince!; **¿cómo ~s?** comment diable?

demora *nf* *(dilación)* retard *m*; délai *m*; *(tardanza)* attente *f.*

demorar *vt* *(retardar)* retarder; *(dilatar)* remettre à plus tard // *vi* tarder; ~**se** *vr* *(AM)* s'attarder.

demostración *nf* *(de teorema)* démonstration *f*; *(de afecto)* témoignage *m.*

demostrar *vt* *(probar)* démontrer; *(mostrar)* montrer; *(manifestar)* manifester.

demostrativo, a *a* démonstratif(ive).

demudación *nf*, **demudamiento** *nm* changement *m*, altération *f.*

demudar *vt* changer; ~**se** *vr* s'altérer.

denegación *nf* dénégation *f.*

denegar *vt* *(rechazar)* refuser, dénier; *(JUR)* débouter, rejeter.

dengue *nm* *(melindres)* chichi *m*, manière *f*; *(MED)* dengue *f.*

denigración *nf* dénigrement *m.*

denigrar *vt* *(desacreditar, infamar)* dénigrer, discréditer; *(injuriar)* injurier.

denodado, a *a* *(valiente)* courageux(euse); *(esforzado)* vaillant(e); *(atrevido)* audacieux(euse), hardi(e).

denominación *nf* dénomination *f*, appellation *f.*

denominar *vt* dénommer.

denostar *vt* insulter, injurier.

denotar *vt* *(indicar)* dénoter; *(significar)* signifier.

densidad nf (FÍSICA) densité f, épaisseur f; (fig) densité.

denso, a a (compacto) dense; (apretado) serré(e); (espeso, pastoso) épais(se); (fig) serré, tassé(e).

dentado, a a dentelé(e) // nm dents fpl.

dentadura nf denture f; ~ postiza dentier m, râtelier m.

dental a dental(e) // nf dentale f.

dentellada nf coup m de dent.

dentera nf (sensación desagradable) agacement m; (envidia) envie f; (deseo) désir m.

dentición nf dentition f.

dentífrico nm dentifrice m.

dentista nm/f dentiste m/f.

dentro ad dans // prep: ~ de dans; vayamos a ~ rentrons (à l'intérieur); mirar por ~ regarder dedans; ~ de todo no está mal après tout, ce n'est pas mal.

denudar vt dénuder.

denuedo nm courage m, intrépidité f.

denuesto nm insulte f, injure f.

denuncia nf (delación) dénonciation f, plainte f; (acusación) accusation f; ~ de accidente procès-verbal m ou constat m d'accident.

denunciar vt déposer une plainte contre; (delatar) dénoncer.

deparar vt (conceder) accorder, procurer; (ofrecer, proponer) offrir, proposer.

departamento nm (sección administrativa) département m; (de caja, tren) compartiment m; (AM: piso) appartement m; (: provincia) préfecture f, département.

departir vi deviser, causer.

dependencia nf dépendance f; (COM) succursale f.

depender vi dépendre; ~ de dépendre de.

dependienta nf vendeuse f, employée f.

dependiente a dépendant(e) //

nm employé m, commis m, vendeur m.

deplorable a déplorable.

deplorar vt déplorer.

deponer vt déposer // vi (JUR) témoigner en justice; (defecar) aller à la selle.

deportación nf déportation f.

deportar vt déporter.

deporte nm sport m.

deportista a sportif(ive) // nm/f sportif/ive.

deposición nf déposition f; (evacuación del vientre) élimination f, selles fpl.

depositante nm/f, **depositador, a** nm/f déposant/e.

depositar vt (dinero) mettre en dépôt, déposer; (mercaderías) entreposer, laisser en dépôt; (sedimentar) déposer; (AM: persona) déposer; ~se vr se déposer.

depositario, a nm/f dépositaire m/f // nm caissier m; (tutor) tuteur m.

depósito nm dépôt m; (de mercaderías) entrepôt m; (de agua, gasolina etc) réservoir m; (de equipajes) consigne f; ~ judicial consignation f.

depravación nf dépravation f.

depravar vt dépraver, corrompre; ~se vr se dépraver.

deprecación nf déprécation f, prière fervente.

deprecar vt supplier, prier.

depreciación nf dépréciation f.

depreciar vt déprécier, diminuer; ~se vr se déprécier, se diminuer.

depredación nf (saqueo, pillaje) déprédation f; (malversación) malversation f.

depredar vt piller.

depresión nf dépression f.

deprimido, a a déprimé(e).

deprimir vt déprimer; ~se vr (persona) être déprimé(e); (mercado) être affaibli(e), se tasser; (terreno) former une dépression.

depuración nf épuration f, dépuration f; (de texto) clarification f; (POL) purge f.

depurado, a a purifié(e), raffiné(e).

depurar vt épurer, dépurer.

der abr de **derecho**.

derechamente ad (dirección) tout droit; (con prudencia) prudemment; (de manera clara) avec droiture, manifestement; **decir las cosas** ~ dire les choses clairement.

derecho, a a droit(e) // a droit m; (de tela, papel) endroit m // nf droite f // ad droit; ~**s** mpl: ~**s de aduana/de autor** droits de douane/d'auteur; **tomar a la derecha** prendre à droite; **a derechas** correctement, comme il faut.

derechura nf droiture f; **en** ~ tout droit.

deriva nf dérive f; **ir** o **estar a la** ~ aller ou être à la dérive.

derivación nf dérivation f.

derivar vt (dirigir) acheminer; (desviar) dévier; (LING) dériver, faire dériver; (ELEC) dériver; (MAT) dériver // vi découler, dériver; ~**se** vr (dirigirse) s'acheminer; (desviarse) se détourner.

derogación nf dérogation f.

derogar vt abroger, abolir.

derogatorio, a a dérogatoire f.

derramado, a a (esparcido) répandu(e); (vertido) versé(e).

derramamiento nm (de sangre) effusion f; (dispersión) dispersion f.

derramar vt répandre; (lágrimas) verser; (impuestos) répartir; ~**se** vr se répandre.

derrame nm (de líquido) dispersion f, action f de répandre; écoulement m; (de puerta, ventana) ébrasement m, ébrasure f; (declive) pente f; ~ **sinovial** épanchement m de synovie.

derredor ad: **al** o **en** ~ **de** autour de.

derretido, a a fondu(e); **estar** ~ **por una** être mort d'amour pour qn.

derretir vt fondre; (fig) gaspiller

dissiper; ~**se** vr se dissoudre, se fondre; (enamorarse) s'enflammer; (impacientarse) brûler; (inquietarse) se morfondre.

derribar vt abattre; (construcción) raser; (persona, gobierno, político) renverser; ~**se** vr tomber, s'abattre.

derribo nm démolition f, ~**s** mpl décombres mpl.

derrocamiento nm éboulement m, écroulement m; (fig) renversement m.

derrocar vt (despeñar) précipiter du haut d'un rocher; (arruinar) ruiner; (derribar) démolir, abattre.

derrochar vt gaspiller, dilapider.

derroche nm (despilfarro) gaspillage m, dissipation f; (abundancia) abondance f.

derrota nf (camino, vereda) chemin m, sentier m; (NAUT) route f, cap m; (MIL) déroute f, défaite f; (fig) défaite, débâcle f.

derrotar vt battre, vaincre; détruire; ruiner.

derrotero nm (rumbo) route f; (camino) chemin m; (fig) ligne f, voie f.

derruir vt démolir, abattre.

derrumbadero nm (despeñadero) précipice m; (fig) péril m, danger m.

derrumbamiento nm (de edificio) écroulement m; (de relieve físico) effondrement m; (de gobierno) renversement m; (de mercado) écroulement.

derrumbar vt abattre, renverser; ~**se** vr (despeñarse) s'écrouler, s'effondrer; (precipitarse) se précipiter.

derviche nm derviche m, dervis m.

desabor nm fadeur f, insipidité f.

desabotonar vt déboutonner // vi s'épanouir, éclore; ~**se** vr se déboutonner.

desabrido, a a (insípido, soso) fade, insipide; (tiempo) maussade; (persona) acariâtre, hargneux (euse); (voz, tono) dur(e), acerbe;

(estilo) plat(e), insipide.

desabrigo *nm (desamparo)* détresse *f*, abandon *m; (abandono)* abandon, délaissement *m;* **quedar al ∼** être à découvert.

desabrimiento *nm (insipidez)* insipidité *f*, fadeur *f; (del tiempo)* caractère *m* maussade; *(aspereza)* dureté *f*, rudesse *f*, aigreur *f; (disgusto, pena)* chagrin *m, peine f.*

desabrochar *vt (botones, broches)* déboutonner, dégrafer; *(fig)* ouvrir; **∼se** vr s'ouvrir.

desacatado, a, desacatador, a *a (insolente)* insolent(e), effronté(e); *(irrespetuoso)* irrévérencieux(euse).

desacato *nm (falta de respeto)* insolence *f; (irreverencia)* désobéissance *f; (JUR)* outrage *m* (à un fonctionnaire public).

desacertado, a *a (equivocado)* maladroit(e), malavisé(e); *(inoportuno)* malheureux(euse), malencontreux(euse).

desacertar *vi (errar)* se tromper; *(desatinar)* manquer de tact.

desacierto *nm* erreur *f.*

desacomodado, a *a (por falta de medios)* gêné(e), qui n'est pas à l'aise; *(sin empleo)* en chômage, sans emploi; *(molesto)* incommode, gênant(e).

desacomodar *vt (molestar)* incommoder, gêner; *(dejar sin empleo)* congédier, mettre à pied; **∼se** vr perdre son emploi.

desacomodo *nm (incomodidad, molestia)* incommodité *f;* gêne *f; (falta de empleo)* chômage *m.*

desaconsejado, a *a* deconseillé(e); imprudent(e) // *nm/f* imprudent/e.

desaconsejar *vt* déconseiller.

desacoplar *vt (separar)* désaccoupler; *(desencajar)* découpler.

desacordado, a *a (MUS)* désaccordé(e); *(fig)* sans harmonie; détonnant(e); *(olvidado)* oublié(e).

desacostumbrar *vt* déshabituer, désaccoutumer; **∼se** vr se

déshabituer, se désaccoutumer.

desacreditar *vt (desprestigiar)* discréditer; *(denigrar)* dénigrer; *(desautorizar)* discréditer, déprécier; *(deshonrar)* déshonorer.

desacuerdo *nm* désaccord *m;* erreur *f;* oubli *m.*

desafecto, a *a* opposé(e), contraire; hostile // *nm* froideur *f;* malveillance *f;* animosité *f.*

desafiar *vt* défier, provoquer; **∼se** vr se défier.

desafilar *vt* émousser; **∼se** vr s'émousser.

desafinar *vi (MUS)* désaccorder // *vi (MUS)* chanter *(ou* jouer) faux; *(fig: fam)* dérailler, déraisonner.

desafío *nm (reto)* défi *m; (combate)* duel *m; (competencia)* concurrence *f.*

desaforado, a *a* démesuré(e), énorme; violent(e), épouvantable; illégal(e), illégitime.

desafortunado, a *a (desgraciado)* malheureux(euse); *(sin fortuna, pobre)* infortuné(e), pauvre.

desafuero *nm (acto ilegal)* atteinte *f*, infraction *f* aux lois; *(privación de privilegio)* privation *f* d'un droit *ou* d'un privilège; *(desacato)* écart *m*, inconvenance *f.*

desagradable *a (fastidioso, enojoso)* désagréable, fâcheux(euse); *(irritante)* irritant(e); *(desapacible)* désagréable.

desagradar *vi (disgustar)* déplaire; *(molestar)* ennuyer.

desagradecido, a *a* ingrat(e).

desagrado *nm (disgusto)* mécontentement *m; (contrariedad)* contrariété *f.*

desagraviar *vt* dédommager.

desagravio *nm* réparation *f;* dédommagement *m*, compensation *f;* satisfaction *f.*

desaguadero *nm (conducto)* dégorgeoir *m*, déversoir *m; (fig)* gouffre *m.*

desaguar *vt (agua)* épuiser, tarir; *(mina)* assécher // *vi* déboucher; **∼se** vr *(vomitar)* vomir; *(evacuar* *el vientre*) aller à la selle.

desagüe nm (*de un líquido*) écoulement m; dégorgement m; (*cañería*) déversoir m.

desaguisado, a a illégal(e) // nm offense f, affront f.

desahijar vt (*crías*) sevrer; (*abejas*) essaimer.

desahogado, a a (*descarado*) effronté(e); (*holgado*) aisé(e); (*desembarazado*) dégagé(e).

desahogar vt (*consolar*) réconforter; (*aliviar*) soulager; (*ira*) déverser; ~**se** vr (*distenderse, reposarse*) se détendre, se reposer; (*de deudas*) se libérer; (*fig*) s'épancher.

desahogo nm (*alivio*) soulagement m; (*descaro*) désinvolture f, tromperie f; (*libertad de palabra*) liberté f (de langage); (*bienestar*) bien-être m.

desahuciado, a a condamné(e); expulsé(e).

desahuciar vt ôter tout espoir à; (*enfermo*) condamner; (*inquilino*) expulser; donner congé à.

desahucio nm (*a un inquilino*) congé m; (*a un campesino*) expulsion f.

desairado, a a (*menospreciado*) dédaigné(e), méprisé(e); (*desgarbado*) lourd(e), gauche.

desairar vt (*menospreciar, desdeñar*) dédaigner, mépriser; (*ultrajar*) vexer, outrager.

desaire nm (*afrenta*) affront m, vexation f; (*menosprecio*) mépris m, dédain m; (*falta de garbo*) lourdeur f, inélégance f.

desajustar vt (*desacoplar*) désaccoupler; (*desarreglar*) dérégler; (*desconcertar*) désajuster; ~**se** vr être en désaccord; (*cintura*) desserrer, lâcher.

desajuste nm (*de máquina*) désajustement m; (*situación*) désaccord m, divergence f; discordance f; (*en una persona*) déséquilibre m.

desalar vt (*quitar la sal de*) dessaler; (*quitar las alas a*) couper

les ailes à; ~**se** vr (*apresurarse*) s'empresser, se hâter; ~**se por** convoiter, désirer vivement.

desalentador, a a décourageant(e).

desalentar vt (*la respiración*) essoufler; (*desanimar, acobardar*) décourager, abattre.

desaliento nm découragement m, abattement m.

desalinear vt désaligner; ~**se** vr rompre l'alignement.

desaliño nm (*en el vestir*) débraillé m; (*negligencia*) négligé m, laisseraller m; ~**s** mpl longues boucles d'oreilles.

desalmado, a a (*cruel*) scélérat(e), méchant(e), cruel(le); (*perverso*) pervers(e).

desalmarse vr: ~ **por** convoiter, désirer avidement.

desalmenado, a a sans créneaux.

desalojado, a a sans logis.

desalojamiento nm expulsion f; (*cambio de residencia*) déménagement m.

desalojar vt (*expulsar, echar*) déloger, expulser; (*abandonar*) évacuer, quitter; (*NAUT*) déplacer, jauger // vi déménager.

desalquilado, a a libre.

desalquilar vt libérer; ~**se** vr être libre.

desamarrar vt détacher; (*NAUT*) larguer les amarres de; (*fig*) éloigner.

desamor nm froideur f, indifférence f; (*odio*) haine f, (*enemistad*) inimitié f.

desamortización nf désamortissement m.

desamortizar vt (*liberar*) désamortir; (*poner en venta*) mettre en vente.

desamparado, a a (*persona*) abandonné(e); (*sitio*) délaissé(e), quitté(e); abandonné.

desamparar vt (*abandonar*) abandonner, délaisser; (*JUR*) renoncer à, abandonner ses droits sur; (*barco*) désemparer.

desamparo nm abandon m.

desamueblar vt démeubler, dégarnir.

desandar vt: ~ **el camino** rebrousser chemin.

desanimado, a a (persona) découragé(e), abattu(e); (espectáculo, fiesta) ennuyeux(euse), dépourvu(e) d'intérêt.

desanimar vt décourager, abattre.

desánimo nm découragement m.

desanudar vt (nudo) dénouer; (fig) démêler.

desapacible a a désagréable, rude; (carácter) mauvais(e), acerbe, rude; (voz) acerbe, rude; (tiempo) maussade.

desaparecer vt faire disparaître // vi (gen) disparaître; (el sol, la luz) s'éclipser; (persona) s'évanouir, disparaître.

desaparejar vt (animal) déharnacher; (barco) dégréer.

desaparición f disparition f, occultation f; extinction f.

desapego nm indifférence f; manque m d'intérêt, détachement m.

desapercibido, a a (desprevenido) non préparé(e), au dépourvu; **pasar** ~ passer inaperçu.

desaplicación nf (descuido, negligencia) inapplication f, inattention f; (ocio) distraction f.

desaplicado, a a (que no se aplica) inappliqué(e); (inutilizable) inutilisable // nm/f paresseux/euse.

desapoderar vt déposséder.

desapolillarse vr prendre l'air, sortir.

desaprensivo, a a sans-gêne, sans scrupule.

desapretar vt desserrer.

desapreciar vt (desestimar) mésestimer; (menospreciar) déprécier.

desaprisionar vt libérer.

desaprobar vt (reprobar) désapprouver, réprouver; (no consentir) désavouer.

desaprovechado, a a indolent(e), négligent(e), inappli-

qué(e); infructueux(euse); mal employé(e), gaspillé(e).

desaprovechamiento nm gaspillage m, mauvais emploi.

desaprovechar vt gaspiller, mal employer.

desarbolar vt démâter.

desarmado, a a désarmé(e); (fig) vulnérable.

desarmar vt (MIL) désarmer; (TEC) démonter; (fig) désarmer, désarçonner.

desarme nm désarmement m.

desarraigar vt déraciner.

desarraigo nm déracinement m.

desarreglado, a a (TEC) déréglé(e); (desordenado, desaseado) désordonné(e).

desarreglar vt (desordenar) déranger, mettre en désordre; (trastocar) bouleverser; ~**se** vr se dérégler.

desarreglo nm (de casa, persona) désordre m; (TEC) dérèglement m.

desarrollar vt développer (extender) dérouler; ~**se** vr se développer; (extenderse) se dérouler; (film) se dérouler, se passer.

desarrollo nm développement m.

desarrugar vt (ropa) défroisser, défriper; (rostro) dérider; ~**se** vr se défroisser, se défriper; se dérider.

desarticular vt (hueso) désarticuler; (objeto) démanteler; (fig) désordonner.

desarzonar vt désarçonner.

desaseado, a a (sucio) malpropre, sale; (descuidado) négligé(e).

desaseo nm (suciedad) saleté f, malpropreté f; (desaliño) débraillé m, négligé m.

desasimiento nm (acción de soltar) dessaisissement m; (desinterés) désintéressement m; (indiferencia) détachement m.

desasir vt lâcher, détacher; ~**se** vr se dessaisir, se défaire.

desasosegar vt (inquietar) inquiéter, troubler, agiter; (afligir) affliger; ~**se** vr s'inquiéter.

desasosiego nm (intranquilidad)

trouble *m*; (*aflicción*) affliction *f*, agitation *f*; (*ansiedad*) anxiété *f*, inquiétude *f*.

desastrado, a *a* (*desaliñado*) malpropre; (*desgraciado, adverso*) malheureux(euse).

desastre *nm* désastre *m*.

desastroso, a *a* désastreux(euse).

desatado, a *a* (*desligado, desencadenado*) déchaîné(e); (*violento*) violent(e); (*sin control*) incontrôlé(e).

desatar *vt* (*nudo*) dénouer; (*paquete*) déficeler; (*discusión*) dénouer, délier; (*separar*) détacher, séparer; ~**se** *vr* (*zapatos*) se défaire, se délacer; (*tormenta*) se déchaîner; (*persona*) s'emporter, perdre toute retenue.

desatención *nf* (*distracción*) inattention *f*; (*descortesía*) impolitesse *f*, incorrection *f*.

desatender *vt* (*no prestar atención a*) ne pas prêter attention à; (*invitado*) négliger, ne pas prendre soin de.

desatento, a *a* (*distraído*) distrait(e); (*descortés*) impoli(e).

desatinado, a *a* (*disparatado*) insensé(e); (*absurdo*) absurde; (*sin juicio*) fou(folle), insensé.

desatinar *vt* (*disparatar, desvariar*) troubler, faire perdre la tête à; ~**se** *vr* déraisonner, dire des absurdités.

desatino *nm* bêtise *f*, maladresse *f*; (*error*) erreur *f*.

desautorizado, a *a* sans autorité, discrédité(e).

desautorizar *vt* désavouer, interdire; désapprouver; discréditer.

desavenencia *nf* (*desacuerdo*) désaccord *m*; (*discrepancia*) divergence *f*.

desavenir *vt* (*discordar*) brouiller, fâcher; ~**se** *vr* se brouiller, se fâcher.

desaventajado, a *a* (*inferior*)

désavantagé(e); (*poco ventajoso*) désavantageux(euse).

desayunar *vt, vi* déjeuner.

desayuno *nm* petit déjeuner.

desazón *nf* (*insipidez*) fadeur *f*, insipidité *f*; (AGR) trop grande sécheresse; (MED) malaise *m*; (*fig*) contrariété *f*, chagrin *m*.

desazonado, a *a* fade, insipide; (AGR) trop sec(sèche); (MED) indisposé(e), mal à l'aise; (*fig*) inquiet(ète), ennuyé(e).

desazonar *vt* affadir; (*fig*) indisposer, fâcher; ~**se** *vr* (*enojarse*) s'irriter, se fâcher; (*preocuparse*) s'inquiéter.

desbandada *nf* (*dispersión*) débandade *f*; (*desorden*) désordre *m*.

desbandarse *vr* (MIL) se débander, s'enfuir en désordre; (*fig*) déserter.

desbarajustar *vt* déranger, mettre sens dessus dessous.

desbarajuste *nm* désordre *m*; confusion *f*.

desbaratar *vt* (*deshacer, destruir*) démantibuler; (*malgastar*) gaspiller, dissiper; (*fig*) empêcher, faire obstacle à // *vi* parler à tort et à travers, déraisonner; ~**se** *vr* tomber en morceaux; (*fig*) se désorganiser.

desbarrancar *vt* (AM) jeter dans un précipice; ~**se** *vr* (: *caerse*) tomber dans un précipice; (: *arruinarse*) se ruiner.

desbarrar *vi* dire des sottises, divaguer, déraisonner.

desbastar *vt* (*campo*) désherber; (*metal*) dégrosser; (*persona*) dégrossir, civiliser; ~**se** *vr* se cultiver, se civiliser, se raffiner.

desbaste *nm* (*de objeto*) dégrossissement *m*, dégrossissage *m*; (*de persona*) éducation *f*.

desbocado, a *a* (*caballo*) emballé(e); (*libre, sin trabas*) débridé(e); (*insolente, descarado*) effronté(e), insolent(e).

desbocarse *vr* (*caballo*) s'emballer; (*fig*) s'emporter.

desbordamiento nm débordement m; (fig) emportement m.

desbordar vt (sobrepasar) déborder; (exceder) dépasser // vi, **~se** vr (río) se déchaîner; (persona) s'emporter.

desbravador nm dresseur m ou dompteur m de chevaux.

desbrozar vt débroussailler, désherber.

descabalgar vi descendre de cheval.

descabellado, a a (disparatado) saugrenu(e), sans queue ni tête; (insensato) insensé(e).

descabellar vt dépeigner, écheveler; (TAUR: toro) tuer par une estocade.

descabezar vt (persona) décapiter; (árbol) étêter; **~se** vr (AGR) s'égrener; (fig) se casser la tête.

descaecimiento nm (flaqueza, debilidad) affaiblissement m, déclin m; (desaliento, falta de ánimo) déchéance f, abattement m, lassitude f.

descafeinado nm café décaféiné.

descalabrado, a a (herido) blessé(e); (maltrecho) malmené(e).

descalabro nm contretemps m; désastre m, échec m.

descalzar vt déchausser; **~se** vr se déchausser; (caballo) se déferrer.

descalzo, a a déchaussé(e), pieds nus; (REL) déchaux, déchaussé; (fig) pauvre, dénué(e) de tout.

descaminado, a a (equivocado) égaré(e), fourvoyé(e); (fig) désorienté(e).

descaminar vt (alguien) écarter du droit chemin, égarer; (: fig) fourvoyer, dévoyer; **~se** vr (en la ruta) se fourvoyer, faire fausse route; (fig) se fourvoyer, se pervertir.

descamisado, a a sans chemise; (fig) malheureux(euse) // nm/f (AM) partisan/e de Perón.

descansado, a a reposé(e), détendu(e), tranquille.

descansar vt (dormir) dormir; (reposar) reposer; **~** en reposer ou s'appuyer sur.

descanso nm (reposo) repos m; (pausa) halte f, pause f; (DEPORTE) mi-temps f; (en una escalera) palier m; (fig) soulagement m, réconfort m.

descarado, a a effronté(e), éhonté(e) // nm/f effronté/e, impudent/e, insolent/e.

descararse vr être insolent(e).

descarga nf (ARQ, ELEC, MIL) décharge f; (NAUT) déchargement m; **~** cerrada salve f.

descargadero nm débarcadère m, quai m.

descargar vt décharger; (golpe) assener; **~se** vr se décharger.

descargo nm (acción de descargar) déchargement m; (COM, JUR) décharge f.

descargue nm = **descarga** nf.

descarnado, a a décharné(e), (fig) dénudé(e), dépouillé(e).

descarnar vt décharner; **~se** vr se décharner.

descaro nm (atrevimiento) impudence f; (insolencia) insolence f, effronterie f.

descarriar vt (descaminar) égarer, fourvoyer; (animal) séparer du troupeau; **~se** vr (perderse) s'égarer; (separarse) s'écarter; (pervertirse) s'égarer, se pervertir.

descarrilamiento nm (de tren) déraillement m; (fig) égarement m.

descarrilar vi dérailler; **~se** vr (AM) dérailler; (fig) s'égarer.

descarrío nm égarement m, écart m.

descartar vt (rechazar) écarter; (eliminar) éliminer; **~se** vr (NAIPES) écarter; (fig) se mettre à l'écart.

descartado, a a (rechazado) écarté(e); (eliminado) éliminé(e).

descascarar vt écorcer, décortiquer, peler.

descastado, a a (desapegado) peu

affectueux(euse); (*ingrato*) ingrat(e).

descendencia nf descendance f.

descender vt, vi descendre.

descendiente nm/f descendant/e.

descendimiento nm descente f.

descenso nm descente f; (*de temperatura*) descente, baisse f; (*de precios*) baisse.

descentralizar vt décentraliser.

descerrajar vt (*puerta*) forcer la serrure de; (*disparar*) tirer.

descifrar vt déchiffrer, décrypter.

descoco nm (fam) effronterie f.

descolgar vt décrocher, dépendre; ~**se** vr se décrocher.

descolorir, descolorar vt = **decolorar**.

descollar vt (*sobresalir*) ressortir; (*distinguirse*) se distinguer.

descomedido, a a (*descortés*) grossier(ière), insolent(e); (*excesivo*) excessif(ive).

descomedirse vr (*excederse*) dépasser les bornes; (*faltar el respeto*) manquer de respect.

descompaginar vt (*desordenar*) mettre en désordre; brouiller; (*desorganizar*) bouleverser, déranger.

descompasado, a a (*sin proporción*) disproportionné(e); (*excesivo*) excessif(ive).

descomponer vt (*desordenar*) déranger, mettre en désordre; (*TEC*) détraquer, déranger; (*fig*) exaspérer, irriter; ~**se** vr (*corromperse*) se décomposer, se corrompre; (*el tiempo*) devenir maussade, se dégrader, se détériorer; (*TEC*) se détraquer, se dérégler; (*irritarse*) s'emporter, se mettre en colère; (*hueso*) se disloquer.

descomposición nf décomposition f; (*fig*) désagrégation f.

descompostura nf (*TEC*) dérèglement m; (*descaro*) effronterie f; impudence f; (*dislocación, luxación*) dislocation f, luxation f; (*indisposición*) indisposition f; ~ **de vientre** mal m de ventre.

descompuesto, a a (*corrompido*) décomposé(e); (*roto*) brisé(e), détraqué(e); (*descarado*) effronté(e), impudent(e); (*indisposé*) indisposé(e), détraqué(e).

descomulgar vt = **excomulgar**.

descomunal a énorme, démesuré(e); extraordinaire.

desconcertado, a a confus(e); désorienté(e); (*turbado*) troublé(e), démonté(e).

desconcertar vt (*confundir*) confondre, déconcerter; (*turbar*) troubler, démonter; ~**se** vr (*dislocarse*) se démettre; (*descomedirse*) s'oublier, s'emporter; (*turbarse*) se troubler.

desconcierto nm (*confusión*) désordre m, confusion f; (*desorientación*) désarroi m.

desconfianza nf méfiance f, défiance f.

desconfiar vi se méfier, se défier.

desconformidad nf discordance f, désaccord m.

desconocer vt (*alguien*) ne pas connaître; (*ignorar*) ignorer; (*no recordar*) ne pas se souvenir de; (*no aceptar*) ne pas accepter; (*repudiar*) renier.

desconocimiento nm ignorance f; répudiation f; ingratitude f.

desconsiderado, a a déconsidéré(e), inconsidéré(e); irrespectueux(euse); ingrat(e).

desconsolar vt affliger, navrer, désoler; ~**se** vr s'affliger.

desconsuelo nm affliction f; peine f, chagrin m.

descontar vt (*deducir*) déduire; (*rebajar, quitar méritos a*) rabattre; (*predecir, dar por cierto*) escompter.

descontento, a a mécontent(e) // nm mécontentement m.

descorazonar vt décourager.

descorchar vt (*alcornoque*) démascler, écorcer, décortiquer; (*botella*) déboucher.

descorrer vt tirer, ouvrir.

descortés a (mal educado) discourtois(e); (grosero) impoli(e), grossier(ière).

descortezar vt (árbol) écorcer; (pan) enlever la croûte de; (fruta) décortiquer, peler; (persona) dégrossir.

descoser vt découdre; ~se vr se découdre.

descosido, a a (costura) décousu(e); (indiscreto, hablador) indiscret(ète), trop bavard(e); (desordenado) décousu; sans suite // nm: **correr como un** ~ courir comme un dératé; **dormir como un** ~ dormir comme un bienheureux.

descote nm = **escote**.

descoyuntar vt disloquer; ~se vr se démettre, se luxer.

descrédito nm discrédit m.

descreído, a a (incrédulo) mécréant(e); (falto de fe) incroyant(e).

describir vt (representar) décrire; (relatar) dépeindre.

descripción nf description f.

descrito pp de **describir**.

descuajar vt décoaguler, liquéfier; défiger; déraciner; disloquer, désespérer.

descubierto, a pp de **descubrir** // a découvert(e) // nm déficit m, découvert m.

descubrimiento nm découverte f; inauguration f.

descubrir vt découvrir; (inaugurar) dévoiler, inaugurer; (revelar) révéler, découvrir; ~se vr se découvrir, enlever son chapeau.

descuento nm escompte m; ~ **jubilatorio** cotisations-retraite fpl, déduction salariale de retraite.

descuidado, a a négligent(e); distrait(e), inattentif(ive); désordonné(e); (desprevenido) insouciant(e).

descuidar vt négliger // vi, ~se vr (distraerse) se distraire, avoir un moment d'inattention; (estar desaliñado) se négliger; (desprevenirse) négliger, oublier; **¡descuida!** ne t'en fais pas!

descuido nm négligence f;

distraction f; (desorden, desaliño) faute f d'inattention, négligence; (desliz) faux pas, faute.

desde ad depuis; ~ **que** depuis que; ~ **lejos** de loin; ~ **ahora en adelante** à partir de maintenant; ~ **hace mucho tiempo** depuis longtemps; ~ **luego** bien sûr, évidemment.

desdecir vi: ~ **de** être indigne de; (no convenir) ne pas être en accord avec; aller mal avec; (negar) contredire; (desentonar) détonner; ~se vr se dédire.

desdén nm dédain m, mépris m.

desdentado, a a édenté(e) // à nmpl édentés mpl.

desdeñar vt (despreciar) dédaigner, mépriser; (rechazar) récuser, refuser, répudier.

desdicha nf (desgracia) malheur m; (infelicidad) infortune f.

desdichado, a a malheureux (euse).

desdoblar vt (extender) déplier; (separar en dos) dédoubler.

desdorar vt dédorer; (fig) déshonorer, ternir.

desdoro nm (deshonra) déshonneur m; (descrédito) discrédit m.

desear vt désirer, souhaiter.

desecar vt dessécher; ~se vr se dessécher.

desechar vt (rechazar) rejeter, chasser; (subestimar) mépriser, dédaigner; (censurar, reprobar) refuser, écarter, bannir.

desembalar vt déballer.

desembarazado, a a (libre) dégagé(e) // débarrassé(e); (desenvuelto) désinvolte, plein(e) d'aisance.

desembarazar vt (desocupar, liberar) débarrasser, dégager; (desenredar) démêler, évacuer; ~se vr: ~se de se débarrasser de.

desembarazo nm débarras m; désinvolture f, aisance f.

desembarcar vt, vi, ~se vr débarquer.

desembargar vt débarrasser, lever l'embargo sur.

desembocadura nf (de río) embouchure f; (de calle) débouché m, issue f, sortie f.

desembocar vi déboucher, se jeter; (fig) aboutir.

desembolsar vt (bolsa) verser, vider; (fig) débourser.

desembolso nm déboursement m, versement m; ~s nmpl dépenses fpl, frais mpl, débours mpl; ~ inicial premier versement.

desemejante a différent(e), dissemblable.

desemejanza nf dissemblance f, différence f.

desempeñar vt (cargo, función) remplir, exercer; (lo empeñado) dégager; ~se vr se libérer; ~ un papel (fig) jouer un rôle.

desempeño nm dégagement m; (de cargo) exercice m; (TEATRO, fig) prestation f.

desencadenar vt déchaîner; (tormenta) déchaîner; (ira) déchaîner, donner libre cours à; ~se vr se déchaîner, déferler.

desencajado, a a altéré(e).

desencajar vt (hueso) déboîter, démettre; (mandíbula) décrocher; (mecanismo, pieza) déclencher; (AM: coche) désembourber; ~se vr s'altérer.

desencantar vt désenchanter, désillusionner.

desencanto nm déception f, désenchantement m.

desencarcelar vt désemprisonner, relâcher.

desenfadado, a a (desenvuelto) plein(e) d'aisance, désinvolte; (descarado) gai(e), joyeux (euse).

desenfado nm franchise f, désinvolture f, aplomb m; (descaro) insolence f, effronterie f.

desenfrenar vt (cabalgadura) débrider, ôter la bride à; ~se vr

(persona) s'emporter, se déchaîner; (el viento, el mar) se déchaîner.

desenfreno nm (vicio) dérèglement m, dévergondage m; (de las pasiones) déchaînement m.

desengañar vt décevoir; ~se vr se désabuser, se détromper.

desengaño nm désillusion f, déception f.

desenlace nm dénouement m.

desenmarañar vt (desenredar) démêler, débrouiller; (fig) éclaircir.

desenredar vt démêler, débrouiller; (intriga) dénouer, démêler; ~se vr se débrouiller, s'en sortir.

desenredo nm débrouillement m; (desenlace) dénouement m, issue f.

desenrollar vt dérouler.

desentenderse vr: ~ de se désintéresser de; (apartarse) se détourner de, s'éloigner de.

desenterrar vt déterrer, exhumer; (tesoro, fig) exhumer.

desentonar vi (cantar falso) détonner, chanter faux; (instrumento, fig) détonner; ~se vr élever la voix; (fig) s'emporter.

desentrañar vt percer, pénétrer.

desenvainar vt dégainer, sortir.

desenvoltura nf (libertad, gracia) désinvolture f, aisance f; (descaro) hardiesse f, effronterie f; (desvergüenza) dissipation f.

desenvolver vt (paquete) défaire, développer; (madeja) dérouler; (fig) développer, éclaircir, débrouiller; ~se vr (desarrollarse) se développer; (arreglárselas) se tirer d'affaire.

deseo nm envie f; (aspiración) souhait m, désir m.

deseoso, a a: estar ~ de être désireux de.

desequilibrado, a a déséquilibré(e).

deserción nf (MIL) désertion f; (abandono) abandon m.

desertar vi déserter.

desesperación nf (impaciencia)

désespoir m; (irritación) énervement m, rage f.

desesperar vt désespérer; (exasperar) exaspérer // vi: ~ **de** désespérer de; ~**se** vr (se) désespérer.

desestimar vt (menospreciar) mésestimer; (rechazar) repousser, rejeter.

desfachatez nf (fam) sans-gêne m; culot m.

desfalcar vt (dinero) détourner, escroquer.

desfallecer vi (perder las fuerzas) défaillir; (desvanecerse) s'évanouir; ~**se** vr s'affaiblir.

desfavorable a (contrario, desfavorable) adverse; hostile.

desfigurar vt (rostro, cuerpo) défigurer, déformer; (voz) altérer, déformer; ~**se** vr s'altérer, avoir les traits altérés.

desfiladero nm défilé m.

desfile nm défilé m.

desgaire nm (desaliño, desgano) nonchalance f; (menosprecio) geste m de dédain ou de mépris.

desgajar vt (arrancar) arracher; (romper, despedazar) disloquer, casser; ~**se** vr s'arracher, s'éloigner.

desgana nf dégoût m, répugnance f; indifférence f; **hacer a** ~ faire à contrecœur.

desganarse vr perdre l'appétit; (cansarse) se dégoûter.

desgano nm = **desgana**.

desgarrar vt déchirer; ~**se** vr se déchirer, s'entre-déchirer.

desgarro nm (muscular) déchirure f; (aflicción) déchirement m; (descaro) impudence f, effronterie f; (AM) flegme m.

desgastar vt (deteriorar) user, gâter; ~**se** vr s'user, s'affaiblir.

desgaste nm usure f; (MED) affaiblissement m.

desgracia nf malheur m; tribulation f; calamité f; misère f; danger m; **por** ~ malheureusement.

desgraciado, a a (infortunado)

malheureux(euse); (sin gracia) disgracieux(euse); (desagradable, mala persona) désagréable // nm/f pauvre malheureux/euse.

desgraciar vt esquinter, abîmer; ~**se** vr (malograrse) rater, tourner mal; (arruinarse) se ruiner; (desavenirse) se brouiller.

desgranar vt (AGR: el grano) égrener; (: la uva) égrapper; (: el trigo) dépiquer; (las cuentas de un rosario) égrener; ~**se** vr (AGR) s'égrener.

desgreñar vt ébouriffer, écheveler.

deshacer vt (casa) défaire, (enemigo) défaire, vaincre; (diluir, desleír) dissoudre, faire fondre; (contrato) annuler; (intriga) déjouer; ~**se** vr (disolverse) se dissoudre; se défaire; ~**se de** se défaire ou se débarrasser de; ~**se en lágrimas** fondre en larmes.

deshecho, a a défait(e), brisé(e).

deshelar vt (cañería) dégeler; (heladera) déglacer, dégeler; ~**se** vr (nieve) fondre; **se deshiela** il dégèle.

desheredar vt déshériter.

deshielo nm (de cañería) dégivrage m; (de heladera) dégel m, dégivrage; (fig) dégel.

deshilar vt (tela) effiler, effilocher; (abejas) provoquer l'essaimage artificiel de.

deshilvanado, a a (costura) défaufilé(e), débâti(e); (conversación) décousu(e).

deshinchar vt désenfler; ~**se** vr se dégonfler.

deshojar vt effeuiller; ~**se** vr s'effeuiller.

deshonesto, a a impudique, indécent(e).

deshonor nm déshonneur m; affront m.

deshonra nf (deshonor) déshonneur m; (vergüenza) honte f.

deshonrar vt déshonorer; insulter; ~**se** vr se déshonorer.

deshonroso, a a déshonorant(e).

deshora : a ~ *ad* à une heure indue.

desierto, a *a* (*casa, calle, negocio*) désert(e); (*llanura*) désertique; (*cargo, premio*) vacant(e) // *nm* désert *m*.

designar *vt* (*nombrar*) désigner; (*indicar*) indiquer.

designio *nm* (*proyecto*) dessein *m*, projet *m*; (*destino*) destinée *f*, destin *m*.

desigual *a* (*terreno*) accidenté(e), inégal(e), raboteux(euse); (*carácter*) changeant(e); (*tiempo*) variable, inégal.

desilusión *nf* désillusion *f*.

desilusionar *vt* désillusionner, décevoir; ~**se** *vr* être déçu(e) ou désappointé(e).

desinfección *nf* désinfection *f*.

desinflar *vt* dégonfler; ~**se** *vr* se dégonfler.

desinterés *nm* désintéressement *m*; indifférence *f*.

desistir *vi* (*renunciar*) renoncer à; ~**se** *vr* se désister.

desjarretar *vt* (*animal*) couper les jarrets de; (MED) épuiser, affaiblir.

desleal *a* (*infiel*) déloyal(e); (*traidor*) traître(sse).

deslealtad *nf* (*infidelidad*) déloyauté *f*; (*traición*) traîtrise *f*, trahison *f*.

desleír *vt* délayer, détremper; ~**se** *vr* se délayer, se décolorer.

deslenguado, a *a* (*chismoso*) insolent(e), cancanier(ière); (*grosero*) fort(e) en gueule.

desligar *vt* (*desatar*) délier, dénouer; (*separar*) séparer; ~**se** *vr* (*dos personas*) se séparer; s'éloigner; (*de un compromiso*) se libérer, se dégager.

deslindar *vt* (*delimitar*) borner, délimiter; (*fig*) préciser.

deslinde *nm* (*límite*) bornage *m*, délimitation *f*; (*separación*) séparation *f*.

desliz *nm* (*de objeto*) glissement *m*; (*de persona*) glissade *f*; (*fig*) faux pas, moment *m* de faiblesse.

deslizar *vt* glisser; ~**se** *vr* (*escurrirse: persona*) se faufiler, se glisser; (*objeto*) glisser entre les mains; (*aguas mansas*) filer; (*error*) se glisser, se faufiler; (*en tobogán*) glisser.

deslucido, a *a* (*torpe, falto de gracia*) terne, quelconque; (*colores*) terne, sans éclat; (*fiesta, discurso*) terne; peu brillant(e).

deslucir *vt* (*estropear*) abîmer, gâcher; (*afear*) déparer; (*desacreditar*) discréditer, faire du tort à.

deslumbramiento *nm* éblouissement *m*, aveuglement *m*; (*fig*) éblouissement, admiration *f*.

deslumbrar *vt* (*cegar*) éblouir, aveugler; (*fascinar*) fasciner, éblouir; (*confundir*) jeter de la poudre aux yeux de.

desmán *nm* abus *m*; excès *m*; outrage *m*.

desmandarse *vr* (*abusarse*) s'abuser; (*excederse*) dépasser les bornes; (*perder el control*) s'oublier.

desmantelar *vt* (*arrasar*) démanteler; (*barco*) démâter.

desmayado, a *a* (*sin sentido*) évanoui(e); (*desanimado, desalentado*) découragé(e); (*agotado, sin fuerzas*) épuisé(e); (*color, carácter*) pâle, éteint(e).

desmayar *vt* causer un évanouissement à, faire défaillir; (*color*) adoucir, estomper // *vi* se décourager, se laisser décourager; ~**se** *vr* s'évanouir, défaillir.

desmayo *nm* (*desvanecimiento*) évanouissement *m*; (*depresión, desfallecimiento*) défaillance *f*.

desmedido, a *a* démesuré(e).

desmedirse *vr* dépasser les bornes ou la mesure.

desmejorar *vt* détériorer, abîmer // *vi*, ~**se** *vr* (*persona*) perdre la santé; (*tiempo*) se dégrader, se détériorer; (*situación económica política*) se détériorer.

desmembrar *vt* (MED) démembrer; (*fig*) disloquer.

desmentir *vt* (*contradecir*) dé

mentir, donner un démenti à, contredire; (*refutar*) réfuter // vi: ~ **de** donner un démenti à; ~**se** vr se contredire.

desmenuzamiento nm émiettement m; (*fig*) analyse exhaustive.

desmenuzar vt (*deshacer*) émietter, réduire en miettes; (*examinar*) passer au crible.

desmerecer vt démériter de // vi (*deteriorarse*) se détériorer; (*perder su valor*) perdre de sa valeur, baisser.

desmesurado, a a démesuré(e).

desmontable a (*mueble*) démontable; (*capota de coche*) amovible.

desmontar vt (*deshacer*) démonter; (*arma de fuego*) désarmer; (*tierra*) déboiser // vi mettre pied à terre, descendre de cheval.

desmoralizar vt démoraliser.

desmoronar vt ébouler, abattre; ~**se** vr (*edificio, dique*) s'ébouler, s'écrouler; (*sociedad*) s'écrouler, tomber en ruine; (*economía*) tomber.

desnaturalizar vt dénaturaliser; (*alterar*) dénaturer; ~**se** vr demander un changement de naturalité; (*fig*) se dénaturer, s'altérer.

desnivel nm (*de terreno*) dénivellement m, dénivellation f; (*fig*) déséquilibre m.

desnivelar vt (*calle, terreno*) déniveler; (*fig*) déséquilibrer.

desnudar vt (*desvestir*) déshabiller, dévêtir; (*despojar*) dépouiller, dénuder; ~**se** vr (*desvestirse*) se déshabiller; (*confesarse*) se mettre à nu.

desnudo, a a nu(e); ~ **de** dénué de // nm nu m.

desobedecer vt (*contravenir*) désobéir à; (*infringir*) enfreindre.

desobediencia nf contravention f, désobéissance f; indiscipline f.

desocupación nf (*ocio*) oisiveté f, désœuvrement m; (*desempleo*) chômage m.

desocupado, a a (*ocioso*)

oisif(ive), désœuvré(e); (*desempleado*) inoccupé(e); (*deshabitado*) inhabité(e).

desocupar vt (*departamento, armario*) débarrasser; (*mesa*) vider; ~**se** vr se débarrasser.

desodorante nm déodorant m.

desoír vt (*no escuchar*) faire la sourde oreille, ne pas écouter; (*no darse por enterado*) ne pas tenir compte de.

desolación nf (*lugar*) lieu m désertique; (*fig*) désolation f.

desolar vt désoler, ravager; ~**se** vr se désoler.

desollar vt (*animal*) écorcher, dépouiller; (*criticar*) éreinter.

desorden m désordre m; (*MED*) trouble m, dérèglement m; (*político*) trouble m.

desordenar vt déranger, mettre en désordre.

desorganizar vt (*desordenar*) désorganiser; (*deshacer*) défaire; décomposer.

desorientar vt (*extraviar*) désorienter; (*confundir, desconcertar*) troubler, déconcerter; ~**se** vr (*perderse*) se perdre, s'égarer; (*desconcertarse*) se troubler.

despabilado, a a (*despierto*) éveillé(e), réveillé(e); (*fig*) vif(vive), éveillé.

despabilar vt (*vela*) moucher; (*el ingenio*) dégourdir; (*fortuna, negocio*) expédier // vi, ~**se** vr se réveiller, se secouer.

despacio ad lentement; doucement, graduellement.

despachar vt (*negocio*) conclure, régler; (*enviar*) envoyer, expédier; (*vender*) vendre; (*despedir: empleado*) renvoyer, congédier; (*fam: matar*) expédier // vi se dépêcher; ~**se** vr se débarrasser.

despacho nm (*de paquete*) expédition f; (*del correo*) acheminement m; (*oficina*) bureau m; (*comunicación*) communiqué m.

desparejo, a a inégal(e), dissemblable.

desparpajo nm (fam) désinvolture f; sans-gêne m.

desparramar vt (esparcir) répandre, éparpiller; (noticia) répandre; (dinero, fortuna) gaspiller, dissiper; ~**se** vr (dispersarse) se disperser, s'éparpiller; (fig) se distraire, s'amuser.

despavorido, a a à épouvanté(e), affolé(e), effrayé(e).

despectivo, a a (despreciativo) méprisant(e); (LING) péjoratif(ive).

despecho nm dépit m, désespoir m, rancune f; **a** ~ **de** en dépit de, malgré.

despedazar vt (animal) dépecer, mettre en pièces; (libro, revista, fig: corazón) déchirer.

despedida nf (de dos personas) adieux mpl; (de empleado, obrero) congé m, licenciement m; (de canto) renvoi m, strophe finale; (de carta) formule f de politesse; ~ **de soltero** fait d'enterrer sa vie de garçon.

despedir vt (amigo) raccompagner; (licenciar: empleado) licencier, congédier; (inquilino) expulser; (desairar) éconduire, mettre à la porte; (expulsar) expulser, renvoyer, mettre dehors; (olor) dégager, exhaler; ~**se** vr: ~**se de** (alguien) prendre congé de; (algo) renoncer à.

despegar vt décoller, détacher // vi décoller; ~**se** vr se décoller, se détacher.

despego nm détachement m, indifférence f.

despejado, a a (lugar) dégagé(e), déblayé(e); (cielo) dégagé; (persona) lucide.

despejar vt débarrasser; (calle) déblayer; (FÚTBOL, MAT) dégager; (misterio) éclaircir; ~**se** vr (tiempo, cielo) s'éclaircir, se dégager, se découvrir; (misterio) s'éclaircir; (persona) s'éveiller, prendre de l'assurance.

despejo nm (de casa, calle etc)

débarras m; (desenvoltura) aisance f, désinvolture f; (talento, ingenio) intelligence f, vivacité f d'esprit.

despensa nf garde-manger m.

despeñadero nm (GEO) précipice m; (fig) risque m.

despeñar vt précipiter ou jeter ou pousser dans un précipice; ~**se** vr se précipiter ou se jeter dans un précipice.

desperdiciar vt gaspiller; (el tiempo) perdre.

desperdicio nm (despilfarro) gaspillage m; (residuo) déchet m, reste m.

desperezarse vr s'étirer.

desperfecto nm (deterioro) détérioration f; (defecto) imperfection f, défaut m.

despertador nm réveil-matin m; (fig) aiguillon m, stimulant m.

despertar vt (persona) réveiller, éveiller; (vocación) éveiller, susciter; (recuerdos) réveiller; (apetito) ouvrir // vi, ~**se** vr se réveiller // nm réveil m.

despido nm licenciement m.

despierto vb ver **despertar** // a éveillé(e), réveillé(e); (fig) vif(vive), éveillé, dégourdi(e).

despilfarrar vi gaspiller.

despilfarro nm (derroche) gaspillage m; (gastos excesivos) dépense inconsidérée; (abundancia) profusion f.

despistar vt dépister, dérouter; (fig) désorienter; ~**se** vr s'égarer; (fig) s'affoler, perdre la tête.

desplazamiento nm déplacement m; ~ **de tierras** glissement m de terrain.

desplegar vt (tela, papel) déplier; (bandera) déployer; (velas) larguer; (tropas, energías, fuerzas, inteligencia) déployer.

desplomarse vr (derrumbarse) s'écrouler, s'effondrer; (persona, precios, gobierno) tomber.

despoblar vt (de gente) dépeupler; (de árboles) déboiser; ~**se** vr se dépeupler; être déserté(e).

despojar vt (alguien: de sus bienes) dépouiller; (casa) vider; (alguien: de su cargo) enlever, ôter; ~ **se** vr: **se** dépouiller de; (prejuicios) s'affranchir ou se défaire de.

despojo nm dépouillement m; butin m.

desposado, a a nouvellement marié(e) // nm/f jeune marié/e.

desposar vt marier; ~ **se** vr se marier; se fiancer.

desposeer vt (despojar) déposséder; (expoliar) spolier; (privar) priver.

déspota nm despote m.

despreciar vt dédaigner, mépriser.

desprecio nm (desdén) mépris m; (afrenta) affront m; (indiferencia) dédain m.

desprender vt (separar, desatar) détacher; (olor) dégager; ~ **se** vr: (botón) se détacher; (olor, perfume) se dégager; ~ **se de** se dessaisir ou se défaire ou se séparer de; **se desprende que** il découle que.

desprendido, a a généreux(euse).

desprendimiento nm générosité f; (desinterés) désintéressement m; (desapego, indiferencia) détachement m; (de tierra, rocas) éboulement m; (de calor, gas) dégagement m; (de la retina) décollement m.

despreocupado, a a (sin preocupación) insouciant(e); (desprejuiciado) sans préjugés; (negligente) négligent(e).

despreocuparse vr ne pas s'inquiéter; se négliger.

desprevenido, a a (no preparado) dépourvu(e); (tomado por sorpresa) au dépourvu, à l'improviste.

desproporción nf disproportion f; déséquilibre m.

despropósito nm sottise f, ânerie f.

después ad après; ~ **de comer** après manger; **un año** ~ une année après; ~ **se debatió el tema** puis on débattit sur le thème; ~ **de corrigido el texto** une fois le texte corrigé; ~ **de todo** après tout; ~ **(de) que habló, comprendí** après qu'il eut parlé, je compris.

despuntar vt épointer, casser la pointe de // vi (BOT) bourgeonner; (el día) poindre; (persona) se distinguer.

desquiciar vt (puerta) dégonder; (institución, economía) ébranler, faire chanceler; (persona) désaxer, déséquilibrer.

desquitarse vr prendre sa revanche; (desfogarse) se défouler; ~ **de** se venger de.

desquite nm revanche f.

destacamento nm détachement m.

destacar vt faire ressortir; (MIL) détacher // vi, ~ **se** (resaltarse) se détacher; (fig) ressortir; (: persona) se distinguer.

destajo nm forfait m; **trabajar a** ~ travailler au forfait; **hablar a** ~ (fam) trop parler.

destapar vt (cañería) déboucher; (cacerola) découvrir; ~ **se** vr (en la cama) se découvrir; (revelarse) se révéler; ~ **se con uno** s'ouvrir à ou s'épancher auprès de qn.

destartalado, a a (desordenado) mal rangé(e), malpropre; (ruinoso) délabré(e); (dislocado) disloqué(e), démantibulé(e).

destello nm (de estrella) scintillement m; (de faro) éclair m, lueur f.

destemplanza nf (MUS) discordance f; (falta de armonía) inharmonie f; discordance; (impaciencia) emportement m, excès m; (del tiempo) intempérie f.

destemplar vt (MUS) désaccorder; (molestar) déranger; ~ **se** vr (MED) avoir un peu de fièvre; (TEC) se détremper; (irritarse) s'emporter.

desteñir vt déteindre // vi, ~ **se** vr déteindre, se décolorer.

desternillarse vr: ~ **de risa** se tordre de rire.

desterrar vt (exilar) exiler, bannir; (AGR) enlever la terre de.

destierro nm exil m.

destilación nf distillation f.

destilar vt distiller; (fig) exsuder, laisser suinter // vi (gotear) couler goutte à goutte, dégoutter; (rezumar) suinter; ~ **su rabia** manifester sa rage.

destinar vt destiner; (funcionario) affecter; (fondos) affecter, destiner; ~**se** vr se destiner.

destinatario, a nm/f destinataire m/f.

destino nm (suerte) destinée f, destin m; (función) destination f, affectation f.

destitución nf destitution f.

destituir vt destituer.

destornillador nm tournevis m.

destornillar vt dévisser; ~**se** vr (tornillo) se dévisser; (fam) perdre la tête, divaguer; (AM) = **desternillarse**.

destreza nf (habilidad) habileté f, (maña) adresse f, dextérité f, (facilidad) facilité f.

destripar vt (animal) étriper; (persona, colchón) éventrer.

destronar vt détrôner.

destrozar vt (romper) mettre en pièces, déchirer, casser, démolir; (estropear) abîmer; (deshacer) défaire; (MIL) défaire, mettre en déroute, tailler en pièces; (el corazón, su vida) briser; ~**se** vr se briser; **estar destrozado(a)** être épuisé(e) ou éreinté(e).

destrozo nm (acción) destruction f; (desastre) désastre m; ~**s** nmpl (pedazos) débris mpl; (daños) dégâts mpl.

destrucción nf destruction f.

destruir vt détruire, anéantir; (esperanzas) démolir, réduire à néant; (argumento) démolir; ~**se** vr s'annuler.

desuello nm (acción) écorchement

m, écorchure f; (fig) impudence f, effronterie f.

desunión nf (separación) désunion f; (TEC) action f de déconnecter.

desunir vt séparer; déconnecter; diviser.

desusado, a a (anticuado) désuet(ète); (pasado de moda) vieilli(e), désuet; (inusual) inhabituel(le).

desvainar vt écosser.

desvalido, a a (desprotegido) déshérité(e); (sin fuerzas) sans force, affaibli(e).

desván nm grenier m.

desvanecer vt (disipar) dissiper; (palidar, borrar) pâlir, effacer; (error) dissiper; ~**se** vr (humo) s'évanouir, se dissiper; (color) pâlir, s'effacer; (alcohol) s'éventer; (MED) s'évanouir, avoir un malaise; (recuerdo) s'effacer; (envanecerse) s'enorgueillir.

desvanecimiento nm (desaparición) évanouissement m, disparition f; (pérdida de colores) effacement m; (evaporación) dissipation f; (MED) syncope f; (fig) vanité f, prétention f; arrogance f.

desvariar vi (enfermo) délirer; (loco) déraisonner; (fig: desatinar) divaguer.

desvarío nm délire m; absurdité f, extravagance f.

desvelar vt empêcher de dormir; ~**se** vr se réveiller; (fig) se donner du mal.

desvelo nm insomnie f; souci m, inquiétude f.

desvencijado, a a (coche) dé-glingué(e), branlant(e); (sillón) détraqué(e), délabré(e).

desventaja nf désavantage m.

desventajoso, a a désavantageux(euse).

desventura nf malheur m, mésaventure f.

desventurado, a a malheureux(euse).

desvergonzado, a a effronté(e)-

dévergondé(e) // *nm/f* effronté/e, dévergondé/e.

desvergüenza *nf* (*descaro*) effronterie *f*; (*insolencia*) insolence *f*, grossièreté *f*; (*mala conducta*) dévergondage *m*.

desviación *nf* déviation *f*.

desviar *vt* dévier, détourner; (*río*) dévier; (*navío*) dérouter; (*conversación*) détourner; **~se** *vr* (*apartarse del camino*) se perdre; (: *barco*) faire fausse route; (*alejarse del tema*) s'éloigner du sujet.

desvío *nm* (*desviación*) déviation *f*; (*fig*) détachement *m*, désaffection *f*.

desvirtuar *vt* (*hacer perder la calidad*) abîmer; (*alterar*) fausser; (*desnaturalizar*) dénaturer; **~se** *vr* se dénaturer.

desvivirse *vr*: **~ por** désirer vivement; **~ por un amigo** se mettre en quatre pour un ami.

detallar *vt* détailler; (*COM*) vendre au détail.

detalle *nm* détail *m*; **al ~** au détail; **con todos los ~s** en détail, avec des détails.

detallista *nm/f* détaillant/e.

detener *vt* (*tren, persona*) arrêter; (*JUR*) arrêter, mettre en prison; (*objeto*) garder, conserver; **~se** *vr* s'arrêter; (*demorarse*) **~se en** s'attarder à.

detenido, a *a* (*preso*) détenu(e); (*minucioso*) minutieux(euse); (*tímido*) indécis(e), irrésolu(e) // *nm/f* détenu/e.

deteriorar *vt* abîmer, détériorer; (*fig*) détériorer; **~se** *vr* se détériorer; (*relaciones*) se dégrader.

deterioro *nm* détérioration *f*.

determinación *nf* décision *f*; détermination *f*.

determinar *vt* (*plazo*) déterminer; (*precio*) fixer, déterminer; **~se** *vr* se déterminer, se décider.

detestable *a* détestable, abominable, exécrable.

detestar *vt* détester, avoir horreur de.

detracción *nf* (*descrédito*) médisance *f*, dénigrement *m*; (*desviación*) déviation *f*.

detractar *vt* détracter, dénigrer.

detrás *ad* derrière; **~ de** derrière.

detrimento *nm* détriment *m*; **en ~ de** au détriment de.

deudo, a *nm/f* parent/e // dette *f*; (*REL*) offense *f*.

deudor, a a: saldo ~ solde dû // *nm/f* débiteur/trice.

devanar *vt* (*lana*) dévider; (*hilo*) bobiner, enrouler.

devaneo *nm* (*MED*) divagation *f*; (*fig*) élucubrations *fpl*; (*capricho*) caprice *m*, frivolité *f*.

devastar *vt* (*destruir*) dévaster; (*asolar*) ravager.

devengar *vt* gagner; toucher.

devoción *nf* dévotion *f*.

devolución *nf* dévolution *f*, restitution *f*; (*reenvío*) retour *m*; (*reembolso*) remboursement *m*.

devolver *vt* rendre, restituer; (*carta al correo*) retourner, réexpédier; (*COM*) rembourser; (*visita, la palabra*) retourner, rendre; (*fam*) vomir; **~se** *vr* (*AM*) revenir.

devorar *vt* dévorer.

devoto, a a dévot(e) // *nm/f* dévot/e.

di *vb ver* **dar; decir**.

día *nm* jour *m*; **¿qué ~ es?** quel jour sommes-nous?; **estar/poner al ~** être/mettre à jour; **el ~ de hoy/de mañana** aujourd'hui/demain; **al ~ siguiente** le lendemain; **vivir al ~** vivre au jour le jour; **de ~** de jour; **en pleno ~** en plein jour; **~ de asueto / laborable/festivo** jour de congé/ férié/de fête; **~ de año nuevo** jour de l'an; **~ del Corpus** fête-Dieu *f*; **~ de vigilia** jour d'abstinence.

diablo *nm* diable *m*.

diablura *nf* diablerie *f*.

diabólico, a *a* diabolique; (*fig*) embrouillé(e), compliqué(e).

diadema *nf* diadème *m*.

diagnóstico *nm* diagnostic *m*.

dialecto nm dialecte m.

diálogo nm dialogue m.

diamante nm diamant m.

diámetro nm diamètre m; (AUTO: de cilindro) alésage m.

diana nf réveil m.

diario, a a journalier(ière), quotidien(ne) // nm journal m; ~ **hablado** journal parlé.

dibujar vt dessiner; (fig) décrire, tracer; ~**se** vr se préciser; se dessiner; ~ **a lápiz/a la aguada** dessiner au crayon/au lavis.

dibujo nm dessin m; ~**s animados** dessins animés.

dicción nf diction f, style m; (palabra) mot m, expression f.

diccionario nm dictionnaire m.

dice etc vb ver **decir**.

diciembre nm décembre m.

dictado nm dictée f; (dignidad, título, honorario) titre m; ~**s** mpl préceptes mpl; **escribir al** ~ écrire sous dictée.

dictador nm dictateur m.

dictamen nm opinion f; rapport m; avis m.

dictaminar vt conseiller, prescrire; (JUR) rapporter // vi se prononcer; opiner, estimer.

dictar vt dicter; (AM): ~ **clases** faire (des) cours.

dicho, a pp de **decir** // a: **en** ~**s países** en ces pays // nm pensée f; sentence f // nf bonheur m, chance f.

dichoso, a a heureux(euse); (fam) ennuyeux(euse), assommant(e).

diente nm (ANAT, TEC) dent f; (ZOOL) dent, croc m; **dar** ~ **con** ~ claquer des dents; **hablar entre** ~**s** marmotter, parler entre ses dents; ~ **de ajo** gousse f d'ail; ~ **de león** pissenlit m.

dieron vb ver **dar**.

diestro, a a adroit(e), habile // nm matador m, torero m; (cabestro) licou m, longe f // nf droite f.

dieta nf (MED) diète f; (POL) assemblée f, diète; ~**s** fpl honoraires mpl, indemnité f.

diez num dix.

diezmar vt (matar) décimer; (asolar) décimer, dévaster.

diezmo nm dîme f.

difamar vt diffamer.

diferencia nf différence f; (controversia) différend m.

diferenciar vt différencier // vi différer, diverger; ~**se** vr différer, n'être pas du même avis; se distinguer.

diferente a différent(e).

diferir vt différer // vi différer.

difícil a difficile.

dificultad nf difficulté f; (problema) ennui m, difficulté.

dificultar vt (complicar) rendre difficile, compliquer; (estorbar) gêner; (impedir, interferir) empêcher, interférer.

difundir vt (esparcir, derramar) répandre; (divulgar, propagar) propager, divulguer; ~**se** vr se propager.

difunto, a a défunt(e) // nm/f défunt/e, disparu/e.

difuso, a pp de **difundir** // a diffus(e).

digerir vt digérer; (fig) assimiler.

digestión nf digestion f.

dignarse vr daigner.

dignidad nf dignité f; respect m; (rango) rang m.

digno, a a digne.

digo etc vb ver **decir**.

digresión nf digression f.

dije vb ver **decir** // nm pendeloque f, breloque f; (persona) perle f.

dilación nf (retraso) retard m (demora) délai m.

dilatación nf (expansión) dilatation f; (fig) soulagement m.

dilatado, a a dilaté(e); (ancho) vaste; (largo) long(ue); (extenso) élargi(e), large.

dilatar vt (cuerpo) dilater; (prolongar) différer, retarder, prolonger; ~**se** vr se dilater; s'étendre; (AM) s'attarder, retarder.

dilema nm dilemme m.

diligencia nf diligence

(ocupación) diligence, démarche f; *(JUR)* enquête f.

diligente a diligent(e).

dilucidar vt élucider.

dilución nf dilution f.

diluir vt diluer, délayer.

diluvio nm déluge m, inondation f; *(de improperios)* torrent m.

dimanar vi *(agua)* couler; *(fig):* ~ **de** émaner de.

dimensión nf dimension f.

diminución nf = **disminución**.

diminuto, a a très petit(e).

dimisión nf démission f.

dimitir vi se démettre, démissionner, donner sa démission.

dimos vb ver **dar**.

Dinamarca nf Danemark m.

dinamarqués, esa a danois(e) // nm/f Danois/e.

dinamita nf dynamite f.

dínamo nf dynamo f.

dinastía nf dynastie f.

dinástico, a a dynastique f.

dineral nm grosse somme, fortune f.

dinero nm argent m; ~ **contante y sonante** argent comptant; ~ **efectivo** espèces fpl.

dintel nm linteau m, dessus-de-porte m.

dio vb ver **dar**.

dios nm dieu m; **¡D~ mío!** mon Dieu!

diosa nf déesse f.

diploma nm diplôme m.

diplomacia nf diplomatie f; *(fig)* habileté f, astuce f.

diplomático, a a diplomatique f; *(hábil)* diplomate, habile // nm/f diplomate m.

diputado, a nm/f député m.

dique nm *(muro)* digue f; *(escollera)* brise-lames m; *(freno)* frein m; ~ **de contención** digue de retenue; ~ **seco** cale sèche.

diré etc vb ver **decir**.

dirección nf direction f; *(señas)* adresse f; ~ **única/obligatoria/prohibida** sens unique/obligatoire/interdit; *(de produc-*

ción) régie f; ~ **escénica** mise en scène f.

directo, a a direct(e) // nm direct m; **transmitir en** ~ retransmettre en direct.

director, a a directeur(trice) // nm/f directeur/trice; ~ **de cine/de escena** metteur en scène m; ~ **de empresa** directeur d'entreprise; ~ **de orquesta** chef m d'orchestre.

dirigir vt diriger; *(carta)* adresser; *(palabra, mirada)* adresser, diriger; *(obra de teatro, film)* diriger, réaliser; *(por radio)* radioguider; *(misil)* téléguider; *(coche, avión, barco)* conduire; ~**se** vr: ~**se a** se rendre à, se diriger vers; *(fig)* s'adresser à.

dirijo etc vb ver **dirigir**.

dirimir vt faire cesser, régler; annuler.

discernimiento nm discernement m.

discernir vt *(distinguir, determinar)* discerner; *(JUR)* nommer à une tutelle ou charge; *(cargo)* conférer une charge à.

disciplina nf discipline f.

disciplinar vt discipliner; *(azotar)* flageller; *(ejército)* appliquer la discipline à; ~**se** vr se discipliner.

discípulo, a nm/f disciple m.

disco nm disque m; *(TELEC)* cadran m; *(AUTO)* feu m rouge; *(fam)* histoire ennuyeuse; ~ **de larga duración** disque longue durée ou trente-trois tours; ~ **de freno** disque de frein; ~ **(de) duración extendida** disque ou durée (durée).

díscolo, a a indocile, turbulent(e).

discordancia nf *(desacuerdo)* discordance f, désaccord m; *(divergencia)* divergence f.

discordia nf discorde f.

discreción nf discrétion f; *(reserva, secreto)* réserve f, retenue f; **comer a** ~ manger à volonté.

discrecional a *(facultativo)* facultatif(ive); *(arbitrario)* discrétionnaire, arbitraire.

discrepancia *nf* divergence *f*; discordance *f*.

discreto, a *a* discret(ète); prudent(e); sage, sensé(e); (*color*) sombre; harmonieux(euse); en demi-teintes; discret(ète); (*razonable*) raisonnable.

disculpa *nf* excuse *f*.

disculpable *a* excusable, pardonnable.

disculpar *vt* disculper, excuser; ~**se** *vr* se disculper, s'excuser.

discurrir *vt* imaginer, inventer // *vi* (*pensar, reflexionar*) penser, réfléchir; (*recorrer*) parcourir, aller; (*el tiempo*) passer.

discurso *nm* discours *m*; (*razonamiento*) raisonnement *m*.

discusión *nf* discussion *f*, débat *m*, controverse *f*, polémique *f*.

discutir *vt* discuter, débattre // *vi* discuter.

disecar *vt* (*cadáver, planta, fig*) disséquer; (*animal*) empailler.

diseminar *vt* disséminer.

diseño *nm* (*dibujo*) dessin *m*; (*descripción*) description *f*.

disertar *vi* disserter.

disfavor *nm* défaveur *f*.

disforme *a* difforme.

disfraz *nm* déguisement *m*, travestissement *m*, dissimulation *f*, prétexte *m*.

disfrazar *vt* déguiser, dissimuler; (*la verdad*) déguiser, cacher; ~**se** *vr*: ~**se de** se déguiser en.

disfrutar *vt* profiter *ou* jouir de // *vi* s'amuser; ~ **de** jouir de.

disfrute *nm* (*gozo*) jouissance *f*; (*posesión, uso*) usufruit *m*, usage *m*.

disgregación *nf* désagrégation *f*.

disgustar *vt* (*no gustar*) déplaire à; (*contrariar, enojar*) contrarier, désoler, fâcher; ~**se** *vr* se fâcher.

disgusto *nm* (*repugnancia*) dégoût *m*; (*contrariedad*) contrariété *f*; (*pesadumbre*) ennui *m*; (*desavenencia*) brouille *f*.

disimulación *nf* dissimulation *f*.

disimular *vt* dissimuler, excuser, pardonner; (*ocultar*) cacher.

disipación *nf* dissipation *f*; immoralité *f*, dissipation; indiscipline *f*, dissipation.

disipar *vt* (*fortuna*) dilapider; ~**se** *vr* (*nubes*) se dissiper, s'évaporer; (*indisciplinarse*) se dissiper; (*arruinarse*) se ruiner.

dislocar *vt* (*descoyuntar, desarticular*) désarticuler; (*desencajar*) déboîter, désemboîter.

disminución *nf* diminution *f*.

disminuir *vt* (*acortar*) diminuer, raccourcir; (*achicar*) diminuer; (*estrechar*) rétrécir; (*empequeñecer*) amoindrir, rapetisser.

disociar *vt* dissocier, séparer; ~**se** *vr* se séparer.

disolución *nf* dissolution *f*; solution *f*; liquidation *f*; dissipation *f*.

disoluto, a *a* dissolu(e).

disolver *vt* dissoudre; (*matrimonio*) dissoudre, briser; ~**se** *vr* se dissoudre.

disparar *vt* tirer // *vi* tirer, faire feu; (*disparatar*) dire (*ou* faire) des absurdités; ~**se** *vr* (*tiro*) se décharger, partir; (*persona*) s'emballer; (*caballo*) s'emballer, partir au galop; (*motor*) s'emballer.

disparatado, a *a* absurde, extravagant(e).

disparatar *vi* dire (*ou* faire) des absurdités.

disparate *nm* absurdité *f*, sottise *f*, idiotie *f*.

dispensar *vt* dispenser; excuser, pardonner.

dispersar *vt* disperser; ~**se** *vr* se disperser.

dispersión *nf* dispersion *f*.

displicencia *nf* froideur *f*; découragement *m*; manque *m* d'enthousiasme; sécheresse *f*.

disponer *vt* (*arreglar*) disposer; (*ordenar*) ordonner; (*preparar*) préparer // *vi*: ~ **de** disposer de; ~**se** *vr*: ~**se para** se disposer à.

disponible *a* disponible.

disposición *nf* disposition *f*; (*aptitud*) dispositions *fpl*; **disposiciones** *nfpl* dispositions.

disputa nf dispute f, altercation f, querelle f.

dispuesto, a pp de **disponer** // a (arreglado) disposé(e); prêt(e); **bien/mal ~** bien/mal disposé.

disputar vt (discutir) discuter; (contender) disputer; **~se** vr se disputer.

distanciar vt éloigner, distancer, écarter; **~se** vr se séparer.

distante a distant(e).

distar vi: **~ de** être éloigné(e) de; **~ 2 horas de camino** être à 2 heures de route.

diste, disteis vb ver **dar**.

distinción nf distinction f, différence f; distinction, clarté f; élégance f, distinction, (honor) distinction.

distinguir vt distinguer; rendre hommage à; **~se** vr se distinguer.

distintivo, a a distinctif(ive) // nm (insignia) signe distinctif, insigne m; (calidad) qualité f.

distinto, a a différent(e); (claro) distinct(e).

distracción nf (pasatiempo) distraction f; (inadvertencia, descuido, olvido) dissipation f, dérèglement m.

distraer vt (entretener) distraire, amuser; (desviar) distraire, détourner; (fondos) détourner; **~se** vr (entretenerse) se distraire, s'amuser; (perder la concentración) se déconcentrer.

distraído, a a (que alegra, entretiene) distrayant(e); (desatendido) distrait(e) // nm/f distrait/e.

distribuidor nm delco m ®, distributeur m.

distribuir vt distribuer.

distrito nm (sector, territorio) district m, secteur m, territoire m; (barrio) arrondissement m; **D~ Federal** (AM) Mexico.

distrofia nf: **~ muscular** dystrophie f musculaire

disturbio nm trouble m.

disuadir vt dissuader.

disuelto pp de **disolver**.

diurético, a a diurétique // nm diurétique m.

divagar vi divaguer.

divergencia nf divergence f.

divergente a divergent(e); contraire; opposé(e).

diversidad nf diversité f.

diversión nf distraction f.

diverso, a a divers(e); **~s** plusieurs; **~** mpl articles divers.

divertir vt (entretener, recrear) divertir, amuser; (apartar, distraer) éloigner, détourner; **~se** vr se distraire, s'amuser.

dividir vt (separar) diviser; (distribuir) partager, distribuer.

divino, a a divin(e).

divisa nf (emblema, moneda) devise f; (TAUR) cocarde f.

divisar vt distinguer, apercevoir.

división nf (MAT, MIL) division f; (LING) trait d'union m; (divergencia) divergence f; (discordia) discorde f.

divorciar vt séparer, prononcer le divorce de; **~se** vr se divorcer.

divorcio nm divorce m.

divulgar vt divulguer; **~se** vr se divulguer.

dls abr de **dólares**.

D.N.A. abrev A.D.N.

do. abr de **descuento**

dobladura nf pli m.

doblar vt (dinero) doubler; (papel) plier; (caro) tordre; (rodilla) fléchir, courber; (la esquina) tourner; (actor) doubler // vi tourner; (campana) sonner; **~se** vr (plegarse) se plier; (encorvarse) se courber; **~se de risa/dolor** se tordre de rire/douleur.

doble a double; faux(fausse), fourbe; hypocrite // nm double m; (NAIPES) contre m // nm/f (CINE) doublure f; **con ~ sentido** à double sens.

doblez nm (pliegue) pli m; (fig) fausseté f.

doc abr de **docena**.

doce num douze.

docena nf douzaine f.

dócil a docile; obéissant(e).

docilidad nf (obediencia) obéissance f; (mansedumbre) docilité f.

docto, a a érudit(e), cultivé(e); (sabio) savant(e), docte.

doctor, a nm/f docteur/ doctoresse.

doctrinar vt (instruir) instruire; (fig) endoctriner.

documento nm (certificado) document m; ~ de identidad carte f d'identité, papiers mpl; ~s del coche papiers de la voiture.

dogal nm licou m.

doler vt faire mal à // vi faire mal; ~se vr (de su situación) se plaindre; regretter; (de las desgracias ajenas) s'affliger; **me duele el brazo** mon bras me fait mal, j'ai mal au bras.

doliente a (dolorido) douloureux(euse) // nm/f malade m/f.

dolo nm dol m.

dolor nm mal m, douleur f; (fig) peine f.

dolorido, a a endolori(e); (fig) affligé(e), désolé(e), brisé(e) de dos.

domar vt (fieras) dompter; (adiestrar) dresser; (fig) dompter, maîtriser.

domicilio nm domicile m; ~ particular domicile particulier; ~ social siège social.

dominación nf domination f; (MIL) position dominante.

dominante a dominant(e), dominateur(trice) // a (rasgo) caractère dominant, trait m caractéristique; (MUS) dominante f.

dominar vt dominer; (nervios) contrôler; (varios idiomas) posséder // vi dominer; ~se vr se maîtriser, se dominer.

domingo nm dimanche m.

dominio nm (tierras) domaine m; (autoridad) autorité f; (de las pasiones) maîtrise f; (de varios idiomas) connaissance f parfaite.

don nm don m; (tit.: avant prénom) Monsieur (se antepone al apellido).

donaire nm grâce f, élégance f.

doncella nf (jovencita) jeune fille f; (criada de la Reina) femme f de

chambre (de la reine); suivante f; (virgen) pucelle f.

donde ad où // prep: **el coche está allí** ~ **el farol** la voiture est là où est le réverbère; (AM): **te veré** ~ **mi tía** je te verrai chez ma tante; **por** ~ par où; **en** ~ où.

dónde ad interrogativo où; **¿a ~ vas?** où vas-tu?; **¿de ~ vienes?** d'où viens-tu?; **¿por ~?** par où?

dondequiera ad n'importe où; **por** ~ partout // conj: ~ **que** où que; partout où.

doña nf (tit.: avant prénom) Madame (se antepone al apellido).

dorado, a a doré(e); (CULIN) rissolé(e) // nm coryphène m.

dorar vt (TEC) dorer; (CULIN) rissoler, dorer.

dormir vt: ~ **la siesta** faire la sieste; (niño) endormir // vi dormir; ~se vr s'endormir.

dormitar vi sommeiller, somnoler.

dormitorio nm chambre à coucher f; ~ **común** dortoir m.

dos num deux.

dosis nf inv dose f.

dotado, a a doué(e); ~ de pourvu de.

dotar vt doter; (proveer) pourvoir; (equipar) équiper.

dote nf dot f; ~s nfpl dons mpl, aptitudes fpl.

doy vb ver **dar**.

dragón nm (MITOLOGÍA, MIL) dragon m; (BOT) muflier m, gueule-de-loup f.

drama nm drame m.

dramaturgo nm dramaturge m.

drenaje nm drainage m.

droga nf drogue f; (fam: molestia) barbe f; (AM: deuda) dette f.

droguería nf droguerie f, marchand m de couleurs.

dromedario nm dromadaire m.

ducado nm (territorio) duché m; (moneda) ducat m.

ducha nf douche f.

ducho, a a expert(e), fort(e), ferré(e).

duda nf doute m.

dudoso, a a (incierto) hésitant(e),

incertain(e); (*sospechoso*) douteux (euse).

duelo nm (*combate*) duel m; (*luto*) deuil m.

duende nm lutin m, esprit follet m; **tener ~** avoir du charme.

dueño, a nm/f maître/sse, propriétaire m/f.

duermo etc vb ver **dormir**.

Duero nm: **el ~** le Douro.

dulce a doux(douce) // nm bonbon m; sucrerie f.

dulzaina nf flageolet m.

dulzura nf douceur f.

duna nf dune f.

duplicar vt (*hacer el doble de*) doubler, multiplier par deux; (*reproducir*) reproduire; **~se** vr doubler.

duplicidad nf duplicité f.

duque, duquesa nm/f duc/duchesse.

duración nf durée f.

duradero, a a durable, constant(e), permanent(e).

durante ad pendant, durant.

durar vi (*continuar, permanecer, quedar*) durer, continuer, rester, demeurer; (*tiempo, objeto, sonido, recuerdo*) demeurer, subsister, durer.

dureza nf (*calidad*) dureté f, (*callosidad*) durillon m.

durmí etc vb ver **dormir**.

durmiente nm traverse f.

duro, a a dur(e) // ad (*pegar*) fort; (*trabajar*) dur // nm pièce de cinq pesetas.

E

e conj et.

E abr de este.

ea excl allons!

ebanista nm ébéniste m.

ébano nm (*madera*) ébène f; (*árbol*) ébénier m.

ebrio, a a ivre.

Ebro nm: **el ~** l'Èbre m.

ebullición nf ébullition f; (*fig*) effervescence f.

eclesiástico, a a ecclésiastique // nm (*clérigo*) ecclésiastique m.

eclipse nm éclipse f.

eclisa nf (*TEC*) éclisse f.

eco nm écho m.

economía nf économie f.

económico, a a (*barato*) économique; (*persona*) économe; (*COM: plan*) financier (ière); (: *situación*) économique.

economista nm/f économiste m/f.

ecuador nm équateur m; **el E~** Equateur m.

ecuatoriano, a a équatorien(ne) // nm/f Equatorien(ne).

ecuestre a équestre.

echar vt jeter; (*agua, vino: escanciar*) verser; (*empleado: despedir*) renvoyer, expulser; (*bigotes*) laisser pousser; (*raíces, hojas*) laisser produire; (*gallina*) accoupler; vi: **~ a correr/llorar** se mettre à courir/pleurer; **~ llave a** fermer à clé; **~ dos horas para llegar** mettre deux heures pour arriver; **~ de comer** donner à manger; **~ abajo** (*gobierno*) renverser; (*edificio*) abattre; **~ mano a** se servir de, faire appel à.

edad nf âge m; **¿qué ~ tienes?** quel âge as-tu?; **tiene ocho años de ~** il a huit ans; **de ~ mediana/avanzada** d'âge moyen/avancé; **la ~ Media** le Moyen Age.

edecán nm aide de camp m.

edición nf édition f.

edicto nm édit m.

edificación nf construction f; (*fig*) édification f.

edificar vt bâtir, construire; (*fig*) édifier, élever.

edificio nm édifice m; (*fig*) édifice, structure f.

editar vt éditer.

editor, a a d'édition // nm/f éditeur/trice // nm maison f d'édition;

casa ~a maison d'édition.

editorial a de l'édition // nm article m de fond // nf maison f d'édition.

educación nf éducation f.

educar vt (niño) élever; (voz) éduquer; ~se vr s'éduquer.

EE. UU. nmpl abr ver **estado**.

efectivamente ad effectivement; exactement; justement.

efectivo, a a effectif(ive); (real) véritable // nm: **pagar en** ~ payer en espèces; ~s nmpl effectif m; **hacer** ~ **un cheque** toucher un chèque.

efecto nm effet m; ~s a cobrar (COM) effets bancaires ou de commerce; **en** ~ en effet.

efectuar vt effectuer; (viaje) faire.

efervescente a effervescent(e); (fig) agité(e).

eficacia nf (de persona) efficacité f, efficience f; (de medicamento) efficacité f.

eficaz a efficace; efficient(e); effectif(ive).

efímero, a a éphémère.

efusión nf effusion f.

égida nf: **bajo la** ~ de sous l'égide de.

egipcio, a a égyptien(ne) // nm/f Égyptien/ne,

Egipto nm Égypte f.

egoísmo nm égoïsme m.

egoísta a égoïste // nm/f égoïste m/f.

egregio, a a illustre.

Eire nm République f d'Irlande, Irlande f du Sud.

ej. abr de **ejemplo**.

eje nm axe m, essieu m; **la idea** ~ l'idée force.

ejecución nf exécution f; (JUR: embargo de deudor) exécution; saisie f, saisie-exécution f.

ejecutar vt (obra de arte) exécuter, jouer; (orden) exécuter; (JUR: sentencia) exécuter; (: embargar) saisir.

ejecutivo, a a expéditif(ive); **el poder** ~ le pouvoir exécutif.

ejecutoria nf (título de nobleza) lettres fpl de noblesse; (JUR) exécutoire m.

ejemplar a exemplaire // nm (ZOOL) spécimen m; (de libro) exemplaire m.

ejemplo nm exemple m; **por** ~ par exemple.

ejercer vt, vi exercer.

ejercicio nm exercice m; (deber) devoir m; ~ **comercial** exercice financier.

ejercitar vt (ejercer) exercer; (enseñar con la práctica) entraîner; ~se vr s'exercer.

ejército nm armée f; **entrar en el** ~ s'engager; **E~ de Salvación** Armée du Salut.

el det le.

él pron il; (después de prep) lui.

elaborar vt élaborer; (trabajar) mettre en forme.

elasticidad nf élasticité f.

elástico, a a élastique // nm élastique m.

elección nf élection f; (selección) choix m.

electorado nm électorat m.

electricidad nf électricité f.

electricista nm/f électricien/ne.

eléctrico, a a électrique.

electrificación nf électrification f.

electrificar vt électrifier.

electrizante a électrisant(e).

electrizar vt électriser; ~se vr s'électrocuter; (fig) s'enthousiasmer.

electro... pref électro...; ~**cardiógrafo** nm électrocardiographe m; ~**cución** nf électrocution f; ~**cutar** vt électrocuter; ~**chapado, a** a plaqué par galvanoplastie; ~**choque** nm électrochoc m; ~**dinámica** nf électrodynamique f; ~**dinámico, a** a électrodynamique; **electrodo** nm électrode f; ~**doméstico, a** a électroménager(ère) // nm électroménager m; ~**encefalograma** nm électro-encéphalogramme m; ~**imán** nm électro-aimant m; ~**magnético**, a a élec-tromagnétique; ~**mecánico**, a a électromécanique // a électromé-canique f; ~**motor** nm électromo-teur m.

electrón nm électron m; ~**ico**, a a électronique // nf électronique f.

electrotecnia nf électrotech-nique f; **electrotécnico**, a a électro-technique // nf ingénieur m élec-tricien.

electrotermo nm chauffe-eau m inv électrique.

elefante nm éléphant m; ~ **marino** éléphant de mer, morse m.

elegancia nf (gracia) élégance f, grâce f; (estilo) distinction f.

elegante a élégant(e); distingué(e) // nm/f élégant/e.

elegía nf élégie f.

elegible a éligible.

elegir vt (escoger) choisir; (optar) voter pour, élire; (presidente) élire.

elemental a fondamental(e); primordial(e).

elemento nm élément m; (fig) in-dividu m; ~**s** nmpl éléments, maté-riel m.

elevación nf hauteur f, montée f; élévation f; (fig) noblesse f.

elevado, a a élevé(e); (estilo) soutenu(e).

elevar vt élever; ~**se** vr (edificio) s'élever; (precios) monter, s'élever; (transportarse, enajenarse) être transporté(e); (engreírse) s'enor-gueillir.

eliminar vt éliminer.

elocución nf élocution f; (estilo) style m, expression f.

elocuencia nf éloquence f.

elogiar vt louer, faire l'éloge de.

elogio nm éloge m.

eludir vt (evitar) éluder; (escapar) échapper.

ella pron elle.

ellas pron elles.

ello pron cela, ça, c'.

ellos pron ils; (después de prep) eux.

emanar vi: ~ **de** émaner de; (des-

prenderse de) se détacher de; (deri-var de) découler de.

emancipar vt émanciper; ~**se** vr s'émanciper; s'affranchir.

embadurnar vt barbouiller; badigeonner; enduire.

embajada nf ambassade f; (mensaje) commission f.

embajador, a nm/f ambas-sadeur/drice.

embalaje nm emballage m.

embalar vt (envolver) emballer; (envasar) conditionner.

embalsar vt endiguer; retenir.

embarazada a enceinte // nf femme enceinte.

embarazar vt embarrasser; ~**se** vr (aturdirse) être embarrassé(e); (confundirse) s'embrouiller.

embarazo nm (de mujer) gros-sesse f; (impedimento) embarras m; (timidez) gaucherie f.

embarcación nf (barco) embar-cation f; (acto) embarquement m.

embarcadero nm embarcadère m.

embarcador nm chargeur m.

embarcar vt embarquer; (persona) entraîner; ~**se** vr s'embarquer.

embargar vt (impedir) gêner; (restringir) restreindre; (confundir) embarrasser; (emocionar) saisir; (JUR) séquestrer, saisir.

embarque nm embarquement m.

embate nm coup m de mer; assaut m.

embaular vt mettre dans une malle; (fig) s'empiffrer de.

embebecerse vr (extasiarse) être ébahi(e), s'extasier; (fascinarse) s'extasier; être fasciné(e).

embeber vt (absorber) absorber; (empapar) imbiber // vi rétrécir; ~**se** vr: ~**se de alcohol** s'imbiber d'alcool; ~**se en la lectura** s'absorber dans la lecture.

embelesar vt (cautivar) charmer, ravir; (maravillar) éblouir; ~**se** vr être transporté(e) par.

embellecer vi, vt embellir; ~se vr s'embellir.

embestida nf attaque f; assaut m.

embestir vt assaillir, attaquer; (DE-PORTE) attaquer; (atacar, cargar) attaquer, charger // vi attaquer; ~ **con** foncer sur.

emblema nm emblème m.

embobado, a a (atontado) ébahi(e); (extasiado) hébété(e).

embocadura nf embouchure f; (de vino) bouquet m.

embolsar vt empocher.

emborrachar vt enivrer; ~se vr s'enivrer.

emboscada nf (celada) embuscade f, guet-apens m; (trampa) piège m, trappe f.

emboscar vt embusquer; ~se vr s'embusquer.

embotar vt engourdir; ~se vr (adormecerse) s'émousser; (estar aturdido de cansancio) être engourdi(e) (de fatigue).

embotellar vt embouteiller; (fig) encombrer; ~se vr s'embouteiller.

embozo nm (de capa) pan m; (de sábana) revers m; (fig) dissimulation f.

embragar vt embrayer.

embrague nm (pedal m de) (pédal m de) embrayage m.

embravecer vt irriter; rendre furieux; ~se vr s'irriter; (el mar) être démonté(e); (tormenta) se déchaîner.

embriagado, a a (emborrachado) ivre; (enajenado) enivré(e), transporté(e).

embriagar vt (emborrachar) enivrer; (enajenar) enivrer, griser; ~se vr (emborracharse) s'enivrer; (extasiarse) s'extasier.

embriaguez nf ivresse f; griserie f.

embrión nm embryon m.

embrollar vt embrouiller; confondre; compliquer; ~se vr (confundirse) s'embrouiller; ~se **con uno** se brouiller avec qn.

embrollo nm embrouillement m;

confusion f; (pey) imbroglio m, histoire f.

embromar vt (engañar) mystifier, berner; (burlarse de) se moquer de; (fastidiar) ennuyer; ~se vr (AM) s'ennuyer; **estar embromado** (fam) ne pas être dans son assiette.

embrujar vt ensorceler, envoûter.

embrutecer vt (atontar) abrutir; (atolondrar) étourdir; (volver necio) rendre idiot; ~se vr s'abrutir.

embrutecimiento nm abrutissement m.

embudo nm entonnoir m; (fig) tromperie f.

embuste nm mensonge m; imposture f.

embustero, a a menteur(euse); imposteur // nm/f imposteur m.

embutido nm (CULIN) charcuterie f; (TEC) marqueterie f.

embutir vt (TEC) marqueter; (llenar) bourrer.

emergencia nf circonstance f, cas m; (surgimiento) émergence f.

emético, a a émétique // nm émétique m.

emigración nf (éxodo) exode m; (destierro) émigration f.

emigrar vi (pájaros) migrer; (personas) émigrer; ~ **a o hacia** émigrer en.

eminencia nf éminence f; ~ **gris** éminence grise.

eminente a éminent(e).

emisario nm émissaire m.

emisión nf émission f.

emisora nf station émettrice f.

emitir vt émettre.

emoción nf agitation f, émotion f, excitation f; (turbación) trouble m.

emocionante a émouvant(e); excitant(e); impressionnant(e).

empacar vt emballer; ~se vr s'entêter, se buter.

empacho nm (MED) embarras m gastrique; (fig) obstacle m.

empalagar vi (alimentos) écœurer; (fastidiar) ennuyer, assommer; ~se vr s'écœurer.

empalizada nf palissade f.

empalmar vt assembler // vi (dos caminos) s'embrancher; (tren: con ómnibus) correspondre.

empalme nm (conexión) embranchement m, liaison f; (unión) assemblage m; (de trenes etc) correspondance f.

empanada nf pâté m en croûte, friand m; ~ **de carne** pâté de viande en croûte; ~ **de queso** fromage m en croûte.

empanar vt (trigo) étouffer; (envolver con pasta) paner; enrober de pâte.

empañar vt (niño) langer; (nublar) embuer; ~**se** vr (nublarse) s'embuer; (fig) s'attrister.

empapar vt (mojar) tremper; (absorber) boire, absorber; ~**se** vr: ~**se de** (imbiber de; être trempé(e) de; (fig) se pénétrer de.

empapelar vt (paredes) tapisser; (envolver con papel) empaqueter.

empaque nm empaquetage m; (fam) allure f; (AM) effronterie f.

empaquetar vt empaqueter.

emparedado, a a emmuré(e) // nm sandwich m.

emparejar vt (alinear) assortir; (igualar) uniformiser; (nivelar) niveler.

empastar vt (embadurnar) empâter; (libro) cartonner; (diente) plomber.

empatar vi égaliser.

empate nm (en elección) ballottage m; (DEPORTE) match nul.

empedernidamente ad de façon insensible ou endurcie.

empedernido, a a endurci(e); (fijado) invétéré(e); (insensible, dur(e).

empedernir vt endurcir.

empedrado, a a pavé(e); (fig) constellé(e) // nm pavage m.

empedrar vt (adoquinar) paver; (fig) semer, truffer.

empellón nm poussée f.

empeñar vt (cosa prendada) engager; ~**se** vr s'efforcer; insister; s'obstiner; (endeudarse) s'endetter.

empeño nm (cosa prendada) en-

gagement m; (determinación, insistencia) acharnement m, opiniâtreté f; **banco de ~s** mont-de-piété m.

empeorar vt aggraver; détériorer // vi, ~**se** vr s'aggraver, se détériorer.

empequeñecer vt rapetisser; (fig) amoindrir.

emperador nm empereur m.

empero conj cependant, néanmoins.

empezar vt, vi commencer; ~ **por** commencer par.

empiezo etc vb ver **empezar**.

empinado, a a raide, en pente; (persona) sur la pointe des pieds; (fig) suffisant(e), hautain(e).

empinar vt dresser, mettre debout; (botella) incliner // vi (fam) boire; ~**se** vr se dresser sur la pointe des pieds; (animal) se cabrer; (camino) s'élever, monter; ~ **el codo** (fam) lever le coude.

empingorotado, a a huppé(e).

empírico, a a empirique.

emplasto, emplaste nm (MED) emplâtre m; (componenda) emplâtre; (fam: parche) pièce f, rustine f.

emplazamiento nm emplacement m; (JUR) assignation f, mise en demeure f.

emplazar vt (gen) placer; (JUR) assigner, convoquer.

empleado, a a employé(e) // nm/f employé/e.

emplear vt (usar) employer, se servir de; (dar trabajo a) employer; ~**se** vr (conseguir trabajo) être employé(e), s'employer; (ocuparse) s'employer.

empleo nm (puesto) emploi m; (uso) usage m.

empobrecer vt appauvrir; ~**se** vr s'appauvrir.

empobrecimiento nm appauvrissement m.

empollar vt couver; (fig) ruminer // vi pondre le couvain.

emponzoñar vt empoisonner; corrompre.

emporio nm centre commercial; (*gran almacén*) grand magasin; ~ **de las artes** haut lieu des arts.

empotrar vt sceller; encastrer.

emprender vt attaquer; commencer, entreprendre; ~ **viaje** se mettre en route.

empreñar vt féconder; ~**se** vr être fécondé(e).

empresa nf entreprise f.; ~ **comercial** société commerciale.

empréstito nm emprunt m.

empujar vt pousser.

empuje nm coup m, poussée f; (*fig*) énergie f, allant m.

empujón nm bourrade f, poussée brutale.

empuñadura nf poignée f.

empuñar vt (*asir*) empoigner; (*fig*) décrocher, obtenir.

emulación nf émulation f.

emular vt rivaliser avec.

émulo, a nm/f émule m/f, rival/e.

en prep dans; en; à; (*lugar*): **vivir ~ Toledo** vivre à Tolède; **leer ~ un libro** lire dans un livre; **sentarse ~ el suelo** s'asseoir sur le sol; (*tiempo*): **lo terminó ~ 6 días** il l'a fini en 6 jours; ~ **el mes de enero** au mois de janvier; ~ **la Edad Media** au Moyen Âge; ~ **nuestro tiempo** à notre époque; **¿~ qué momento?** à quel moment?; (*modo*): ~ **voz baja** à voix basse; **llorar ~ silencio** pleurer en silence; **tener el coche ~ reparación** avoir sa voiture en réparation; **andar ~ bicicleta** aller à bicyclette; **doctor ~ letras** docteur ès lettres; **reconocer a uno ~ el andar** reconnaître qn à la démarche; **decir ~ broma** dire pour rire; **hablar ~ serio** parler sérieusement.

enaguas nfpl jupon m.

enajenación nf, **enajenamiento** nm aliénation f; transfert m; (*extrañamiento*) ravissement m, étonnement m.

enajenar vt aliéner; (*fig*) mettre hors de soi, rendre fou(folle); ~**se** vr (*de un bien*) perdre, s'aliéner;

(*turbarse*) perdre tout contrôle.

enamorado, a a amoureux(euse).

enamorar vt rendre amoureux(euse); ~**se** vr s'éprendre, tomber amoureux(euse).

enano, a a nain(e) // nm/f nain/e.

enarbolar vt arborer; ~**se** vr (*animal*) se cabrer; (*persona*) se fâcher.

enardecer vt échauffer, exciter; (*fuego*) exciter, attiser; ~**se** vr s'échauffer, s'enflammer.

enardecimiento nm échauffement m.

encabestrar vt (*caballo*) enchevêtrer; (*tropa*) habituer à suivre le sonnailler; (*fig*) enjôler.

encabezamiento nm (*de carta*) en-tête f; (*preámbulo*) introduction f; (*registro*) recensement m.

encabezar vt (*manifestación*) être à la tête de; (*lista*) être le premier/la première sur; (*carta, libro*) placer une en-tête sur; (*empadronar*) recenser; (*vino*) alcooliser.

encabritarse vr (*caballo*) se cabrer; (*fig*) se fâcher.

encadenamiento nm enchaînement m.

encadenar vt enchaîner.

encajar vt (*ajustar, encastrar*) emboîter, encastrer; (*hueso*) remettre; (*golpe*) donner; ~**se** vr s'enchâsser, s'enclaver, s'emboîter; ~**se en un sillón** se fourrer dans un fauteuil.

encaje nm (*labor*) dentelle f; (*castre*) encaisse f.

encajonar vt encaisser, mettre dans des caisses; (*arrinconar*) acculer, coincer; (*ARQ*) coffrer; ~**se** vr s'encaisser.

encalar vt blanchir à la chaux.

encallar vi échouer.

encallecer vi, ~**se** vr devenir calleux(euse); durcir; (*fig*) s'endurcir.

encaminar vt (*guiar*) diriger, montrer le chemin à; (*mercaderías, vehículo*) acheminer; (*encauzar, orientar*) diriger, orienter; ~**se** vr: ~**se a** se diriger vers; (*fig*) tendre à.

encandilar vt éblouir; (*fuego*) aviver.

encantador, a a enchanteur(eresse), ravissant(e) // nm/f enchanteur/eresse.

encantar vt (*seducir*) enchanter; (*cautivar*) ravir; **encantada de conocerle** enchantée de faire votre connaissance.

encanto nm enchantement m; (*seducción*) charme m.

encapotar vt couvrir d'un manteau; **~se** vr se couvrir; (*fig*) froncer les sourcils.

encapricharse vr s'entêter.

encaramar vt (*alzar*, *elevar*) jucher, hisser; (*elogiar*, *alabar*) louer, faire l'éloge de; **~se** vr (*subirse*) grimper; (*ascender*) grimper, s'élever.

encarar vt affronter; (*AM*) envisager; **~se** vr: **~se con** affronter.

encarcelar vt emprisonner.

encarecer vt élever ou faire monter le prix de; (*pedir*) recommander // vi, **~se** vr augmenter.

encarecimiento nm enchérissement m, hausse f; (*pedido insistente*) recommandation f.

encargado, a a chargé(e) // nm/f agent/e; (*responsable*) responsable m/f; **el ~ de negocios** le chargé d'affaires.

encargar vt (*pedir*) commander; (*recomendar*) recommander; **~se** vr: **~se de** se charger de; **~ algo a uno** charger qn de qch; **~se un vestido** se faire faire une robe.

encargo nm (*pedido*) commission f; (*recomendación*) recommandation f; (*COM*) commande f.

encarnación nf incarnation f.

encarnado, a a incarné(e) // nm incarnat m.

encarnar vt s'incarner, personnifier // vi (*REL*) s'incarner; (*MED*) se cicatriser.

encarnizado, a a rouge de colère, acharné(e).

encarnizarse vr s'acharner.

encarrilar vt diriger; (*tren*) aiguiller; (*fig*) mettre sur la voie, orienter; **~se** vr prendre le bon chemin, s'orienter.

encasillado nm a classifié(e); limité(e); (*fig*) enfermé(e) // (*encerrado en casillas*) quadrillage m; (*crucigrama*) mots-croisés mpl, grille f.

encastillar vt fortifier; **~se** vr (*fig*) s'enfermer, se retrancher.

encausar vt mettre en accusation.

encauzar vt diriger, endiguer; acheminer, diriger, orienter.

encenagarse vr s'embourber; (*fig*) se vautrer, croupir.

encender vt (*luz*, *fuego*, *gas*, *radio*) allumer; (*fig*) enflammer; **~se** vr (*fuego*, *luz* etc) s'allumer; (*excitarse*) s'enflammer; (*el rostro*) rougir.

encendido nm allumage m.

encerado, a a (*piso*, *mueble*) ciré(e); (*rostro*) cireux(euse) // nm (*de piso*) encaustiquage m; (*pizarrón*) tableau noir; (*tela*) toile cirée.

encerar vt (*piso*, *mueble*) cirer; (*dar brillo a*) faire briller, dorer.

encerrar vt (*confinar*) enfermer; (*comprender*, *incluir*) renfermer, contenir; **~se** vr s'enfermer.

encía nf gencive f.

enciclopedia nf encyclopédie f.

encierro nm réclusion f, retraite f; (*calabozo*) cachot m; (*TAUR*) toril m; emprisonnement m des taureaux dans le toril; (*AGR*) parcage m.

encima ad (*sobre*) dessus; (*además*) en plus; **~ de** (*en*) sur; (*sobre*) au-dessus de; (*además de*) en plus de; **~ de la mesa** sur la table; **por ~ de** par-dessus; **¿llevas dinero ~?** tu as de l'argent sur toi?; **por ~ de todo** par dessus tout, en plus de tout cela; **se me vino ~** il m'est tombé dessus.

encina nf chêne m.

encinta a enceinte // nf enceinte f.

enclavar vt (*clavar*) clouer; (*atravesar*) transpercer; (*sitio*) enclaver; (*fig: fam*) escroquer.

enclenque a (débil) chétif (ive), malingre; (enfermizo) souffreteux (euse).

encoger vt (gen) rétrécir; (músculo) contracter; (fig) troubler, intimider; ~**se** vr (tela) rétrécir; (contraerse) se contracter; (estrecharse) se rétrécir; (fig) se démonter, être intimidé(e); ~**se de hombros** hausser les épaules.

encogido, a a (estrechado) serré(e), rétréci(e); (contraído) contracté(e), noué(e).

encogimiento nm (contracción) rétrécissement m, pincement m; (timidez) timidité f.

encolar vt (engomar) encoller; (pegar) coller.

encolerizar vt irriter; ~**se** vr se mettre en colère, s'irriter.

encomendar vt (encargar) charger; (confiar) confier; (recomendar) recommander; ~**se** vr: ~**se a** s'en remettre à, se confier à.

encomiar vt louer, vanter.

encomienda nf (encargo) affaire confiée à qn, commission f; (precio, tributo) prix m, tribut m; (dignidad) commanderie f; (AM: donación real de tierras e indios) encomienda f; ~ **postal** (AM) colis postal.

encomio nm louange f, éloge m.

enconado, a a (MED) enflammé(e); (fig) irrité(e), furieux(euse).

enconar vt (MED) enflammer (fig) envenimer; ~**se** vr (MED) s'enflammer; (fig) se fâcher, être exaspéré(e).

encono nm (rencor) rancune f; (odio) hostilité f, animosité f.

encontrado, a a (contrario) opposé(e), contraire; (hostil) hostile.

encontrar vt (hallar) trouver; rencontrer; ~**se** vr se rencontrer; (situarse) se trouver; (entrar en conflicto) se heurter; ~**se con problemas** devoir affronter des problèmes; ~**se bien de salud** être en bonne santé.

encontronazo nm choc m, collision f.

encopetado, a a élevé(e); huppé(e).

encorralar vt parquer.

encrespar vt (cabellos) friser; (agua) onduler; (fig) irriter; ~**se** vr (el mar) moutonner, être agité(e); (fig) s'échauffer, s'envenimer.

encrucijada nf carrefour m.

encuadernación nf reliure f.

encuadernador, a nm/f relieur/euse.

encuadernar vt relier.

encubiertamente ad en secret, secrètement.

encubrir vt (disimular) cacher, dissimuler; (ocultar) occulter; (criminal) cacher, donner refuge à.

encuentro vb ver **encontrar** // nm (de personas) rencontre f; (de trenes) collision f; (DEPORTE) rencontre, (MIL) accrochage m.

encuesta nf enquête f; ~ **judicial** autopsie f.

encumbrado, a a élevé(e); éminent(e).

encumbrar vt élever; faire l'éloge de; ~**se** vr s'élever; (fig) progresser, monter en flèche.

enchapar vt plaquer.

encharcado, a a stagnant(e), dormant(e).

enchufar vt (ELEC, TEC) brancher; (fig: fam) trouver un emploi pour.

enchufe nm (ELEC) prise f; (de dos tubos) embranchement m, raccord m; (fam: influencia) piston m; (: puesto) emploi m.

ende: **por** ~ par là, par suite, par conséquent.

endeble a (débil) faible; (enclenque) chétif(ive).

endecha nf complainte f; (composición métrica) quatrain m.

endémico, a a endémique; (fig) persistant(e).

endemoniado, a a diabolique, démoniaque; possédé(e); (fig) pervers(e).

endentar vt engrener // vi s'engrener.

enderezar vt (poner derecho) redresser; (carta) adresser, dédier; (fig) rectifier // vi: ~ a se diriger vers; ~se vr (persona sentado) se relever; (fig) se remettre dans le droit chemin.

endeudarse vr s'endetter.

endiablado, a a diabolique; endiablé(e); possédé(e); (fig) pervers(e), incompréhensible.

endilgar vt (fam) acheminer, expédier; me endilgó otro trabajo il m'a refilé un autre travail.

endiosar vt diviniser; (fig) aduler; ~se vr (engreírse) s'enorgueillir; (extasiarse) s'absorber, se plonger.

endomingarse vr s'endimancher.

endosar vt endosser; (fam): ~ algo a uno refiler qch à qn.

endulzar vt sucrer; (fig) adoucir.

endurecer vt durcir; ~se vr durcir, se durcir; (fig) s'endurcir.

endurecido, a a (duro) dur(e); (fig) dur, endurci(e); estar ~ a algo être accoutumé ou fait à qch.

endurecimiento nm obstination f; (tenacidad) entêtement m; (crueldad) durcissement m.

enemigo, a a antagoniste, contraire; ennemi(e) // nm/f ennemi(e) // nf inimitié f, antipathie f.

enemistad nf inimitié f; hostilité f.

enemistar vt brouiller, fâcher; ~se vr se brouiller.

energía nf énergie f; fermeté f, résolution f; tener ~s avoir du nerf.

enérgico, a a énergique.

enero nm janvier m.

enfadar vt agacer, mettre en colère; ~se vr être agacé(e), se fâcher.

enfado nm (enojo) colère f; (disgusto) brouille f; (irritación) irritation f.

enfadoso, a a (molesto) ennuyeux(euse), fâcheux(euse); (desagradable) déplaisant(e).

enfardelar, enfardar vt (pasto) faire des bottes avec; (empaquetar) empaqueter.

énfasis nm emphase f.

enfático, a a emphatique; (afectado) affecté(e).

enfermar vt rendre malade // vi tomber malade; ~se vr tomber malade; (fig): ~se por se rendre malade pour.

enfermedad nf maladie f.

enfermería nf infirmerie f.

enfermero, a nm/f infirmier/ière; ~ ambulante infirmier à domicile; ~ nocturno garde m de nuit.

enfermizo, a a (persona) maladif (ive); (lugar) insalubre, malsain(e).

enfermo, a a malade // nm/f malade m/f.

enflaquecer vt (adelgazar) amaigrir; (debilitar) affaiblir; ~se vr maigrir; faiblir.

enfrascar vt mettre en flacon; ~se vr: ~se en s'absorber dans, se plonger dans.

enfrenar vt (caballo) brider; (fig) réfréner, contenir.

enfrentar vt (peligro) affronter; (a uno) confronter; (oponer, carear) opposer, dresser; ~se vr (dos personas) s'affronter; (deportes) rencontrer; ~se a o con faire face à, affronter.

enfrente ad en face; la vereda de ~ le trottoir d'en face.

enfriamiento nm réfrigération f; (MED) refroidissement m.

enfriar vt (alimentos) refroidir; (algo caliente) rafraîchir; (habitación) aérer; (AM) tuer; ~se vr (resfriarse) prendre froid; (amistad) s'éteindre.

enfurecer vt mettre en colère; ~se vr entrer en fureur; (mar) se démonter.

engalanar vt (adornar) parer; (ciudad) pavoiser; ~se vr se parer, se pomponner.

enganchar vt (caballo) atteler; (dos vagones) accrocher; (TEC) enclencher; (MIL) recruter; (fig: fam: persona) entortiller, embobiner; ~se vr (la ropa) s'accrocher; (MIL) s'engager.

enganche *nm* crochet *m*; accroc *m*; recrutement *m*; attelage *m*; accrochage *m*.

engañar *vt* tromper; (*trampear*) duper; (*traicionar*) trahir; ~**se** *vr* se tromper.

engaño *nm* erreur *f*; mystification *f*; fraude *f*; trahison *f*.

engañoso, a *a* (*tramposo*) tricheur(euse), trompeur(euse); (*mentiroso*) menteur(euse); (*irreal*) trompeur(euse).

engarce *nm* (*de anillo*) sertissage *m*, enchâssement *m*; (*fig*) enchaînement *m*.

engarzar *vt* (*joya*) enchâsser; (*fig*) enchaîner.

engastar *vt* enchâsser, sertir, monter.

engaste *nm* sertissage *m*, enchâssement *m*.

engatusar *vt* (*fam*) embobiner, entortiller.

engendrar *vt* engendrer; (*fig*) causer, occasionner.

englosinar *vt* allécher; ~**se** *vr*: ~**se con** prendre goût à, s'habituer à.

engomar *vt* encoller; engommer; (*tejido*) apprêter, gommer.

engordar *vt* engraisser // *vi* grossir.

engorroso, a *a* ennuyeux(euse); délicat(e); compliqué(e).

engranaje *nm* engrenage *m*; ~ **de transmisión** engrenage d'entraînement.

engranar *vt* engrener // *vi* s'engager.

engrandecer *vt* augmenter; agrandir; (*alabar*) louer, vanter; (*exagerar*) grandir, exagérer.

engrasar *vt* graisser; lubrifier; (*animal*) engraisser.

engreído, a *a* bouffi(e) d'orgueil, orgueilleux(euse); suffisant(e); infatué(e).

engreírse *vr* s'enorgueillir; ~ **a** (*AM*) s'attacher à.

engrosar *vt* (*ensanchar*) agrandir, élargir; (*aumentar*) augmenter // *vi*

grossir; ~**se** *vr* (*cuerpo*) s'élargir; (*dinero*) augmenter; (*problema*) se grossir, se compliquer.

engullir *vt* engloutir.

enhebrar *vt* enfiler.

enhiesto, a *a* (*derecho*) droit(e); (*alzado*) dressé(e); (*tieso*) raide.

enhorabuena *nf* félicitations *fpl*; congratulations *fpl* // *ad* heureusement.

enigma *nm* mystère *m*, énigme *f*, secret *m*; charade *f*.

enjabonar *vt* savonner; (*fam*) passer un savon à; passer de la pommade à.

enjaezar *vt* harnacher.

enjalbegar *vt* (*muro*) badigeonner, chauler; (*rostro*) se plâtrer.

enjambre *nm* essaim *m*.

enjaular *vt* mettre en cage; (*fam*) coffrer.

enjertar *vt* greffer.

enjuagadientes *nm* rince-bouche *m*.

enjuagar *vt* (*ropa*) rincer; (*dientes*) se rincer.

enjuague *nm* rinçage *m*; (*fig*) intrigue *f*.

enjugar *vt* sécher; (*lágrimas*) essuyer; (*déficit*) éponger, apurer; ~**se** *vr* s'essuyer.

enjuiciar *vt* (*JUR*: *juzgar*) juger; (*procesar*) mettre en accusation; instruire; (*fig*) juger.

enjuto, a *a* sec(sèche); desséché(e); (*fig*) maigre.

enlace *nm* enchaînement *m*; (*relación*) rapport *m*; (*casamiento*) union *f*; (*de carretera, trenes*) correspondance *f*; **agente de** ~ agent *m* de liaison; ~ **sindical** délégué/e syndical(e).

enladrillar *vt* carreler.

enlazar *vt* (*atar*) lier, attacher; (*conectar*) rattacher, relier; (*AM*) prendre au lasso; ~**se** *vr* (*novios*) s'unir, se marier; (*dos familias*) s'unir; (*conectarse*) être lié(e).

enlodar, enlodazar *vt* souiller, maculer; (*fig*) déshonorer.

enloquecer *vt* rendre fou (folle);

(fig) affoler // *vi,* ~**se** *vr* devenir fou(folle).

enlosar *vt* carreler.

enlutar *vt* endeuiller; ~**se** *vr* prendre le deuil.

enmarañar *vt (enredar)* emmêler; *(fig)* embrouiller; ~**se** *vr (enredarse)* s'emmêler; *(confundirse)* s'embrouiller; *(cielo)* se couvrir.

enmascarar *vt (rostro)* masquer; *(fig)* dissimuler; ~**se** *vr* se masquer; *(disfrazarse)* se déguiser; *(fig)* se camoufler.

enmendar *vt* corriger; réparer; *(compensar, recompensar)* dédommager; *(conducta, comportamiento)* corriger; ~**se** *vr* s'amender.

enmienda *nf* correction *f;* amendement *m;* dédommagement *m.*

enmohecerse *vr (metal)* rouiller; *(muro, plantas)* moisir.

enmudecer *vt* faire taire // *vi (perder el habla)* devenir muet(te); *(guardar silencio)* se taire, rester muet.

ennegrecer *vt* noircir; ~**se** *vr* se noircir.

ennoblecer *vt* anoblir; *(fig)* ennoblir.

enojadizo, a *a* irritable.

enojar *vt (irritar)* *(molestar)* ennuyer; *(ofender)* offenser; ~**se** *vr* s'irriter, se fâcher; s'offenser; *(viento, mar)* se déchaîner.

enojo *nm (ira)* colère *f;* *(ofensa)* offense *f;* *(molestia)* ennui *m;* *(trabajo)* peine *f.*

enojoso, a *a (desagradable)* déplaisant(e), irritant(e); *(tedioso)* ennuyeux(euse).

enorgullecerse *vr* s'enorgueillir; ~ **de** se vanter de, tirer vanité de.

enorme *a* énorme; monstrueux (euse); important(e); **enormidad** *nf* énormité *f;* *(despropósito)* sottise *f,* absurdité *f;* *(perversidad)* monstruosité *f.*

enramada *nf (de árbol)* ramure *f;* *(techo)* ramée *f,* berceau *m* de verdure.

enrarecer *vt* raréfier; ~**se** *vr*

(aire) se raréfier; *(producto)* devenir rare.

enredadera *nf* grimpante *f.*

enredar *vt (ovillo)* emmêler; *(peces)* prendre dans un filet; *(situación)* compliquer, embrouiller; *(meter cizaña)* brouiller, semer la discorde parmi; *(implicar)* engager, embarquer; ~**se** *vr* s'emmêler; se compliquer; s'embourber; *(AM: fam)* tomber amoureux(euse).

enredo *nm (maraña)* enchevêtrement *m;* *(confusión)* confusion *f;* *(intriga)* manigances *fpl,* intrigue *f.*

enrejado *nm (de jaula)* grilles *fpl;* *(de habitación, pérgola)* grillage *m.*

enrejar *vt* grillager.

enrevesado, a *a* compliqué(e); *(enredado)* embrouillé(e).

enriquecer *vt (tierra)* enrichir, amender; *(mejorar)* améliorer; ~**se** *vr* s'enrichir.

enrojecer *vt* rougir; *(persona)* faire rougir // *vi,* ~**se** *vr (metal, persona)* rougir; *(cielo)* s'empourprer.

enrollar *vt* enrouler.

enroscar *vt (torcer, doblar)* enrouler; *(tornillo, rosca)* visser; ~**se** *vr* s'enrouler.

ensaimada *nf* gâteau.

ensalada *nf* salade *f.*

ensaladilla *nf* macédoine *f.*

ensalmar *vt (hueso)* remettre; *(curar)* guérir.

ensalmo *nm (remedio)* remède *m* empirique.

ensalzar *vt (alabar)* louer; *(celebrar)* célébrer les louanges de; *(exaltar)* exalter.

ensambladura *nf,* **ensamblaje** *nm* assemblage *m.*

ensamblar *vt* assembler.

ensanchamiento *nm (de calle)* élargissement *m;* *(de vaso)* évasement *m.*

ensanchar *vt (hacer más ancho)* élargir; *(agrandar)* agrandir; ~**se** *vr* agrandir; *(pey)* se gonfler; **ensanche** *nm (de vestido, calle)* élargissement m; (de negocio) expansion f.

ensangrentar vt ensanglanter; ~**se** vr baigner dans le sang; (fig) s'échauffer, s'irriter.

ensañar vt rendre furieux (euse); ~**se** vr: ~**se con** s'acharner sur.

ensartar vt (gen) enfiler; (carne: en la brocha) embrocher; ~**se** vr (AM) tomber dans un piège.

ensayar vt essayer, (TEATRO) répéter; ~**se** vr (probar) essayer; (practicar) s'exercer.

ensayista nm/f essayiste m.

ensayo nm essai m, (QUÍMICA) essai, expérience f; (TEATRO) répétition f.

ensenada nf anse f, crique f.

enseña nf enseigne f.

enseñanza nf enseignement m; (doctrina) doctrine f.

enseñar vt (educar) enseigner; (instruir) instruire; (mostrar, señalar) montrer.

enseres nmpl ustensiles mpl; (herramientas) outils mpl; (artículos de limpieza) articles mpl d'entretien; ~ **domésticos** effets mpl domestiques.

ensillar vt seller.

ensimismarse vr s'absorber, rentrer en soi-même; se concentrer; (AM) faire l'important.

ensoberbecerse vr s'enorgueillir; (mar) s'agiter.

ensordecer vt assourdir // vi devenir sourd(e).

ensortijar vt (cabellos) friser; (animal) mettre un anneau à; ~**se** vr se friser.

ensuciar vt (manchar) salir; (fig) flétrir // vi faire ses besoins; ~**se** vr (mancharse) se salir; (fig) se vendre, se laisser acheter.

ensueño nm (fantasía) rêve m, rêverie f; (ilusión) songe m.

entablado nm (piso) plancher m; (armazón) armature f en planches.

entablar vt (recubrir) parqueter, planchéier; (AJEDREZ, DAMAS) disposer; (conversación) amorcer, enga-

ger; (JUR) entamer // vi faire partie nulle.

entallar vt entailler; (piedra): ciseler; graver; (traje) ajuster // vi: el traje **entalla bien** ce costume est bien ajusté.

ente nm (ser) living) être m, créature f; (sociedad) firme f, société f; (fam) phénomène m.

enteco, a, entecado, a adj chétif(ive), maladif(ive); délicat(e).

entender vt (comprender) comprendre; (creer, pensar) croire, penser; (querer decir) entendre // vi: ~ **de** s'y entendre; ~ **en** s'occuper de; ~**se** vr (comprenderse) se comprendre; (ponerse de acuerdo) s'entendre, se mettre d'accord; (aliarse) se mettre en rapport; (fam) avoir une liaison; **me entiendo con la mecánica** je m'entends en mécanique; **entendido, a** a (comprendido) entendu(e); (inteligente, hábil) entendu(e); compétent(e) // nm/f connaisseur/euse // excl entendu!, d'accord!, compris!; **entendimiento** nm (comprensión) entente f; (facultad intelectual) entendement m; (juicio) jugement m.

enterado, a adj (al corriente) au courant; (fam: entendido) calé(e) // nm/f connaisseur/euse.

enteramente ad entièrement.

enterar vt (informar) informer; (AM: dinero: dar) verser; ~**se** vr s'informer; ¿**se enteró de lo ocurrido?** il a su ce qui s'était passé?

entereza nf intégrité f, énergie f, fermeté f; honnêteté f.

enternecer vt (ablandar) ramollir; (apiadar) apitoyer; (conmover) attendrir; ~**se** vr (apiadarse) s'apitoyer; (conmoverse) s'attendrir.

entero, a adj entier(ière); robuste, vigoureux(euse); intègre, droit(e) // nm (COM: punto) point m; (AM: pago) versement m, solde m.

enterrador nm (de cementerio) fossoyeur m; (ZOOL) nécrophore m, enfouisseur m.

enterrar vt (muerto) ensevelir; (objeto) enterrer, enfouir; (olvidar) enterrer; (planta) planter, mettre en terre; **~se** vr s'enterrer.

entibiar vt attiédir, tiédir; (fig) modérer, tempérer.

entidad nf (empresa) entité f, société f; (organismo) organisme m; (sociedad) société f; (FILOSOFÍA) entité f.

entiendo etc vb ver **entender**.

entierro nm enterrement m.

entonación nf (LING) intonation f; (fig) arrogance f.

entonado, a a (MUS) juste; (fig) arrogant(e).

entonar vt (canción) entonner; (colores) harmoniser; (MED) ragaillardir, fortifier // vi chanter juste; **~se** vr (engreírse) parader, poser; (fortalecerse) se remonter.

entonces ad alors; **desde ~ hasta ahora** depuis lors; **en aquel ~** à cette époque.

entornar vt (puerta, ventana) entrebâiller; (los ojos) entrouvrir.

entorpecer vt (adormecer los sentidos) engourdir; (molestar, impedir) gêner, paralyser.

entorpecimiento nm (de los sentidos) engourdissement m; (del tránsito) embarras m, obstacle m.

entrada, a a: ~ **en años** d'un âge avancé; **una vez ~ el verano** une fois l'été commencé // nf (acceso) entrée f; (COM) recette f; (CULIN) entrée; (TEATRO) réplique f; (DEPORTE) début m; (para el cine etc) billet m; **tener entradas en la frente** avoir le front dégarni; (COM): **entradas y salidas** recettes et dépenses; (TEC): **entrada de aire** bouche f d'aération.

entrante a qui commence // nm/f entrant m/f; (LING) golf m, fjord m.

entraña nf (fig: centro) cœur m; (de problema) nœud m; **~s** nfpl (ANAT) viscères mpl.

entrañable a intime; cher (chère); profond(e).

entrar vt faire entrer // vi entrer;

(comenzar): ~ **diciendo** commencer par dire; ~ **en calor** se réchauffer; ~ **en razón** entendre raison; ~ **a atacar** s'apprêter à attaquer; **no me entra** je n'arrive pas à comprendre; **el año que entra** l'année qui commence.

entre prep entre; **pensaba ~ mí** je pensais en moi-même.

entreabrir vt (ojos) entrouvrir; (puerta) entrebâiller; **~se** vr s'entrouvrir.

entrecejo nm: **fruncir el ~** le froncer les sourcils.

entredicho nm défense f.

entrega nf remise f; (de mercancías) livraison f; (rendición) reddition f; (novela por ~s) roman-feuilleton m.

entregar vt (dar) remettre; (librar) livrer; **~se** vr (abandonarse) se livrer, se confier; (rendirse) se rendre; (dedicarse) s'adonner, se livrer.

entrelazar vt (mezclar) mêler; (entretejer) entrelacer; **~se** vr s'emmêler.

entremés nm intermède m; (CULIN) hors-d'œuvre m.

entremeter vt insérer; **~se** vr se mêler; **entremetido, a** a indiscret(ète) // nm/f fureteur/euse; fouineur/euse.

entremezclar vt entremêler; **~se** vr s'entremêler.

entrenador nm entraîneur m.

entrenarse vr s'entraîner.

entreoír vt entendre vaguement.

entresacar vt (elegir) trier, choisir; (seleccionar) sélectionner; (conclusión) tirer.

entresuelo nm (sótano) entresol m; (TEATRO) premier balcon.

entretanto ad pendant ce temps.

entretejer vt entrelacer, mêler.

entretener vt (divertir) distraire, amuser; (cuidar) entretenir; **~se** vr s'amuser, se distraire; (retrasarse) s'attarder, perdre son temps; **entretenido, a** a amusant(e), distrayant(e); **entretenimiento**

entrever vt entrevoir.

entreverar vt entremêler; ~**se** vr: ~**se a** se mêler à.

entrevista nf entrevue f, entretien m.

entristecer vt attrister; ~**se** vr: ~**se con** o **de** o **por** s'attrister de.

entremeter etc = **entremeter** etc.

entronizar vt introniser; (fig) exalter.

entuerto nm dommage m.

entumecer vt engourdir; ~**se** vr (por el frío) s'engourdir; (el mar) s'agiter.

entumecido, a a (entorpecido) gêné(e), alourdi(e); (adormecido) gourd(e).

enturbiar vt (el agua) troubler; (fig) embrouiller; ~**se** vr (oscurecerse) s'obscurcir; (fig) se confondre, se tromper.

entusiasmar vt enthousiasmer; (gustar mucho) ravir; ~**se** vr: ~**se con** o **por** s'enthousiasmer pour.

entusiasmo nm admiration f, enthousiasme m; (excitación) enthousiasme m; (fervor) ferveur f.

entusiasta a passionné(e), enthousiaste; fervent(e); partisan(e) // nm/f enthousiaste m/f.

enumerar vt énumérer.

enunciación nf, **enunciado** nm énumération f, énoncé m; explication f; exposition f.

enunciar vt dire, énoncer; déclarer; exposer; formuler.

envainar vt (cuchillo) engainer; (espada) rengainer.

envalentonar vt enhardir, encourager, stimuler; ~**se** vr s'enhardir; (pey: envanecerse) s'enorgueillir; (: jactarse) se vanter.

envanecer vt enorgueillir; ~**se** vr s'enorgueillir; (jactarse) se vanter.

envasar vt (empaquetar) empaqueter, emballer; (enfrascar) mettre en bouteille; (enlatar) mettre en boîte; (embolsar) mettre en sac // vi (fig: vino) boire avec excès; ~ **un puñal a alguien** (AM) blesser ou tuer qn.

envase nm récipient m; emballage m.

envejecer vt vieillir // vi, ~**se** vr (volverse viejo) devenir vieux (vieille); (fig) se vieillir.

envenenar vt empoisonner; (fig) envenimer.

envenenar vt empoisonner; (fig) envenimer.

envergadura nf envergure f.

envés nm (de página) verso m; (BOT: de hoja) envers m; (fam: espalda) dos m.

enviado, a a envoyé(e) // nm/f délégué/e, envoyé/e; représentant/e; émissaire m.

enviar vt (dirigir) adresser; (expedir) expédier; (despachar) dépêcher; (carta, embajador) envoyer; (mercancías solicitadas) expédier; ~ **a paseo** envoyer promener.

envidia nf (deseo ferviente) envie f; (celos) jalousie f; **envidiar** vt (desear) désirer; (tener celos) envier, jalouser.

envilecer vt (degradar) avilir; (rebajar) rabaisser; ~**se** vr s'avilir; se déshonorer.

envío nm envoi m.

enviudar vi devenir veuf/ veuve.

envoltura nf (cobertura) enveloppe f, couverture f; (embalaje) emballage m; (funda) housse f.

envolver vt empaqueter; (lana) enrouler; (enemigo) envelopper, tourner; (implicar) mêler, impliquer; ~**se** vr (cubrirse) s'envelopper; (enrollarse) s'enrouler.

envuelto pp de **envolver**.

enyugar, enyuntar vt atteler.

enzarzar vt couvrir de ronces; (gusanos de seda) encabaner; (enemistar) brouiller; ~**se** vr se prendre dans les ronces; se brouiller; (implicarse) se fourrer; s'embarquer.

épico, a a épique // nf poésie f épique.

epidemia nf épidémie f.

epidémico, a a épidémique.

epidérmico, a a épidermique; (fig) superficiel(le).

epifanía nf épiphanie f.

epígrafe nm épigraphe f.

epigrama nm épigramme f.

epilepsia nf épilepsie f.

epílogo nm épilogue m.

episcopado nm épiscopat m.

episodio nm (incidente) incident m; (parte) épisode m.

epístola nf épître f; (fam) épître, lettre f; **epistolar** a épistolaire.

epitafio nm épitaphe f.

epíteto nm épithète f.

epítome nm abrégé m, épitomé m.

época nf temps m, époque f; **hacer** ~ faire date.

epopeya nf épopée f.

equidad nf équité f.

equilibrar vt équilibrer, contrebalancer; niveler; compenser; **equilibrio** nm aplomb m, équilibre m; égalité f; harmonie f; proportion f; stabilité f; **equilibrista** nm/f équilibriste m/f.

equinoccio nm équinoxe m.

equipaje nm bagages mpl; (NAUT: tripulación) équipage m; ~ **de mano** bagages à main.

equipar vt (proveer) équiper; (NAUT) armer.

equipo nm (materiales) équipement m; (grupo) équipe f; ~ **quirúrgico** instruments mpl de chirurgie.

equis nf X m.

equitación nf équitation f.

equitativo, a a équitable; raisonnable; impartial(e).

equivalente a équivalent(e) // nm équivalent m; **equivaler** vi équivaloir.

equivocación nf erreur f, méprise f; **equivocarse** vr se tromper; **equivocarse de fecha** se tromper de date; **equívoco, a** a (dudoso) douteux(euse); (ambiguo) ambigu(ë) // nm équivoque f; malentendu m; ambiguïté f.

era vb ver **ser** // nf (de tiempo) ère f; (AGR) aire f.

erais vb ver **ser.**

éramos vb ver **ser.**

eran vb ver **ser.**

erario nm trésor m (public).

eras vb ver **ser.**

eremita nm ermite m.

eres vb ver **ser.**

erguir vt lever; (poner derecho) dresser, redresser; ~**se** vr se dresser; (fig) se rengorger.

erial a en friche, inculte // nm friche f.

erigir vt ériger; ~**se** vr s'ériger, se poser; ~**se en árbitro** s'ériger en arbitre.

erizar vt hérisser, dresser; (fig) entraver; ~**se** vr se hérisser; (fig) s'effrayer.

erizo nm hérisson m; (erizo de mar) oursin m; (de castaña) bogue f; (mata espinosa) touffe épineuse.

ermita nf ermitage m.

ermitaño nm ermite m; (ZOOL) bernard-l'ermite m.

errado, a a faux(fausse).

errante a ambulant(e), errant(e); itinérant(e); nomade.

errar vi (vagar) errer; (equivocarse) se tromper // vt: ~ **el camino** se tromper de chemin; ~ **el tiro** manquer le but.

erróneo, a a erroné(e); faux (fausse).

error nm erreur f; ~ **de imprenta** coquille f; ~ **de máquina** faute f de frappe.

erudición nf érudition f.

erudito, a a érudit(e) // nm/f érudit/e.

erupción nf éruption f.

es vb ver **ser.**

esa det ver **ese.**

ésa pron ver **ése.**

esas det ver **ese.**

ésas pron ver **ése.**

esbeltez f (elegancia) sveltesse f; (gracia) grâce f.

esbelto, a a svelte.

esbirro nm sbire m.

esbozo nm ébauche f.

escabeche nm marinade f; **pescado en ~** poisson m en marinade.

escabel nm (asiento) escabeau m, tabouret m; (para los pies) tabouret m.

escabroso, a a (accidentado) accidenté(e); (fig) scabreux(euse).

escabullirse vr (escurrirse) échapper, glisser des mains; (escaparse) s'échapper, s'esquiver; (irse) s'en aller.

escala nf (proporción) échelle f; (AVIAT) escale f; (MUS) gamme f; **~ de colores** dégradé m de couleurs; **en pequeña ~** sur une petite échelle.

escalafón nm (escala de salarios) échelle f de salaires; (lista, registro, cuadro) tableau m.

escaldado, a a (fig: fam) échaudé(e).

escalera nf escalier m; (NAIPES) suite f, quinte f; **~ mecánica** escalier mécanique.

escalinata nf perron m.

escalofrío nm frisson m.

escalón nm échelon m; (de escalera) marche f, degré m.

escalonar vt (seriar, ordenar) étaler; (distribuir en el tiempo) échelonner.

escalpelo nm scalpel m.

escama nf (de pez, serpiente) écaille f; (de la piel) squame f; (de jabón) paillette f; (fig) méfiance f, soupçon m.

escamado, a a méfiant(e); (AM) dégoûté(e), écœuré(e).

escamotar, escamotear vt (quitar) enlever; (hacer desaparecer) escamoter; (suprimir) supprimer.

escamoteo nm escamotage m; jeux mpl de mains, illusionnisme m; (fam) fauche f; barbotage m.

escampar vb impersonal cesser de pleuvoir.

escanciar vt verser à boire // vi boire.

escandalizar vt scandaliser; **~se** vr se scandaliser; s'indigner.

escándalo nm scandale m; outrage m; (alboroto, tumulto) esclandre m, tapage m.

escandaloso, a a scandaleux(euse).

escandinavo, a a scandinave // nm/f Scandinave m/f.

escaño nm banc m (à dossier); siège m (au parlement).

escapar vi (gen) échapper; (DEPORTE) s'échapper; (de la cárcel) s'évader; (de un incendio) réchapper; **~se** vr s'échapper, s'éclipser, s'esquiver; **~se de las manos** glisser des mains.

escaparate nm vitrine f; (AM) armoire f.

escape nm (de gas) fuite f; (de motor) échappement m.

escarabajo nm scarabée m.

escaramuza nf (MIL) accrochage m; (fig) escarmouche f.

escarapela nf cocarde f; (fam) chamaillerie f.

escarbar vt gratter; fouiller; (dientes, orejas) curer; (fig) fouiller dans // vi faire des recherches sur.

escarcela nf (bolsa) escarcelle f; (de cazador) carnassière f; (cofia) résille f.

escarcha nf (rocío) gelée blanche; (niebla) givre m.

escarlata nf écarlate f; (MED) scarlatine f.

escarlatina nf scarlatine f.

escarmentar vt corriger, donner une leçon à // vi se corriger; **escarmiento** nm leçon f; punition f.

escarnecer vt railler; bafouer; **escarnio, escarnecimiento** nm moquerie f; outrage m.

escarola nf scarole f.

escarpado, a a (abrupto) escarpé(e); (inclinado) penché(e); (accidentado) accidenté(e).

escasear vt (escatimar) lésiner; (economizar) épargner, économiser // vi se faire rare, manquer.

escasez nf manque m; pénurie f; pauvreté f.

escaso, a a (poco) peu abon-

dant(e); (raro) rare; (ralo) clairse-
mé(e); (limitado) limité(e).

escatimar vt (limitar) lésiner sur;
(reducir) réduire; (fig: ahorrar) ménager.

escena nf scène f.

escenario nm (TEATRO) scène f;
(CINE) plateau m; (fig) cadre m,
décor m.

escepticismo nm scepticisme m;
escéptico, a a sceptique // nm/f
sceptique m/f.

escisión nf scission f, fission f.

esclarecer vt (iluminar) éclairer,
illuminer; (misterio, problema)
éclaircir; (ennoblecer) rendre
illustre.

esclavitud nf esclavage m.

esclavizar vt réduire en esclavage.

esclavo, a nm/f esclave m/f.

esclusa nf écluse f.

escoba nf balai m; (BOT) genêt m à
balais.

escocer vt brûler; ~ vi enflammer;
(fig) chagriner; ~**se** vr s'enflammer; (fig) se froisser.

escocés, esa a écossais(e) //
nm/f Écossais/e // nm écossais m.

Escocia nf Écosse f.

escoger vt (elegir) choisir; (seleccionar) trier; (optar) opter; **esco-
gido, a** a choisi(e), préféré(e); sé-
lectionné(e); **escogimiento** nm
choix m.

escolar a scolaire // nm/f élève
m/f.

escolástico, a a scolastique // nm
scolastique m // nf scolastique f.

escolta nf (acompañante) escorte
f; (custodia) garde f.

escoltar vt (acompañar) escorter;
(custodiar) encadrer, garder; (proteger) protéger.

escollo nm (peñasco) écueil m; (en-
calladero, banco) banc m, récif m;
(fig) écueil.

escombro nm décombres mpl,
déblais mpl.

esconder vt cacher; (disfrazar, disimular) dissimuler; ~**se** vr se ca-

cher; (retraerse) se retirer.

escondite nm (escondrijo)
cachette f; (juego) cache-cache m.

escondrijo nm (escondite) cachette f; (fig) recoin m.

escopeta nf fusil m de chasse.

escoplo nm ciseau m à bois/
pierre.

escoria nf scorie f; (minerales) lai-
tier m.

Escorpio nm le Scorpion; **ser (de)
~** être (du) Scorpion.

escorpión nm scorpion m; (pez)
scorpène f.

escote nm (de vestido) décolleté m;
(parte) écot m; **pagar a ~** payer
son écot.

escotilla nf écoutille f.

escotillón nm trappe f.

escozor nm (dolor) cuisson f, brûlure f; (fig) remords cuisant, pincement m.

escribano, a nm/f notaire m.

escribiente nm/f (empleado) em-
ployé/e de bureau; (copista) copiste
m/f; (amanuense) employé e aux
écritures.

escribir vt, vi écrire; ~ **a máquina**
taper à la machine.

escrito, a pp de escribir //
écrit(e) // nm écrit m; **poner por ~**
mettre par écrit.

escritor, a nm/f écrivain m.

escritorio nm bureau m.

escritura nf écriture f, graphie f;
(caligrafía) calligraphie f; (JUR: documento) acte m, titre m.

escrúpulo nm (duda) scrupule m;
(recelo) méfiance f; (minuciosidad)
minutie f; **tener ~** avoir des
scrupules; **escrupuloso, a** a
scrupuleux (euse).

escrutar vt scruter; ~ **los votos**
dépouiller un scrutin.

escrutinio nm (examen atento)
examen m; (recuento de votos)
scrutin m; (resultado de elección)
scrutin m.

escuadra nf (TEC) équerre f; (MIL)
escouade f; (NAUT) escadre f; équipe
f; (de obreros) équipe.

escuadrilla nf (de aviones) escadrille f; (AM. de obreros) équipe f.

escuadrón nm escadron m.

escuálido, a a (flaco, macilento) maigre, émacié(e); (sucio) sale, malpropre.

escuchar vt, vi écouter.

escudero nm (HISTORIA: paje) écuyer m; (: lacayo) laquais m.

escudilla nf écuelle f.

escudo nm (arma, fig) bouclier m; (moneda) écu m; (insignia) armes fpl, blason m.

escudriñar vt (examinar) fouiller du regard, examiner en détail; (mirar de lejos) scruter.

escuela nf école f.

escueto, a a (conciso, sucinto) concis(e); (sobrio) sobre, dépouillé(e).

esculpir vt sculpter; **escultor, a** nm/f sculpteur m; **escultura** nf sculpture f.

escupidora, escupidera nf crachoir m; (orinal) vase m de nuit.

escupir vt, vi cracher.

escurridizo, a a (resbaladizo) glissant(e); (huidizo) leste ou rapide à fuir; fuyant(e).

escurrir vt (ropa) tordre; (verduras) égoutter; (platos) laisser égoutter // vi (los líquidos) tomber goutte à goutte; (resbalarse) glisser; ~**se** vr (gotear) tomber goutte à goutte; (secarse) se sécher; (resbalarse) glisser; (escaparse) s'esquiver.

ese, esa, esos, esas det (m) ce ...là; (f) cette ...là; (pl) ces ...là; ~ **hombre** cet homme-là; **esa mujer** cette femme-là.

ése, ésa, ésos, ésas pron (m) celui-là; (f) celle-là; (pl) ceux-là; (fpl) celles-là; ~ **te lo dirá** lui te le dira; **ésos no vinieron** eux ne sont pas venus; ¡**no me vengas con ésas!** ne me raconte pas d'histoires!

esencia nf essence f; nature f; parfum m; **esencial** a essentiel(le); important(e).

esfera nf sphère f; (de reloj) cadran m; (círculo de relaciones)

lieu m, sphère; **esférico, a** a sphérique.

esfinge nf sphinx m.

esforzado, a a énergique; vaillant(e); courageux(euse); (animoso, concienzudo) ardent(e).

esforzar vt encourager; ~**se** vr s'efforcer.

esfuerzo nm effort m; vigueur f; (valor) courage m.

esfumar vt estomper; ~**se** vr disparaître.

esgrima nf escrime f.

esgrimir vt (espada, arma) manier, se servir de; (argumento) faire valoir.

esguince nm (MED) foulure f; (ademán) écart m.

eslabón nm (de cadena) maillon m; (BIO, TEC, fig) chaînon m, maillon; **eslabonar** vt (enlazar) enchaîner; (unir) unir; (relacionar) mettre en contact.

eslingar vt élinguer.

esmaltar vt émailler; (fig) embellir, parer.

esmalte nm émail m; (fig) lustre m, parure f; ~ **de uñas** vernis m à ongles.

esmerado, a a soigné(e); (persona) soigné, élégant(e).

esmeralda nf émeraude f.

esmerarse vr (aplicarse) s'appliquer; (esforzarse) faire de son mieux.

esmero nm soin m.

esnob a inv snob (inv) // nm/f snob m/f; **esnobismo** nm snobisme m.

eso pron cela, ça; a ~ **de las cinco** vers cinq heures; en ~ **llegó la** ..., là est arrivé; ¡~ **es!** c'est ça!, tout juste!; ¡~ **sí que es vida!** ça oui c'est la vie!; **por** ~ **te lo dije** c'est pour cela que je te l'ai dit; ¿**qué es** ~ ~? qu'est-ce que c'est que ça?

esos det ver **ese**.

ésos pron ver **ése**.

esotérico, a a ésotérique.

espabilar vt (vela) moucher; (despertar) éveiller; ~**se** vr (despertar *se*) s'éveiller; (*animarse*) se secouer, se remuer.

espaciar vt (*escritura*) espacer; (*visitas, pagos*) échelonner; **~ se** vr se distraire; **~ se en un tema** s'étendre sur un sujet.

espacio nm espace m; laps m de temps; espacement m, interstice m; distance f; extension f; (IMPRENTA) espace m; (MUS) interligne m, espace m; (*emisión*) émission f; **el ~** l'espace; **~ radial** programme radio; **espacioso, a** a spacieux(euse); (*lento*) lent(e), posé(e).

espada nf (*arma*) épée f; (*pey: matón*) dur m; **~ s** nfpl (NAIPES) piques fpl.

espadachín nm fine lame.

espadín nm épée f de cérémonie.

espalda nf (*de cuerpo, traje*) dos m; (*parte de atrás*) derrière m; **a ~ s de** par derrière, à l'insu de; **cargado de ~ s** le dos voûté; **tenderse de ~ s** se coucher sur le dos; **volver la ~ a alguien** tourner le dos à qn.

espaldar nm (*de asiento*) dossier m; (AGR) espalier m.

espantable a épouvantable.

espantadizo, a a ombrageux(euse).

espantajo nm épouvantail m.

espantapájaros nmpl épouvantail m.

espantar vt (*asustar*) effrayer; (*ahuyentar*) mettre en fuite; (*asombrar*) étonner; **~ se** vr (*asustarse*) s'effrayer; (*asombrarse*) s'étonner.

espanto nm frayeur f, épouvante f; (*fig*) a effrayant(e).

España nf Espagne f.

español, a a espagnol(e) // nm/f Espagnol/e.

esparadrapo nm sparadrap m.

esparcido, a a (*diseminado*) parsemé(e), répandu(e); (*sembrado*) semé(e), éparpillé(e); (*fig*) détendu(e), gai(e).

esparcimiento nm (*de líquido*) épanchement m; (*dispersión*) éparpillement m; (AGR) épandage m; (*fig*) distraction f.

esparcir vt (*extender*) étendre, répandre; (*desparramar*) éparpiller; (*divulgar*) répandre, divulguer; **~ se** vr (*desparramarse*) s'éparpiller; (*descansar*) se détendre; (*distraerse*) se distraire.

espárrago nm asperge f.

esparto nm alfa m, sparte m.

espasmo nm spasme m.

especia nf épice f.

especial a (*singular*) spécial(e); (*particular*) particulier(ière).

especie nf espèce f; (*asunto*) affaire f; (*comentario*) bruit m, nouvelle f; **en ~** en nature.

especiería nf (*negocio*) boutique f d'épices; (*conjunto de especias*) épicerie f.

especiero, a nm/f marchand d'épices // nm armoire f à épices.

especificar vt spécifier, préciser.

espécimen nm (*pl* **especímenes**) spécimen m.

especioso, a a (*perfecto*) parfait(e); (*fig*) spécieux(euse).

espectáculo nm (*gen*) spectacle f; (TEATRO *etc*) représentation f, spectacle.

espectador, a nm/f spectateur/trice.

espectro nm spectre m; (*fig*) spectre, fantôme m.

especular vt spéculer, méditer // vi spéculer; **especulativo, a** a spéculatif(ive).

espejismo nm mirage m.

espejo nm miroir m, glace f; (*fig*) modèle m, exemple m; **~ de retrovisión** rétroviseur m.

espeluznante a effrayant(e); à faire dresser les cheveux sur la tête.

espera nf (*pausa, intervalo*) attente f; (JUR: *plazo*) délai m; **en ~ de** dans l'attente de.

esperanza nf (*confianza*) espoir m, espérance f; (*perspectiva*) perspective f; **esperanzar** vt donner de l'espoir à; promettre; donner des illusions à.

esperar vt (*aguardar*) attendre;

(desear) espérer // vi attendre; espérer.

espesar vt (líquido) épaissir, lier;
(TEC) presser; **~se** vr s'épaissir.

espeso, a a (denso) épais(se); (bosque) touffu(e); (fig) touffu, compli-
qué(e); **espesor** nm (grosor) épaisseur m; (densidad) densité f; **espesura** nf épaisseur f; (matorral)
fourré m.

espetar vt (atravesar, traspasar)
embrocher; (pregunta) décocher;
(dar: reto, sermón) sortir, débiter.

espetón nm (asador) broche f;
(aguja) longue épingle; (empujón)
bourrade f.

espía nm/f espion/ne; (fam) mou-
chard/e.

espiar vt (observar) épier; (acechar) espionner; (informar) informer en secret.

espiga nf (BOT) épi m; (de espada)
soie f, fusée f; (de herramienta) tenon m; (clavija) cheville f.

espigado, a a monté(e) en graine;
grand(e); élancé(e).

espigar vt (AGR) glaner; (TEC) faire
un tenon sur; **~se** vr (planta) pousser, grandir beaucoup; (persona)
grandir, pousser.

espigón nm (malecón) jetée f,
brise-lames m inv; (dique) digue f;
(punta) pointe f; (mazorca) épi de
maïs.

espina nf épine f; (de madera, astilla) écharde f; (de pez) arête f; **~
blanca** chardon m; **~ dorsal** épine
dorsale.

espinaca nf épinard m.

espinar nm buisson m de ronces //
vt (herir: fig) blesser; (AGR) armer,
épiner.

espinazo nm échine f.

espino nm aubépine f; **~ blanco**
aubépine f; **~ negro** prunellier m.

espinoso, a a épineux(euse).

espionaje nm espionnage m.

espiral a: escalera ~ escalier
m en colimaçon // nm spiral m //
nf spirale f.

espirar vt expirer // vi (expeler)

souffler; (exhalar) exhaler.

espiritista a spiritiste // nm/f spi-
rite m/f.

espíritu nm esprit m.

espiritual a spirituel(le).

espirituoso, a a (licor)
spiritueux(euse); (ingenioso) spiri-
tuel(le).

espita nf cannette f; (fig: fam) po-
chard m.

esplendente a resplendissant(e).

esplendidez nf (abundancia) largesse f, libéralité f; (magnificencia)
splendeur f, magnificence f.

esplendor nm splendeur f; éclat m.

espliego nm lavande f.

espolear vt éperonner; (fig) aiguillonner, stimuler.

espolón nm (de ave) ergot m; (de
barco, montaña) éperon m; (malecón) môle m, jetée f; (AM) contrefort m; (fam: sabañón) engelure f au
talon.

espolvorear vt saupoudrer.

esponja nf éponge f.

esponjarse vr (fam) se rengorger;
(fam) prendre des couleurs.

esponjoso, a a spongieux (euse);
(liviano) léger(ère).

esponsales nmpl fiançailles fpl;
accordailles fpl.

espontaneidad nf acte spontané;
spontanéité f.

espontáneo, a a spontané(e),
naturel(le), franc(franche); volontaire.

esportillo nm cabas m.

esposa nf épouse f; **~s** nfpl menottes fpl.

esposo nm époux m.

espuela nf éperon m; (AM: de gallo)
ergot m; (fig) stimulant m; **~ de
caballero** pied-d'alouette m.

espuma nf écume f; (de champán,
jabón) mousse f; **~ de goma** caoutchouc mousse; **espumar** vt (cerveza) écumer; (caldo) dégraisser;
écumer // vi (el vino) éclaircir
clarifier; **espumoso, a** a écumeux
(euse); mousseux(euse).

espurio, a *a* bâtard(e); adultéré(e), frelaté(e).

esquela *nf* (carta) billet *m*; (invitación) carte *f*; faire-part *m*.

esqueleto *nm* squelette *m*; (fig) plan *m*, canevas *m*.

esquema *nm* schéma *m*; (FILOSOFÍA) schème *m*.

esquí (*pl* **esquís**) ski *m*.

esquife *nm* skiff *m*.

esquila *nf* tonte *f*.

esquilar *vt* tondre.

esquilmar *vt* (cosechar) récolter; (empobrecer: suelo) épuiser; appauvrir, dépouiller.

esquimal *a* esquimau(de) // *nm/f* Esquimau/de // *nm* esquimau *m*.

esquina *nf* coin *m*; (DEPORTE) corner *m*.

esquirol *nm* (fam) briseur *m* de grève.

esquivar *vt* (evitar) esquiver; (rehuir) éviter, fuir; **~se** *vr* s'esquiver.

esquivez *nf* (altanería) froideur *f*; (desdeño) dédain *m*; **esquivo, a** *a* dédaigneux(euse); revêche.

esta *det ver* **este**.

ésta *pron ver* **éste**.

está *vb ver* **estar**.

estabilidad *nf* stabilité *f*; **estable** *a* stable; durable; ferme.

establecer *vt* établir, fonder; (poner, instalar) implanter; **~se** *vr* s'établir; **~se por su cuenta** se mettre à son compte.

establecimiento *nm* (casa) maison *f*; (almacén, comercio, firma) magasin *m*, commerce *m*; (institución) établissement *m*; **~ comercial** entreprise commerciale.

establo *nm* étable *f*.

estaca *nf* (palo) pieu *m*; (AGR) bouture *f*.

estacada *nf* (cerca) palissade *f*; (palenque) enceinte *f*; (AM) coup *m* de couteau.

estación *nf* (FERROCARRIL) gare *f*; (establecimiento científico) station *f*; (del año) saison *f*; (REL) station, reposoir *m*; **~ balnearia** station balnéaire; **~ de autobuses** gare routière.

estacionamiento *nm* parking *m*.

estacionar *vt* garer, parquer.

estacionario, a *a* stationnaire; (COM: mercado) calme.

estada *nf* séjour *m*.

estadio *nm* stade *m*.

estadista *nm* (POL) homme d'état *m*; (ESTADÍSTICA) statisticien *m*.

estadística *nf* statistique *f*.

estado *nm* état *m*; **~ civil** état civil; **~ de guerra/de emergencia/de sitio** état de guerre/d'urgence/de siège; **~ de las cuentas** état des comptes; **~ mayor** état-major *m*; **E~s Unidos, EE.UU.** Etats-Unis *mpl*.

estafa *nf* escroquerie *f*.

estafar *vt* escroquer.

estafeta *nf* (correo) estafette *f*; (oficina de correos) bureau *m* de poste; **~ diplomática** valise *f* diplomatique.

estallar *vi* (explotar) exploser; (reventar) crever; (bomba) déflagrer, exploser; (neumático) éclater; (conspiración) éclater; **~ en llanto** éclater en pleurs; **estallido** *nm* explosion *f*, éclatement *m*.

estameña *nf* étamine *f*.

estampa *nf* (imagen) image *f*; (impresión, imprenta) estampe *f*; (imagen, figura: de persona) apparence *f*, allure *f*; (fig: huella) marque *f*; **tener buena/mala ~** avoir bonne/mauvaise apparence.

estampado, a *a* (impreso) estampé(e); (tela) imprimé(e) // *nm* imprimé *m*.

estampar *vt* (imprimir) estamper, imprimer; (metal) étamper; (poner sello en) mettre le cachet sur, cacheter; (fig) imprimer.

estampida *nf* fuite précipitée *f*; (estampido) détonation *f*.

estampido *nm* détonation *f*.

estampilla *nf* (sello) estampille *f*, timbre *m*; (sello con firma) griffe *f*; (AM): **~ de correos/fiscal** timbre postal/fiscal; ~ **de impuesto** vignette f.

están vb ver **estar**.

estancar vt (aguas) étancher, retenir; (COM) monopoliser; (fig) laisser en suspens; ~**se** vr (líquidos) stagner; (fig) s'enliser, piétiner, être suspendu(e).

estancia nf (permanencia) séjour m; (sala) chambre f; (estrofa) stance f; (AM) ferme très grande.

estanciero nm (AM) fermier m.

estanco, a a étanche; (fig) compartimenté(e) // nm (monopolio) monopole m, régie f; (negocio) bureau m de tabac; (taberna) bistrot m.

estandarte nm étendard m.

estanque nm (lago) étang m; (AGR) bassin m; ~ **de jardín** bassin dans un jardin.

estanquero, a, estanquillero, a nm/f buraliste m/f.

estante nm (armario) rayonnage m; (biblioteca) bibliothèque f; (anaquel) rayon m, étagère f; (AM) étai m; **estantería** nf rayonnage m.

estantigua nf (fantasma) fantôme m; (fam: persona alta y flaca) grand escogriffe m; (: persona fea) épouvantail m.

estaño nm étain m.

estar vi (posición en espacio y tiempo) être; ~ **en la ciudad** être dans la ville; ~ **en clase** être en classe; ~ **solo** être seul; **estamos a 2 de mayo** nous sommes le 2 mai; ¿**como está Ud?** comment allez-vous?; ~ **mal de salud** être malade; ~ **enfermo/cansado** être malade/fatigué; **está más viejo** il a vieilli; **está que arde** il est au bout de colère; ~ (seguido de una preposición): ¿**a cuánto estamos de Madrid?** à combien sommes-nous de Madrid?; ~ **de fiesta/ vacaciones** être en fête/vacances; **las uvas están a 5 pesetas** les raisins sont à 5 pesetas; ~ **de frente** à être face à; ~ **para** être sur le point de; ~ **por** être pour; **no** ~ **para bromas** ne pas avoir envie de plaisanter; **está por hacer** cela reste à faire; (acción durativa): ~ **pensando/esperando** être en train de penser/d'attendre; ¿**estamos?** entendu?, d'accord?; ~**se** vr: ~**se tranquilo** rester tranquille.

estas det ver **este**.

éstas pron ver **éste**.

estás vb ver **estar**.

estático, a a statique // nf statique f.

estatua nf statue f.

estatuir vt (establecer) statuer; (determinar) déterminer.

estatura nf stature f.

estatuto nm statut m.

este nm est m; (oriente) orient m.

este, esta, estos, estas det (m) ce; ce...ci; (f) cette; cette...ci; (pl) ces; ces...ci.

éste, ésta, éstos, éstas pron (m) celui-ci; (f) celle-ci; (mpl) ceux-ci; (fpl) celles-ci.

esté etc vb ver **estar**.

estela nf sillage m; (monumento) stèle f; (fig) trace f, vestige m.

estenografía nf sténographie f.

estepa nf (GEO) steppe f; (BOT) ciste m.

estera nf natte f.

estercolar vt fumer.

estereotipia nf (arte) stéréotypie f; (máquina) stéréotype m; (MED) stéréotypie.

estéril a stérile.

esterlina a: **libra** ~ livre f sterling.

estético, a a esthétique // nf esthétique f.

estibador nm arrimeur m.

estiércol nm fumier m.

estigma nm stigmate m.

estigmatizar vt (marcar) stigmatiser; marquer au fer rouge; (fig) stigmatiser.

estilar vi, ~**se** vr s'employer, en usage.

estilo nm style m; (TEC) stylet m algo por el ~ quelque chose dans ce genre.

estima nf estime f.

estimación nf (evaluación) estimation f; (aprecio, afecto) appréciation f.

estimar vt (evaluar) évaluer, estimer; (valorar) évaluer; (apreciar) apprécier; (pensar, considerar) penser, considérer; ~se v'v s'estimer; **¡se estima!** je vous en suis reconnaissant(e).

estimulante a (excitante) stimulant(e) // nm stimulant m; **estimular** vt stimuler; (excitar) exciter; (animar) encourager; **estímulo** nm stimulation f, encouragement m.

estío nm été m.

estipendio nm rémunération f.

estipulación nf (convenio) accord m; (cláusula) stipulation f.

estipular vt stipuler.

estirado, a a tiré(e); (tenso) tendu(e); (fig) poseur(euse), guindé(e).

estirar vt (alargar) allonger; (extender) étendre; (conversación, presupuesto) faire durer; (fam: las piernas) étirer; ~se v'v (desperezarse) s'étirer; (prenda) s'élargir, se détendre.

estirón nm secousse f; (crecimiento) poussée f; **dar un ~** pousser comme une asperge.

estirpe nf souche f, lignée f.

estival a estival(e).

esto pron ceci, cela, ça, c'.

estofa nf (tela) étoffe brochée; (calidad, clase) qualité f, classe f; **persona de baja ~** personne de bas aloi.

estofar vt (bordar) broder en application; (CULIN) étuver, cuire à l'étouffée.

estoico, a a (FILOSOFÍA) stoïcien(ne); (fig) stoïque // nm/f stoïcien/ne.

estólido, a a stupide.

estómago nm estomac m; **tiene ~** c'est un dur, rien ne le touche.

estopa nf étoupe f.

estoque nm (espada) estoc m; (BOT) glaïeul m.

estorbar vt (dificultar) gêner, rendre difficile; (impedir) empêcher; (obstaculizar) entraver; **estorbo** nm (molestia) gêne f; (obstáculo) obstacle m, entrave f.

estornudar vi éternuer.

estos det ver **este**.

éstos pron ver **éste**.

estoy vb ver **estar**.

estrafalario, a a bizarre, extravagant(e) // nm/f extravagant/e.

estragar vt corrompre; (deteriorar) abîmer, gâter.

estrago nm mine f, destruction f, ravage m.

estrangul m anche f.

estrangulación nf étranglement m, strangulation f.

estrangulador, a nm/f étrangleur/euse // nm (TEC) papillon m de gaz; (AUTO) starter m.

estrangulamiento nm étranglement m; (AUTO) goulet m ou goulot m d'étranglement.

estrangular vt étrangler.

estraperlista nm/f (fam) trafiquant/e.

estraperlo nm marché noir.

estratagema nf (MIL) stratagème m; (astucia) ruse f.

estrategia nf (arte) stratégie f; (plan) plan m, tactique f.

estrechar vt (reducir) rétrécir; (persona) serrer; ~se v'v (reducirse) se rétrécir; (apretarse) se serrer; (reducir los gastos) se restreindre; ~ **la mano** serrer la main; ~ **amistad con alguien** lier amitié avec qn.

estrechez nf étroitesse f; intimité f; **vivir con ~** vivre petitement; **de conciencia** mesquinerie f; ~ **de miras** étroitesse d'esprit.

estrecho, a a (apretado) étroit(e); (apretado) serré(e); (miserable) radin(e), ladre // nm détroit m.

estregar vt frotter; ~se v'v se frotter.

estrella nf (ASTRO) étoile f; (IMPRENTA) étoile, astérisque m; (CINE, TEATRO) star f, vedette f; **fugaz/polar** étoile filante/polaire; ~ **de mar** étoile de mer.

estrellar vt (*destruir, hacer añicos*) briser, mettre en pièces; (*huevos*) cuire sur le plat; **~se** vr se briser; (*fracasar*) échouer.

estremecer vt (*sacudir*) ébranler; (*conmover*) émouvoir; (*fig*) faire sursauter; **~se** vr tressaillir, frissonner; **estremecimiento** nm (*conmoción*) frémissement m; (*sobresalto*) sursaut m; (*temblor*) tremblement m.

estrenar vt (*vestido*) étrenner; (*casa*) emménager; (*película*) passer en exclusivité; (*obra de teatro*) donner la première de; **~se** vr (*obra de teatro*) être représenté(e) pour la première fois; (*película*) sortir; (*persona*) débuter.

estreñir vt constiper; **~se** vr être constipé(e).

estrépito nm fracas m; (*fig*) pompe f, éclat m.

estrepitoso, a a (*ruidoso*) bruyant(e); (*fiesta*) animé(e).

estría nf (*ARQ*) cannelure f; (*fig*) strie f.

estribar vi: **~ en** s'appuyer sur; (*fig*) se fonder ou s'appuyer sur.

estribo nm (*de jinete*) étrier m; (*de coche, tren*) marchepied m; (*del oído*) étrier; (*de puente*) culée f, butée f; (*fig*) base f, appui m; (*GEO*) contrefort m.

estribor nm tribord m.

estricto, a a (*estrecho*) étroit(e); (*riguroso*) strict(e); (*severo*) sévère.

estridente a strident(e).

estro nm souffle m, inspiration f.

estropajo nm lavette f.

estropear vt (*maltratar*) gâter; (*deteriorar*) abîmer; (*lisiar*) estropier; **~se** vr (*objeto*) s'abîmer; (*persona*) s'estropier.

estructura nf structure f.

estruendo nm fracas m; tumulte m; éclat m, pompe f.

estrujar vt presser; tordre; serrer; épuiser; **~se** vr se presser, se serrer.

estuario nm estuaire m.

estuco nm stuc m, staff m.

estuche nm étui m.

estudiante nmf étudiant/e; **~ de medicina** étudiant en médecine; **~ secundario** élève m de secondaire.

estudiantina nf troupe f d'étudiants pour la mascarade; orchestre m d'étudiants.

estudiar vt étudier.

estudio nm étude f; (*CINE, ARTE, RADIO*) studio m; (*de abogado*) cabinet m; (*en casa*) bureau m.

estudioso, a a (*studieux (euse)*) // nm (*especialista*) spécialiste m/f; (*investigador*) chercheur/euse.

estufa nf poêle m.

estupefacto, a a (*atónito*) stupéfait(e); (*sorprendido*) surpris(e).

estupendo, a a admirable; excellent(e); formidable; extraordinaire.

estupidez nf stupidité f.

estúpido, a a (*torpe*) stupide; (*idiota*) idiot(e); (*incapaz*) incapable; (*tonto*) inepte // nm/f imbécile m/f.

estupro nm stupre m.

estuve etc vb ver **estar**.

etapa nf étape f; (*alto*) halte f; (*escala*) escale f; (*parada*) arrêt m.

éter nm éther m.

eternidad nf éternité f.

eterno, a a immortel(le), éternel(le); perpétuel(le); interminable.

etimología nf étymologie f.

etíope a éthiopien(ne) // nm/f Ethiopien/ne.

Etiopía nf Ethiopie f.

etiqueta nf étiquette f.

eucalipto nm eucalyptus m.

Eucaristía nf Eucharistie f.

eufemismo nm euphémisme m.

eufonía nf euphonie f.

euforia nf euphorie f.

eugenesia nf, **eugenismo** nm eugénisme m.

eunuco nm eunuque m.

eurasiano, a a eurasien(ne) // nm/f Eurasien/ne.

Europa nf Europe f.

europeo, a a européen(ne) // nm/f Européen/ne.

éuscaro, a a basque // nm basque m.

Euskadi nm le Pays basque.

eutanasia nf euthanasie f.

evacuación nf évacuation f.

evacuar vt vider; évacuer; effectuer.

evadir vt (evitar) éviter; (eludir) éluder; ~se vr s'évader; (escaparse) s'échapper.

evaluar vt évaluer.

evangélico, a a évangélique.

evangelio nm évangile m.

evaporación nf (de agua) évaporation f; (de bruma) dissipation f, évaporation.

evaporar vt (líquido) évaporer; (disipar) dissiper; (desvanecer) volatiliser; ~se s'évaporer; (fig) se volatiliser.

evasión nf évasion f.

evasivo, a a (ambiguo) évasif(ive); (nada concreto) vague.

evento nm événement m; éventualité f.

eventual a éventuel(le); conditionnel(le); fortuit(e).

evidencia nf (certidumbre) évidence f, certitude f; (convicción) conviction f; (seguridad) assurance f.

evidenciar vt rendre évident(e); faire ressortir; ~se vr être manifeste.

evidente a évident(e).

evitar vt (huir) fuir, éviter; (esquivar) esquiver; (eludir) éluder; (soslayar) éviter.

evocar vt évoquer.

evolución nf (desarrollo) développement m, déroulement m; (cambio) évolution f, changement m; (MIL) manœuvre f.

ex ex/: **el ~ ministro** l'ex-ministre.

exacerbar vt irriter, exacerber; ~se vr s'aggraver; s'irriter.

exactitud nf précision f, exactitude f; ponctualité f; rigueur f.

exacto, a a exact(e); précis(e); ponctuel(le); juste.

exageración nf exagération f.

exagerar vt, vi exagérer; augmenter; gonfler.

exaltado, a a (apasionado) passionné(e); (exagerado) exagéré(e); (excitado) exalté(e).

exaltar vt (elevar) élever; (enaltecer, realzar) exalter; ~se vr (excitarse) s'exciter; (arrebatarse) s'emporier.

examen nm (indagación) enquête f, examen m; (prueba) épreuve f; (concurso) concours m.

examinar vt examiner; (ESCOL) faire passer un examen; (escrutar, escudriñar) examiner, scruter; ~se vr s'examiner; (ESCOL) passer un examen; ~se en historia passer un examen d'histoire.

exangüe a (desangrado) exsangue; (sin fuerzas) épuisé(e).

exasperar vt (irritar) irriter, exaspérer; (exacerbar) exacerber; ~se vr s'énerver; s'irriter.

Exca. abr de **Excelencia**.

exceder vt dépasser, excéder // vi: ~ **en los gastos** avoir un excédent dans les dépenses; ~se vr (extralimitarse) dépasser les bornes; (sobrepasarse) se surpasser.

excelencia nf supériorité f; **E~** Excellence f.

excelente a excellent(e).

excelso, a a éminent(e); supérieur(e).

excentricidad nf excentricité f, extravagance f.

excéntrico, a a excentrique // nm/f excentrique m/f; extravagant/e.

excepción nf exception f.

excepcional a unique; exceptionnel(le); singulier(ière); extraordinaire; insolite.

excepto ad excepté; (aparte de) à part; (fuera de) en dehors de; (menos) moins.

exceptuar vt excepter; ~**se** vr être excepté(e).

excesivo, a a excessif(ive), trop; démesuré(e); exagéré(e).

exceso nm (abuso) abus m, excès m; (delito) abus, délit m; (desmesura) démesure f; (exageración) exagération f.

excitación nf excitation f, enthousiasme m.

excitado, a a stimulé(e), enthousiasmé(e).

excitar vt stimuler; provoquer; ~**se** vr s'enthousiasmer; (enojarse) se mettre en colère.

exclamación nf exclamation f.

exclamar vi (clamar) clamer, s'exclamer; (prorrumpir) éclater; (gritar) crier.

exclaustrado, a nm/f sécularisé/e.

excluir vt exclure; (descartar) écarter; **exclusión** nf exclusion f; (descarte) rejet m; **con exclusión de** à l'exclusion de.

exclusiva, exclusividad nf exclusivité f, exclusive f.

exclusivo, a a exclusif(ive).

Excmo. abr de excelentísimo.

excomulgar vt (REL) excommunier; (banir) bannir, chasser.

excomunión nf excommunication f.

excoriar vt excorier, écorcher; ~**se** vr s'écorcher.

excursión nf excursion f; **ir de** ~ aller en excursion.

excusa nf prétexte m; (razón) excuse f.

excusado, a a superflu(e); (disculpado) excusé(e) // nm cabinets mpl.

excusar vt excuser; ~**se** vr (rehusarse) décliner une invitation; (disculparse) s'excuser.

execrable a exécrable.

execrar vt abominer; exécrer; maudire.

exención nf exemption f, exonération f.

exento, a pp de **eximir** // a exempt(e), libre.

exequias nfpl funérailles fpl.

exhalación nf (del aire) exhalation f; (emanación) exhalaison f; (rayo) foudre f.

exhalar vt exhaler.

exhausto, a a épuisé(e).

exhibir vt (presentar) présenter; (mostrar en público) exhiber; (película) projeter; (cuadros) exposer; ~**se** vr s'exhiber.

exhortación nf exhortation f.

exhortar vt: ~ **a** pousser à, conduire à; inciter à; exhorter à.

exigencia nf exigence f.

exigente a pointilleux(euse), exigent(e); scrupuleux(euse), rigide; sévère.

exigir vt exiger.

exiguo, a a exigu(ë).

eximio, a a (excelente) illustre; (eminente) insigne.

eximir vt dispenser, libérer, exempter; décharger; exempter; exonérer.

existencia nf existence f; ~**s** nfpl stock m.

existir vi (vivir) vivre; (ser) exister.

éxito nm (victoria) réussite f; (triunfo) succès m; **tener** ~ avoir du succès.

exonerar vt exonérer; ~ **de una obligación** délivrer d'une obligation.

exorbitante a démesuré(e), exorbitant(e); énorme.

exorcizar vt exorciser.

exótico, a a exotique; extravagant(e).

expatriar vt expatrier.

expectativa nf expective f, perspective f.

expedición nf (excursión) expédition f; (envío) envoi m; (ejecución) exécution f rapide; (MIL) incursion f, raid m.

expediente nm affaire f, démarche f; (JUR) dossier m.

expedir vt (despachar) envoyer;

(libreta cívica, pasaporte) délivrer; (fig) expédier.

expedito, a a (libre) libre, dégagé(e); (pronto) prompt(e).

expendedor, a nm/f (vendedor) débitant/e; (aparato) distributeur m; ~ **de cigarrillos** distributeur de cigarettes.

expensas nfpl dépens mpl.

experiencia nf (práctica) expérience f, pratique f; (conocimiento) connaissance f; (pericia) expérience.

experimentado, a a expérimenté(e); connaisseur(euse), spécialiste.

experimentar vt (en laboratorio) expérimenter; (probar) faire l'expérience de; (sentir, sufrir) souffrir.

experimento nm expérience f, expérimentation f.

experto, a a (práctico) expert(e); (diestro) adroit(e) // nm/f expert/e, spécialiste m/f.

expiación nf expiation f.

expiar vt (purgar) purger; (pagar: culpa) expier.

expirar vi expirer.

explanar vt (terreno) aplanir; (fig) expliquer, éclaircir.

explayar vt étendre; ~**se** vr s'étendre; ~**se con uno** s'épancher auprès de qn.

explicación nf explication f; (exposición) exposé m; (exégesis) exégèse f; (interpretación) interprétation f.

explicar vt (comentar) expliquer; (aclarar) éclairer; (exponer) exposer; ~**se** vr s'expliquer.

explícito, a a explicite.

explorador, a nm/f (pionero) explorateur/trice; (MIL) éclaireur/euse // nm (MED) sonde f; (TEC) radar m; **los S** ~**es** the Scouts mpl.

explorar vt (buscar) explorer; (reconocer) reconnaître.

explosión nf explosion f.

explosivo, a a (detonante) explosif(ive); (ruidoso) bruyant(e).

explotación nf exploitation f.

explotar vt exploiter // vi exploser.

expoliación nf spoliation f.

exponer vt exposer; (explicar) expliquer; ~**se** vr s'exposer.

exportación nf exportation f.

exportar vt exporter.

exposición nf (artística) exposition f; (de material técnico, moda etc) explication f; (explicación) explication f; (narración) exposé m; (de testigo) déposition f; **tiempo de** ~ temps de pose.

expósito, a a trouvé(e); **niño** ~ enfant trouvé.

exprés nm (AM) express m.

expresar vt (manifestar) exprimer; (exteriorizar) extérioriser; ~**se** vr s'exprimer.

expresión nf expression f.

expreso, a pp de **expresar** // a exprès(esse) // nm express m; **mandar por** ~ envoyer en express.

exprimir vt (fruta) presser; (ropa) tordre; (fig) pressurer.

expuesto, a pp de **exponer** // a exposé(e).

expugnar vt prendre d'assaut.

expulsar vt (echar) chasser; (expeler) expulser, rejeter; (desalojar) déloger; (despedir) renvoyer; **expulsión** nf expulsion f; (de alumno, deportista, empleado) renvoi m; (de inquilino) expulsion f.

expurgar vt expurger.

exquisito, a a exquis(e) // nm/f précieux-use f.

éxtasis nm extase f.

extender vt (los brazos) étendre, tendre, étirer; (camino) développer; (mapa) dérouler; (certificado, recibo) rédiger; (cheque) libeller, rédiger; (influencia, poder) étendre; ~**se** vr (en el suelo) s'allonger; (epidemia) se développer, gagner; (en un tema) s'étendre; **extendido, a** a (abierto) étendu(e); étalé(e); (brazos) ouvert(e); (brazos) étendu, écarté(e); (prevaleciente) répandu(e); **extensión** nf (de país) étendue f; (de libro) longueur f; (AM) extension f; **en toda la extensión de**

la palabra dans toute l'acception du mot; **extenso, a** *a* étendu(e); long(ue).

extenuar *vi* (*agotar*) exténuer; (*debilitar*) affaiblir.

exterior *a* extérieur(e) // *nm* extérieur *m*; (*DEPORTE*) ailier *m*; (*CINE*): **los ~es** les extérieurs.

exterminar *vt* exterminer; dévaster, ravager; **exterminio** *nm* destruction *f*; extermination *f*.

externo, a *a* (*exterior*) externe; (*superficial*) superficiel(le) // *nm/f* externe *m/f*.

extinguir *vt* éteindre; (*raza, población*) exterminer; **~se** *vr* s'éteindre.

extirpación *nf* extirpation *f*; (*MED*) ablation *f*.

extirpar *vt* extirper; détruire, supprimer; (*MED*) abaisser; enlever.

extra *ad* extra // *nm* (*gasto, comida*) extra *m*; (*gratificación*) à-côté *m* // *nm/f* figurant/e; **horas ~s** heures *fpl* supplémentaires.

extracción *nf* extraction *f*; (*MED*) ablation *f*.

extracto *nm* extrait *m*.

extraer *vt* extraire.

extralimitarse *vr* dépasser les bornes; se surpasser.

extranjero, a *a* étranger(ère); (*exótico*) exotique // *nm/f* étranger/ère // *nm* étranger *m*.

extrañar *vt* (*desterrar*) bannir, exiler; (*sorprender*) surprendre; (*AM*) avoir la nostalgie de; **~se** *vr* (*sorprenderse*) s'étonner; (*distanciarse*) se détacher l'un de l'autre.

extrañeza *nf* (*rareza*) étrangeté *f*; (*asombro*) étonnement *m*.

extraño, a *a* (*extranjero*) étranger(ère); (*raro*) étrange; (*sorprendente*) surprenant(e) // *nm/f* étranger/ère.

extraordinario, a *a* extraordinaire // *nm* (*correo*) courrier *m* extraordinaire; (*plato*) extra *m*; (*de periódico*) numéro spécial; **horas extraordinarias** heures *fpl* supplémentaires.

extravagancia *nf* extravagance

f; **extravagante** *a* extravagant(e); insolite; excentrique.

extraviado, a *a* perdu(e), égaré(e).

extraviar *vt* (*desviar*) égarer; (*perder*) perdre; **~se** *vr* se fourvoyer.

extravío *nm* perte *f*; égarement *m*; fourvoiement *m*.

extremar *vt* pousser à l'extrême; **~se** *vr* s'appliquer.

extremaunción *nf* extrême-onction *f*.

extremeño, a *a* d'Estramadure // *nm/f* natif/ive d'Estramadure.

extremidad *nf* extrémité *f*.

extremo, a *a* extrême // *nm* extrémité *f*; **en último ~** en dernier recours; **~ derecho/izquierdo** ailier droit/gauche.

extrínseco, a *a* extrinsèque.

exuberancia *nf* exubérance *f*; **exuberante** *a* exubérant(e); (*fig*) luxuriant(e).

exvoto *nm* ex-voto *m*.

eyacular *vt, vi* éjaculer.

F

f.a.b. (*abr de franco a bordo*) f. à b. (franco à bord).

fábrica *nf* usine *f*; (*de muebles, zapatos, camiones*) fabrique *f*; **marca de ~** marque *f* de fabrique; **precio de ~** prix *m* d'usine; **~ de azúcar** sucrerie *f*; **~ de cerveza** brasserie *f*; **~ de papel** papeterie *f*; **~ de tabacos** manufacture *f* de tabacs.

fabricación *nf* (*manufactura*) fabrication *f*; (*producción*) production *f*; **de ~ casera** ménagère(ère); **~ en serie** fabrication ou production en série.

fabricante *nm* fabricant *m*.

fabricar *vt* (*hacer*) fabriquer; (*construir*) construire; (*elaborar*) élaborer; (*inventar*) forger, inventer.

fábula *nf* apologue *m*; fable *f*; mensonge *m*; légende *f*.

faca *nf* couteau recourbé; coutelas *m*.

facción *nf* (POL) faction *f*; (*del rostro*) trait *m*.

faccioso, a *a* factieux(euse) // *nm/f* rebelle *m/f*.

fácil *a* (*simple*) facile; (*probable*) probable; ~ **de digerir** facile à digérer; ~**mente** ad facilement.

facilidad *nf* (*disposición*) facilité *f*, disposition *f*; (*simplicidad*) simplicité *f*; ~**es de pago** facilités de paiement.

facilitar *vt* (*proporcionar*) procurer; (*entregar*) remettre; (*hacer posible*) faciliter.

factible *a* faisable.

factoría *nf* (*establecimiento comercial*) comptoir *m*; (*agencia*) factorerie *f*; (AM) fonderie *f*, aciérie *f*.

factura *nf* facture *f*.

facturar *vt* (COM) facturer; (FERROCARRIL) enregistrer.

facultad *nf* (*aptitud*) moyen *m*, faculté *f*; (*derecho, poder*) faculté; (ESCOL) faculté.

facultativo, a *a* facultatif(ive); à option // *nm* médecin *m*.

facha *nf* (fam) allure *f*; (NAUT): **estar en** ~ être en panne.

fachada *nf* (ARQ) façade *f*; (*de libro*) frontispice *m*.

faena *nf* (*trabajo*) travail *m*; (*quehacer*) occupation *f*, besogne *f*; ~**s domésticas** tâches *fpl* domestiques.

faisán *nm* faisan *m*.

faja *nf* (*para la cintura*) ceinture (de flanelle) *f*, bande *f*; (*corsé*) gaine *f*; (MED) bandage *m*; (*de terreno*) bande; ~ **panty** gaine-culotte *f*; ~ **postal** bande postale; **fajar** *vt* (*ceñir*) mettre une ceinture sur; (*vendar*) bander; **fajarse** *vr* (*periódico*) mettre sous bande; (*ceñirse*) mettre une ceinture; (*vendarse*) se bander.

falange *nf* phalange *f*.

falaz *a* (*engañoso*) fallacieux(euse); (*mentiroso*) menteur(euse).

falda *nf* (*prenda de vestir*) jupe *f*; (*de una montaña*) flanc *m*; (*regazo*) giron *m*.

faldero, a *a*: **perro** ~ chien *m* de manchon.

faldillas *nfpl* basques *fpl*.

falibilidad *nf* faillibilité *f*.

falsario, a *nm/f* (*falsificador*) faussaire *m/f*; (*embustero*) menteur(euse).

falseador, a *nm/f* falsificateur/trice.

falsear *vt* (*la verdad*) fausser; (*desnaturalizar*) dénaturer; (*hacer perder l'aplomb*) faire perdre l'aplomb; ~**se** *vr* (MUS) sonner faux.

falsedad *nf* (*hipocresía*) fausseté *f*; (*mentira*) mensonge *m*.

falsificación *nf* (*alteración*) falsification *f*, contrefaçon *f*; (*adulteración*) adultération *f*.

falsificar *vt* falsifier, contrefaire; adultérer; (*documento, firma*) falsifier; (*moneda*) contrefaire; (*cuadro*) imiter.

falso, a *a* (*apócrifo*) apocryphe; (*inexacto*) faux(fausse); (*supuesto*) supposé(e); **jurar en** ~ faire un faux serment; **dar un paso en** ~ faire un faux pas.

falta *nf* (*defecto*) défaut *m*; (*privación*) manque *m*; (*ausencia*) absence *f*; (*equivocación*) faute *f*, erreur *f*; ~ **de** faute de; **por** ~ **de medios** par manque de moyens; **me hace falta...** j'ai besoin de ..., il me faut...; ¡~ **nos hacía!** il ne nous manquait plus que cela!

faltar *vi* (*escasear*) manquer; (*ausentarse*) manquer, être absent(e); (*fallar: mecanismo*) tomber en panne; ~ **a** manquer à; **faltan 2 horas para llegar** il reste deux heures avant d'arriver; **falta dinero** il manque de l'argent; **le falta osadía** il manque d'audace; ~ **el respeto a alguien** manquer de respect à qn.

falto, a a (*desposeído*) privé(e); (*necesitado*) dépourvu(e); **estar ~ de** être à court de; **~ de dinero** dépourvu d'argent.

faltriquera nf poche f.

falla nf (*defecto*) faute f, défaut m; (*fracaso*) échec m; (*GEO*) faille f; (*TEC*) défaut.

fallar vt (*JUR*) prononcer // vi (*memoria*) manquer, faillir; (*proyecto*) échouer, rater; (*frenos*) céder; (*cerradura*) lâcher, céder; **me falló mi amigo** mon ami n'a pas tenu parole.

fallecer vi décéder, mourir; **fallecimiento** nm décès m, mort f.

fallo nm arrêt m, sentence f.

fama nf réputation f; renommée f; renom m.

famélico, a a famélique.

familia nf famille f.

familiar a (*relativo a la familia*) familial(e); (*llano, sencillo, coloquial, parecido*) familier(ière) // nm (*pariente*) familier m; (*amigo íntimo*) intime m; **familiaridad** f (*sencillez*) simplicité f; (*confianza*) confiance f; (*informalidad*) familiarité f; **familiarizar** vt familiariser; **familiarizarse** vr se familiariser.

famoso, a a renommé(e); célèbre, fameux(euse).

fanal nm (*farol*) fanal m; (*campana de vidrio*) globe m, cloche f.

fanático, a a passionné(e); enthousiaste; intolérant(e); intransigeant(e); sectaire, fanatique.

fanatismo nm fanatisme m; intransigeance f.

fanega nf fanègue f.

fanfarrón, ona a fanfaron(ne), crâneur(euse) // nm/f fanfaron/ne, crâneur/euse.

fango nm boue f, fange f; **fangoso, a** a boueux(euse).

fantasía nf fantaisie f; (*fam*) prétention f; **joyas de ~** faux bijoux.

fantasma nm (*aparición, espectro*) fantôme m; (*quimera*) chimère f; (*alucinación*) fantasme m // nf épouvantail m.

fantástico, a a fantastique; (*AM: sensacional*) sensationnel(le).

fantoche nm (*títere*) fantoche m; (*fam*) pantin m.

farándula nf (*TEATRO*) profession f de bateleurs; (*fam: baile*) farandole f; (: *embustes, disparates*) boniment m.

fardo nm ballot m.

farfullar vt (*balbucear*) bredouiller; (*decir atropelladamente*) bafouiller.

fariseo nm pharisien m.

farmacéutico, a a pharmaceutique // nm/f pharmacien/ne.

farmacia nf pharmacie f; **~ de turno** pharmacie de garde.

faro nm (*NAUT: torre*) phare m; (*AUTO*) **~s laterales** phares latéraux; **~s traseros** feux arrière.

farol nm (*luz*) lanterne f; (*de coche*) feu m, phare m; **~ de alumbrado público** réverbère m, lampadaire m.

farolillo, farolito nm (*luz*) lampion m, lanterne f; (*BOT*) campanule f; **~ chino** lampion chinois.

fárrago nm (*desorden*) fatras m; (*mescolanza*) bric-à-brac m, mélange m.

farsa nf (*TEATRO*) farce f; (*fig*) tromperie f.

farsante nm/f comédien/ne.

fas: por ~ o por nefas ad à tort ou à raison.

fascinación nf fascination f.

fascinador, a a fascinateur(trice).

fascinar vt (*deslumbrar*) fasciner; (*hechizar*) charmer.

fascismo nm fascisme m.

fascista a fasciste // nm/f fasciste m/f.

fase nf phase f; (*estado*) stade m; (*período*) période f; **estar fuera de ~** être déphasé(e).

fastidiar vt (*disgustar, molestar*) fatiguer, dégoûter; (*aburrir*) ennuyer; **~se** vr (*molestarse*) se lasser; (*disgustarse*) se dégoûter.

fastidio nm dégoût m; fatigue f;

ennui m; **fastidioso, a** a fastidieux (euse); fatigant(e); ennuyeux(euse), fâcheux(euse).

fasto, a a (memorable) faste; (feliz) heureux(euse) // nm faste m, pompe f; **~s** nmpl fastes.

fastuoso, a a fastueux(euse); pompeux(euse); somptueux(euse); splendide.

fatal a (inevitable) fatal(e); (desgraciado) malheureux(euse); (siniestro) sinistre; (fam: malo, pésimo) mauvais(e), lamentable; **fatalidad** nf malheur m; fatalité f.

fatiga nf (cansancio) fatigue f; (sofocación de la respiración) essoufflement m; **~s** nfpl ennuis mpl, fracas m; **fatigar** vt fatiguer; (caballo) fouler, forcer; **fatigarse** vr se fatiguer; **fatigoso, a** a (cansador) fatigant(e); (aburrido) (laborioso, dificultoso) pénible; laborieux (euse).

fatuidad nf (vanidad) fatuité f; (acto) inanité f.

fatuo, a a (vano) fat; (presuntuoso) présomptueux(euse).

fauno nm faune m.

fausto, a a heureux(euse) // nm (suntuosidad) faste m; (pompa) pompe f.

favor nm (ayuda) faveur f; (servicio) service m; (beneficio) bienfait m; **entrada de ~** billet m de faveur; **haga el ~ de** faites-moi l'amitié de; **por ~** s'il vous plaît; **1.000 dólares a su ~** 1.000 dollars à son actif.

favorable a propice, favorable; avantageux(euse).

favorecer vt (servir) servir; (ayudar) favoriser, aider; (proteger) protéger, abriter; **este peinado le favorece** cette coiffure l'avantage.

favorito, a a favori(te) // nm/f favori/te.

faz nf face f.

F.C., f.c. abr de **ferrocarril**.

fe nf (REL) foi f; (confianza) confiance f; (documento) acte m, certificat m; (lealtad) fidélité f; **prestar ~ a** prêter foi à; **actuar con buena/mala ~** agir de bonne/mauvaise foi; **dar ~ de** attester; témoigner de; **~ de bautismo** acte de baptême; **~ de erratas** errata m.

fealdad nf laideur f.

febrero nm février m.

febril a (afiebrado) fébrile, fiévreux(euse); (ardiente) ardent(e); (desasosegado) agité(e).

fecundar vt (generar) féconder; (multiplicar) multiplier.

fecundidad nf fécondité f, fertilité f; (fig) productivité f.

fecundizar vt fertiliser.

fecundo, a a fécond(e); prolifique, copieux(euse); abondant(e); productif(ive).

fecha nf date f; **en ~ próxima** un jour prochain; **hasta la ~** jusqu'à présent; **poner ~** mettre la date.

fechar vt dater.

federación nf fédération f.

federal a fédéral(e).

fehaciente a digne de foi; qui fait foi, authentique.

felicidad nf (satisfacción, contento) bonheur m; (suerte feliz) chance f, sort heureux; **¡~es!** félicitations!

felicitación nf félicitation f.

felicitar vt féliciter; congratuler.

feligrés, esa nm/f paroissien/ne.

feliz a (contento, dichoso) heureux (euse); (afortunado) fortuné(e); (oportuno, acertado) opportun(e), pertinent(e).

felón, ona a félon(ne).

felonía nf félonie f.

felpa nf (tejido) peluche f; (para toallas) tissu-éponge m; (fam: reprimenda) savon m.

felpilla nf chenille f.

felpo nm paillasson m.

felpudo, a a pelucheux(euse) // nm paillasson m.

femenino, a a féminin(e) // nm féminin m.

fementido, a a (engañoso, falso) félon(ne), faux(ausse); (desleal) déloyal(e).

fenecer vi (*morir*) mourir; (*terminarse*) finir; **fenecimiento** nm (*muerte*) mort f; (*acabamiento*) fin m.

fenicio, a a phénicien(ne) // nm/f Phénicien/ne.

fénix nm (*ave*) phénix m; (*BOT*) phœnix m; (*fig*) phénix.

fenómeno nm prodige m, phénomène m // monstre m // a inv sensationnel(le) // excl formidable!

feo, a a (*sin belleza*) laid(e); (*desagradable*) désagréable // a inv affront m; grossièreté f // ad (*AM*): **oler ~** sentir mauvais; **saber ~** avoir mauvais goût.

feracidad nf fertilité f.

feraz a fécond(e), fertile.

féretro nm (*ataúd*) cercueil m; (*sarcófago*) sarcophage m.

feria nf (*mercado*) foire f; (*AM*) marché m de rue; (*día de asueto*) jour m de congé; **~ ganadera** foire aux bestiaux; **feriado, a** a férié(e).

fermentación nf fermentation f.

fermentar vi fermenter; **fermento** nm ferment m.

ferocidad nf férocité f.

feroz a (*cruel*) féroce; (*salvaje*) farouche.

férreo, a a de fer; (*tenaz*) tenace.

ferretería, ferrería nf quincaillerie f.

ferrocarril nm chemin de fer m; **~ de cremallera** chemin de fer à crémaillère.

ferroviario, a a ferroviaire // nm cheminot m; **plano ~** plan de chemin de fer.

fértil a (*productivo*) fertile; (*rico*) riche; **fertilidad** nf fertilité f, richesse f; **fertilizar** vt fertiliser.

férula nf férule f.

férvido, a a bouillant(e); fervent(e).

fervor nm ferveur f; enthousiasme m; **fervoroso, a** a fervent(e); bouillant(e).

festejar vt (*agasajar, obsequiar*) fêter, faire fête à; (*galantear*) courtiser; (*su cumpleaños*) (*AM: fam*) fouetter, battre.

festejo nm (*fiesta*) festoiement m; (*galanteo*) galanterie f; **~s** nmpl festivités fpl, réjouissances fpl.

festín nm festin m, banquet m.

festividad nf fête f, festivité f.

festivo, a a (*de fiesta*) de fête; (*fig*) enjoué(e), joyeux(euse); (*CINE, LITERATURA*) humoristique.

fétido, a a (*hediondo*) fétide; (*rancio, podrido*) rance, pourri(e).

feudo nm (*dominio*) fief m; (*vasallaje*) vasselage m.

fiado nm: **comprar al ~** acheter à crédit.

fiador, a nm/f caution f, garantie f, répondant/e // nm (*de arma*) cliquet m d'arrêt; (*cerrojo*) verrou m de sûreté; **salir ~ por alguien** se porter garant de qn.

fiambre a froid(e) // nm (*CULIN*) plat froid; (*fam*) macchabée m.

fianza nf garantie f, caution f, (*JUR*): **libertad bajo ~** liberté sous caution.

fiar vt (*salir garante de*) se porter garant de, cautionner; (*vender a crédito*) vendre à crédit // vi avoir confiance; **~se vr** se fier, avoir confiance; **~se de uno** se fier à qn; **~se en** se fier à.

fiasco nm fiasco m.

fibra nf (*fig*) vigueur f, nerf m.

ficción nf fiction f.

ficticio, a a (*artificial*) fictif (ive); (*postizo*) postiche; (*inventado*) inventé(e).

ficha nf (*en juegos*) jeton m; (*tarjeta*) fiche f; (*ELEC*) fiche f; **~ policial** fiche de police; **~ sanitaria** dossier m sanitaire; **fichero** nm fichier m.

fidedigno, a a digne de foi.

fideicomiso nm fidéicommis m.

fidelidad nf (*lealtad*) fidélité f, loyauté f; (*devoción, apego*) attachement m; **alta ~** haute fidélité.

fideos nmpl vermicelle m.

fiebre nf (*MED*) fièvre f; (*fig*) ardeur f, excitation f; **~ amarilla** fièvre jaune; **~ del heno** rhume m des foins; ~ **entérica** (fièvre) typhoïde *f*; ~ **glandular** mononucléose infectieuse; ~ **palúdica** malaria *f*.

fiel *a* (*leal*) fidèle, loyal(e); (*devoto, constante*) attaché(e); (*exacto*) exact(e), juste // *nm* fléau *m*, aiguille *f*; contrôleur *m* des poids et mesures; **los** ~**es** les fidèles *mpl*.

fieltro *nm* feutre *m*.

fiereza *nf* cruauté *f*; férocité *f*.

fiero, a *a* (*cruel*) cruel(le); (*feroz*) féroce; (*espantoso*) épouvantable; (*duro*) dur(e) // *nf* (*animal feroz*) fauve *m*; (*fig: arpía*) harpie *f*; ~ (*: valiente, conocedor*) lion *m*; **echar** ~**s** faire du bravache.

fierro *nm* (AM) fer *m*.

fiesta *nf* fête *f*; ~**s** *fpl* (*caricias*) caresses *fpl*; (*broma*) cajoleries *fpl*, plaisanterie *f*; (REL:) **de guardar** fête carillonnée, férie *f*.

figura *nf* (*forma, imagen*) forme *f*, figure *f*; (*persona*) personnage *m*; (*cara*) visage *m*; (GEOMETRÍA) figure; (NAIPES) figure; **la** ~ **principal del ballet** la vedette (principale) du ballet; **tener mala** ~ avoir mauvaise figure; (LING:) ~ **retórica** figure de rhétorique.

figurar *vt* (*representar*) représenter; (*fingir*) feindre, simuler // *vi* figurer; ~**se** *vr* (*imaginarse*) s'imaginer; (*suponer*) se figurer, supposer.

figurín *nm* figurine *f* de mode; **revista de figurines** journal *m* de modes.

fijar *vt* fixer; (*estampilla*) mettre; ~ **con hilos** coudre, ficeler; ~**se** *vr*: ~**se en** remarquer, observer; **se prohíbe** ~ **carteles** défense d'afficher; ~ **domicilio** élire domicile.

fijo, a *a* (*firme, seguro*) sûr(e); (*permanente*) fixe // *ad*: **mirar** ~ regarder fixement.

fila *nf* rang *m*, ligne *f*; (*cola, columna*) file *f*, queue *f*; (*cadena*) chaîne *f*; **ponerse en** ~ se mettre à la file.

filatelia *nf* philatélie *f*.

filete *nm* filet *m*; (*de vaca*) bifteck

m; (*de ternera*) escalope *f*.

filial *a* filial(e) // *nf* filiale *f*.

filigrana *nf* filigrane *m*; **hacer** ~**s** filigraner.

Filipinas *nfpl*: **las** ~ les Philippines *fpl*.

filo *nm* fil *m*; (BIO) phylum *m*; **sacar** ~ **a** affûter; **al** ~ **del mediodía** sur le coup de midi.

filología *nf* philologie *f*.

filón *nm* (*veta*) filon *m*, veine *f*; (*mina*) mine *f*; (*fig*) filon.

filosofía *nf* philosophie *f*.

filósofo *nm* philosophe *m*.

filoxera *nf* phylloxéra *m*.

filtrar *vt, vi* filtrer; ~**se** *vr* s'infiltrer.

filtro *nm* (TEC, *utensilio*) filtre *m*; (*poción*) philtre *m*.

fin *nm* fin *f*; (*objetivo*) fin, but *m*; '~ **de la cita**' 'fin de citation'; **un sin** ~ **de preguntas** une foule de questions; **al** ~ **y al cabo** en définitive, après tout; **a** ~ **de** afin de; ~ **de semana** fin de semaine, weekend *m*; **final** *a* final(e) // *nm* final *m*, fin *f* // *nf* finale *f*; **finalizar** *vt* finir, mettre fin à // *vi* finir, **finalizarse** *vr* prendre fin, cesser.

finca *nf* propriété *f* à la campagne, ferme *f*.

fineza *nf* finesse *f*; délicatesse *f*, raffinement *m*; subtilité *f*; (*regalo*) cadeau *m*, présent *m*.

fingir *vt* (*simular*) simuler, feindre; (*pretextar*) prétexter // *vi* (*aparentar*) faire semblant de; ~**se** *vr* feindre d'être, se faire passer pour.

Finlandia *nf* Finlande *f*.

fino, a *a* fin(e); (*delgado*) mince; (*de buenas maneras*) bien élevé(e); (*inteligente*) fin(e).

firma *nf* signature *f*; (COM) firme *f*.

firme *a* (*estable*) ferme; (*sólido*) solide; (*constante*) constant(e); (*decidido*) décidé(e) // *nm*: **edificar en** ~ bâtir sur un terrain ferme // *ad* ferme; **¡**~**s!** garde-à-vous!, fixe!; **firmeza** *nf* fermeté *f*; solidité *f*; résolution *f*.

fiscal *a* fiscal(e) // *nm* ≈

procureur m (de la République).

fisco nm fisc m.

fisgar vt épier, guetter; (pescar) pêcher à la foëne // vi (burlarse) railler, se moquer.

físico, a a physique // nm physique m // nm/f physicien/ne // nf physique f.

fisonomía nf physionomie f.

flaco, a a (muy delgado) maigre; (débil) faible; (memoria) mauvais(e) // nm point m faible.

flagelar vt flageller; (fig) fustiger.

flagrante a flagrant(e); **en ~ delito** en flagrant délit.

flamante a flambant(e), brillant(e); (nuevo) flambant (inv) neuf.

flamenco, a a (de Flandes) flamand(e); (agitanado) flamenco (inv) // nm (canto y baile) flamenco m; (zool) flamant m.

flanco nm flanc m.

flaquear vi faiblir.

flaqueza nf (delgadez) maigreur f; (fig) faiblesse f.

flauta nf flûte f.

fleco nm frange f.

flecha nf flèche f; **flechar** vt (cuerda) bander; (herir) percer de flèches; (fig: fam) **flechar a alguien** faire une touche; **flechero** nm archer m.

flema nm flegme m.

fletamento, fletamiento nm affrètement m.

fletar vt fréter; **~se** vr (AM: fam) s'en aller, se barrer.

flete nm (alquiler de navío) fret m; (AM: transporte de cargas) charge f.

flexible a flexible; (fig) souple, maniable.

flojo, a a (nudo, vestido) lâche; (sin firmeza, sin fuerza) mou(molle), flasque; (débil) faible; (negligente) négligent(e); (perezoso) nonchalant(e); (AM: cobarde) lâche.

flor nf fleur f; (cumplido) compliment m; (superficie): **a ~ de** à fleur de; **florecer** vi (BOT) fleurir; (fig) être florissant(e); **floreciente** a (BOT) fleurissant(e); (fig) florissant(e); **florería** nf magasin m de fleurs; **florero, a** nm/f fleuriste m/f // nm vase m (à fleurs).

floresta nf (bosque) bocage m, bosquet m; (lugar campestre, ameno) site m champêtre; (antología) florilège m, anthologie f.

florido, a a fleuri(e).

flota nf flotte f; (AM): **una ~ de** une quantité importante de.

flotación nf flottement m.

flotar vi flotter; (ondear, flamear) ondoyer.

flote nm (flotación) flottage m; **sacar a ~** (fig) remettre à flot, renflouer; **salir a ~** se tirer d'affaire.

fluctuación nf fluctuation f; (fig) flottement m, hésitation f.

fluctuar vi (oscilar) osciller; (vacilar) hésiter; (balancear) balancer.

fluidez nf fluidité f.

fluido, a a fluide; (fig) coulant(e).

fluir vi couler, s'écouler.

flujo nm flux m.

fluvial a fluvial(e).

F.M.I. nm (abr de Fondo Monetario Internacional) FMI m (Fonds monétaire international).

foca nf phoque m.

foco nm foyer m; (ELEC) lumière f; (AM) lampe f électrique, ampoule f; (FOTO): **fuera de ~** hors du champ.

fogón nm (de cocina) fourneau m; (de caldera de vapor) foyer m.

fogonero nm chauffeur m.

fogosidad nf fougue f.

fogoso, a a fougueux(euse), ardent(e), impulsif(ive).

follaje nm feuillage m; (ARQ) rinceau m; (fig) falbala m.

folleto nm brochure f, notice f.

fomentar vt (MED) fomenter; (fig) fomenter, favoriser.

fomento nm (MED) enveloppement m, fomentation f; (fig) aide f, encouragement m.

fonda nf pension f, hôtel m modeste; (restaurante) buffet m.

fondeadero nm mouillage m.

fondear vt (el agua) sonder; (registrar) visiter, fouiller // vi mouiller l'ancre; ~se vr (AM) s'enrichir.

fondo nm fond m; (reserva) fonds m; ~s nmpl (COM) fonds mpl; **investigación a** ~ enquête poussée; **en el** ~ au fond; ~s **disponibles** disponibilités fpl.

fontanería nf plomberie f.

fontanero nm plombier m.

forajido, a nm/f hors-la-loi m inv.

forastero, a (extraño) étranger(ère); (exótico) exotique // nm/f étranger(ère).

forcejear vi faire de grands efforts; résister; lutter; **forcejo, forcejeo** nm effort m; lutte f.

forja nf forge f; (acción) forgeage m.

forjar vt (metal) forger; (fig) inventer, imaginer; ~se vr s'imaginer.

forma nf forme f; forme, moule m; format m; modèle m (método) mode m, moyen m; **las** ~ **les formes**; **en debida** ~ en bonne et due forme.

formación nf formation f.

formal a (relativo a la forma) formel(le); (fig: serio, preciso) sérieux(euse), comme il faut.

formalidad nf (requisito) formalité f; (fig: seriedad) sérieux m.

formalizar vt concrétiser; achever, terminer; régulariser.

formar vt (componer) composer; (constituir) constituer; (ESCOL) former, préparer; (MIL) rassembler; (idea) façonner; ~se vr se faire, se former; se constituer; s'éduquer; se modeler.

formidable a (temible) terrible, formidable; (asombroso) étonnant(e); (enorme) énorme, monstrueux(euse); (fam) splendide, magnifique.

fórmula nf formule f; **por pura** ~ pour la pure forme.

fornido, a a robuste.

foro nm tribunal m; barreau m; (toile f de) fond m.

forraje nm fourrage m.

forrajear vt fourrager.

forrar vt (abrigo) doubler; (libro) couvrir; (cable) gainer.

forro nm (de cuaderno) couverture f, protège-cahier m; (de sillón) garniture f, housse f; (NAUT) bordé m de pont; vairage m.

fortalecer vt fortifier; ~se vr se fortifier.

fortaleza nf force f; énergie f; (MIL) forteresse f.

fortín nm fortin m.

fortuito, a a fortuit(e).

fortuna nf (suerte) fortune f, chance f; (riqueza, caudal) fortune; (NAUT): **correr** ~ essuyer une bourrasque.

forzar vt (puerta) forcer; (violentar) violer; (compeler) contraindre.

forzoso, a a inévitable, forcé(e).

forzudo, a a fort(e), vigoureux(euse) // nm/f costaud m.

fosa nf (sepultura) sépulture f, fosse f; (MED) fosse; ~ **marina** fosse marine; ~ **séptica** fosse septique.

fosforescencia nf phosphorescence f.

fósforo nm (metaloide) phosphore m; (AM) allumette f.

fósil a fossile // nm fossile m.

foso nm fossé m; (TEATRO) dessous m.

foto nf photo f; ~-**copia** nf photocopie f; ~-**copiador** nm photocopieur m; ~**copier**; ~-**copiar** vt photocopier; ~-**eléctrico**, a a photo-électrique; ~-**génico**, a a photogénique.

fotograbado nm photogravure f.

fotografía nf photographie f.

fotografiar vt photographier.

fotógrafo, a nm/f photographe m/f.

Fr. abr de **fray**.

frac nm frac m.

fracaso nm (desgracia, revés) malheur m, revers m; (malogro) échec m; (decepción) déception f.

fracción nf fraction f; (POL) scission f; **fraccionar** vt fractionner.

fractura nf fracture f.

fragancia nf parfum m; fragrance f.

fragata nf frégate f.

frágil a (débil) faible; (quebradizo) cassant(e), fragile; **fragilidad** nf faiblesse f; fragilité f.

fragmento nm (pedazo, trozo) fragment m; (porción, parte) morceau m, bribes fpl.

fragor nm (ruido intenso) grand bruit; (estruendo) fracas m.

fragoso, a a (áspero) accidenté(e), (intrincado) embrouillé(e), confus(e); (ruidoso) bruyant(e).

fragua nf forge f.

fraguar vt forger; (fig) fabriquer, tramer; manigancer // vi prendre.

fraile nm (REL) moine m, religieux m, frère m; (IMPRENTA) moine, feinte f.

frambuesa nf framboise f.

francés, esa a française(e) // nm/f français/e // nm français m.

Francia nf France f.

franco, a a (leal, abierto) ouvert(e), franc(he); (generoso, liberal) libéral(e), ouvert(e); (COM: exento) exempt(e) // nm franc m; (AM): tener un día ~ avoir un jour de libre; **~italiano** franco-italien.

franela nf flanelle f.

franja nf frange f.

franquear vt (camino) dégager; (carta, paquete postal) affranchir; (obstáculo) franchir; **~se** (ceder) céder; (confiarse a alguien) parler à cœur ouvert.

franqueo nm affranchissement m.

franqueza nf franchise f, sincérité f.

frasco nm flacon m.

frase nf phrase f.

fraseología nf phraséologie f.

fraternal a fraternel(le).

fraude nm fraude f; **fraudulento, a** a frauduleux(euse).

fray nm frère m.

frazada nf couverture f de lit.

frecuencia nf fréquence f; **con ~** fréquemment.

fregar vt (frotar, restregar) frotter, récurer, laver; **fregona** nf laveuse f de vaisselle, plongeuse f; (pey) domestique f.

freír vt frire, faire frire; (fig) gêner.

frejol nm = **frijol**.

frenesí nm frénésie f; exaltation f.

frenético, a a frénétique, furieux(euse).

freno nm (de cabalgadura) mors m; (TEC, fig) frein m; **~ a discos/de mano** frein à disque/à main; **~ delantero/trasero** frein avant/arrière.

frente nm façade f, front m; (de objeto) face f; (POL) front m // nf front m; **en ~ de** en face de; **mirarse ~ a** se regarder en face; **al ~ de un comercio** à la tête d'un commerce; **chocar de ~** se heurter de plein fouet; (MIL): **¡de ~!** en avant!; **el ~ de ataque** le front.

fresa nf fraise f.

fresco, a a frais(fraîche); (sereno, impávido) impassible // nm (aire) frais m; (ARTE) fresque f; (fam) dévergondé m // nf frais m; **pintar al ~** peindre à fresque ou à tempera; **tomar el ~** prendre le frais; **frescura** nf fraîcheur f; (descaro) toupet m, culot m; (calma) calme m, impassibilité f.

fresno nm frêne m.

friable a friable.

frialdad nf froideur f; indifférence f.

fricción nf (frote) frottement m; (MED, TEC, fig) friction f.

frigidez nf frigidité f.

frigorífico, a a frigorifique // nm (AM) établissement m frigorifique.

frijol nm haricot m.

frío, a a froid(e); (fig) indifférent(e), froid // nm froid m; **~s** nmpl (AM) malaria f.

friolera nf bagatelle f.

frisar vt (cabellos) friser; (tejido) ratiner // vi: **~ (en) la cincuentena** friser la cinquantaine.

friso nm (ARQ) frise f.

frito, a pp de **freír** / a frit(e); (ARG,
fig): **estar ~** être perdu ou grillé.

frívolo, a a vélléitaire; superfi-
ciel(le); frivole.

frondoso, a a touffu(e).

frontera nf frontière f, limite f,
confin m.

frontispicio nm frontispice m.

frontón nm fronton m.

frotar vt (friccionar) frictionner;
(mueble, mancha) frotter; **~ se** vr:
~ se las manos se frotter les mains.

frote nm frottement m.

fructífero, a a fructifère;
fructificar vi fructifier; **fructuoso, a**
a fructueux(euse).

frugal a frugal(e).

fruición nf délectation f, plaisir m.

fruncir vt froncer.

frustrar vt (defraudar) décevoir,
frustrer; (malograr: intento) manquer; **~ se** vr échouer.

fruta nf fruit m.

frutería nf fruiterie f.

fruto nm fruit m.

fue vb ver **ser, ir**.

fuego nm (hogar) feu m, foyer m;
(lumbre, incendio, MIL) feu; (fig) feu,
ardeur f // excl au feu!; (MIL) feu!; **a
~ lento** à feu doux; **¿tienes ~?** as-
tu du feu?; **~ fatuo** feu follet; **~ s
artificiales** feu d'artifice.

fuente nf (de una plaza) fontaine f;
(manantial, fig) source f; (bautismal) fonts mpl (baptismaux);
(plato) plat m.

fuer nm: **a ~ de** en qualité de, à titre de.

fuera vb ver **ser, ir** // ad dehors;
(en otra parte) au-dehors, ailleurs;
(excepto, salvo) sauf, à part; **~ de**
hors de; **~ de sí** hors de soi; **mirar
algo por ~** regarder qch en apparence; **~ de serie** hors série.

fuero nm juridiction f, for m; privilège m.

fuerte a fort(e), robuste; (duro)
dur(e), résistant(e); (considerable)
fort, considérable; (versado, conocedor) fort // ad fort // nm (MIL)

fort m; (MUS) forte m; **ser ~ en** être
fort en.

fuerza nf force f, vigueur f; **a ~ de**
à force de; **cobrar ~ s** reprendre
des forces; **tener ~ s para** avoir la
force de, être capable de; **hacer a la
~** faire de force; **~ centrí-
fuga/centrípeta/hidráulica** force
centrifuge/centripète/hydraulique;
(MIL): **las ~ s armadas/de
disuasión** les forces armées/de
dissuasion.

fuga nf (huida, escape) fuite f; (MUS)
fugue f; (ardor, ímpetu) fougue f; **~
de capitales** évasion f des capitaux;
fugarse s'enfuir; **fugaz** a fugace;
fugitivo, a a fugitif(ive) // nm/f
fugitif/ive.

fui vb ver **ser, ir**.

fulano, a nm/f un tel/une telle; **F ~
de tal** Monsieur Un tel; **~ , mengano
y zutano** Un tel, Un tel et Un tel.

fulgor nm éclat m, lueur f.

fulminante a foudroyant(e); (fam)
terrible // nm (ARG) détonateur m.

fulminar vt foudroyer // vi fulminer; **~ con la mirada** fusiller du regard.

fullero, a nm/f tricheur/euse.

fumador, a nm/f fumeur/euse.

fumar vt, vi fumer; **~ se** vr (disipar) manger; **~ en pipa** fumer la
pipe.

fumigar vt désinfecter (par fumigation).

función nf fonction f; (de puesto)
fonctions fpl; (espectáculo) représentation f; **entrar en funciones**
entrer en fonctions; **no hay ~
reláche; ~ de gala** soirée f de gala;
~ infantil fête enfantine, spectacle
m pour enfants; **funcionar** vi
fonctionner, marcher.

funcionario, a nm/f fonctionnaire m/f.

funda nf housse f; (de almohada)
taie f; (de pistola) étui m, gaine f;
(de paraguas) fourreau m.

fundación nf fondation f.

fundamental a fondamental(e).

fundamentar vt jeter les fondements de; fonder; (fig) baser, fonder; **fundamento** nm (base, cimiento) fondement m, base f; (fig) fondement.

fundar vt fonder; (dotar de fondos) doter; ~se vr: ~se en s'appuyer sur.

fundición nf fonte f; (fábrica) fonderie f.

fundir vt (metal) fondre; (estatua) couler; ~se vr (sólido) fondre; (unirse, agruparse) se fondre; (AM) faire faillite.

fúnebre nf funèbre.

funesto, a a malheureux (euse), malencontreux(euse); funeste, désastreux(euse).

furgón nm fourgon m.

furia nf (ira, violencia) furie f; (impetuosidad) impétuosité f, fougue f; **furibundo, a** a furibond(e).

furioso, a a furieux(euse), violent(e); **furor** nm (cólera) fureur f, colère f; (rabia) rage f; **hacer furor** (fig) faire fureur.

furtivo, a a furtif(ive).

fusil nm fusil m; (rifle) rifle m; **fusilar** vt fusiller.

fusión nf (fundición, licuefacción) fusion f; (mezcla) mélange m; (de partidos, intereses etc) fusionnement m.

fuste nm (de lanza) hampe f; (de silla de montar) arçon m; (ARQ) fût m; (fig) poids m; importance f; envergure f; **gente de** ~ gens mpl bien.

fustigar vt fustiger.

fútbol nm football m; **futbolista** nm footballeur m.

fútil a futile; **futilidad, futileza** nf futilité f.

futuro, a a futur(e) // nm avenir m; (LING) futur m.

G

g/ abr de **giro**.

gabacho, a a gavache; (fam) français(e) // nm/f Pyrénéenne; (AM) étranger/ère // nm (fam) espagnol francisé.

gabán nm pardessus m.

gabinete nm cabinet m.

gaceta nf (periódico) gazette f; (diario oficial) journal officiel.

gacetilla nf (en periódico) nouvelles brèves; échos mpl; (fam) cancanière f.

gacha nf bouillie f.

gafas nfpl lunettes fpl.

gaita nf cornemuse f // nm (AM) galicien m.

gajes nmpl (salario) salaire m, paye f; **los** ~ **del oficio** les aléas mpl du métier.

gajo nm (de árbol) branche f; (de naranja) quartier m; (gen) partie f, morceau m.

gala nf habit m de fête; (fig) grâce f, élégance f; **uniforme de** ~ costume m de cérémonie; **ponerse las** ~**s** se mettre sur son trente et un; **hacer** ~ **de** se vanter de.

galán nm (galante) galant(e); (hombre atractivo) beau garçon m; (TEATRO): **primer** ~ jeune premier.

galano, a a élégant(e); (fig) brillant(e), élégant.

galante a galant(e); **galantear** vt (obsequiar) courtiser; (enamorar) faire la cour à, rendre amoureux(euse); (hacer la corte) faire sa cour à; **galanteo** nm cour f; **galantería** nf (caballerosidad) galanterie f; (cumplido) compliment m, politesse f.

galardón nm récompense f; prix m; **galardonar** vt couronner; primer; récompenser.

galeote nm galérien m.

galeoto nm entremetteur m.

galera nf (nave) galère f; (carro) chariot m à quatre roues; (MED) rangée f de lits (dans une salle d'hôpital); (IMPRENTA) placard m; (AM. sombrero) haut-de-forme m.

galería nf galerie f; (TEATRO) paradis m.

Gales nm le pays de Galles.

galés, esa a gallois(e) // nm/f Gallois/e.

galgo, a nm/f lévrier/levrette.

galimatías nmpl (lenguaje) galimatias m; (confusión) charabia m, confusion f.

galón nm (cinta) galon m; (medida) gallon m.

galopar vi galoper.

galope nm galop m.

galvanizar vt galvaniser.

gallardete nm flamme f.

gallardía nf élégance f, prestance f; (valor) hardiesse f, cran m.

gallardo, a a qui a de l'allure; hardi(e), vaillant(e); excellent(e).

gallego, a a galicien(ne) // nm/f Galicien/ne; (AM. pey) Espagnol/e.

galleta nf (bizcocho) biscuit sec; gâteau sec; (fam) tarte f, coup m, pain bis m.

gallina nf poule f // nm (AM) poule mouillée, mauviette f; ~ **ciega** colin-maillard m.

gallinaza nf fumier m de poule.

gallo nm (ave) coq m; (fig) couac m, canard m; despote m.

gamba nf crevette f rose, bouquet m.

gamo, a nm/f daim/daine // nf gamme f, échelle f; (fig) gamme.

gamuza nf (animal) chamois m; (piel) peau f de chamois; (tejido) chamoisine f.

gana nf (deseo) envie f; (apetito) appétit m; (voluntad) volonté f; **de buena ~** de bon gré; **de mala ~** à contrecœur; **hacer lo que le da la ~** n'en faire qu'à sa tête; **tener ~s de** avoir envie de; **hacer a uno ~s de** avoir envie de; **comer sin ~s** manger sans appétit; **tenerle ~s a alguien** avoir une dent contre qn.

ganadería nf (ganado) bétail m,

troupeau m; (cría, comercio) élevage m.

ganado nm bétail m; ~ **lanar** ovins mpl; ~ **vacuno** bovins mpl; ~ **porcino** porcins mpl.

ganancia nf (acción) gain m; (beneficio, ingreso) bénéfice m; profit m; revenu m.

ganapán nm portefaix m; (individuo tosco) malotru m.

ganar vt gagner.

gancho nm crochet m; **tener ~** (AM) avoir des appuis; ~ **de carnicero** (AM) crochet de boucher, allonge f.

gandul, a a, nm/f fainéant/e, feignant/e.

ganga nf (ZOOL) gélinotte f, poule f des bois; (cosa buena y barata) aubaine f, occasion f, bonne affaire; (buena ocasión) filon m.

gangrena nf gangrène f.

gansada nf (fam) bêtise f, sottise f.

ganso, a nm/f (ZOOL) jars m/oie f; (fam) oie.

ganzúa nf crochet m // nm/f voleur/euse.

gañán nm (obrero campesino) valet m de ferme; (labrador) paysan m, laboureur m.

garabato nm (gancho, garfio) croc m, crochet m; (escritura) griffonnage m, pattes fpl de mouche; (dibujo) gribouillage m; (gracia femenina) charme m, chien m.

garante a responsable // nm/f garant/e.

garantizar, garantir vt (hacerse responsable) garantir f; (asegurar) assurer.

garapiñado, a a praliné(e); **almendra garapiñada** praline f, amande pralinée.

garbanzo nm pois chiche m.

garbo nm prestance f; élégance f, grâce f; **garboso, a** a élégant(e), gracieux(euse).

garfa nf (uña) ongle crochu; (garra) griffe f.

garfio nm croc m, crochet m.

garganta nf (ANAT) gorge f; (: faringe) pharynx m; (GEO, ARQ) gorge.

gargantilla nf collier m.

gárgara nf gargarisme m.

gárgola nf gargouille f.

garita nf cabine f; guérite f.

garlopa nf varlope f.

garra nf (de gato) griffe f; (de ave) serre f; (fam) main f; (vigor) ressort m, nerf m.

garrafa nf carafe f; dame-jeanne f;

garrafón nm grande carafe; dame-jeanne f.

garrido, a a qui a belle allure; élégant(e).

garrote nm (palo) gourdin m, bâton m; (suplicio) garrotte f; (MED) garrot m.

garrulería nf bavardage m, papotage m.

gárrulo, a a (charlatán) bavard(e); (ave) gazouillant(e); (arroyo) murmurant(e); (viento) gémissant(e).

garzo, a a pers(e) // nm héron m.

gas nm gaz m.

gasa nf gaze f.

gaseoso, a a (gaseiforme) gazéiforme; (que contiene gases) gazeux(euse).

gasolina nf essence f; ~ corriente essence ordinaire.

gasómetro nm gazomètre m.

gastado, a a usé(e); (raído) râpé(e) usé, ruiné(e).

gastador, a a dépensier(ère).

gastar vt (dinero) dépenser; (tiempo, fuerzas) user; ~se vt s'user; ~ bromas faire une farce.

gasto nm (desembolso) dépense f; (consumo, uso) usure f; ~s nmpl frais mpl; budget m.

gata nf ver **gato**.

gatear vi (andar a gatas) marcher à quatre pattes; (trepar) grimper // vt griffer; (fam) chaparder, chiper.

gatillo nm (de arma de fuego) détente f; (de dentista) davier m; (ZOOL) collier m; (fam) chapardeur m.

gato, a nm/f chat/te // nm (TEC) (manual) cric m; (hidráulico) vérin m; ~ montés de angora/de callejero chat sauvage/angora/de gouttière; andar a gatas marcher à quatre pattes.

gatuno, a a félin(e).

gaucho nm gaucho m.

gaveta nf tiroir m.

gavilán nm (ZOOL) épervier m; (AM) ongle incarné.

gavilla nf (de cereales) gerbe f; (de sarmientos) fagot m; (fig) bande f.

gaviota nf mouette f.

gayo, a a gai(e).

gazapera nf (conejera) terrier m; (gente) bande f de gens peu recommandables; (fam: riña) dispute f, chamaillerie f.

gazapo nm lapereau m; (fam) renard m, fin matois; (IMPRENTA) coquille f.

gazmoño, a, gazmoñero, a nm/f tartufe m; faux dévot/fausse dévote.

gaznate nm gosier m, gorge f.

gelatinoso, a a gélatineux(euse).

gélido, a a glacé(e), gelé(e).

gema nf gemme f.

gemelo, a a jumeau(elle) // nm/f jumeau/elle; ~s nmpl (de teatro) jumelles f; (de camisa) boutons de manchettes mpl; (ASTRO): G~s = Géminis.

gemido nm gémissement m.

Géminis nm les Gémeaux mpl; ser (de) ~ être (des) Gémeaux.

gemir vi gémir, geindre.

genealogía nf généalogie f; (de animal) pedigree m.

generación nf génération f; (coetáneos) contemporains mpl.

generador nf génératrice f.

general a général(e) // nm général m; por lo o en ~ en général; **generalidad** nf généralité f; **generalización** nf généralisation f; **generalizar** vt généraliser; **generalizarse** vi se généraliser; **generalmente** ad généralement.

generar vt engendrer; (fig) entraîner.

genérico, a a générique; (LING): **nombre ~** nom commun.

género nm (clase, especie, tipo) genre m, espèce f, sorte f; (LING) genre; (ARTE, LITERATURA) genre; (COM) tissu m/e; **~s** nmpl: **~s de punto** tricots mpl, articles mpl en tricot.

generosidad nf libéralité f, générosité f; magnanimité f.

generoso, a a (noble) noble; (dadivoso) généreux(euse); (excelente) excellent(e), distingué(e).

génesis nf genèse f.

genial a génial(e); brillant(e), remarquable, notable.

genio nm (carácter) caractère m; (humor) humeur f; (facultad creadora) génie m; (ser sobrenatural) génie.

gente nf monde m, gens mpl.

gentil a gentil(le), gracieux(euse) // nm/f (REL) infidèle m/f; **gentileza** nf (amabilidad) grâce f, élégance f; (cortesía) politesse f.

gentilhombre nm (pl gentileshombres) (buen mozo) beau garçon; (cortés, HISTORIA) gentilhomme m.

gentío nm foule f; **¡qué ~!** que de monde!

genuflexión nf génuflexion f.

genuino, a a authentique, vrai(e).

geógrafo, a a nm/f géographe m/f.

geología nf géologie f.

geometría nf géométrie f.

gerencia nf direction f.

gerente nm gérant m.

germanía nf jar(s) m.

germen nm germe m.

germinar vi germer.

gesticulación nf (del rostro) grimace f; (con las manos) gesticulation f.

gestión nf gestion f; (diligencia, acción) démarche f; **gestionar** vt faire des démarches pour; traiter, négocier; administrer.

gesto nm (mueca) grimace f; (ademán) geste m.

giboso, a a bossu(e).

Gibraltar nm Gibraltar m.

gigante a géant(e), gigantesque, énorme // nm/f géant/e.

gimnasio nm gymnase m; **gimnástico, a** a (de) gymnastique.

ginebra nf gin m; genièvre m; (fam) confusion f.

gira nf (MUS, TEATRO) tournée f; (viaje, excursión) excursion f, voyage m.

girador, a nm/f tireur/euse.

giralda nf girouette f.

girar vt tourner; (COM: cheque) tirer; (comerciar: letra de cambio) virer // vi tourner.

girasol nm tournesol m, soleil m.

giratorio, a a tournant(e), pivotant(e).

giro nm (movimiento) tour m; (fig) tournure f, tour; (LING) tournure; (COM) virement m; **~ bancario/postal** virement m bancaire/postal; **~ telegráfico** mandat m télégraphique.

gitano, a a gitan(e) // nm/f gitan/e.

glacial a glacial(e).

glándula nf glande f.

glauco, a a glauque.

glicerina nf glycérine f, glycérol m.

globo nm (esfera) globe m; (aerostato, juguete) ballon m; (fam) canard m, fausse nouvelle.

gloria nf (honor) gloire f; (fama) renommée f; **gloriarse** vr se glorifier.

glorieta nf (de jardín) tonnelle f, cabinet m de verdure; (plazoleta) rond-point m.

glorificación nf glorification f.

glorificar vt glorifier; louer; diviniser; exalter; **~se** vr se glorifier, se vanter.

glorioso, a a (loable) glorieux(euse); (divino) divin(e); (pey) vantard(e).

glosa nf glose f, note f, remarque f.

glosar vt (comentar) gloser, annoter, commenter; (fig) trouver à redire, critiquer.

glosario nm glossaire m.

glotón, ona a a glouton(ne); **glotonería** nf gloutonnerie f.

glutinoso, a a glutineux(euse).

gobernación nf gouvernement m.

gobernador, a a gouvernant(e) // nm gouverneur m.

gobernalle nm gouvernail m.

gobernante a gouvernant(e) // nm/f gouvernant/e, dirigeant/e.

gobernar vt (dirigir) gouverner; (regir) conduire, mener // vi gouverner.

gobierno nm (POL) gouvernement m; (NAUT) gouvernail m; (información): **para su ~** pour votre gouverne.

goce nm (disfrute) jouissance f; (placer) plaisir m.

gol nm but m.

gola nf gosier m, gorge f.

goleta nf goélette f.

golf nm golf m.

golfa nf (fam) putain f.

golfo nm (GEO) golfe m; (fam) voyou m.

golondrina nf hirondelle f.

golosina nf friandise f, gourmandise f; sucrerie f.

goloso, a a gourmand(e).

golpe nm coup m; **dar el ~** épater, étonner; **darse un ~** tomber, se donner un coup; **no dar ~** ne rien faire du tout; **de un ~** d'un (seul) coup; **de ~** soudain; **~ de castigo** penalty m; **~ de estado** coup d'état; **~ de vista** coup d'œil; **~ franco** coup franc; **golpear** vt, vi frapper; (asestar) assener; (golpetear) tapoter, tambouriner.

golleete nm (cuello) cou m; (de botella) goulot m.

goma nf (caucho) gomme f, caoutchouc m; (elástico) élastique m; (AUTO) **~s** fpl pneus mpl; **~ espuma** caoutchouc mousse; (AM): **~ de borrar** gomme f (à effacer); **~ de pegar** colle f.

gonce nm = gozne.

góndola nf gondole f.

gordo, a a (grueso) gros(se); (entrada en carnes) gras(se); (fam) énorme, considérable // nm: **sacarse el ~** gagner le gros lot // nf (fam): **armarse la gorda** faire les quatre cents coups.

gorgojo nm (insecto) charançon m; (fam) nabot m, bout m d'homme.

gorila nm gorille m.

gorjear vi gazouiller.

gorjeo nm (de pájaros) gazouillement m; (canto) roulade f.

gorra nf (casquete) casquette f; (de niño) bonnet m; (militar) bonnet à poil, calot m // nm pique-assiette m/f inv.

gorrión nm moineau m.

gorro nm bonnet m.

gorrón nm (guijarro) galet m; (TEC) pivot m, fusée f d'essieu.

gota nf goutte f; **gotear** vi (ropa) s'égoutter; (grifo) couler; (lloviznar) pleuviner; **gotera** nf (agujero) gouttière f; (agua) fuite f d'eau; **~s** fpl (MED) infirmités fpl; (AM) faubourgs mpl, environs mpl.

gótico, a a gothique.

gotoso, a a goutteux(euse).

gozar vi jouir; **~ de** jouir de.

gozne nm (de puerta, ventana) gond m; (bisagra) charnière f.

gozo nm (alegría) joie f; (placer) plaisir m; **gozoso, a** a joyeux(euse), agréable; délicieux(euse).

g.p. abr de giro postal.

gr. abr de gramo.

grabado nm gravure f.

grabador nm graveur m.

grabadora nf magnétophone m.

grabar vt graver; (discos, cintas) enregistrer.

gracejo nm badinage m; esprit m.

gracia nf (encanto, atractivo) grâce f, charme m; (chiste) plaisanterie f; (REL) grâce; **¡~s!** merci; **¡muchas ~s!** merci beaucoup!; **~s a** grâce à; **tiene ~ lo que dice** ce qu'il dit est amusant; **hacer ~ a uno de algo** faire don à qn de qch; **hacer ~ a uno** amuser qn; **caer en ~ a**

uno plaire à qn; **gracioso, a** a
(*cómico*) drôle, comique; (*divertido*)
amusant(e), spirituel(le); (*encantador*) charmant(e), gracieux(euse);
(*simpático*) gentil(le) // nm
(*TEATRO*) gracioso m, pitre m.
grada nf (*de escalera*) degré m,
marche f; (*de anfiteatro*) gradin m;
(*AGR*) herse f; (*NAUT*): ~ **de construcción** cale f au chantier m de
construction.
gradación nf gradation f.
gradería nf degrés mpl, gradins
mpl.
grado nm degré m; (*de aceite, vino*)
grade m, teneur f; (*ESCOL*) année f;
(*MIL*) grade m; **de buen** ~ **de bon gré**.
graduación nf (*del alcohol*) degré
m, titre f; (*jerarquía*) grade m;
(*ESCOL*) remise f des diplômes.
gradual a graduel(le).
graduar vt (*termómetro*) graduer;
(*escalonar*) échelonner; (*MIL*) élever
au grade de; ~**se** vr recevoir le
titre de.
gráfico, a a graphique, imagé(e),
(*fig*) clair(e) // nm graphique m,
diagramme m.
grajo nm crave m m.
Gral abr de **General**.
gramática nf grammaire f.
gramo nm gramme m.
gramola nf phonographe m.
gran a ver **grande**.
grana nf (*BOT*) grenaison f, graine
f; (*ZOOL*) cochenille f; (*quermés*)
kermès m; (*color, tela*) écarlate f.
Granada nf Grenade f.
granada, a a grenade f; (*granadino,
a*) a grenadin(e) // nm/f grenadin/e
// nf grenadine f.
granado, a a (*AGR*) grenu(e); remarquable, illustre; mûr(e); expert(e) // nm grenadier m.
granar vi grener, monter en
graine.
granate nm grenat // nm (*piedra*)
almandine f.
Gran Bretaña nf la Grande-
Bretagne.
grande, gran a grand(e) // nm

grand m; **grandeza** nf grandeur f.
grandioso, a a grandiose.
grandor nm grandeur f.
granel: a ~ ad à foison, en quantité.
granero nm grange f, grenier m.
granito nm (*AGR*) petit grain; (*roca*) granite m; (*MED*) petit bouton.
granizada nf grêle f, chute f de
grêle; (*fig*) torrent m; (*bebida*) boisson glacée.
granizado nm boisson glacée.
granizar vi grêler.
granizo nm grêle f, grêlon m.
granja nf ferme f.
granjear vt (*AM*) voler // vi commercer, trafiquer; ~**se** vr gagner,
acquérir.
granjería nf (*COM*) profit m; (*AGR*)
ferme f.
grano nm (*semilla, partículo*) grain
m; (*baya*) baie f; (*MED*) bouton m;
~**s** nmpl grain(s) m(pl), céréale(s)
f(pl); **de** ~ **fino** au grain fin; **de** ~
gordo à gros grain.
granoso, a a grenu(e).
granuja nf raisin m // nm galopin
m, canaille f, dévoyé m.
grao nm plage f.
grapa nf agrafe f; (*AM*) boisson f alcoolique.
grasa nf (*sebo*) graisse f; (*mugre,
suciedad*) crasse f; (*escoria*) scories
fpl, crasses fpl; **echar** ~ (*fam*)
prendre du ventre; **grasiento, a** a
graisseux(euse).
gratificación nf gratification f.
gratificar vt gratifier.
gratis ad gratis.
gratitud nf gratitude f.
grato, a a agréable, plaisant(e).
gratuito, a a gratuit(e).
gravamen nm (*carga*) charge f;
(*impuesto*) taxe f.
gravar vt grever, taxer.
grave a grave; **gravedad** nf gravité
f.
grávido, a a (*preñada*) enceinte;
(*lleno, cargado*) gravide, chargé(e).
gravitación nf gravitation f,
attraction f.

gravitar vi graviter; ~ **sobre** peser sur.

gravoso, a a (pesado) lourd(e), pesant(e); (costoso) onéreux(euse), coûteux(euse).

graznar vi (cuervo) croasser; (ave) criailler; (búho) huer; (ganso) cacarder, jargonner; **graznido** nm croassement m; cacardement m.

Grecia nf Grèce f.

greda nf glaise f, terre f glaise; **gredoso, a** a glaiseux(euse).

gregario, a a grégaire.

greguería nf brouhaha m.

gremio nm corporation f.

greña nf (cabellos) tignasse f; (maraña) enchevêtrement m; **greñudo, a** a ébouriffé(e).

gresca nf (ruido) vacarme m; (riña) bagarre f, querelle f.

grey nf ouailles fpl, congrégation f.

grial nm graal m.

griego, a a grec(que) // nm/f Grec/que.

grieta nf (del terreno) crevasse f; (de muro) lézarde f; (MED) crevasse, gerçure f.

grietarse vr = **agrietarse.**

grifo, a a (crespo) crépu(e); (enmarañado) ébouriffé(e) // nm robinet m; (AM) poste m à essence; (MITOLOGIA) griffon m.

grillo nm (ZOOL) grillon m; (BOT) tige f; ~**s** nmpl fers mpl; (fig) entraves fpl; obstacles mpl.

gripe nf grippe f.

gris a (color) gris(e); (triste) triste, gris; (apagado) terne // nm gris m.

grita nf criaillerie f.

gritar vt, vi crier.

gritería nf, **griterío** nm cris mpl, criaillerie f.

grito nm cri m, exclamation f; a ~ **pelado** à tue-tête, à grands cris; **estar en un** ~ n'en plus pouvoir (de douleur).

grosella nf groseille f.

grosería nf grossièreté f.

grosero, a a rustre; grossier(ière), vulgaire.

grosor nm grosseur f.

grotesco, a a grotesque.

grúa nf grue f.

grueso, a a gros(se); (voluminoso) volumineux(euse) // nm grosseur f // nf grosse f; la ~ **de** le gros de; (COM): **en ~** en gros.

grulla nf grue f.

grumete nm mousse f.

grumo nm grumeau m, caillot m.

gruñido nm grognement m.

gruñir vi (animal) grogner; (fam) ronchonner.

grupa nf croupe f; **llevar a ~s** porter en croupe.

grupo nm groupe m.

gruta nf grotte f.

gte abr de **gerente.**

Guadalquivir nm: **el ~** le Guadalquivir.

guadamecí, guadamecil nm maroquin m.

guadaña nf faux f.

guadañar vt faucher.

gualdrapa nf housse f; (fam) loque f, haillon m.

guano nm guano m.

guante nm gant m.

guapo, a a beau (belle); (valiente) brave, vaillant(e); (AM: pendenciero) bagarreur m; (: fanfarrón) crâneur m.

guarda nm garde m, gardien m // nf garde f; ~**bosque** nm garde m (forestier); ~**costas** nm inv garde-côte m inv; ~**dor, a** a (protector) gardeur(euse); (observante) observateur(trice) // nm/f (protector) protecteur/trice; (tacaño) avare m/f; ~**espaldas** nm/f inv garde m du corps; ~**polvo** nm inv cache-poussière m inv; (de niño) tablier m, blouse f; (para el trabajo) blouse; (funda de muebles) housse f; (de reloj) calotte f; **guardar** vt (secreto) garder; (animales) garder; (ordenar) ranger, mettre à sa place; (dinero: ahorrar) mettre de côté; **guardarse** vr (preservarse) se garder; (evitar) éviter; **guardar cama** garder le lit; **guardar distancia** garder ses distances; ~**ropa**

nm (armario) armoire *f*; (vestimentas) garde-robe *f*; (en establecimiento público) vestiaire *m*; (TEATRO) costumes *mpl* et accessoires *mpl*; ~**vía** *nm* garde-voie *m*.

guardia *nf* garde *f* // *nm* garde *m*; **estar de** ~ être de garde; **montar** ~ monter la garde; **ponerse en** ~ se mettre en garde; ~ **civil** gendarme *m*; **G**~ **Civil** Gendarmerie *f*; ~ **de asalto** forces *fpl* d'intervention (de police); ~ **de tráfico** agent *m* (de la circulation).

guardián, ana *nm/f* gardien/ne.

guardilla *nf* (buhardilla) mansarde *f*; (costura) point *m*.

guarecer vt (proteger) protéger; (abrigar) abriter, mettre à l'abri; ~**se** vr se protéger, s'abriter.

guarida *nf* (de animal) repaire *m*; (refugio) retraite *f*.

guarismo *nm* (cifra) chiffre *m*; (número) nombre *m*.

guarnecer vt (equipar) garnir, équiper; (adornar) garnir; (TEC) protéger, renforcer; (MIL) tenir garnison; **guarnición** *nf* (de vestimenta) garniture *f*; (de piedra) chaton *m*, sertissure *f*; (de espada) garde *f*; (CULIN) garniture *f*; (arneses) harnais *mpl*; (MIL) garnison *f*, campement *m*.

guarro, a *nm/f* (ZOOL) cochon *m*/truie *f*; (fam) cochon/ne.

guasa *nf* balourdise *f*, sottise *f*; **guasón, ona** *a* blagueur(euse) // *nm/f* farceur(euse) // *nm/f* blagueur/euse, farceur/euse.

Guatemala *nf* Guatemala *m*.

gubernativo, a *a* gouvernemental(e).

guedeja *nf* longue chevelure *f*; (de león) crinière *f*.

guerra *nf* guerre *f*; ~ **fría** guerre froide; ~ **de nervios** guerre des nerfs; **guerrear** vi guerroyer; **guerrero, a** *a* guerrier(ère); belliqueux(euse), combattant(e) // *nm/f* guerrier/ère; belliqueux/euse, combattant/e.

guerrilla *nf* (MIL) guérilla *f*; (NAIPES) bataille *f*.

guía *nm/f* guide *m* // *nf* (libro) guide *m*; (TEC) guidon *m*; ~**s** *nfpl* guides *fpl*; ~ **de ferrocarriles** indicateur *m* de chemin de fer; ~ **de teléfonos** annuaire *m*; ~ **turística** guide touristique.

guiar vt guider; ~**se** vr s'orienter.

guija *nf*, **guijarro** *nm* caillou *m*.

guijo *nm* gravier *m*; (AM) axe *m*.

guillotina *nf* guillotine *f*.

guinda *nf* (cereza) guigne *f*, griotte *f*; (NAUT) guindant *m*.

guindar vt guinder, hisser; (fam) pendre; ~ **un empleo a otro** (fam) souffler un emploi à quelqu'un d'autre.

guindilla *nf* piment *m* rouge // (fam) flic *m*.

guindo *nm* guignier *m*, griottier *m*.

guinea *nf* guinée *f*.

guiñapo *nm* (harapo) haillon *m*, guenille *f*; (persona) personne dégingandée.

guiñar vi (persona) cligner de l'œil; (luz) clignoter.

guión *nm* (conductor) guide *m*; (LING) trait d'union *m*; (en diálogos, como paréntesis etc) tiret *m*; (CINE) scénario *m*; (REL) croix de procession.

guirnalda *nf* guirlande *f*.

guisa *nf* guise *f*; **a** ~ **de advertencia** en guise d'avertissement.

guisado *nm* ragoût *m*; (fam) histoire *f*, affaire *f*.

guisante *nm* (planta) pois *m*; (legumbre) petit pois; ~ **de olor** pois de senteur.

guisar vi cuisiner.

guiso *nm* ragoût *m*.

guita *nf* (cuerda) ficelle *f*; (fam) galette *f*.

guitarra *nf* (MUS) guitare *f*; (TEC) batte *f*.

gula *nf* gourmandise *f*.

gusano *nm* ver *m*; (lombriz) ver de terre; (larva) asticot *m*; (oruga) chenille *f*; ~ **de luz** ver luisant; ~ **de seda** ver à soie.

gustar *vt* goûter // *vi* plaire; **~ de algo** aimer qch; **me gusta marchar bajo la lluvia** j'aime marcher sous la pluie; **me gustan las uvas** j'aime les raisins; **venga cuando guste** venez quand vous voudrez.

gusto *nm* (*sentido, sabor*) goût *m*; (*placer*) plaisir *m*; **tiene ~ a menta** cela a le goût de la menthe; **tener buen ~** avoir bon goût; **sentirse a ~** se sentir à l'aise *ou* bien; **lo haré con ~** je le ferai avec plaisir; **mucho ~ en conocerle** enchanté de faire votre connaissance; **el ~ es mío** enchanté; **tomar ~ a** prendre goût à, (*sabroso*) savoureux(euse); (*agradable*) plaisant(e); (*con placer*) avec plaisir.

gutural *a* guttural(e).

H

h *abr de* **hora(s)** *y de* **habitantes.**

ha *vb ver* **haber.**

haba *nf* (*fève*) *f*, (*de cacao*) graine *f*; (*de café*) grain *m*.

Habana *nf*: **la ~** la Havane.

habano, a *nm* havane *m* // *a* havanais(e)

haber *vb auxiliar* avoir; **de ~lo sabido** si je l'avais su; **~ de** devoir; **han de ser las siete** il doit être sept heures // *vb impersonal*: **hay** il y a; **hay que** il faut; **hárselas con uno** avoir affaire à qn; **¿qué hay?** comment ça va?; **no hay de qué** il n'y a pas de quoi; **tres años ha** cela fait trois ans; **¿cuánto hay de aquí a Madrid?** combien y a-t-il d'ici à Madrid? // *nm* (*ingreso*) avoir *m*, recette *f*; (*COM: crédito*) crédit *m*; **~es** *nmpl* avoir *m*.

habichuela *nf* haricot *m*; **ganarse las ~s** gagner sa vie.

hábil *a* (*listo*) habile; (*capaz, eficiente*) capable, efficace; (*pey*) astu-

cieux(euse); **~ para trabajar** apte à travailler; **día ~** jour *m* ouvrable;

habilidad *nf* (*capacidad*) habileté *f*, adresse *f*, (*pey*) astuce *f*; (*preparación para algo*) disposition *f*;

habilidoso, a *a* habile, adroit(e).

habilitación *nf* (*calificación*) qualification *f*; (*colocación de muebles*) aménagement *m*; (*financiamiento*) financement *m*; (*AM*) prêt *m*, crédit *m*; (*oficina*) comptabilité *f*.

habilitado *nm* officier comptable *ou* payeur *m*.

habilitar *vt* qualifier; habiliter; autoriser; aménager, meubler; commanditer; (*AM*) faire un prêt à.

hábilmente *ad* habilement, astucieusement.

habitación *nf* (*residencia*) habitation *f*; (*casa*) maison *f*; (*departamento*) appartement *m*, (*cuarto*) pièce *f*, chambre *f*; (*BIO: morada*) habitat *m*; **~ sencilla/particular** chambre simple/particulière; **~ doble** *o* **matrimonial** chambre double.

habitante *nm/f* habitant/e // *nm* (*fam*) puce *f*.

habitar *vt* (*residir en*) habiter; (*ocupar*) occuper // *vi* vivre.

hábito *nm* habitude *f*; (*REL*) habit *m*; **habitual** a habituel(le) // *nm/f* habitué/e.

habituar *vt* habituer; **~se** *vr* s'habituer.

habla *nf* (*capacidad de hablar*) parole *f*; (*lengua, idioma, dialecto*) langue *f*; (*forma de hablar*) parler *m*, langage *m*; (*acto de hablar*) parole; (*NAUT*): **al ~** à portée de la voix; **perder el ~** perdre la voix; **de ~ francesa** de langue française; **estar al ~** être en relation, être en pourparlers; **¡González al ~!** González à l'appareil!

hablador, a *a* bavard(e); cancanier(ière) // *nm/f* bavard/e; cancanier/ière.

habladuría *nf* cancan *m*, racontar *m*; commérage *m*; **~s** *nfpl* cancans *mpl*.

hablar vt (gen) parler; (decir) dire // vi (gen) parler; ~se vr se parler; (fig) se fréquenter; ~ **con** parler à; ~ **de** parler de; ~ **a solas** parler tout seul; **¡ni ~!** pas question!; **¿quién habla?** qui est là?, qui parle?

hablilla nf (cuento) conte m, histoire f; (chisme) potin m, ragot m.

habré etc vb ver **haber**.

hacedero, a a faisable.

hacedor, a nm/f auteur m, créateur/trice.

hacendado, a nm propriétaire foncier.

hacendoso, a a actif(ive), travailleur(euse).

hacer vt faire; (fabricar, crear) faire, créer; (TEC) construire; (obra de arte) composer, créer; (vestido) coudre; (cocinar) préparer; (preparar) préparer; (ejecutar) exécuter; (pensar, tomar por) croire; (acostumbrar) accoutumer; (obligar) obliger; (sumar) faire, compter; (volver, convertir en) faire devenir, rendre // vi (comportarse) se comporter comme; (disimular) faire comme si; (tener importancia) faire l'important; (convenir, ser apto) convenir, servir pour; ~**se** vr (fabricarse) se faire; (volverse) devenir; (disfrazarse de) se faire; (acostumbrarse a) se faire à; ~ **dinero** s'enrichir, faire de l'argent; ~ **la guerra** faire la guerre; ~ **la maleta** faire sa valise; ~ **una pregunta** poser une question; ~ **una visita** rendre visite; ~ **una apuesta** parier; ~ **sombra** faire de l'ombre; **hace bien/mal** bien/mal fait; **hace frío/calor** il fait froid/chaud; **hace dos años** cela fait deux ans; **está durmiendo desde hace 3 días** il dort depuis 3 jours; **hace poco** il y a peu de temps, cela fait peu de temps; **2 y 2 hacen** 4 2 et 2 font 4; ~ **cine/teatro** faire du cinéma/du théâtre; ~ **el malo** (TEATRO) jouer le rôle du méchant; **¿qué ~?** quoi faire?; **¿qué le vamos a ~!** on n'y peut rien; **hace construir una casa** j'ai fait construire une maison; ~ **como que** o **como si** faire semblant de ou comme si; ~ **de** faire fonction de; ~ **para** o **por llegar** faire tout son possible pour arriver; **me hice un traje** je me suis fait un costume; **se hicieron amigos** ils devinrent amis; ~**se el sordo** faire la sourde oreille, faire le sourd; ~**se viejo** se faire vieux; ~**se a** s'habituer à; ~**se con** algo s'approprier ou se procurer qch; ~**se a un lado** s'écarter; (AM): **se me hace que** il me semble que.

hacia prep (en dirección de) vers; (cerca de) près de; ~ **arriba/abajo** vers le haut/le bas; ~ **mediodía** vers midi.

hacienda nf (propiedad) ferme f, propriété rurale; (estancia) ferme, (AM) plantation f; ~**s** nfpl tâches fpl domestiques; **pública** trésor public; **(Ministerio de H~)** ministère m des Finances.

hacina nf (montón) tas m; (AGR) meule f, gerbier m.

hacha nf hache f; (fig) as m, génie m; (antorcha) torche f; flambeau m.

hada nf fée f; **cuentos de ~s** contes mpl de fées.

hago etc vb ver **hacer**.

Haití nm Haïti f.

halagar vt (mostrar afecto) flatter, aduler; (agradar) plaire, agréer; (adular) aduler.

halago nm (placer, gusto) plaisir m; (atractivo) attrait m, charme m; (adulación) flatterie f, adulation f.

halagüeño, a a plaisant(e); attirant(e); charmant(e); optimiste.

halcón nm (pájaro) faucon m; (POL) aigle m.

hálito nm haleine f.

halitosis nf mauvaise haleine.

hallar vt trouver, rencontrer; (descubrir) découvrir; (toparse con) rencontrer; ~**se** vr se trouver, être; **no se halla con los oficiales** il n'est pas à son aise avec les militaires;

hallazgo nm (descubrimiento) découverte f; (cosa) trouvaille f.

hamaca nf hamac m; ~ **plegable** chaise longue pliante.

hambre nf faim f; (carencia) famine f; (fig) désir m, soif f, faim; **tener** ~ avoir faim; **hambrear** vi avoir faim // vt affamer; **hambriento, a** (con hambre) affamé/e; (deseoso) désireux (euse) // nm/f affamé/e.

hamburguesa nf hamburger m.

hampa nf pègre f, milieu m.

hampón nm bravache m.

han vb ver **haber**.

haragán, ana a fainéant(e) // nm/f fainéant/e; **haraganear** vi fainéanter.

harapiento, a a en haillons, déguenillé(e).

harapo nm haillon m, guenille f; **estar hecho un** ~ être déguenillé(e); **poner a uno como un** ~ injurier qn; **haraposo, a** a = **harapiento**.

haré etc vb ver **hacer**.

harina nf farine f; (polvo) poudre fine; ~ **de avena/de trigo/de maíz/leudante** farine d'avoine/de blé/de maïs/à levure; ~ **de huesos** poudre d'os; ~ **lacteada** farine lactée; **harinero, a** nm/f farinier/ière, minotier/ière // nf farinière f; **harinoso, a** a farineux(euse).

hartar vt (saciar) rassasier; (sobrellenar) trop remplir; (fig) fatiguer, lasser; ~**se** vr (llenarse de comida) se gaver; se rassasier; se lasser, s'ennuyer; ~ **de reír** rire tout son soûl; **hartazgo** nm indigestion f; rassasiement m; **harto, a** a (lleno) rassasié(e); (sobrellenado) dégoûté(e), gavé(e) // ad assez, trop; **estar harto de** en avoir assez de; **hartura** nf indigestion f; abondance f; satisfaction f.

has vb ver **haber**.

hasta ad même // prep (alcanzando a) jusqu'à; (de tiempo: a tal hora) avant; (: tan tarde como) jusqu'à // conj: ~ **que** jusqu'à ce que; ~

luego/la vista à bientôt/au revoir.

hastiar vt (aburrir, cansar) ennuyer, excéder; (repugnar, asquear) dégoûter, écœurer; ~**se** vr: ~**se de** se dégoûter de.

hastío nm lassitude f, fatigue f, ennui m; (asco) dégoût m.

hato, hatillo nm baluchon m; (rebaño) troupeau m; (víveres) provisions fpl; (banda) bande f, ramassis m; (montón) tas m, paquet m, botte f.

hay vb ver **haber**.

Haya nf: **la** ~ la Haye.

haya vb ver **haber** // nf hêtre m; **hayal, hayedo** nm hêtraie f.

haz vb ver **hacer** // nm (manojo) botte f; (rayo: de luz) faisceau m; (fig) surface f, face f.

hazaña nf exploit m.

hazmerreír nm risée f.

he vb ver **haber** // ad: ~ **aquí** voici; **heme aquí/héteme aquí** me voici.

hebdomadario, a a hebdomadaire // nm hebdomadaire f.

hebilla nf boucle f.

hebra nf (hilo, pedazo de hilo) brin m; (BOT: fibra) fibre f; (de madera) fil m; (veta) veine f, filon m; (filamento) filament m; (fig) fil; **tabaco de** ~ tabac en vrac.

hebreo, a a hébreu (pey) // nm/f Juif/Juive; (pey) juif/juive // nm hébreu m.

hect abr de **hectárea**.

hectárea nf hectare m.

hechicero, a nm/f sorcier/ière; **hechicería** nf sorcellerie f; (fig) envoûtement m, charme m.

hechizar vt jeter un sort à, ensorceler; (fig) envoûter, charmer; (: pey) nuire, faire du tort à.

hechizo, a a (falso, artificial) artificiel(le), faux(ausse); (removible) séparable, détachable; (TEC) manufacturé(e); (AM) de ménage, faire à la maison // nm (magia, brujería) sortilège m, sort m; (acto de magia) charme m, envoûtement m; (fig) ensorcellement m, fascination f.

hecho, a pp de **hacer** // a

(*completo, maduro*) fait(e); mûr(e);
(*costura*) de confection // nm
(*acto*) fait m; (*dato, cuestión,
suceso*) événement m, fait m // excl
d'accord!; **bien** ~ (*persona*) bien
fait, bien de sa personne; **estar** ~
être devenu; **y derecho** accompli,
parfait; **de** ~ en fait.

hechura nf (*manufactura*) fabrication f; (*producto*) produit m, création f; (*forma*) forme f, consistance
f; (TEC) œuvre f, ouvrage m; (*fig*)
pantin m, homme de paille m; ~s
nfpl (*COSTURA*) coutures fpl; a ~ de
à l'image de; **tener** ~s de algo
avoir des aptitudes pour.

heder vi puer; (*fig*) empoisonner,
irriter; **hediondez** nf (*olor*) puanteur
f; (*cosa*) infection f, pestilence f;
hediondo, a a puant(e), infect(e);
répugnant(e); empoisonnant(e);
hedor nm puanteur f, fétidité f.

helado, a a (*congelado*) gelée(e),
glacé(e); (*fig*) froid(e), glacial(e) //
nm glace f // nf gelée f, **helada
blanca** gelée blanche.

helar vt (*METEOROLÓGICA*) geler;
(*congelar: líquido*) geler, congeler,
figer; (*enfriar: bebida*) frapper;
(*dejar atónito*) glacer, abasourdir;
(*desalentar*) décourager // vi geler,
congeler; ~**se** vr se glacer.

helecho nm fougère f.

hélice nf hélice f; (*ANAT*) hélix m;
(*ZOOL*) escargot m.

helicóptero nm hélicoptère m.

hembra nf (BOT, ZOOL) femelle f;
(*mujer*) femme f, fille f; (*COSTURA*)
chas m; (TEC): ~ **de terraja** femelle,
matrice f.

hemisferio nm hémisphère m.

hemofilia nf hémophilie f.

hemorragia nf hémorragie f.

hemorroides nfpl hémorroïdes
fpl.

hemos vb ver **haber**.

henchir vt emplir, remplir; ~**se** vr
(*llenarse de comida*) se bourrer;
(*hincharse*) se gonfler.

hendedura nf = **hendidura**.

hender vt fendre.

hendidura nf fente f, fêlure f;
(*GEO*) crevasse f.

heno nm foin m.

heráldico, a a héraldique.

heraldo nm héraut f.

herbáceo, a a herbacé(e).

herbicida nm herbicide m.

herbívoro, a a herbivore // nm
herbivore m.

heredad nf (*propiedad*) propriété f;
(*granja*) exploitation f, domaine m.

heredar vt // vi: ~ **de** vt
hériter de; **heredero, a** nm/f héritier/ière; **hereditario, a** a héréditaire.

hereje a incrédule, sceptique //
nm/f hérétique m/f; **herejía** nf
hérésie f.

herencia nf héritage m; (BIO)
hérédité f.

herido, a a (*que padece*) blessé(e);
(MIL) touché(e) // nm/f blessé/e //
nf (*llaga*) blessure f, plaie f; (*fig*)
blessure, insulte f.

herir vt blesser; (MIL) toucher;
(MUS) jouer, pincer; (*el sol*) frapper;
(*fig*) toucher; froisser, offenser;
~**se** vr se blesser.

hermanar vt (*unir*) réunir; (*armonizar*) assortir.

hermandad nf fraternité f,
(*grupo*) confrérie f, amicale f, association f.

hermano, a nm/f frère/sœur;
(REL) frère/sœur; (*parecido, correspondiente*) semblable m/f, pareil/le;
medio(a) ~ **/hermana** demi-frère/-sœur; ~ **primo(a)** ~**/a** cousin(e)
germain(e); ~**/a** **gemelo(a)**
frère/sœur jumeau(melle); ~**/a**
lego(a) frère/sœur lai(e); ~**/a**
político(a) beau-frère/belle-sœur.

hermético, a a hermétique,
étanche; (*fig*) impénétrable.

hermosear vt embellir.

hermoso, a a (*bonito*) beau
(belle); (*estupendo*) formidable, extraordinaire; (*guapo*) joli(e); **hermosura** nf beauté f, splendeur f.

hernia nf hernia

héroe nm héros m; **heroico, a** a héroïque.

heroína nf (*mujer, droga*) héroïne f.

heroísmo nm héroïsme m.

herpes nmpl o nfpl herpès m.

herrador nm maréchal-ferrant m, ferreur m.

herradura nf à cheval m; **curva en ~** virage m en épingle à cheveux.

herramienta nf outil m; (*conjunto*) outillage m; (*fam*) cornes fpl; denture f, dents fpl; **~ de mano** outil m; **~ mecánica** machine f.

herrar vt (*caballo*) ferrer; (*ganado*) marquer au fer; (*TEC*) ferrer.

herrería nf (*taller*) forge f, atelier m de forgeron; (*arte*) maréchalerie f, ferronnerie f; (*fig*) tapage m.

herrero nm forgeron m, maréchal-ferrant m.

herrumbre nf rouille f.

hervidero nm (*burbujeo*) bouillonnement m; (*fuente*) source f d'eau chaude; (*fig*) grouillement m, fourmillière f.

hervir vi (*cocer*) bouillir, cuire; (*burbujear*) bouillonner; (*fig*): **~ de** être rempli(e) de; **~ en abonder en**; **~ a fuego lento** cuire à feu doux; **hervor** nm ébullition f; (*fig*) ardeur f; **alzar el ~** commencer à bouillir.

hetero... pref hétéro...

hez nf: **las heces** la lie, les selles fpl.

hice etc vb ver **hacer**.

hidalgo, a a noble // nm/f gentilhomme m/aristocrate.

hidalguía nf noblesse f; générosité f.

hidráulico, a a hydraulique // nf hydraulique f.

hidro... pref hydro...; **~avión** nm hydravion m; **~carburo** nm hydrocarbure m; **~eléctrico, a** a hydro-électrique; **~fobia** nf hydrophobie f; **hidrófugo, a** a hydrofuge; **hidrógeno** nm hydrogène m; **~pesía** nf hydropisie f; **~plano** nm hydroglisseur m; **~velero** nm planche à voile f.

hiedra nf lierre m.

hiel nf (*ANAT*) fiel m; (*fig*) amertume f; **~es** nfpl peines fpl, chagrins mpl.

hiela etc vb ver **helar**.

hielo nm glace f; (*fig*) froideur f; **~ flotante** o **movedizo** o **a la deriva** iceberg m.

hiena nf hyène f.

hierba nf (*BOT*) herbe f; (: *MED*) plante médicinale; **~s** nfpl (*pasto*) fourrage m, pâture f; **mala ~** mauvaise herbe; **~ mate** maté m; **hierbabuena** nf menthe f.

hierra nf (*AM*) ferrade f.

hierro nm (*metal*) fer m; (*objeto, herramienta*) objet m de métal ou de fer; (*de flecha*) fer; (*AGR*) marque f; (*GOLF*) fer; **~ batido/crudo/forjado** fer usiné/brut/forgé; **~ acanalado** tôle ondulée; **~ colado** o **fundido** fonte f; **~ viejo** ferraille f.

hígado nm (*ANAT*) foie m; (*fig*) courage m.

higiene nf hygiène f; **higiénico, a** a hygiénique.

higo nm figue f; **~ paso** o **seco** figue sèche; **higuera** nf figuier m.

hijastro, a nm/f beau-fils/belle-fille.

hijo, a nm/f fils/fille; **~s** nmpl enfants mpl; **~ de leche** nourrisson m; **~ de papá** fils à papa; **~/a politico/a** gendre/bru.

hijuelo nm rejeton m.

hilacha nf effilure f.

hilado, a a filé(e) // nm filage m, filé m.

hilandero, a nm/f fileur/euse.

hilar vt (*fila*) filer; (*fig*) réfléchir, raisonner.

hilera nf (*fila*) file f, rangée f; (*MIL*) file; (*ARQ*) faîtage m; (*AGR*) rang m.

hilo nm fil m; (*BOT*) fil, fibre f; (*filamento*) filament m; (*de luz, agua*) filet m; **coser al ~** coudre en droit fil.

hilvanar vt bâtir; (*fig*) bâcler, faire à la hâte.

Himalayas *nfpl:* las ~ l'Himalaya *m.*

himno *nm* hymne *m;* ~ **nacional** hymne national.

hincapié *nm:* **hacer** ~ **en** souligner, mettre l'accent sur.

hincar *vt* fixer, ficher, planter; ~**se** *vr:* ~**se de rodillas** s'agenouiller.

hinchado, a a gonflé(e); *(persona)* arrogant(e); *(estilo)* boursouflé(e).

hinchar *vt (inflar)* gonfler; *(agrandar)* enfler; *(fig)* exagérer, enfler; ~**se** *vr (inflarse)* s'enfler, se gonfler; *(fam: llenarse)* se bourrer, s'empiffrer; *(fig: exagerarse)* se gonfler, faire la roue; **hinchazón** *nf* gonflement *m,* boursouflure *f,* bouffissure *f;* arrogance *f,* orgueil *m;* enflure *f,* affectation *f.*

hinojo *nm* fenouil *m.*

hipar *vi* avoir le hoquet; *(perro)* haleter; *(gimotear)* pleurnicher, geindre; ~ **por** brûler pour.

hiper... *pref* hyper...

hípico, a a hippique.

hipnotismo *nm* hypnotisme *m;* **hipnotizar** *vt* hypnotiser.

hipo *nm* hoquet *m; (fig)* envie très forte; antipathie *f,* réprobation *f.*

hipocondría *nf* hypocondrie *f.*

hipocresía *nf* hypocrisie *f;* **hipócrita** a hypocrite // *nm/f* hypocrite *m/f.*

hipódromo *nm* hippodrome *m.*

hipoteca *nf* hypothèque *f.*

hipotecar *vt* hypothéquer.

hipótesis *nf* hypothèse *f;* **hipotético, a** a hypothétique.

hiriente a blessant(e), *(fig)* choquant(e); marqué(e).

hirsuto, a a *(peludo)* hirsute, *(fig)* brusque.

hirviente a bouillant(e).

hispánico, a a hispanique; **hispanismo** *nm* hispanisme *m;* **hispanista** *nm/f* hispaniste *m/f.*

hispano, a a espagnol(e); **H~américa** *nf* Amérique espagnole; ~**americano, a** a hispano-américain(e) // *nm/f* Hispano-

Américain/e; **hispanófilo, a** *nm/f* hispanophile *m/f.*

histeria *nf* hystérie *f.*

histérico, a a hystérique.

historia *nf* histoire *f;* ~**s** *fpl (chismes)* cancans *mpl,* ragots *mpl; (AM)* excuses *fpl;* **dejarse de** ~**s** aller au fait; **pasar a** ~ être plus grave ou plus profond qu'il n'y paraissait; **pasar a la** ~ entrer dans l'histoire; **historiador, a** *nm/f* historien/ne; **historiar** *vt (contar la historia de)* raconter l'histoire de; *(ARTE)* peindre, représenter; **histórico, a** a historique.

historieta *nf* historiette *f;* anecdote *f;* ~ **cómica** bande dessinée.

histrión, ona *nm/f* histrion *m;* **histriónico, a** a histrionique.

hita *nf* cheville *f,* broche *f.*

hito *nm (que marca límites)* borne *f,* jalon *m; (que indica distancias)* borne; *(objetivo)* mille *m,* but *m; (momento importante)* moment *m* qui fait date; ~**s** *nmpl (juego)* sorte de jeu de palet.

hizo *vb ver* **hacer.**

Hnos *abr de* **hermanos.**

hocico *nm (zool.)* museau *m,* groin *m; (fam: cara)* margoulette *f,* binette *f,* bouille *f; (cara de furia)* lippe *f,* moue *f;* **caer** o **dar de** ~**s** se casser la figure.

hockey *nm* hockey *m;* ~ **sobre patines** o **hielo** hockey sur patins o glace.

hogar *nm (chimenea)* foyer *m,* âtre *m; (casa, vida familiar)* foyer; *(horno)* four *m; (de locomotora)* chaudière *f;* **hogareño, a** a familial(e); casanier(ière).

hoguera *nf* bûcher *m.*

hoja *nf (BOT)* feuille *f; (de papel, vidrio)* feuille; *(página)* page *f; (documento oficial)* dossier *m,* feuille, papiers *mpl; (de metal)* feuille, lame *f; (de puerta)* battant *m,* vantail *m; (de espada)* lame; ~ **de afeitar** lame de rasoir.

hojalata *nf* fer-blanc *m.*

hojarasca *nf (hojas muertas)* *(fig)*

détritus *mpl*; verbiage *m*.

hojear *vt* feuilleter; parcourir.

hola *excl* (*saludo*) bonjour!, salut!; (*sorpresa*) oh!

Holanda *nf* Hollande *f*.

holandés, esa *a* hollandais(e) // *nm/f* Hollandais/e // *nm* hollandais *m*.

holgado, a *a* (*suelto: vestido*) ample, large; (*que hace bolsa*) qui godaille ou fait des poches; (*libre, desempleado*) libre, désœuvré(e); (*ocioso*) oisif(ive); (*rico*) aisé(e), à l'aise.

holganza *nf* liberté *f*, désœuvrement *m*; oisiveté *f*; repos *m*; amusement *m*, plaisir *m*.

holgar *vi* se reposer; être au chômage, chômer, ne pas travailler; être inutile ou de trop; **huelga decir que** il est inutile de dire que; **~se con algo** se réjouir de qch.

holgazán, ana *a* paresseux(euse) // *nm/f* fainéant/e.

holgura *nf* largeur *f*, ampleur *f*; (*TEC*) jeu *m*; oisiveté *f*, liberté *f*; amusement *m*, plaisir *m*; aisance *f*, bien-être *m*.

hollar *vt* fouler, marcher sur; (*fig*) fouler aux pieds.

hollín *nm* suie *f*.

hombradía *nf* virilité *f*, courage *m*.

hombre *nm* homme *m* // *cf* (*para énfasis*) diable!; (*sorpresa*) bon sang!, quoi!, tiens!; (*compasión*) mon vieux!; (*protesta*) voyons!, allons donc! (*fam*): **su ~** (*marido*) son homme; **ser de ~ a ~** d'homme à homme; **ser muy ~** être un homme cent pour cent; **~ de negocios** homme d'affaires; **~ de pro ou de provecho** homme de bien; **~ -anuncio** *nm* homme-sandwich *m*.

hombrera *nf* (*de vestido*) épaulette *f*; (*MIL*) épaulière *f*.

hombro *nm* épaule *f*.

hombruno, a *a* hommasse *f*/d'homme.

homenaje *nm* (*lealtad*) hommage *m*; (*fig*) respect *m*; (*AM: acto*) acte

m en l'honneur de qn; (: *regalo*) cadeau *m*.

homeopatía *nf* homéopathie *f*.

homicida *a* homicide // *nm/f* homicide *m/f*; **homicidio** *nm* homicide *m*.

homogéneo, a *a* homogène.

homosexual *a* homosexuel(le) // *nm/f* homosexuel/le.

hondo, a *a* profond(e), bas(se); (*fig*) profond // *nm* fond *m* // *f* fronde *f*; (*AM*) catapulte *f*; **hondonada** *nf* (*depresión*) creux *m*, dépression *f*; (*cañon*) ravin *m*; (*GEO*) cuvette *f*; **hondura** *nf* profondeur *f*.

Honduras *nf* Honduras *m*.

hondureño, a *a* hondurien(ne) // *nm/f* Hondurien/ne.

honestidad *nf* (*decencia*) décence *f*; (*pureza, castidad*) modestie *f*, pudeur *f*, vertu *f*; (*justicia*) justice *f*; (*honor*) honneur *m*, vertu.

honesto, a *a* décent(e); modeste, pur(e), chaste; juste; vertueux(euse).

hongo *nm* (*BOT*) champignon *m*; (: *comestible*) champignon comestible; (: *venenoso*) champignon vénéneux; (*sombrero*) melon *m*.

honor *nm* honneur *m*; (*gloria*) gloire *f*; **honorable** *a* honorable.

honorario, a *a* honoraire; **~s** *nmpl* honoraires *mpl*.

honra *nf* honneur *m*; **~s fúnebres** honneurs funèbres.

honradamente *ad* honnêtement; honorablement.

honradez *nf* honnêteté *f*; probité *f*, intégrité *f*.

honrado, a *a* (*honesto*) honnête; (*recto*) droit, droit(e).

honrar *vt* (*respetar*) respecter; (*colmar de honores*) honorer; (*deuda*) honorer; **~se** *vr*: **~se con algo/de hacer algo** être fier(ière) de qch/de faire qch.

honroso, a *a* (*honrado*) honorable; (*respetado*) respecté(e).

hopo *nm* queue touffue.

hora *nf* heure *f*; **~s** *fpl* (*REL*) heures

fpl; ¿qué ~ es? quelle heure est-il?; ¿a qué ~? à quelle heure?; media ~ demi-heure f; a la ~ à l'heure; a primera ~ à la première heure; a última ~ en dernière heure, au dernier moment; ¡a buena ~! à la bonne heure!; en buena/mala ~ à la bonne heure/au mauvais moment; dar la ~ sonner ou donner l'heure; ~s de oficina/de visita/de trabajo heures de bureau/de visite/de travail; ~s extras o extraordinarias heures supplémentaires; ~s punta heures de pointe.

horadar vt forer; percer.

horario, a a horaire // nm horaire m; ~ escolar emploi du temps m.

horca nf potence f, gibet m; (AGR) fourche f.

horcajadas : a ~ ad à califourchon.

horchata nf orgeat m.

horda nf horde f.

horizonte nm horizon m.

horma nf (TEC) forme f, embauchoir m; (muro) mur m en pierres sèches.

hormiga nf fourmi f; ~s nfpl (MED) démangeaison f, fourmis fpl.

hormigón nm béton m; ~ armado/pretensado béton armé/précontraint.

hormigueo nm (comezón) fourmillement m; (fig) anxiété f.

hormigón (amontonamiento) grouillement m.

hormiguero nm fourmilière f; oso ~ tamanoir m.

hornillo nm fourneau m; (cocina) réchaud m.

horno nm four m; alto ~ haut fourneau.

horóscopo nm horoscope m.

horquilla nf épingle f à cheveux; (AGR, de bicicleta) fourche f; (TEC) fourchette f.

horrendo, a a horrible, affreux (euse); (temible) redoutable.

horrible a horrible; (fig) redoutable, effrayant(e).

horripilante a horripilant(e); effrayant(e).

horripilar vt: ~ a uno donner la chair de poule à qn; ~se vr s'effrayer.

horror nm (espanto) frayeur f; (repugnancia) horreur f; (atrocidad) atrocité f; ¡qué ~! (fam) quelle horreur! // a (fam): me gusta un ~ j'aime terriblement; se divirtieron ~es ils se sont follement amusés; horrorizar vt terroriser, effrayer; épouvanter; horrorizarse vr s'effrayer, s'épouvanter; horroroso, a a effrayant(e); épouvantable; (fam: mucho) énorme; (: feo) affreux (euse).

hortaliza nf légume m; ~s nfpl légumes mpl, plantes potagères.

hortelano, a a nm/f jardinier/ière; maraîcher/ère.

hortensia nf hortensia m.

horticultura nf horticulture f.

hosco, a a (oscuro, sombrío) très brun(e); (triste, ceñudo) renfrogné(e); rébarbatif(ive).

hospedar vt loger, héberger; recevoir; ~se vr se loger, prendre pension.

hospedería nf (albergue) hôtellerie f; (cuarto de huéspedes) pension f; (REL) hospice m.

hospedero, a nm/f hôte/sse; hôtelier/ière.

hospicio nm hospice m; logement m pour les pèlerins; orphelinat m.

hospital nm hôpital m.

hospitalidad nf hospitalité f.

hosquedad nf rudesse f, hargne f.

hostelero, a nm/f hôtelier/ière, aubergiste m/f.

hostería nf auberge f.

hostia nf hostie f.

hostigar vt fustiger, fouetter; (fig) harceler, persécuter; ennuyer.

hostil a hostile; hostilidad nf hostilité f; hostilités fpl.

hotel nm (para huéspedes) hôtel m; (casa de campo) pavillon m, villa f; hotelero, a a hôtelier(ière) // nm/f hôtelier/ière.

hoy ad (este día) aujourd'hui; (el ahora) de nos jours // nm actualité f, présent m; ~ **(en) día** de nos jours, à l'heure actuelle; ~ **por** ~ actuellement.

hoya nf creux m, cuvette f; (sepulcro) tombe f, fosse f; (GEO) vallée f; (AM: de río) lit m; (AGR) auget m; **hoyada** nf dépression f.

hoyo nm (agujero, GOLF) trou m; (fosa) fosse f; **hoyuelo** nm fossette f.

hoz nf (AGR) faucille f; (GEO) gorge f.

hube etc vb ver **haber**.

hucha nf (alcancía) tirelire f; (arca) huche f; (fig) économies fpl, magot m.

hueco, a a (vacío) vide, creux (euse); (blanco: papel) vierge, blanc(he); (blando) mou (molle); spongieux(euse); (resonante) creux; (presumido) vaniteux(euse) // nm vide m, creux m; trou m; embrasure f, baie f; cage f.

huelga vb ver **holgar** // nf (paro) grève f; (descanso) repos m, (ocio) oisiveté f; (pereza) paresse f; (TEC) jeu m; **declarar la** ~ se mettre en grève; ~ **de brazos caídos/de hambre** grève sur le tas/de la faim.

huelgo vb ver **holgar** // nm (aliento) haleine f; (espacio) ampleur f, espace m; (TEC: movimiento) jeu m.

huelguista nm/f gréviste m/f.

huelo etc vb ver **oler**.

huella nf (acto de pisar, pisada) empreinte f; (marca del paso) trace f, marque f; (impresión: de animal, máquina) empreinte; (: de neumático) marque; (: **digital** empreinte digitale.

huérfano, a a orphelin(e); (fig) sans protection; abandonné(e) // nm/f orphelin/e.

huerta nf (jardín) grand jardin; (de hortalizas) potager m; (: de frutas) verger m; (área de regadío) plaine irriguée.

huerto nm (jardín: de hortalizas) verger m, potager m; (: de casa) jardin potager m; (de frutas) verger.

hueso nm (ANAT) os m; (de fruta)

noyau m; (fig) travail m difficile; (AM) poste m clé.

huésped, a nm/f (invitado) invité/e, hôte/sse; (en una casa) hôte/sse payant/e; (de hotel, pensión) client/e; (anfitrión) hôte/sse.

huesudo, a a osseux(euse).

hueva nf frai m.

huevo nm œuf m; ~ **en cáscara/escalfado/estrellado** o **frito/pasado por agua** œuf à la coque/poché/sur le plat/à la coque; ~s **revueltos** œufs brouillés.

huida nf (acto de huir) fuite f; (de caballo) dérobade f.

huidizo, a a (tímido) fuyant(e); (pasajero) fugace.

huir vt (escapar, eludir) échapper, fuir, éluder; (evadir) fuir; ~**se** vr (escaparse) s'échapper; (el tiempo) s'envoler.

hule nm (goma) gomme f; (encerado) toile cirée.

hulla nf houille f; **hullero, a** a houiller(ère) // nf houille f.

humanidad nf (los hombres) humanité f; (cualidad) humanité f; (fig: fam) embonpoint m; **las** ~**es** les sciences humaines.

humanismo nm humanisme m; **humanista** nm/f humaniste m/f.

humanizar vt humaniser; ~**se** vr s'humaniser.

humano, a a (del hombre) humain(e); (humanitario) compatissant(e), humain // nm humain m; **ser** ~ être humain.

humareda nf grande fumée.

humeante a fumant.

humear vt fumer.

humedad nf humidité f; **a prueba de** ~ contre l'humidité.

humedecer vt (mojar) humecter; (echar humedad) humidifier; ~**se** vr s'humecter.

húmedo, a a (con humedad) humide; (mojado) légèrement mouillé(e); (sin secar) moite, humide.

humildad nf (timidez) timidité f; (carácter de pobre) réserve f, humilité, modestie f.

humilde a humble, timide, effacé(e); (pequeño: voz) petit(e); (de clase baja) humble; (modesto) modeste, réservé(e).

humillación nf humiliation f.

humillante a (que humilla) humiliant(e); (que degrada) mortifiant(e); dégradant(e).

humillar vt humilier.

humo nm (de fuego) fumée f; (gas nocivo) émanation f; (vapor) vapeur f; ~s nmpl (hogares) feux mpl, foyers mpl; (fig) prétention f, suffisance f.

humor nm (actitud, disposición) humeur f; (carácter) caractère m, naturel m; (lo que divierte) humour m; de buen/mal ~ de bonne/mauvaise humeur; **humorada** nf bon mot, blague f; **humorado**: bien/mal humorado ad de bonne/mauvaise humeur; **humorismo** nm humour m; **humorista** nm/f humoriste m/f; **humorístico**, a a humoristique, spirituel(le); sarcastique.

hundido, a a (de ojos, mejillas) cave, enfoncé(e).

hundimiento nm enfoncement m; écroulement m; fondis m, fontis m; effondrement m.

hundir vt enfoncer, ruiner; (destruir) confondre; aplatir; accabler; ~se vr s'effondrer; s'enfoncer; s'aplatir; s'absorber; s'abîmer.

húngaro, a a hongrois(e) // nm/f Hongrois/e.

Hungría nf Hongrie f.

huracán nm ouragan m.

huraño, a a (tímido) sauvage, farouche; (antisocial) insociable; (animal) sauvage.

hurgar vt (picar) toucher; (remover) remuer; (mover: cenizas) tisonner; (fig) taquiner, exciter; ~se vr se mettre les doigts dans le nez.

hurgonear vt (el fuego) tisonner; (picar) toucher.

hurón, ona a sauvage, farouche // nm (ZOOL) furet m; (persona) sauvage m/f; (pey) fureteur/euse/.

huronera nf (ZOOL) terrier m; (fig) tanière f, gîte m.

hurtadillas: a ~ ad en tapinois, en cachette.

hurtar vt voler, dérober; emporter; ~se vr se dérober; s'esquiver.

hurto nm larcin m, vol m; a ~ de façon dissimulée.

husillo nm vis f de pression; (conducto) égout m, conduit m; (TEC) fuseau m.

husmear vt (oler) flairer; (fam) fouiner ou fureter dans // vi (oler mal) sentir, être faisandé(e); (curiosear) fouiner.

husmo nm faisandage m.

huso nm fuseau m.

huyo etc vb ver **huir**.

I

iba etc vb ver **ir**.

ibérico, a a ibérique.

ibero, a a ibère, ibérien(ne) // nm/f Ibère m/f.

iberoamericano, a a latino-américain(e) // nm/f Latino-américain/e.

íbice nm ibex m, bouquetin m.

ibicenco, a a d'Ibiza.

ibis nf ibis m.

Ibiza nf Ibiza f.

ibón nm lac m de montagne.

iceberg nm iceberg m.

icono nm icône f.

iconoclasta a iconoclaste // nm/f iconoclaste m.

ictericia nf ictère m, jaunisse f.

ida nf aller m; ~ y vuelta aller et retour.

idea nf idée f; ~ de conjunto idée générale.

ideal *a* idéal(e) // *nm* idéal *m.*
idealizar *vt* idéaliser.
idear *vt* imaginer; *(aparato)* concevoir; *(viaje)* envisager.
ídem *pron* idem.
identidad *nf* identité *f.*
identificación *nf* identification *f.*
identificar *vt* identifier; ~**se** *vr*: ~**se con** s'identifier à.
ideología *nf* idéologie *f.*
ideológico, a *a* idéologique.
idioma *nm* langue *f.*
idiota *a* idiot(e) // *nm/f* idiot/e.
idiotez *nf* idiotie *f*, imbécillité *f.*
idiotismo *nm* *(ignorancia)* stupidité *f*, ignorance *f*; *(expresión)* idiotisme *m.*
ido, a *a* distrait(e).
idólatra *a* idolâtre.
idolatría *nf* *(culto)* idolâtrie *f*; *(fig)* adoration *f.*
idoneidad *nf* aptitude *f*, idonéité *f.*
idóneo, a *a* *(apto)* apte; *(conveniente)* idoine, propre.
iglesia *nf* église *f.*
ignición *nf* ignition *f.*
ignominia *nf* ignominie *f.*
ignominioso, a *a* ignominieux(euse).
ignorado, a *a* inconnu(e), ignoré(e).
ignorancia *nf* ignorance *f.*
ignorante *a* ignorant(e), inculte // *nm/f* ignorant/e, inculte *m/f.*
ignorar *vt* ignorer.
ignoto, a *a* ignoré(e).
igual *a* *(similar)* égal(e); *(constante)* constant(e), uniforme // *nm/f* égal/e; **al** ~ **que** à l'égal de; **2 y 2** ~ **a 4** 2 et 2 font 4.
igualada *nf* égalisation *f.*
igualar *vt* *(convertir en igual)* égaler; *(allanar, nivelar)* aplanir, niveler // *vi* *(DEPORTE)* égaliser; ~**se** *vr* *(platos de balanza)* s'équilibrer, se valoir; *(equivaler)* équivaloir.
igualdad *nf* égalité *f*; *(identidad)* identité *f*; *(uniformidad)* uniformité *f.*
igualmente *ad* *(de la misma*

manera) de la même manière // *excl* et moi de même!
ijar *nm*, **ijada** *nf* flanc *m.*
ilegal *a* illégal(e).
ilegalmente *ad* illégalement.
ilegítimo, a *a* illégitime.
ileso, a *a* sauf(ve).
ilimitado, a *a* illimité(e).
ilógico, a *a* illogique; *(disparatado)* absurde.
iluminación *nf* illumination *f*, éclairage *m*; *(ARTE)* enluminure *f.*
iluminar *vt* *(alumbrar)* illuminer, éclairer; *(pintura)* enluminer; *(fig)* éclairer.
ilusión *nf* *(imaginación)* imagination *f*; *(quimera, sueño)* illusion *f*, chimère *f*, rêve *m*; *(esperanza)* espoir *m.*
ilusionado, a *a* plein(e) d'espoir.
ilusionista *nm/f* illusionniste *m/f.*
iluso, a *a* *(soñador)* utopiste, rêveur(euse); *(ingenuo)* naïf(ïve).
ilusorio, a *a* illusoire.
ilustración *nf* illustration *f*; *(saber)* instruction *f*, connaissance *f.*
ilustrado, a *a* illustré(e); *(cultivado)* cultivé(e), instruit(e).
ilustrar *vt* *(instruir)* instruire; *(dar fama)* rendre célèbre; *(libro)* illustrer; *(explicar)* éclairer; ~**se** *vr* s'instruire.
ilustre *a* illustre, célèbre.
imagen *nf* image *f.*
imaginación *nf* imagination *f*; *(suposición)* idée *f*, supposition *f.*
imaginar *vt* *(idear)* imaginer, concevoir; *(suponer)* supposer; ~**se** *vr* s'imaginer.
imaginario, a *a* imaginaire, fictif(ive); chimérique, utopique.
imaginativo, a *a* *(inventivo)* imaginatif(ive); *(soñador)* rêveur (euse).
imán *nm* aimant *m*; *(fig)* attrait *m.*
imbécil *a* *(idiota)* imbécile *m/f*; *(MED)* idiot/e, imbécile.
imbecilidad *nf* imbécillité *f.*
imberbe *a* imberbe.
imbuir *vi* s'inculquer.
imitación   *nf*   imitation   *f*;

(semejanza) ressemblance f; **joyas de ∼** bijoux mpl en imitation ou fantaisie; **∼ cuero** imitation cuir m, similicuir m.

imitar vt imiter; (parodiar, remedar) pasticher.

impaciencia nf impatience f; irritation f.

impaciente a impatient(e); anxieux(euse); exaspéré(e).

impalpable a impalpable.

impar a impair(e).

imparcial a impartial(e).

imparcialidad nf impartialité f; équité f.

impartir vt impartir.

impasible a impassible.

impavidez nf intrépidité f, (AM) insolence f, effronterie f.

impávido, a a intrépide; (AM) insolent(e), effronté(e); (indiferente) indifférent(e).

impecable a impeccable.

impedimento nm obstacle m; empêchement m.

impedir vt empêcher.

impeler vt pousser; (fig) exciter.

impenetrabilidad nf impénétrabilité f.

impenetrable a impénétrable.

impenitente a impénitent(e).

impensado, a a inopiné(e), inattendu(e).

imperar vi (reinar, gobernar) régner; (fig) dominer; prévaloir.

imperativo, a a impérieux(euse), nécessaire; (urgente, LING) impératif(ive).

imperceptible a imperceptible.

imperdible a imperdable // nm épingle f de nourrice.

imperdonable a impardonnable.

imperecedero, a a impérissable.

imperfección nf imperfection f.

imperfecto, a a imparfait(e).

imperial a impérial(e) // nf impériale f.

impericia nf (torpeza) impéritie f; (inexperiencia) inexpérience f.

imperio nm empire m; (reino, dominación) domination f, pouvoir

m; (fig) orgueil m, fierté f.

imperioso, a a impérieux(euse); catégorique; impératif(ive).

imperito, a a incompétent(e), malhabile.

impermeable a imperméable // nm imperméable m.

impermutable a impermutable.

impersonalidad nf impersonnalité f.

impertérrito, a a imperturbable, impassible.

impertinencia nf (inoportunidad) inopportunité f; (insolencia) impertinence f.

impertinente a inopportun(e); impertinent(e); **∼s** nmpl face-à-main m.

imperturbable a imperturbable.

ímpetu nm (impulso) élan m, (impetuosidad) impétuosité f; (violencia) violence f.

impetuosidad nf impétuosité f; violence f.

impetuoso, a a impétueux(euse); précipité(e); violent(e).

impiedad nf (crueldad) méchanceté f; (irreligiosidad) impiété f.

impío, a a méchant(e); impie.

implacable a implacable.

implicar vt impliquer // vi empêcher.

implícito, a a (tácito) tacite; (sobreentendido) implicite.

implorar vt implorer.

impolítico, a a impoli(e); manquant de tact; discourtois(e).

imponente a (impresionante) imposant(e); (enorme) énorme; (solemne) solennel(le) // nm investisseur m; déposant.e.

imponer vt imposer; (establecer) établir; (informar, instruir) mettre au courant de, renseigner sur; (COM) placer, déposer; **∼se** vr s'imposer; (dominar, prevalecer) dominer, prévaloir.

importación nf importation f.

importancia nf importance f.

importante a important(e).

importar vt (del extranjero)

importer; (*sumar, valer*) valoir, coûter // vi importer; **me importa el resultado** le résultat m'intéresse; **no importa** peu importe.

importe nm (*total*) montant m; (*valor*) prix m, valeur f.

importunar vt importuner.

importuno, a a (*inoportuno, molesto*) importun(e); (*indiscreto*) indiscret(ète).

imposibilidad nf impossibilité f.

imposibilitar vt empêcher, rendre impossible; ~**se** vr devenir impotent(e).

imposible a impossible; (AM) répugnant(e), dégoûtant(e).

imposición nf imposition f; (COM) dépôt m; (*de condecoraciones, grados*) remise f.

impostor, a nm/f imposteur m.

impostura nf imposture f.

impotencia nf (*impossibilidad*) impossibilité f; (*incapacidad*) impuissance f, incapacité f; (*inutilidad*) inutilité f.

impotente a (*sin fuerza*) impotent(e), impuissant(e); (*impedido*) empêché(e); (*incapaz*) incapable.

impracticable a (*irrealizable*) irréalisable; (*intransitable*) impraticable.

imprecar vi proférer des imprécations.

impregnar vt imprégner; ~**se** vr s'imprégner.

imprenta nf imprimerie f.

imprescindible a indispensable.

impresión nf impression f; (*marca*) empreinte f; ~ **digital** empreinte digitale.

impresionable a (*sensible*) impressionnable; (*excitable*) excitable.

impresionar vt (*conmover*) toucher, (*afectar*) impressionner; (*los sonidos*) enregistrer; (*película fotográfica*) ~**se** vr être impressionné(e).

impreso, a pp de imprimir // a imprimé(e) // nm imprimé m.

impresor nm imprimeur m.

imprevisión nf (*del tiempo*)

imprevisión f; (*de una persona*) imprévoyance f.

imprevisor, a a (*imprudente*) imprévoyant(e); (*distraído, irreflexivo*) irréfléchi(e).

imprevisto, a a (*accidental*) imprévu(e); (*casual*) inespéré(e), inopiné(e); (*inesperado*) subit(e), inattendu(e).

imprimir vt imprimer.

improbabilidad nf (*sin seguridad*) improbabilité f; (*inverosimilitud*) invraisemblance f.

improbable a improbable; invraisemblable, improbable.

ímprobo, a a (*deshonesto*) malhonnête; (*ingrato, penoso*) ingrat(e), pénible.

improcedente a (*inconveniente*) inconvenant(e); (*inadecuado*) inadéquat(e).

improductivo, a a improductif (ive).

improperio nm injure f, insulte f.

impropiedad nf impropriété f.

impropio, a a à propre.

improvidencia nf imprévoyance f; oubli m, négligence f.

impróvido, a a imprévoyant(e).

improvisación nf improvisation f.

improvisado, a a improvisé(e).

improvisar vt improviser.

improviso, a a imprévu(e); **de** ~ à l'improviste.

improvisto, a a imprévu(e); **de** ~ à l'impromptu, tout d'un coup.

imprudencia nf imprudence f, légèreté f, irréflexion f, précipitation f.

imprudente a irréfléchi(e); imprudent(e); léger(ère).

impúdico, a a dévergondé(e), impudique; indécent(e).

impudor nm dévergondage m, indécence f; impudeur f.

impuesto, a a imposé(e) // nm impôt m.

impugnar vt (*atacar, combatir*) attaquer, combattre; (*refutar*) contester, réfuter.

impulsar vt = impeler.

impulsión nf (TEC) propulsion f; (fig) impulsion f.

impulso nm impulsion f; (fuerza, empuje) élan m; (rapto) transport m, élan, accès m.

impune a impuni(e).

impunidad nf impunité f.

impureza nf impureté f; (fig) souillure f.

impuro, a a impur(e); (fig) souillé(e), taché(e).

imputable a imputable.

imputación nf imputation f.

imputar vt (atribuir) attribuer; (cargar) imputer; (reprochar) reprocher.

inacabable a (infinito) infini(e); (interminable) interminable.

inaccesible a inabordable; inaccesible.

inacción nf (inercia) inactivité f, inertie f; (desocupación) inaction f, désœuvrement m; (ocio) oisiveté f, loisir m.

inaceptable a inacceptable.

inactividad nf inactivité f, inertie f; désœuvrement m; oisiveté f, loisir m.

inactivo, a a inerte; désœuvré(e); oisif(ive).

inadecuado, a a inadéquat(e).

inadmisible a inadmissible.

inadvertencia nf inadvertance f.

inadvertido, a a (desatento) inattentif(ive); (distraído) distrait(e); (persona) inaperçu(e).

inagotable a (interminable) interminable; (inacabable) inépuisable, intarissable.

inaguantable a insupportable, intolérable.

inajenable a inaliénable.

inalterable a (inmutable) inaltérable; (firme) constant(e); (permanente) permanent(e).

inanición nf inanition f.

inanimado, a a inanimé(e).

inapreciable a inappréciable, inestimable.

inasequible a (inalcanzable) inaccessible; (inabordable) inabordable.

inaudito, a a inouï(e).

inauguración nf inauguration f.

inaugurar vt (abrir) inaugurer; (dar principio) entreprendre; (comenzar) commencer.

incalculable a incalculable.

incandescente a incandescent(e).

incansable a (inagotable) inépuisable; (infatigable) infatigable.

incapacidad nf (ineptitud) incapacité f, inaptitude f; (incompetencia) incompétence f; (fig) stupidité f, bêtise f; ~ física/mental incapacité physique/mentale.

incapacitar vt (inhabilitar) inhabiliter, déclarer incapable; (descalificar) rendre inapte, disqualifier; (JUR) interdire.

incapaz a incapable.

incautación nf saisie f.

incautarse vr saisir, confisquer; ~ de s'emparer de.

incauto, a a (imprudente) imprudent(e); (inocente) naïf(ïve), crédule.

incendiar vt incendier; (fig) enflammer; ~se vr prendre feu, brûler.

incendiario, a a incendiaire // nm/f incendiaire m/f, pyromane m/f.

incendio nm incendie m.

incensario nm encensoir m.

incentivo nm aiguillon m, stimulant m.

incertidumbre nf (inseguridad) incertitude f; (duda) doute m.

incesante, incesable a sans cesse, incessant(e).

incidencia nf (accidente) incident m; (contingencia) contingence f.

incidental a incident(e).

incidente a incident(e) // nm incident m.

incidir vi (influir) influer; (afectar) affecter; ~ en un error tomber dans l'erreur.

incienso nm encens m.

incierto, a a incertain(e).

incineración nf incinération f.

incinerar vt (cremar) incinérer; (quemar) brûler.

incipiente a (naciente) naissant(e); (reciente) débutant(e).

incisión nf incision f.

incisivo, a a incisif(ive); (fig) mordant(e), cuisant(e) // nm incisive f.

incitación nf incitation f, encouragement m.

incitante a (estimulante) incitant(e); (provocativo) provocant(e).

incitar vt inciter, pousser.

incivil a incivil(e).

incivilidad nf (falta de educación) incivilité f; (grosería, tosquedad) grossièreté f, rusticité f.

inclemencia nf (severidad) inclémence f; (del tiempo) intempérie f.

inclemente a inclément(e); rigoureux(euse).

inclinación nf (posición) inclinaison f; (movimiento) inclination f; (fig) tendance f, inclination.

inclinar vt incliner, pencher; (persuadir) incliner, persuader; ~se vr: ~se hacia adelante se pencher en avant; ~se ante s'incliner devant; me inclino a pensar que je tends à penser que.

ínclito, a a illustre.

incluir vt (poner, contener) renfermer; (incorporar) inclure.

inclusa nf hospice m des enfants trouvés.

inclusión nf inclusion f.

inclusive ad inclusivement; cerrado hasta el domingo ~ fermé jusqu'au dimanche inclus.

incluso, a a inclus(e) // ad même, ci-inclus // prep même, y compris.

incógnito, a a inconnu(e) // nm: de ~ incognito.

incoherente a incohérent(e).

incoloro, a a (descolorido) incolore; (anodino) anodin(e), effacé(e); (apagado) terne.

incólume a (sano, sin lesión)

sain(e) et sauf(ve); (indemne) indemne.

incomodar vt (abrumar) incommoder; (molestar) gêner; (fastidiar) ennuyer, agacer; ~se vr se fâcher, se vexer.

incomodidad nf (molestia) gêne f, dérangement m; (fastidio, enojo) ennui m; (de vivienda) manque m de confort.

incómodo, a a (inconfortable) incommode; (molesto) incommodant(e) // nm (AM) incommodité f, gêne f.

incomparable a (sin comparación) incomparable; (inigualable) inégalable.

incompatible a incompatible.

incompetencia nf incompétence f.

incompetente a incompétent(e).

incompleto, a a (parcial, mutilado) incomplet(ète), inachevé(e); (deficiente) déficient(e); (insuficiente) insuffisant(e).

incomprensible a incompréhensible; indéchiffrable; énigmatique.

incomunicado, a a (aislado) isolé(e), privé(e) de communications; (confinado) exilé(e).

inconcebible a inconcevable.

inconcluso, a a (inacabado) inachevé(e); (incompleto) incomplet(ète).

inconcuso, a a (indiscutible) incontestable, indubitable; (seguro) sûr(e).

incondicional a inconditionnel(le); (AM) servil(e) // nm (AM) homme m de confiance.

inconexo, a a (incongruente) sans rapport; (deshilvanado) décousu(e).

incongruente a incongru(e).

inconmensurable a incommensurable, immense, infini(e).

inconsciente a inconscient(e); (atolondrado) inconséquent(e), écervelé(e) // nm inconscient m.

inconsecuencia nf inconséquence f, irréflexion f, inconstance f.

inconsecuente a inconséquent(e); peu sérieux(euse).

inconsiderado, a a (inconsciente) irréfléchi(e); (desconsiderado) inconsidéré(e).

inconsistente a (débil) inconsistant(e); (impreciso) imprécis(e).

inconstancia nf (inconsecuencia, veleidad) inconséquence f; (inestabilidad) inconstance f.

inconstante a inconséquent(e), incertain(e), inconstant(e).

incontestable a incontestable.

incontinencia nf incontinence f.

incontinente a (liviano) incontinent(e); (desenfrenado) effréné(e).

incontrastable a invincible, incontestable, irréfutable.

inconveniencia nf (desconformidad) désaccord m, discordance f; (incorrección) impertinence f, inconvenance f; (grosería) grossièreté f.

inconveniente a inconvenant(e), malséant(e), inapproprié(e), inadéquat(e) // nm inconvénient m.

incorporación nf incorporation f; (del cuerpo) redressement m; (agregado) ajout m.

incorporar vt incorporer; ~se vr se redresser, se mettre sur son séant.

incorrección nf (incongruencia) incongruité f; (inconveniencia) inconvenance f; (descortesía) impolitesse f, incorrection f.

incorrecto, a a (falso) incorrect(e); (defectuoso) défectueux(euse); (descortés) grossier(ière), impoli(e).

incorregible a (fam) incorrigible, obstiné(e).

incorruptible a (puro) incorruptible, pur(e); (intacto) intact(e); ~ a la intemperie inoxydable.

incredulidad nf (descreimiento) incrédulité f; (escepticismo) scepticisme m.

incrédulo, a a incrédule; sceptique; méfiant(e).

increíble a incroyable, inconcevable, absurde.

incremento nm (aumento) accroissement m; (desarrollo) développement m.

increpar vt (reprender) réprimander; (insultar) apostropher.

incruento, a a non sanglant(e).

incrustar vt incruster; (piedras: en joya) sertir.

incubar vt couver.

inculcar vt inculquer.

inculpar vt (acusar) inculper; (achacar, atribuir) imputer, attribuer.

inculto, a a (persona) inculte; (terreno) incultivé(e) // nm/f ignorant(e).

incuria nf incurie f.

incurrir vi: ~ en encourir, commettre; (contravenir) contrevenir; ~ en un error tomber dans l'erreur.

indagación nf investigation f; (búsqueda) recherche f; (JUR) enquête f.

indagar vt (investigar, averiguar) rechercher, s'enquérir de; (buscar) chercher.

indecente a grossier(ière), insolent(e); (lascivo) malhonnête, indécent(e).

indecible a indescriptible, indicible; inexprimable; prodigieux(euse), merveilleux(euse).

indeciso, a a hésitant(e), indécis(e); irrésolu(e); incertain(e), indéterminé(e).

indefectible a indéfectible.

indefenso, a a (inerme) sans défense; (desvalido) déshérité(e); (abandonado) abandonné(e).

indefinido, a a indéfini(e), indéterminé(e), confus(e); incertain(e); ambigu(üe).

indeleble a indélébile.

indemne a (sano, salvo) sain(e) et sauf(ve); (ileso) indemne.

indemnizar vt indemniser; dédommager.

independencia nf indépendence f.

independiente a (libre) indépendant(e); (autónomo) autonome.

indeterminado, a a (indefinido) indéfini(e); (desconocido) inconnu(e); (impreciso) imprécis(e).

India nf: **la** ~ (l')Inde f.

indiano, a a indien(ne) // nm se dit de celui qui revient d'Amérique après avoir fait fortune.

indicación nf (denotación) indication f; (señal) repère m.

indicar vt montrer, indiquer; signaler; dénoter.

índice nm indice m; (catálogo) catalogue m, index m; (ANAT) (de cuadrante) aiguille f; (REL): **el I~** l'Index.

indicio nm (señal) trace f; (sospecha) indice m; (síntoma) symptôme m.

indiferencia nf indifférence f.

indiferente a indifférent(e); désintéressé(e).

indígena a indigène, naturel(le); (aborigen) aborigène; (autóctono) autochtone // nm/f indigène m/f, naturel/le; aborigène m/f, autochtone m/f.

indigencia nf indigence f, dénuement m.

indigestión nf indigestion f.

indigesto, a a indigeste; (fig) insupportable.

indignación nf indignation f.

indignado, a a indigné(e).

indignar vt indigner; ~**se** vr: **se de o por** s'indigner de.

indignidad nf (insulto) indignité f; (ruindad) bassesse f.

indigno, a a (ruin, despreciable) bas(se); méprisable; (inmerecido) indigne.

indio, a a (de América) indien(ne); (de la India) hindoue(e) // nm/f Indien/ne; Hindou/e.

indirecta nf allusion f, insinuation f.

indirecto, a a indirect(e).

indiscreción nf (imprudencia) indiscrétion f; (irreflexión) irréflexion f.

indiscreto, a a indiscret(ète); nm/f curieux(euse), indiscret/ète.

indiscutible a incontestable; indiscutable.

indispensable a indispensable, essentiel(le).

indisponer vt indisposer; ~**se** vr être indisposé(e); ~**se con uno** se fâcher avec qn.

indisposición nf indisposition f.

indistinto, a a indistinct(e); indéterminé(e).

individual a individuel(le) // nm (TENIS): **un** ~ **de damas** un simple dames.

individuo, a a individuel(le) // nm individu m; (miembro, socio) membre m.

indiviso, a a indivis(e).

indócil a indiscipline(e); indocile; indomptable; rebelle, réfractaire.

indocto, a a ignorant(e).

índole nf (naturaleza) nature f, caractère m; (idiosincrasia) naturel m; (calidad) genre m, sorte f.

indolencia nf indolence f; paresse f.

indomable a indomptable; sauvage; désobéissant(e).

indómito, a a indompté(e), indomptable.

indubitable a indubitable; indéniable; évident(e), manifeste.

inducir vt induire.

indudable a indubitable; clair(e); logique.

indulgencia nf indulgence f.

indultar vt gracier.

indulto nm grâce f, remise f de peine.

industria nf industrie f; (habilidad) habileté f.

industrial a industriel(le) // nm industriel m.

industrioso, a a industrieux (euse).

inédito, a *a* (*libro*) inédit(e);
(*nuevo*) nouveau(elle).

inefable *a* ineffable; (*fig*) sublime.

ineficaz *a* (*inservible*) inefficace;
(*inútil*) inutile; (*deficiente*)
déficient(e).

ineludible *a* inévitable, inéluctable; (*necesario*) indispensable.

ineptitud *nf* incapacité *f*;
incompétence *f*, inaptitude *f*.

inepto, a *a* incapable; inepte;
incompétent(e).

inequívoco, a *a* indubitable;
évident(e).

inercia *nf* inertie *f*; (*negligencia*)
négligence *f*.

inerme *a* sans défense;
désarmé(e).

inerte *a* inerte.

inesperado, a *a* inespéré(e);
inattendu(e).

inevitable *a* inéluctable,
inévitable.

inexactitud *nf* inexactitude *f*,
erreur *f*.

inexpugnable *a* inexpugnable.

infamar *vt* rendre infâme;
discréditer, décrier.

infame *a* infâme // *nm/f* infâme
m/f.

infamia *nf* infâmie *f*; discrédit *m*.

infancia *nf* enfance *f*.

infante (*niño*) enfant *m*; (*hijo
del rey*) infant *m*; (*MIL*) fantassin *m*.

infantería *nf* infanterie *f*.

infantil *a* (*pueril, aniñado*)
puéril(e), infantile; (*ingenuo,
cándido*) enfantin(e), candide;
(*literatura*) enfantin.

infatigable *a* (*incansable*)
infatigable; (*obstinado*) obstiné(e).

infausto, a *a* malheureux(euse).

infección *nf* infection *f*.

infeccioso, a *a* infectueux(euse).

infectar *vt* infecter; ~**se** *vr*
s'infecter.

infelicidad *nf* malheur *m*,
infortune *f*.

infeliz *a* malheureux(euse) // *nm/f*
malheureux/euse.

inferior *a* inférieur(e) // *nm/f* être

subalterne *m/f*, dépendant/e.

inferir *vt* (*deducir*) déduire,
inférer; (*causar, ocasionar*) causer,
occasionner.

infestar *vt* (*infectar, inocular*)
infester; (*apestar, viciar*) empester;
(*fig*) poursuivre, harceler; ~**se** *vr*
être infesté(e).

inficionar *vt* infecter; (*fig*)
corrompre, pervertir.

infidelidad *nf* (*deslealtad*)
manque *m* de loyauté; (*traición*)
trahison *f*, infidélité *f*.

infiel *a* (*desleal, traidor*) traître
(esse), infidèle; (*falso, ilegítimo*)
faux(ausse); illégitime // *nm/f*
(*traidor*) traître/esse; (REL) infidèle
m/f.

infierno *nm* enfer *m*.

ínfimo, a *a* infime.

infinidad *nf* infinité *f*; (*montón,
abundancia*) foule *f*.

infinito, a *a* infini(e) // *nm* infini
m.

inflación *nf* (*hinchazón*) gonflement *m*; (*monetaria*) inflation *f*;
(*fig*) vanité *f*, orgueil *m*.

inflamar *vt* enflammer; ~**se** *vr*
s'enflammer; (*fig*) s'échauffer.

inflar *vt* (*hinchar*) enfler, gonfler;
(*fig*) enfler, grossir, exagérer; ~**se**
vr se gonfler, s'enfler; (*fig*) se
rengorger, se gonfler.

inflexible *a* (*inquebrantable*)
incassable; (*irrompible*) inflexible.

infligir *vt* infliger.

influencia *nf* (*poder*) influence *f*;
(*prestigio*) prestige *m*; (*dominio,
autoridad*) autorité *f*.

influir *vt* influer sur; influencer.

influjo *nm* (*poder, influencia*)
influence *f*; (*magnetismo*) magnétisme *m*.

influyente *a* (*prestigioso*) presti-
gieux(euse); (*poderoso*) influent(e);
(*importante*) important(e).

información *nf* information *f*;
nouvelle *f*, renseignement *m*; (JUR)
enquête *f*.

informal *a* (*persona: impuntual*)
qui manque d'exactitude; (*poco*

serio) peu sérieux(euse); (*trabajo*) informel(le), incorrect(e).

informalidad *nf* (*impuntualidad*) manque *m* de ponctualité; (*incorrección*) incorrection *f*; (*ligereza*) manque de sérieux.

informante *a* informant(e) // *nm/f* (*participante*) participant/e, informateur/trice; (*denunciador*) rapporteur/euse, dénonciateur/trice.

informar *vt* (*instruir, orientar*) instruire, informer; (*revelar*) faire savoir; (*denunciar*) rapporter, dénoncer // *vi* (*JUR*) informer de ou sur; instruire; plaider; ~se *vr* s'informer; se renseigner.

informe *a* (*deforme*) informe; (*confuso*) confus(e), vague // *nm* information *f*, rapport *m*.

infortunio *nm* infortune *f*.

infracción *nf* infraction *f*.

infranqueable *a* (*insuperable*) infranchissable; (*impracticable*) impraticable.

infringir *vt* transgresser; enfreindre; commettre, attenter à.

infructuoso, a *a* (*improductivo*) infructueux(euse); (*inútil*) inutile.

ínfulas *nfpl* prétention *f*, vanité *f*.

infundado, a *a* sans fondement.

infundir *vt* inspirer, communiquer, inculquer.

ingeniar *vt* inventer; ~se *vr*: ~se **para** s'ingénier à.

ingeniería *nf* génie *m* civil.

ingeniero, a *nm/f* (*profesional*) ingénieur *m*; ~ **agrónomo/de sonido** ingénieur agronome/du son.

ingenio *nm* (*talento, agudeza*) génie *m*; (*habilidad, viveza*) esprit *m*, habileté *f*; (*ocurrencia*) à-propos *m*; (*TEC*): ~ **azucarero** raffinerie *f* de sucre.

ingenioso, a *a* (*hábil*) ingénieux (euse); (*divertido*) spirituel(le).

ingénito, a *a* inné(e).

ingente *a* très grand(e); énorme.

ingenuidad *nf* (*sinceridad*) ingénuité *f*; (*candor*) naïveté *f*.

ingenuo, a *a* (*sincero*) naïf(ïve).

ingerencia *nf* ingérence *f*.

ingerir *vt* (*introducir*) ingérer; (*tragar*) avaler; (*consumir*) consommer; ~se *vr* s'ingérer.

ingle *nf* aine *f*.

inglés, esa *a* anglais(e) // *nm/f* Anglais/e // *nm* anglais *m*.

ingratitud *nf* ingratitude *f*.

ingrato, a *a* ingrat(e).

ingrediente *nm* ingrédient *m*.

ingresar *vi* (*dinero*) rentrer; ~ **en** entrer dans // *vt* (*COM*) déposer, porter, verser.

ingreso *nm* (*entrada*) entrée *f* (*a una escuela, hospital, etc*) admission *f*; (*de dinero*) rentrée *f*, versement *m*.

inhábil *a* inhabile; **día** ~ jour chômé ou férié.

inhabilitación *nf* incapacité *f*, impossibilité *f*; (*JUR*) incapacité.

inhabitable *a* inhabitable.

inherente *a* inhérent(e).

inhospitalario, a *a* inhospitalier (ière).

inhumano, a *a* inhumain(e), insensible.

I. N. I. *nm* (*abr de Instituto Nacional de Industria*) ministère *m* de l'Industrie.

inicial *a* initial(e) // *nf* initiale *f*.

iniciar *vt* (*persona*) initier; (*estudios*) entamer; (*conversación*) amorcer.

inicuo, a *a* inique.

injertar *vt* greffer.

injerto *nm* greffe *f*.

injuria *nf* (*agravio, ofensa*) offense *f*, affront *m*; (*insulto, afrenta*) injure *f*.

injuriar *vt* injurier; (*dañar*) endommager.

injurioso, a *a* injurieux(euse).

injusticia *nf* injustice *f*; (*ofensa, maldad*) offense *f*.

injusto, a *a* injuste.

inmarcesible, inmarchitable *a* immarcescible.

inmediación *nf* contiguïté *f*.

inmediaciones *nfpl* environs *mpl*, alentours *mpl*, abords *mpl*.

inmediato, a a contigu(ë); immédiat(e), voisin(e); (*rápido*) immédiat; (*próximo*) proche; **de ~** immédiatement.

inmejorable a (*incomparable*) incomparable; (*perfecto, excelente*) parfait(e), excellent(e).

inmenso, a a immense, infini(e); grand(e), démesuré(e).

inmerecido, a a immérité(e).

inmigración nf immigration f.

inmiscuirse vr (*interferir*) s'immiscer, s'ingérer; (*meterse, entremeterse*) se mêler.

inmobiliario, a a immobilier(ière).

inmoderado, a a (*destemplado, descompuesto*) irrité(e); peu harmonieux(euse); (*desconsiderado, excesivo*) immodéré(e).

inmolar vt immoler; **~se** vr s'immoler.

inmoral a immoral(e).

inmortalizar vt immortaliser.

inmotivado, a a immotivé(e); non fondé(e).

inmóvil a immobile; (*inamovible*) inamovible; (*invariable*) invariable.

inmundicia nf immondice f.

inmundo, a a immonde.

inmunidad nf immunité f.

inmutar vt altérer; **~se** vr s'altérer, se troubler.

innato, a a inné(e).

innecesario, a a superflu(e).

innoble a ignoble.

innocuo, a a inoffensif(ive).

innovación nf innovation f.

innovar vt innover.

inobediente a désobéissant(e).

inocencia nf (*candor, ingenuidad*) innocence f, candeur f; (*inculpabilidad*) innocence.

inocente a (*cándido, ingenuo*) innocent(e), candide; (*inculpable*) innocent; (*anodino*) anodin(e).

inocular vt inoculer; **~se** vr s'inoculer.

inolvidable a inoubliable.

inopia nf indigence f.

inopinado, a a inopiné(e).

inoportuno, a a inopportun(e); choquant(e).

inquebrantable a inébranlable, incassable.

inquietar vt inquiéter; **~se** vr s'inquiéter.

inquieto, a a (*intranquilo*) inquiet(ète); (*bullicioso*) turbulent(e); (*nervioso*) agité(e).

inquietud nf (*tenor*) inquiétude f; (*desasosiego*) agitation f.

inquilino, a nm/f locataire m/f.

inquina nf aversion f, haine f.

inquirir vt s'enquérir de; s'informer de.

insaciable a insatiable.

insalubre a insalubre.

inscribir vt inscrire; **~se** vr s'inscrire, s'engager.

inscripción nf inscription f.

insecto nm insecte m.

inseguridad nf insécurité f.

inseguro, a a (*inestable*) incertain(e), chancelant(e); (*inconstante*) inconstant(e).

insensatez nf manque m de bon sens; (*fig*) bêtise f.

insensato, a a (*necio, torpe*) insensé(e); (*fig*) bête, nigaud(e).

insensibilidad nf (*impasibilidad*) impassibilité f; (*dureza de corazón*) insensibilité f.

insensible a impassible, imperturbable, insensible.

insepulto, a a non enseveli(e); sans sépulture.

insertar vt insérer.

insidioso, a a insidieux (euse).

insigne a insigne.

insignia nf (*señal distintivo*) insigne m; (*estandarte*) enseigne f; (*pendón*) bannière f; (*condecoración*) décoration f.

insignificante a insignifiant(e).

insinuar vt insinuer, suggérer, laisser entendre; **~se** vr s'insinuer, faire des avances.

insípido, a a insipide; (*fig*) fade.

insistencia nf (*obstinación*) insistance f, obstination f; (*porfía, impertinencia*) entêtement m.

insistir vi insister; ~ **en** o **por insister** sur ou pour.

insolación nf insolation f.

insolencia nf insolence f.

insolente a insolent(e).

insólito, a a insolite.

insoluble a insoluble.

insolvencia nf insolvabilité f.

insomnio nm insomnie f.

insondable a insondable.

insoportable a insupportable.

inspección nf inspection f.

inspeccionar vt (*examinar*) inspecter; (*controlar*) contrôler.

inspector, a nm/f inspecteur/trice; ~ **de tren** contrôleur m (des chemins de fer).

inspiración nf inspiration f.

inspirar vt inspirer; ~**se** vr: ~**se en** s'inspirer de.

instalar vt installer; ~**se** vr s'installer.

instancia nf (JUR) instance f; (*insistencia, urgencia*) insistance f; **de primera** ~ tout d'abord; **en última** ~ en dernier ressort.

instantáneo, a a instantané(e) // nf instantané m.

instante nm instant m.

instar vt insister; ~ **a hacer** insister pour faire // vi presser, être urgent(e).

instigar vt inciter.

instinto nm instinct m.

institución nf institution f.

instituir vt instituer.

instituto nm institut m; ~ **(de segunda enseñanza)** lycée m (d'enseignement secondaire).

instrucción nf instruction f.

instructivo, a a instructif(ive).

instruir vt instruire, informer; ~**se** vr s'instruire, s'informer.

instrumento nm instrument m; (*utensilio, herramienta*) outil m, instrument.

insubordinarse vr se soulever, se révolter.

insuficiencia nf insuffisance f.

insuficiente a (*escaso, incompleto*) insuffisant(e); (*incom-*

petente) incompétent(e).

insufrible a insupportable.

insular a insulaire.

insulsez nf (*insipidez*) fadeur f, insipidité f; (*fig*) fadaise f.

insultar vt insulter.

insulto nm insulte f, offense f, humiliation f.

insuperable a (*excelente*) insurpassable, imbattable; (*arduo*) insurmontable.

insurgente a insurgé(e), soulevé(e) // nm/f insurgé/e.

insurrección nf insurrection f.

intacto, a a intact(e).

intachable a irréprochable.

integrar vt composer, constituer, former; (COM) payer, remettre; (MAT) intégrer.

integridad nf intégrité f.

íntegro, a a (*entero*) intégral(e), complet(ète); (*honrado*) intègre.

intelecto nm intellect m.

intelectual a intellectuel(le) // nm/f intellectuel/le.

inteligencia nf intelligence f; (*ingenio*) habileté f.

inteligente a intelligent(e).

intemperancia nf intempérance f.

intemperie nf intempérie f; **a la** ~ en plein air.

intempestivo, a a intempestif(ive).

intención nf intention f, volonté f, dessein m; **con segundas intenciones** avec arrière-pensée; **de primera** ~ avec franchise, tout d'abord; **con** ~ à dessein, exprès.

intencionado, a a (*deliberado*) intentionné(e); **bien/mal** ~ bien/mal intentionné.

intendencia nf intendance f.

intenso, a a intense; aigu(uë); véhément(e); violent(e).

intentar vt tenter, essayer; ~ **cruzar** essayer de traverser.

intento nm (*intención*) projet m, dessein m; (*tentativa*) tentative f.

intercalar vt intercaler.

intercambio nm échange m.

interceder *vi* intercéder.
intercesión *nf* intercession *f*.
interdicto *nm* interdit *m*.
interés *nm* intérêt *m*.
interesado, a *a* intéressé(e).
interesar *vt, vi* intéresser; **~se** *vr*: **~se en** *o* **por** s'intéresser à.
interferir *vt* interférer avec; (*TELEC*) brouiller // *vi* interférer.
interino, a *a* provisoire; intérimaire.
interior *a* intérieur(e) // *nm* intérieur *m*.
interjección *nf* interjection *f*.
intermediario, a *a* intermédiaire // *nm/f* intermédiaire *m/f* // *a* intermédiaire *m*.
intermedio, a *a* intermédiaire; (*estatura*) moyen(ne) // *nm* (*intervalo*) intermède *m*, entracte *m*, intercession *f*; (*AM*) intermédiaire *m*.
intermitente *a* intermittent(e) // *nm* feu clignotant.
internar *vt* interner; **~se** *vr*: **~se en** (*en un hospital*) se faire interner ou hospitaliser; (*en la selva*) s'enfoncer; (*en un edificio*) pénétrer; (*en sus pensamientos*) s'enfoncer.
interno, a *a* interne; intérieur(e) // *nm/f* (*alumno*) interne *m/f*, pensionnaire *m/f*; (*de hospital*) interne *m/f*.
interpelar *vt* interpeller, interroger.
interponer *vt* interposer; **~se** *vr* s'interposer, intervenir.
interposición *nf* (*intercalación*) interposition *f*; (*JUR*) interjection *f*.
interpretación *nf* interprétation *f*.
interpretar *vt* interpréter.
intérprete *nm/f* (*traductor*) interprète *m/f*, traducteur/trice *f*; (*músico, TEATRO*) interprète *m/f*.
interrogación *nf* interrogation *f*; (*LING*) point *m* d'interrogation.
interrogar *vt* interroger, questionner, interpeller.
interrumpir *vt* interrompre; suspendre, différer.

interrupción *nf* interruption *f*, arrêt *m*.
interruptor *nm* interrupteur *m*.
intersección *nf* intersection *f*; (*de caminos*) croisée *f*, intersection.
intersticio *nm* (*grieta*) interstice *m*; (*intervalo*) intervalle *m*.
intervalo *nm* intervalle *m*; (*musical*) intermède *m*; **a ~s** par intervalles.
intervenir *vt* (*controlar, verificar*) contrôler, vérifier; (*MED*) opérer, faire une intervention // *vi* (*participar*) intervenir, participer; (*mediar*) s'interposer, intercéder.
interventor, a *nm/f* intervenant(e) // *nm/f* contrôleur/euse, vérificateur/trice.
intestino, a *a* intestin(e) // *nm* intestin *m*.
intimar *vt* intimer, sommer // *vi* nouer une amitié, se lier d'amitié.
intimidad *nf* (*amistad*) intimité *f*; (*confianza, familiaridad*) confiance *f*, familiarité *f*; (*lugar privado, vida privada*) intimité.
íntimo, a *a* intime // *nm/f* intime *m/f*.
intitular *vt* intituler.
intolerable *a* intolérable, insupportable.
intransitable *a* impraticable.
intratable *a* intraitable, sauvage, insociable.
intrepidez *nf* intrépidité *f*, hardiesse *f*.
intrépido, a *a* intrépide.
intriga *nf* intrigue *f*.
intrigar *vt, vi* intriguer.
intrincado, a *a* (*confuso, oscuro*) confus(e), embrouillé(e); (*enmarañado, laberíntico*) touffu(e), inextricable.
intrínseco, a *a* intrinsèque.
introducción *nf* introduction *f*.
introducir *vt* introduire; (*importar*) importer; (*hacer penetrar*) enfoncer.
intruso, a *a* intrus(e) // *nm/f* indiscret/ète.
intuición *nf* intuition *f*.

inundación nf inondation f.

inundar vt noyer; (fig) inonder, déborder.

inusitado, a a inusité(e), insolite.

inútil a inutile, vain(e); superflu(e).

inutilidad nf inutilité f.

inutilizar vt inutiliser; mettre hors d'état; ~**se** vr se gaspiller.

invadir vt envahir.

inválido, a a invalide // nm/f invalide m/f.

invariable a invariable.

invasión nf invasion f.

invasor, a a envahisseur(euse), envahissant(e) // nm/f envahisseur/euse.

invención nf invention f.

inventar vt inventer.

inventariar vt inventorier, faire l'inventaire de.

inventiva nf esprit inventif, faculté inventive, imagination f.

inventor, a nm/f inventeur/trice.

invernadero nm serre f.

inverosímil a (increíble) invraisemblable, incroyable; (sorprendente) surprenant(e), étonnant(e).

inversión nf inversion f; (COM) placement m, investissement m.

inverso, a a inverse, renversé(e); **en el orden** ~ dans l'ordre inverse; **a la inversa** à l'envers.

invertir vt (cambiar) intervertir; (volcar, tumbar) renverser; (COM) investir; ~ **2 horas para llegar** mettre deux heures pour arriver.

investigación nf enquête f, investigation f; (estudio) recherche f, étude f.

investigar vt enquêter sur; (estudiar) étudier.

inveterado, a a invétéré(e).

invicto, a a invaincu(e).

invierno nm hiver m.

invitar vt inviter; (incitar) engager.

invocar vt invoquer, implorer, demander.

inyección nf injection f; (MED) piqûre f, injection f.

inyectar vt injecter.

iodo nm iode m.

ir vi aller; aller; marcher; rouler; ~ **caminando** marcher; **voy con cuidado** j'agis prudemment; ~ **de viaje** aller en voyage; ~ **del brazo** se donner le bras; **voy para viejo** je vieillis; **voy por leña** je vais chercher du bois; ¿**cómo le va?** comment ça va?; **no me va ni me viene** ça ne me regarde pas; ¡**qué va!** allons donc!; **vaya susto que me has dado** tu m'as fait une de ces peurs; ~**se** vr s'en aller; partir; (fig) mourir.

ira nf colère f, fureur f.

iracundo, a a irascible; coléreux(euse).

Irán nm Iran m.

Irán nm Iran m.

iris nm (arco iris) arc-en-ciel m; (ANAT) iris m.

Irlanda nf Irlande f.

irlandés, esa a irlandais(e) // nm/f Irlandais/e.

ironía nf ironie f.

irónico, a a ironique, sarcastique.

irreflexión nf irréflexion f.

irrefragable a irréfragable.

irremediable a irrémédiable.

irresoluto, a a irrésolu(e).

irrespetuoso, a a irrespectueux(euse), irrévérencieux(euse).

irresponsable a irresponsable.

irrigar vt irriguer.

irrisorio, a a dérisoire.

irrupción nf irruption f.

isla nf île f.

islandés, esa a islandais(e) // nm/f Islandais/e.

Islandia nf Islande f.

isleño, a a insulaire // nm/f insulaire m/f.

islote nm îlot m.

Israel nm Israël m.

israelita a israélite // nm/f Israélite m/f.

istmo nm isthme m.

Italia nf Italie f.

itinerario nm itinéraire m.

izar vt hisser.

izq abr de **izquierdo, a**.

izquierdista nm/f gauchiste m/f.

izquierdo, a *a* gauche // *nf* gauche
f; a la izquierda à gauche.

J

jabalí *nm* sanglier *m*.
jabón *nm* savon *m*; (AM) frousse *f*.
jabonar *vt* savonner; (fam) passer
un savon à.
jaca *nf* bidet *m*, petit cheval.
jacarandoso, a *a* guilleret(te),
joyeux(euse).
jacinto *nm* hyacinthe *f*.
jactancia *nf* vantardise *f*.
jactarse *vr* se vanter, se targuer.
jadeante *a* haletant(e), essouf-
flé(e), pantelant(e).
jadear *vi* haleter.
jadeo *nm* halètement *m*, essoufflement *m*.
jaez *nm* (de caballerías) harnais *m*;
(clase) caractère *m*, nature *f*.
jaguar *nm* jaguar *m*.
jalbegue *nm* (pintura) crépi *m*,
badigeonnage *m*, lait *m* de chaux;
(fig) fard *m*.
jalear *vt* exciter de la voix;
acclamer, encourager; **jaleo** *nm* cris
mpl pour exciter les chiens; (baile)
danse populaire andalouse; (jarana)
tapage *m*, chambard *m*.
Jamaica *nf* Jamaïque *f*.
jamás *ad* jamais; ~ **te lo diré** je ne
te le dirai jamais.
jamelgo *nm* rosse *f*, haridelle *f*.
jamón *nm* jambon *m*; ~ **serrano**
jambon de montagne *ou* de
Bayonne.
Japón *nm*: **el** ~ (**le**) Japon.
jaque *nm* échec *m*; (fam)
matamore *m*, fanfaron *m*.
jaqueca *nf* migraine *f*.
jarabe *nm* sirop *m*.
jarcia *nf* (NAUT) cordage *m*, agrès
mpl; (para pescar) attirail *m* de
pêche; (confusión, revoltijo) fouillis
m, méli-mélo *m*.

jardín *nm* jardin *m*; **jardinería** *nf*
jardinage *m*; **jardinero, a** *nm/f*
jardinier/ière.
jarra *nf* jarre *f*.
jarro *nm* pot *m*, pichet *m*, broc *m*.
jaspe *nm* jaspe *m*.
jaspear *vt* jasper, veiner, marbrer.
jaula *nf* cage *f*.
jauría *nf* meute *f*.
jazmín *nm* jasmin *m*.
J. C. *abr de* **Jesucristo**.
jefe *nm* supérieur *m*, chef *m*,
commandant *m*, directeur *m*,
patron *m*; ~ **de correos** receveur *m*
des postes; ~ **de estación**/
redacción chef de gare/ rédaction.
jengibre *nm* gingembre *m*.
jeque *nm* cheik *m*.
jerarquía *nf* (orden) hiérarchie *f*;
(rango) rang *m*, échelle *f*;
jerárquico, a *a* hiérarchique.
jerga *nf* (tela) grosse toile;
(lenguaje) jargon *m*, argot *m*.
jerigonza *nf* (jerga) jargon *m*,
argot *m*; (galimatías) charabia *m*,
baragouin *m*.
jeringa *nf* seringue *f*; (AM) ennui *m*,
embêtement *m*; **jeringar** *vt* injecter
avec une seringue; (AM) raser.
jeroglífico *nm* hiéroglyphe *m*.
Jerusalén *n* Jérusalem.
Jesucristo *nm* Jésus Christ.
jesuita *a* jésuite // *nm* Jésuite *m*.
jícara *nf* tasse *f*.
jifero, a *a* de l'abattoir; (fam) sale,
dégoûtant(e) // *nm* couperet *m*,
couteau *m* de boucher; (matarife)
tueur *m*, boucher *m*.
jilguero *nm* chardonneret *m*.
jinete *nm* cavalier *m*.
jipijapa *nm* (AM) panama *m*.
jira *nf* (de tela) morceau *m* ou pièce
f d'étoffe; (excursión) partie *f* de
campagne, pique-nique *m*.
jirafa *nf* girafe *f*.
jirón *nm* lambeau *m*.
jocoserio, a *a* tragi-comique.
jocosidad *nf* drôlerie *f*,
plaisanterie *f*.
jocoso, a *a* amusant(e), comique,
drôle.

jofaina nf cuvette f.

jornada nf journée f.

jornal nm journée f, salaire m; **jornalero, a** a journalier(ière).

joroba nf bosse f; (fam) corvée f, embêtement m; **jorobado, a** a bossu(e) // nm/f bossu/e.

jota nf (danza) danse aragonaise; (NAIPES) valet m; (fam) iota m, brin m, rien m.

joven a jeune // nm/f jeune m/f.

jovial a jovial(e); **jovialidad** nf jovialité f, enjouement m.

joya nf bijou m; **joyel** nm petit bijou; **joyería** nf bijouterie f, joaillerie f; **joyero** nm (persona) bijoutier m, joaillier m; (caja) écrin m, coffret m.

juanete nm oignon m.

jubilación nf (retiro) retraite f, jubilation f; (alegría) joie f.

jubilar vt mettre à la retraite; (fam) mettre au rancart // vi se réjouir; **~se** vr prendre sa retraite.

jubileo nm (indulgencia) jubilé m; (fam) va-et-vient m, remue-ménage m.

júbilo nm allégresse f, jubilation f.

jubón nm pourpoint m, justaucorps m.

judaísmo nm judaïsme m.

judía nf ver **judío**.

judicatura nf (cargo de juez) judicature f; (magistratura) magistrature f.

judicial a judiciaire.

judío, a a juif(ive) // nm/f Juif/ive // nf haricot m; **judía blanca/escarlata** haricot blanc/rouge.

juego vb ver **jugar** // nm jeu m; **fuera de ~** hors jeu; **~ de sábanas** paire f de draps; **~ de té** service m à thé.

jueves nm inv jeudi m.

juez nm juge m; **~ de línea** juge de touche; **~ de salida** starter m.

jugada nf coup m; **buena ~** beau coup, heureux coup; (fam): **hacer una buena/mala ~** jouer un bon/mauvais tour.

jugador, a nm/f joueur/euse.

jugar vt, vi, **~se** vr jouer.

juglar nm jongleur m.

jugo nm (BOT) suc m; (fig) essentiel m; **~ de naranja** jus d'orange; **~ gástrico** suc m gastrique; **jugoso, a** a juteux(euse); (fig) substantiel(le); savoureux(euse); lucratif(ive).

juguete nm jouet m; (TEATRO) divertissement m; **juguetear** vi jouer, s'amuser, folâtrer.

juguetón, ona a joueur(euse); folâtre.

juicio nm jugement m; **sacar de ~** mettre hors de soi; **juicioso, a** a judicieux(euse), sensé(e); sage.

julio nm juillet m.

jumento, a nm/f âne/sse.

junco nm jonc m; **~ de Indias** jonc d'Inde, rotin m.

junio nm juin m.

junquillo nm jonquille f.

junta nf ver **junto**.

juntamente ad (conjuntamente) ensemble, conjointement; (al mismo tiempo) à la fois, ensemble.

juntar vt joindre; rassembler; (dinero) amasser; (puerta) fermer à demi; **~se** vr se joindre; se réunir; se rassembler; (arrimarse) s'approcher, se rapprocher; (vivir juntos) avoir une liaison, vivre ensemble.

junto, a a (unido) joint(e); (anexo) à côté, proche; (continuo, próximo) contigu(ë), proche // ad: **todo ~** tout à la fois // nf (asamblea) conseil m; (MILITAR) junte f; (articulación) jointure f, articulation f; **~ a** près de; **~ ensemble**; **junta universal** joint m de cardan.

juntura nf (punto de unión) jointure f, joint m; (articulación) articulation f.

jurado nm (tribunal) jury m; (de concurso) membre m du jury.

juramentar vt assermenter; **~se** vr recevoir le serment; prêter serment; se faire jurer.

juramento nm serment m, jurement m; (maldición) juron m, blasphème m; **prestar ~** prêter serment; **tomar ~ a** recevoir le serment de.

jurar vt, vi jurer; **~ en falso** faire ou prêter un faux serment; **jurárselas a uno** promettre de se venger de qn.

jurídico, a a juridique.

jurisconsulto nm jurisconsulte m.

jurisdicción nf juridiction f, compétence f, autorité f; district m, aire administrative.

jurisprudencia nf jurisprudence f.

jurista nm/f juriste m/f.

justa ver **justo**.

justamente ad justement.

justicia nf (equidad) justice f, droit m; rectitude f, impartialité f; **justiciero, a** a juste; droit(e); impartial(e); justicier(ière).

justificación nf justification f.

justificar vt justifier, excuser, disculper; **~se** vr se justifier, se disculper.

justo, a a juste // ad (precisamente) exactement, précisément; (ajustadamente) correctement // nf joute f.

juvenil a juvénile.

juventud nf (adolescencia) adolescence f, jeunesse f, nubilité f; (jóvenes) jeunesse; (inexperiencia) inexpérience f.

juzgado nm tribunal m.

juzgar vt juger; **a ~ por...** à en juger d'après....

kepis nm képi m.

kg abr ver **kilo**.

kilo nm kilo m // pref: **~gramo** nm (kg) kilogramme m (kg); **~litro** nm litro nm **kilolitre** m; **~metraje** nm kilométrage m; **kilómetro** nm (km) kilomètre m (km); **~vatio** nm (kv) kilowatt m (kw).

kiosco nm = **quiosco**.

km abr ver **kilo**.

kv abr ver **kilo**.

l abr de **litro**.

la det la // pron la // nm (MUS) la m; **~ del sombrero rojo** celle au chapeau rouge.

laberinto nm labyrinthe m.

labial a labial(e).

labio nm lèvre f.

labor nf travail m; (AGR) labour m; (costura) ouvrage m (de dame); **laborable** a ouvrable; **laborar** vi travailler; **laboreo** nm (AGR) labourage m; (de minas) exploitation f; **laborioso, a** a laborieux(euse), travailleur(euse); difficile.

labrado, a a travaillé(e); (cincelado) ciselé(e); (metal) repoussé(e) // nm (AGR) labours mpl; (de piedras, metales) taille f.

labrador, a a paysan(ne) // nm/f paysan/ne.

labrantío nm terrain m cultivable.

labranza nf labourage m; (trabajo) ouvrage m, travail m.

labrar vt labourer; travailler; (fig) travailler à.

labriego, a nm/f paysan/ne.

laca nf laque f.

lacayo nm laquais m.

lacerar vt blesser, lacérer, meurtrir.

lacio, a a fané(e); faible; abattu(e); raide.

lacónico, a a laconique.

lacrar vt cacheter (à la cire); rendre malade, contaminer; nuire, faire du tort à; **~se** vr ruiner sa santé.

lacre nm cire f (à cacheter).

lacrimoso, a a larmoyant(e); pleurnichard(e).

lácteo, a *a* (*de leche*) lacté(e); (*fig*) laiteux(euse).

ladear *vt* pencher, incliner; (*ciudad, colina*) contourner // *vi* incliner; **~se** *vr* changer d'avis.

ladera *nf* versant *m*.

ladino, a *a* malin(igne), rusé(e).

lado *nm* côté *m*; (*fig*) appuis *mpl*; **del ~ de** du côté de; **por todos los ~s** de tous côtés.

ladrar *vi* aboyer; (*fam*) brailler; **ladrido** *nm* aboiement *m*.

ladrillo *nm* brique *f*; (*color*) rouge brique *m*.

ladrón, ona *nm/f* voleur/euse.

lagar *nm* pressoir *m*.

lagarto *nm* (*ZOOL*) lézard *m*; (*fig: fam*) fine mouche, fin matois; **~ de Indias** caïman *m*.

lago *nm* lac *m*.

lágrima *nf* larme *f*; **lagrimar** *vi* pleurer.

laguna *nf* (*lago*) lagune *f*, lagon *m*; (*hueco*) lacune *f*.

laico, a *a* laïque.

lama *nf* vase *f*, boue *f*; (*BOT*) ulve *f* // *nm* lama *m*.

lamentable *a* lamentable, triste.

lamentación *nf* lamentation *f*.

lamentar *vt*, *vi* (*sentir piedad*) regretter; (*deplorar*) déplorer; **~se** *vr* se lamenter, se désoler; **lamento** *nm* lamentation *f*.

lamer *vt* lécher.

lámina *nf* (*plancha delgada*) lame *f*; (*para estampar, estampa*) planche *f*; **laminar** *vt* laminer.

lámpara *nf* lampe *f*; **~ de alcohol/gas** lampe à alcool/gas; **~ de pie** lampadaire *m*.

lampiño, a *a* imberbe, glabre.

lana *nf* laine *f*.

lance *nm* événement *m*, incident *m*; conjoncture *f*; (*riña*) dispute *f*, coup *m*; **libros de ~** livres d'occasion.

lancero *nm* lancier *m*.

lancha *nf* barque *f*, canot *m*; **~ automóvil** vedette *f*; **~ de pesca** barque de pêche; **~ salvavidas/torpedera** vedette de sauve-tage/lance-torpilles; **lanchero** *nm* patron *m* d'une barque.

landó *nm* landau *m*.

lanero, a *a* à lainier(ière) // *nm* lainier.

langosta *nf* (*insecto*) sauterelle *f*; (*crustáceo*) langouste *f*; (*fig*) plaie *f*, fléau *m*; **langostín, langostino** *nm* gros bouquet, grosse crevette.

languidecer *vi* languir; **languidez** *nf* langueur *f*, apathie *f*; **lánguido, a** *a* languissant(e), fatigué(e); apathique.

lanilla *nf* duvet *m*, poil *m* (d'un lainage).

lanudo, a *a* laineux(euse).

lanza *nf* (*arma*) lance *f*; (*de vagón*) timon *m*.

lanzadera *nf* navette *f*.

lanzamiento *nm* lancement *m*, jet *m*.

lanzar *vt* (*gen*) lancer; jeter; projeter; (*barco*) larguer; (*JUR*) dépouiller, déposséder; (*MED*) vomir; **~se** *vr* se lancer.

lapa *nf* patelle *f*, bernique *f*.

lapicero *nm* porte-crayon *m*, crayon *m*.

lápida *nf* pierre *f* qui porte une inscription; **~ mortuoria** pierre tombale; **~ conmemorativa** plaque commémorative; **lapidar** *vt* lapider; (*AM*) tailler; **lapidario, a** *a* lapidaire // *nm* lapidaire *m*.

lápiz *nm* crayon *m*; **~ de color** crayon de couleur; **~ de labios** rouge *m* à lèvres.

lapón, ona *a* lapon(ne).

lapso *nm* (*de tiempo*) laps *m*; (*error*) lapsus *m*.

largar *vt* (*soltar*) lâcher; (*aflojar*) relâcher; (*lanzar*) lancer; (*fam*) administrer; (*pelota*) jeter; (*velas*) déployer, larguer; (*AM*) vendre, se débarrasser de; abandonner; **~se** *vr* (*fam, NAUT*) prendre le large; **~se a** (*AM*) se mettre à.

largo, a *a* (*longitud*) long(ue), grand(e); (*tiempo*) long; (*persona: alta*) grand(e); (*fig*) astucieux(euse)

// *nm* longueur f; (*MUS*) largo *m* // *ad* largement; **dos años ~s** deux bonnes années; (*NAUT*) **tomar el ~** courir largue.

largueza *nf* largesse f.

lárice *nm* mélèze m.

laringe *nf* larynx m.

larva *nf* larve f.

las *det* les // *pron* les; **~ que cantan** celles qui chantent.

lascivo, a *a* lascif(ive).

láser *nm* laser m.

lasitud *nf* lassitude f.

lástima *nf* (*pena*) pitié f, peine f; (*queja*) lamentation f, plainte f; **dar ~** faire pitié ou de la peine; **es ~ que** c'est dommage que.

lastimar *vt* (*herir*) blesser, faire mal à; (*ofender*) offenser; (*compadecer*) plaindre, avoir pitié de; **~se** *vr* se faire mal; **~se de** compatir à, plaindre; **lastimero, a, lastimoso, a** *a* plaintif(ive); pitoyable; navrant(e); déplorable.

lastrar *vt* lester.

lastre *nm* lest m, ballast m; poids mort; jugement m, bon sens.

lata *nf ver* **lato.**

latente *a* latent(e).

lateral *a* latéral(e) // *nm* côté m.

latido *nm* (*del corazón*) battement m; (*del perro*) jappement m.

latifundio *nm* latifundium m (*pl* latifundia); **latifundista** *nm/f* propriétaire m/f d'un latifundium.

latigazo *nm* coup m de fouet; claquement m de fouet; sermon m, semonce f; coup.

látigo *nm* fouet m.

latín *nm* latin m; **latinidad** *nf* latinité f.

latino, a *a* latin(e); **~americano** latino-américain(e).

latir *vi* (*corazón, pulso*) battre; (*perro*) japper, glapir.

latitud *nf* (*GEO*) latitude f; (*fig*) largeur f, étendue f, distance f.

lato, a *a* large, étendu(e) // *nf* (*metal*) fer-blanc m; (*envase*) boîte f (de conserve); (*fam*) ennui m; **tomates en lata** tomates en

conserve; **¡qué lata!** quelle barbe!; **dar la lata** a assommer.

latón *nm* laiton m.

latrocinio *nm* larcin m, vol m.

laúd *nm* luth m.

laudable *a* louable.

laudo *nm* arbitrage m, jugement arbitral.

laureado, a *a* couronné(e) // *nm* lauréat m.

laurel *nm* (*BOT*) laurier m; (*fig*) lauriers *mpl*.

lava *nf* lave f.

lavabo *nm* lavabo m.

lavadero *nm* lavoir m; (*de casa*) buanderie f.

lavado *nm* lavage m; (*ARTE*) lavis m.

lavadora *nf* machine f à laver.

lavamanos *nm* lavabo m.

lavandero, a *nm/f* blanchisseur/euse.

lavaplatos *nm/f inv* plongeur/euse.

lavar *vt* laver; (*borrar*) effacer; **~se** *vr* se laver.

lavavajillas *nm inv* lave-vaisselle m *inv*.

laxante *nm* laxatif m.

laxitud *nf* laxité f; relâchement m.

laya *nf* bêche f, fourche f.

lazada *nf* nœud m.

lazarillo *nm* guide m d'aveugle.

lazo *nm* nœud m; (*lazada*) laçage m; (*para animales*) lasso m; (*trampa*) piège m; (*de camino*) lacet m; (*vínculo*) lien m.

lb(s)abr de libra(s).

le *pron* (*indirecto*) lui; (: *usted*) vous; (*directo*) le, l'; (: *usted*) vous.

leal *a* loyal, fidèle.

lealtad *nf* loyauté f, fidélité f.

lebrel *nm* lévrier m.

lección *nf* leçon f.

lector, a *nm/f* lecteur/trice.

lectura *nf* lecture f.

leche *nf* lait m; (*BOT*) latex m; **tener mala ~** être de mauvais poil; **~ condensada/en polvo** lait condensé/en poudre; **lechera** *nf* (*vendedora*) crémière f, laitière f;

(para hervir) laitière; *(para servir)*
pot m à lait; *(AM)* vache laitière;
lechería nf laiterie f; débit m de lait.

lechigada nf portée f; *(fig)* bande f
de voyous.

lecho nm *(cama)* lit m, couche f;
(de río) lit; *(GEO)* strate f.

lechón nm cochon m de lait.

lechoso, a a laiteux(euse).

lechuga nf laitue f; *(fig)* toupet m,
culot m.

lechuguino nm jeune gommeux
m, petit-maître f.

lechuza nf chouette f.

leer vt lire.

legación nf légation f.

legado nm *(don)* legs m; *(herencia)*
héritage m; *(enviado)* légat m.

legajo nm liasse f de papiers,
dossier m.

legal a légal(e); autorisé(e);

legalidad nf légalité f; **legalizar** vt
légaliser, certifier, autoriser,
promulguer.

légamo nm *(cieno)* vase f; *(limo)*
limon m.

legar vt léguer; **legatario, a** nm/f
légataire m/f.

legión nf légion f; **legionario, a** a de
la Légion // nm légionnaire m.

legislación nf législation f.

legislar vt légiférer.

legitimar vt légitimer.

legítimo, a a *(genuino)*
authentique, véritable; *(legal)* légitime.

lego, a a laïque; ignorant(e);
profane.

legua nf lieue f.

leguleyo nm avocaillon m.

legumbre nf légume m.

leído, a a très cultivé(e).

lejanía nf éloignement m, lointain
m.

lejano, a a éloigné(e), lointain(e);
(en el tiempo) lointain; *(fig)*
inaccessible.

lejía nf lessive f; eau de javel f.

lejos ad loin; **a lo ~** au loin; **de o**
desde ~ de loin; **~ de** loin de.

lelo, a a sot(te); *(fig)* bouche bée //
nm/f niais/e.

lema nm devise f.

lencería nf lingerie f.

lengua nf langue f; **~ moderna**
langue vivante.

lenguado nm sole f.

lenguaje nm langage m.

lenguaraz a polyglotte; *(pey)*
médisant(e).

lengüeta nf *(ANAT)* épiglotte f; *(de
balanza, zapatos, MUS)* languette f;
(herramienta) fraise f à bois.

lenidad nf indulgence f.

lenitivo, a a lénitif(ive).

lente nm o f lentille f; *(lupa)* loupe f;
~s pl lunettes fpl; **~s de contacto**
verres de contact.

lenteja nf lentille f.

lentitud nf lenteur f; *(calma)*
calme m.

lento, a a lent(e).

leña nf bois m; **leñador, a, leñatero, a**
a nm/f bûcheron/ne.

leño nm *(trozo de árbol)* bûche f;
(madera) bois m; *(fig)* souche f,
bûche.

Leo nm o f Lion m; **ser (de) ~** être (du)
Lion.

león nm lion m; *(AM)* puma m; **~**
marino lion de mer; **leonino, a** a
léonin(e).

leopardo nm léopard m.

lepra nf lèpre f; **leproso, a** nm/f
lépreux/euse.

lerdo, a a gauche; lourd(e).

les pron *(directo)* les; *(: ustedes)*
vous; *(indirecto)* leur; *(: ustedes)*
vous.

lesión nf *(daño)* dommage m,
lésion f; *(fig)* lésion.

letal a létal(e).

letanía nf litanie f.

letargo nm *(MED)* léthargie f; *(fig)*
torpeur f.

letra nf lettre f; *(escritura)* écriture
f; *(MUS)* paroles fpl; **~ de cambio**
lettre de change; **~ de imprenta**
caractère m d'imprimerie; **letrado,
a** a lettré(e); *(fam)* poseur(euse),
pédant(e) // nm avocat m; **letrero**

nm (*cartel*) écriteau *m*, panonceau *m*; (*etiqueta*) étiquette *f*.

leva *nf* (*NAUT*) partance *f*; (*MIL*) levée *f* de soldats; (*TEC*) came *f*.

levadizo a: **puente** ~ pont-levis *m*.

levadura *nf* (*para el pan*) levain *m*; (*de la cerveza*) levure *f*.

levantamiento *nm* levée *f*; haussement *m*; soulèvement *m*.

levantar *vt* lever; ériger, construire; fonder, instituer; fortifier; (*causar*) soulever, susciter, provoquer; (*voz*) élever; ~**se** *vr* se lever; (*enderezarse*) se redresser; (*rebelarse*) se dresser; ~ **la mesa** débarrasser la table; ~ **el ánimo** remonter le moral; ~ **un pueblo** soulever un peuple.

levante *nm* levant *m*, orient *m*; (*viento*) vent *m* de l'est.

levar *vt* lever; ~**se** *vr* mettre à la voile.

leve *a* léger(ère); (*fig*) anodin(e); **levedad** *nf* légèreté *f*.

levita *nf* redingote *f*.

léxico *nm* lexique *m*.

ley *nf* loi *f*; (*peso*) titre *m*, aloi *m*.

leyenda *nf* légende *f*.

leyó *etc vb ver* **leer.**

liar *vt* lier, attacher; (*unir*) raccorder, relier; (*enredar*) embobiner, rouler; (*cigarrillo*) rouler; ~**se** *vr* (*fam*) plier bagage; ~**se a palos** en venir aux coups.

Líbano *nm*: **el** ~ (le) Liban.

libar *vt* sucer; butiner; déguster.

libelo *nm* libelle *m*, pamphlet *m*.

libélula *nf* libellule *f*.

liberal *a* libéral(e) // *nm/f* libéral; *nm* (*de costumbres*) liberté *f*.

libertad *nf* liberté *f*; (*soltura*) aisance *f*; ~ **de culto/de prensa/de comercio** liberté du culte/de presse/du commerce; ~ **condicional** liberté conditionnelle.

libertar *vt* (*preso*) délivrer; (*de una obligación*) libérer; (*eximir*) exempter.

libertino, a *a* libertin(e) // *nm/f* libertin/e.

libra, (lb) *nf* livre *f*; (*ASTRO*): **L**~ la balance; **ser (de) L**~ être (de la) Balance; ~ **esterlina** livre sterling.

librador, a *nm/f* tireur/euse.

libramiento *nm* délivrance *f*; (*COM*) ordre *m* de paiement.

libranza *nf* (*COM*) ordre *m* de paiement; (*de letra de cambio*) tirage *m*.

librar *vt* (*de peligro*) sauver; (*batalla*) livrer; (*de impuestos*) exonérer, décharger, exempter; (*secreto*) livrer, divulguer; (*mercancías*) livrer; (*cheque*) livrer // (*JUR*) prononcer // *vi* accoucher; ~**se** *vr*: ~**se de** échapper à, éviter.

libre *a* (*persona*) libre; (*lugar*) peu encombré(e); (*asiento*) libre; (*de impuestos*) exonéré(e), exempt(e); (*de deudas*) quitte; (*pey*) osé(e); **tiro** ~ coup franc; **los 100 metros** ~ les 100 mètres nage libre; **al aire** ~ à l'air libre.

librea *nf* livrée *f*.

librería *nf* (*biblioteca*) bibliothèque *f*; (*comercio*) librairie *f*.

librero, a *nm/f* libraire *m/f*.

libreta *nf* livret *m*, carnet *m*; ~ **de ahorros** livret de caisse d'épargne; ~ **de banco** carnet de chèques.

libro *nm* livre *m*; ~ **en rústica/en pasta** o **encuadernado** livre broché/relié; ~ **de caja** livre de caisse; ~ **de inventario** registre *m* d'inventaire; ~ **de pedidos** carnet *m* de commandes; ~ **de texto** manuel *m* (scolaire), livre au programme.

Lic. *abr de* **licenciado, a**.

licencia *nf* (*permiso*) permission *f*, autorisation *f*; ~ **por enfermedad/con goce de sueldo** congé *m* de maladie/payé; ~ **de caza/de conductor** permis *m* de chasse/de conduire; ~ **de derecho/de letras** licence *f* en droit/ès lettres; **licenciado, a** *a* congédié(e), licencié(e) // *nm/f* licencié/e; **licenciar** *vt* (*empleado*) congédier, licencier; (*permitir*) autoriser; (*soldado*) (*estudiante*) conférer le grade de licencié à; ~**se** vr: ~**se en letras** passer la licence de lettres.

licencioso, a a licencieux(euse).

liceo nm société f littéraire.

licitador nm enchérisseur m, offrant m; (AM) commissaire priseur m.

licitar vt enchérir; acheter aux enchères.

lícito, a a licite, permis(e).

licor nm liqueur f.

licuefacer vt liquéfier.

lid nf lutte f, combat m; (*fig*) discussion f.

líder nm/f leader m, chef m.

lidia nf combat m; **toros de** ~ taureaux de combat; **lidiar** vt combattre // vi: **lidiar con** o **contra** batailler avec, avoir affaire à.

liebre nf lièvre m.

lienzo nm tissu m, étoffe f, toile f; (ARTE) toile f; (ARQ) pan m (de mur); (AM) morceau m de clôture.

liga nf (*de medias*) jarretelle f; (*venda*) bandage m; (*confederación*) ligue f; (*aleación*) alliage m; (BOT) gui m.

ligadura nf ligature f; (MUS) liaison f.

ligamento nm (ANAT) ligament m; (*atadura*) attache f, lien m; (*unión*) lien m.

ligar vt (*atar*) lier, attacher; (*relacionar, encadenar*) relier, rattacher; (*metales*) allier // vi (MED) ligaturer; (MUS) lier; (*tocar*) correspondre; (*fam*) draguer; (*entenderse*) s'entendre; ~**se** s'allier.

ligereza nf légèreté f; (*superficialidad*) superficialité f.

ligero, a a léger(ère); leste; momentané(e); (*leve*) peu grave; (*informal*) à la légère; (*liviano*) léger, digeste // ad (AM) vite, rapidement.

lija nf papier m de verre.

lila nf lilas m // nm lilas; (*fam*) niais m, sot/te, niais/e.

Lima n Lima.

lima nf lime f; (BOT) lime, limette f; ~ **de carpintero** rape f à bois; ~ **de uñas** lime à ongles; **limar** vt limer.

limitación nf limitation f.

limitar vt limiter // vi: ~ **con** jouxter; ~**se** vr: ~**se a** se borner à.

limite nm limite f.

limítrofe a: ~ **con** limitrophe de.

limón nm citron m // a: **amarillo** ~ jaune citron.

limosna nf aumône f.

limpiabotas nm cireur m (de chaussures).

limpiaparabrisas nm inv essuie-glace m inv.

limpiar vt nettoyer; (*árbol*) élaguer; (*el intestino*) dégager.

limpieza nf (*estado*) propreté f; (*acto*) nettoyage m; (: *de las calles*) nettoiement m; (*habilidad*) habileté f; (MIL): **operación de** ~ ratissage m; ~ **en seco** nettoyage à sec.

limpio, a a propre; (*moralmente*) pur(e), net(nette); (*fam*) sans un sou // ad: **jugar** ~ jouer franc jeu // nm: **pasar una lección en** ~ mettre un cours au propre.

linaje nm lignée f; **linajudo, a** a de haute lignée.

linaza nf linette f; **aceite de** ~ huile f de lin.

lince nm lynx m.

lindante a contiguë(ë); ~ **con** contigu à.

lindar vi toucher, être attenant(e); **linde** nm o f limite f, borne f; **lindero, a** a contiguë(ë), limitrophe // nm limite f.

lindo, a a joli(e), beau (belle), mignon(ne) // ad (AM): **nos divertimos de lo** ~ nous nous sommes terriblement amusés; **canta muy** ~ il chante joliment.

línea nf ligne f; (*parentesco*) lignée f; ~ **de ataque** front m (de bataille); ~ **delantera** (DEPORTE) ligne avant.

lingüista nm/f linguiste m/f.

linimento nm liniment m.

lino nm lin m.

lintel nm linteau m.

linterna nf lanterne f; ~

eléctrica/a pilas lampe électrique/de poche.

lío nm paquet m; (fam) confusion f, imbroglio m; histoires fpl; (desorden) pagaille f.

liquidación nf liquéfaction f; (COM, JUR) liquidation f; **artículos en ~** articles en solde.

liquidar vt (licuar) liquéfier; (mercaderías) liquider; (pagar) régler; (terminar) résoudre; (AM) liquider; **~se** vr se suicider; (AM) se suicider.

líquido, a a liquide; (ganancia) net(te); (AM) exact(e) // nm liquide m; **~ imponible** somme imposable.

lira nf (MUS) lyre f; (moneda) lire f.

lirio nm (BOT) iris m.

Lisboa n Lisbonne.

lisiado, a a estropié(e) // nm/f estropié.

lisiar vt blesser, estropier; **~se** vr se blesser.

liso, a a (terreno) plat(e); (cabello) raide, lisse; (superficie) plat, lisse; (tela) uni(e).

lisonja nf flatterie f; **lisonjear** vt flatter, aduler; (fig) charmer; **lisonjearse** vr prendre plaisir, se délecter; **lisonjero, a** a agréable; charmant(e); flatteur(euse) // nm/f flatteur/euse.

lista nf ver **listo**.

listado, a a rayé(e).

listo, a a (perspicaz) vif(vive); (preparado) prêt(e) // nf (de alumnos) liste f, feuille d'appel f; (de libros) catalogue m; (de correos) poste restante f; (de platos) menu m; (de precios) tarif m; **comida lista** plat cuisiné; **pasar lista** faire l'appel; **tela a lista** tissu à rayures.

listón nm baguette f; ruban de soie étroit; listel m, filton m.

litera nf (en barco, tren) couchette f; (en dormitorio) lit superposé.

literato, a a cultivé(e) // nm/f homme/femme de lettres, écrivain m.

literatura nf littérature f.

litigar vt plaider // vi (JUR) être en litige; (fig) se disputer, discuter.

litigio nm (JUR) litige m, procès m; (fig): **en ~ con** en litige avec.

litografía nf lithographie f.

litoral a littoral(e) // nm littoral m.

litro, (l) nm litre m, (l).

liviano, a a (persona) superficiel(le), léger(ère); (cosa, objeto) léger.

lívido, a a violacé(e); (AM) livide.

ll... voir sous la lettre **LL**, après **L**.

lo el le, ce qui est; **~ bueno** ce qui est bon // pron le, l'.

loa nf louange m; **loable** a louable; **loar** vt louer, faire l'éloge de.

lobato nm louveteau m.

lobo nm loup m; (AM: zorro) renard m; (: coyote) coyote m // nm/f (AM) métis/sse; **~ de mar** loutre m.

lóbrego, a a obscur(e), ténébreux (euse); (fig) triste.

lóbulo nm lobe m.

locación nf location f.

local a local(e); (transporte) citadin(e) // nm local m; **localidad** nf localité f; village m; (para espectáculo) place f; **localizar** vt joindre; localiser; circonscrire.

loco, a a fou(folle) // nm/f fou/folle.

locomoción nf locomotion f.

locomotora nf locomotive f.

locuaz a loquace.

locución nf locution f.

locura nf folie f.

lodo nm boue f.

lógico, a a logique // nm/f logicien/ne // nf logique f.

logogrifo nm logographe m.

lograr vt obtenir; (victoria) remporter; **~ hacer** réussir à faire; **~ que venga** obtenir qu'il vienne.

logro nm obtention f; succès m; **prestar a ~** prêter avec usure.

loma nf colline f.

lombriz nf ver m de terre; **~ solitaria** ver solitaire.

lomo nm (de animal) échine f, dos m; (de cerdo) filet m; (: vaca) entrecôte m; (de libro) dos.

lona nf toile f à voile.

Londres n Londres.

longaniza nf saucisse f.

longitud nf longueur f; **tener 3 metros de ~** avoir 3 mètres de long; **~ de onda** longueur f d'onde.

lonja nf tranche f; **~ de pescado** halle f au poisson.

lontananza nf lointain m.

loor nm louange f.

loro nm perroquet m.

los det les // pron les; (ustedes) vous; **~ de la cosecha anterior** ceux de la récolte précédente.

losa nf dalle f; **~ sepulcral** pierre tombale.

lote nm lot m.

lotería nf loterie f; (juego) loto m.

loza nf faïence f; **lavar la ~** faire la vaisselle.

lozanía nf vigueur f, fraîcheur f.

lozano, a a luxuriant(e); exubérant(e); frais(fraîche).

lubricar vt lubrifier.

lucero nm étoile brillante.

lucidez nf lucidité f.

lúcido, a a lucide.

luciente a brillant(e).

luciérnaga nf ver m luisant, luciole f.

lucimiento nm éclat m, lustre m.

lucir vt éclairer, illuminer; (fig) arborer; exhiber // vi briller, luire; **~se** vr se faire valoir.

lucrarse vr profiter, s'enrichir.

lucro nm gain m, lucre m; profit m, intérêt m.

luctuoso, a a triste, affligeant(e).

lucha nf lutte f; **~ de clases** lutte des classes; **~ libre** lutte libre; **luchar** vi lutter.

ludibrio nm raillerie f, risée f.

luego ad puis; plus tard; donc; **desde ~** évidemment; **tan ~ como** dès que.

lugar nm lieu m; (sitio) place f; **en ~ de** au lieu de; **hacer ~** faire de la place; **fuera de ~** hors de propos; **tener ~** avoir lieu.

lugareño, a a villageois(e), paysan(ne) // nm/f campagnard/e, paysan/ne.

lúgubre a lugubre.

lujo nm luxe m; **casamiento de ~** mariage en grande pompe; **lujoso, a** a luxueux(euse).

lujuria nf luxure f; (fig) excès m, profusion f.

lumbre nf feu m.

lumbrera nf lumière f; (en techo) lucarne f; (de barco) claire-voie f.

luminoso, a a lumineux(euse).

luna nf lune f; (de un espejo) miroir m; (de gafas) verre m; (fig) caprice m, extravagance f; **~ llena/nueva** pleine/nouvelle lune; **estar con ~** être de mauvaise humeur.

lunar a lunaire // nm grain de beauté; **tela a ~es** tissu à pois.

lunes nm inv lundi m.

luneta nf verre m de lunettes.

lusitano, a a lusitanien(ne).

lustrar vt (mueble) astiquer; (zapatos) cirer; **lustre** nm lustre m, brillant m; (fig) éclat m, gloire f; **dar lustre a** faire briller; **lustroso, a** a brillant(e).

luterano, a a luthérien(ne).

luto nm deuil m; **~s** nmpl tentures fpl de deuil; **llevar el/vestirse de ~** porter le/être en deuil.

Luxemburgo nm Luxembourg m.

luz nf (pl luces) lumière f; **dar a ~ un niño** donner le jour à un enfant; **sacar a ~** publier, faire paraître; (ELEC): **dar ~** éclairer; **prender/apagar la ~** allumer/éteindre la lumière; **a todas luces** de toute évidence; **hacer la ~ sobre** faire la lumière sur; **tener pocas luces** ne pas être très intelligent(e); **~ roja/verde** feu rouge/vert; (AUTO): **~ de costado** clignotant m; **~ de freno** indicateur m de freinage; **~ del relámpago** flash m; **luces del tránsito** feux de signalisation.

LL

llaga nf plaie f.

llama nf flamme f; (ZOOL) lama m.

llamada nf appel m; ~ **al orden** rappel m à l'ordre; **toque de** (MIL) appel m; ~ **a pie de página** renvoi m en bas de page.

llamamiento nm appel m.

llamar vt appeler; (atención) attirer // vi (por teléfono) téléphoner; (en una casa) sonner, frapper (à la porte); (por señas) faire des signes; (MIL) appeler (sous les drapeaux); ~**se** vr s'appeler.

llamarada nf flambée f, rougeur vive, bouffée f de sang; emportement m.

llamativo, a a qui attire l'attention, voyant(e).

llamear vi flamber.

llaneza nf simplicité f, laisser-aller m.

llano, a a (superficie) plat(e); (persona) simple, affable; (estilo) simple, clair(e) // nm plaine f.

llanta nf jante f; (AM): ~ **de goma** pneu m.

llanto nm pleurs mpl, larmes fpl.

llanura nf plaine f.

llave nf clef f, clé f; (inglesa) clé à molette; (del agua) robinet m; (de la luz) interrupteur m; (MUS) clef; (corchete) accolade f; **llavín** nm petite clef.

llegada nf arrivée f.

llegar vi arriver; ~**se** vr: ~**se a** s'approcher de; ~ **a las manos** en venir aux mains.

llenar vt remplir; (tiempo) occuper; (fig) combler ou couvrir de.

lleno, a a plein(e); rempli(e) // nm (abundancia) abondance f; (ASTRO) pleine lune f; (TEATRO) salle comble f; **dar de** ~ **contra un muro** heurter ou cogner en plein contre un mur.

llevadero, a a supportable, tolérable; portable.

llevar vt (cargar) porter; (quitar) emporter; (conducir a alguien) emmener; (cargar hacia) apporter; (traer: dinero) avoir sur soi; (conducir) conduire; (MAT) retenir; ~**se** vr emporter; ~ **consigo** emporter; **llevamos dos días aquí** cela fait deux jours que nous sommes ici; (COM): ~ **los libros** tenir les comptes ou les livres; ~**se bien** s'entendre bien.

llorar vi pleurer; ~ **de risa** rire aux larmes; **lloro** nm pleurs mpl, larmes fpl; **llorón, ona** a pleurnicheur(euse) // nm/f pleureur/euse; **lloroso, a** a éploré(e); en pleurs; triste; affligeant(e).

llover vi pleuvoir; ~**se** vr laisser passer l'eau.

llovizna nf bruine f, crachin m; **lloviznar** vi bruiner.

llueve etc vb ver **llover**.

lluvia nf pluie f; ~ **radioactiva** retombées radioactives; **lluvioso, a** a pluvieux(euse).

M

m abr de **metro**; abr de **minuto**.

macarrones nmpl macaronis mpl.

macerar vt macérer; (fig) mortifier; ~**se** vr se mortifier.

maceta nf (de flores) pot m de fleurs; (para plantas) jardinière f; (mazo pequeño) petit maillet.

macilento, a a émacié(e).

macizo, a a massif(ive); solide // nm bloc m; massif m.

mácula nf tache f.

machacar vt piler; (carne) broyer // vi être assommant(e).

machamartillo: a ~ ad solidement.

machete nm (AM) coutelas m.

macho a mâle; (fig) viril(e) // nm mâle m.

machucar vt écraser.

madeja nf écheveau m.

madera nf bois m; (ZOOL) corne f.

madero nm madrier m; (fig) navire m.

madrastra nf belle-mère f.

madre a mère // nf mère f; (ANAT) matrice f; (AGR) canal m d'irrigation; (de vino etc) lie f; (de río) lit m; ~ política/soltera belle-/fille-mère.

madreselva nf chèvrefeuille m.

Madrid n Madrid.

madriguera nf terrier m.

madrina nf (protectora) marraine f; (ARQ) poteau m; (TEC) bride f; (AM) animal que conduit le troupeau; ~ de boda témoin m.

madrugada nf aube f.

madrugar vi se lever de bonne heure; (fig) supplanter.

madurar vt, vi mûrir.

madurez nf maturité f.

maduro, a a mûr(e) // nm (AM) banane f.

maestra nf ver **maestro**.

maestría nf maîtrise f.

maestro, a a (principal(sse); (animal) dressé(e) // nm/f maître/sse; instituteur/trice // nm (autoridad) maître m; (MUS) maestro m; (AM) maître maçon // nf institutrice f.

magia nf magie f; **mágico, a** a magique // nm/f magicien/ne.

magistrado nm magistrat m.

magistral a magistral(e).

magistratura nf magistrature f.

magnánimo, a a magnanime.

magnate nm magnat m.

magnético, a a magnétique; **magnetizar** vt magnétiser.

magnetofón, **magnetófono** nm magnétophone m; **magnetofónico, a**: **cinta magnetofónica** bande magnétique.

magnífico, a a magnifique.

magnitud nf grandeur f; (fig) importance f; (ASTRO) magnitude f.

mago, a nm/f magicien/ne.

magro, a a maigre.

magullar vt meurtrir.

mahometano, a a mahométan(e).

maitines nmpl matines fpl.

maíz nm maïs m.

majada nf (abrigo) bergerie f, parc m; (abono) fumier m.

majadero, a a sot(te) // nm pilon m.

majar vt piler; (fig) embêter.

majestad nf majesté f; **majestuoso, a** a majestueux(euse).

majo, a a (guapo) joli(e), beau(belle); (lujoso) chic inv.

mal ad mal; (con dificultad) difficilement // a = **malo** // nm mal m; (desgracia) malheur m; (MED) maladie f; **salir** ~ échouer; ¡menos ~! heureusement!

malabarista nm/f jongleur/euse.

malaconsejado, a a mal élevé(e).

malagueño, a a de Malaga.

malbaratar vt (malgastar) gaspiller; (malvender) mévendre.

malcontento, a a mécontent(e).

malcriado, a a (grosero) mal élevé(e); (consentido) gâté(e).

maldad nf (injusticia) méchanceté f; (daño) tort m.

maldecir vt maudire // vi: ~ de médire.

maldición nf malédiction f.

maldito, a pp de **maldecir** // a (execrable) malheureux(euse); (perverso) satané(e); (condenado) damné(e) // nf langue f.

maleante a scélérat(e); pervers(e) // nm/f malfaiteur/trice; suspect/e.

malear vt corrompre.

malecón nm jetée f.

maledicencia nf médisance f.

maleficiar vt faire du mal; (hechizar) ensorceler; **maleficio** nm maléfice m.

malestar nm malaise m.

maleta nf valise f; (AUTO) coffre f.

malevolencia nf malveillance f; **malévolo, a** a malveillant(e).

maleza nf (hierbas malas) mauvaises herbes; (arbustos) fourré m.

malgastar vt (tiempo, dinero) gaspiller; (salud) user.

malhechor, a a malfaisant(e).

malicia nf (maldad) méchanceté f; (astucia) malice f; (mala intención) malignité f; (carácter travieso) espièglerie f; ~s nfpl soupçons mpl;

malicioso, a a méchant(e); malicieux(euse); espiègle; malin (igne).

malignidad nf malignité f.

maligno, a a (perverso) pervers(e); (pernicioso) pernicieux (euse); (malo) méchant(e); (malsano) malsain(e); (MED) malin (igne).

malo, a a mauvais(e); (pobre) misérable; (desagradable) désagréable; (desobediente) méchant(e); (falso) faux(ausse); (MED) malade // nm/f vilain/e // nf pouasse f.

malograr vt (desaprovechar) laisser passer; (frustrar) rater; (malgastar) gaspiller; (perder) perdre; ~se vr (plan) tourner court; (naufragarse) faire naufrage; (morir) avoir une mort prématurée; **malogro** nm échec m; perte f; mort prématurée.

malparado, a a: salir ~ s'en tirer mal.

malparir vt faire une fausse couche.

malsano, a a malsain(e).

Malta nf Malte f.

maltratar vt maltraiter; **maltrato** nm (descortesía) affront m; (ofensa) offense f; (daño) mauvais traitement.

malva nf mauve f.

malvado, a a méchant(e).

malversar vt détourner des fonds.

malla nf maille f; (de baño) maillot m de bain; (de baile) maillot f; ~ de alambre grille f; hacer ~ tricoter.

Mallorca nf Majorque f.

mallorquín nm a majorquin(e).

mama nf (de animal) mamelle f; (de persona) sein m.

mamá nf (pl ~s) maman f.

mamar vt téter, donner à téter // vi téter, sucer.

mamarracho nm (objeto) croûte f, navet m; (persona) épouvantail m.

mamotreto nm (libraco) gros bouquin; (bulto) paquet encombrant.

mampara nf paravent m; cloison f mobile; cloison.

mamparo nm cloison f.

mampostería nf maçonnerie f.

mampuesto nm (piedra) bloc m; (muro) parapet m; (AM) appui m; **de ~** de réserve; d'urgence.

mamut nm mammouth m.

manada nf (rebaño) troupeau m; (bandada) meute f.

manantial nm source f.

manar vt couler // vi jaillir; (abundar) abonder.

mancebo nm (joven) jeune homme; (soltero) célibataire m; (dependiente) préparateur m (en pharmacie).

mancilla nf souillure f.

manco, a a manchot(e); (fig) boiteux(euse).

mancomún: de ~ ad de concert; **mancomunar** vt réunir, associer; (JUR) rendre solidaires; **mancomunarse** vr s'unir, s'associer; **mancomunidad** nf union f, association f; (POL) fédération f; (JUR) copropriété f.

mancha nf tache f; (fig) souillure f; (boceto) ébauche f, esquisse f; **manchar** vt tacher; (fig) salir, souiller.

manchego, a a de la Manche f.

mandadero nm commissionnaire m/f.

mandado nm commission f, course f.

mandamiento nm (orden) ordre m; (REL) commandement m; **~ judicial** mandat m.

mandar vt (ordenar) ordonner; (dirigir) commander; (enviar) envoyer; (pedir) demander // vi commander; (pey) dominer; **~se** vr (MED) ne plus avoir besoin d'aide;

(ARQ) communiquer; ~ hacer un trabajo faire faire un travail.

mandatario, a nm/f (representante) mandataire m/f; (AM) dirigeant/e.

mandato nm mandat m; (orden) ordre m; ~ **judicial** exploit m.

mandíbula nf (ANAT) mâchoire f; (ZOOL) mandibule f.

mandil nm (delantal) tablier m; (vestido) blouse f.

mando nm (MIL) commandement m; (de país) cadre m; (el primer lugar) commandes fpl; (POL) gouvernement m; (TEC) commande f; ~ **remoto** commande à distance; télécommande f.

mandón, ona autoritaire.

manea nf entrave f.

manejable a maniable.

manejar vt si manier; (negocios) mener; (dinero) gérer; (casa) diriger; (AM) conduire; ~**se** vr (comportarse) se conduire; (arreglárselas) se débrouiller; (MED) se déplacer tout seul; **manejo** nm maniement m; conduite f; (facilidad de trato) maniabilité f, **manejos** nmpl manigances fpl.

manera nf (modo) façon f; (procedimiento) manière f; ~**s** nfpl manières fpl; **de otra** ~ autrement; **de todas** ~**s** de toute façon; **no hay** ~ **de que** il n'y a pas de moyen de.

manga nf (de camisa) manche f; (de riego) tuyau m; (tromba) trombe f; (filtro) filtre m; (NAUT) manche à air; ~**s** nfpl bénéfices mpl, profits mpl.

mangana nf corde f.

mango nm manche m; (de sartén) queue f; (árbol) manguier m; (fruto) mangue f.

mangonear vt commander; ~**se** vr (meterse) se mêler; (ser mandón) s'occuper de tout.

manguera nf (de riego) tuyau m d'arrosage; (de bomba) manche f de pompe; (ventilador) manche à air; (tromba) trombe f; (AM) enclos m

pour le bétail; ~ **de incendios** bouche f d'incendie.

manguito nm (de piel) manchon m; (para las mangas) manchette f; ~ **de acoplamiento** douille f d'accouplement.

maní nm arachide f, cacahuète f.

manía nf (capricho) manie f; (locura) folie f; (pey) malice f; **maníaco, a** maniaque.

maniatar vt lier les mains.

manicomio nm asile m d'aliénés.

manifestación nf (declaración) déclaration f; (demostración) manifestation f.

manifestar vt manifester; (declarar) déclarer; (aclarar) éclaircir; **manifiesto, a** a manifeste // nm manifeste m, déclaration f.

manija nf poignée f.

manilla nf: ~**s de hierro** manilles fpl.

maniobra nf manœuvre f; (estrategia) stratagème m; ~**s** nfpl manœuvres fpl; **maniobrar** vt manœuvrer.

manipulación nf manipulation f.

manipulador, a nm/f manipulateur/trice.

manipular vt manipuler.

maniquí nm/f mannequin m.

manirroto, a a prodigue.

manivela nf manivelle f.

manjar nm mets m, plat m; ~ **blanco** blanc-manger m.

mano nf main f; (ZOOL) patte f; (de reloj) aiguille f; (de pintura) couche f; (serie) série f; (NAIPES) manche f; (AUTO) priorité f; **a** ~ **derecha/izquierda** à droite/gauche; **de primera** ~ de première main; **de segunda** ~ d'occasion; **robo a** ~ **armada** vol à main armée; ~ **de obra** main-d'œuvre f.

manojo nm botte f; ~ **de llaves** trousseau m de clefs.

manoseado, a a manipulé(e), rebattu(e).

manosear vt (tocar) tripoter; (desordenar) déranger; (fig) rebattre, répéter; (caresser) toucher; (*humillar*) humilier.

manotazo nm tape f.

mansalva: a ~ ad sans risque; sans danger.

mansedumbre nf mansuétude f.

mansión nf demeure f; (*abrigo*) manoir m.

manso, a a doux(ouce), paisible; (*animal*) domestique.

manta nf couverture f; (*abrigo*) cape f, manteau m; (*ZOOL*) raie cornue.

mantear vt berner.

manteca nf graisse f; **~ de cacahuete/cacao** beurre m de cacahouète/de cacao; **~ de cerdo** saindoux m.

mantecado nm glace f à la vanille.

mantel nm nappe f.

mantener vt (*alimentar*) nourrir; (*preservar*) préserver; (*TEC*) entretenir; (*dar apoyo a*) maintenir; (*sostener*) soutenir; (*conservar*) conserver; **~se** vr (*seguir de pie*) se tenir; (*subsistir*) vivre; **mantenimiento** nm subsistance f; maintien m; entretien m.

mantequera nf (*para hacer*) beurrière f; (*para servir*) beurrier m.

mantequilla nf beurre m.

mantilla nf mantille f; **~s** nfpl langes mpl.

manto nm (*capa*) cape f, mante f; (*chal*) châle m; (*de ceremonia, ZOOL, ARQ*) manteau m; (*filón*) filon m.

mantón nm châle m.

manual a manuel(le); (*manejable*) maniable // nm manuel m.

manubrio nm (*manivela*) manivelle f; (*abrazadera*) poignée f; (*AM*) volant m.

manufactura nf (*fábrica*) manufacture f; (*fabricación*) fabrication f; (*producto*) produit manufacturé.

manuscrito, a a manuscrit(e) // nm manuscrit m.

manutención nf entretien m; (*sustento*) subsistance f.

manzana nf pomme f; (*AM*) pâté m de maisons.

manzanilla nf (*planta, infusión*) camomille f; (*vino*) manzanilla m.

manzano nm pommier m.

maña nf (*adresse* f, habileté f; astuce f, ruse f; savoir-faire m, tact m; habitude f; stratagème m.

mañana ad demain // nm futur m, avenir m // nf matin m, matinée f; **¡hasta ~!** à demain!

mañoso, a a (*hábil*) adroit(e); (*astuto*) malin(igne).

mapa nm carte f.

maqueta nf maquette f.

maquillaje nm maquillage m.

maquillar vt (*aparato*) maquiller; **~se** vr se maquiller.

máquina nf (*aparato*) machine f; (*de tren*) locomotive f; (*cámara*) appareil m; (*fig*) machinerie f, machine; (: *proyecto*) idée f, projet m; **escrito a ~** dactylographié(e); **~ de afeitar** rasoir m; **~ de escribir** machine à écrire; **~ de coser/lavar** machine à coudre/à laver; **~ fotográfica** appareil photographique.

maquinación nf machination f.

maquinal a machinal(e).

maquinaria nf (*máquinas*) machines fpl, machinerie f; (*material de trabajo*) appareil m; (*mecanismo*) mécanique f.

maquinista nm (*de tren*) mécanicien m; (*de teatro*) machiniste m.

mar nm o f mer f; **~ adentro** au large; **en alta ~** en haute mer; **la ~ de** (*fam*) beaucoup de; **~ de fondo** lame de fond f; **el M~ Negro/Báltico** la mer Noire/ Baltique.

maraña nf (*maleza*) broussaille f; (*confusión*) enchevêtrement m.

maravilla nf merveille f; (*BOT*) souci m; volubilis m; **maravillar** vt (*sorprender*) surprendre; (*admirar*) émerveiller; **maravillarse** vr s'étonner; s'émerveiller; **mara-**

villoso, a a merveilleux(euse); étonnant(e).

marca nf (señal) marque f, repère m; (sello) étiquette f, marque; (huella) trace f; **producto de ~** produit de marque.

marcado, a a notoire.

marcar vt marquer; (número de teléfono) composer; (el pelo) faire une mise en plis // si marquer; (el teléfono) composer (un numéro du téléphone); **~se** vr prendre des amers; (fig) se démarquer.

marcial a martial(e).

marco nm cadre m; (de puerta, ventana) encadrement m; (DEPORTE) but m; (moneda) mark m; (fig) cadre.

marcha nf marche f; (TEC) fonctionnement m; (velocidad) allure f; **poner en ~** mettre en marche; **dar ~ atrás** faire marche arrière; **sobre la ~** en même temps.

marchante, a nm/f marchand/e; (AM) client m; marchand ambulant.

marchar vi (ir) marcher; (funcionar) fonctionner; (fig) progresser; **~se** vr s'en aller.

marchitar vt faner; flétrir; **~se** vr s'étioler, se faner; **marchito, a** fané(e), flétri(e); (fig) décadent(e).

marea nf marée f; (llovizna) bruine f; **~ alta/baja** marée haute/basse.

marear vt écœurer; (fig) assommer; (NAUT) diriger, gouverner; **~se** vr (tener náuseas) avoir mal au cœur; (desvanecerse) s'évanouir; (aturdirse) être étourdi(e); (AM) perdre ses couleurs, pâlir.

marejada nf houle f.

maremoto nm raz-de-marée m inv.

mareo nm (náusea) mal m au cœur, nausée f; (aturdimiento) étourdissement m, vertige m.

marfil nm ivoire m.

margarina nf margarine f.

margarita nf (BOT) marguerite f;

(perla) perle f; (molusco) peti coquillage.

margen nm marge f; (borde) bore m // nf rive f, bord; (fig) occasion f; **~ de ganancias** marge bénéficiaire.

marica nm pie f; (fam) pédale f tapette f.

maricón nm (fam) pédale f, péd m.

marido nm mari m.

marijuana nf marijuana marihuana f.

marina nf marine f; **~ mercante** marine marchande.

marinero, a a marin(e); (barco) marinier(ière) // nm matelot m marin m // nf marinière f.

marino, a a marin(e) // nm marir m.

marioneta nf marionnette f.

mariposa nf papillon m; (TEC) écrou m à oreilles.

marisco nm coquillage m; ~ nmpl fruits de mer mpl.

marisma nf marais m en bordur de mer.

marítimo, a a maritime.

marmita nf marmite f.

mármol nm marbre m; **marmóreo a** a marmoréen(ne).

maroma nf (cuerda) grosse corde câble m; (AM) voltige f; **maromea** vi faire de l'équilibre.

marqués, esa nm/f marquis/e.

marquetería nf marqueterie f.

marrano, a a cochon(ne) // nm cochon m.

marrar vi manquer, rater.

marrón, ona a marron inv // nm marron m.

marroquí a marocain(e) // nm maroquin m.

Marruecos nm Maroc m.

Marsellas n Marseille.

martes nm inv mardi m.

martillar vt marteler.

martillo nm marteau m; (subasta salle f des ventes; **~ neumático pilón/de orejas** marteau-piqueux -pilon/fendu.

martinete nm (penacho) aigrette f; (MUS) marteau m.

mártir nm/f martyr/e.

martirio nm martyre m.

marxismo nm marxisme m.

marzo nm mars m.

más a plus de // ad plus // conj plus // nm plus m; **es ~ de medianoche** il est plus de minuit; **el libro ~ leído del año** le livre le plus lu de l'année; **¡estaba ~ triste!** (fam) il était tellement triste!; **~ bien** plutôt; **~ o menos** plus ou moins; **~ allá** l'au-delà.

mas conj mais.

masa nf (mezcla) pâte f; (volumen, ELEC) masse f; (aglomeración) totalité f; (AM) dessert m.

masaje nm massage m.

mascar vt mâcher; (fig) mâchonner.

máscara nf masque m; (fig) loup m // nm/f travesti m; **~ de oxígeno** masque à oxygène; **mascarada** nf mascarade f.

masculino, a a masculin(e).

mascullar vt marmotter.

masivo, a a (enorme) massif(ive); (en masa) en masse.

masón nm franc-maçon m; **masonería** nf franc-maçonnerie f.

masoquista nm/f masochiste m/f.

masticar vt mâcher, mastiquer; (fig) ruminer.

mástil nm (de navío) mât m; (de guitarra) manche m; (sostén) pied m.

mastín nm mâtin m.

mastique nm mastic m.

mastuerzo nm nasitort m, passerage m.

masturbación nf masturbation f.

mata nf (de planta) pied m; (de hierbas) touffe f; (campo) plantation f; (AM) massif m.

matadero nm abattoir m.

matador, a tueur(euse), assommant(e) // nm/f assassin m // nm matador m, torero m.

matamoscas nm inv papier m tue-mouches; tapette f.

matanza nf (de personas) meurtre m; (de animales) abattage m; (de cerdos) époque où se fait l'abattage des porcs.

matar vt (persona) tuer; (animales) abattre; (fig) éteindre // vi faire mat; **~se** vr se tuer m.

matarife nm tueur m.

matasellos nm inv oblitérateur m, tampon m.

mate a (sin brillo: color) mat(e) // nm (en ajedrez) mat m; (en tenis) smash m; (AM) calebasse f; (: bebida) maté m.

matemáticas nfpl mathématiques fpl; **matemático, a** a mathématique // nm/f mathématicien/ne.

materia nf (elemento) matière f; (asunto, causa) affaire f; (ocasión) occasion f, sujet m; **en ~ de** en matière de; **~ prima** matière première; **material** a matériel(le) // nm matériel m; (TEC) matériaux mpl; **materialismo** nm matérialisme m; **materialista** a matérialiste; **materialmente** ad matériellement; (fig) absolument.

maternal a maternel(le).

maternidad nf maternité f.

materno, a a maternel(le).

matinal a matinal(e).

matiz nm nuance f; **matizar** vt (dar tonos de) nuancer, teinter; (variar) moduler; (ARTE) harmoniser.

matón nm dur m.

matorral nm buisson m.

matraca nf crécelle f; (fam) scie f // nm/f scie f.

matrero, a a maternel(le).

matriarcado nm matriarcat m.

matrícula nf (registro) matricule f; (AUTO) immatriculation f, (ESCOL) inscription f; **matricular** vt inscrire, immatriculer; enregistrer, recenser.

matrimonial a matrimonial(e).

matrimonio nm (boda) mariage m, noce f; (unión) union f.

matriz nf matrice f; (JUR) souche f,

talon m; (de cheque) talon m.

matrona nf (persona de edad) matrone f; (partera) sage-femme f.

matute nm contrebande f.

matutino, a a matinal(e).

maullar vi miauler.

mausoleo nm mausolée m.

maxilar nm maxillaire m.

máxima ver **máximo**.

máxime ad surtout, principalement.

máximo, a a le plus grand, la plus grande; maximum // nm maximum m // nf máxima f.

maya nf pâquerette f.

mayo nm mai m.

mayonesa nf mayonnaise f.

mayor a plus grand(e); (adulto) grand, majeur(e); (de edad avanzada) âgé(e); (MUS) majeur; (de niños) aîné(e) // nm major m; **al por ~** en gros; **~ de edad** majeure; adulte m/f; **~es** nmpl grands-parents mpl; ancêtres mpl.

mayoral nm contremaître m; (AGR) maître-valet m.

mayorazgo nm majorat m; (el primogénito) fils aîné.

mayordomo nm (criado) majordome m; (de hotel) maître d'hôtel m; (AM) maître-valet m.

mayoría nf majorité f.

mayorista nm/f marchand/e en gros, grossiste m/f.

mayoritario, a a majoritaire.

mayormente ad surtout; principalement.

mayúsculo, a a monumental(e), énorme // nf majuscule f.

maza nf fléau m, maillet m; (TEC) mouton m; (DEPORTE) mil m; (MUS) mailloche f; (fam) raseur/euse; (AM) moyeu m.

mazapán nm massepain m.

mazmorra nf cachot m.

mazo nm (martillo) maillet m; (de flores) paquet m; (fig) raseur m; (DEPORTE) mil m; (MUS) mailloche f.

me pron me, m'; **¡démelo!** donnez-le-moi!

meandro nm méandre m.

mecánico, a a mécanique // nm/f mécanicien/ne // nf (estudio) mécanique f; (mecanismo) mécanisme m.

mecanografía nf dactylographie f.

mecanógrafo, a nm/f dactylographe f.

mecedor, a a berceur(euse) // nm (columpio) escarpolette f, balançoire f; (paleta) palette f // nf rocking-chair m.

mecer vt (niño) bercer; (líquido) remuer; **~se** vr se balancer.

mecha nf mèche f.

mechero nm (encendedor) briquet m; (de lámpara) bec m; (de gas) brûleur m.

mechón nm (pelo) houppe f, grosse mèche; (de cabello) mèche f; (de fibras) touffe f.

medalla nf médaille f.

mediación nf médiation f.

mediado a à moitié; **a ~s de** vers le milieu de.

medialuna nf croissant m.

mediano, a a (regular) moyen(ne); (mediocre) médiocre.

medianoche nf minuit m.

mediante ad grâce à; moyennant.

mediar vi (llegar a la mitad) arriver à la moitié; (interceder) intervenir; (venir entre medio) s'interposer.

medicación nf médication f.

medicamento nm médicament m.

medicina nf (medicamento) médicament m; médecine f; (práctica) médecine f.

medicinar vt administrer des médicaments; **~se** vr prendre des médicaments.

medición nf mesure f, mesurage m.

médico, a a médical(e) // nm/f médecin m; **~ consultor/forense** médecin consultant/légiste.

medida nf mesure f; (prudencia) retenue f, prudence f; **en**

cierta/gran ~ dans une certaine mesure/grande mesure; **un traje a la** ~ un costume sur mesure; ~ **de cuello** encolure f; ~ **de talle** hauteur f de buste.

medio, a a demi(e); (*promedio*) moyen(ne) // ad à demi, demi- // nm (*centro*) milieu m; (*promedio*) moyens mpl; (DEPORTE) demi m; (*método*) moyen m; (*ambiente*) milieu m // nf (*prenda de vestir*) bas m; (DEPORTE) mi-temps f inv; (*proporción*) moyenne f; ~**s** nmpl moyens; ~ **litro** demi-litre m; **tres horas y media** trois heures et demie; **media hora** demi-heure f, a ~ **terminar** à moitié terminé; **pagar a medias** payer à moitié; ~ **tonto** à moitié fou; **hacer media** tricoter; **medias cortas** mi-bas mpl.

mediocridad nf médiocrité f.

mediodía nm midi m.

medir vt, vi mesurer; ~**se** vr (*fig*) se contenir; (AM) se mesurer, se rencontrer.

meditar vt méditer.

mediterráneo, a a méditerranéen(ne); **el M**~ la Méditerranée.

medrar vi (*crecer*) pousser, se développer; (*fig*) prospérer.

medro nm progrès m; développement m.

medroso, a a (*miedoso*) peureux (euse); (*horrible*) effrayant(e).

médula, medula nf moelle f.

medusa nf méduse f.

megáfono nm porte-voix m inv.

megalómano, a nm/f mégalomane m/f.

mejilla nf joue f.

mejor a (*comparativo*) meilleur(e); (*superlativo*) le meilleur, la meilleure // ad mieux; le mieux, le mieux; **a lo** ~ peut-être; ~ **dicho** ou plutôt.

mejora nf (*mejoramiento*) amélioration f; (*adelanto*) progrès m; (*ventaja*) avantage m; (*reforma*) réforme f; **mejorar** vt améliorer; (*privilegiar*) avantager; (*abonar*)

bonifier; vi, **mejorarse** vr aller mieux.

melancolía nf mélancolie f.

melancólico, a a (*triste*) mélancolique, triste; (*soñador*) songeur(euse).

melena nf (*de persona*) chevelure f, cheveux mpl; (*del león*) crinière f; **melenudo, a** a chevelu(e).

melindroso, a a minaudier(ière); capricieux(euse).

melocotón nm (*árbol*) pêcher m; (*fruto*) pêche f.

melocotonero nm pêcher m.

melodía nf mélodie f.

melodrama nm mélodrame m.

melón nm melon m; ~ **de agua** melon d'eau.

meloso, a a mielleux(euse); (*almibarado*) douceureux(euse).

mella nf brèche f; (*fig*) dommage m; **mellar** vt ébrécher; (*fig*) entamer.

mellizo, a a jumeau(elle) // nm/f jumeau/elle.

membrillo nm (*árbol*) cognassier m; (*fruto*) coing m.

memorable a mémorable.

memorándum nm (*libro*) agenda m; (*comunicación*) mémorandum m.

memoria nf (*facultad, documento*) mémoire f; (*recuerdo*) souvenir m; (*informe*) rapport m.

memorial nm (*libro*) mémorial m; (*petición*) requête f; (*boletín*) bulletin m.

menaje nm ménage m; (*muebles*) éléments mpl (de cuisine).

mencionar vt mentionner.

mendigar vt mendier.

mendigo, a nm/f mendiant/e.

mendrugo nm croûton m.

menear vt (*fig*) diriger; ~**se** vr s'agiter; bouger, remuer.

menester nm (*necesidad*) besoin m, nécessité f; (*ocupación*) occupation f; ~**es** nmpl outils mpl; **es** ~ il faut.

menestra nf ragoût m; ~**s** nfpl légumes secs.

menestral *nm* ouvrier *m*, artisan *m*.

mengano, a *nm/f* un tel/une telle.

mengua *nf* (*disminución*) diminution *f*; (*falta*) manque *m*; (*pobreza*) pauvreté *f*; (*fig*) discrédit *m*.

menguado, a *a* limité(e).

menguante *a* décroissant(e) // (*NAUT*) marée descendante; (*de la luna*) dernier quartier.

menguar *vt* diminuer, tomber, décroître; (*fig*) baisser, décliner // *vi* (*calor*) diminuer; (*luna*) décroître; (*fig*) diminuer, décliner.

menopausia *nf* ménopause *f*, retour d'âge *m*.

menor *a* (*más pequeño*) plus petit(e); (*más joven*) plus jeune; (*el más pequeño*) le plus petit, la plus petite; (*el más joven*) le plus jeune, la plus jeune; (*MUS*) mineur(e) // *nm/f* (*joven*) mineur/e; cadet/te; ~ **daño** le moindre mal; **no tengo la ~ idea** je n'en ai pas la moindre idée; **al por** ~ au détail; **con el** ~ **detalle** dans le moindre détail; ~ **de edad** mineur.

menos *ad* (*comparativo*) moins; (*superlativo*) le moins // *conj* sauf, excepté; **es lo** ~ **que puedo hacer** c'est le moins que je puisse faire; **a** ~ **que** à moins que; **cada vez** ~ de moins en moins; **el techo de** ~ tu me manques; **nada** ~ **que** rien de moins que; **al por lo** ~ au moins.

menoscabar *vt* (*estropear*) entamer; (*acortar*) amoindrir; (*fig*) porter atteinte à, discréditer.

menoscabo *nm* (*mengua*) amoindrissement *m*, diminution *f*; (*daño*) dommage *m*, dégât *m*; (*fig*) discrédit *m*; **con** ~ **de** au détriment de; **en** ~ **de** au mépris de; **sin** ~ sans préjudice.

menospreciar *vt* (*despreciar*) mépriser; (*desdeñar*) dédaigner.

menosprecio *nm* (*desdén*) mépris *m*; (*desconsideración*) déconsidération *f*.

mensaje *nm* message *m*;

mensajero, a *a* messager(ère) // *nm/f* messager/ère.

menstruar *vi* avoir ses règles.

mensual *a* mensuel(le).

menta *nf* menthe *f*.

mental *a* mental(e).

mentar *vt* mentionner, nommer.

mente *nf* esprit *m*; (*intención*) intention *f*.

mentecato, a *a* sot(te); stupide; imbécile; (*mañoso*) fourbe // *nm/f* sot/te; niais/e.

mentir *vi* mentir; falsifier; simuler; **mentira** *nf* mensonge *m*; imposture *f*; (*invención*) histoire *f*, farce *f*; **mentiroso, a** *a* menteur(euse) // *nm/f* menteur/euse.

menudear *vt* répéter, recommencer; (*contar*) raconter par le menu; (*AM*) vendre au détail // *vi* abonder, arriver souvent; se multiplier, pleuvoir.

menudencia *nf* petitesse *f*; bagatelle *f*, bricole *f*; minutie *f*.

menudo, a *a* petit(e); menu(e); minutieux(euse); scrupuleux(euse); sans importance; ~**s** *nmpl* abats *mpl*, abattis *mpl*; **al por** ~ au détail.

meñique *nm* petit doigt.

meollo *nm* moelle *f*; (*de pan*) mie *f*; (*fig*) cervelle *f*.

mercadería *nf* article *m*, marchandise *f*; ~**s** *nfpl* marchandises *fpl*.

mercado *nm* marché *m*; **M~ Común** Marché Commun; **~ negro/callejero/de valores** marché noir/à ciel ouvert/des valeurs.

mercadotecnia *nf* marketing *m*.

mercancía *nf* article *m*; produit *m*; marchandise *f*.

mercantil *a* mercantile; commercial(e).

mercar *vt* faire le commerce; acheter.

merced *nf* grâce *f*, faveur *f*; ~ **a** grâce à; **a la** ~ **de** à la merci de.

mercenario, a *a* mercenaire // *nm* mercenaire *m*.

mercería *nf* mercerie *f*.

mercurio nm mercure m.

merecer vt, vi mériter, valoir; ~**se** vr mériter; **merece la pena** ça vaut la peine; **merecimiento** nm mérite m.

merendar vt, vi goûter, prendre son goûter; (en el campo) pique-niquer; **merendero** nm guinguette f, buvette f.

merengue nm meringue f.

meridiano, a a a de midi, méridien(ne) // nm méridien m; **meridional** a méridional(e).

merienda nf goûter m; (de campo) pique-nique m.

mérito nm mérite m.

merluza nf colin m; merluche f, merlu m.

merma nf diminution f; perte f; **mermar** vt diminuer, amenuiser // vi, **mermarse** vr se diminuer; s'abîmer, se perdre.

mermelada nf confiture f.

mero, a a simple, pur(e).

merodear vi marauder.

mes nm mois m; (salario) mois; mensualité f; **en el ~ de mayo** au mois de mai.

mesa nf table f; (de trabajo) bureau m; (GEO) plateau m; (ARQ) palier m; ~ **directiva** conseil m, bureau.

meseta nf (GEO) plateau m; (ARQ) palier m.

mesilla nf petite table; (ARQ) palier m; appui m; tablette f.

mesón nm auberge f; hôtellerie f; **mesonero, a** a, nm/f hôtelier/ière, aubergiste m/f.

mestizo, a a a métis(se); (ZOOL) hybride // nm/f métis/se.

mesura nf (moderación) modération f; (dignidad) dignité f; (cortesía) respect m.

meta nf but m, objectif m; (DEPORTE) buts mpl.

metafísico, a a métaphysique // nm/f métaphysicien/ne // nf métaphysique f.

metáfora nf métaphore f.

metal nm (materia) métal m; (MUS) cuivres mpl; (de voz) timbre m;

(fig) genre m; **metálico, a** a métallique // nm espèces fpl.

metalurgia nf métallurgie f.

meteoro nm météore m.

meter vt mettre; (añadir) ajouter; (involucrar) fourrer; ~**se** vr se mettre; (fig) se fourrer; (GEO) s'enfoncer; ~**se a comerciante** se faire commerçant; ~**se con alguien** taquiner qn.

meticuloso, a a méticuleux(euse).

metódico, a a méthodique.

método nm méthode f.

metralleta nf mitraillette f.

métrico, a a métrique.

metro, m (m) mètre m, (m); (tren) métro m.

metrópoli nf métropole f, capitale f.

México nm Mexique m.

mezcla nf mélange m; (combinación) combinaison f; (masa) masse f; (emulsión) émulsion f; (CINE) mixage m; **mezclar** vt mêler; mélanger; (naipes) battre; **mezclarse** vr se mélanger; se mêler; (fig) se mêler; **mezclarse en un negocio** se mettre dans une affaire.

mezquino, a a mesquin(e).

mezquita nf mosquée f.

M. F. (abr de modulation de frecuencia) M F (modulation de fréquence).

mi det (m) mon; (f) ma; (pl) mes // nm mi m.

mí pron moi.

mía pron ver **mío**.

miaja nf miette f.

mías pron ver **mío**.

mico a a nm/f singe/guenon; (fam) crâneur/euse; (fig) peser un lapin; **dar el ~** faire perdre les illusions.

microbio nm microbe m.

microbús nm minibus m.

micrófono nm microphone m, micro m.

microscopio nm microscope m.

miedo nm peur f; (nerviosismo) nervosité f; **tener ~** avoir peur; **de**

~ formidable; **un frío de** ~ (fam) un froid de canard; **miedoso, a** a craintif(ive); peureux(euse).

miel nf miel m; (de caña) mélasse f.

miembro nm membre m; ~ **viril** membre viril.

mientes nfpl: **no parar** ~ **en** ne pas faire attention à; **traer a las** ~ rappeler.

mientras conj pendant que // ad tandis que; ~ **tanto** pendant ce temps, entre temps; ~ **más tiene, más quiere** plus il en a, plus il en veut.

miércoles nm inv mercredi m.

mies nf moisson f.

miga nf miette f; (fig) substance f, moelle f; **hacer buenas** ~**s** (fam) faire bon ménage.

migajas nfpl miettes fpl.

migración nf migration f.

mil num mille.

milagro nm miracle m; **milagroso, a** a miraculeux(euse).

milano nm milan m.

milésimo, a a millième f.

mili nf: **hacer la** ~ (fam) faire son service.

milicia nf (MIL) milice f; (: arte) art m de la guerre; (servicio militar) service m militaire.

milímetro nm millimètre m.

militante a militant(e).

militar a (del ejército) militaire; (guerrero) guerrier(ière) // nm soldat m // vi servir dans l'armée; (fig) militer.

milla nf mille m.

millar nm millier m.

millón num million m; **millonario, a** nm/f millionnaire m/f.

mimar vt (niño) gâter; (persona) dorloter, cajoler.

mimbre nm o f osier m; **sillón de** ~ fauteuil en osier.

mímica nf mimique f.

mimo nm câlinerie f, cajolerie f, caresse f; (TEATRO) mime m.

mina nf mine f; (pasaje) galerie f; **minar** vt miner.

mineral a minéral(e) // nm minéral m.

minería nf travail m des mines.

minero, a a minier(ière) // nm/f mineur m.

miniatura a inv miniature // nf miniature f.

minifalda nf mini-jupe f.

mínimo, a a minime, très petit(e); (temperatura) minimal(e) // nm minime m.

ministerio nm ministère m; **M~ de Hacienda/del Exterior** ministère des Finances/des Affaires étrangères.

ministro nm ministre m.

minorar vt diminuer, amoindrir.

Minorca nf Minorque f.

minoría nf minorité f.

minucioso, a a minutieux(euse); (prolijo) prolixe.

minúsculo, a a minuscule.

minuta nf (de comida) menu m; (borrador) minute f, note f; (factura) bordereau m; (de abogado) note des honoraires.

minutero nm aiguille f des minutes, minuterie f.

minuto nm minute f.

mío, a a, pron: **el** ~ le mien, **la mía** la mienne, **los** ~**s** les miens, **las mías** les miennes.

miope a myope // nm/f myope m/f.

míos pron ver **mío**.

mira nf (de arma) mire f; (de vigilancia) poste m de guet; (fig) intention f, visée f.

mirado, a a circonspect(e), réservé(e) // nm regard m; **bien/mal** ~ **bien/mal** vu.

mirador nm mirador m.

miramiento nm (atención) regard m; (reflexión) prudence f; (aprensión) égards mpl.

mirar vt regarder; (considerar) penser à, réfléchir à; (vigilar) surveiller, regarder, veiller; (respetar) respecter; (AM) voir // vi regarder; (ARQ) donner sur; ~**se** vr se regarder.

mirlo nm merle m; (fig) gravité affectée; pose f.

mirra nf myrrhe f.

mirto nm myrte m.

mis det ver **mi**.

misa nf messe f.

misántropo nm misanthrope m.

miscelánea nf miscellanés fpl.

miserable a (avaro) avare; misérable; (ingratto) insignifiant(e), dérisoire; (fam) méprisable // nm/f (desgraciado) misérable m/f, malheureux/euse; (indigente) pauvre m/f; (perverso) misérable.

miseria nf misère f; (tacañería) avarice f, mesquinerie f.

misericordia nf miséricorde f.

misión nf mission f; **misionero, a** nm/f missionnaire m/f.

mismo, a a même; **el ~ traje le même costume**; **en el ~ momento** au même moment; **vino el ~ Ministro** le Ministre est venu en personne; **yo ~ lo vi** je l'ai vu moi-même; **lo ~ la** même chose; **quedamos en las mismas** nous en sommes au même point // ad: **aquí/hoy ~ ici/aujourd'hui même**; **ahora ~ à** l'instant même, tout de suite // conj: **lo ~ que de** même que; **por lo ~ pour** la même raison; **por sí ~ de** soi-même, de lui-même.

misterio nm mystère m.

mística nf, **misticismo** nm mystique f.

mitad nf moitié f; **a ~ de precio à** moitié prix; **en o a ~ del camino** au milieu du chemin.

mitigar vt mitiger; calmer; freiner; enrayer.

mitin nm meeting m.

mito nm mythe m.

mitra nf mitre f.

mixto, a a mixte.

m/n (abr de moneda nacional) devise nationale.

mobiliario nm mobilier m.

mocedad nf jeunesse f.

moción nf (proposición) motion f; (movimiento) mouvement m.

mucosité f; (de pavo) caroncule f; (de candil) écoulement m; **mocoso, a** a morveux(euse); (fig) insolent(e) // nm/f morveux/euse.

mochila nf (de soldado) havresac m; (de excursionista) sac à dos m.

mocho, a a émoussé(e), écorné(e) // nm manche m.

mochuelo nm hibou m; (fam) corvée f.

moda nf mode f; (novedad) nouveauté f; **de o a la ~ à** la mode; **pasado o fuera de ~ démodé(e)**, passé(e) de mode.

modales nmpl manières fpl, formes fpl.

modelar vt modeler.

modelo a inv modèle inv // nm/f modèle m; mannequin m // nm modèle m.

moderado, a a modéré(e).

moderar vt modérer; mitiger; contrôler; **~se** vr se modérer.

moderno, a a moderne.

modestia nf modestie f; **modesto, a** a modeste.

módico, a a modique; raisonnable.

modificar vt modifier.

modista nm/f couturier/ière.

modo nm (manera, forma) manière f, façon f; (MUS) mode m; **~s** nmpl manières fpl; **de cualquier/de ningún ~ de** toute/en aucune façon; **de todos ~s de** toute façon, de toute manière; **~ de empleo** mode d'emploi.

modorra nf (sueño) sommeil profond ou pesant; (sopor) engourdissement m, assoupissement m.

modular vt moduler.

mofa nf raillerie f, moquerie f; **hacer ~ de** railler, se moquer de; **mofar** vi railler; **mofarse** vr: **mofarse de** se moquer de.

mofletudo, a a joufflu(e).

mohíno, a a (triste) triste, mélancolique; (enojado) boudeur (euse).

moho nm (BOT) moisi m; (oxidación) moisissure f, rouille f; (fig) flemme f; **mohoso, a** a moisi(e); (oxidado) rouillé(e).

mojar vt mouiller; tremper; imbiber; (*humedecer*) humecter, humidifier; (*rociar*) humecter // vi: ~ en tremper dans.

mojigato, a (*hipócrita*) hypocrite; (*beato*) bigot(e) // nm/f hypocrite m/f, tartufe m/f.

mojón nm (en un camino) borne f; (*montón*) tas m.

molde nm moule m; (*de costura*) patron m; (*fig*) modèle m; **venir de** ~ tomber à pic; **moldear** vt (*amoldar*) mouler; (*moldurar*) mouler; (*fig*) façonner.

mole nf masse f, objet volumineux.

moledora nf broyeur m.

moler vt (*triturar*) triturer; (*machacar*) broyer; (*rendir*) éreinter, fatiguer; (*irritar*) irriter.

molestar vt (*incomodar*) gêner, déranger; (*fastidiar*) ennuyer; (*ofender*) offenser, blesser // vi mortifier; ~**se** vr se déranger, se gêner.

molestia nf (*fatiga*) ennui m, tracas m; (*aflicción*) peine f, chagrin m; (*daño*) dérangement m; (*incomodidad*) gêne f; (*contrariedad*) contrariété f; **molesto, a** désagréable; ennuyeux(euse), embarrassant(e), impertinent(e).

molinero, a nm/f meunier/ière.

molinillo nm moulin m; ~ **de café/carne** moulin à café/viande.

molino nm moulin m; ~ **de viento/agua** moulin à vent/à eau.

mollejas nfpl ris m.

mollera nf sommet de la tête m, fontanelle f; (*fig*) cervelle f.

mollete nm (*CULIN*) crêpe f; (*ANAT*) gras m, chair f.

momentáneo, a momentané(e); transitoire.

momento nm moment m; (*fig*) importance f; **del** ~ actuel(le).

momia nf momie f.

monacato nm monachisme m, état m monastique.

monacillo, monaguillo nm enfant m de chœur, servant m.

Mónaco nm Monaco m.

monarca nm/f monarque m; **monarquía** nf monarchie f; **monarquista** nm/f monarchiste m/f.

mondar vt (*limpiar*) nettoyer; (*podar*) tailler, émonder, élaguer; (*pelar*) peler, éplucher; (*CULIN*) plumer; ~**se** vr: ~**se los dientes** se curer les dents; ~ **a palos** rouer de coups.

mondongo nm tripes fpl.

moneda nf (*tipo de dinero*) monnaie f; (*pieza*) pièce f de monnaie; ~ **corriente** monnaie courante; **monedero** nm porte-monnaie m inv; **monedero falso** faux-monnayeur m; **monetario, a** monétaire.

monigote nm (*muñeco*) polichinelle m, pantin m; (*fig*) pantin; (*ARTE*) caricature f.

monja nf religieuse f, bonne sœur.

monje nm moine m.

mono, a (*bonito*) joli(e); (*gracioso*) mignon(ne) // nm/f singe/guenon; (*fig*) singe; (*fam*) petit gommeux // nm (*overoles*) salopette f; (*de niño*) esquimau m, combinaison f.

monocultivo nm monoculture f.

monolingüe a monolingue.

monopolio nm monopole m; **monopolizar** vt monopoliser.

monótono, a monotone; (*fig*) ennuyeux(euse).

monstruo nm monstre m // a monstre; **monstruoso, a** monstrueux(euse).

monta nf somme f, montant m; **de poca** ~ sans importance.

montacargas nm inv montecharge m inv.

montaje nm montage m; (*ARQ*) érection f; (*TEATRO*) mise en scène f.

montante nm (*TEC*) montant m; (*ARQ*) meneau m; (*pleamar*) marée montante, flux m; (*AM*) montant.

montaña nf montagne f; pic m; coteau m; (*AM*) mont m; ~ **rusa** montagne russe; **montañés, esa** a

montañard(e) // nm/f
montagnard/e; habitant/e de la
région de Santander.

montar vt monter; (arma) armer
// vi monter; (sobresalir) saillir,
monter; ~**se** vr: ~**se a un árbol**
monter à un arbre; ~ **a** s'élever à;
~ **en cólera** se mettre en colère.

montaraz a montagnard(e);
(salvaje) sauvage; (pey) brute
(ière).

monte nm (montaña) montagne f;
(bosque) bois m; ~ **de Piedad** mont-
de-piété m; ~ **alto** forêt f, futaie f;
~ **bajo** taillis m, maquis m.

montepío nm caisse f de secours
mutuel; (AM) mont-de-piété f.

montera nf bonnet m; (de torero)
toque f; (de cristales) verrière f,
toiture vitrée.

monto nm montant m, total m.

montón nm tas m.

montura nf monture f.

monumento nm monument m.

moña nf ruban m.

moño nm (de pelo) chignon m;
(cintas) nœud m de rubans; (de ave)
huppe f; (AM) orgueil m.

mora nf (BOT) mûre f; (JUR) retard
m.

morado, a a violet(te) // nm
(color) violette f; (moretón) bleu m
// nf (casa) maison f, demeure f;
(período) séjour m.

morador, a nm/f habitant/e,
locataire m/f.

moral a moral(e) // nf (ética)
morale f; (moralidad) moralité f;
(ánimo) moral m // nf mûrier m.

moraleja nf moralité f, morale f.

moralizar vt moraliser.

morar vi habiter, demeurer.

morboso, a a malade; morbide.

morcilla nf boudin m; (TEATRO)
improvisation f.

mordaz a (corrosivo) mordant(e);
(hiriente) blessant(e), piquant(e).

mordaza nf (para la boca) bâillon
m; (TEC) mâchoire f, mordache f;
(de carriles) éclisse f.

morder vt mordre; (serpiente)

piquer, mordre; **mordisco** nm
(dentellada) morsure f; (parte
comida) bouchée f.

moreno, a a (de tez) brun(e);
(negro) nègre(négresse); (AM) mulâ-
tre(sse) // nm/f brun/e // f
(mujer) brune f; (ZOOL) murène f.

morera nf mûrier blanc.

morería nf médina f, quartier m
maure.

morfina nf morphine f.

moribundo, a a moribond(e).

morigerar vt modérer, régler.

morir vi mourir; ~**se** vr décéder;
(fig) expirer; (pierna etc) mourir;
fue muerto en un accidente il est
mort dans un accident; ~**se por
algo** aimer follement qch.

moro, a a maure; (AM) balzan(e) //
nm/f maure m/f.

moroso, a a lent(e);
paresseux(euse); en retard.

morral nm musette f; gibecière f.

morriña nf mal m du pays;
tristesse f.

morsa nf morse m.

mortaja nf linceul m; mortaise f;
(AM) papier m à cigarettes.

mortal a mortel(le); ~**idad**,
mortandad nf mortalité f.

mortecino, a a blafard(e);
moribond(e); mourant(e).

mortero nm mortier m.

mortífero, a a meurtrier(ière).

mortificar vt blesser; ennuyer;
mortifier; ~**se** vr se mortifier.

mosaico nm mosaïque f.

mosca nf mouche f.

moscardón nm œstre m du bœuf;
mouche bleue; frelon m; (fam)
raseur m.

Moscú N Moscou m.

mosquete nm mousquet m.

mosquitero nm moustiquaire f.

mosquito nm moustique m.

mostaza nf moutarde f.

mosto nm moût m.

mostrador, a a montreur(euse) //
nm comptoir m.

mostrar vt (gen) montrer;
exposer; exhiber; étaler; présenter;

~se *vr*: **~se amable** se montrer aimable.

mostrenco, a *a* (*JUR*) vacant(e); (*perro*) abandonné(e); (*fam*) ignorant(e) // *nm/f* lourdaud/e.

mota *nf* motte *f*, petit morceau; pois *m*.

mote *nm* (*apodo*) sobriquet *m*, surnom *m*; (*sentencia*) devise *f*.

motín *nm* (*del pueblo*) émeute *f*; (*del ejército*) mutinerie *f*.

motivar *vt* donner lieu à; motiver.

motivo *a* à moteur(trice) // *nm* motif *m*.

moto *nf*, **motocicleta** *nf* moto *f*; **motociclista** *nm/f* motocycliste *m/f*.

motoniveladora *nf* niveleuse *f*, bulldozer *m*.

motor, a *a* à moteur(trice) // *nm* moteur *m*; **~ a chorro** *o* **de reacción/de explosión** moteur à réaction/à explosion.

motora *nf*, **motorbote** *nm* canot *m ou* vedette *f* à moteur.

motorizar *vt* motoriser.

motosierra *nf* scie *f* électrique.

motosilla *nf* scooter *m*, vélomoteur *m*.

movedizo, a *a* mouvant(e); inconstant(e).

mover *vt* (*los pies*) remuer; (*la tierra*) retourner; (*accionar*) actionner, faire marcher; (*fig*) provoquer, susciter; (*en ajedrez, damas*) déplacer; (*ocuparse de*) faire agir; ~se *vr* bouger.

móvil *a* mobile // *nm* mobile *m*; **movilidad** *nf* mobilité *f*; **movilizar** *vt* remuer, bouger; mobiliser.

movimiento *nm* (*gen*) mouvement *m*; (*actividad*) activité *f*; (*COM*) rotation *f*; (*social*) soulèvement *m*; ~ **escénico** jeu de scène *m*.

mozo, a *a* jeune // *nm/f* (*joven*) jeune homme/fille; (*soltero*) célibataire *m/f*; (*criado*) domestique *m/f* // *nm* (*camarero*) garçon *m*.

muchacho, a *nm/f* (*niño*) enfant

m/f, jeune garçon/fille; (*criado*) domestique *m/f*.

muchedumbre *nf* foule *f*.

mucho, a *a* beaucoup de // *ad* (*en cantidad*) beaucoup; (*del tiempo*) longtemps; (*muy*) très // *pron* beaucoup; **ni ~ menos** loin de là.

mudanza *nf* (*cambio*) changement *m*; (*de casa*) déménagement *m*, emménagement *m*; ~**s** *nfpl* (*fig*) versatilité *f*.

mudar *vt* changer; transformer; (*ZOOL*) muer // *vi* changer; ~**se** *vr* (*la ropa*) se changer; (*de casa*) déménager.

mudéjar *a*, *nm/f* mudéjar *m/f*.

mudo, a *a* muet(te) // *nm/f* muet/te.

mueble *nm* meuble *m* // *a*: **bienes** ~**s** biens meubles; ~**s** *nmpl* mobilier *m*; **mueblería** *nf* fabrique *f* de meubles; magasin *m* de meubles.

mueca *nf* grimace *f*.

muela *nf* (*ANAT*) molaire *f*; (*piedra*) meule *f*.

muelle *a* doux(douce); mou(molle), voluptueux(euse) // *nm* quai *m*; môle *m*; ressort *m*.

muero *etc vb ver* **morir**.

muerte *nf* mort *f*; (*homicidio*) homicide *m*; (*suicidio*) suicide *m*; (*destrucción*) destruction *f*.

muerto, a *pp de* **morir** // *a* mort(e); (*apagado*) éteint(e); (*inactivo*) inactif(ive) // *nm/f* mort/e.

muestra *nf* (*señal*) enseigne *f*, signe *m*; (*estadística*) échantillonnage *m*; (*modelo*) modèle *m*; (*testimonio*) témoignage *m*; **muestrario** *nm* échantillonnage *m*.

muestro *etc vb ver* **mostrar**.

nuevo *etc vb ver* **mover**.

mugido *nm* mugissement *m*, beuglement *m*.

mugir *vi* mugir, beugler; (*persona*) gémir.

mugre *nf* crasse *f*, saleté *f*.

muguete *nm* muguet *m*.

mujer *nf* (*de sexo femenino*) femme

f; (esposa) épouse f; **mujeriego** a
coureur (de jupons).

mula nf mule f.

muladar nm dépotoir m.

muleta nf (para andar) béquille f;
(TAUR) muleta f; (fig) appui m.

muletilla nf canne f servant de
béquille; refrain m; cheville f; tic m;
muleta f.

multa nf amende f; **multar** vt
condamner à une amende.

multicopista nm machine f à
polycopier.

multiforme a multiforme.

múltiple a multiple; **~s** pl
nombreux(euses).

multiplicar vt (MAT) multiplier;
(fig) reproduire; **~se** vr (BIO) se
reproduire; (fig) se mettre en
quatre.

multitud nf (gentío, muchedumbre) multitude f, foule f;
(cantidad) masse f.

mullido, a a a moelleux(euse),
douillet(te) // nm bourre f.

mundial a mondial(e); univer-
sel(le).

mundo nm monde m; **tener ~**
avoir de l'aisance.

munición nf (MIL) munition f;
(perdigones) plomb m de chasse;
(de arma) charge f.

municipal a municipal(e) // nm
agent m.

municipio nm (municipalidad)
municipalité f; (comuna) commune
f.

muñeca nf (ANAT) poignet m;
(juguete) poupée f; (maniquí)
mannequin m; (para barnizar)
tampon m.

muñeco nm (figura) bonhomme m;
(marioneta) marionnette f;
(maniquí) mannequin m; (fig)
pantin m.

muñequera nf poignet m de force;
bracelet m.

muralla nf muraille f.

murciélago nm chauve-souris f.

murmullo nm murmure m;

(zumbido) bourdonnement m; (fig)
bruit m.

murmuración nf médisance f.

murmurar vi murmurer;
(criticar) médire.

muro nm mur m.

muscular a musculaire.

músculo nm muscle m.

museo nm musée m; (colección)
collection f.

musgo nm mousse f.

músico, a a musical(e) // nm/f
musicien(ne) // nf musique f.

muslo nm cuisse f.

mustio, a a (persona) triste,
abattu(e); (planta) flétri(e).

musulmán, ana a nm/f musul-
man/e.

mutación nf (BIO) mutation f;
(cambio) changement m.

mutilar vt mutiler.

mutuamente ad mutuellement.

mutuo, a a mutuel(le); réciproque.

muy ad très; M~ Señor mío (cher)
Monsieur; **por ~ rápido que vayas**
tu as beau aller vite; **eso es ~ de él**
c'est bien de lui.

N

n abr de **nacido**.

N abr de **norte**.

n/ abr de **nuestro, a**.

nabo nm (BOT) navet m; (raíz)
racine f; (ARQ) arbre m, axe m,
noyau m.

nácar nm nacre f.

nacer vi naître; (vegetal) pousser,
naître; (astro, el día) se lever; (río)
prendre sa source; **nacido, a** a
né(e); **naciente** a naissant(e);
nacimiento nm naissance f; source
f.

nación nf nation f; **nacional** a
national(e); **nacionalizar** vt
nationaliser; **nacionalizarse** vr se
faire naturaliser.

nada nf neánt m // pron rien // ad pas du tout.

nadaderas nfpl ceinture f natatoire.

nadador, a nm/f nageur/euse.

nadar vi nager.

nadie pron personne; ~ **puede decirlo** personne ne peut le dire; **no había ~** il n'y avait personne.

nádir nm nadir m.

nado: a ~ ad à la nage.

naguas nfpl = **enaguas**.

naipe nm carte f.

nalga nf fesse f.

nana nf (fam: abuela) mémé f; (: canción) berceuse f; (AM) bobo m; nourrice f.

naranja nf orange f // a orange // nm orange m; **naranjado, a** a orange, orangé(e) // nf orangeade f; **naranjo** nm oranger m.

narciso nm narcisse m.

narcótico, a a narcotique // nm narcotique m; **narcotizar** vt narcotiser.

nardo nm nard m.

narigón, ona, narigudo, a a qui a un grand ou long nez.

nariz nf nez m.

narración nf narration f, récit m.

narrador, a nm/f narrateur/trice.

narrar vt raconter, narrer; **narrativa** nf narration f, récit m.

N.ª Sª abr de Nuestra Señora.

nata nf ver **nato**.

natación nf (DEPORTE) natation f; (acción) nage f.

natal a natal(e); ~**icio** nm naissance f; anniversaire m.

natillas nfpl crème renversée.

nativo, a a natif(ive); naturel(le); inné(e) // nm/f originaire m/f.

nato, a a né(e) // nf crème fraîche; (fig) crème.

natural a naturel(le) // nm/f originaire m/f, natif/ive // nm naturel m; ~**eza** nf nature f; (temperamento) naturel m; (origen) nationalité f; ~**eza muerta** nature morte; ~**idad** nf naturel m; simplicité f; ~**ización** nf

naturalisation f; ~**izar** vt naturaliser; ~**izarse** vr se faire naturaliser, se naturaliser; ~**mente** ad naturellement.

naufragar vi naufrager, faire naufrage; (fig) échouer; **naufragio** nm naufrage m; **náufrago, a a** naufragé(e) // nm/f naufragé/e.

náusea nf nausée f; **nauseabundo, a** a nauséabond(e).

náutico, a a nautique; maritime.

nava nf cuvette f, dépression f.

navaja nf (cortaplumas) canif m; (de barbero, peluquero) rasoir m; (ZOOL) couteau m; aiguillon m; défense f.

navarro, a a navarrais(e).

nave nf (barco) vaisseau m; (ARQ) nef f; corps m de bâtiment; ~ **espacial** vaisseau spatial;

navegación nf navigation f; **navegante** a navigant(e) // nm/f navigateur/trice; **navegar** vi (barco) naviguer; (avión) voler; (AM) être dans la lune.

navidad nf nativité f; Noël m; **navideño, a** a de Noël.

navío nm navire m, vaisseau m.

nazi a nazi(e); **nazismo** nm nazisme m.

neblina nf brouillard m.

nebuloso, a a nébuleux(euse).

necedad nf sottise f, niaiserie f.

necesario, a a nécessaire.

neceser nm nécessaire m.

necesidad nf (falta) besoin m, dénuement m; (lo inevitable) nécessité f; **hacer sus ~es** faire ses besoins.

necesitado, a a nécessiteux(euse).

necesitar vt nécessiter, requérir // vi: ~ **de** avoir besoin de.

necio, a a sot(te), niais(e).

necrología nf oraison f funèbre; éloge m funèbre; nécrologie f.

necrópolis nf nécropole f.

néctar nm nectar m.

nectarina nf nectarine f, brugnon m.

nefando, a a abominable.

nefasto, a a néfaste.

negable a niable.

negación nf négation f, refus m.

negar vt nier; (desmentir) démentir; (prohibir) défendre, interdire; **~se** vr: **~se a** se refuser à, refuser de.

negativo, a a négatif(ive) // nm négatif m // nf refus m, négation f; rejet m.

negligencia nf (descuido) laisser-aller m; (omisión) négligence f, oubli m; **negligente** a négligent(e).

negociable a négociable; **un giro ~** un effet commerciable.

negociado nm bureau m, service m; (AM) transaction illégale.

negociante nm/f négociant f, homme/femme d'affaires.

negociar vt commercer, négocier, faire du commerce; (cheque) endosser // vi négocier; traiter.

negocio nm affaire f, commerce m, magasin m; (AM) fonds de commerce m.

negro, a a noir(e); (fig) triste, sombre; (fam) furieux(euse) // nm noir m // f noir/e // nf noire f; **negrura** nf noirceur f, obscurité f.

nene, a nm/f bébé m; (fam) mon petit/ma petite.

nenúfar nm nénuphar m.

neófito, a nm/f néophyte m/f.

neologismo nm néologisme m.

neoyorquino, a a new-yorkais(e).

nepotismo nm népotisme m.

nervadura nf (ARQ) nervure f, nerf m; (BOT, ZOOL) nervation f.

nervio nm nerf m; (BOT) nervure f; (MUS) corde f; **nerviosidad** nf énervement m; force f, vigueur f, nervosité f; **nervioso, a, nervudo, a** a nerveux(euse); (excitable) énervé(e).

neto, a a net(te).

neumático, a a pneumatique // nm pneu m, pneumatique m.

neumonía nf pneumonie f.

neurálgico, a a névralgique.

neurastenia nf neurasthénie f; **neurasténico, a** a neurasthénique.

neuritis nf névrite f.

neurólogo, a nm/f neurologue m/f, neurologiste m/f.

neurosis nf inv névrose f.

neutralizar vt neutraliser.

neutro, a a neutre.

nevada nf chute f de neige.

nevar vt couvrir de neige // vi neiger; **nevasca** nf chute f de neige, tempête f de neige.

nevera nf glacière f, réfrigérateur m.

nevisca vi neiger légèrement.

nevoso, a a neigeux(euse).

nexo nm lien m, trait d'union m.

ni conj ni; (siquiera) même pas; **~ que** même si, quand bien même; **~ blanco ~ negro** ni blanc ni noir; **~ siquiera** même pas.

Nicaragua nf Nicaragua m.

nicaragüense a nicaraguayen (ne).

nicotina nf nicotine f.

nicho nm niche f.

nido nm nid m; (morada) domicile m.

niebla nf brouillard m.

niego etc vb ver **negar**.

nieto, a nm/f petit-fils/petite-fille.

nieva, etc vb ver **nevar**.

nieve nf neige f.

nigromancia nf nécromancie f; **nigromante** nm/f nécromant/e; nécromancien/ne.

nihilismo nm nihilisme m.

Nilo nm: **el ~** le Nil.

nimbo nm (aureola) nimbe m; (nube) nimbus m.

nimiedad nf petitesse f, mesquinerie f; prolixité f; bagatelle f.

nimio, a a insignifiant(e), dérisoire; (persona) méticuleux(euse).

ninfa nf nymphe f.

ninfómana nf nymphomane f.

ninguno, ningún, ninguna a aucun(e) // pron aucun/e; personne; **de ninguna manera** pas du tout.

niña nf ver **niño**.

niñera nf nourrice f; **niñería** nf (chiquillada) enfantillage m; (nadería) bagatelle f, vétille f.

niñez nf enfance f.

niño, a a jeune, petit(e) // nm/f petit garçon/petite fille, enfant m/f; **gosse** m/f // nf pupille f; **~ de pecho** nourrisson m.

nipón, ona a nippon(ne).

niquelar vt nickeler.

nitidez nf éclat m; pureté f; netteté f.

nítido, a a net(te), clair(e).

nitrato nm nitrate f; **~ de soda** nitrate de soude.

nitroglicerina nf nitroglycérine f.

nivel nm niveau m; (fig) échelon m; **~ de aceite** niveau d'huile m.

nivelar vt (terreno) niveler, terrasser, égaliser; (mueble, FINANZAS) équilibrer.

níveo, a a nivéen(ne).

NN. UU. nfpl (abr de Naciones Unidas) ONU f (Nations Unies).

no ad non; (delante de verbo) ne ... pas; **ahora ~** pas maintenant; **¿ ~ lo sabes?** tu ne le sais pas?; **a que ~ lo sabes?** je parie que tu ne le sais pas; **~ mucho** pas beaucoup; **~ más de 3 kilos** pas plus de 3 kilos; **~ bien termine, lo entregaré** à peine terminé je le remettrai; **el ~ conformismo** le non-conformisme; **la ~ intervención** la non-intervention.

NO abr de noroeste.

no. abr de número.

noble a noble // nm/f noble m/f; **nobleza** nf noblesse f.

noción nf notion f.

nocivo, a a nocif(ive), nuisible.

noctámbulo, a nm/f noctambule m/f.

nocturno, a a nocturne // nm nocturne m.

noche nf nuit f; (la tarde) nuit; soirée f.

nochebuena nf nuit f de Noël.

nodriza nf nourrice f.

nogal nm noyer m; **nogueral** nm noiseraie f, endroit planté de noyers.

nómada a nomade // nm/f nomade m/f.

nombradía nf renom m, réputation f.

nombramiento nm (designación) nomination f; (comisión) commission f, nomination.

nombrar vt nommer.

nombre nm nom m; **~ común/propio** nom commun/propre; **~ de pila** prénom m; **~ de soltera** nom de jeune fille.

nomenclatura nf nomenclature f.

nomeolvides nm inv myosotis m.

nómina nf (lista) liste f; (COM) paie f.

nominal a nominal(e).

nominativo, a a nominatif(ive).

non a impair(e) // nm impair m; **estar de ~** être de trop.

nonada nf bagatelle f, vétille f.

nono, a a neuf, neuvième.

nordeste a nord-est // nm nord-est m.

nórdico, a a nordique.

noria f (AGR) noria f; (de carnaval) grande roue.

norma nf règle f, norme f.

normal a normal(e); (habitual) habituel(le), naturel(le), normal; (gasolina) ~ essence f ordinaire; **~idad** nf (lo común) normalité f; (calma) calme m; **~izar** vt régulariser; (TEC) normaliser, standardiser; **~izarse** vr se rétablir.

normando, a a normand(e).

noroeste a nord-ouest // nm nord-ouest m.

norte nm nord m; (fig) objectif m, guide m.

norteamericano, a a des États-Unis, américain(e) // nm/f Américain/e.

Noruega nf Norvège f.

noruego, a a norvégien(ne).

nos pron nous.

nosotros pron nous.

nostalgia nf nostalgie f.

nota nf note f, annotation f; (apunte, informe) annotation, commentaire m; (fama) réputation f, renommée f; (ESCOL, MUS) note f.

notabilidad nf notabilité f.
notable a remarquable; important(e) // nm/f notable m/f.
notación nf (nota) annotation f; (MAT, MUS) notation f.
notar vt noter; (anotar) remarquer, relever; (asentar) noter, enregistrer; (censurar) censurer; (advertir) observer, trouver.
notarial a notarial(e).
notario nm notaire f.
noticia nf (información) nouvelle f, nouveauté f, information f; (noción) idée f, notion f; **noticiar** vt informer de, faire savoir; **noticiario** nm journal parlé ou d'informations; **noticioso, a** a informé(e), renseigné(e).
notificación nf notification f.
notificar vt notifier; faire savoir; informer; prononcer.
notoriedad nf notoriété f.
notorio, a a notoire; connu(e).
novato, a a nouveau(elle) // nm/f novice m/f.
novedad nf nouveau m, neuf m, nouveauté f; nouvelle f; changement m.
novel a nouveau(elle), débutant(e), novice // nm/f débutant/e.
novela nf roman m.
novelero, a a curieux(euse) de tout // nm/f inconstant/e.
novelesco, a a romanesque.
noveno, a a neuvième.
noventa num quatre-vingt-dix.
novia nf (querida) petite amie; (prometida) fiancée f; **noviazgo** nf fiançailles fpl.
novicio, a a novice // nm/f novice m/f.
noviembre nm novembre m.
novilla nf génisse f; **novillada** f (TAUR) course f de jeunes taureaux; **novillero** nm torero combattant de jeunes taureaux; **novillo** nm jeune taureau m; **hacer novillos** (fam) faire l'école buissonnière.
novio nm (querido) petit ami; (prometido) fiancé m; (recién casado) jeune marié.

N. S. abr de Nuestro Señor.
nubarrón nm gros nuage.
nube nf nuage m; (MED) taie f; (fig) nuée f; **nublado, a** a nuageux(euse); **nublar** vt assombrir; (fig) brouiller.
nuca nf nuque f.
núcleo nm noyau m.
nudillo nm nœud m, jointure f.
nudo nm nœud m; (de costura) point noué; **nudoso, a** a noueux(euse).
nuera nf bru f, belle-fille f.
nuestro, a det notre; (pl) nos // pron: **el ~** le nôtre; **la nuestra** la nôtre; **los ~s/las nuestras** les nôtres.
nueva ver **nuevo.**
nuevamente ad (de nuevo) à nouveau, de nouveau; (recientemente) nouvellement.
nueve num neuf m.
nuevo, a a (original) neuf(euve); (reciente, moderno) nouveau(elle); (flamante) flambant neuf; (inesperado) inespéré(e), inattendu(e) // nf nouvelle f; **Nueva York** n New York; **Nueva Zelandia** nf Nouvelle Zélande f.
nuez nf (pl nueces) noix f; ~ **moscada** noix muscade; ~ **de Adán** pomme d'Adam f.
nulidad nf nullité f, incapacité f; ignorance f; dérogation f.
nulo, a a (inepto) nul(le); (inválido) invalide.
núm. abr de **número.**
numen nm inspiration f.
numeración nf numération f; ~ **arábiga/romana** chiffres arabes/romains.
numeral a numéral(e).
numerar vt (contar) dénombrer, nombrer; (poner un número) numéroter.
numerario, a a numéraire // nm numéraire m.
numérico, a a numérique.
número nm (cifra) chiffre m; (de zapato) pointure f; (TEATRO, ejemplar) numéro m; (cantidad) nombre m; ~ **de matrícula** numéro

d'immatriculation; ~ **telefónico** numéro de téléphone.

numeroso, a a nombreux(euse), abondant(e).

nunca ad jamais.

nuncio nm nonce m.

nupcias nfpl noces fpl, mariage m.

nutria nf loutre f.

nutrido, a a dense, épais(se); nourri(e).

nutrir vt nourrir; ~**se con** se nourrir de; **nutritivo, a** a nourrissant(e); nutritif(ive).

Ñ

ñame nm igname f.

ñandú nm (AM) nandou m.

ñaña nf (AM) grande sœur, sœur aînée; bonne d'enfants f.

ñato, a a (AM) camus(e).

ñeque a (AM) vigoureux(euse) // nm (AM) vigueur f.

ñoñería, ñoñez nf (insipidez) insipidité f; (estupidez) niaiserie f, stupidité f.

ñoño, a a (apocado) niais(e), imbécile; (soso) insubstantiel(le), insipide // nm/f sot/te.

O

o conj ou.

O abr de **oeste**.

o/ abr de **orden**.

oasis nm oasis f.

obcecar vt éblouir, aveugler.

obedecer vt obéir à; **obediencia** nf obéissance f; soumission f; **obediente** a obéissant(e).

obertura nf ouverture f.

obesidad nf obésité f.

obeso, a a obèse.

obispo nm évêque m.

objeción nf objection f, contestation f.

objetar vt, vi objecter.

objetivo, a a objectif(ive) // nm objectif m.

objeto nm (cosa) objet m; (fin) but m, fin f.

oblicuo, a a oblique; (fig) du coin de l'œil; de travers.

obligación nf obligation f, devoir m; (COM) obligation f.

obligar vt obliger; ~**se** vr s'engager; **obligatorio, a** a obligatoire.

oboe nm hautbois m.

obra nf œuvre f; (hechura) ouvrage m, travail m; (ARQ) construction f; **estar en** ~ être à l'œuvre; **por** ~ **de** par l'action de; **obrar** vt travailler; (tener efecto) agir // vi œuvrer; (tener efecto) opérer, agir; **la carta obra en su poder** la lettre est en sa possession; **obrero, a** a ouvrier(ière) // nm/f ouvrier/ière.

obscenidad nf obscénité f.

obsceno, a a obscène.

obscu... = oscu... .

obsequiar vt (ofrecer) offrir; (agasajar) traiter avec empressement; **obsequio** nm (regalo) cadeau m; (cortesía) prévenance f, attention f; **obsequioso, a** a obligeant(e).

observación nf observation f; (reflexión) remarque f.

observancia nf observance f.

observar vt observer; (anotar) remarquer; ~**se** vr se surveiller.

observatorio nm observatoire m.

obsesión nf obsession f; **obsesionar** vt obséder.

obstaculizar vt entraver.

obstáculo nm (impedimento) obstacle m; (dificultad) difficulté f.

obstante: no ~ ad cependant, néanmoins // prep malgré.

obstar vi: ~ a empêcher.

obstetricia nf obstétrique f; **obstétrico, a** a obstétrique, obstétrical(e) // nm/f obstétricien/ne.

obstinado, a a têtu(e); obstiné(e).

obstinarse vr s'entêter; ~ **en** s'obstiner dans ou à.

obstrucción nf obstruction f.

obstruir vt obstruer, boucher.

obtener vt (conseguir) obtenir; (ganar) gagner.

obturar vt obturer.

obtuso, a a obtus(e).

obviar vt pallier // vi s'opposer.

obvio, a a évident(e).

ocasión nf (oportunidad) occasion f; (circunstancia) occasion, circonstance f; (causa) cause f; **de ~** d'occasion; **ocasionar** vt occasionner.

ocaso nm (oeste) couchant m; (fig) déclin m.

occidente nm occident m.

océano nm océan m; el ~ **Índico** l'océan Indien; **oceanografía** nf océanographie f.

O.C.E.D. nf (abr de Organización de Cooperación Económica y Desarrollo) OCDE f (Organisation de coopération et de développement économique).

ocio nm (pey) oisiveté f; (tiempo) loisir m; ~**s** nmpl distractions fpl; **ociosidad** nf oisiveté f; **ocioso, a** a (inactivo) oisif(ive); (inútil) oiseux(euse).

octágono nm octogone m.

octano nm octane m.

octavo, a a huitième.

octogenario, a a octogénaire.

octubre nm octobre m.

ocular a oculaire // nm lentille f, verre m.

oculista nm/f oculiste m/f.

ocultar vt (esconder) cacher; (callar) taire; **oculto, a** a caché(e).

ocupación nf occupation f.

ocupado, a a occupé(e).

ocupar vt occuper; ~**se** vr: ~**se con** o **de** o **en** s'occuper de.

ocurrencia nf (ocasión) circonstance f; (agudeza) boutade f, mot d'esprit m.

ocurrir vi arriver; ~**se** vr venir à l'esprit.

ochenta num quatre-vingts.

ocho num huit.

odiar vt détester, haïr.

odio nm haine f; aversion f; **odioso, a** a odieux(euse); détestable.

O.E.A. nf (abr de Organización de Estados Americanos) OEA f (Organisation des Etats Américains).

oeste nm ouest m; **una película del** ~ un western.

ofender vt (agraviar) offenser; (ser ofensivo a) outrager; ~**se** vr se fâcher; **ofensa** nf offense f; **ofensivo, a** a (insultante) insultant(e); (MIL) offensif(ive) // nf offensive f.

oferta nf offre f; (propuesta) proposition f, offre; **la ~ y la demanda** l'offre et la demande; **artículos en ~** articles mpl en promotion.

oficial a officiel(le) // nm ouvrier m; (MIL) officier m.

oficina nf bureau m; **oficinista** nm/f employé/e de bureau.

oficio nm (profesión) métier m; (puesto) fonction f, charge f;(REL) office m; **ser del ~** être du métier; **tener mucho ~** avoir du métier; ~ **de difuntos** office des morts; **de ~** d'office.

oficiosidad nf diligence f, zèle m; **oficioso, a** a (diligente) diligent(e); (pey) indiscret(ète); (no oficial) officieux(euse).

ofrecer vt (dar) offrir; (proponer) présenter; ~**se** vr (persona) se proposer, s'offrir; (situación) se présenter, s'offrir; **¿qué se le ofrece?, ¿se le ofrece algo?** que désirez-vous?

ofrecimiento nm offre f, proposition f.

ofrendar vt offrir.

oftálmico, a a ophtalmique.

ofuscación nf aveuglement m.

ofuscamiento nm aveuglement m.

ofuscar vt troubler, égarer; ~**se** vr être troublé(e).

oída nf audition f; **de ~s** par ouï-dire.

oído nm oreille f; (sentido) ouïe f, oreille.

oigo etc vb ver **oír**.

oír vt (percibir) entendre; (atender a) écouter; ¡oiga! écoutez!

O.I.T. nf (abr de Organización Internacional del Trabajo) BIT m (Bureau International du travail).

ojal nm boutonnière f.

ojalá excl plaise à Dieu!, Dieu veuille que // conj pourvu que, si seulement.

ojeada nf coup d'œil m.

ojear vt regarder, examiner; (mal de ojos) jeter le mauvais œil.

ojera nf cerne m.

ojeriza nf rancune f, haine f.

ojeroso, a battu(e), cerné(e).

ojo nm œil m; (de aguja) chas m; (de puente) arche f; (de cerradura) trou m // excl attention!, gare!; ~ **de buey** hublot m.

ola nf vague f.

olé excl bravo!, olé!

oleada nf grande vague ou lame; (fig) marée f.

oleaje nm houle f.

óleo nm huile f.

oleoducto nm pipe-line m, oléoduc m.

oler vt sentir; (fig) flairer; renifler // vi: ~ **a** sentir.

olfatear vt flairer.

olfato nm odorat m.

oliente a qui sent, odorant(e); **bien ~** qui sent bon; **mal ~** malodorant(e).

oligarquía nf oligarchie f.

olimpíada nf: **las O~s** les Jeux mpl Olympiques.

oliscar vt flairer, renifler // vi sentir mauvais.

oliva nf (aceituna) olive f; (árbol) olivier m.

olivo nm olivier m.

olmo nm orme m.

olor nm odeur f.

oloroso, a parfumé(e), odorant(e).

olvidadizo, a a (desmemoriado)

oublieux(euse), ingrat(e); (distraído) distrait(e).

olvidar vt oublier; (omitir) omettre; ~**se** s'oublier.

olvido nm oubli m.

olla nf (de marmite f; (comida) ragoût m; ~ **a presión** o **autopresión** cocotte minute f, auto-cuiseur m; ~ **podrida** pot-pourri m.

ombligo nm nombril m, ombilic m.

ominoso, a de mauvais augure.

omisión nf (abstención) omission f; (descuido) négligence f.

omiso, a a (omitido) omis(e); (descuidado) négligent(e).

omitir vt omettre.

omnipotente a omnipotent(e).

omóplato nm omoplate f.

O.M.S. nf (abr de Organización Mundial de la Salud) OMS f (Organisation mondiale de la santé).

once num onze.

onda nf (en el agua) onde f; (en el pelo) cran m, ondulation f; ~**s cortas/largas/medias** ondes courtes/longues/moyennes; ~**s acústicas/hertzianas** ondes sonores/hertziennes; **ondear** vt ondoyer // vi flotter; **ondearse** vr se balancer.

ondulación nf ondulation f, cran m.

ondulado, a a ondulé(e) // nm frisure f, cran m.

ondulante a ondulé(e); (cartón, chapa) ondulé(e).

ondular vt, vi, ~**se** vr onduler.

oneroso, a a onéreux(euse).

ONU nf (abr de Organización de las Naciones Unidas) ONU f (Organisation des nations unies).

O.P. nfpl (abr de Obras Públicas) ≈ Ponts et Chaussées.

opaco, a a opaque; (fig) mélancolique.

opalescente a opalescent(e).

ópalo nm opale f.

opción nf option f.

ópera nf opéra m; ~ **bufa/cómica** opéra bouffe/comique.

operación *nf* opération *f.*
operador, a *nm/f* opérateur/trice.
operante *a* agissant(e), opérant(e).
operar *vt* opérer // *vi* (COM) faire des affaires; **~se** *vr* arriver; (MED) se faire opérer.
opereta *nf* opérette *f.*
opinar *vt* (estimar) penser, estimer; (enjuiciar) juger.
opinión *nf* (creencia) opinion *f;* (criterio) jugement *m,* avis *m.*
oponer *vt* (contraponer) opposer; (enfrentar) mettre face à face; **~se** *vr* (objetar) s'opposer; (estar frente a frente) être vis à vis; **me opongo a pensar que ...** je me refuse à penser que ... .
oportunidad *nf* (ocasión) occasion *f;* (posibilidad) chance *f.*
oportunismo *nm* opportunisme *m.*
oportuno, a *a* (adecuado) opportun(e); (conveniente) convenable, bon(ne).
oposición *nf* opposition *f;* (impugnación) contestation *f;* (discordia) discorde *f;* (antagonismo) antagonisme *m.*
opositor, a *nm/f* (adversario) adversaire *m/f;* (concurrente) concurrent/e.
opresión *nf* oppression *f.*
opresivo, a *a* oppressif(ive).
opresor, a *nm/f* oppresseur *m.*
oprimir *vt* presser; (fig) opprimer.
oprobio *nm* (infamia) infamie *f,* opprobre *m;* (descrédito) discrédit *m.*
optar *vi* (elegir) choisir; (decidir) opter; **~ a** *o* **por** opter pour.
óptico, a *a* optique // *nm/f* opticien/ne.
optimismo *nm* optimisme *m,* **optimista** *nm/f* optimiste *m/f.*
óptimo, a *a* excellent(e).
opuesto, a *a* (contrario) contraire, opposé(e); (antagónico) antagonique.
opugnar *vt* assaillir.
opulencia *nf* opulence *f.*

oquedad *nf* (fig) vide *m.*
oración *nf* (discurso) discours *m;* (REL) prière *f;* (LING) phrase *f.*
oráculo *nm* oracle *m.*
orador, a *nm/f* (predicador) prédicateur *m;* (conferenciante) orateur/trice.
oral *a* oral(e).
orar *vi* prier; parler en public.
oratoria *nf* éloquence *f.*
órbita *nf* orbite *f;* (fig) cercle *m,* enceinte *f,* cadre *m.*
orden *nm* (disposición) rangement *m,* ordre *m;* (JUR, BOT, ZOOL) ordre; (dominio) domaine *m* // *nf* (JUR) mandat *m;* (REL, COM, ARQ) ordre; **en ~ de prioridad** par ordre de priorité.
ordenado, a *a* (metódico) ordonné(e); (arreglado) arrangé(e), réglé(e).
ordenador *nm* ordinateur *m.*
ordenanza *nf* disposition *f.*
ordenar *vt* (mandar) ordonner; (poner orden) mettre en ordre, ordonner; **~se** *vr* se faire ordonner.
ordeñadora *nf* trayeuse *f.*
ordeñar *vt* traire.
ordinario, a *a* (común) ordinaire; (bajo) vulgaire.
orear *vt* aérer; **~se** *vr* prendre l'air.
orégano *nm* orégan *m,* marjolaine *f.*
oreja *nf* oreille *f;* (de zapatos) languette *f.*
orfandad *nf* orphelinage *m.*
orfebrería *nf* orfèvrerie *f.*
organillo *nm* orgue de barbarie *m.*
organismo *nm* (BIO) organisme *m;* (POL) institution *f.*
organista *nm/f* organiste *m/f.*
organización *nf* organisation *f;* (estructura) structure *f.*
organizar *vt* organiser.
órgano *nm* organe *m;* (MUS) orgue *m.*
orgasmo *nm* orgasme *m.*
orgía *nf* orgie *f.*
orgullo *nm* (altanería) orgueil *m,* fierté *f;* (autorespeto) orgueil;

orgulloso, a *a* fier(ère); orgueilleux(euse).

orientación *nf* (*posición*) position *f*; (*dirección*) orientation *f*; (*entrenamiento*) orientation, guide *m*.

orientar *vt* (*situar*) exposer; (*dirigir*) orienter; (*informar*) guider, orienter; **~se** *vr* s'orienter; (*decidirse*) se diriger, s'orienter.

oriente *nm* orient *m*; **Cercano/Medio/Lejano O~** Proche/Moyen/Extrême-Orient.

origen *nm* (*germen*) origine *f*; (*nacimiento*) lignée *f*, naissance *f*.

original *a* (*nuevo*) neuf(euve), original(e); (*único*) unique; (*extraño*) original; **originalidad** *nf* originalité *f*.

originar *vt* causer, provoquer; **~se** *vr* prendre naissance; **originario, a** *a* (*nativo*) originaire; (*primordial*) primordial(e).

orilla *nf* (*borde*) bord *m*; (*de bosque, tela*) lisière *f*; (*de calle*) trottoir *m*; **orillar** *vt* (*bordear*) border; (*resolver*) régler; (*tocar: asunto*) arranger.

orín *nm* rouille *f*.

orina *nf* urine *f*; **orinal** *nm* urinal *m*, vase de nuit *m*; **orinar** *vt* uriner; **orinarse** *vr* se compisser; **orines** *nmpl* urines *fpl*.

oriundo, a *a*: **~ de** originaire de.

orlar *vt* (*adornar*) orner; border; (*encuadrar*) encadrer.

ornamentar *vt* (*adornar, ataviar*) ornementer; (*revestir*) revêtir, recouvrir.

ornamento *nm* ornement *m*.

ornar *vt* orner.

oro *nm* or *m*; **~s** *nmpl* (*NAIPES*) carreau *m*.

oropel *nm* oripeau *m*.

orquesta *nf* orchestre *m*; **~ de cámara/sinfónica** orchestre de chambre/symphonique.

orquídea *nf* orchidée *f*.

ortiga *nf* ortie *f*.

ortodoxo, a *a* orthodoxe.

ortopedia *nf* orthopédie *f*.

oruga *nf* cheville *f*; (*BOT*) roquette *f*.

orzuelo *nm* (*trampa*) piège *m*; (*MED*) orgelet *m*.

os *pron* vous.

osa *nf* ourse *f*; **O~ Mayor/Menor** Grande/Petite Ourse.

osadía *nf* hardiesse *f*.

osar *vi* oser.

oscilación *nf* (*movimiento*) oscillation *f*; (*fluctuación*) fluctuation *f*; (*vacilación*) hésitation *f*.

oscilar *vi* osciller; (*fig*) fluctuer, varier; hésiter.

ósculo *nm* baiser *m*.

oscurecer *vt* obscurcir // *vi* commencer à faire sombre; **~se** *vr* s'assombrir, s'obscurcir.

oscuridad *nf* obscurité *f*; (*tinieblas*) ombre *f*.

oscuro, a *a* obscur(e); (*de color*) foncé(e); **a oscuras** dans l'obscurité.

óseo, a *a* osseux(euse).

osificar *vt* ossifier.

oso *nm* ours *m*; **~ de peluche** ours en peluche; **~ hormiguero** tamanoir *m*.

ostensible *a* ostensible.

ostentación *nf* ostentation *f*, étalage *m*.

ostentar *vt* montrer; faire étalage de, exhiber.

ostentoso, a *a* magnifique, démesuré(e).

osteópata *nm/f* ostéopathe *m/f*.

ostión *nm* grande huître.

ostra *nf* huître *f*.

ostracismo *nm* ostracisme *m*.

OTAN *nf* (*abr de Organización del Tratado del Atlántico Norte*) OTAN *f* (Organisation du traité de l'Atlantique Nord).

otear *vt* observer; scruter.

otitis *nf* otite *f*.

otoñal *a* automnal(e).

otoño *nm* automne *m*.

otorgamiento *nm* concession *f*, octroi *m*.

otorgar *vt* (*conceder*) octroyer, concéder; (*dar*) attribuer, décerner.

otro, a *a* (un/une) autre // *pron* un/e autre; **~ a** *s* autres; **de otra**

manera autrement; **en ~ tiempo** en d'autres temps; **ni uno ni ~** ni l'un ni l'autre; **~ tanto** tout autant.

ovación nf ovation f.

oval, ovalado, a a ovale.

óvalo nm ovale m.

oveja nf brebis f; **ovejuno, a** a de brebis, ovin(e).

overol nm bleu de travail m, salopette f.

ovillar vt mettre en pelote.

ovillo nm pelote f.

OVNI nm (abr de objeto volante no identificado) OVNI m (objet volant non identifié).

ovulación nf ovulation f.

oxidación nf oxydation f.

oxidar vt oxyder; **~se** vr s'oxyder, se rouiller.

óxido nm oxyde m.

oxigenado, a a oxygéné(e) // nm eau oxygénée.

oxígeno nm oxygène m.

oyente nm/f auditeur/trice.

oyes, oyó etc vb ver **oír**.

P

P abr de **padre**.

pabellón nm tente f de campagne; (ARQ) immeuble m; (de jardín) pavillon m; (bandera) drapeau m; **~ de la oreja** pavillon de l'oreille.

pabilo nm mèche f.

pábulo nm aliment m.

pacato, a a paisible, calme.

pacense a de Badajoz.

pacer vi paître // vt faire paître, nourrir.

paciencia nf patience f.

paciente a patient(e) // nm/f patient/e.

pacienzudo, a a très patient(e).

pacificación nf pacification f.

pacificar vt (tranquilizar) pacifier, apaiser; (reconciliar) réconcilier.

pacífico, a a pacifique; **el (océano)**

P~ l'océan m Pacifique, le Pacifique.

pacifismo nm pacifisme m; **pacifista** nm/f pacifiste m/f.

pacotilla nf pacotille f.

pactar vt pactiser, convenir de // vi: **~ con** faire un pacte avec.

pacto nm pacte m, accord m.

pachorra nf (fam) mollesse f; **pachorrudo, a** a (fam) lymphatique, lent(e); flegmatique.

pachucho, a a blet(te); (fig) patraque.

padecer vt (sufrir) souffrir de, souffrir; (soportar) supporter; (ser víctima de) subir; **padecimiento** nm souffrance f.

padrastro nm beau-père m; (en la uña) envie f.

padre nm père m; (ZOOL) reproducteur m; (REL) père, prêtre m, curé m // a (fam): **un susto ~** une peur bleue.

padrinazgo nm parrainage m.

padrino nm (REL) parrain m; (fig) protecteur m, appui m; **~ de boda** témoin m de mariage.

padrón nm (censo) cens m, recensement m, rôle m; (TEC) modèle m, patron m.

paella nf paella f, riz m à la valencienne.

pág(s) abr de **página(s)**.

paga nf (dinero pagado) paiement m; (sueldo) paye f, paie f.

pagadero, a a payable; **~ a la entrega/a plazos** payable à la livraison/à crédit.

pagador, a nm/f (quien paga) payeur/euse; (cajero) caissier/ière.

pagaduría nf trésorerie f, paierie f.

pagano, a a païen(ne) // nm/f païen/ne; mécréant/e.

pagar vt (devolver) rendre // vi payer; **~ al contado/a plazos** payer au comptant/par mensualités; **~se con algo** se payer de qch; **~se de sí mismo** être imbu(e) de soi-même.

pagaré nm billet m à ordre.

página nf page f.

pago nm (dinero) paiement m; (fig) rendement m; (AM) pays m; **estar** ~ être à égalité; ~ **anticipado a cuenta/a la entrega/en especie** paiement anticipé/en acompte/à la livraison/en espèces.

paila nf poêle f.

país nm pays m; **los Países Bajos** les Pays Bas mpl; **el P**~ **Vasco** le Pays basque.

paisaje nm paysage m.

paisano, a a pays(e) // nm/f compatriote m/f; **vestir de** ~ être en civil.

paja nf paille f; (fig) résidu m, vétille f; ~ **brava** herbe des pampas f.

pajar nm grenier m à foin.

pájara nf oiseau m; (cometa) cerf-volant m; (mujer) voleuse f.

pajarero, a a des oiseaux; (fig) gai(e), joyeux(euse) // nm oiselier m, oiseleur m // nf volière f.

pajarilla nf cerf-volant m.

pajarito nm petit oiseau; (fig) oisillon m.

pájaro nm oiseau m.

paje nm page m.

pajita nf paille f.

pajizo, a a de paille; (color) jaune paille.

pala nf (instrumento) pelle f; (contenido) pelletée f; (raqueta etc) raquette f; batte f; (CULIN) palette f; (de remo) pale f; ~ **matamoscas** tapette f.

palabra nf parole f; **palabreja** nf gros mot; **palabrero, a** a bavard(e) // nm/f bavard/e; **palabrota** nf grossièreté f.

palaciego, a a du palais, de cour.

palacio nm palais m; (mansión) palais, château m; ~ **de justicia** palais de justice; ~ **municipal** hôtel m de ville.

palada nf pelletée f.

paladar nm (ANAT) palais m; (fig) goût m, saveur f.

paladear vt savourer, déguster; (fig) faire prendre goût à.

palafrén nm palefroi m.

palanca nf levier m; (fig) piston m.

palangana nf cuvette f.

palco nm tribune f, loge f.

palenque nm enceinte f; palissade f.

paleolítico, a a paléolithique.

Palestina nf Palestine f.

palestra nf arène f.

paleto, a a nm/f (ZOOL) daim/daine f; (fam) rustre m, pedzouille m, paysan/ne // nf (pala chica) petite pelle; (ARTE) palette f; (TEC) pale f, palette.

paliar vt (apaciguar) pallier; (acallar; dolor) apaiser, faire taire.

palidecer vi pâlir.

palidez nf pâleur f.

pálido, a a pâle.

palillo nm bâtonnet m, petit bâton m; (para dientes) cure-dent m; ~**s** nmpl castagnettes fpl.

palinodia nf palinodie f.

palio nm pallium m.

paliza nf volée f (de coups); bastonnade f.

palizada nf palissade f; (lugar cercado) enceinte f.

palma nf (ANAT) paume f; (árbol) palmier m; (hoja) palme f; (datilera) dattier m; **batir** o **dar** ~ **s** battre des mains.

palmada nf claque f, tape f.

palmar vi (BOT) palmeraie f // vi (fam) passer l'arme à gauche.

palmario, a, palmar a évident(e), manifeste.

palmear vi applaudir; ~ **la espalda** (AM) donner une tape sur l'épaule.

palmito nm (AM) cœur m de palmier.

palmo nm (medida) empan m, pan m; (fig) petit peu.

palmotear vi applaudir; **palmoteo** nm (aplauso) applaudissement m; (palmada) tape f, claque f.

palo nm bâton m, bout m de bois; (poste) poteau m, piquet m; (vara) perche f; (mango) manche m; (de golf) club m; (de béisbol) batte f;

(NAUT) mât m; (NAIPES) couleur f; ~ **de tienda** piquet de tente.

paloma nf pigeon m, colombe f; (fig) agneau m; ~**s** (NAUT) moutons mpl; **palomar** nm pigeonnier m, colombier m.

palomilla nf teigne f, mite f; écrou m; console f.

palomitas nfpl pop-corn m, maïs grillé.

palpable a palpable; (fig) tangible.

palpar vt palper, tâter; (acariciar) caresser; (caminar a tientas) tâtonner; (fig) apprécier; ~ **a uno** fouiller qn.

palpitación nf palpitation f.

palpitante a palpitant(e).

palpitar vi (temblar) palpiter; (latir) battre.

palúdico, a a paludéen(ne).

paludismo nm paludisme m.

palurdo, a a rustre, grossier(ière) // nm/f croquant, pedzouille m.

palustre nm truelle f.

pamema nf histoire f; simagrées fpl.

pampa nf (AM) pampa f, plaine f.

pan nm (en general) pain m; (una barra) pain; (trigo) blé m; ~ **de centeno/integral** pain de seigle/complet.

pana nf velours côtelé.

panacea nf panacée f.

panadería nf boulangerie f.

panadero, a nm/f boulanger/ère.

panal nm rayon m; pâte sucrée et parfumée.

Panamá nm Panama m.

panameño, a a panaméen(ne).

pandereta nf, **pandero** nm tambourin m, tambour m de basque.

pandilla nf équipe f, groupe m; bande f.

pando, a a bombé(e); plat(e); lent(e).

panegírico nm panégyrique m.

panel nm panneau m.

pánico nm panique f.

panoplia nf panoplie f.

panorama nm panorama m; (fig) perspective f; tour d'horizon m.

pantalones nmpl pantalon m.

pantalla nf (de cine) écran m; (cubre-luz) abat-jour m; (fig) paravent m.

pantano nm (ciénaga) marécage m, marais m; (depósito de agua) barrage m; (fig) difficulté f, problème m.

panteón nm panthéon m, sépulture f.

pantera nf panthère f.

pantimedias nfpl collant m.

pantomima nf pantomime f.

pantorrilla nf mollet m.

pantufla nf pantoufle f.

panza nf panse f, bedaine f.

panzudo, a, panzón, ona a ventru(e), ventripotent(e).

pañal nm lange m, couche f.

pañería nf draperie f.

pañero, a nm/f drapier/ière.

paño nm (tela) drap m, tissu m, étoffe f; (pedazo de tela) drap; (trapo) torchon m; ~ **higiénico** serviette f hygiénique; ~**s menores** sous-vêtements mpl.

pañuelo nm mouchoir m; (para la cabeza) foulard m.

papa nf (AM) pomme de terre f // nm: el **P** ~ le Pape.

papá nm (pl ~**s**) (fam) papa m.

papada nf double menton m.

papagayo nm perroquet m.

papalina nf bonnet m à oreilles.

papamoscas nm inv gobe-mouches m inv.

papanatas nm inv (fam) nigaud/e.

papar vt avaler.

paparrucha nf bagatelle f; blague f, bateau m.

papaya nf papaye f.

papel nm (en general) papier m; (hoja de papel) feuille f, morceau m; (TEATRO) rôle m; ~ **de calcar/carbón/de cartas** papier calque/carbone/à lettres; ~ **de envolver/de empapelar** papier d'emballage/mural; ~ **engomado/de estaño/higiénico** papier gommé/d'étain/hygiénique; ~ **de filtro/de fumar/de lija** papier filtre/à cigarettes/de verre.

papeleo nm paperasserie f.

papelera nf (cesto) corbeille f à papier; (fábrica) papeterie f; (escritorio) cartonnier m, classeur m.

papelería nf (papeles) paperasse f; (tienda) papeterie f.

papeleta nf (pedazo de papel) billet m; (tarjeta de archivo) fiche f; (POL, ESCOL) bulletin m.

papera nf goitre m; ~s mpl oreillons mpl.

papo nm jabot m; fanon m; double menton m; goitre m.

paquebote nm paquebot m.

paquete nm (caja) paquet m; (bulto) paquet, colis m, ballot m; (NAUT) paquebot m; (fam) snob m.

par a (igual) pareil(le); (MAT) pair(e) // nm (pareja) paire f; (dignidad) pair m; **abrir de ~ en ~** ouvrir tout grand; **a la ~ que** en même temps que; **~ de fuerzas/de torsión** couple m de forces/de torsion.

para prep pour; **no es ~ comer** ce n'est pas à manger; **decir ~ sí** dire en soi-même; **¿ ~ qué lo quieres?** tu le veux pour quoi faire?; **se casaron ~ separarse otra vez** ils se sont mariés de nouveau pour se séparer; **lo tendré ~ mañana** je l'aurai pour demain; **voy ~ la escuela** je vais à l'école; **~ profesor es muy ignorante** pour un professeur, il est bien ignorant; **¿quién es usted ~ gritar así?** qui êtes-vous pour crier ainsi?; **no está ~ correr** il n'est pas en état de courir.

parabién nm félicitation f.

parábola nf parabole f.

parabrisas nm inv pare-brise m inv.

paracaídas nm inv parachute m.

paracaidista nm/f parachutiste m/f.

parachoques nm inv pare-chocs m inv.

parada nf ver parado.

paradero nm endroit m;

destination f; (fin) fin f, terme m.

parado, a a arrêté(e); (AM) debout; (sin empleo) en chômage; (confuso) confus(e) // nf (acto) arrêt m; (lugar) arrêt m, station f; (apuesta) mise f; **parada de autobús** arrêt d'autobus; **parada de taxis** station de taxis; **parada discrecional** arrêt facultatif.

paradoja nf paradoxe m.

parador nm auberge f, hostellerie f, hôtel m (luxueux).

parafina nf paraffine f.

paragolpes nm inv pare-chocs m inv.

paraguas nm inv parapluie m.

Paraguay nm: **el ~ (le) Paraguay.**

paraíso nm paradis m.

paraje nm endroit m.

paralelo, a a parallèle.

parálisis nf paralysie f; **paralítico, a** a paralytique // nm/f paralytique m/f; **paralizar** vt paralyser; **paralizarse** vr se paralyser.

paramento nm ornement m; caparaçon m.

páramo nm (meseta) plateau m; (tierra baldía) étendue f désertique.

parangón nm modèle m, parangon m.

paranoico, a nm/f paranoïaque m/f.

parapetarse vr s'abriter, se protéger.

parapeto nm (barandilla) parapet m; (terraplén) remblai m.

parapléjico, a a paraplégique // nm/f paraplégique m/f.

parar vt (poner fin a) arrêter, cesser; (detener) arrêter; (desviar: golpe) parer // vi arrêter, s'arrêter; (hospedarse) loger, descendre; **~ de** arrêter de; **~se** vr s'arrêter; (AM) se lever; **~ a pensar** réfléchir.

pararrayos nm inv paratonnerre m.

parasitario, a, parasítico, a a parasitaire.

parásito, a a parasite // nm/f parasite m/f.

parasol nm parasol m.

parcela nf parcelle f; **parcelar** vt (dividir en parcelas) parceller; (hacienda) morceler.

parcial a (de una parte) partiel(le); (injusto) partial(e) // nf/nf partisan/e; **parcialidad** nf (prejuicio) partialité f; (partido, facción) parti m, clan m, faction f.

parco, a a (frugal) sobre; (mezquino) chiche, mesquin(e); (moderado) modéré(e).

parche nm (MED) emplâtre m; (AUTO) pièce f, rustine f; **pegar un ~** (fam) refaire qn.

pardal nm (ave) moineau m; bouvreuil m; (BOT) aconit m.

pardillo nm toile grise.

pardo, a a (color café) brun(e); (gris, oscuro) gris(e), sombre.

parear vt (juntar, hacer par) apparier, assortir; (BIO) appareiller.

parecer nm (opinión) opinion f, avis m; (aspecto) physique m, air m // vi (tener apariencia) avoir l'air, paraître; (asemejarse) sembler; (aparecer, llegar) apparaître; **~se** vr se ressembler; **~se a** ressembler à; **según o a lo que parece** à ce qu'il semble; **me parece que** il me semble que; **parecido, a** a pareil(le) // nm ressemblance f; **bien parecido** pas mal; **mal parecido** moche.

pared nf mur m; **~ por medio** séparé par un mur; **subirse por las ~es** (fam) se monter la tête.

paredón nm gros mur.

parejo, a a (igual) pareil(le); (liso) régulier(ière) // nf (dos) paire f; (el otro: de un par) partenaire m/f; **ir ~ con** aller de pair avec; **correr parejas** aller de pair.

parentela nf parenté f.

parentesco nm parenté f.

paréntesis nm inv parenthèse f; (digresión) digression f.

parezco etc vb ver **parecer**.

paria nm/f paria m.

paridad nf parité f.

pariente, ta nm/f parent/e.

parihuela nf civière f, brancard m.

parir vt enfanter // vi (mujer) mettre au monde; mettre bas.

París n Paris.

parla nf bavardage m.

parlamentar vi (hablar) bavarder; (negociar) parlementer.

parlamentario, a a parlementaire // nm/f parlementaire m/f.

parlamento nm (POL) parlement m; (conversación) pourparlers mpl.

parlanchín, ina a bavard(e) // nm/f bavard/e.

parlar vi bavarder; **parlero, a** a bavard(e), cancanier(ière); (pájaro) chanteur(euse).

parloteo nm (fam) papotage m, bavardage m.

paro nm (huelga) débrayage m, grève f; (desempleo) chômage m; **subsidio de ~** allocation f de chômage; **en ~** au chômage.

parodia nf parodie f; **parodiar** vt parodier.

paroxismo nm paroxysme m.

parpadear vi (los ojos) ciller, papilloter; (luz) vaciller, trembloter.

parpadeo nm cillement m; (de luz) tremblotement m.

párpado nm paupière f.

parque nm (lugar verde) parc m; (depósito) dépôt m; **~ de atracciones/de estacionamiento/ zoológico/de juegos** parc d'attractions/de stationnement/ zoologique/de jeux.

parquedad nf (frugalidad) modération f, parcimonie f; (avaricia) avarice f.

parquímetro nm parcmètre m.

parra nf treille f.

párrafo nm paragraphe m; **echar un ~** (fam) tailler une bavette.

parral nm treille f.

parranda nf (fam) noce f, fête f, foire f.

parricida nm/f parricide m/f.

parricidio nm parricide m.

parrilla nf (CULIN) grill m; (de coche) calandre f.

parrillada nf barbecue m.

párroco nm curé m.

parroquia nf paroisse f;

parroquiano, a *nm/f* (REL) paroissien/ ne; (*cliente*) habitué/e.

parsimonia *nf* (*cautela*) parcimonie *f*; (*tranquilidad*) modération *f*.

parte *nm* rapport *m*, communiqué *m* // *nf* (*porción*) partie *f*; (*lado, cara*) côté *m*; (MUS, TEATRO) rôle *m*, partie; (*de reparto*) part *f*; (*lugar*) endroit *m*; **dar ~** avertir; **de algún tiempo a esta** depuis quelque temps; **de ~ de alguien** de la part de qn; **por ~ de** de coté de; **por otra ~** par ailleurs.

partera *nf* sage-femme *f*.

partición *nf* division *f*, partage *m*.

participación *nf* (*acto*) participation *f*; (*parte*) part *f*; (COM) action *f*; (*de lotería*) petit prix; (*aviso*) faire-part *m*.

participante *nm/f* participant/e.

participar *vt* annoncer // *vi* prendre part, participer; **~ de** o **en** partager.

participe *nm/f* participant/e; **hacer ~ a uno de algo** faire part de qch à qn.

particular *a* (*especial*) particulier(ière); (*propio*) particulier, personnel(le); (*individual, personal*) personnel(le) // *nm* (*punto, asunto*) sujet *m*, question *f*, point *m*; (*individuo*) particulier *m*; **particularizar** *vt* distinguer, caractériser; (*especificar*) spécifier, préciser; (*detallar*) particulariser.

partida *nf* (*salida*) départ *m*; (COM) poste *m*, chapitre *m*, article *m*; (*juego*) partie *f*; (*grupo, banda*) bande *f*; **mala ~** mauvais tour; **~ de bautismo/matrimonio/defunción** acte *m* de baptême/mariage/décès; **~ de nacimiento** extrait *m* de naissance.

partidario, a *a* partisan(e) // *nm/f* adepte *m/f*, supporter *m*, partisan/e.

partido *nm* (POL) parti *m*; (*encuentro*) partie *f*, match *m*, rencontre *f*; (*apoyo*) appui *m*; **sacar ~ de** tirer parti de; **tomar ~ en** o **por** prendre parti pour.

partir *vt* (*dividir*) diviser; (*compartir, distribuir*) partager, distribuer; (*romper*) casser; (*cortar*) fendre, casser // *vi* (*tomar camino*) partir; (*comenzar*) commencer; **~se** *vr* se casser, **a ~ de** à partir de.

partitura *nf* partition *f*.

parto *nm* (*de animal*) parturition *f*; (*de niño*) accouchement *m*; (*fig*) enfantement *m*, création *f*; **estar de ~** être en couches.

parturienta *nf* femme qui accouche, femme en couches.

parva *nf* airée *f*.

parvedad *nf* petitesse *f*.

parvulario *nm* jardin *m* d'enfants, école maternelle.

pasa *nf* raisin sec; **~ de Corinto/de Esmirna** raisin de Corinthe/de Smyrne.

pasable *ad* passable.

pasada *nf* ver **pasado**.

pasadero, a *a* passable, tolérable // *nf* pierre permettant de passer la rivière à gué.

pasadizo *nm* (*pasillo*) corridor *m*; (*callejuela*) passage *m* (d'une ruelle).

pasado, a *a* passé(e), vieilli(e); (*malo: comida, fruta*) passé(e), faisandé(e); (*muy cocido*) trop cuit(e); (*anticuado*) vieilli; **~** *nm* passé *m* // *nf* passage *m*; (*acción de pulir*) polissage *m*; **~s** *nmpl* ancêtres *mpl*, anciens *mpl*; **~ mañana** après-demain; **dicho sea de pasada** soit dit en passant; **hacer una mala pasada** jouer un tour pendable.

pasador *nm* (*acción*) passage *m*; (*estrecho*) chenal *m*, passe *f*; (*pago de viaje*) passage, billet *m*; (*los pasajeros*) passagers *mpl*; (*pasillo*) corridor *m*.

pasajero, a *a* passager(ère) // *nm/f* passager/ère.

pasamanos *nm* rampe *f*, main courante.

pasante *nm/f* auxiliaire *m/f*, répétiteur/trice, assistant/e.

pasaporte *nm* passeport *m*.

pasar vt passer; (transmitir, heredar, transferir) transmettre; (atravesar) franchir, traverser; (penetrar) franchir, pénétrer; (examen) passer avec succès, être reçu à; (tolerar) laisser passer; (superar) dépasser, surpasser // (coche) doubler; (enfermedad) se guérir; (durezas) endurer, souffrir // vi passer; (en examen) être reçu; (terminarse) se terminer; (ocurrir) se passer, arriver; ~ se vr (frutas, flores) se gâter, se faner; (CULIN) être trop cuit; (fig) dépasser les bornes; ~ la mano/el cepillo por el pelo se passer la main/la brosse dans les cheveux; ¡pase! entrez!; ~ adelante passer devant; ~ por buen escritor il passe pour un bon écrivain; ~se al enemigo passer à l'ennemi; se me pasó j'ai oublié; no se le pasa nada rien ne lui échappe.

pasarela nf passerelle f.

pasatiempo nm passe-temps m inv.

Pascua nf: ~ (de Resurrección) Pâques fpl ou m; ~ de Navidad Noël m; ~ de Pentecostés Pentecôte f; ~s nfpl vacances fpl de Noël; ¡felices ~s! joyeux Noël! hacer las ~s a uno (fam) tromper qn.

pase nm permis m, laissez-passer m.

paseante nm/f promeneur/euse; (pey) oisif/ive, fainéant/e.

pasear vt promener // vi, ~se se promener; (holgazanear) fainéanter.

paseo nm (avenida) promenade f; (de torero) défilé m; dar un ~ faire une promenade.

pasillo nm (pasaje) couloir m, corridor m; (TEATRO) promenoir m.

pasión nf passion f; tener ~ por avoir la passion de.

pasito ad doucement; ~ a paso tout doucement, pas à pas.

pasividad nf passivité f.

pasivo, a a (inactivo) passif(ive); (sumiso) soumis(e) // nm passif m.

pasmado, a a (atónito) stupé-

fait(e); **estar** o **quedar** ~ (fam) avoir l'air malin.

pasmar vt (asombrar) ébahir, stupéfier; (enfriar) geler, glacer; **pasmo** nm (asombro) étonnement m, stupéfaction f; (fig) sujet m d'étonnement, prodige m; (tétano) tétanos m; (enfriamiento) refroidissement m; **pasmoso, a** a étonnant(e), stupéfiant(e).

paso, a a sec(sèche) // nm (de pie) pas m; (modo de andar) allure f, pas; (huella) pas; (distancia) pas, distance f; (rapidez) allure; (de baile) pas, figure f; (cruce) passage à niveau m; (pasaje) passage; (GEO) pas // ad doucement, lentement; a ese ~ (fig) à ce train-là; salir al ~ de o a aller au-devant de; estar de ~ être de passage; ~ elevado/inferior passage aérien/sous pont; ~ a desnivel dénivellation f.

pasta nf (CULIN: masa) pâte f; (: masa cocida) petits gâteaux; (de dientes) pâte dentifrice; (de carne) galette f, fric m; ~s nfpl pâtes alimentaires; ~ de carne pâté m de viande; ~ de dientes o dentífrica pâte dentifrice; ~ de madera pâte de bois.

pastar, pastear vt, vi paître.

pastel nm (dulce) gâteau m; (de carne) pâté m; (ARTE) pastel m; **pastelería** nf pâtisserie f; **pastelero, a** nm/f pâtissier/ière.

pasteurizado, a a pasteurisé(e).

pastilla nf (de jabón) savonnette f; (de chocolate) carré m, morceau m; (píldora) pastille f, cachet m.

pasto nm (hierba) fourrage m, pâture f; (lugar) pâturage m, pacage m.

pastor nm, a nm/f berger/ère // nm pasteur m.

pastorear vt mener paître // vi paître, pâturer.

pastoso, a a pâteux(euse); (voz) riche, épais(se).

pat abr de **patente**.

pata nf (ZOOL: pie) patte f; (de

muebles) pied m; (ZOOL: *pato hembra*) cane f; **enseñar** o **sacar la ~** montrer le bout de l'oreille; (TEC): **~ de cabra** guinche f; **~ de gallo** pied de coq ou de poule, patte d'oie; **patada** nf coup m de pied.

patalear vi trépigner; **pataleo** nm trépignement m.

patán nm paysan m, rustre m; (pey) rustaud m, balourd m.

patata nf pomme de terre f, patate f; **~s al vapor** pommes vapeur; **~s fritas** o **a la española** pommes de terre frites; **~s inglesas** chips mpl.

patatús nm malaise m, évanouissement m.

patear vt (*pisar*) piétiner; (*pegar con el pie*) donner des coups de pied à; (fig) piétiner, mépriser // vi trépigner.

patente a évident(e); (COM) exclusif(ive) // nf patente f; **patentizar** vt mettre en évidence.

paternal a paternel(le).

paternidad nf paternité f.

paterno, a a paternel(le).

patético, a a pathétique.

patíbulo nm échafaud m.

patidifuso, a a (fam) épaté(e), bouche bée.

patillas nfpl pattes fpl, favoris mpl.

patín nm patin m.

patinaje nm patinage m.

patinar vi patiner; (*resbalarse*) déraper, riper; (fam) se gourer // vi patiner.

patineta nf patinette f.

patio nm (*de casa*) cour f; (TEATRO) orchestre m.

pato nm canard m; **pagar el ~** (fam) payer les pots cassés.

patológico, a a pathologique.

patoso, a a assommant(e) // nm raseur/euse; (fam) malin/igne.

patraña nf bobard m.

patria nf patrie f; **~ chica** ville natale.

patriarca nm patriarche m.

patrimonio nm patrimoine m.

patriota nm/f patriote m/f; **patriotero, a** a chauvin(e); **patrio-**

tismo nm patriotisme m.

patrocinar vt patronner, protéger; **patrocinio** nm (*respaldo*) appui m, patronage m; (*mecenazgo*) protection f.

patrón, ona nm/f patron/ne; (*dueño*) maître/sse; (*propietario*) propriétaire m/f // nm patron m; **patronal** a patronal(e); **patronato** nm patronage m; (COM) patronat m.

patrulla nf patrouille f; **patrullero** nm patrouilleur m.

paulatinamente ad lentement, en douceur.

paupérrimo, a a très pauvre.

pausa nf (*intervalo*) intervalle m; (*interrupción*) pause f.

pausado, a a lent(e).

pauta nf (*línea, guía*) ligne f, guide m; (*regla*) règle f; (*modelo, norma*) modèle m, norme f.

pava nf dinde f; **pelar la ~** (fam) faire la cour.

pavimentar vt paver, daller, carreler.

pavimento nm pavé m, carrelage m, dallage m.

pavo nm dindon m; (fam) âne m, cloche f; **comer ~** faire tapisserie.

pavón nm paon m; (TEC) brunissage m, bleuissage m.

pavonearse vr se pavaner.

pavor nm frayeur f; **pavoroso, a** a effrayant(e).

payasada nf (*truco*) clownerie f; (*estupidez, tontería*) pitrerie f; **~s** nfpl clowneries fpl.

payaso, a nm/f clown m.

paz nf (pl **paces**) paix f; (*tranquilidad*) tranquillité f.

p.c. (abr de por ciento) pour cent.

P.C.E. abr de **Partido Comunista Español**.

P.D. (abr de posdata) P.S.

peaje nm péage m.

peatón nm piéton m.

pebete nm (*incienso*) encens m, parfum m à brûler; (MIL) mèche f, amorce f; (AM) gosse m.

peca nf tache f de rousseur.

pecado nm péché m.

pecador, a a pécheur (cheresse) // nm/f pécheur/cheresse.

pecaminoso, a a coupable.

pecar vi (REL) pécher; ~ **de** (fig) pécher par.

pecera nf aquarium m.

pecoso, a a criblé(e) de taches de rousseur.

pecuario, a a de l'élevage.

peculiar a particulier(ière), spécial(e); **peculiaridad** nf particularité f; (característica) caractéristique f.

pecunia nf (fam) galette f, fric m.

pecuniario, a a pécuniaire.

pechar vt payer; ~ **a uno** taper qn.

pechera nf (de camisa) plastron m; (MIL) devant m de protection, plastron.

pecho nm (ANAT) poitrine f; (fig) cœur m; **a ~ descubierto** (fig) à découvert; **dar el ~ a** donner le sein à; **tomar algo a ~** prendre qch à cœur.

pechuga nf blanc m (de volaille).

pedagogía nf pédagogie f.

pedal nm pédale f; ~ **de acelerador/de embrague/de freno** pédale d'accélérateur/d'embrayage/de frein; **pedalear** vi pédaler.

pedante a pédant(e), prétentieux(euse) // nm/f pédant(e); **pedantería** nf pédantisme m.

pedazo nm morceau m.

pederasta nm pédéraste m.

pedernal nm silex m.

pedestrismo nm course f à pied.

pediatría nf pédiatrie f.

pedicuro, a nm/f pédicure m/f.

pedido nm (COM. mandado) commande f; (petición) demande f.

pedigüeño, a a quémandeur (euse).

pedimento nm demande f.

pedir vt demander; (comida) commander; (COM. mandar) commander; (exigir: precio) demander; (necesitar) requérir // vi demander; ~ **que ...** demander de ...; **¿cuánto piden por el coche?** combien demandent-ils pour la voiture?; ~ **en casamiento** demander en mariage; **a ~ de boca** au bon moment.

pedrada nf coup m de pierre.

pedrea nf (pelea) combat m à coups de pierres; (METEOROLOGÍA) grêle f.

pedregal nm terrain pierreux.

pedregoso, a a rocailleux(euse).

pedrera nf ver pedrero.

pedrería nf pierreries fpl, pierres précieuses.

pedrero, a nm/f carrier m, tailleur m de pierres // nf carrière f.

pedrisco nm (lluvia) grêle f de pierres; (montón) rocaille f.

pedrusco nm grosse pierre.

pega nf (acción de pegar) collage m; (golpeo) volée f, raclée f; (trampa) blague f, attrape f; (problema) difficulté f.

pegadizo, a a collant(e); contagieux(euse) // nm/f parasite m/f.

pegajoso, a a collant(e); contagieux(euse); (dulzón) mielleux-(euse), sucré(e).

pegamento nm colle f.

pegar vt (con goma) coller; (poner en la pared: affiche) afficher; (coser) coudre; (unir: partes) unir; (MED) passer, donner; (dar) coller, flanquer // vi (adherirse) adhérer; (BOT) prendre; (funcionar) coller, fonctionner; (ir juntos: colores) aller (ensemble); (golpear) heurter; (quemar: el sol) taper; ~**se** vr se coller; (CULIN) attacher; (fam): ~ **un grito** pousser des cris; ~ **un salto** faire un bond; ~ **se** joindre à; ~ **con uno** rencontrer qn; ~**se a uno** se coller à qn; ~**se un tiro** se tirer un coup de pistolet.

peina nf grand peigne.

peinado, a a peigné(e) // nm coiffure f // nf coup m de peigne.

peinador, a nm/f coiffeur/euse // nm peignoir m.

peinar vt peigner; ~**se** vr se coiffer.

peine nm peigne m.

peineta *nf* = peina.

p. ej. *(abr de por ejemplo)* p. ex.

Pekín *n* Pékin.

pelado, a *a* pelé(e) // *nm* pelade ou calvitie partielle; *(fig)* sans- le·sou *m.*

peladura *nf (acto)* épluchage *m*; *(parte sin pelo, sin piel)* écorchure *f*, pelade *f*; ~**s** *nfpl* écorchures *f* (dues aux coups de soleil).

pelagatos *nm inv* pauvre diable *m.*

pelaje *nm (ZOOL)* pelage *m*, robe *f*, *(fig)* allure *f.*

pelambre *nm (pelo largo)* poil *m*, pelage *m*, tignasse *f*; *(piel de animal cortado)* peaux *fpl*; *(parte sin piel)* pelade *f.*

pelar *vt (cortar el pelo a)* couper les cheveux de ou à; *(quitar la piel: animal, verduras, fruta)* peler; *(fam)* éreinter; ~**se** *vr (la piel)* peler; *(persona, animal)* se déplumer.

peldaño *nm* marche *f.*

pelea *nf (lucha)* lutte *f*, *(discusión)* discussion *f*, **peleador, a** *a* combattant(e); bataillleur(euse); combatif(ive).

pelear *vi (luchar)* combattre, lutter; *(fig)* se battre; *(: competir)* concourir, rivaliser; ~**se** *vr* se battre; *(reñirse)* se disputer.

pelele *nm* pantin *m.*

peleón, ona *a* combatif(ive); agressif(ive).

peletería *nf* magasin *m* de fourrures.

peliagudo, a *a* ardu(e), épineux(euse).

pelícano, a *a* aux cheveux gris.

pelicano, pelícano *nm* pélican *m.*

pelicorto, a *a* à poil ras; à cheveux courts.

película *nf (CINE)* film *m*; *(cobertura ligera)* pellicule *f*; *(FOTO. rollo)* pellicule.

peligrar *vi* être en danger.

peligro *nm (riesgo)* péril *m*, danger *m*; *(amenaza)* risque *m*; **peligroso, a** *a (arriesgado)* dangereux(euse),

risqué(e); *(amenazante)* mena-çant(e).

pelillo *nm* vétilles *fpl.*

pelirrojo, a *a* roux(rousse).

pelo *nm (cabellos)* cheveux *mpl*; *(de barba, bigote)* poil *m*; *(de animal: pellejo)* pelage *m*, robe *f*; *(de la piel de la fruta, de los pájaros)* duvet *m*; *(TEC: fibra, filamento)* filament *m*, brin *m*; *(: de reloj: resorte)* ressort *m*; *(: grieta)* paille *f*; **al** ~ au quart de poil; **venir al** ~ tomber à pic; **de medio** ~ quelconque, ordinaire; **un hombre de** ~ **en pecho** un brave homme; **por los** ~**s** de justesse; **no tener** ~**s en la lengua** ne pas avoir sa langue dans sa poche, ne pas mâcher ses mots; **tomar el** ~ **a uno** faire marcher qn.

pelón, ona *a* tondu(e), chauve; *(fig)* fauché(e).

pelota *nf (balón)* balle *f*, ballon *m*; *(de fútbol)* ballon de football; *(fam: cabeza)* bille *f*; ~ **vasca** pelote *f* basque.

pelotear *vt* vérifier // *vi (jugar)* faire des balles; *(discutir)* se disputer; **pelotera** *nf (fam)* dispute *f*, chamaillerie *f.*

pelotón *nm (pelota)* gros ballon; *(muchedumbre)* foule *f*; *(MIL)* peloton, piquet *m.*

peltre *nm* étain *m.*

peluca *nf* perruque *f.*

peluche *nm* peluche *f.*

peludo, a *a* velu(e), poilu(e).

peluquería *nf* salon *m* de coiffure.

peluquero, a *nm/f* coiffeur/euse.

pelleja *nf* peau *f*; *(fam)* maigrichon *m.*

pellejo *nm (de animal)* peau *f*; *(de fruta)* peau, pelure *f.*

pellizcar *vt* pincer.

pena *nf (congoja)* peine *f*; *(ansia)* angoisse *f*; *(remordimiento)* remords *m*; *(dolor)* douleur *f*, souffrance *f*; **merecer** *o* **valer la** ~ valoir la peine; **a duras** ~**s** à grand-peine; ~ **de muerte/pecuniaria** peine de mort/pécuniaire.

penacho *nm* aigrette *f.*

penal a pénal(e) // nm (cárcel) prison f; (fútbol) penalty m.

penalidad nf (problema, dificultad) peine f, souffrance f, difficulté f; (JUR) pénalité f.

penar vt condamner à une peine, punir // vi souffrir, peiner; ~se vr se plaindre, se lamenter.

pendencia nf dispute f; **pendenciero, a** a querelleur(euse), batailleur (euse) // nm voyou m.

pender vt (colgar) pendre; (JUR) être en suspens.

pendiente a (colgante) suspendu(e); (por resolver) en suspens, en cours // nm boucle d'oreille f // nf côte f.

péndola nf plume f.

pendón nm bannière f; (fam) personne f en guenilles.

péndulo nm pendule m, balancier m.

pene nm pénis m.

penetración nf (acto) pénétration f; (agudeza) finesse f.

penetrante a pénétrant(e); (persona) fin(e); (sonido, viento, mirada, ironía) perçant(e).

penetrar vt (abrir camino) pénétrer; (permear) passer au travers de, traverser // vi pénétrer; (emoción) affecter; ~se vr: ~se de (imbuirse) s'inspirer de; (entender a fondo) se pénétrer.

penicilina nf pénicilline f.

península nf péninsule f; **peninsular** a péninsulaire.

penitencia nf (remordimiento) remords m; (castigo) pénitence f; **penitencial** a pénitentiel(le); **penitenciaría** nf pénitencier m.

penitente nm/f (REL) pénitent/e.

penoso, a a (quehacer) pénible; douloureux(euse).

pensador, a nm/f penseur/euse.

pensamiento nm (capacidad de pensar) pensée f; (mente) esprit m; (idea) idée f, pensée f; (intento) tentative f; (BOT) pensée.

pensante a pensant(e).

pensar vt (reflexionar) penser;

(proponerse) se dire; (imaginarse) s'imaginer; (creer, opinar) croire // vi penser; ~ en penser à; **pensativo, a** a pensif(ive).

pensión nf (casa) pension f; (dinero) pension, retraite f; (cama y comida) pension; (beca) bourse f; **pensionista** nm/f (jubilado) pensionné/e, retraité/e; (quien vive en pensión) pensionnaire m/f.

Pentecostés nm o f Pentecôte f.

penúltimo, a a avant-dernier (ière).

penumbra nf pénombre f.

penuria nf pénurie f.

peña nf (roca, cuesta) rocher m; (círculo, grupo) cercle m, groupe m.

peñascal nm terrain couvert de rochers.

peñasco nm rocher m.

peñón nm rocher m; **el P~ le** rocher de Gibraltar.

peón nm manœuvre m; (AM) ouvrier m agricole, péon m; (MIL) fantassin m; (TEC) arbre m; **peonaje** nm équipe f de manœuvres; infanterie f.

peonía nf pivoine f.

peonza nf (trompa) toupie f; (fam) personne f affairée.

peor a pire // ad pis.

pepinillo nm cornichon m.

pepino nm concombre m.

pepita nf (BOT) pépin m; (MINERÍA) pépite f.

pepitoria nf méli-mélo m, embrouillamini m.

pequeñez nf petitesse f; (infancia) enfance f; (trivialidad) bagatelle f, rien m.

pequeño, a a petit(e).

pera nf (BOT) poire f; (ELEC) poire, interrupteur m; (barbilla) barbiche f; **peral** nm poirier m.

perca nf perche f.

percance nm contretemps m.

percatarse vr: ~ de se rendre compte de, s'informer de.

percebe nm pouce-pied m, anatife m.

percepción nf (vista) perception

f; (idea) idée f; (colecta de fondos) perception.

perceptible a perceptible, perce-vable.

perceptor, a nm/f percepteur/trice; ~ **de impuestos** (AM) percepteur des contributions.

percibir vt percevoir; (COM) toucher, percevoir.

percusión nf percussion f.

percha nf (poste) perche f, poteau m; (ganchos) crochet m, cintre m; (colgador) patère f, porte-manteau m; (de ave) perchoir m.

perchero nm porte-manteau m.

perdedor, a a (que pierde) perdant(e); (olvidadizo) oublieux(euse) // nm/f perdant/e.

perder vt perdre; (tiempo, palabras) perdre; (oportunidad) rater, manquer; (tren) rater, manquer // vi s'abîmer, s'endommager; ~**se** vr (extraviarse) s'égarer, se fourvoyer; (desaparecer) se perdre; (desgastarse) s'user; (arruinarse) se ruiner; (hundirse) se perdre, couler, sombrer.

perdición nf perte f.

pérdida nf perte f.

perdido, a a perdu(e); (vicioso) invétéré(e) // nm vaurien m.

perdidoso, a a (que pierde) perdant(e); (fácilmente perdido) perdable, qui peut être perdu(e).

perdigón nm perdreau m; **perdigones** nmpl chevrotine f, petit plomb.

perdiz nf perdrix f.

perdón nm (disculpa) pardon m, excuse f; (clemencia) pardon, clémence f; hablando con ~ soit dit sans vous offenser.

perdonar vt, vi pardonner.

perdurable a éternel(le).

perdurar vi (resistir) durer longtemps, résister; (seguir existiendo) subsister.

perecedero, a a périssable; transitoire; mortel(le).

perecer vi (morir) mourir; (objeto) se briser.

peregrinación nf pérégrination f.

peregrinar vi (ir y venir) aller et venir, se déplacer; (viajar) voyager; (REL) aller en pèlerinage.

peregrino, a a (que viaja) voyageur(euse); (nuevo) nouveau(elle); (: exótico, extraordinario) exotique // nm/f pèlerin/e.

perejil nm persil m; ~**es** nmpl (fam) babioles fpl.

perenne a permanent(e), perpétuel(le).

perentorio, a a (urgente) urgent(e), pressant(e), péremptoire; (fijo) fixe.

pereza nf (flojera) paresse f, flemme f; (lentitud) lenteur f, indolence f; **perezoso**, a a (flojo) paresseux(euse); (lento) indolent(e).

perfección nf perfection f; **perfeccionar** vt perfectionner; (acabar) parfaire.

perfecto, a a parfait(e); (terminado) parfait, terminé(e).

perfidia nf perfidie f.

perfil nm (parte lateral) profil m; (silueta) silhouette f, (ARQ) coupe f; (fig) portrait m, esquisse f; **perfilado**, a a (bien formado) bien fait(e), régulier(ière); (largo: cara) profilé(e), effilé(e); **perfilar** vt (trazar) profiler, esquisser; (dar carácter) caractériser; **perfilarse** vr se profiler; (fig) se définir.

perforación nf perforation f; (con taladro) poinçonnement m, poinçonnage m.

perforadora nf (taladro) perforatrice f, perceuse f; poinçonneuse f.

perforar vt (agujerear) perforer; (fuente, túnel) percer // vi forer.

perfumado, a a parfumé(e).

perfumar vt parfumer.

perfume nm parfum m; **perfumería** nf parfumerie f.

pergamino nm parchemin m.

pergeñar vt ébaucher.

pergeño nm allure f.

pericia nf (arte, capacidad) habileté f, adresse f; (hecho de ser experto) compétence f.

perico nm perruche f.

periferia nf périphérie f.

perilla nf (barbilla) barbiche f; (ELEC) poire f; (de la oreja) lobe m; **venir de ~s** tomber à pic.

periódico, a a périodique // nm journal m, périodique m; **periodismo** nm journalisme m; **periodista** nm/f journaliste m/f; **periodístico, a** a journalistique.

periodo, período nm (lapso de tiempo) période f; (MED) règles fpl.

peripecia nf péripétie f.

perito, a a (experto) compétent(e); (con arte) expert // nm/f (experto) expert m; (técnico) ingénieur m.

perjudicar vt (dañar) nuire à; (poner en riesgo) risquer; **~se** vr se faire du tort; **perjudicial** a (dañino) nuisible; en détriment de préjudiciable; **perjuicio** nm (daño) préjudice m; (pérdidas) pertes fpl.

perjurar vi (mentir) se parjurer; (jurar) jurer souvent; **perjuro, a** a parjure // nm/f parjure m/f.

perla nf perle f.

perlesía nf paralysie f.

permanecer vi (quedarse) rester; (seguir) continuer de.

permanencia nf (duración) permanence f; (estancia) séjour m.

permanente a (que queda) permanent(e); (constante) constant(e) // nf permanente f.

permisible a autorisable.

permiso nm permission f; (licencia) licence f; con ~ (de) avec la permission de; **estar de ~** (MIL) être en permission; **~ de conducir** o **conductor** permis m de conduire.

permitir vt (dejar) permettre, laisser; (aceptar) accepter.

permuta nf (intercambio) échange m; (regateo) marchandage m; **permutar** vt permuter, échanger.

pernear vi gigoter.

pernicioso, a a (maligno) pernicieux(euse); (MED) malin(igne); (persona) mauvais(e), méchant(e).

pernil nm (ZOOL) hanche f et cuisse f; (CULIN) jambon m, cuissot m; (de pantalón) jambe f.

perno nm boulon m.

pernoctar vi découcher, passer la nuit.

pero conj mais; (aún) cependant // nm (defecto) défaut m; (reparo) objection f.

perogrullada nf lapalissade f.

perol nm bassine f.

peroración nf péroraison f.

perorar vi prononcer un discours; (fam) pérorer.

perpendicular a perpendiculaire // nf perpendiculaire f.

perpetración nf perpétration f.

perpetrar vt perpétrer.

perpetuamente ad perpétuellement.

perpetuar vt perpétuer.

perpetuidad nf perpétuité f.

perpetuo, a a perpétuel(le); (duradero) durable; (sin cesar) constant(e).

perplejidad nf perplexité f.

perplejo, a a perplexe.

perra nf chienne f; **~ chica/gorda** monnaie de 5/10 centimes.

perrada nf meute f.

perrera nf chenil m.

perrería nf (perrada) meute f; (fig) bande f de coquins).

perrillo nm (perro) petit chien; (MIL) chien m.

perro nm chien m; **~ caliente** hot dog m.

persa a persan(e) // nm/f Persan/e f) // nm perse m.

persecución nf persécution f, poursuite f.

perseguidor, a nm/f (cazador) poursuivant/e; (que persigue) persécuteur/trice.

perseguir vt poursuivre; (cortejar) briguer, prétendre à; (molestar) persécuter.

perseverante a persévérant(e).

perseverar vi persévérer; **~ en** persister à, continuer à.

persiana nf persienne f.

persistente a persistant(e).

persistir vi persister; ~ **en** persister à ou dans.

persona nf personne f.

personaje nm personnage m; (TEATRO) rôle m.

personal a (particular) particulier(ière); (para una persona) personnel(le) // nm personnel m; **personalidad** nf personnalité f; **personalismo** nm personnalisme m; (referencias personales) personnalités; (egoísmo) égoïsme m; **personalizar** vt personnaliser, symboliser // vi personnaliser.

personarse vr se présenter.

personificar vt (ejemplificar) personnifier; (hacer mención especial) personnaliser.

perspectiva nf (vista, panorama) perspective f, point de vue m; (posibilidad futura) perspective.

perspicacia nf perspicacité f.

perspicaz a (agudo: de la vista) pénétrant(e); (fig) perspicace.

perspicuidad nf perspicacité f.

persuadir vt persuader; ~se vr se persuader, croire; **persuasión** nf (acto) persuasion f; (estado de mente) conviction f; **persuasivo, a** a persuasif(ive).

pertenecer vi appartenir; (fig) concerner, incomber; **pertenencia** nf possession f; **pertenencias** nfpl propriétés fpl.

pertinacia nf persistance f; (terquedad) obstination f.

pertinaz a (persistente) persistant(e); (terco) tenace, obstiné(e).

pertinente a pertinent(e); ~ **a** concernant, à propos de, au sujet de.

pertrechar vt (abastecer) munir, équiper; (MIL) approvisionner; ~se de se munir de.

pertrechos nmpl (instrumental) équipement m, outils mpl; (MIL) munitions fpl.

perturbación nf (POL) perturbation f, trouble m; (MED) trouble m.

perturbado, a a dérangé(e) (mentalemente) // nm/f malade mental/e.

perturbador, a a (que perturba) perturbateur(trice); (subversivo) embarrassant(e) // nm/f perturbateur/ trice.

perturbar vt (el orden) perturber, troubler; (mentalmente) troubler, déranger.

Perú nm: el ~ (le) Pérou.

peruano, a a péruvien(ne) // nm/f Péruvien/ne.

perversidad nf (maldad) perversité f; (depravación) perversité, dépravation f.

perversión nf perversion f.

perverso, a a pervers(e); (depravado) dépravé(e).

pervertido, a a corrompu(e) perverti(e) // nm/f pervertisseur/euse.

pervertir vt (corromper) pervertir; (distorsionar) dénaturer.

pesa nf poids m.

pesadez nf (peso) lourdeur f; (lentitud) lenteur f; (aburrimiento) ennui m.

pesadilla nf cauchemar m.

pesado, a a (que pesa) lourd(e), pesant(e); (lento) lent(e); (difícil, duro) pénible, dur(e); (aburrido) ennuyeux(euse), assommant(e); (bochornoso) lourd.

pesadumbre nf chagrin m, tracas m.

pésame nm condoléances fpl.

pesantez nf pesanteur f.

pesar vt peser // vi peser; (ser pesado) être lourd(e) // nm chagrin m, peine f; **a ~ de o pese a (que)** en dépit de, malgré.

pesaroso, a a peiné(e), désolé(e).

pesca nf (acto) pêche f; (cantidad de pescado) poisson m, pêche.

pescadería nf poissonnerie f.

pescado nm poisson m.

pescador, a nm/f pêcheur/euse.

pescante nm support m, siège m du cocher.

pescar vt attraper; (conseguir: trabajo) attraper; (descolgar) (desenterrar: datos) pêcher, exhumer.

pescuezo nm cou m.

pesebre nm râtelier m, mangeoire f.

peseta nf peseta f.

pesetero, a a mercenaire.

pesimista a pessimiste // nm/f pessimiste m/f.

pésimo, a a très mauvais(e).

peso nm poids m; (carga) charge f; (de boxeo) pesage m; (balanza) balance f; (moneda) peso m; **vender al ~** vendre au poids.

pesquería nf pêcherie f.

pesquisa nf recherche f, enquête f.

pestaña nf (ANAT) cil m; (borde) bord m, rentré m; **pestañear, pestañar** vi cligner des yeux, ciller.

peste nf (MED) peste f; (plaga, molestia) fléau m; (mal olor) puanteur f, infection f.

pesticida nm pesticide m.

pestífero, a a (maloliente) pestilentiel(le); (dañino) pestiféré(e).

pestilencia nf (plaga) fléau m; (mal olor) pestilence f.

pestillo nm targette f, verrou m.

petaca nf grand sac; porte-cigarettes m inv; (AM) malle f // a paresseux(euse).

pétalo nm pétale m.

petardista nm/f (tramposo) escroc m; (rompehuelgas) jaune m.

petardo nm (cohete) pétard m; (MIL) explosif m; (fam) escroquerie f.

petate nm (tapete) natte f; (equipaje) sac m de marin, bagage m.

petición nf (pedido) demande f; (JUR) requête f; **peticionario, a** nm/f pétitionnaire m/f.

peto nm plastron m.

pétreo, a a (rocoso) rocheux(euse); (pedregoso) rocailleux(euse).

petrificar vt pétrifier.

petróleo nm pétrole m; **petrolero, a** a pétrolifère // nm/f (COM) pétrolier m; (extremista) extrémiste m/f.

petulancia nf arrogance f, fierté f.

petulante a fier(ière), arrogant(e).

peyorativo, a a péjoratif(ive).

pez nm poisson m.

pezón nm (ANAT) mamelon m; (BOT) queue f.

piadoso, a a (devoto) pieux(euse); (misericordioso) miséricordieux(euse).

pianista nm/f pianiste m/f.

piano nm piano m.

piar vi piailler, piauler.

piara nf troupeau m (de porcs).

pica nf pique f.

picacho nm pic m.

picadillo nm hachis m.

picado, a a piqué(e); (mar) houleux(euse); (diente) gâté(e); (enfadado) froissé(e), vexé(e) // nm (carne) hachis m; (tabaco) tabac m à fumer // nf piqué(e); (tabaco) sentier m; **bajar en ~** descendre en piqué.

picador nm (TAUR) picador m; (entrenador de caballos) dresseur m de chevaux; (minero) mineur m.

picadura nf (diente) dent gâtée; (de viruela) trou m, marque f; (pinchazo) piqûre f; (mordedura) morsure f; (tabaco picado) tabac m à fumer.

picante a piquant(e) // nm saveur piquante.

picapedrero nm tailleur m de pierre.

picaporte nm poignée f.

picar vt (aguijerear, perforar) poinçonner, perforer; (morder) mordre, piquer; (incitar) provoquer, exciter; (dañar, irritar) gratter, démanger; (cortar: piedra) tailler; (quemar: lengua) démanger // vi (quemar, morder) piquer; (de pez) mordre; (MED) démanger; (el sol) brûler; **~se** (decaer) se vider; (agriarse) se piquer, se gâter; **~ en** (fig) avoir une teinture de; **~se con** devenir fana de.

picardear vt corrompre // vi s'amuser.

picardía nf malice f; astuce f; ruse f, fourberie f.

picaresco, a a picaresque.

pícaro, a a (malicioso) malicieux(euse); (travieso) espiègle; (fam) voyou // nm (ladrón) filou m, voleur m; (astuto) malin m; (sinvergüenza) canaille f.

picatoste nm rôtie f, croûton m.

picazón nf démangeaison f; mécontentement m.

pick-up nm inv pick-up m inv, lecteur m.

pico nm (de ave) bec m; (punto agudo) pointe f, saillie f; (TEC, GEO) pic m; **sesenta y ~** soixante et quelques.

picota nf pilori m.

picotear vt picoter, picorer // vi mordiller; (fam) baratiner; **~se** vr se chamailler.

pictórico, a a pictural(e).

picudo, a a au museau pointu.

pichón nm pigeon m.

pido, pidió etc vb ver **pedir**.

pie nm (pl ~s) pied m; (tronco, base) base f; (tallo) tige f; (parte de abajo) bas m; (fig: fundamento) base f; **ir a ~** aller à pied; **estar/ponerse de ~** être/se mettre debout; **al ~ de la letra** au pied de la lettre; **en ~ de guerra** sur le pied de guerre; **dar ~ a** donner l'occasion de.

piedad nf (misericordia) pitié f; (devoción) piété f.

piedra nf pierre f; (roca) roche f; (MED) calcul m; (METEOROLOGÍA) grêle f; **~ de toque** pierre de touche.

piel nf (ANAT) peau f; (ZOOL) cuir m, fourrure f; (BOT) peau, pelure f; **~ de ante** ou **de Suecia** suède m.

piélago nm haute mer, océan m.

pienso vb ver **pensar** // nm aliment m (pour animaux).

pierdo etc vb ver **perder**.

pierna nf jambe f; **~ de carnero** gigot m de mouton.

pieza nf pièce f; **~ de recambio** o **repuesto** pièce de rechange ou détachée.

pigmentación nf pigmentation f.

pigmeo, a a pygmée // nm/f pygmée m/f.

pijama nm pyjama m.

pila nf (ELEC) pile f; (montón) tas m, pile; (fuente) évier m, vasque f.

pilar nm pilier m; (pileta) petit bénitier.

píldora nf pilule f.

pileta nf petit bénitier; (AM) piscine f.

pilón nm (ELEC) pylône m; (de fuente) bassin m, vasque f.

pilongo, a a maigre.

piloto nm pilote m; (de aparato) lampe-témoin f, veilleuse f; (AUTO) feu m arrière, stop m.

pillaje nm pillage m.

pillar vt (saquear) piller; (fam: atrapar) attraper, coincer; (: entender) comprendre.

pillería nf (trampa) friponnerie f; (rufianes) bande f de canailles.

pillo, a a malicieux(euse); astucieux(euse), malin(igne) // nm/f scélérat/e.

pilluelo, a nm/f garnement m, galopin m.

pimentón nm gros poivron, paprika doux.

pimienta nf poivre m.

pimiento nm (verdura) poivron m, piment m; (planta) poivrier m.

pimpollo nm (BOT) rejeton m, rejet m; (fam) chérubin m, petit ange.

pinacoteca nf pinacothèque f.

pináculo nm pinacle m.

pinar nm pinède f.

pincel nm pinceau m; **pincelada** nf coup m de pinceau.

pinciano, a a de Valladolid.

pinchar vt (perforar) piquer; (neumático) crever; (incitar) pousser, inciter; (herir) blesser; **~se** vr se piquer.

pinchazo nm (perforación) piqûre f; (de llanta) crevaison f; (fig) incitation f.

pinchitos nmpl amuse-gueules mpl.

pingo nm (harapo) loque f; (AM) cheval m.

pingüe a gras(se); (fig) abondant(e).

pingüino nm pingouin m.

pininos, pinitos nmpl premiers pas.

pino nm pin m; **en ~** vertical(e), raide.

pinocha nf aiguille f de pin.

pinta nf (punto) tache f, point m; (: de piel de animal) moucheture f; (medida) pinte f; (aspecto) allure f, aspect m.

pintado, a a (de puntos) tacheté(e), moucheté(e); (de muchos colores) peint(e); **viene que ni ~** ça tombe juste.

pintar vt, vi peindre; **~se** vr se farder, se maquiller.

pintiparado, a a à tout(e) pareil(le).

pintor, a nm/f peintre m/f; **~ de brocha gorda** peintre m en bâtiment.

pintoresco, a a pittoresque.

pintura nf peinture f; **~ a la acuarela** aquarelle f; **~ al óleo** peinture à l'huile.

pinza nf (ZOOL) pince f; (para colgar ropa) pince à linge; **~s** nfpl (para depilar) pince à épiler; (TEC) pince f.

pinzón nm pinson m.

piña nf (fruto del pino) pomme de pin f; (fruta) ananas m; (fig) groupe uni.

piñata nf panier m de friandises.

piñón nm pignon m d'Inde.

pío, a a (devoto) pieux(euse); (misericordioso) charitable // nm pépiement m.

piojo nm pou m.

pionero, a nm/f pionnier/ière.

pipa nf (de pipe f; (BOT) graine f de tournesol.

pipí nm (fam) **hacer ~** faire pipi.

pique nm (resentimiento) brouille f; (rivalidad) point m d'honneur; **irse a ~** couler à pic.

piquera nf trou m.

piqueta nf pic m, pioche f.

piquete nm (herida) piqûre f; (agujerito) petit trou m; (MIL) peloton m; (de obreros) piquet m (de grève).

piragua nf pirogue f.

pirámide nf pyramide f.

pirata nm pirate m // a pirate; **piratear** vi pirater; (robar) voler; **piratería** nf piraterie f; (robo) vol m.

pirenaico, a a pyrénéen(ne).

Pirineo(s) nm(pl) Pyrénées fpl.

piropo nm galanterie f, compliment m.

pirotecnia nf pyrotechnie f.

pirueta nf pirouette f.

pisada nf (paso) pas m; (huella) trace f.

pisar vt (caminar sobre) marcher sur; (apretar con el pie) fouler // vi marcher.

piscina nf (alberca) bassin m, piscine f; (para peces) bassin m.

Piscis nm les Poissons mpl; **ser (de) ~** être des Poissons.

piso nm (suelo) sol m; (de edificio) étage m; (apartamento) appartement m.

pisotear vt piétiner; aplatir (avec les pieds); (fig) fouler.

pista nf piste f; **~ de aterrizaje/de baile/de hielo/de patinaje** piste d'atterrissage/de danse/de glace/de patinage.

pisto nm (CULIN) jus m de viande; ratatouille f; (fig) ratatouille, méli-mélo m.

pistola nf pistolet m; **pistolero, a** nm/f bandit m, gangster m // nm étui m à pistolet.

pistón nm (TEC) piston m; (MUS) clef f, piston.

pitada nf (silbido) coup m de sifflet; (AM) bouffée f.

pitanza nf pitance f, ration f.

pitar vt/vi siffler; (AUTO) klaxonner; (AM) fumer.

pitillo nm cigarette f.

pito nm (para silbar) sifflet m; (de coche, tren) klaxon m; **~ real** pic m.

pitón nm (ZOOL) python m; (protuberancia) grosseur f, enflure f; (BOT) bourgeon m; (de jarro) bec m.

pitonisa nf pythonisse f.

pizarra nf (piedra) ardoise f; (encerado) tableau noir.

pizca nf petit morceau; miette f.

placa nf plaque f; (dental) plaque (dentaire); ~ **de matrícula** plaque d'immatriculation.

pláceme nm félicitation f.

placentero, a a joyeux(euse), agréable.

placer nm (gusto, deleite) plaisir m; (entretenimiento) amusement m // vt plaire.

placidez nf placidité f.

plácido, a a placide.

plaga nf fléau m; (MED) plaie f; (abundancia) foison f, abondance f.

plagar vt couvrir.

plagiar vt plagier.

plagio nm plagiat m.

plan nm (esquema, proyecto) projet m, plan m; (idea, intento) plan, idée f; (MED) régime m; **tener un ~** avoir un rendez-vous.

plana nf ver **plano**.

plancha nf (para planchar) fer à repasser; (rótulo) planche f, forme f; (NAUT) radeau m; **planchado** nm repassage m; **planchar** vt repasser.

planeador nm planeur m.

planeadora nf bulldozer m.

planear vt planifier // vi planer.

planeta nf planète f.

planicie nf (llano) plaine f; (meseta) plateau m.

planificación nf planification f.

plano, a a plat(e) // nm plan m // nf page f; (TEC) plane f; **primer ~** premier plan; **caer de ~** tomber raide; **estar en primera plana** avoir le premier rang/la vedette; **plana mayor** état major m.

planta nf (ANAT) plante f; (BOT) plante; (TEC) usine f; ~ **baja** rez-de-chaussée m.

plantación nf (AGR) plantation f; (acto) plantage m.

plantado, a a: **dejar a uno ~** laisser qn en plan.

plantar vt (BOT) planter; (levantar)

ériger; (sentar) envoyer; ~**se** vr se planter.

planteamiento nm proposition f; façon f de poser un problème.

plantear vt exposer; signaler; (planificar) projeter, organiser; ~**se** vr se poser.

plantel nm plant m; pépinière f.

plantilla nf semelle f (intérieure); personnel m, effectif m; plan m, esquisse f.

plantío nm plantation f.

plantón nm (BOT) plan m; (MIL) planton m, sentinelle f.

plañidero, a a plaintif(ive) // nf pleureuse f.

plañir vi gémir, se plaindre.

plasma nm plasma m.

plasmar vt (dar forma) former; façonner; (representar) façonner // vi: ~ **en** prendre la forme de.

plasta nf pâte molle.

plasticina nf plasticine f.

plástico, a a plastique // nf plastique f, sculpture f // nm plastique m.

plata nf (metal) argent m; (cosas hechas de plata) argenterie f; **hablar en ~** parler clair.

plataforma nf plate-forme f.

plátano nm (fruta) banane f; (árbol) bananier m.

platea nf orchestre m.

plateado, a a argenté(e).

platería nf (arte) orfèvrerie f; (tienda) bijouterie f.

platero, a nm/f orfèvre m.

plática nf conversation f; **platicar** vi parler, converser.

platillo nm soucoupe f; ~**s** nmpl cymbales fpl; ~ **volador** o **volante** soucoupe volante.

platino nm platine f.

plato nm assiette f; (parte de comida) plat m.

plausible a plausible.

playa nf plage f; (arena) sable m; (lugar veraniego) plage, mer f; ~ **de estacionamiento** (AM) parking m.

playera nf chemisette f.

plaza nf place f; (mercado) marché m; ~ **de toros** arène f.

plazco etc vb ver **placer**.

plazo nm (lapso de tiempo) délai m; (fecha de vencimiento) échéance f; (pago parcial) terme m; **a corto/largo** ~ à courte/longue échéance; **comprar a** ~s acheter à tempérament.

plazoleta, plazuela nf petite place.

pleamar nf marée haute, pleine mer.

plebe nf plèbe f; **plebeyo, a** plébé(ien)(ne); **plebiscito** nm plébiscite m.

plectro nm plectre m.

plegable, plegadizo, a pliant(e).

plegado nm, **plegadura** nf (acto) plissage m, pliage m; (pliegue) pli m, plissé m.

plegar vt (doblar) plier; (COSTURA) plisser; ~**se** vr se plier.

plegaria nf prière f.

pleitear vi plaider; **pleitista** a plaidant(e); chicaneur(euse) // nm/f procédurier/ière; **pleito** nm (JUR) procès m; (fig) querelle f, dispute f.

plenilunio nm pleine lune.

plenipotenciario nm plénipotentiaire m.

plenitud nf (abundancia) plénitude f; (fig) épanouissement m.

pleno, a a plein(e) // nm séance plénière f; **en** ~ **día/verano** en plein jour/été; **en plena cara** en pleine figure.

plétora nf pléthore f.

pleuresía nf pleurésie f.

plexiglás nm plexiglas m.

pliego nm feuille f de papier; pli m; ~ **de condiciones** cahier m des charges.

pliegue nm pli m.

plinto nm plinthe f.

plomada nf (de pesca) plombs mpl; (de albañil) fil m à plomb.

plomería nf plomberie f.

plomizo, a a plombé(e).

plomo nm (metal) plomb m; (ELEC) fusible m, plomb; **a** ~ à plomb.

pluma nf plume f; **plumaje** nm plumage m; (adorno) plumet m; **plumazo** nm trait m de plume; (colchón) matelas m ou coussin m de plume.

plúmbeo, a a de plomb.

plumero nm (quitapolvos) plumeau m; (adorno) plumet m; **se le ve el** ~ on lui voit la ficelle.

plumilla nf, **plumín** nm petite plume.

plumón nm (de ave) duvet m; (edredón) édredon m.

plural a pluriel(le).

pluralidad nf pluralité f; ~ **de votos** majorité f des voix.

plurivalente a polyvalent(e).

plus nm prime f, gratification f.

plutocracia nf ploutocratie f.

plutonio nm plutonium m.

pmo abr de **próximo**.

P.N.B. nm (abr de Producto Nacional Bruto) P.N.B. m (Produit national brut).

Po abr de **Paseo**.

población nf population f; (pueblo, ciudad) ville f, village m.

poblacho nm trou m, bled m.

poblado, a a peuplé(e), habité(e) // nm localité f, agglomération f.

poblador, a nm/f fondateur/trice, colonisateur/trice.

poblar vt (colonizar) peupler; (fundar) fonder; (habitar) habiter // vi se remplir, se peupler.

pobre a pauvre // nm/f pauvre m/f; (fig) malheureux/euse; **pobreza** nf pauvreté f, (penuria) manque m, pénurie f.

pocilga nf porcherie f.

poción, pócima nf potion f.

poco, a a peu de // ad (no mucho) peu; (apenas) bien peu, à peine // nm: **un** ~ un peu; **tener a uno en** ~ estimer peu qn; **por** ~ un peu plus ...; **dentro de/hace** ~ dans/il y a peu de temps.

pocho, a a terne; pâle; blet(te); patraque, déprimé(e).

podadera nf serpe f, sécateur m.

podar vt tailler.

podenco nm épagneul m.

poder vt vouvoir (t) pouvoir m, puissance f; (autoridad) autorité f; (TEC capacidad) puissance f; (POL: JUR) pouvoir; **puede que sea así** il se peut qu'il en soit ainsi; **¿se puede?** puis-je?; **¿puedes con eso?** tu peux en venir à bout?; **a más no ~** extrêmement, au possible; **no ~ menos de** ne pas pouvoir s'empêcher de; **~ de compra** o **adquisitivo** pouvoir d'achat; **poderío** nm puissance f; autorité f; **poderoso, a** a puissant(e).

podio nm podium m.

podré etc vb ver **poder**.

podredumbre nf (pus) pus m; (parte podrida) pourriture f, putréfaction f; (fig) corruption f.

podrido, a a pourri(e); (fig) corrompu(e).

podrir = **pudrir**.

poema nm poème m.

poesía nf poésie f.

poeta nm poète m.

poético, a a poétique.

póker nm poker m.

polaco, a a polonais(e).

polaina nf guêtre f.

polar a polaire; **polaridad** nf polarité f; **polarizar** vt polariser.

polea nf poulie f.

polémica nf polémique f; **polemizar** vi polémiquer, polémiser.

polen nm pollen m.

policía nm/f policier/femme-agent // police f; **policíaco, a** a policier(ière).

policromo, a a polychrome.

polichinela nm polichinelle m.

poligamia nf polygamie f.

polígloto, a a nm/f polyglotte m/f.

polilla nf mite f.

polio nf poliomyélite f.

politécnico, a a école polytechnique f.

politene, politeno nm polythène m, polyéthylène m.

político, a a (POL) politique;

(cortés, discreto) courtois(e); réservé(e) // nm/f politicien/ne // nf politique f; **politiquear** vi faire de la politique; **politiqueo** nm, **politiquería** nf politicaillerie f.

póliza nf police f.

polizón, ona nm/f badaud/e; passager/ère clandestin(e).

polizonte nm (fam) flic m.

polo nm (GEO) pôle m; (helado) esquimau m; (ELEC) pôle; (suéter) polo m; **~ Norte/Sur** pôle Nord/Sud.

Polonia nf Pologne f.

poltrón, ona a paresseux(euse) // nf bergère f.

polución nf pollution f.

polvareda nf nuage m de poussière.

polvera nf poudrier m.

polvo nm poussière f; **~s** nmpl poudre f; **~ dentífrico** o **para dientes** poudre dentifrice; **~ de talco** talc m.

pólvora nf poudre f; (fuegos artificiales) feux mpl d'artifice.

polvoriento, a a poussiéreux(euse); poudreux(euse).

polvorín nm poudre très fine; (MIL) poudrière f.

polla nf poulette f; (fam) jouvencelle f, jeune fille f.

pollada nf couvée f.

pollera nf poulailler m; (AM) jupe f.

pollería nf marchand m de volailles.

pollino, a nm/f ânon m; petite ânesse.

pollo nm poulet m; poussin m; **~ asado** poulet rôti.

poma nf pomme f.

pomada nf pommade f.

pomar nm verger m, pommeraie f.

pomelo nm pamplemousse m.

pomo nm (BOT) fruit m à pépins; (botella) flacon m de parfum.

pompa nf (burbuja) bulle f; (bomba) pompe f à eau; (esplendor) pompe f; **pomposo, a** a pompeux(euse).

pómulo nm pommette f.

pon *vb ver* **poner.**

ponche *nm* punch *m.*

poncho, a *a* mou (molle), flasque; calme // *nm* (AM) poncho *m.*

ponderación *nf* mesure *f*, considération *f*; (*acción de pesar*) pondération *f*, équilibre *m.*

ponderado, a *a* équilibré(e), pondéré(e).

ponderar *vt* (*considerar*) peser, examiner; (*elogiar*) vanter.

pondré *etc vb ver* **poner.**

ponencia *nf* rapport *m*, exposé *m.*

poner *vt* (*colocar*) mettre; (*ropa*) mettre; (*la mesa*) mettre, dresser; (*telegrama*) donner; (*radio*, TV) allumer; (*problema*) exposer; (*casa*, *tienda*) établir; (*tiempo*) mettre; (*nombre*) donner; (*añadir*) ajouter; (TEATRO) présenter, donner, jouer; (*suponer*) supposer // vi (*ave*) pondre; ~se vr se poser; (*el sol*) se coucher; **póngame con el Señor X** je voudrais parler à Monsieur X; ~**se de zapatero** se mettre cordonnier; ~**se a bien con uno** se réconcilier avec qn; ~**se con uno** discuter avec quelqu'un; ~**se a** se mettre à.

pongo *etc vb ver* **poner.**

poniente *nm* couchant *m*, ouest *m.*

p°n° (*abr de peso neto*) poids net.

pontificado *nm* pontificat *m.*

pontífice *nm* pontife *m.*

pontón *nm* ponton *m.*

ponzoña *nf* venin *m*; **ponzoñoso, a** *a* empoisonné(e).

popa *nf* poupe *f.*

popelín *nm*, **popelina** *nf* popeline *f.*

populachero, a *a* populacier (ière).

populacho *nm* bas peuple *m*, populace *f.*

popular *a* populaire *m*; (*del pueblo*) du peuple; ~**idad** *nf* popularité *f*; ~**izarse** *vr* se populariser.

poquedad *nf* rareté *f*, insuffisance *f*; petitesse *f*, quantité *f.*

poquísimo, a *a* très peu; ~**s** *pl* quelques.

poquito *nm*: **un** ~ un petit peu.

por *prep* (*con el fin de*) pour; (a favor de, hacia) pour; (a causa de) par; (según) selon, d'après; (*por agencia de*) par; (a razón de) par; (a cambio de) en échange de, pour; (*en lugar de*) à la place de, pour; ~ **correo/avión** par courrier/avion; ~ **centenares** par centaines; (el) **10** ~ **ciento** 10 pour cent; ~ **orden/tamaño** par ordre/taille; **camina** ~ **la izquierda** marche à ou sur la gauche; ~ **entra** ~ **delante/detrás** entrez par devant/ derrière; ~ **la calle** dans la rue; ~ **la mañana/la noche** le matin/le soir; **3 francos** ~ **hora** 3 francs de l'heure; ~ **allí** par là; **está** ~ **el norte** c'est vers le nord; ~ **mucho que quisiera, no puedo** j'ai beau le vouloir, je ne peux pas; ~ **que** parce que; ¿~ **qué?** pourquoi?; ~ **cuanto** parce que; du fait que; ~ **(lo) tanto** par conséquent; donc; ~ **cierto** (seguro) certainement; (a propósito) à propos; ~ **ejemplo** par exemple; ~ **favor** s'il vous plaît, s'il te plaît; ~ **fuera/dentro** dehors/dedans; ~ **si** (*acaso*) pour le cas où; ~ **sí mismo** o **sólo** par lui-même *ou* tout seul.

porcelana *nf* porcelaine *f.*

porcentaje *nm* pourcentage *m.*

porción *nf* (*parte*) part *f*; (*cantidad*) portion *f*, quantité *f.*

pordiosear *vi* mendier; **pordiosero, a** *nm/f* mendiant/e.

porfía *nf* obstination *f*; entêtement *m*; **porfiado, a** *a* obstiné(e); **porfiar** *vi* s'entêter; **porfiar en** s'acharner à, s'obstiner à.

pormenor *nm* détail *m.*

pornografía *nf* pornographie *f.*

poro *nm* pore *m*; **poroso, a** *a* poreux(euse).

porque *conj* (a causa de) parce que; (ya que) puisque, du moment que; (con el fin de) pour que.

porqué *nm* pourquoi *m inv*, cause *f*, motif *m.*

porquería nf cochonnerie f; saleté f.

porra nf ver **porro**.

porrazo nm coup m.

porro, a a (fam) gourde // (arma) massue f; (TEC) marteau m; (fam) vanité f.

porrón, ona a gourde nm gargoulette f.

portada nf (fachada) façade f; (entrada) portail m; (de libro) page de titre f.

portador, a nm/f porteur/euse.

portaequipajes nm inv portebagages m.

portal nm (entrada) vestibule m; (puerta de entrada) porche m; (de ciudad) porte f; (DEPORTE) but m.

portaligas nm inv porte-jarretelles m inv.

portalón nm coupée f.

portamaletas nm inv coffre m.

portamonedas nm inv porte-monnaie m inv.

portarretratos nm inv portephoto m.

portarse vr se conduire, se comporter; (fam): **~ garante** se porter garant.

portátil a portatif(ive).

portavoz nm (megáfono) portevoix m inv, haut-parleur m; (vocero) porte-parole m inv.

portazo nm: **dar un ~** claquer la porte.

porte nm (COM) port m, transport m; (comportamiento) conduite f.

portear vt porter.

portento nm prodige m; **portentoso, a** a prodigieuse(euse).

porteño, a a de Buenos Aires.

portería nf (oficina) loge f de concierge; (gol) but m.

portero, a nm/f concierge m/f // nm gardien de but m.

portezuela nf petite porte, portière f.

pórtico nm (patio) portique m; (fig) porche m, portail m; (arcada) arcade f.

portilla nf hublot m.

portillo nm brèche f; portillon privé; col m.

portón nm grande porte f, portail m.

portorriqueño, a a portorricain(e).

portuario, a a portuaire.

Portugal nm Portugal m.

portugués, esa a portugais(e).

porvenir nm avenir m.

pos prep: **en ~ de** après; en quête de; à la recherche de.

posada nf (refugio) demeure f, domicile m; (mesón) auberge f, pension f.

posaderas nfpl derrière m, postérieur m, fesses fpl.

posadero, a nm/f hôtelier/ière, aubergiste m/f.

posar vt (en el suelo) poser, déposer; (la mano) poser // vi poser; **~se** vr se poser, s'arrêter; (avión) se poser; (líquido, polvo) déposer, retomber.

posdata nf post-scriptum m inv.

pose nf pose f.

poseedor, a nm/f possesseur m.

poseer vt posséder; (gozar) jouir de; **poseído, a** a possédé(e) // nm/f possédé/e; **posesión** nf possession f; (propiedad) propriété f; **posesionarse** vr: **posesionarse de** prendre possession de, s'emparer de; **posesivo, a** a possessif(ive).

posguerra nf: **en (los años de) la ~** dans l'après-guerre.

posibilidad nf possibilité f; (oportunidad) occasion f.

posibilitar vt faciliter; rendre possible, permettre.

posible a posible; (factible) faisable; **de ser ~** si cela était possible; **en lo ~** autant que possible.

posición nf position f; (rango social) situation f.

positivo, a a a affirmatif(ive); positif(ive) // nf positif m, épreuve positive.

poso nm lie f, fond m.

posponer vt subordonner; (AM) retarder.

posta nf (de caballos) poste f, relais m; (pedazo) morceau m // nm messager m, courrier m.

postal a postal(e) // nf carte postale.

poste nm (de telégrafos) poteau m; (columna) pilier m; **dar ~ a uno** (fam) faire poireauter qn.

postergación nf ajournement m.

postergar vt ajourner; négliger, laisser de côté; léser.

posteridad nf postérité f.

posterior a postérieur(e); (siguiente) suivant(e).

posterioridad nf postériorité f; **con ~** plus tard, avec postériorité.

postguerra nf = posguerra.

postigo nm volet m; porte f de jardin, portillon m.

postín nm (fam) élégance f, chic m.

postizo, a a postiche, faux(ausse) // nm postiche m.

postor, a nm/f enchérisseur/euse, offrant m.

postrado, a a prostré(e).

postrar vt abattre; abaisser; affaiblir.

postre nm dessert m // nf: **a la ~** à la fin, finalement.

postremo, a, postrer, ero, a à ultime; dernier(ière).

postrimerías nfpl fin f (de la vie).

postulado nm postulat m; **postular** vt postuler; préconiser, proposer.

póstumo, a a posthume.

postura nf (del cuerpo) posture f, position f; (fig) attitude f; (de huevos) ponte f; pondaison f.

post-venta a après-vente.

potable a potable.

potaje nm plat de légumes secs; **~s** nmpl légumes mpl.

pote nm pot m.

potencia nf (poder) puissance f, pouvoir m; (TEC) puissance; (POL): **las (grandes) ~** les (grandes) puissances.

potencial a potentiel(le) // nm potentiel m.

potentado nm potentat m.

potente a puissant(e).

potestad nf pouvoir m, puissance f.

potestativo, a a potestatif(ive).

potro, a nm/f poulain/pouliche // nf hernie f.

poyo nm banc m de pierre.

pozo nm puits m; (de río) trou m.

p.p. (abr de por poder) pour pouvoir.

P.P. (abr de porte pagado) port payé.

p.pdo (abr de próximo pasado) récent(e).

P.R. abr de **Puerto Rico**.

práctica nf ver **práctico**.

practicable a praticable.

practicante nm/f (MED: ayudante de doctor) aide-soignant/e; (: enfermero) infirmier/ière; (quien practica algo) pratiquant/e.

practicar vt (ejercer) pratiquer; (realizar) réaliser.

práctico, a a pratique; (conveniente) satisfaisant(e); (instruido: persona) expérimenté(e) // nm (MED) praticien m; (NAUT) pilote m // nf pratique f; (método) méthode f; (art., capacidad) expérience f.

pradera nf prairie f.

prado nm (campo) pré m; (pastizal) pâturage m; (paseo) promenade f.

Praga n Prague.

pragmático, a a pragmatique.

pral abr de **principal**.

preámbulo nm préambule m.

prebenda nf prébende f, sinécure f.

precario, a a précaire.

precaución nf (medida preventiva) précaution f; (prudencia) prudence f.

precaver vt prévoir; **~se** vr: **~se de o contra algo** se prémunir contre qch; **precavido, a** a prévoyant(e).

precedencia nf antériorité f, préséance f.

precedente a précédent(e) // nm précédent m.

preceder vt, vi précéder.

preceptivo, a a obligatoire.

precepto nm précepte m.

preceptor, a nm/f précepteur/trice.

preciado, a a estimé(e); prétentieux(euse).

preciar vt apprécier; ~**se** vr être content de soi; ~**se de** se flatter de.

precio nm (de mercado) prix m; (costo) coût m; (valor) prix, valeur f; ~ **al contado/de coste/de oportunidad** prix au comptant/de revient/promotionnel; ~ **tope** prix plafond.

preciosidad nf (valor) grande valeur; (encanto) charme m; (cosa bonita) chose ravissante; (pey) préciosité f.

precioso, a a précieux(euse); (fam) ravissant(e).

precipicio nm précipice m; (fig) abîme m.

precipitación nf précipitation f.

precipitado, a a précipité(e).

precipitar vt précipiter; ~**se** vr se précipiter.

precipitoso, a a (escarpado) abrupt(e), escarpé(e); (a la carrera, imprudente) précipité(e).

precisamente ad précisément; (justo) justement.

precisar vt (necesitar) avoir besoin de; (fijar) préciser, indiquer; (especificar) spécifier // il falloir.

precisión nf (exactitud) précision f; (necesidad) besoin m.

preciso, a a (exacto) précis(e); (necesario) nécessaire.

precocidad nf précocité f.

precolombino, a a précolombien(ne).

preconcebido, a a préconçu(e).

preconizar vt préconiser; prévoir.

precoz a (persona) précoce; (calvicie) prématuré(e).

precursor, a a précurseur // nm/f précurseur m.

predecesor, a a nm/f prédécesseur m.

predecir vt prédire.

predestinado, a a prédestiné(e).

predeterminar vt prédéterminer.

prédica nf prêche m.

predicador, a nm/f prédicateur m.

predicamento nm prédicament m; (fig) influence f, poids m.

predicar vt prêcher // vi sermonner.

predicción nf prédiction f.

predilección nf prédilection f.

predilecto, a a préféré(e).

predio nm propriété f.

predisponer vt prédisposer; (pey) nuire à, porter atteinte à; **predisposición** nf prédisposition f; (pey) préjudice m; **predispuesto, a** a prédisposé(e).

predominante a prédominant(e).

predominar vt dominer // vi prédominer; **predominio** nm (dominación) domination f; (prevalecencia) prédominance f.

preeminencia nf prééminence f, primauté f; **preeminente** a prééminent(e).

prefabricado, a a préfabriqué(e).

prefecto nm préfet m; **prefectura** nf préfecture f.

preferencia nf préférence f.

preferible a préférable.

preferir vt préférer.

prefiero etc vb ver **preferir**.

prefigurar vt préfigurer.

prefijar vt préfixer, fixer d'avance.

pregón nm annonce f publique; **pregonar** vt (anunciar) annoncer publiquement; (revelar: secreto) révéler, publier; (proclamar, alabar) clamer; prôner, vanter; **pregonero** nm crieur public.

pregunta nf question f; **hacer una** ~ poser une question.

preguntar vt demander // vi questionner; ~**se** vr se demander; ~ **por alguien** demander (à voir ou à parler à) qn; **preguntón, ona** a questionneur(euse).

prehistórico, a a préhistorique.

prejuicio nm préjugé m; (preconcepción) parti-pris m.

prejuzgar vt préjuger.

prelación nf préséance f.

prelado nm prélat m.

preliminar a préliminaire.

preludio nm prélude m.

preludir vt préluder à.

prematuro, a a prématuré(e).

premeditación nf préméditation f.

premeditar vt préméditer.

premiar vt décerner un prix à; récompenser; **premio** nm (recompensa) récompense f; (en un concurso) prix m; **premioso, a** a (estrecho) étroit(e), serré(e); (urgente) urgent(e), pressant(e); (molesto) ennuyeux(euse), désagréable.

premonición nf prémonition f.

premura nf instance f, urgence f.

prenatal a prénatal(e).

prenda nf (garantía) gage m; (ropa) vêtement m; ~**s** nfpl qualités fpl.

prendar vt charmer; ~**se de uno** s'éprendre de qn.

prendedor, prendedero nm broche f, agrafe f.

prender vt (captar) saisir, prendre, arrêter; (coser, sujetar) attacher, fixer // (vi) (arraigar) s'enraciner; (fuego, injerto, vacuna) prendre; ~**se** vr (encenderse) s'allumer; (engalanarse) se parer, s'orner.

prendería nf friperie f.

prendero, a nm/f fripier/ière.

prendimiento nm capture f.

prendido, a a captif(ive); (fig) charmé(e).

prensa nf presse f; **la P**~ la Presse.

prensado nm (de los tejidos) calandrage m; (acción de prensar) pressurage m.

prensar vt presser.

preñado, a a bombé(e); (mujer) enceinte // f grossesse f; ~ **de** chargé ou plein de; **preñar** vt féconder, couvrir; **preñez** nf gestation f.

preocupación nf préoccupation f, souci m.

preocupado, a a préoccupé(e).

preocupar vt préoccuper; ~**se** vr se préoccuper, se soucier; ~**se de algo** (hacerse cargo) se charger de qch.

preparación nf préparation f; (entrenamiento) entraînement m.

preparado, a a (dispuesto) préparé(e); (CULIN) prêt(e) // nm préparation f.

preparador, a nm/f entraîneur/euse.

preparar vt (disponer) préparer; (TEC tratar) apprêter; (entrenar) entraîner; ~**se** vr: ~**se a o para** se préparer à; **preparativo, a** a préparatoire; **preparatorio, a** a préparatoire.

preponderancia nf prépondérance f.

prerrogativa nf prérogative f.

presa nf (captura) prise f, arrestation f; (cosa apresada) prise; (víctima) proie f; (de agua) prise d'eau, barrage m; (canal) canal m.

presagiar vt présager; **presagio** nm présage m.

presbítero nm prêtre m.

presciencia nf prescience f.

prescindible a dont on peut se passer.

prescindir vi: ~ **de** faire abstraction de; se passer de.

prescribir vt prescrire.

prescripción nf prescription f; (MED): ~ **facultativa** ordonnance f.

presea nf bijou m, joyau m.

presencia nf présence f.

presencial a: **testigo** ~ témoin m oculaire.

presenciar vt assister à, être présent(e) à.

presentación nf présentation f; introduction f.

presentador, a nm/f présentateur/trice.

presentar vt présenter; (ofrecer) offrir; (mostrar) montrer; ~**se** vr (llegar inesperadamente) se présenter; (estar) être; (ofrecerse: como candidato) se proposer; (aparecer) apparaître; (solicitar empleo) se présenter.

presente a présent(e) // nm présent m; **hacer ~** porter à la connaissance; **tener ~** se souvenir de, se rappeler; **la ~** (COM) la présente.

presentimiento nm pressentiment m.

presentir vt pressentir.

preservación nf préservation f.

preservar vt préserver; **preservativo, a** a préservatif(ive) // nm préservatif m.

presidencia nf présidence f.

presidente nm/f président/e.

presidiario nm forçat m, bagnard m.

presidio nm bagne m; travaux forcés.

presidir vt (dirigir) présider, diriger; (dominar) présider à // vi présider.

presilla nf patte f; tirette f.

presión nf pression f; **presionar** vt appuyer sur, presser; (fig) faire pression sur // vi: **presionar para o por** faire pression pour.

preso, a a pris(e), emprisonné(e) // nm/f prisonnier/ière.

prestación nf prestation f.

prestado, a a prêté(e); **pedir ~** emprunter.

prestamista nm/f prêteur/euse (sur gages).

préstamo nm prêteur m; (lo pedido prestado) emprunt m.

prestancia nf prestance f.

prestar vt prêter // vi: s'étirer; **~se vr: ~se a** se proposer pour; **~se para** se prêter à.

prestatario, a a nm/f emprunteur/euse.

presteza nf agilité f, promptitude f.

prestidigitador, a nm/f prestidigitateur m.

prestigiar vt rehausser le prestige de.

prestigio nm prestige m; **prestigioso, a** a (honorable) estimable; (famoso, renombrado) prestigieux(euse).

presto, a a (rápido) preste;

(dispuesto) prêt(e), préparé(e) // ad rapidement, prestement.

presumible a présumable.

presumir vt présumer // vi (suponerse) se croire, être prétentieux(euse); (tener aires) se donner de grands airs; **presunción** nf (suposición) présomption f; (vanidad) prétention f; **presunto, a** a (supuesto) présumé(e); (así llamado) prétendu(e); **presuntuoso, a** a vaniteux(euse), prétentieux(euse), présomptueux (euse).

presuponer vt présupposer.

presupuestar vt établir le coût de; établir le budget de.

presupuesto nm (FINANZAS) budget m; (estimación: de costo) devis m.

presuroso, a a (rápido) preste; (que tiene prisa) pressé(e).

prentencioso, a a a prétentieux(euse).

pretender vt (intentar) essayer de, chercher à; (reivindicar) prétendre; (buscar) chercher à; (cortejar) courtiser; **pretendiente** nm/f (quien corteja) prétendant/e; (candidato) aspirant/e, candidat/e; **pretensión** nf (aspiración) prétention f; (reivindicación) revendication f.

pretérito, a a passé(e).

pretextar vt prétexter.

pretexto nm prétexte m.

pretil nm garde-fou m, parapet m.

pretina nf ceinture f.

prevalecer vi prévaloir; triompher; l'emporter; **prevaleciente** a qui prévaut.

prevalerse vr: **~ de** tirer avantage de.

prevaricar vi prévariquer, forfaire.

prevención nf prévention f; (cautela) disposition f; (precaución) précaution f; **en ~ de** en prévention de.

prevenido, a a préparé(e), disposé(e); (cauteloso) prudent(e).

prevenir vt (preparar) préparer;

(impedir) prévenir, empêcher; *(prever)* prévoir; *(predisponer)* prédisposer, influencer; *(avisar)* prévenir; **~se** *vr* se prémunir, se préparer; **preventivo, a** *a* préventif(ive).

prever *vt* prévoir; *(visualizar)* envisager.

previamente *ad* au préalable, préalablement.

previo, a *a (anterior)* préalable; *(preliminar)* préliminaire // *prep*: **~ acuerdo de los otros** après accord des autres.

previsión *nf* prévision f; prévoyance f; **~ social** sécurité sociale.

prez *nf* gloire f.

prieto, a *a (oscuro)* très foncé(e); *(fig)* mesquin(e); *(comprimido)* serré(e).

prima *nf ver* **primo.**

primacía *nf* primauté f.

primar *vi* primer; **~ sobre** primer sur.

primario, a *a* primaire.

primavera *nf* printemps m; **primaveral** *a* printanier(ère).

primer, primero, a *a* premier(ière) // *ad* d'abord // *nf* première f; **de primera** *(fam)* de première.

primerizo, a *a* débutant(e) // *nm/f* novice m/f.

primicias *nfpl* prémices fpl.

primitivo, a *a* primitif(ive); *(original)* originel(le).

primo, a *a* premier(ière) // *nm/f* cousin/e; *(fam)* idiot/e, dupe f // *nf* prime f; **materia prima** matière première.

primogénito, a *a* aîné(e), premier-né(ière-née).

primor *nm* splendeur f; élégance f; délicatesse f; merveille f.

primordial *a* primordial(e).

primoroso, a *a* exquis(e); délicat(e), soigné(e).

princesa *nf* princesse f.

principado *nm (territorio)* principauté f; *(título)* principat m.

principal *a* principal(e) // *nm (jefe)* patron m; *(capital)* capital m.

príncipe *nm* prince m.

principiante *a* débutant(e) // *nm/f* débutant/e.

principiar *vt* commencer.

principio *nm (comienzo)* commencement m; *(origen)* origine f; *(primera etapa)* début m; *(moral)* principe m; **a ~s de** au début de; **tener o tomar en ~** commencer par.

pringar *vt (remojar)* graisser; *(manchar)* tacher de graisse; *(fam)* noircir, salir; blesser; **pringue** *nm (grasa)* graisse f; *(mancha)* saleté f, tache f de graisse.

prioridad *nf* priorité f.

prioritario, a *a* prioritaire.

prisa *nf (apresuramiento)* hâte f; *(rapidez)* rapidité f; *(urgencia)* urgence f; **a ~** en hâte, vite; **estar o tener ~** être pressé(e).

prisión *nf (cárcel)* prison f; *(período de cárcel)* emprisonnement m; **prisionero, a** *nm/f* prisonnier/ière.

prisma *nm* prisme m.

prismático, a *a* prismatique; **~s** *nmpl* jumelles fpl.

prístino, a *a* originel(le), pur(e).

privación *nf* privation f; *(falta)* besoin m.

privado, a *a* privé(e); *(favorito)* favori/te.

privanza *nf* faveur f.

privar *vt* priver; *(prohibir)* interdire // *vi (gozar de favor)* être en faveur; *(prevalecer)* prévaloir; **~se** *vr*: **~se de** se priver de; **privativo, a** *a* privatif(ive).

privilegiado, a *a* privilégié(e) // *nm/f* privilégié/e.

privilegiar *vt* accorder un privilège à.

privilegio *nm* privilège m; *(concesión)* concession f; **~ fiscal** avantage fiscal; **~ de invención** exclusivité f.

pro *nm o f* profit m // *prep*: **asociación ~ ciegos** association f en faveur des aveugles // pref: ~ **soviético/americano** pro-soviétique/américain; **en** ~ **de** en faveur de, au profit de.

proa nf proue f.

probabilidad nf probabilité f; (oportunidad, posibilidad) chance f.

probable a probable.

probador nm salon m d'essayage.

probanza nf preuve f.

probar vt (demostrar) prouver; (someter a prueba) éprouver, mettre à l'épreuve; (ropa) essayer; (comida) goûter // vi essayer, tenter; ~**se** vr essayer.

probatorio, a a probatoire; **documentos ~s del crimen** pièces fpl à conviction.

probidad nf probité f.

problema nm problème m.

probo, a a probe.

procaz a insolent(e), effronté(e).

procedencia nf origine f, provenance f.

procedente a originaire; pertinent(e), sensé(e).

proceder vi (avanzar) venir; (originar) provenir, procéder; (actuar) agir, se comporter; (ser correcto) convenir // nm (acción) procédé m; (comportamiento) conduite f; (JUR): ~ **contra** entamer des poursuites contre; **procedimiento** nm méthode f; procédé m; cours m, processus m.

procesado, a nm/f accusé/e, inculpé/e, prévenu/e.

procesar vt inculper, accuser.

procesión nf procession f.

proceso nm processus m; (lapso de tiempo) cours m; (JUR) procès m.

proclama nf (acto) proclamation f; (afiche) bans mpl; **proclamar** vt proclamer.

proclividad nf penchant m.

procreación nf procréation f.

procrear vt, vi procréer.

procurador, a nm/f avoué m.

procurar vt (intentar) essayer de; (conseguir) procurer; (asegurar) assurer; (producir) produire.

prodigalidad nf prodigalité f; (generosidad) générosité f; (pey) profusion f, extravagance f.

prodigar vt prodiguer; (pey) dilapider.

prodigio nm prodige m; (milagro) miracle m; **prodigioso, a** a prodigieux(euse).

pródigo, a a prodigue; (pey) dépenser(ière) // nm/f dépensier/ière.

producción nf production f; (producto) produit m; ~ **en serie** production en série.

producir vt produire; (generar) engendrer; ~**se** vr se produire.

productividad nf productivité f.

productivo, a a productif(ive); (provechoso) profitable.

producto nm produit m; (producción) production f; (beneficio) fruit m.

productor, a a producteur(trice) // nm/f producteur/trice; travailleur/euse.

proemio nm préface f.

proeza nf prouesse f.

profanar vt profaner; outrager; violer.

profano, a a profane; irrévérencieux(euse); profane, ignorant(e); incorrect(e).

profecía nf prophétie f.

proferir vt prononcer; proférer.

profesar vt (declarar) déclarer, professer; (practicar) professer.

profesión nf profession f.

profesional a professionnel(le).

profesor, a nm/f professeur m.

profesorado nm professorat m; (actividad docente) enseignement m.

profeta nm/f prophète/prophétesse; **profetizar** vt, vi prophétiser.

profiláctico nm prophylactique m.

prófugo, a nm/f fugitif/ive.

profundidad nf profondeur f.

profundizar vt approfondir; (fig) approfondir, creuser // vi: ~ **en** pénétrer.

profundo, a a profond(e); (*voz, sonido*) bas(se); (*impresión*) fort(e); (*misterio, oscuridad*) profond, sombre.

profusión nf profusion f, abondance f; **profuso, a** a abondant(e).

progenie nf progéniture f, descendance f; race f, lignage m.

progenitor nm progéniteur m; **los ~es** (*fam*) les ancêtres mpl; les parents mpl.

programa nm programme m; **programación** nf programmation f, planification f; **programador, a** nm/f programmeur/euse; **programar** vt programmer.

progresar vi progresser; **progresista** a, nm/f progressiste m/f; **progresivo, a** a (*gradual*) progressif(ive); (*continuo*) continu(e).

progreso nm progrès m.

prohibición nf défense f, interdiction f.

prohibido, a a défendu(e); **dirección prohibida** sens interdit; **~ el paso** passage interdit.

prohibir vt défendre, interdire; **se prohíbe fumar** défense de fumer.

prohijar vt adopter.

prójimo, a nm/f prochain m.

prole nf progéniture f.

proletariado nm prolétariat m; **proletario, a** a prolétarien(ne) // nm/f prolétaire m.

proliferación nf prolifération f; **proliferar** vi proliférer; **prolífico, a** a prolifique.

prolijidad nf prolixité f; **prolijo, a** a prolixe.

prólogo nm préface f.

prolongación nf (*acto de prolongar*) prolongation f; (*extensión*) extension f.

prolongado, a a (*largo*) étendu(e), grand(e); (*alargado*) prolongé(e), allongé(e).

prolongar vt prolonger; allonger.

promedio nm milieu m; moyenne f.

promesa nf promesse f.

prometedor, a a prometteur (euse).

prometer vt promettre; **~se** vr se fiancer; **prometido, a** a promis(e); fiancé(e).

prominencia nf proéminence f.

prominente a proéminent(e).

promiscuo, a a confus(e); ambigu(ë).

promisión nf: **tierra de ~** terre promise.

promoción nf promotion f; **~ de ventas** promotion des ventes.

promontorio nm promontoire m.

promotor nm promoteur/trice.

promover vt promouvoir; (*causar*) occasionner.

promulgar vt divulguer; promulguer, publier.

pronosticar vt pronostiquer.

pronóstico nm pronostic m.

prontitud nf promptitude f; astuce f.

pronto, a a (*preparado*) prêt(e); (*rápido*) prompt(e); (*astuto*) astucieux(euse) // ad (*rápidamente*) rapidement, vite; (*en seguida*) tout de suite; (*dentro de poco*) bientôt; (*temprano*) tôt // nm: **tener ~s de enojo** avoir des coups de colère; **al ~** tout d'abord, au début; **de ~** brusquement, soudain; **por lo ~** pour le moment.

prontuario nm abrégé m, manuel m, résumé m.

pronunciación nf prononciation f.

pronunciamiento nm soulèvement m, putsch m.

pronunciar vt prononcer; **~se** vr se prononcer; (*POL*) se soulever.

propagación nf propagation f.

propaganda nf (*política*) propagande f; (*comercial*) publicité f; **propagandístico, a** a de propagande; publicitaire.

propagar vt propager, répandre.

propalar vt ébruiter, divulguer.

propasarse vr dépasser les bornes.

propensión nf penchant m.

propenso, a a: ~ a enclin(e) à; porté(e) à.

propiamente ad proprement; réellement; ~ **dicho** proprement dit.

propiciar vt favoriser; patronner.

propicio, a a propice; favorable.

propiedad nf propriété f; ~ **industrial/literaria** propriété industrielle/littéraire.

propietario, a nm/f propriétaire m/f.

propina nf pourboire m.

propinar vt donner à boire; (fam) flanquer.

propincuo, a a proche.

propio, a a propre; (mismo) lui-même, elle-même etc // nm messager m, courrier m.

proponente nm/f celui/celle qui propose.

proponer vt proposer; ~**se** vr se proposer.

proporción nf proportion f; (oportunidad) possibilité f; **proporciones** nfpl proportions fpl; **proporcionado, a** a proportionné(e); **proporcionar** vt (dar) fournir; procurer; (adaptar) proportionner.

proposición nf proposition f.

propósito nm intention f, dessein m; (intento) but m, propos m // a: a ~ à propos // ad: a ~ à dessein, exprès; a ~ **de** à propos de; no **viene a** ~ cela ne vient pas à propos.

propuesta nf proposition f.

propulsar vt propulser; (fig) promouvoir; **propulsión** nf propulsion f.

prorratear vt partager au prorata.

prórroga nf (demora) prolongation f; (COM) prorogation f; (JUR) sursis m; **prorrogable** a qui peut être prorogé(e); **prorrogar** vt prolonger; (JUR) proroger; (posponer) subordonner.

prorrumpir vi éclater, fuser.

prosa nf prose f; **prosaico, a** a prosaïque, terre à terre.

prosapia nf lignée f, lignage m.

proscribir vt proscrire, interdire; **proscripción** nf proscription f, interdiction f; **proscrito, a** a proscrit(e), interdit(e) // nm/f proscrit/e.

prosecución nf poursuite f.

proseguir vt poursuivre // vi suivre; ~ **en** o **con una actitud** poursuivre dans une attitude.

proselitismo nm prosélytisme m.

prospección nf prospection f.

prospecto nm prospectus m.

prosperar vi prospérer; **prosperidad** nf prospérité f; (éxito) succès m; **próspero, a** a prospère; qui a du succès.

próstata nf prostate f.

prosternarse vr s'agenouiller; se prosterner.

prostíbulo nm maison f de tolérance.

prostitución nf prostitution f.

prostituir vt prostituer; ~**se** vr se prostituer.

prostituta nf prostituée f.

protagonista nm/f protagoniste m; **protagonizar** vt jouer.

protección nf protection f; **proteccionismo** nm protectionnisme m.

protector, a a protecteur(trice) // nm/f protecteur/trice.

proteger vt protéger; défendre; (patrocinar) patronner; **protegido, a** nm/f protégé/e; favori/te.

proteína nf protéine f.

protesta nf protestation f; (declaración) déclaration f (contre).

protestante a protestant(e).

protestar vt déclarer // vi protester; (reclamar) réclamer.

protocolo nm protocole m.

prototipo nm prototype m.

protuberancia nf protubérance f.

provecho nm profit m; (FINANZAS) bénéfice m; **¡buen** ~! bon appétit!; **en** ~ **de** au profit de.

proveedor, a nm/f fournisseur/euse.

proveer vt pourvoir; (preparar)

preparér; (vacante) pourvoir à, combler; (negocio) réaliser // vi: ~ a pourvoir à.

provenir vi: ~ de provenir de, venir de.

proverbio nm proverbe m.

providencia nf perspicacité f; (fig) providence f; ~s nfpl mesures fpl, dispositions fpl.

provincia nf province f.

provinciano, a a provincial(e) // nm/f provincial/e.

provisión nf provision f; (abastecimiento) approvisionnement m, ravitaillement m; (medida) mesure f.

provisional a provisoire.

provisto, a pp de proveer // a approvisionné(e).

provocación nf provocation f.

provocar vt provoquer; (alentar) encourager; (promover) susciter; (estimular) stimuler; **provocativo, a** a provocant(e).

próximamente ad prochainement.

proximidad nf proximité f.

próximo, a a (cercano) proche, (vecino) voisin(e); (el que viene) prochain(e).

proyección nf projection f.

proyectar vt projeter.

proyectil nm projectile m; (MIL) projectile, engin m.

proyecto nm (TEC) projet m; (fig) projet, ébauche f, esquisse f, (estimación de costo) devis m.

proyector nm (CINE) projecteur m; (reflector) réflecteur m.

prudencia nf (sabiduría) sagesse f; (cautela) prudence f.

prudente a raisonnable, sage; prudent(e).

prueba nf preuve f; (ensayo) essai m; (saboreo) dégustation f; ~s nfpl épreuves fpl; a ~ de à l'épreuve de; sala de ~s salon m d'essayage.

prurito nm (MED) prurit m, démangeaison f; (fig) envie f, désir m.

psico... pref psych(o); ~análisis

nm psychanalyse nf; ~analista nm/f psychanalyste m/f; ~logía nf psychologie f; ~lógico, a a psychologique; **psicólogo, a** nm/f psychologue m/f; **psicópata** nm/f psychopathe m/f; ~sis nf inv psychose f.

psiquiatra nm/f psychiatre m/f; **psiquiátrico, a** a psychiatrique.

psíquico, a a psychique.

PSOE abr de Partido Socialista Obrero Español.

púa nf pointe f; (BOT, ZOOL) piquant m, épine f.

pubertad nf puberté f.

pubis nm pubis m.

publicación nf publication f.

publicar vt (editar) publier; (hacer público) rendre publique; (vulgarizar) vulgariser.

publicidad nf publicité f; **publicitario, a** a publicitaire.

público, a a public(ique) // nm public m; (clientela) clientèle f; **en** ~ en public.

puchera nf marmite f.

puchero nm marmite f; potée f; pitance f, croûte f.

puches nmpl bouillie f.

pude etc vb ver **poder**.

pudendo, a a: **partes pudendas** parties honteuses // nm pénis m.

pudibundo, a a pudibond(e).

púdico, a a pudique, modeste; chaste.

pudiente a (rico) riche; (poderoso) puissant(e).

pudiera etc vb ver **poder**.

pudor nm (modestia) pudeur f, modestie f; (vergüenza) honte f.

pudoroso, a a pudique, pudibond(e).

pudrición nf putréfaction f.

pudrir vt pourrir; (fam) ennuyer, gêner.

pueblo nm peuple m; (aldea) village m.

puedo etc vb ver **poder**.

puente nm pont m; (fig) pause f; **hacer el** ~ (fam) faire le pont.

puerco, a nm/f porc/truie f; a

(*sucio*) sale, cochon(ne); (*obsceno*)
cochon; ~ espín/jabalí o salvaje
porc-épic m/sanglier m; ~ **de mar**
cochon m de mer; ~ **marino**
dauphin m.

pueril a puéril(e); (*pey*) banal(e);
puerilidad nf puérilité f.

puerro nm poireau m.

puerta nf porte f; (*de coche*)
portière f; (*gol*) entrée f, seuil m;
(*gol*) buts mpl; a ~ **cerrada** à huis
clos; ~ **giratoria** tambour m.

puertaventana nf volet m.

puerto nm port m; (*paso*) défilé m;
(*fig*) refuge m; ~ **aéreo** aéroport m.

Puerto Rico nm Porto Rico m, f;
Puerto Rico Puerto Rico.

pues ad (*entonces*) donc;
(*¡entonces!*) alors!; (*así que*) si bien
que, par conséquent / conj (*ya
que*) puisque; ~! (*sí*) oui!

puesto a pp de **poner** / a mis(e),
habillé(e) // nm (*lugar, posición*)
poste m, situation f; (*trabajo*) poste
m; (*COM*) petite boutique, étal m (au
marché) // conj: ~ **que** puisque,
étant donné que // nf ponte f; ~ **de
policía/socorro** poste de police/de
secours; **puesta en marcha/escena**
mise f en marche/en scène; **puesta
del sol** coucher du soleil m.

púgil nm pugiliste m, boxeur m.

pugna nf lutte f, opposition f;
pugnacidad nf combativité f;
pugnar vi (*luchar*) lutter; (*pelear*)
combattre.

pujante a fort(e), vigoureux(euse);
puissant(e).

pujanza nf force f, vigueur f.

pujar vt enchérir // vi (*en subasta*)
surenchérir, monter; (*luchar*) lutter;
(*vacilar*) hésiter.

pujo nm (*MED*) épreinte f; (*fam*)
envie f, désir m.

pulcritud nf soin m, propreté f;
soin, délicatesse f.

pulcro, a a soigné(e); propre;
délicat(e).

pulga nf puce f.

pulgada nf pouce m.

pulgar nm pouce m.

pulido, a a poli(e); (*ordenado*)
soigné(e), raffiné(e); (*cauteloso*)
fin(e), rusé(e).

pulir, pulimentar vt polir.

pulmón nm poumon m.

pulmonía nf pneumonie f.

pulpa nf (*masa*) pâte f; (*de fruta*)
pulpe f.

púlpito nm chaire f.

pulpo nm poulpe f.

pulsación nf battement m,
pulsation f.

pulsador nm bouton m, poussoir m.

pulsar vt (*tecla*) jouer de; (*botón*)
appuyer sur // a battre; (*MED*): ~ **a
uno** prendre le pouls à qn.

pulsera nf bracelet m.

pulso nm (*ANAT*) pouls m; (*:
muñeca*) poignet m; (*fuerza*) force f
dans les poignets; (*firmeza*) fermeté
f; (*tacto*) tact m.

pulular vi pulluler.

pulverizar vt pulvériser; (*líquido*)
vaporiser.

pulla nf pique f; grossièreté f.

punción nf ponction f.

pundonor nm point d'honneur m,
amour-propre m.

pungir vt piquer; élancer, lanciner.

punición nf punition f.

punitivo, a a punitif(ive).

punta nf pointe f; (*fig*) grain m,
brin m; **horas** ~**s** heures fpl de
pointe; **sacar** ~ **a** aiguiser; (*lápiz*)
tailler; **estar de** ~ en avoir par-
dessus la tête.

puntada nf (*COSTURA*) point m;
(*fam*) pointe f; **no ha dado** ~ il se
l'est coulée douce.

puntal nm (*ARQ*) étai m, pilier m,
(*fig*) appui m.

puntapié nm coup de pied m.

puntear vt (*marcar*) pointer;
(*coser*) coudre; (*MUS*) jouer; pincer.

puntería nf (*de arma*) visée f;
(*destreza*) adresse f, précision f.

puntiagudo, a a pointu(e).

puntilla nf petite pointe; dentelle
fine; pointe à tracer; (*andar*) **de** ~**s**
(*marcher*) sur la pointe des pieds.

punto nm point m; (*lugar*) endroit

m; (*momento*) point, moment *m*; a ~ à point, à temps; en ~ juste, tapant(e); **bajar/subir de** ~ minimiser/exagérer; ~ **de apoyo/de arranque** point d'appui/ de départ; ~ **muerto** point mort; ~ **y coma** point-virgule; ~**s suspensivos** points de suspension; **dos** ~**s** deux-points *m*.

puntuación *nf* nombre *m* de points; ponctuation *f*.

puntual a (*persona*) ponctuel(le); (*informe*) exact(e), juste; **puntualidad** *nf* ponctualité *f*; exactitude *f*, justesse *f*; **puntualizar** vt préciser; déterminer.

punzada *nf* piqûre *f*, (MED) élancement *m*.

punzante a (*dolor*) lancinant(e); (*herramienta*) piquant(e).

punzar vt (*pinchar*) piquer; (*perforar*) perforer; (*doler*) élancer // vi lanciner.

punzón *nm* pointeau *m*; burin *m*; poinçon *m*.

puñado *nm* poignée *f*.

puñal *nm* poignard *m*; ~**ada** *nf* coup *m* de poignard; (*fig*) peine *f*, coup *m*; ~**ada de misericordia** coup de grâce.

puñetazo *nm* coup de poing *m*.

puño *nm* (ANAT) poing *m*; (*cantidad*) poignée *f*, (COSTURA) poignet *m*, manchette *f*; (*de herramienta*) poignée *f*; ~**s** *nmpl* poigne *f*.

pupa *nf* bouton *m* de fièvre, éruption *f*.

pupila *nf* pupille *f*.

pupilo *nm* pupille *m*, pensionnaire *m*.

pupitre *nm* pupitre *m*.

puré *nm* soupe passée *f*; ~ **de patatas** purée *f* de pommes de terre.

pureza *nf* pureté *f*.

purga *nf* (MED, POL) purge *f*; (TEC) vidange *f*; **purgante** *nm* purge *f*, purgatif *m*; **purgar** vt nettoyer, purger; (POL) purger.

purgatorio *nm* purgatoire *m*.

purificar vt nettoyer, purifier; (TEC) raffiner.

puritano, a a puritain(e) // *nm/f* puritain/e.

puro, a a pur(e); (*cielo*) limpide; (*casto*) pur, chaste // ad: **de** ~ **cansado/sucio** tellement fatigué/sale // *nm* cigare *m*.

púrpura *nf* pourpre *m*; **purpúreo, a** a pourpre, pourpré(e).

purrela *nf* vétille *f*.

pus *nm* pus *m*.

puse, pusiera etc vb ver **poner.**

pusilánime a pusillanime.

pústula *nf* (MED) pustule *f*.

puta *nf* putain *f*.

putativo, a a putatif(ive).

putrefacción *nf* putréfaction *f*; pourriture *f*.

pútrido, a a pourri(e), putride.

P.V.P. (*abr de precio de venta al público*) PVP *m* (prix de vente au public).

Q

q.e.p.d. abr de que en paz descanse.

q.e.s.m. abr de que estrecha su mano.

que *pron* (*sujeto*) qui; (*complemento*) que, qu' // *conj* que, qu'; **el momento en** ~ **llegó** le moment où il est arrivé; **lo** ~ **digo** ce que je dis; **dar** ~ **hablar** donner à parler; **le ruego** ~ **se calle** je vous prie de vous taire; **te digo** ~ **sí** je te dis que si; **yo** ~ **tú** à ta place.

qué a (*m*) quel; (*f*) quelle; (*mpl*) quels; (*fpl*) quelles // *pron* que, qu', qu'est-ce que, qu'est-ce qu'; **¡** ~ **divertido!** comme c'est amusant!; **¿de** ~ **me hablas?** de quoi me parles-tu?; **¿** ~ **tal?** comment allez-vous?, comment vas-tu?, comment ça va?; **¿** ~ **hay de nuevo?** quoi de neuf?

quebrada *nf* ver **quebrado.**

quebradizo, a a cassant(e), fragile; *(persona)* fragile.

quebrado, a a *(roto)* cassé(e), brisé(e); *(pálido)* éteint(e); *(COM)* failli(e) // *nm/f* failli/e // *nf* ravin *m*, vallée encaissée.

quebradura *nf (fisura)* fissure *f*, cassure *f*; *(GEO)* découpure *f*; *(MED)* cassure.

quebrantadura *nf*, **quebrantamiento** *nm (acto)* cassement *m*; *(estado)* affaiblissement *m*.

quebrantar *vt (romper)* casser, briser; *(infringir)* violer, enfreindre, transgresser; ~**se** *vr (persona)* s'ébranler, s'affaiblir; *(deshacerse)* se détériorer, se casser.

quebranto *nm* abattement *m*; *(decaimiento)* affaiblissement *m*, délabrement *m*; *(dolor)* affliction *f*, brisement de cœur *m*.

quebrar *vt* casser; briser; rompre // *vi* faire faillite; ~**se** *vr* se briser, se rompre, se casser; *(MED)* se casser.

quedar *vi (permanecer)* rester, demeurer; *(seguir siendo)* rester; *(encontrarse)* se trouver; *(quedar)* être; ~**se** *vr*: ~**se con** garder; ~ **en** convenir de; décider que; ~ **por hacer** rester à faire; ~ **ciego/mudo** devenir aveugle/sourd; **no te queda bien ese vestido** ce vêtement ne te va pas; ~ **en nada** ne pas se mettre d'accord.

quedo, a a calme, tranquille.

quehacer *nm* travail *m*, labeur *m*, besogne *f*.

queja *nf* plainte *f*, **quejarse** *vr (enfermo)* se plaindre, gémir, geindre; *(protestar)* se plaindre; protester; **quejido** *m* gémissement *m*, plainte *f*; **quejoso, a** a mécontent(e).

quemado, a a brûlé(e); *(fig)* échaudé(e).

quemadura *nf* brûlure *f*.

quemar *vt* brûler; *(fig)* perdre, user // *vi* brûler; *(piel)* bronzer; ~**se** *vr* se brûler; *(fig)* se faire du mauvais sang.

quemarropa: a ~ ad à brûle-pourpoint, à bout portant.

quemazón *nf* brûlure *f*; *(calor)* canicule *f*; *(sensación)* démangeaison *f*.

quepo *etc vb ver* **caber.**

querella *nf (JUR)* plainte *f*; *(disputa)* querelle *f*.

querencia *nf* attachement *m*; instinct *m*.

querer *vt (desear)* vouloir; *(amar a)* aimer; ~**se** *vr* s'aimer // *nm* affection *f*, amour *m*; **hacer algo** vouloir faire qch; **querido, a** a aimé(e) // *nm/f* ami/e, petit/e ami/e.

quesería *nf* fromagerie *f*.

queso *nm* fromage *m*; ~ **crema/de bola** fromage mou ou fondu/de Hollande; ~ **de cerdo** fromage de tête.

quicio *nm* gond *m*.

quiebra *nf (rotura)* cassure *f*, brisure *f*; *(grieta)* crevasse *f*; *(COM)* faillite *f*.

quiebro *nm (del cuerpo)* inflexion *f* du corps, écart *m*.

quien *pron* qui; **hay** ~ **piensa que** il y a des gens qui pensent que; **no hay** ~ **lo haga** il n'y a personne pour le faire.

quién *pron* qui.

quienquiera *(pl* **quienesquiera)** *pron* quiconque, n'importe qui.

quiero *etc vb ver* **querer.**

quieto, a a tranquille; immobile; **quietud** *nf* quiétude *f*, tranquillité *f*.

quijada *nf* mâchoire *f*.

quilate *nm* carat *m*.

quimera *nf* chimère *f*; **quimérico, a** a chimérique.

químico, a a chimique // *nm/f* chimiste *m/f* // *nf* chimie *f*.

quincalla *nf* quincaillerie *f*.

quince *num* quinze; **quincena** *f* quinzaine *f*; **quincenal** a bimensuel(le).

quinientos *num* cinq cents.

quinina *nf* quinine *f*.

quinqué *nm* quinquet *m*.

quinta *nf ver* **quinto.**

quintal nm quintal m.

quinto, a a cinquième // nf villa f, maison f de campagne; (MIL) conscription f.

quiosco nm (de música) kiosque m à musique; (de periódicos) kiosque à journaux.

quirúrgico, a a chirurgical(e).

quise, quisiera etc vb ver **querer**.

quisquilloso, a a pointilleux (euse); chatouilleux(euse).

quiste nm kyste m.

quisto, a a: **bien/mal** ~ **bien/mal** vu.

quita nf remise f d'une dette; **de ~ y pon** amovible.

quitaesmalte nm dissolvant m.

quitamanchas nm inv détachant m.

quitar vt enlever, ôter; (tomar) prendre; (despojar) dépouiller; ¡quita de ahí! hors d'ici!; ~**se** vr s'enlever, s'ôter.

quitasol nm parasol m.

quite nm (esgrima) parade f, (evasión) évasion f; (TAUR): **dar el** ~ écarter le taureau de son adversaire.

quizá(s) ad peut-être.

R

rabadilla nf (ANAT) croupion m; (ZOOL) râble m.

rábano nm radis m.

rabia nf (MED) rage f; (fig) rage, colère f; **rabiar** vi (MED) avoir la rage; (fig) enrager; **está rabiando de dolor** il meurt de douleur.

rabillo nm (ANAT) petite queue f; (parte delgada) queue.

rabino nm rabbin m.

rabioso, a a enragé(e); (fig) furieux(euse).

rabo nm queue f.

rabón, ona a à queue très courte.

R.A.C.E. (abr de Real Automóvil Club de España) ≈ TCF m.

racimo nm grappe f.

raciocinio nm raisonnement m.

ración nf ration f.

racional a (razonable) raisonnable; (lógico) rationnel(le); **racionalizar** vt rationaliser.

racionamiento nm rationnement m.

racionar vt distribuer la ration; rationner.

racismo nm racisme m; **racista** nm/f raciste m/f.

racha nf rafale f.

radar nm radar m.

radiador nm radiateur m.

radiante a rayonnant(e).

radical a (sustancial) essentiel(le); (arraigado) radical(e) // nm radical m.

radicar vi résider; ~ **en** résider dans, tenir à; ~**se** vr se domicilier; s'enraciner.

radio nm rayon m; (ANAT) radius m // nf radio f, poste m; **hablar por** ~ passer à la radio // pref radio; ~**activo, a** a radioactif(ive); ~**difusión** nf radiodiffusion f; ~**emisora** nf station f de radiodiffusion, poste m émetteur; ~**grafía** nf radiographie f; ~**grafiar** vt radiographier; ~**teléfono** nm radiotéléphone m; ~**telegrafía** nf radiotélégraphie f; ~**terapia** nf radiothérapie f; **radioyente** nm/f auditeur/trice.

raer vt racler.

ráfaga nf rafale f; (de luz) jet m.

raído, a a (ropa) râpé(e); (persona) en haillons.

raigambre nf racines fpl.

raíz nf (pl **raíces**) racine f; ~ **cuadrada** racine carrée; **a** ~ **de** la suite de, aussitôt après.

raja nf (de melón etc) tranche f; (grieta) coupure f, fissure f; **rajar** vt couper en tranches; fendre, fissurer; **rajarse** vr se fendre.

rajatabla: a ∼ ad point par point, rigoureusement.

ralea nf espèce f, race f.

ralo, a a (escaso) rare; (espaciado) clairsemé(e).

rallado, a a râpé(e); **rallador** nm râpe f; **ralladura** nf râpure f; **rallar** vt râper.

rama nf branche f; **ramada** nf, **ramaje** nm branchage m, ramure f; **ramal** nm embranchement m; (de cordillera) ramification f.

rambla nf (de agua) ravin m; (avenida) promenade f, avenue f.

ramificación nf (empalme) ramification f; (fig) conséquence f.

ramillete nm bouquet m; (fig) recueil m, collection f.

ramo nm rameau m, bouquet m, gerbe f; (fig) branche f; (COM) département m, branche.

rampa nf (MED) crampe f; (plano) rampe f.

ramplón, ona a vulgaire.

rana nf grenouille f.

rancio, a a rance; (vino) moelleux // nm (suciedad) graisse f.

rancho nm (comida) rata m; (AM) chaumière f.

rango nm rang m.

ranura nf (de alcancía) rainure f; (de teléfono) fente f.

rapacidad nf rapacité f.

rapar vt raser; (los cabellos) tondre; (fam) faucher, chiper; ∼**se** vr se faire tondre.

rapaz a (ladrón) rapace, voleur(euse); (ZOOL) rapace.

rapaz, a nm/f gamin/e, gosse m/f.

rape nm baudroie f; **al** ∼ à ras.

rapé nm rapé m.

rapidez nf rapidité f.

rápido, a a rapide; vertigineux (euse); pressé(e) // ad rapidement // nm (tren) rapide m; ∼**s** nmpl rapides mpl.

rapiña nm rapine f.

rapsodia nf rapsodie f, rhapsodie f.

raptar vt enlever.

rapto nm (secuestro) enlèvement

m, rapt m; (impulso) impulsion f, transport m.

raqueta nf raquette f.

raquítico, a a rachitique; (fig) mesquin(e).

raquitismo nm rachitisme m.

rareza nf rareté f; bizarrerie f.

raro, a a (poco común) rare; (extraño) bizarre, drôle; (excepcional) étrange, exceptionnel(le).

ras nm ras m; **a ∼ de** au ras de.

rasar vt (igualar) égaliser; (frotar) raser.

rascacielos nm inv gratte-ciel m.

rascar vt (con las uñas) gratter; (raspar) racler; ∼**se** vr se gratter.

rasgadura nf déchirure f.

rasgar vt (romper) déchirer; (despedazar) dépecer.

rasgo nm trait m; ∼**s** nmpl traits mpl; **a grandes ∼s** à grands traits.

rasguñar vt égratigner.

rasguño nm égratignure f; (superficial) éraflure f.

raso, a a (liso) plat(e), ras(e); (a baja altura) à basse altitude, bas(se) // nm satin m; **soldado ∼** simple soldat.

raspador nm racloir m, raclette f.

raspadura nf raclage m, grattage m; (marca) raturage m.

raspar vt (frotar) gratter; (rallar) racler; (arañar) griffer, égratiner; (limpiar) limer, râper.

rastra nf (huella) trace f; (carro) fardier m; **a ∼** en traînant, à contrecœur; **pescar a la ∼** pêcher à la traîne, ralinguer.

rastrear vt (seguir) suivre à la trace, suivre la piste de; (laguna, río) traîner au fond de l'eau.

rastrero, a a rampant(e); (fig) terre à terre, vil(e).

rastrillar vt (AGR) ratisser; (TEC) peigner.

rastrillo nm peigne m; râteau m.

rastro nm (AGR) râteau m; (vestigio) trace f; (matadero) abattoir m; **el R∼** le marché aux Puces à Madrid.

rastrojo nm chaume m.

rasurador nm, **rasuradora** nf rasoir m électrique.

rasurarse vr se raser.

rata nf rat m.

ratear vt (robar) chaparder, voler; (distribuir) distribuer à prorata.

ratería nf filouterie f, filoutage m.

ratero, a bas(se), vil(e) // nm/f voleur/euse.

ratificar vt ratifier.

rato nm moment m, instant m; a ~ s par moments; hay para ~ il y en a pour un bon moment; pasar el ~ passer le temps.

ratón nm souris f; **ratonera** nf souricière f.

R.A.U. nf abr ver **república**.

raudal nm torrent m.

raya nf raie f, (límite) limite f; tener a ~ tenir à distance; **tela a** ~ s tissu à rayures; **rayar** vt rayer; (subrayar) souligner // vi se distinguer, briller; **rayarse** vr se rayer; **rayar con** toucher.

rayo nm (del sol) rayon m; (de luz) rai m; (en una tormenta) foudre f; ~ s X rayons X.

rayón nm rayonne f.

raza nf race f; ~ **humana** race humaine.

razón nf (raciocinio) raison f; (razonamiento) raisonnement m; (motivo) cause f, motif m; 'razón..' 'pour tous renseignements s'adresser à'; ~ **de** en raison de; **dar** ~ **a uno** donner raison à qn; **tener** ~ avoir raison; ~ **directa/inversa** rapport direct/inverse; ~ **de Estado** raison d'Etat; ~ **de ser** raison d'être; **razonable** a raisonnable; (justo, moderado) honnête, raisonnable; **razonamiento** nm (juicio) raisonnement m, jugement m; (argumento) raisonnement m; **razonar** vt raisonner; (cuenta) justifier // vi argumenter, réfléchir.

Rdo abr de **reverendo**.

re... pref: ~**bueno** très bon;

~**salado** plein d'esprit; ~**dulce** très doux (douce).

reabastecer vt ravitailler, réapprovisionner.

reabrir vt rouvrir.

reacción nf réaction f; **avión a** ~ avion m à réaction; ~ **en cadena** réaction en chaîne; **reaccionar** vi réagir; **reaccionario, a** a réactionnaire.

reacio, a a rétif(ive); (refractario) réfractaire; (rebelde) récalcitrant(e).

reactor nm réacteur m.

readaptación nf: ~ **profesional** réadaptation professionnelle.

reafirmar vt réaffirmer.

reagrupar vt regrouper.

reajuste nm réajustement m; (fig) remaniement m.

real a (efectivo) réel(le); (del rey, fig) royal(e) // nm réal m.

realce nm (adorno) relief m; (lustre, fig) éclat m; **poner de** ~ mettre en relief.

realidad nf réalité f; vérité f; présence f.

realista nm/f réaliste m/f.

realización nf réalisation f.

realizador, a nm/f (TV) réalisateur/trice; (CINE) producteur/trice.

realizar vt réaliser; (viaje) faire, effectuer; ~**se** vr se réaliser.

realmente ad réellement.

realzar vt (TEC) rehausser, relever; (honrar) relever, rehausser; (embellecer) embellir; (exaltar) exalter; (acentuar) rehausser, accentuer.

reanimar vt (vigorizar) remonter; (alentar) ranimer, rallumer; ~**se** vr se ranimer, se raviver.

reanudar vt renouer; reprendre.

reaparición nf réapparition f; rentrée f.

reata nf harnais m, trait m; **de** ~ en file.

rebaja nf (descuento) ristourne f, réduction f, rabais m; (menoscabo) diminution f; **rebajar** vt (bajar) baisser; (*reducir*) rabattre, faire une réduction sur; (*disminuir*) diminuer; (*fig*) rabaisser.

rebanada *nf* tranche *f*.

rebaño *nm* troupeau *m*.

rebasar *vt* (*aussi* ~ **de**) dépasser; (*AUTO*) doubler.

rebatir *vt* (*rechazar*) refuter; (*descontar*) déduire, enlever.

rebato *nm* alarme *f*, tocsin *m*; attaque *f* par surprise.

rebelarse *vr* se rebeller.

rebelde *a* (*revoltoso*) rebelle; (*indócil*) difficile, à problèmes // *nm/f* rebelle *m/f*; **rebeldía** *f* rébellion *f*; (*desobediencia*) désobéissance *f*, indiscipline *f*; **rebelión** *f* rébellion *f*, révolte *f*.

reblandecer *vt* ramollir.

rebosante *a* débordant(e).

rebosar *vi* déborder; (*abundar*) regorger.

rebotar *vt* rebondir; (*rechazar*) repousser; ~**se** *vr* rebondir.

rebote *nm* rebond *m*; **de** ~ par ricochet.

rebozado, a *a* enrobé(e).

rebozar *vt* couvrir; (*CULIN*) enrober.

rebozo *nm* façon de porter son manteau en se dissimulant le visage; **decir algo sin** ~ dire qch franchement.

rebusca *nf* recherche *f*.

rebuscado, a *a* recherché(e); démodé(e).

rebuscar *vt* rechercher.

rebuznar *vi* braire.

recabar *vt* obtenir; demander, solliciter.

recado *nm* (*comisión*) commission *f*; (*mensaje*) message *m*; (*accesorios*) accessoires *mpl*.

recaer *vi* retomber; ~ **en** échoir à, tomber sur; **recaída** *nf* rechute *f*.

recalcar *vt* serrer, presser; (*fig*) souligner, appuyer.

recalcitrante *a* récalcitrant(e).

recalcitrar *vi* reculer.

recalentar *vt* (*volver a calentar*) réchauffer; (*demasiado*) surchauf-

fer; ~**se** *vr* se réchauffer.

recámara *nf* garde-robe *f*; (*fig*) réserve *f*.

recambio *nm* rechange *m*.

recapacitar *vt* remémorer; réfléchir à *ou* sur // *vi* réfléchir.

recargado, a *a* alourdi(e); surchargé(e).

recargar *vt* recharger; alourdir; surcharger; ~ **los precios** majorer les prix.

recargo *nm* majoration *f*; excès *m*.

recatado, a *a* honnête, réservé(e); prudent(e), circonspect(e).

recatar *vt* cacher; ~**se** *vr* se défier.

recato *nm* réserve *f*; prudence *f*; pudeur *f*.

recaudador *nm* percepteur *m*, receveur *m*.

recaudación *nf* perception *f*.

recelar *vt*: ~ **que** (*sospechar*) soupçonner que; (*temer*) craindre *ou* avoir peur que // *vi*, ~**se** *vr*: ~**(se) de** se méfier de; **recelo** *nm* méfiance *f*; **receloso, a** *a* méfiant(e), soupçonneux(euse) craintif(ive).

recepción *nf* réception *f*; **recepcionista** *nm/f* réceptionniste *m/f*.

receptáculo *nm* réceptacle *m*.

receptivo, a *a* réceptif(ive).

receptor *a* *nm/f* receveur/euse // *nm* récepteur *m*.

recesión *nf* récession *f*.

receta *nf* (*CULIN*) recette *f*; (*MED*) ordonnance *f*.

recibidor, a *nm/f* celui/celle qui reçoit.

recibimiento *nm* (*recepción*) réception *f*; (*acogida*) accueil *m*.

recibir *vt* (*gen*) recevoir; (*dar la bienvenida*) accueillir; ~**se** *vr* obtenir un diplôme.

recibo *nm* reçu *m*, récépissé *m*, quittance *f*.

reciedumbre *nf* force *f*, vigueur *f*, sévérité *f*.

recién *ad* récemment, nouvellement; **el** ~ **nacido** le nouveau-né.

reciente *a* (*actual*) récent(e); (*fresco*) frais (fraîche).

recinto *nm* enceinte *f*.

recio, a *a* robuste, vigoureux(euse); corpulent(e); rigoureux (euse); fort(e) // *ad* fort; haut.

recipiente *nm* (*receptáculo*) récipient *m*.

reciprocidad *nf* réciprocité *f*.

recíproco, a *a* réciproque.

recital *nm* récital *m*.

recitar *vt* réciter, dire.

reclamación *nf* réclamation *f*.

reclamar *vt* réclamer // *vi*: ~ **contra** réclamer contre; ~ **en justicia** réclamer en justice.

reclamo *nm* (*anuncio*) réclame *f*; (*tentación*) attrait *m*, appel *m*.

reclinar *vt* incliner, pencher; ~**se** *vr* s'appuyer.

recluir *vt* incarcérer.

reclusión *nf* (*prisión*) réclusion *f*; (*refugio*) retraite *f*.

recluta *nm/f* recrue *f*, conscrit *m* // *nf* recrutement *m*, conscription *f*.

reclutamiento *nm* = **recluta** *nf*.

recobrar *vt* (*recuperar*) recouvrer, retrouver; (*rescatar*) reprendre; ~**se** *vr* revenir à soi.

recodo *nm* (*de río, camino*) coude *m*, tournant *m*; (*de casa*) recoin *m*.

recogedor, a *nm/f* (*quien recoge*) celui/celle qui recueille // *nm* ramasseuse *f*.

recoger *vt* (*juntar*) réunir; (*dinero*) collecter; (AGR) ramasser; (*guardar*) ranger, garder; (*pasar a buscar*) (*passer*) prendre; (*dar asilo*) recueillir; ~**se** *vr* (*retirarse*) se retirer; (*replegarse*) se recueillir; (*el pelo*) relever; **recogido, a** *a* (*quieto*) calme; (*retenido*) retiré(e), reclus(e); (*pequeño*) trapu(e), court(e) // *nm* pli *m* // *nf* (*del correo*) ramassage *m*, levée *f*; (AGR) récolte *f*, **recogimiento** *nm* recueillement *m*; (*del ganado*) rentrée *f*.

recolección *nf* (*de las mieses*) récolte *f*; (*colecta*) collecte *f*.

recomendación *nf* (*sugerencia*) recommandation *f*; (*elogio*) appui *m*.

recomendar *vt* (*aconsejar*) recommander; (*elogiar*) louer, appuyer.

recompensa *nf* (*premio*) récompense *f*, prix *m*; (*regalo*) cadeau *m*; (*gratificación*) rétribution *f*.

recompensar *vt* (*gratificar*) récompenser; (*premiar*) primer.

recomponer *vt* recomposer, réparer; ~**se** *vr* (*fam*) se remettre.

reconciliación *nf* réconciliation *f*; **reconciliar** *vt* réconcilier.

recóndito, a *a* secret(ète).

reconfortar *vt* réconforter; ~**se con** se réconforter avec.

reconocer *vt* reconnaître; (*registrar*) fouiller; (MED) examiner; **faire subir un examen médical**; **reconocido, a** *a* reconnaissant(e); **reconocimiento** *nm* reconnaissance *f*; (*confesión*) aveu *m*; (MED) examen médical; (*registro*) fouille *f*; (*gratitud*) gratitude *f*.

reconquista *nf* reconquête *f*.

reconstituyente *nm* reconstituant *m*, tonique *m*.

reconstruir *vt* reconstruire.

recopilación *nf* (*compendio*) résumé *m*, abrégé *m*.

recopilar *vt* compiler.

récord *a inv* record *m* inv // *nm* record *m*.

recordar *vt* rappeler // *vi* se rappeler; ~**se** *vr*: ~**se que** se souvenir que.

recorrer *vt* parcourir; **recorrido** *nm* parcours *m*; (*fam*) volée *f*; (*de émbolo*) course *f*.

recortado, a *a* découpé(e).

recortar *vt* découper; **recorte** *nm* (*acción*) découpage *m*; (*de prensa*) coupure *f*; (*de telas, chapas*) recoupe *f*; **recortes** *nmpl* rognures *fpl*, chutes *fpl*.

recostado, a *a* appuyé(e).

recostar *vt* (*apoyar*) appuyer; (*inclinar*) pencher.

recoveco nm détour m; (ángulo) repli m, recoin m.

recreación nf récréation f; (TEATRO, CINE) entracte m.

recrear vt (entretener) récréer, distraire; (volver a crear) recréer; **recreativo, a** a distrayant(e); récréatif(ive); **recreo** nm récréation f; passe-temps m inv; distraction f.

recriminar vt, vi récriminer; ~**se** vr s'accuser, s'incriminer.

recrudecer vt empirer // vi, ~**se** vr être en recrudescence.

recrudecimiento nm, **recrudescencia** nf recrudescence f.

recta nf ver recto.

rectángulo, a a rectangle // nm rectangle m.

rectificar vt rectifier; (volverse recto) redresser // vi se corriger.

rectitud nf (exactitud) exactitude f, rectitude f; (fig) droiture f, rectitude.

recto, a a droit(e) // nm rectum m // nf droite f.

rector, a a recteur(trice); directeur(trice).

recua nf troupeau m.

recuento nm vérification f, dénombrement m.

recuerdo nm souvenir m; ~**s** nmpl souvenir m, salutations fpl.

recular vi reculer; (fig) regresser.

recuperable a récupérable.

recuperación nf récupération f, recouvrement m.

recuperar vt récupérer; retrouver; ~**se** vr se remettre, se relever; récupérer; reprendre.

recurrir vi (JUR) faire appel, se pourvoir; ~ **a** recourir à, avoir recours à, faire appel à; se servir de; **recurso** nm (medio) recours m, moyen m; (medios) ressource f; (JUR) recours, pourvoi m.

recusar vt récuser, rejeter.

rechazar vt repousser; nier; décliner.

rechazo nm (retroceso) refoulement m; (rebote) contrecoup m.

ricochet m; (negación) refus m, rejet m.

rechifla nf sifflement prolongé; (fig) moquerie f, persiflage m; **rechiflar** vt siffler longuement; **rechiflarse** vr se moquer.

rechinar vi grincer; (gruñir) rechigner.

rechoncho, a a (fam) trapu(e), ramassé(e); (: inflado) gonflé(e).

red nf filet m; (de ferrocarriles etc) réseau m; (trampa) piège m.

redacción nf rédaction f.

redactar vt rédiger.

redada nf coup m de filet.

rededor nm: al o en ~ autour.

redención nf rédemption f; (de hipoteca) levée f.

redentor, a a rédempteur(trice).

redescubrir vt redécouvrir.

redicho, a a rebattu(e).

redil nm bercail m.

redimir vt racheter; (hipoteca) lever.

rédito nm intérêt m.

redoblar vt redoubler // vi (tambor) battre; (campanas) sonner.

redoble nm: al ~ **del tambor** tambour battant.

redomado, a a fieffé(e).

redonda nf ver redondo.

redondear vt arrondir; ~**se** vr s'arrondir.

redondel nm (círculo) rond m, cercle m; (TAUR) arène f.

redondo, a a (circular) rond(e); (claro) clair(e); (directo) catégorique, tout(e) net(te); (completo) complet(ète), total(e) // nf ronde f; **a la redonda** à la ronde.

reducción nf (disminución) réduction f; (MED) remboîtage m, remboîtement m.

reducido, a a réduit(e); limité(e).

reducir vt réduire; limiter; (MED) remboîter; ~**se** vr se réduire.

reducto nm réduit m.

redundancia nf (abundancia) abondance f; (cosa innecesaria) redondance f.

redundar *vi:* ~ **en** aboutir à.

reembolsar *vt* rembourser; **reembolso** *nm* remboursement *m*.

reemplazar *vt* remplacer; **reemplazo** *nm* remplacement *m*; **de reemplazo** (MIL) en disponibilité, en non-activité.

refacción *nf* (*compostura*) réparation *f*, réfection *f*; (*reedificación*) réfection, relèvement *m*.

refajo *nm* (*enagua*) jupon *m*; (*falda*) jupe *f*.

referencia *nf* (*narración*) récit *m*; (*informe*) compte-rendu *m*; (*alusión*) référence *f*; **con** ~ **a** en ce qui concerne.

referente *a:* ~ **a** se référant à, qui se rapporte à.

referir *vt* (*contar*) raconter; (*relacionar*) rapporter // *vr* se rapporter, avoir trait, se référer; ~**se a** faire allusion à, parler de.

refinado, a *a* raffiné(e) // *nm* raffinage *m*, affinage *m*.

refinamiento *nm* (*esmero*) raffinement *m*, recherche *f*; (*distinción*) distinction *f*.

refinar *vt* raffiner; (*fig*) polir; ~**se** *vr* apprendre les bonnes manières.

reflejar *vt* réfléchir, refléter; (*manifestar*) traduire, refléter.

reflejo, a *a* réflichi(e); (*movimiento*) réflexe // *nm* reflet *m*.

reflexión *nf* réflexion *f*.

reflexionar *vi* réfléchir.

reflexivo, a *a* réflichissant(e), réfléchi(e); (*LING, fig*) réfléchi(e).

reflujo *nm* reflux *m*.

refocilar *vt* réjouir, combler d'aise.

reforma *nf* réforme *f*, modification *f*, transformation *f*; ~ **agraria** réforme agraire.

reformar *vt* (*modificar*) réformer, transformer, modifier; (*formar de nuevo*) reformer; (*ARQ*) transformer; ~**se** *vr* se modifier.

reformatorio *nm* maison *f* de correction *ou* de redressement.

reforzar *vt* renforcer; (*ARQ*) consolider; (*fig*) réconforter.

refractario, a *a* réfractaire.

refrán *nm* proverbe *m*.

refregar *vt* frotter.

refrenar *vi* serrer la bride à.

refrendar *vt* (*firma*) contresigner, légaliser; (*pasaporte*) viser; (*ley*) ratifier, approuver.

refrescar *vt* rafraîchir; (*recuerdos*) raviver // *vi* se rafraîchir; ~**se** *vr* se rafraîchir; (*tomar aire fresco*) prendre l'air.

refresco *nm* rafraîchissement *m*.

refriega *nf* rencontre *f*, engagement *m*.

refrigeración *nf* réfrigération *f*.

refrigerador *nm* réfrigérateur *m*.

refrigerar *vt* (*habitación*) réfrigérer; (*alimentos*) congeler.

refuerzo *nm* renfort *m*; (*TEC*) renforçage *m*, renforcement *m*; ~**s** *nmpl* renforts *mpl*.

refugiado, a *nm/f* réfugié/e.

refugiarse *vr* se réfugier.

refugio *nm* refuge *m*; (*protección*) protection *f*.

refulgencia *nf* resplendissement *m*.

refulgir *vi* resplendir, briller.

refundición *nf* refonte *f*.

refundir *vt* refondre, recouler.

refunfuñar *vi* grogner, bougonner, grommeler.

refutación *nf* réfutation *f*.

refutar *vt* réfuter; contredire.

regadera *nf* arrosoir *m*.

regadío *nm* terrain *m* d'irrigation.

regalado, a *a* donné(e) en cadeau, offert(e); (*dulce*) doux(douce), délicat(e), délicieux(euse); confortable, agréable.

regalar *vt* offrir, faire cadeau de; bien traiter.

regalía *nf* (*fig*) privilège *m*, prérogative *f*; (*abono*) prime *f*.

regaliz *nm*, **regaliza** *nf* réglisse *f*.

regalo *nm* (*obsequio*) cadeau *m*, présent *m*; (*gusto*) régal *m*; (*comodidad*) aisance *f*, confort *m*.

regañar *vi* se fâcher // *vt* gronder, disputer.

regaño *nm* (*reprimenda*) gronderie

f, semonce f; (queja) reproche m, grief m.

reganón, bougon(ne). a ronchonneur(euse), bougon(ne).

regar vt arroser; (fig) répandre, semer.

regatear vt marchander // vi chipoter.

regateo nm (COM) marchandage m; (al por menor) vente f au détail; (de pelota) dribbling m; (del cuerpo) feinte f.

regazo nm giron m.

regencia nf palais gouvernemental.

regeneración nf régénération f.

regenerar vt régénérer.

regentar vt diriger, tenir, gérer.

regente nm (POL) régent m; (IND) gérant m.

régimen nm (pl **regímenes**) régime m; (sistema de vida) règle f.

regimiento nm régiment m.

regio, a a royal(e); (fig: suntuoso) somptueux(euse).

región nf région f; **regionalista** nm/f régionaliste m/f.

regir vt (gobernar) régir, gouverner; (guiar) guider; (dirigir) diriger // vi être en vigueur.

registrador nm contrôleur m.

registrar vt (buscar en cajón) fouiller; (inspeccionar) contrôler; (anotar) enregistrer; **~se** vr s'inscrire.

registro nm enregistrement m; (MUS, libro) registre m; (inspección) contrôle m; ~ **civil** état civil.

regla nf règle f.

reglamentación nf réglementation f.

reglamentar vt réglementer; **reglamentario, a** a réglementaire.

reglamento nm règlement m.

reglar vt régler.

regocijado, a a (divertido) amusant(e); (alegre) joyeux(euse), gai(e).

regocijar vt réjouir; amuser.

regocijo nm joie f, allégresse f.

regodearse vr se délecter, se régaler.

regodeo nm satisfaction f, délectation f, plaisir m.

regresar vi revenir, rentrer.

regresivo, a a régressif(ive).

regreso nm retour m.

reguero nm (canal) rigole f; (señal) traînée f.

regulador nm régulateur m.

regular a (normal) normal(e), habituel(le); (organizado) régulier(ière); (fam) médiocre, moyen(ne) // ad comme ci, comme ça // vt (controlar) régler, réglementer; (TEC) régler; **por lo ~** en général; **~idad** nf régularité f; **~izar** vt régulariser.

regusto nm arrière-goût m.

rehabilitación nf réhabilitation f.

rehabilitar vt (ARQ) réhabiliter; (reintegrar) réintégrer; (MED) rééduquer; (JUR) restituer.

rehacer vt (reparar) réparer; (volver a hacer) refaire; **~se** vr (fortalecerse) se refaire, se remettre; (dominarse) se ressaisir.

rehén nm otage m.

rehilete nm (dardo) fléchette f; (DEPORTE) volant m.

rehuir vt fuir, refuser.

rehusar vt refuser // vi refuser de, se refuser à.

reina nf reine f; **reinado** nm règne m; **reinar** vi régner.

reincidir vi récidiver.

reincorporarse vr: ~ **a** rejoindre.

reino nm royaume m; **el R~ Unido** le Royaume-Uni.

reintegrar vt (reconstituir) reconstituer; (restituir) restituer; (dinero) rembourser; **~se** vr: ~ **a** se réintégré(e) à.

reír vi rire; **~se** vr: **~se de** se moquer de.

reiterar vt réitérer.

reivindicación nf demande f, exigence f; revendication f.

reivindicar vt (reclamar) revendiquer; (restaurar) restaurer.

reja *nf* (*de ventana*) grille *f*; (*del arado*) soc *m*.

rejilla *nf* (*de ventana*) grillage *m*; (*de silla*) cannage *m*; (*de ventilación*) bouche d'air *f*; (*de coche*) calandre *m*.

rejoneador *nm* toréador à cheval.

rejuvenecer *vt, vi* rajeunir; **~se** *vr* (se) rajeunir.

relación *nf* relation *f*; **relaciones públicas** relations publiques; **con ~ a** par rapport à; **en ~ con** en rapport avec; **relacionar** *vt* rattacher, relier; **relacionarse** *vr* se mettre en rapport, être lié(e); se rapporter.

relajación *nf* relâchement *m*; (*de músculos*) relaxation *f*.

relajado, a *a* (*disoluto*) relâché(e); (*MED*) décontracté(e).

relajar *vt* relâcher, décontracter; **~se** *vr* se relâcher, se décontracter.

relamer *vt* pourlécher.

relamido, a *a* (*pulcro*) recherché(e); (*afectado*) affecté(e).

relámpago *nm* éclair *m*; **visita ~** visite *f* éclair; **relampaguear** *vi* faire des éclairs.

relatar *vt* raconter, narrer, relater.

relativo, a *a* relatif(ive); **en lo ~ a** relativement à, en ce qui concerne.

relato *nm* (*narración*) récit *m*; (*informe*) compte rendu *m*, rapport *m*.

relegar *vt* reléguer.

relevante *a* éminent(e), remarquable, hors ligne.

relevar *vt* (*sustituir*) relever, substituer; **~se** *vr* se relayer; **~ de un cargo** relever d'une charge.

relevo *nm* (*ARTE, TEC*) relief *m*; (*fig*) importance *f*; **~s** *nmpl* reliefs *mpl*; **alto/bajo ~** haut-/bas-relief.

religión *nf* religion *f*; **religiosidad** *nf* religiosité *f*; (*fig*) scrupule *m*, exactitude *f*; **religioso, a** *a* religieux(euse); scrupuleux(euse); consciencieux(euse) // *nm/f*

religieux/euse // *nm* clerc *m*.

relinchar *vi* hennir.

reliquia *nf* relique *f*; vestige *m*.

reloj *nm* horloge *f*, montre *f*; **~ de pulsera** montre-bracelet *f*; **~ despertador** réveille-matin *m* *inv*; **~ero, a** *nm/f* horloger/ère.

reluciente *a* reluisant(e).

relucir *vi* briller, luire; (*fig*) briller.

relumbrante *a* éblouissant(e); brillant(e); étincelant(e).

relumbrar *vi* briller; étinceler.

rellano *nm* palier *m*.

rellenar *vt* (*llenar*) remplir; (*CULIN*) farcir; (*COSTURA*) rembourrer, bourrer.

relleno, a *a* rempli(e), plein(e); (*CULIN*) farci(e) // *nm* (*CULIN*) farce *f*; (*de tapicería*) rembourrage *m*, garnissage *m*.

remachar *vt* river, riveter, rabattre; (*fig*) mettre dans la tête; marteler.

remanente *a* rémanent(e).

remanso *nm* nappe *f* d'eau dormante; (*fig*) refuge *m*, havre *m*.

remar *vi* ramer.

rematado, a *a* fini(e), achevé(e).

rematar *vt* achever; (*fig*) parachever; (*COM*) brader; vendre aux enchères // *vi* mettre fin; se terminer.

remate *nm* fin *f*, terme *m*; (*punta*) pointe *f*; (*ARQ, fig*) couronnement *m*; (*COM*) adjudication *f*; **de ~** complètement; **para ~** pour finir.

remedar *vt* contrefaire, imiter.

remediar *vt* (*subsanar*) remédier à, porter remède à; (*ayudar*) aider, suppléer; (*evitar*) éviter, empêcher.

remedio *nm* (*ayuda*) remède *m*; (*alivio*) remède, arrangement *m*; (*JUR*) recours *m*; **poner ~ a** mettre fin à; **no tener más ~** ne pas pouvoir faire autrement; **sin ~** sans remède, sans rémission.

remedo *nm* imitation *f*, copie *f*; (*pey*) pastiche *m*, contrefaçon *f*.

remendar *vt* raccommoder.

remesa *nf* remise *f*, envoi *m*, expédition *f*.

remesar vt envoyer.

remiendo nm raccommodage m; (chapucería) rafistolage m.

remilgado, a a (delicado) minaudier(ière), délicat(e); (afectado) maniéré(e), affecté(e).

remilgo nm minauderie f, simagrée f; sensiblerie f.

reminiscencia nf réminiscence f.

remisión nf remise f.

remiso, a a (reticente) réticent(e), peu enthousiaste; (indeciso) indécis(e).

remitir vt (mandar, posponer) remettre; (perdonar) pardonner // vi faiblir, diminuer, se calmer; (en carta): **remite: X** expéditeur: X; **remitente** nm/f expéditeur/trice.

remo nm (de barco) rame m; (deporte) aviron m.

remoción nf remuement m.

remojar vt (faire) tremper; (fam) arroser.

remojo nm: **dejar la ropa a ~** laisser le linge à tremper.

remolacha nf betterave f.

remolcador nm (NAUT) remorqueur m; (AUTO) remorque f, dépanneuse f.

remolinar vi tourbillonner.

remolino nm (de agua, polvo) remous m, tourbillon m; (de gente) remous m.

remolque nm remorque f; **llevar a ~** remorquer en remorque.

remontar vt ressemeler complètement; **~se** vi remonter; **~ el vuelo** prendre son vol.

rémora nf rémora m.

remorder vt remordre; **~se** vr ronger; **~se la conciencia** se ronger la conscience.

remordimiento nm remords m.

remoto, a a lointain(e), éloigné(e); (poco probable) peu probable.

remover vt remuer; **~se** vr s'agiter, remuer.

remozar vt rajeunir, rafraîchir; **~se** vr (se) rajeunir.

remuneración nf rémunération f; (premio) prix m.

remunerar vt rémunérer; (premiar) primer.

renacer vi renaître.

renacimiento nm renaissance f.

renal a rénal(e).

rencilla nf querelle f.

rencor nm rancune f; **~oso, a** a rancunier(ière).

rendición nf reddition f; **~ de cuentas** reddition de comptes.

rendido, a a (sumiso) rendu(e), soumis(e); (cansado) épuisé(e), rendu(e), rompu(e).

rendimiento nm (MIL) soumission f, respect m; (sumisión) soumission; (producción) rendement m, production f; (agotamiento) épuisement m; (TEC, COM) rendement.

rendir vt (vencer) vaincre, soumettre; (producir) rendre; (dar beneficio) rapporter; (agotar) épuiser; (dominar) dominer // vi produire; **~se** vr (someterse) se soumettre; (cansarse) s'épuiser, se fatiguer; (en el juego) donner sa langue au chat; **~ homenaje/culto** a rendre hommage/un culte à.

renegado, a a renégat(e) // nm renégat/e.

renegar vi (renunciar) renier; (blasfemar) blasphémer; renier; (fam) jurer; (quejarse) se plaindre.

RENFE nf abr de Red Nacional de los Ferrocarriles Españoles ≈ SNCF f.

renglón nm (línea) ligne f; (COM) rayon m; **a ~ seguido** tout de suite.

reniego nm juron m.

renombrado, a a renommé(e).

renombre nm renom m.

renovación nf (de contrato) renouvellement m; (ARQ) rénovation f.

renovar vt (gen) renouveler; (ARQ) rénover, remettre à neuf.

renta nf (ingresos) rente f; revenu m; (alquiler) loyer m; **~ vitalicia** rente viagère.

rentable a rentable.

rentar vt rapporter.

rentero, a nm/f tributaire m/f.

rentista nm/f rentier/ière.

renuencia nf renonciation f, abandon m.

renuevo nm rejeton m.

renuncia nf renonciation f, abandon m.

renunciar vt renoncer, abandonner; ~ **a hacer** renoncer à faire.

reñido, a a brouillé(e), fâché(e); (duro) acharné(e); **estar ~ con uno** être fâché avec qn.

reñir vt (regañar) gronder, réprimander // vi (estar peleado) se disputer, se quereller; (combatir) disputer.

reo nm/f inculpé/e, accusé/e.

reojo: de ~ ad du coin de l'œil; (fig) de travers.

reorganizar vt réorganiser, remanier.

reorientar vt réorienter; (reajustar) réajuster.

reparación nf réparation f.

reparar vt réparer, remettre en état; (agravio) réparer; (suerte) rattraper; (observar) remarquer // vi: ~ **en** (darse cuenta de) s'apercevoir de, remarquer; (poner atención en) s'attacher à, s'arrêter à.

reparo nm (reparación) réparation f; (advertencia) remarque f, observation f; (duda) réserve f, réticence f; (dificultad) objection f; (resguardo) défense f, garantie f.

reparón, ona a critiqueur(euse); pointilleux(euse), tatillon(ne).

repartición nf (distribución) livraison f; (división) partage m, répartition f.

repartidor, a nm/f livreur/euse, distributeur/trice.

repartir vt (herencia) répartir, partager; (correo, naipes) distribuer; (deuda) partager; ~ **leña** administrer une volée.

reparto nm répartition f; (de correo) distribution f; (TEATRO, CINE) distribution f.

repasar vt repasser.

repaso nm (de lección) repassage m, révision f; (de ropa) raccommodage m, reprisage m.

repatriar vt rapatrier.

repecho nm côte f; **a ~ en** remontant.

repelente a qui repousse, rebutant(e).

repeler vt repousser, rejeter; (fig) rebuter, répugner, dégoûter.

repensar vt repenser.

repente nm (sobresalto) sursaut m, mouvement subit; (impulso) accès m; **de ~** tout à coup.

repentino, a a subit(e), soudain(e); inespéré(e).

repercusión nf répercussion f.

repercutir vi se répercuter; ~**se** vr retentir; ~ **en** se répercuter sur.

repertorio nm répertoire m.

repetición nf répétition f; (fam) rengaine f.

repetir vt répéter; (plato) reprendre // vi revenir; ~**se** vr (volver sobre tema) se répéter; (sabor) revenir.

repicar vt (desmenuzar) hacher menu; (campanas) sonner; ~**se** vr se vanter.

repique nm carillonnement f, volée f.

repiqueteo nm (de campanas) carillonnement m; (de tambor) tambourinage m.

repisa nf console f.

repito etc vb ver **repetir**.

replegar vt replier; (AVIAT) escamoter; ~**se** vr se replier.

repleto, a a plein(e), rempli(e).

réplica nf (respuesta) réplique f, répartie f, riposte f; (JUR) objection f; (ARTE) réplique.

replicar vt, vi répliquer, répartir, riposter; (objetar) objecter.

repliegue nm (MIL) repli m, repliement m; (doblez) pli m; (recodo) détour m.

repoblación nf repeuplement m; (de río) rempoissonnement f, alevinage m.

repoblar vt repeupler; (de árboles) reboiser.

repollo nm chou pommé.

reponer vt remettre, replacer; (TEATRO) reprendre; ~se vr se remettre; ~ que répondre que.

reportaje nm reportage m.

reposacabezas nm inv appui-tête m inv.

reposado, a a (descansado) reposé(e); (calmo) calme, posé(e), tranquille.

reposar vi reposer.

reposición nf reposition f, remise f en place; (CINE) reprise f.

repositorio nm dépôt m, entrepôt m.

reposo nm (descanso) repos m.

repostar vt s'approvisionner; (AUTO) se ravitailler.

repostería nf pâtisserie f; (depósito) office m.

repostero, a nm/f pâtissier/ière.

reprender vt reprendre, réprimander; **reprensión** nf réprimande f, réprhension f.

represa nf barrage m, retenue f d'eau.

represalia nf représaille f.

representación nf représentation f.

representante nm/f représentant/e.

representar vt représenter; (edad) paraître; ~se vr se représenter.

representativo, a a représentatif(ive).

represión nf répression f.

reprimir vt réprimer; ~se vr se retenir.

reprobar vt réprouver.

réprobo, a nm/f réprouvé/e.

reprochar vt reprocher.

reproche nm reproche m.

reproducción nf reproduction f.

reproducir vt reproduire; ~se vr se reproduire.

reptil nm reptile m.

república nf république f; **la R~ Árabe Unida (R.A.U.)** la République

árabe unie (RAU); **republicano, a** a républicain(e) // nm/f républicain/e.

repudiar vt repudier; récuser; désavouer, renier; **repudio** nm répudiation f.

repuesto nm (pieza de recambio) pièce f de rechange; (abastecimiento) provisions fpl.

repugnancia nf répugnance f.

repugnante a repoussant(e); répugnant(e).

repugnar vt répugner, dégoûter; vi, ~se vr (contradecirse) se contredire; (asquearse) se dégoûter.

repujar vt repousser.

repulgar vt ourler.

repulido, a a mis(e) avec recherche.

repulsa nf rejet m, refus m; réprimande f.

repulsión nf répulsion f; **repulsivo, a** a répulsif(ive).

repuntarse vr se mettre en colère; se brouiller.

reputación nf (notoriedad) réputation f; (popularidad) popularité f.

reputar vt réputer.

requebrar vt faire sa cour ou conter fleurette à.

requemado, a a (quemado) brûlé(e); (bronceado) hâlé(e).

requerimiento nm assignation f, sommation f, mise en demeure f.

requerir vt (rogar) requérir, prier; (exigir) requérir, exiger; (llamar) appeler, réclamer.

requesón nm fromage blanc.

requete... pref très.

requiebro nm (galanteo) propos galant; (adulación) galanterie f.

requisa nf (inspección) réquisition f; (MIL) revue f, inspection f.

requisito nm condition requise.

res nf bête f, animal m; ~ **vacuna** bête à cornes.

resabio nm (maña) vice m, mauvaise habitude; (dejo) arrière-goût m; (achaque) vice.

resaca nf (NAUT) ressac m; (COM)

retraite f; (fam): comer la ~ finir les restes.

resalado, a a (fam) vif(ive).

resaltar vi ressortir; (persona) se distinguer.

resarcimiento nm dédommagement m, indemnisation f.

resarcir vt dédommager, indemniser; ~se vr se dédommager.

resbaladizo, a a glissant(e).

resbalar vi se glisser; (fig) faire un faux pas.

resbaloso, a a (AM) glissant(e).

rescatar vt (cautivos) racheter; (heridos) recueillir; (objeto) repêcher; (idea) reprendre.

rescate nm rachat m; pagar un ~ payer une rançon.

rescindir vt résilier.

rescisión f résiliation f.

rescoldo nm braises fpl; (fig) reste m, lueur f.

resecar vt dessécher; (MED) réséquer; ~se vr se dessécher.

reseco, a a desséché(e); (fig) sec (sèche).

resentido, a a fâché(e), plein(e) de ressentiment, rancunier(ière).

resentimiento nm ressentiment m, rancœur f; hostilité f.

resentirse vr (debilitarse: persona) s'affaiblir; (: edificio) s'ébranler; ~ con en vouloir à; ~ de (consecuencias) se ressentir de.

reseña nf (cuenta) signalement m; (informe) notice f; (juicio) compte rendu m; **reseñar** vt signaler, relater; faire le compte rendu de.

reserva nf (reservación) réservation f; (COM) garantie f // nm/f remplaçant m; a ~ de sous réserve de; tener en ~ tenir en réserve.

reservado, a a réservé(e); (retraído) renfermé(e) // nm cabinet particulier.

reservar vt (guardar) réserver, mettre de côté; (habitación, entrada) réserver; (callar) dissimuler; ~se vr (prevenirse) se

réserver; (resguardarse) se ménager.

resfriado nm refroidissement m, rhume m.

resfriarse vr se refroidir; (MED) s'enrhumer.

resguardar vt protéger; (fig) défendre; ~se vr se prendre des précautions.

resguardo nm (defensa) défense f; (custodia) vigilance f; (garantía) garantie f; (vale) reçu m, reconnaissance f.

residencia nf résidence f, siège m.

residente a résidant(e) // nm/f résidant/e.

residir vi résider; ~ en résider dans.

residuo nm résidu m; reste m.

resignación nf conformité f, résignation f.

resignar vt résigner; ~se vr se résigner; ~se a o con se résigner à.

resistencia nf (dureza) endurance f; (oposición, eléctrica) résistance f.

resistente a (duro, robusto) robuste, endurant(e); (que resiste) résistant(e).

resistir vt (soportar) signalement m, supporter; (oponerse a) résister à; (aguantar) supporter, endurer // vi résister; ~se vr: ~se a se refuser à; (que resiste) se défendre contre.

resma nf rame f.

resol nm réverbération f du soleil.

resolución nf (decisión) décision f; (moción) résolution f; (determinación) détermination f.

resoluto, a a résolu(e).

resolver vt résoudre; (decidir) décider de; ~se vr se résoudre.

resollar vi respirer bruyamment.

resonancia nf (del sonido) résonance f; (repercusión) retentissement m.

resonante a résonnant(e).

resonar vi retentir.

resoplar vi s'ébrouer, souffler; **resoplido** nm ébrouement m.

resorte nm (pieza) ressort m;

(*elasticidad*) élasticité f; (*fig*) ficelle f, corde f.

respaldar vt écrire au verso; (*fig*) protéger, garantir; appuyer; ~se vr s'adosser; ~**se con** o **en** s'appuyer sur.

respaldo nm (*de cama*) tête f (*de lit*); (*de sillón*) dossier m; (*fig*) appui m; garantie f.

respectivo, a a respectif(ive); **en lo** ~ **a** en ce qui concerne.

respecto nm: **al** ~ à ce sujet, à cet égard; **con** ~ **a** quant à, en ce qui concerne; ~ **de** par rapport à.

respetable a (*venerable*) respectable; (*considerable*) considérable; (*serio*) important(e).

respetar vt respecter; (*honrar*) honorer; ~**se** vr se respecter.

respeto nm respect m, égard m; (*acatamiento*) déférence f; (*observación*) respect; ~**s** nmpl hommages mpl; **respetuoso, a** a (*cortés*) respectueux (euse); (*tolerante*) tolérant(e); (*sumiso*) soumis(e).

respingar vi regimber; ~**se** vr s'offenser; **respingo** nm regimbement m; (*fig*) sursaut m.

respiración nf respiration f; (*ventilación*) aération f.

respirar vi (*aspirar*) aspirer; (*expirar*) expirer; **respiratorio, a** a respiratoire; **respiro** nm respiration f; (*fig*) repos m, pause f.

resplandecer vi resplendir; **resplandeciente** a resplendissant(e); brillant(e); **resplandor** nm éclat m; (*del fuego*) flamboiement m.

responder vt répondre // vi répondre; objecter; correspondre; ~ **a/de/por** répondre à/de/pour.

responsabilidad nf responsabilité f.

responsable a responsable.

responso nm répons m.

respuesta nf réponse f.

resquebrajar vt fendiller; ~**se** vr se fendiller; (*pintura*) se craqueler; **resquebrajo** nm fente f, fêlure f.

resquemor nm remords cuisant; tourment m; rancœur f, ressentiment m.

resquicio nm (*de puerta*) fente f, jour m; (*hendedura*) fente f.

restablecer vt rétablir; ~**se** vr se rétablir, se remettre.

restallar vi claquer.

restante a restant(e); **lo** ~ ce qui reste; **los** ~ ceux qui restent.

restañar vt rétamer; (*sangre*) étancher.

restar vt (*MAT*) soustraire; (*fig*) enlever // vi rester.

restauración nf restauration f.

restaurán, restaurante nm restaurant m.

restaurar vt restaurer; (*recuperar*) récupérer.

restitución nf (*devolución*) restitution f; (*restablecimiento*) rétablissement m.

restituir vt (*devolver*) restituer, rendre; (*rehabilitar*) réhabiliter; ~**se** vr se réintégrer.

resto nm (*residuo*) reste m, restant m; (*apuesta*) pari m, va-tout m; **restregar** vt frotter énergiquement.

restricción nf restriction f.

restrictivo, a a restrictif(ive).

restringir vt (*limitar*) restreindre; (*reducir*) réduire; (*coartar*) limiter.

resucitar vt, vi ressusciter.

resuelto, a pp de **resolver** // a décidé(e); résolu(e).

resuello nm souffle m.

resultado nm (*conclusión*) issue f, (*desenlace*) aboutissement m, dénouement m; (*consecuencia*) conséquence f, résultat m.

resultante a résultant(e).

resultar vi (*llegar a ser*) résulter; (*salir bien*) aller, satisfaire; (*COM*) faire; (*fam*) être d'accord; ~ **de** s'ensuivre de; **me resulta difícil hacer** je trouve difficile de faire.

resumen nm (*compendio*) résumé m; (*comentario*) sommaire m, exposé m.

resumido, a a résumé(e).

resumir vt résumer; synthétiser.
retablo nm retable m.
retaguardia nf arrière-garde f, arrière m.
retahíla nf ribambelle f, kyrielle f.
retal nm coupon m.
retama nf genêt m.
retar vt provoquer; (*desafiar*) défier; (*fam*) reprocher, gronder.
retardar vt (*demorar*) retarder; (*hacer más lento*) ralentir.
retardo nm retard m.
retazo nm morceau m.
rete... pref très.
retén nm (*TEC*) bague f, renfort m; (*reserva*) réserve f.
retener vt (*guardar*) retenir, garder; (*intereses*) déduire; (*conservar*) conserver; ~**se** vr se retenir.
retina nf rétine f.
retintín nm tintement m.
retirada nf (*MIL*) retraite f; (de *dinero*) retrait m; (de *embajador*) rappel m; (*refugio*) retraite, refuge m; **retirado, a** a retraité(e), distant(e), écarté(e); (*tranquilo*) retiré(e); (*jubilado*) retraité(e).
retirar vt retirer; (*jubilar*) mettre à la retraite; ~**se** vr se retirer; (*acostarse*) aller se coucher, se retirer; **no se retire del teléfono** ne raccrochez pas.
retiro nm retraite f.
reto nm défi m, provocation f.
retocar vt (*fotografía*) retoucher; (*peinado*) donner un coup de peigne à; (*maquillaje*) raccorder, faire un raccord à.
retoño nm rejeton m.
retoque nm retouche f; (*MED*) symptôme m.
retorcer vt tordre; (*fig*) altérer; ~**se** vr se tordre; (*mover el cuerpo*) se tortiller.
retorcimiento nm torsion f; (*MED*) entorse f; (*fig*) entortillement m.
retórica nf rhétorique f; (*fig*) affectation f; ~**s** nfpl balivernes fpl.
retornar vt renvoyer // vi

retourner, revenir; **retorno** nm retour m; **aviso de retorno** accusé m de réception.
retortijón nm tiraillement m.
retozar vi (*juguetear*) folâtrer; (*saltar*) bondir, gambader.
retozón, ona a folâtre.
retracción nf rétraction f.
retractación nf rétractation f, dédit m.
retractar vt rétracter; ~**se** vr se rétracter, se reprendre.
retraer vt dissuader de, détourner de; ~**se** vr se retirer; **retraído, a** a renfermé(e), timide; **retraimiento** nm retraite f; (*fig*) réserve f, timidité f.
retransmisión nf retransmission f.
retransmitir vt retransmettre.
retrasado, a a (*atrasado*) retardataire; (*MED*) retardé(e).
retrasar vt (*diferir*) ralentir; (*retardar*) retarder // vi, ~**se** vr (*atrasarse*) arriver en retard; (*producción*) prendre du retard; (*quedarse atrás*) s'attarder.
retraso nm (*tardanza*) lenteur f; (*atraso*) retard m; **llegar con** ~ arriver en retard; ~ **mental** retard mental.
retratar vt faire le portrait de, portraiturer; (*fotografía*) photographier; (*fig*) dépeindre; (*fam*): ~**se** **contra un muro** s'écraser contre un mur.
retrato nm (*pintura*) portrait m; (*fotografía*) photographie f.
retrato-robot nm portrait-robot m.
retreta nf retraite f.
retrete nm cabinets mpl, toilettes fpl.
retribución nf (*recompensa*) rétribution f; (*pago*) paiement m.
retribuir vt (*pagar*) rétribuer; (*recompensar*) récompenser.
retro... pref rétro...
retroactivo, a a rétroactif(ive).
retroceder vi (*recular*) reculer; (*AUTO*) rétrograder; (*tropas*) se

replier; (*arma de fuego*) avoir du recul.

retroceso *nm* recul *m*; (MED) aggravation *f*; (*fig*) retour *m* en arrière, recul.

retrógrado, a *a* (*atrasado*) rétrograde; (POL) réactionnaire.

retropropulsión *nf* rétropropulsion *f*.

retrospectivo, a *a* rétrospectif (ive).

retrovisor *nm* rétroviseur *m*.

retumbante *a* résonnant(e), retentissant(e).

retumbar *vi* résonner, retentir.

reuma *nm* rhumatisme *m*.

reumático, a *a* (*dolor*) rhumatismal(e); (*persona*) rhumatisant(e).

reumatismo *nm* rhumatisme *m*.

reunificar *vt* réunifier.

reunión *nf* (*asamblea*) réunion *f*; (*fiesta*) fête *f*; (*reencuentro*) rencontre *f*, retrouvailles *fpl*.

reunir *vt* (*juntar*) rassembler; (*recoger*) recueillir; (*personas, cualidades*) réunir; ~**se** *vr* se réunir; se rassembler.

revalidación *nf* revalidation *f*.

revalidar *vt* revalider.

revalorar *vt* revaloriser.

revancha *nf* revanche *f*.

revelación *nf* révélation *f*.

revelado *nm* développement *m*.

revelar *vt* révéler; (FOTO) développer.

revendedor, a *nm/f* revendeur/euse; (*pey*) spéculateur/trice.

reventar *vt* crever; (*fam*: *plan*) faire échouer // *vi*, ~**se** *vr* (*estallar*) éclater; (*fam*: *morirse*) claquer.

reventón *nm* éclatement *m*.

reverberación *nf* réverbération *f*.

reverberar *vi* réverbérer.

reverbero *nm* réverbération *f*.

reverdecer *vi* reverdir.

reverencia *nf* révérence *f*.

reverenciar *vt* révérer, honorer.

reverendo, a *a* révérend(e).

reverente *a* révérencieux (euse).

reversión *nf* (*devolución*) réversion *f*; (*anulación*) annulation *f*.

reverso *nm* revers *m*, envers *m*.

revertir *vi* revenir, retourner.

revés *nm* revers *m*, envers *m*; (*fig*) revers *m*; (*fam*) mornifle *f*; **hacer a** ~ faire à l'envers; **volver algo al** ~ retourner.

revestir *vt* revêtir; (*cubrir de*) recouvrir; ~ **con** o **de** revêtir de.

revisar *vt* (*examinar*) réviser; (*rever*) revoir.

revisor, a *nm/f* réviseur *m*; contrôleur *m*.

revista *nf* revue *f*, magazine *m*; (TEATRO) revue; (*inspección*) inspection *f*; **pasar** ~ **a** passer e revue.

revivir *vi* ressusciter; renaître réapparaître.

revocación *nf* révocation *f*.

revocar *vt* révoquer.

revolcar *vt* renverser; (*fig*) terrasser; ~**se** *vr* se rouler, s vautrer; ~**se de dolor** se tordre d douleur.

revolotear *vi* voltiger; tourner.

revoloteo *nm* voltige voltigement *m*.

revoltijo *nm* fouillis *m*, salmigond *m*; ~ **de huevos** œufs brouillés.

revoltoso, a *a* (*travieso* turbulent(e), remuant(e); (*rebelde* séditieux(euse).

revolución *nf* révolution *f*.

revolucionar *vt* révolutionne

revolucionario, a *a* révolutionna // *nm/f* révolutionnaire *m/f*.

revólver *nm* revolver *m*.

revolver *vt* (*desordena* bouleverser, mettre sens dess dessous; (*mover*) troubler, remue (*tantear en*) évaluer; (*investiga* fouiller; (POL) troubler; (*hac paquete*) empaqueter // *vi*: ~ **en** fouiller dans; ~**se** *vr* se retourne se rouler; (*por dolor*) s'agiter (*volver contra*) faire volte-face.

revuelco *nm* renversement chute *f*.

revuelo nm second vol, battement m d'ailes; (fig) trouble m, confusion f.

revuelto, a pp de **revolver** // a (mezclado) embrouillé(e), confus(e); (descontento) mécontent(e); (travieso) turbulent(e) // nf (motín) révolte f, sédition f; (conmoción) trouble m, confusion f; **dar vueltas y revueltas a un problema** tourner et retourner un problème.

revulsivo nm révulsif m.

rey nm roi m.

reyerta nf dispute f, querelle f, rixe f.

rezagado, a nm/f retardataire m/f.

rezagar vt (dejar atrás) laisser en arrière; (retrasar) retarder.

rezar vi prier // vt dire; ~ **con** (fam) concerner, regarder.

rezo nm prière f.

rezongar vi grogner, ronchonner.

rezumar vt transpirer, laisser passer // vi suinter; ~**se** vr suinter; (fig) se faire connaître.

ría nf embouchure f, estuaire m.

riada nf (crecida) crue f; (inundación) inondation f.

ribera nf (de río) rive f, berge f; (del mar) rivage m.

ribete nm (de vestido) bordure f, liseré m; (fig) traces fpl, côtés mpl.

ribetear vt border, passepoiler.

ricino nm ricin m.

rico, a a riche; (exquisito) exquis(e); (niño) adorable; (fam): ¡oye, ~! dis, mon vieux!

rictus nm rictus m.

ridiculez nf extravagance f.

ridiculizar vt ridiculiser, couvrir de ridicule.

ridículo, a a ridicule // nm ridicule m.

riego nm (aspersión) aspersion f; (irrigación) arrosage m.

riel nm (del tren) rail m; (para cortinas) tringle f, chemin de fer m.

rienda nf rêne f, guide f, **dar** ~ **suelta** lâcher la bride.

riente a riant(e).

riesgo nm risque m; **correr el** ~ **de** courir le risque de.

rifa nf (lotería) tombola f, loterie f; (disputa) dispute f; **rifar** vt tirer au sort // vi se disputer; **rifarse algo** s'arracher qch.

rifle nm rifle m.

rigidez nf rigidité f, rigueur f; (fig) inflexibilité f; sévérité f.

rígido, a a rigide, raide; (fig) inflexible; sévère.

rigor nm rigueur f; (inclemencia) inclémence f; **de** ~ **de rigueur**.

riguroso, a a (áspero) âpre; (severo) sévère, rigoureux(euse); (inclemente) inclément(e).

rimar vi rimer.

rimbombante a retentissant(e), ronflant(e); (fig) tapageur(euse), voyant(e).

rimel nm rimmel m.

rincón nm coin m.

rinoceronte nm rhinocéros m.

riña nf (disputa) dispute f; (pelea) rixe f, bagarre f.

riñón nm (ANAT) rein m; (CULIN) rognon m; **tener riñones** avoir de l'estomac.

río vb ver **reír** // nm rivière f; (fig) fleuve m; ~ **abajo/arriba** en aval/amont.

rioplatense a du Rio de la Plata.

ripio nm (residuo) résidu m; (cascotes) gravats mpl, décombres mpl.

riqueza nf richesse f.

risa nf rire m.

risco nm roc m, rocher escarpé.

risible a (ridículo) ridicule; (jocoso) risible, drôle.

risotada nf éclat m de rire.

ristra nf chapelet m.

risueño, a a (sonriente) souriant(e); (contento) gai(e), joyeux (euse).

ritmo nm rythme m; **a** ~ **lento** lentement.

rito nm (costumbre) rite m; (reglas) rituel m.

ritual a rituel(le).

rival a rival(e); ~**idad** nf rivalité f;

~izar vi: **~izar con** rivaliser avec.

rizado, a a frisé(e) // nm frisure f.

rizar vt friser; **~se** vr (el pelo) friser; (el mar) se rider.

rizo nm (de cabellos) boucle f, frisette f (en el agua) ris m; **hacer el ~ rizar el ~** faire un looping, boucler la boucle.

RNE nf (abr de Radio Nacional de España) ≈ O.R.T.F. f.

roano, a a rouan(e).

robar vt voler, dérober; (NAIPES) piocher.

roble nm chêne m, rouvre m.

robledo, robledal nm chênaie f, rouvraie f.

roblón nm rivet m.

robo nm (estafa) escroquerie f; (hurto) vol m.

robot nm robot m.

robustecer vt fortifier, rendre robuste.

robustez nf robustesse f.

robusto, a a robuste; vigoureux(euse).

roca nf (mineral) roche f; (peñasco) roc m, rocher m.

rocalla nf rocaille f.

roce nm (caricia) frôlement m, effleurement m; (frote) frottement m; **tener ~** avoir des contacts.

rociada nf (aspersión) aspersion f; (fig) pluie f.

rociar vt (ropa) asperger; (flores) arroser.

rocín nm rosse f, roussin m.

rocío nm rosée f, bruine f.

rocoso, a a rocheux(euse).

rodaballo nm turbot m.

rodado, a a (con ruedas) roulé(e); (redondo) arrondi(e).

rodaja nf (rajada) rondelle f; (rueda) roulette f.

rodaje nm (TEC) rouages mpl; (CINE) tournage m; (AUTO): **en ~** en rodage.

rodar vt (vehículo) roder; (escalera) dégringoler, dévaler; (viajar por) parcourir // vi rouler; (CINE) tourner.

rodear vt entourer, enclore // vi

contourner; **~se** vr: **~se de amigos** s'entourer d'amis.

rodeo nm (acción) tour m; (ruta indirecta) détour m, crochet m; (evasión) subterfuge m.

rodezno nm (hidráulica) roue f hydraulique; (dentada) roue dentée.

rodilla nf genou m; **de ~s à** genoux.

rodillera nf genouillère f.

rodillo nm rouleau m; **~ apisonador** rouleau compresseur.

rododendro nm rhododendron m.

roedor, a a rongeur(euse) // nm rongeur m.

roer vt (masticar) grignoter; (corroer, fig) ronger.

rogar vt, vi (pedir) demander; (suplicar) supplier; **se ruega no fumar** prière de ne pas fumer.

rogativa nf prière publique.

rojete nm rouge m, fard m.

rojizo, a a rougeâtre.

rojo, a a rouge // nm rouge m; **al ~ vivo** chauffé(e) au rouge; (fig) ardent(e).

rol nm rôle m.

roldana nf rouet m, réa m.

rollizo, a a potelé(e); dodu(e); cylindrique; rond(e).

rollo nm (de papel) rouleau m; (madera) bille f; (de película) rouleau, film m.

Roma n Rome.

romance a roman(e) // nm composition f poétique; (relación amorosa) idylle f, liaison f; **hablar en ~** parler clairement.

romancero nm recueil m de 'romances' espagnols.

romántico, a a romantique.

romería nf (REL) pèlerinage m; (fiesta) fête patronale.

romero, a a nm/f pèlerin m // nm romarin m.

romo, a a émoussé(e); (fig) abattu(e), affaibli(e).

rompecabezas nm inv casse-tête m inv; (juego) puzzle m.

rompehuelgas nm inv briseur m de grève, jaune m/f.

rompeolas *nm inv* brise-lames *m inv.*

romper *vt* (hacer pedazos) casser, briser; (fracturar) fracturer, rompre; (cascar) fêler, casser // *vi* (olas) déferler, briser; (sol, diente) percer; **~se** *vr* (mecanismo, coche) se casser, se briser, se rompre; (reloj) s'arrêter, être en panne; **~ un contrato** rompre un contrat; **~ a** se mettre à; **~ en llanto** éclater en sanglots; **~ con uno** briser avec qn.

rompiente *nm* brisant *m.*

rompimiento *nm* rupture *f;* (quiebra) fente *f.*

ron *nm* rhum *m.*

roncar *vi* ronfler; (el viento) mugir; (amenazar) menacer.

ronco, a *a* (sin voz) enroué(e); (áspero) rauque.

roncha *nf* éruption cutanée.

ronda *nf* ronde *f;* (patrulla) ronde, guet *m;* (fam) tournée *f.*

rondalla *nf* (MUS) petite société philharmonique; (cuento) conte *m.*

rondar *vt* (dar vueltas) tourner autour de; (patrullar) faire une ronde dans // *vi* faire une ronde, inspecter; (fig) marauder, rôder.

rondón: de ~ *ad* sans crier gare.

ronquear *vi* être enroué(e).

ronquedad *nf* dureté *f.*

ronquido *nm* ronflement *m.*

ronzal *nm* licou *m,* licol *m,* longe *f.*

roña *nf* (mugre) crasse *f;* (astucia) ruse *f.*

roñoso, a *a* (mugriento) crasseux(euse); (inútil) inutile; (tacaño) ladre, avare.

ropa *nf* vêtements *mpl;* **~ blanca** linge *m* de maison, blanc *m;* **~ de cama** literie *f;* **~ interior** linge de corps.

ropaje *nm* (ropa ceremoniosa) vêtements *mpl;* (fig) couverture *f,* manteau *m,* voile *m.*

ropavejero, a *nm/f* fripier/ière.

ropero *nm* armoire *f* à linge; (guardarropa) penderie *f,* garde-robe *f //* *nm/f* linger/ère.

roque *nm* tour *f.*

roquedal *nm* terrain rocailleux.

rosa *a inv* rose // *nf* rose *f;* (ANAT) tache de vin *f,* envie *f;* **~s** *nfpl* popcorn *m;* **~ de los vientos** rose des vents.

rosado, a, rosáceo, a *a* rose // *nm* rosé *m.*

rosal *nm* rosier *m.*

rosario *nm* (REL) chapelet *m;* (fig) chapelet *m,* série *f.*

rosca *nf* (de tornillo) filet *m;* (de humo) rond *m;* (pan, postre) couronne *f.*

rosetón *nm* rosace *f;* (AUTO) (croisement *m* en) trèfle *m.*

rostro *nm* (cara) visage *m,* figure *f;* (semblante) visage, mine *f,* aspect *m.*

rotación *nf* rotation *f;* **~ de cultivos** assolement *m.*

rotativo, a *a* rotatif(ive).

roto, a *pp* de **romper** // *a* cassé(e), brisé(e); (disipado) dissipé(e).

rótula *nf* rotule *f.*

rotular *vt* (titular, encabezar) mettre un en-tête à; (etiquetar) étiqueter.

rótulo *nm* (letrero, título) écriteau *m;* (etiqueta) enseigne *f,* panonceau *m,* nomenclature *f.*

rotundo, a *a* sonore, bien frappé(e).

rotura *nf* (rompimiento) rupture *f;* (quiebra) cassure *f,* brisure *f;* (MED) fracture *f.*

roturar *vt* défricher, défoncer.

rozado, a *a* usé(e).

rozadura *nf* éraflure *f,* écorchure *f.*

rozagante *a* fringant(e), pimpant(e), splendide.

rozar *vt* (frotar) frôler, effleurer; (arañar) griffer, égratigner; (arrugar) froisser, rider; (AGR) essarter; **~se** *vr* se frôler, s'effleurer; (trabarse) s'entretailler; **~ con** (fam) se frotter à.

roznar *vi* braire.

rte (abr de remite, remitente) expéditeur.

rúa *nf* rue *f.*

rubí nm rubis m.

rubicundo, a a rubicond(e); (de salud) éclatant(e) de santé.

rubio, a a blond(e) // nm/f blond/e.

rubor nm (timidez) honte f; (sonrojo) rougeur f; ~**izarse** vr (avergonzarse) rougir, avoir honte; (sonrojarse) rougir; ~**oso, a** a rougissant(e).

rúbrica nf rubrique f; (de la firma) paraphe m, parafe m; **rubricar** vt (firmar) parapher, parafer; (concluir) terminer, couronner.

rucio, a a gris/e.

rudeza nf (tosquedad) rudesse f; (sencillez) simplicité f, rusticité f.

rudimento nm (principio) principe m; (noción) notion f.

rudo, a a (sin pulir) rude; (tosco) grossier(ière), rustique; (violento) violent(e); (vulgar) vulgaire, ordinaire; (estúpido) stupide.

rueca nf quenouille f.

rueda nf (de vehículo) roue f; (de molino) meule f; (rodaja) darne f; (corro) ronde f; ~ **delantera/trasera** roue avant/arrière; ~ **de prensa** conférence f de presse.

ruedo nm (contorno) contour m, limite f; (de vestido) ourlet m; (círculo) cercle m, circonférence f; (TAUR) arène f.

ruego etc vb ver **rogar** // nm prière f.

rufián nm ruf(f)ian m.

rugby nm rugby m.

rugido nm (de león) rugissement m; (fig) hurlement m.

rugir vi rugir, hurler.

rugoso, a a (arrugado) ridé(e); (áspero) rugueux(euse); (desigual) inégal(e).

ruibarbo nm rhubarbe f.

ruido nm bruit m; (alboroto) vacarme m, tapage m; (escándalo) chambard m, bruit; **ruidoso, a** a (estrepitoso) retentissant(e); (escandaloso) tapageur(euse); (fig) important(e).

ruin a (despreciable) méprisable;

(miserable) misérable, minable; (mezquino) pingre.

ruina nf (ARQ) ruine f; (fig) délabrement m, décadence f, effondrement m.

ruindad nf bassesse f, vilenie f.

ruinoso, a a (desolado) en ruine, délabré(e); (decadente) décadent(e); (COM) ruineux(euse), désastreux(euse).

ruiseñor nm rossignol m.

rula, ruleta nf roulette f.

Rumania nf Roumanie f.

rumba nf rumba f.

rumbo nm (ruta) cap m, route f; (ángulo de dirección) direction f; (fig) cours m.

rumboso, a a pompeux(euse), fastueux(euse).

rumiante nm ruminant m.

rumiar vt ruminer, mâcher; (fig) ruminer, remâcher // vi ruminer.

rumor nm (ruido sordo) bruit sourd; (murmuración) bruit, rumeur f; ~**earse** vr: **se ~ea que** le bruit court que.

rupestre a rupestre.

ruptura nf (MED) fracture f; (fig) rupture f.

rural a rural(e).

Rusia nf Russie f.

ruso, a a russe.

rústico, a a (descortés) rustique, discourtois(e); (ordinario) rustaud(e), grossier(ière) // nm/f campagnard/e, paysan/ne.

ruta nf route f, itinéraire m.

rutina nf routine f; **rutinario, a** a (cotidiano) routinier(ière); (inculto) sans imagination, ignorant(e).

S

s. abr de **siglo**; abr de **siguiente**.

S/ abr de **su, sus**.

S.A. abr ver **sociedad**.

sábado nm samedi m.

sábana nf drap m; **se le pegan la ~s** il fait la grasse matinée.

sabandija nf bestiole f; chapardeur m; polisson m.

sabañón nm engelure f.

sabelotodo nm/f je-sais-tout m/f inv.

saber vt savoir; (llegar a conocer) apprendre; (tener capacidad de) connaître // vi: ~ **a** avoir le goût de // nm savoir m; **a ~** à savoir, c'est à dire; **¡vete a ~!** sait-on jamais!; va donc savoir!; **¿sabes conducir?** sais-tu conduire?

sabiamente ad savamment, sagement.

sabiduría nf savoir m, science f; sagesse f.

sabiendas: a ~ ad sciemment.

sabio, a a savant(e); (prudente) sage // nm/f connaisseur/euse, savant/e.

sable nm sabre m.

sabor nm goût m, saveur f; ~**ear** vt savourer; ~**earse** vr se délecter, se régaler.

sabotaje nm sabotage m; **sabotear** vt saboter.

sabré etc vb ver **saber**.

sabroso, a a délicieux(euse); (fig) osé(e), audacieux(euse).

sacaclavos nm inv arrache-clou m.

sacacorchos nm inv tire-bouchon m.

sacapuntas nm inv taille-crayon m.

sacar vt (hacer salir) sortir; (quitar) enlever, retirer; (mostrar) montrer, faire voir; (citar) citer, nommer; (conseguir) obtenir; (inferir) en tirer; (producir) produire; (FOTO) prendre; (recibir) recevoir; (entradas) acheter; ~ **a bailar** inviter à danser; ~ **a flote** renflouer, remettre à flot; ~ **a luz** publier, faire paraître; ~ **apuntes** prendre des notes; ~ **en claro** tirer au clair;

~ **la cara por alguien** prendre la défense de qn; ~ **la cuenta** faire le(s) compte(s); ~ **punta a** aiguiser; (lápiz) tailler; ~ **ventaja** prendre de l'avance; ~ **adelante** (niño) élever; (proyecto) faire avancer.

sacerdote nm prêtre m.

saciar vt rassasier; satisfaire, assouvir; **saciedad** nf satiété f; satisfaction f, assouvissement m.

saco nm (gen) sac m; (gabán) veste f; (saqueo) pillage m; ~ **(de) dormir** sac de couchage.

sacramento nm sacrement m.

sacrificar vt sacrifier; (ofrecer) offrir; **sacrificio** nm sacrifice m.

sacrilegio nm sacrilège m; **sacrílego, a** a sacrilège.

sacristán nm sacristain m.

sacro, a a sacré(e).

sacudida nf (zarandeada) agitation f; (sacudimiento) secousse f.

sacudir vt secouer; (asestar) asséner.

sádico, a a sadique; **sadismo** nm sadisme m.

saeta nf (flecha) flèche f; (de reloj) aiguille f; (brújula) boussole f.

sagacidad nf sagacité f.

sagaz a sagace; (astuto) astucieux(euse).

sagrado, a a sacré(e) // nm asile m, lieu m de refuge.

sagú nm sagou m.

Sáhara nm: **el ~** le Sahara.

sahumar vt désinfecter; parfumer.

sal vb ver **salir** // nf sel m.

sala nf (cuarto grande) salle f; (sala de estar) salle de séjour; (muebles) salon m; ~ **de apelación/de justicia** cour f d'appel/de justice; ~ **de espera** salle d'attente.

salado, a a salé(e); (fig) gracieux(euse), spirituel(le).

salar vt (echar en sal) saler; (sazonar) assaisonner.

salario nm salaire m.

salaz a salace.

salchicha nf saucisse f; **salchichería** nf charcuterie f.

salchichón nm saucisson m.

saldar vt solder; (fig) s'acquitter de, régler.

saldo nm solde f.

saldré etc vb ver **salir**.

saledizo, a a en saille, saillant(e) // nm encorbellement m, saillie f.

salero nm salière f; (fig) charme m, piquant m.

salgo etc vb ver **salir**.

salida nf sortie f; (acto) départ m, sortie; (TEC) production f; (fig) issue f; (COM) écoulement m; (tiraje) tirage m; **calle sin** ~ rue sans issue; ~ **de emergencia** sortie f de secours.

saliente a (ARQ) saillant(e); (que se retira) sortant(e); (fig) prééminent(e) // nm Orient m, Levant m.

salino, a a salin(e).

salir vi (gen) sortir; (resultar) se révéler, ressortir, marcher; (partir) partir; (aparecer) lever, pousser; (sobresalir) ressortir; ~se vr fuir, s'échapper; ~ **al encuentro de uno** aller au devant de qn; ~ **a la superficie** faire surface; ~ **caro/barato** être cher/bon marché; ~ **de dudas** tenter d'y voir clair.

saliva nf salive f; **salivar** vi saliver.

salmantino, a a de Salamanque.

salmo nm psaume m; ~**diar** vi psalmodier.

salmón nm saumon m.

salmuera nf saumure f.

salobre a saumâtre.

salón nm salon m, salle f; ~ **de belleza/pintura** salon de beauté/peinture; ~ **de baile** salle de bal.

salpicadero nm tableau m de bord.

salpicar vt (rociar) éclabousser; (esparcir) parsemer, répartir; (fig) parsemer, émailler.

salpullido nm éruption cutanée.

salsa nf sauce f; (fig) charme m, piquant m.

saltamontes nm inv sauterelle verte.

saltar vt bondir; (dejar de lado) partir, sauter // vi bondir, rebondir;

(al aire) s'élancer; (quebrarse) se briser, se rompre; (fig) exploser, éclater; ~se vr sauter.

saltear vt (robar) voler (à main armée); (asaltar) assaillir; (espaciar) espacer; (CULIN) faire revenir, faire sauter.

saltimbanqui nm/f saltimbanque m/f, baladin m.

salto nm saut m; (fig) vide m; (DEPORTE) plongeon m.

saltón, ona a globuleux (euse), protubérant(e).

salubre a salubre.

salud nf santé f; (fig) bien-être m; ¡(a) su ~! (à votre) santé!; **saludable** a (de buena salud) salubre; (provechoso) salutaire.

saludar vt saluer.

saludo nm salut m.

salvación nf salut m.

Salvador: El ~ nm Salvador m.

salvadoreño, a a du Salvador.

salvaguardia nf sauvegarde f, garantie f.

salvajada nf action f propre aux sauvages; atrocité f.

salvaje a sauvage; (necia) sauvageon(ne), sauvage; **salvajismo** nm, **salvajez** nf sauvagerie f, atrocité f.

salvar vt (rescatar) sauver; (resolver) résoudre; (cubrir distancias) franchir; (hacer excepción) exclure, écarter; ~se vr se sauver.

salvavidas nm inv bouée f de sauvetage // a: **bote/chaleco/cinturón** ~ canot m/gilet m/ceinture f de sauvetage.

salvedad nf (calificación) réserve f, exception f; (de documento) certification f.

salvia nf sauge f, salvia m.

salvo, a a sauf (sauve) // ad sauf, excepté, hormis; a ~ sain et sauf.

salvoconducto nm sauf-conduit m.

samba nf (AM) samba f.

san a saint m; **S**~ **Sebastián** Saint-Sébastien.

sanable a guérissable, curable.

sanar vt, vi guérir.

sanatorio nm sanatorium m, clinique f, hôpital m.

sanción nf sanction f; **sancionar** vt (*aprobar*) approuver; (*imponer pena*) infliger, sanctionner.

sancochar vt blanchir, cuire légèrement, faire revenir.

sandalia nf sandale f.

sándalo nm santal m.

sandez nf sottise f.

sandía nf pastèque f, melon m d'eau.

sandwich nm sandwich m.

saneamiento nm assainissement m; récompense f; (*fig*) remède m.

sanear vt assainir; compenser.

sangrante a saignant(e).

sangrar vt, vi saigner.

sangre nf sang m; **perder la ~ fría** perdre son sang-froid; **tener mala ~** être méchant(e).

sangría nf (ANAT) saignée f; (*bebida*) sangria f.

sangriento, a a saignant(e).

sanguijuela nf sangsue f.

sanguinario, a a sanguinaire.

sanguíneo, a a sanguin(e).

sanidad nf santé f.

sanitario, a a sanitaire.

sano, a a (*saludable*) sain(e); (*sin daños*) en bon état, intact(e); (*higiénico*) hygiénique.

Santiago n: **~ (de Chile)** Santiago.

santiamén nm: **en un ~** en un clin d'œil.

santidad nf sainteté f.

santificar vt sanctifier.

santiguar vt (*fig*) gifler; **~se** vr se signer.

santo, a a saint(e); (*fig*) miraculeux(euse) // nm/f saint/e // nm (*día de*) fête f; **~ y seña** mot de passe m.

santón nm santon m.

santuario nm sanctuaire f.

saña nf fureur f, rage f.

sapiencia nf sagesse f.

sapo nm crapaud m.

saque nm (TENIS) service m; (FÚTBOL) coup m d'envoi.

saquear vt piller, mettre à sac; **saqueo** nm pillage m, sac m.

sarampión nm rougeole f.

sarcasmo nm sarcasme m.

sardina nf sardine f.

sardónico, a a sardonique.

sargento nm sergent m.

sarna nf gale f; **sarniento**, a, **sarnoso**, a a galeux(euse).

sartén nf poêle f.

sastre nm tailleur m; **sastrería** nf (*arte*) métier m de tailleur; (*tienda*) boutique f ou atelier m du tailleur.

satélite nm satellite m // a: **país ~** pays m satellite.

sátira nf satire f; (*crítica*) critique f.

satisfacción nf (*contento*) satisfaction f; (*cumplimiento*) compliment m, récompense f; (*de deseo*) satisfaction f, assouvissement m; **satisfacer** vt satisfaire; (*indemnizar*) réparer, indemniser; **satisfacerse** vr se faire plaisir, se satisfaire; (*vengarse*) se venger; **satisfecho**, a pp de **satisfacer** // a (*contento*) satisfait(e), content(e); (*vanidoso*) satisfait de sa personne, content de soi.

saturar vt (*saciar*) saturer; (*impregnar*) imprégner.

saturnino, a a saturnin(e).

sauce nm saule m.

sauna nf sauna m.

savia nf sève f.

saxofón, **saxófono** nm saxophone m.

saya nf jupe f.

sayo nm casaque f.

sazón nf (*madurez*) maturité f; (*fig*) occasion f; (*sabor*) goût m, saveur f; **sazonado**, a a assaisonné(e); **sazonar** vt assaisonner; (*fig*) mûrir.

se pron se; **~ mira en el espejo** il se regarde dans la glace; (*acusativo con acción no reflexiva*) on; **~ habla francés** on parle français; (*indefinido*) on; **~ acostumbra hacerlo** on prend l'habitude de le faire; (*dativo*) **~ lo daré** je le lui donnerai; (*a usted*) je vous le

donnerai; (pronominal) **acaba de bañarse** il vient de se baigner.
SE abr de sudeste.
S.E. abr de Su Excelencia.
sé vb ver saber, ser.
sea etc vb ver ser.
sebo nm (de animal) suif m, graisse f; (ANAT) sébum m.
seca nf ver seco.
secador nm séchoir m; ~ **de cabello** o **para el pelo** sèche-cheveux m inv.
secadora nf sécheresse f, essoreuse f.
secante nm buvard m.
secar vt (ropa) sécher; (platos) essuyer; ~**se** vr sécher, se dessécher.
sección nf section f; (en negocio) rayon m; (en diario) page f, chronique f.
seco, a a sec(sèche) // nf sécheresse f; **a secas** tout court.
secretaría nf secrétariat m.
secretario, a nm/f secrétaire m/f.
secreto, a a secret(ète) // nm secret m.
secta nf secte f; **sectario, a** a sectaire(trice); sectaire.
sector nm secteur m.
secuaz nm partisan m.
secuela nf séquelle f, suite f.
secuestrar vt séquestrer; **secuestro** nm (de bienes) séquestre m, saisie f; (de persona) séquestration f, enlèvement m.
secular a séculier(ière).
secundar vt seconder.
secundario, a a secondaire.
sed nf soif f.
seda nf soie f.
sedante, sedativo nm calmant m, sédatif m.
sede nf siège m.
sedentario, a a sédentaire.
sedición nf sédition f; **sedicioso, a** a séditieux(euse) // nm/f rebelle m/f.
sediento, a a (con sed) assoiffé(e); (ávido) avide, assoiffé.

sedimentar vt déposer; ~**se** vr (fig) se calmer, s'apaiser.
sedimento nm sédiment m, dépôt m; (residuo) résidu m.
seducción nf séduction f.
seducir vt séduire; **seductor, a** a séduisant(e); (engañoso) trompeur(euse) // nm/f séducteur/trice.
segador, a nm/f faucheur/euse // nf faucheuse f; **segadora-trilladora** nf moissonneuse-batteuse f.
segar vt faucher.
seglar a (laico) laïque; (lego) séculier(ière).
segregación nf ségrégation f.
segregar vt séparer.
seguido, a a suivi(e) // ad (directo) tout droit; (después) après // nf suite f; **acto ~** sur-le-champ.
seguimiento nm suite f, succession f.
seguir vt (gen) suivre; (perseguir) poursuivre; (proseguir) continuer, poursuivre; (acompañar) accompagner, suivre // vi (gen) suivre; (continuar) continuer à o u de ; ~**se** vr se suivre; (deducirse) s'ensuivre; (derivarse) découler.
según prep selon // ad ça dépend, c'est selon.
segundo, a a deuxième, second(e) // nm seconde f // nf double-tour m; **de segunda mano** de seconde main, d'occasion.
segundón nm cadet m, puîné m.
segur nf (hacha) hache f; (hoz) faucille f.
seguramente ad (con certeza) sûrement; (por supuesto) certainement, sûrement.
seguridad nf (tranquilidad) sécurité f, sûreté f; (certidumbre) assurance f, certitude f; (estabilidad) sûreté f.
seguro, a a (cierto) sûr(e), certain(e); (fiel) fidèle; (firme) ferme, sûr // ad certainement, à coup sûr // nm (cierre) sécurité f, sûreté f, cran m d'arrêt; (COM) assurance f; **dar por ~** assurer, affirmer; ~ **contra terceros** a todo

riesgo assurance au tiers/tous risques; **~s sociales** sécurité sociale.

seis *num* six.

seiscientos, as *num* six cents.

seismo *nm* séisme *m*.

selección *nf* sélection *f*; **seleccionar** *vt* sélectionner, choisir.

selecto, a *a* choisi(e).

selva *nf* forêt *f*; **selvático, a** *a* forestier(ière); (*salvaje*) sauvage.

sellar *vt* sceller; timbrer; (*monedas*) frapper.

sello *nm* timbre *m*; (*de goma*) tampon *m*; (*medicinal*) cachet *m*; (*fig*) cachet.

semáforo *nm* (*AUTO*) feux *mpl* de signalisation; (*FERROCARRIL*) sémaphore *m*.

semana *nf* semaine *f*; **semanal** *a* hebdomadaire; **semanario, a** *a* hebdomadaire.

semblante *nm* aspect *m*.

semblanza *nf* notice *f* biographique; (*retrato*) portrait *m*.

sembrado, a *a* cultivé(e) // *nm* champ ensemencé.

sembrador, a *nm/f* semeur/euse // *nf* semoir *m*.

sembrar *vt* semer.

semejante *a* (*parecido*) semblable; (*igual*) pareil(le) // *nm* semblable *m*; **semejanza** *nf* (*parecido*) ressemblance *f*; (*analogía*) analogie *f*, similitude *f*.

semejar *vi* ressembler; **~se** *vr* se ressembler.

semen *nm* semence *f*.

sementera *nf* semailles *fpl*, terrain ensemencé, semis *m*.

semestral *a* semestriel(le).

semicírculo *nm* demi-cercle *m*.

semiconsciente *a* semi- ou demi-conscient(e).

semilla *nf* graine *f*, semence *f*.

seminario *nm* (*REL*) séminaire *m*; (*AGR*) pépinière *f*.

sémola *nf* semoule *f*.

sempiterna *nf* immortelle *f*.

sena *nf* séné *m*.

Sena *nm*: **el ~** la Seine.

senado *nm* sénat *m*; **senador, a** *nm/f* sénateur.

sencillez *nf* (*naturalidad*) simplicité *f*; (*franqueza*) franchise *f*.

sencillo, a *a* simple; (*candoroso*) simple, naïf(ïve).

senda *nf* sentier *m*.

sendero *nm* sentier *m*, sente *f*.

sendos, as *a pl* un(e) chacun(e); **les dio ~ golpes** il leur donna un coup à chacun.

senil *a* sénile.

seno *nm* (*ANAT, fig*) sein *m*; (*vacío*) cavité *f*.

sensación *nf* sensation *f*; sentiment *m*.

sensatez *nf* bon sens; **sensato, a** *a* sensé(e).

sensible *a* sensible; (*apreciable*) appréciable.

sensitivo, a, sensorio, a, sensorial *a* sensitif(ive), sensoriel(le).

sensual *a* sensuel(le).

sentada *nf* ver **sentado**.

sentadillas: a ~ *ad* en amazone.

sentadero *nm* siège *m*.

sentado, a *a* assis(e); (*fig*) sensé(e), sage // *nf* séance *f*; **dar por ~** considérer comme bien sentado.

sentar *vt* asseoir; (*fig*) jeter // *vi* convenir, aller bien; **~se** *vr* (*persona*) s'asseoir; (*el tiempo*) se stabiliser; (*los depósitos*) se déposer; **~ bien** (*comida*) réussir; **~ bien/mal** aller bien/mal.

sentencia *nf* (*máxima*) sentence *f*; (*JUR*) sentence, jugement *m*, arrêt *m*; **sentenciar** *vt, vi* juger.

sentencioso, a *a* sentencieux (euse).

sentido, a *a* susceptible // *nm* sens *m*; (*conocimiento*) connaissance *f*; **mi ~ pésame** mes sincères condoléances; **~ del humor** sens de l'humour.

sentimental *a* sentimental(e).

sentimiento *nm* (*emoción*) sentiment *m*; (*sentido*) peine *f*, tristesse *f*; (*pesar*) regret *m*.

sentir *vt* (*percibir*) sentir; (*sufrir*)

sentir, souffrir; (*lamentar*) regretter, être désolé(e) de // *vi* (*tener la sensación*) sentir; (*lamentarse*) se désoler // *nm* sens *m*; ~se bien/mal se sentir bien/mal.

seña *nf* signe *m*; (MIL) contre-mot *m*; (COM) accepte *m*; ~s *nfpl* adresse *f*, coordonnées *fpl*.

señal *nf* (*marca*) marque *f*; (*signo*) marque, signe *m*, indice *m*; (REL, COM) signe *m*; en ~ de en signe de, comme preuve de; ~ de tráfico panneau *m* de signalisation; ~ **telefónica** tonalité *f*; **señalar** *vt* (*marcar*) marquer; (*indicar*) montrer; (*fijar*) fixer; **señalarse** *vr* (*distinguirse*) se distinguer; (*perfilarse*) se dessiner.

señero, a *a* seul(e), sans égal.

señor *nm* monsieur *m*; (*dueño*) maître *m*; (*forma de tratamiento*) monsieur *m*; **muy ~ mío** cher monsieur.

señora *nf* (*dama*) dame *f*; (*tratamiento de cortesía*) madame *f*; (*fam*) femme *f*; **Nuestra ~** Notre-Dame.

señorear *vt* dominer, commander.

señoría *nf* seigneurie *f*.

señorío *nm* pouvoir *m*, autorité *f*; (*fig*) dignité *f*, gravité *f*.

señorita *nf* (*tratamiento*) mademoiselle *f*; (*mujer joven*) jeune fille *f*, demoiselle *f*.

señorito *nm* monsieur *m*; (*hijo de ricos*) fils *m* de famille, fils à papa.

señuelo *nm* leurre *m*.

sepa *etc vb ver* **saber**.

separación *nf* séparation *f*; (*distancia*) écartement *m*.

separar *vt* séparer; (*dividir*) diviser; ~se *vr* se séparer; (*dividirse*) se diviser, se démembrer; (*aislarse*) s'éloigner, s'écarter, s'isoler; (*deshacerse de algo*) se défaire; **separatismo** *nm* séparatisme *m*.

sepelio *nm* inhumation *f*, enterrement *m*.

sepia *nf* sépia *f*.

séptico, a *a* septique.

septiembre *nm* septembre *m*.

séptimo, a *a* septième.

sepultar *vt* ensevelir, enterrer; **sepultura** *nf* (*acto*) sépulture *f*; (*tumba*) tombe *f*, tombeau *m*; **sepulturero, a** *nm/f* fossoyeur *m*.

sequedad *nf* sécheresse *f*.

sequía *nf* sécheresse *f*.

séquito *nm* suite *f*, cortège *m*.

ser *vi* (*gen*) être; (*devenir*) devenir // *nm* être *m*; ~ **de** (*origen*) être de; (*hecho de*) être en; (*pertenecer a*) être à; **es la una** il est une heure; **es de esperar que** il faut espérer que; **era de ver** il fallait voir; **a no que** si ce n'est que; **de no ~ así** sinon, autrement.

serenarse *vr* se calmer.

serenidad *nf* sérénité *f*, calme *m*.

sereno, a *a* (*claro, tranquilo*) serein(e), tranquille; (*calmado*) calme // *nm* (*humedad*) serein *m*; (*vigilante*) veilleur *m* de nuit, sereno *m*.

serie *nf* (*fila, lista*) série *f*; (*cadena*) chaîne *f*, suite *f*; **fuera de ~** hors série, hors pair.

seriedad *nf* sérieux *m*.

serio, a *a* sérieux(euse); **en ~** ad sérieusement.

sermón *nm* (REL) sermon *m*.

serpentear *vi* serpenter.

serpentina *nf* serpentin *m*.

serpiente *nf* serpent *m*; ~ **boa** boa *m*; ~ **pitón** python *m*; ~ **de cascabel** serpent à sonnettes.

serranía *nf* montagne *f*, région montagneuse.

serrano, a *a* montagnard(e) // *nm/f* montagnard/e.

serrar *vt* = **aserrar**.

serrín *nm* = **aserrín**.

serrucho *nm* égoïne *f*.

servicial *a* (*atento*) serviable; (*pey*) servile.

servicio *nm* service *m*; **al ~ de** au service de.

servidor, a *nm/f* domestique *m/f*; **su seguro ~**, (**s.s.s.**) votre très humble serviteur; **servidumbre** *nf* *(sujeción)* servitude f; *(criados)* domesticité f.

servil a servile.

servilleta nf serviette f.

servir vt servir; *(hacer favor)* rendre service ou être utile à // vi servir; *(tener utilidad)* être utile, servir; **~se** vr se servir.

sesenta num soixante.

sesgar vt couper en biais.

sesgo nm biais m; *(fig)* tournure f, biais.

sesión nf séance f.

seso nm *(ANAT)* cervelle f; *(fig)* cervelle, bon sens, jugeotte f; **~s** nmpl *(CULIN)* cervelle; **sesudo**, a a sensé(e), sage, prudent(e).

seta nf champignon m.

setecientos, as num sept cents.

seudo... pref pseudo-.

seudónimo nm pseudonyme m.

severidad nf *(rigor)* sévérité f; *(exactitud)* exactitude f, ponctualité f.

severo, a a *(serio)* sévère; *(austero)* austère.

Sevilla n Séville.

sexo nm sexe m; **sexual** a sexuel(le).

s.f. abr de sin fecha.

si conj si.

sí ad oui; *(después de frase negativa)* si // pron nm oui m // pron *(sг)* lui, *(f)* elle, *(mpl)* eux, *(fpl)* elles; **claro que ~** mais oui; mais si; **creo que ~** je crois que oui; **entre ~** en lui-même, à part soi.

sibarita nm/f sybarite f.

siderurgia nf sidérurgie f.

sidra nf cidre m.

siembra nf *(acción, tiempo)* semailles fpl; *(sembradío)* champ ensemencé.

siempre ad toujours // **~ que** conj *(cada vez)* pourvu que, du moment que; *(dado que)* étant donné que; **~ piensa que** il pense toujours que.

siemprevida nf immortelle f.

sien nf tempe f.

siento etc vb ver **sentar, sentir**.

sierra nf *(TEC)* scie f; *(cadena de* montañas) chaîne f de montagnes; *(montaña)* montagne f.

siervo, a a serf(erve).

siesta nf sieste f.

siete num sept.

sífilis nf syphilis f.

sifón nm *(botella)* siphon m; *(agua)* eau gazeuse.

sigiloso, a a secret(ète); discret(ète).

sigla nf sigle m.

siglo nm siècle m.

significación nf *(sentido)* signification f, sens m; *(fig)* importance f.

significado nm *(sentido)* sens m, signification f; *(acepción)* acception f.

significar vt *(denotar)* signifier, avoir le sens de; *(notificar)* désigner, signifier; *(representar)* représenter; **~se** vr se distinguer; **significativo, a** a significatif(ive).

signo nm signe m; **~ de admiración o exclamación** point m d'exclamation; **~ de interrogación** point d'interrogation.

sigo etc vb ver **seguir**.

siguiente a suivant(e).

siguió etc vb ver **seguir**.

sílaba nf syllabe f.

silbar vt, vi siffler; **silbato** nm sifflet m; **silbido** nm sifflement m.

silenciador nm silencieux m.

silenciar vt étouffer.

silencio nm silence m; **silencioso, a** a *(callado)* silencieux(euse); *(calmo)* calme, tranquille.

silicio nm silicium m.

silo nm silo m.

silueta nf silhouette f; aspect m; *(perfil)* profil m.

silvestre a sylvestre, forestier (ière); *(salvaje)* sauvage.

silvicultura nf sylviculture f.

silla nf *(asiento)* chaise f; *(de jinete)* selle f.

sillar nm *(piedra)* pierre f de taille; *(lomo)* dos m du cheval.

sillería nf sièges mpl.

sillón nm fauteuil m.

sima nf (*precipicio*) précipice m, gouffre m; (*abismo*) abîme m.

simbólico, a a (*alegórico*) symbolique; métaphorique; (*típico*) typique.

símbolo nm (*imagen*) symbole m; (*divisa*) emblème m.

simetría nf symétrie f.

simiente nf semence f.

símil a: ~ **piel** similicuir m, imitation f cuir.

similar a similaire.

simio nm singe m.

simpatía nf sympathie f; (*amabilidad*) gentillesse f; (*solidaridad*) solidarité f; **simpático, a** a sympathique; **simpatizar** vi sympathiser.

simple a (*sencillo*) simple; (*elemental*) élémentaire; (*mero*) simple, pur(e), seul(e) // (*ingenuidad*) naïveté f; **simpleza** nf (*necedad*) sottise f, simplicité f; **simplicidad** nf simplicité f; **simplificar** vt simplifier.

simulación nf simulation f.

simulacro nm imitation f.

simular vt simuler.

simultáneo, a a simultané(e).

sin prep sans; ~ **que** conj sans que; ~ **embargo** cependant.

sinagoga nf synagogue f.

sincerarse vr (*justificarse*) se justifier; (*hablar con franqueza*) s'ouvrir, ouvrir son cœur.

sinceridad nf (*verdad*) vérité f, sincérité f; (*ingenuidad*) ingénuité f, naïveté f.

sincero, a a (*verdadero*) sincère; (*ingenuo*) ingénu(e), naïf(ïve).

síncope nm syncope f.

sincrónico, a a synchronique.

sindicado, a a syndiqué(e).

sindical a syndical(e); ~**ista** nm/f syndicaliste m/f.

sindicar vt syndiquer; **sindicato** nm syndicat m.

sinfín nm infinité f.

sinfonía nf symphonie f.

singular a (*único*) unique; (*particu-*

lar) particulier(ière); ~**idad** nf singularité f; ~**izar** vt singulariser; ~**izarse** vr se singulariser, se caractériser; (*sobresalir*) se détacher.

siniestro, a a à gauche; (fig) sinistre; **a diestra y a siniestra** à tort et à travers.

sinnúmero nm infinité f.

sino nm sort m, destin m // conj (*pero*) mais; (*salvo*) sauf.

sinónimo nm synonyme m.

sinrazón nf injustice f.

sinsabor nm (*pena*) peine f; (*molestia*) ennui m.

síntesis nf (*compendio*) synthèse f; (*suma*) somme f; **sintético, a** a synthétique; **sintetizar** vt synthétiser.

sintió vb ver **sentir**.

síntoma nm symptôme m.

sinvergüenza nm/f fripon/ne.

sionismo nm sionisme m.

siquiera conj même si // ad au moins; **ni** ~ même pas.

sirena nf sirène f.

sirte nf banc m de sable.

sirviente, a nm/f domestique m/f, serviteur m.

sirvo etc vb ver **servir**.

sisar vt (*cometer hurto*) carotter, chaparder; (*vestido*) échancrer.

sisear vt, vi siffler, hhuer.

sismógrafo nm sismographe m, séismographe m.

sistema nm système m; **sistemático, a** a systématique.

sitiar vt assiéger.

sitio nm (*lugar*) endroit m, lieu m; (*espacio*) place f; (MIL) siège m.

situación nf situation f; (*estatus*) statut m.

situar vt situer; (*asignar fondos*) assigner, affecter; ~**se** vr se situer, se placer; (*orientarse*) relever sa situation.

slip nm slip m.

s/n abr de sin número.

so prep: ~ **pretexto/pena de** sous prétexte/peine de.

SO abr de sudoeste.

sobaco nm aisselle f.

sobar vt pétrir; (castigar) rosser; (manosear) peloter, tripoter; (molestar) gêner.

soberanía nf souveraineté f.

soberano, a a souverain(e); (fig) magistral(e) // nm/f souverain/e.

soberbio, a a (altivo) coléreux (euse); (fig) magnifique, superbe // nf (orgullo) orgueil m, superbe f; (fig) magnificence f.

sobornar vt suborner, soudoyer; **soborno** nm subornation f, corruption f.

sobra nf (resto) reste m; (exceso) surplus m; ~s nfpl résidus mpl, déchets mpl; **de** ~ de trop, en trop; **sobrado, a** a (de sobra) de trop; (abundante) abondant(e) // ad largement, de trop; **sobrante** a restant, en trop // nm reste m, restant m; **sobrar** vt excéder, dépasser // vi (tener de más) avoir en trop; (quedar) rester.

sobre prep (encima) sur; (por encima de, arriba de) au-dessus de; (más que) plus que; (además) en plus de; (alrededor de) environ, à peu près; (tratando de) sur // nm enveloppe f.

sobrecama nf dessus-de-lit m.

sobrecargar vt surcharger.

sobrecejo nm (ceño) froncement m de sourcils, (ARQ) linteau m.

sobrecoger vt (de miedo, de frío) saisir; (tomar por sorpresa) surprendre.

sobreexcitar vt surexciter.

sobrehumano, a a surhumain(e).

sobrellevar vt supporter; endurer.

sobremanera ad à l'excès, excessivement.

sobremesa nf (tapete) tapis m de table; (charla) dessert m.

sobrenatural a surnaturel(le).

sobrentender vt sous-entendre.

sobreponer vt (poner encima) superposer; (añadir) rajouter; ~**se** vr: ~**se** a surmonter, l'emporter sur.

sobreprecio nm augmentation f.

sobreproducción nf surproduction f.

sobrepujar vt (sobrepasar) surpasser; (dejar atrás) dépasser.

sobresaliente a qui dépasse, en saillie.

sobresalir vi (exceder) dépasser; (resaltar) ressortir.

sobresaltar vt (asustar) effrayer; (sobrecoger) faire sursauter // vi se détacher; **sobresalto** nm (movimiento) sursaut m; (susto) soubresaut m; (turbación) émotion f, trouble m.

sobrescrito nm adresse f.

sobretodo nm pardessus m.

sobrevalorar vt surévaluer.

sobrevenir vi survenir.

sobreviviente a survivant(e) // nm/f survivant/e.

sobriedad nf frugalité f.

sobrino, a nm/f neveu/nièce.

sobrio, a a (frugal) frugal(e); (moderado) modéré(e); (severo) sévère.

socaire nm côté m sous le vent; **al** ~ **de** à l'abri de.

socaliña nf astuce f, ruse f.

socarrón, ona a narquois(e); sournois(e).

socavar vt creuser; **socavón** nm galerie f, excavation f.

sociable a sociable.

social a social(e).

socialdemócrata a social-démocrate.

socialista a socialiste // nm/f socialiste m/f.

socializar vt socialiser.

sociedad nf (gen) société f; (COM) compagnie f; ~ **anónima (SA)** société anonyme (SA).

socio, a nm/f (miembro) sociétaire m/f, membre m; (COM) associé/e.

sociología nf sociologie f.

socorrer vt secourir; **socorro** nm (ayuda) secours m; (MIL) renfort m, secours.

soda nf (sosa) soude f; (bebida) soda m.

soez a grossier(ière).

sofá nm (pl ~s) sofa m, canapé m; **sofá-cama** nm canapé-lit m.

sofisticación nf sophistication f.

soflamar vt duper.

sofocar vt suffoquer; (apagar) étouffer; ~**se** vr étouffer; (fig) rougir; **sofoco** nm étouffement m, suffocation f; (fig) gros ennui.

sofrenar vt saccader.

soga nf corde f.

sois vb ver **ser**.

sojuzgar vt subjuguer, dominer.

sol nm soleil m.

solamente ad seulement.

solana nf endroit ensoleillé.

solapa nf (de chaqueta) revers m; (de libro) rabat m; (fig) prétexte m; **solapado, a** a sournois(e), dissimulé(e); malicieux(euse).

solar a solaire // nm terrain m vague.

solariega a: **casa** ~ manoir m, gentilhommière f; résidence f secondaire.

solaz nm distraction f, loisir m; (alivio) consolation f, soulagement m; **solazar** vt (divertir) récréer, distraire; (aliviar) soulager.

soldada nf salaire m.

soldado nm soldat m.

soldador nm fer m à souder.

soldadura nf soudure f, soudage m; (fig) remède m.

soldar vt souder.

soledad nf solitude f; (nostalgia) regret m, nostalgie f.

solemne a majestueux(euse), solennel(le); **solemnidad** nf solennité f; **solemnizar** vt célébrer.

soler vi avoir l'habitude de.

solevantar vt soulever.

solfa nf, **solfeo** nm solfège m.

solicitación nf sollicitation f, appel m; **solicitar** vt solliciter; demander.

solícito, a a (diligente) empressé(e); (cuidadoso) attentionné(e), plein(e) d'attentions; **solicitud** nf sollicitude f, empressement m; sollicitation f, requête f.

solidaridad nf solidarité f.

solidario, a a a solidaire; **solidarizarse** vr: **solidarizarse con** se solidariser avec.

solidez nf solidité f, cohésion f; dureté f; stabilité f.

sólido, a a (compacto) consistant(e); (firme) ferme; (resistente) résistant(e), solide.

soliloquio nm soliloque m, monologue m.

solista nm/f soliste m/f.

solitario, a a solitaire // nm/f solitaire m/f // nm solitaire m.

soliviantar vt exciter à la rébellion; irriter; monter contre; provoquer de faux espoirs pour.

soliviar vt soulever; ~**se** vr se dresser.

solo, a a seul(e); **a solas** seul, tout(e) seul(e).

sólo ad seulement.

solomillo nm aloyau m.

soltar vt (dejar) lâcher; (desprender) défaire, détacher; (desarticular) désarticuler; (largar) larguer.

soltero, a a célibataire // nm/f célibataire m/f; **solterón, ona** nm/f vieux garçon/vieille fille.

soltura nf action f de lâcher; (gracia) aisance f, facilité f; (desenvoltura) désinvolture f; (MED) relâchement m.

soluble a soluble.

solución nf solution f; (arreglo) dénouement m; **solucionar** vt résoudre, solutionner.

solvencia nf solvabilité f.

solventar vt (pagar) acquitter, payer; (resolver) résoudre.

sollamar vt flamber, griller.

sollo nm esturgeon m.

sollozo nm sanglot m.

sombra nf ombre f; (fig) signe m; ~**s** nfpl obscurité f; **tener buena/mala** ~ être sympathique/antipathique; porter bonheur/malheur.

sombreador nm: ~ **de ojos** nuance f des yeux.

sombrerería nf chapellerie f; (negocio) magasin m de chapeaux.

sombrerero, a *nm/f* chapelier/ière.

sombrero *nm* chapeau *m*.

sombrilla *nf* ombrelle *f*.

sombrío, a *a* (*oscuro*) obscur(e), sombre; (*sombreado*) ombragé(e); (*fig*) sombre, morne.

somero, a *a* sommaire.

someter *vt* soumettre; **~se** *vr* céder.

somnambulismo *nm* somnambulisme *m*; **somnámbulo, a** *nm/f* somnambule *m/f*.

somnífero, a *a* somnifère // *nm* somnifère *m*.

somnolencia *nf* somnolence *f*.

somos *vb ver* **ser**.

son *vb ver* **ser** // *nm* son *m*.

sonado, a *a* (*famoso*) fameux (euse); (*escandaloso*) qui fait du bruit, scandaleux(euse).

sonaja *nf* hochet *f*; **~s** *nfpl* tambourin *m*.

sonante *a* (*sonoro*) sonore; (*que tintinea*) sonnant(e).

sonar *vt* sonner // *vi* sonner; tinter; (*pronunciarse*) se prononcer; (*ser conocido*) être familier(ière) ou connu(e); **~se** *vr* se moucher.

sonda *nf* sonde *f*; **sondaje** *nm* sondage *m*; **sondear** *vt* sonder; **sondeo** *nm* (*gen*) sondage *m*; (*TEC*) forage *m*; (*fig*) investigation *f*.

sónico, a *a* sonique.

sonido *nm* son *m*, bruit *m*, rumeur *f*.

sonoro, a *a* sonore.

sonreír *vi*, **~se** *vr* sourire; **sonriente** *a* souriant(e); **sonrisa** *nf* sourire *m*.

sonrojar *vt* faire rougir; **~se** *vr* rougir.

sonrojo *nm* honte *f*.

sonsacar *vt* (*sacar*) soutirer; (*engatusar*) enjôler; (*hacer hablar*) tirer les vers du nez.

sonsonete *nm* (*son monótono*) tambourinage *m*, tambourinement *m*; (*rezongo*) ton ironique ou railleur.

soñado, a *a* rêvé(e).

soñador, a *nm/f* rêveur/euse.

soñar *vt, vi* rêver, songer; **~ con** *vt* rêver de.

soñoliento, a *a* endormi(e).

sopa *nf* soupe *f*, potage *m*; (*pan mojado*) trempette *f*, morceau *m* de pain; **sopera** *nf* soupière *f*; **sopero** *nm* assiette creuse.

sopesar *vt* soupeser.

sopetón *nm* taloche *f*.

soplador *nm* souffleur *m*; (*ventilador*) soufflet *m*.

soplar *vt* souffler // *vi* souffler; (*fam*) moucharder; **~se** *vr* (*fam*: *ufanarse*) rouler des mécaniques; **soplo** *nm* souffle *m*; (*fig*) mouchardage *m*, cafardage *m*; **soplo al corazón** souffle au cœur; **soplón, ona** *nm/f* mouchard/e.

sopor *nm* (*MED*) sopor *m*; (*fig*) assoupissement *m*, somnolence *f*; **soporífero, a** *a* soporifique // *nm* soporifique *m*, somnifère *m*.

soportable *a* supportable.

soportar *vt* supporter.

soporte *nm* support *m*.

soprano *nf* soprano *f*.

sorber *vt* (*chupar*) gober; (*inhalar*) inhaler; (*tragar*) avaler, engloutir; (*beber*) boire.

sorbete *nm* sorbet *m*.

sorbo *nm* (*trago*) trait *m*; (*chupada*) gorgée *f*.

sordera *nf* surdité *f*.

sórdido, a *a* sordide; (*fig*) mesquin(e).

sordina *nf* sourdine *f*.

sordo, a *a* sourd(e) // *nm/f* sourd/e; **a sordas** en sourdine; **sordomudo, a** *a* sourd(e)-muet(te).

sorna *nf* goguenardise *f*.

sorprendente *a* surprenant(e), étonnant(e).

sorprender *vt* (*asombrar*) surprendre, étonner; (*asustar*, *MIL*) surprendre; **sorpresa** *nf* surprise *f*.

sortear *vt* (*número*) tirer au sort; (*dificultad*) éviter, esquiver.

sorteo *nm* (*lotería*, *tómbola*) tirage *m* au sort; (*certamen*) tirage.

sortija *nf* (*anillo*) bague *f*, (*bucle de pelo*) bouche *f*.

sortilegio nm sortilège m.

sosegado, a a calme, paisible.

sosegar vt calmer, apaiser; tranquilliser // vi reposer; **sosiego** nm calme m.

soslayar vt mettre en travers; (fig) éviter, esquiver; **soslayo: al o de soslayo** de côté, en travers, de travers.

soso, a a fade.

sospecha nf (duda) soupçon m, doute m; (suposición) supposition f; (recelo) suspicion f; **sospechar** vt (dudar) soupçonner; (suponer) supposer; (recelar) suspecter, avoir des doutes sur; **sospechoso, a** a suspect(e) // nm/f suspect/e.

sostén nm (apoyo) soutien m, appui m; (prenda femenina) bustier m, soutien-gorge m; (alimentación) nourriture f, en-cas m inv.

sostener vt (fig: apoyar) soutenir, appuyer; (: soportar) soutenir; (alimentar) nourrir; (alentar) entretenir; **~se** vr se soutenir; (abastecerse) s'approvisionner; (seguir) continuer, suivre; **sostenido, a** a (mantenido) soutenu(e); (prolongado) prolongé(e); **valores sostenidos** valeurs soutenues.

sotana nf soutane f.

sótano nm sous-sol m.

sotavento nm côté m sous le vent; **a o de ~** sous le vent.

soterrar vt enfouir.

soto nm (bosque) bois m; (matorral) buisson m.

soviético, a a soviétique.

soy vb ver ser.

sport nm: **vestido de ~** vêtement m de sport.

Sr abr de Señor.

Sra(s) abr de Señora(s).

Sres abr de Señores.

S.R.C. (abr de se ruega contestación) RSVP.

Sría abr de secretaría.

s.s.s. abr ver servidor.

Sta abr de Santa.

Sta(s) abr de Señorita(s).

status nm inv statut m.

Sto abr de Santo.

su pron (m) son, (f) sa, (pl) ses; (de usted) votre, (pl) vos.

suave a (delicado) doux(douce), suave; (agradable) agréable; (liso) lisse; **suavidad** nf douceur f, délicatesse f; **suavizar** vt adoucir; apaiser, calmer; **suavizarse** vr s'adoucir; se calmer.

subalterno, a a inférieur(e); subalterne // nm subalterne m.

subarrendar vt sous-louer, sous-bailler.

subasta nf vente f aux enchères, adjudication f; **subastar** vt mettre ou vendre aux enchères.

subconsciencia nf subconscience f; **subconsciente** a subconscient(e).

subcutáneo, a a sous-cutané(e).

subdesarrollado, a a sous-développé(e).

súbdito, a nm/f sujet/te.

subdividir vt (desdoblar) dédoubler; (partir) subdiviser.

subestimar vt sous-estimer.

subexpuesto, a a sous-exposé(e).

subido, a a (color) vif(vive); (precio) élevé(e) // nf montée f; (de cuesta) côte f, montée.

subir vi monter; (levantar) lever, relever; (aumentar) augmenter // vi monter; (aumentarse) se monter, s'élever; **~se** vr monter; **~ por la escalera** monter par l'escalier.

súbito, a a (imprevisto) subit(e), soudain(e); (precipitado) violent(e), impétueux(euse) // ad: **(de) ~** soudain.

sublevación nf soulèvement m.

sublevar vt soulever.

sublimar vt sublimer.

sublime a sublime.

submarino, a a sous-marin(e) // nm sous-marin m.

suboficial nm sous-officier m.

subordinar vt subordonner, soumettre.

subrayar vt souligner.

subrepticio, a a subreptice.

subsanar vt réparer; excuser; corriger.

subscribir vt (firmar) souscrire; (respaldar) souscrire; ~**se** vr (a una publicación) s'abonner; (obligarse) souscrire; **subscripción** nf souscription f.

subsidiario, a a subsidiaire.

subsidio nm (ayuda) subside m; (subvención) subvention f; (de enfermedad, huelga, paro etc) indemnité f, allocation f.

subsistencia nf subsistance f.

subsistir vi subsister.

subterfugio nm subterfuge m.

subterráneo, a a souterrain(e) // nm sous-sol m, cave f, tunnel m.

suburbano, a a suburbain(e).

suburbio nm (barrio) faubourg m; (afueras) environs mpl, alentours mpl, périphérie f.

subvención nf subvention f.

subvencionar vt subventionner.

subversión nf subversion f.

subversivo, a a subversif(ive).

subvertir vi saper, miner.

subyacente a sous-jacent(e), subjacent(e).

subyugar vt subjuguer.

suceder vt, vi succéder; **sucesión** nf succession f.

sucesivamente ad: **y así** ~ et ainsi de suite.

sucesivo, a a successif(ive); **en lo** ~ à l'avenir, désormais.

suceso nm événement m; (hecho) fait m; (incidente) incident m.

suciedad nf saleté f; immondice f, impureté f; grossièreté f.

sucinto, a a succinct(e).

sucio, a a sale; (sórdido) sordide // ad malhonnêtement.

suculento, a a succulent(e); nutritif(ive).

sucumbir vi succomber.

sucursal nf succursale f.

sudamericano, a a sud-américain(e).

sudar vt (transpirar) transpirer, suer; (mojar) suer // vi transpirer.

sudario nm suaire m; linceul m.

sudeste nm sud-est m; **sudoeste** nm sud-ouest m.

sudor nm transpiration f, sueur f; ~**es** nmpl efforts mpl; ~**oso, a, sudoso, a, ~iento, a** a qui sue beaucoup, en sueur.

Suecia nf Suède f.

sueco, a a suédois(e).

suegro, a nm/f beau-père/belle-mère.

suela nf semelle f.

sueldo nm salaire m.

suele etc vb ver **soler**.

suelo vb ver **soler** // nm (tierra) sol m; (de casa) sol, plancher m.

suelto, a a (libre) libre, en liberté; (ágil) souple; (cómodo) commode, ample // nm monnaie f.

sueño vb ver **soñar** // nm sommeil m; (somnolencia) somnolence f; (lo soñado, fig) rêve m, songe m.

suero nm (MED) sérum m; (de manteca) petit-lait m.

suerte nf (destino) sort m, destin m; (azar) hasard m; (fortuna) chance f; (condición) sort; (género) sorte f, genre m; **de otra** ~ autrement; **de** ~ **que** en sorte que.

suéter nm sweater m, chandail m.

suficiencia nf capacité f, aptitude f; suffisant m, suffisant m; **suficiente** a suffisant(e); (capaz) capable.

sufragar vt aider; payer, supporter; financer.

sufragio nm (voto) suffrage m; (derecho de voto) suffrage, droit m de vote; (ayuda) aide f.

sufrido, a a (paciente) patient(e), endurant(e); (resignado) résigné(e).

sufrimiento nm (dolor) souffrance f, douleur f; (resignación) résignation f, patience f.

sufrir vt (padecer) souffrir de; (soportar) subir, supporter; (apoyar) supporter // vi souffrir.

sugerencia nf suggestion f.

sugerir vt (insinuar) suggérer; (motivar) motiver.

sugestión nf suggestion f; impression f; **sugestionar**

suggestionner, impressionner; dominer, suggestionner.

sugestivo, a *a* stimulant(e); suggestif(ive).

suicida *nm/f* suicidé/e.

suicidio *nm* suicide *m*.

Suiza *nf* Suisse *f*.

suizo, a *a* suisse, de la Suisse // *nm/f* Suisse/sse.

sujeción *nf* assujettissement *m*; obligation *f*.

sujetar *vt* (*fijar*) fixer; (*detener*) tenir, retenir; (*fig*) assujettir, soumettre; **~se** *vr* s'assujettir, s'astreindre (*asirse*) s'accrocher.

sujeto, a *a* (*propenso*) sujet(te); (*sin libertad*) soumis(e) // *nm* sujet *m*; ~ a exposé à, soumis à.

suma *nf* somme *f*; **en ~** en somme, somme toute; **sumadora** *nf* additionneuse *f*.

sumamente *ad* extrêmement, au plus haut point.

sumar *vt* (*adicionar*) additionner; (*añadir*) ajouter; (*totalizar*) totaliser, réunir; (*abreviar*) abréger, résumer // *vi*, **~se** *vr* se joindre.

sumario, a *a* sommaire // *nm* instruction *f* judiciaire.

sumergible *a* submersible, sous-marin(e).

sumergir *vt* submerger; **~se** *vr* plonger; **sumersión** *nf* submersion *f*; (*fig*) absorption *f*.

sumidero *nm* (*cloaca*) bouche d'égout *f*; (*TEC*) puisard *m*.

suministrador, a *nm/f* fournisseur *m*.

suministrar *vt* (*proveer*) fournir; (*abastecer*) approvisionner, fournir; **suministro** *nm* fourniture *f*; approvisionnement *m*; vivres *mpl*; distribution *f*.

sumir *vt* (*hundir*) enfoncer; (*sumergir*) submerger; **~se** *vr* s'enfoncer; (*enflaquecerse*) se creuser.

sumisión *nf* soumission *f*.

sumiso, a *a* soumis(e).

sumo, a *a* énorme, suprême; extrême, suprême.

suntuoso, a *a* somptueux(euse).

supe *etc vb ver* **saber.**

supeditar *vt* (*sujetar*) opprimer, assujettir; (*fig*) subordonner.

super *nm* super *m* // *a* super.

superabundar *vi* surabonder.

superar *vt* surpasser; (*sobreponerse a*) surmonter, l'emporter sur; **~se** *vr* se dépasser, se surpasser.

superávit *nm* excédent *m*.

supercarburante *nm* supercarburant *m*.

superchería *nf* supercherie *f*.

superestructura *nf* superstructure *f*.

superficial *a* superficiel(le).

superficie *nf* surface *f*.

superfluo, a *a* superflu(e).

superintendente *nm/f* surintendant/e.

superior *a* supérieur(e) // *nm/f* supérieur/e; **superioridad** *nf* supériorité *f*.

supermercado *nm* supermarché *m*.

supernumerario, a *a* surnuméraire.

superponer *vt* superposer.

supersónico, a *a* supersonique.

superstición *nf* superstition *f*; **supersticioso, a** *a* superstitieux(euse).

supervisor, a *nm/f* réviseur/euse; inspecteur/trice.

supervivencia *nf* survie *f*.

supiera *etc vb ver* **saber.**

suplantar *vt* supplanter; falsifier.

suplefaltas *nm/f inv* tête de Turc *f*; prête-nom *m*; suppléant *m*.

suplementario, a *a* supplémentaire.

suplemento *nm* supplément *m*; annexe *f*.

suplente *a* suppléant(e) // *nm/f* remplaçant/e.

súplica *nf* supplication *f*.

suplicante *nm/f* suppliant/e.

suplicar *vt* (*rogar*) supplier; (*demandar*) prier, solliciter.

suplicio *nm* supplice *m*.

suplir *vt* (*compensar*) suppléer;

(*reemplazar*) suppléer, remplacer // *vi*: ~ **a** o **por** suppléer à.

suponer *vt* supposer // *vi* avoir de l'autorité; **suposición** *nf* supposition *f*; hypothèse *f*.

supremacía *nf* suprématie *f*.

supremo, a *a* suprême.

supresión *nf* suppression *f*.

supresor *nm* dispositif *m* antiparasite.

suprimir *vt* supprimer.

supuesto, a *a* (*hipotético*) supposé(e); (*fingido*) imaginaire // *nm* hypothèse *f*, supposition *f*; ~ **que** *conj* vu que, étant donné que; **por** ~ naturellement, évidemment.

sur *nm* sud *m*.

surcar *vt* (*la tierra*) sillonner, tracer un sillon dans; (*agua*) fendre; (*frente*) sillonner; **surco** *nm* (*AGR*) sillon *m*; (*arruga*) ride *f*.

surgir *vi* surgir; apparaître, faire son apparition.

surtido, a *a* assorti(e); approvisionné(e) // *nm* assortiment *m*.

surtidor, a *a* qui fournit, fournisseur(euse) // *nm* jet *m*, pompe *f*.

surtir *vt* fournir, pourvoir // *vi* jaillir; ~**se** *vr* s'approvisionner, se pourvoir.

susceptible *a* susceptible; capable.

suscitar *vt* susciter.

suscribir *etc vt* = **subscribir** *etc*.

susodicho, a *a* susdit(e), susnommé(e).

suspender *vt* suspendre; **suspensión** *nf* suspension *f*.

suspenso, a *a* suspendu(e) // *nm*: **quedar** o **estar en** ~ rester ou être en suspens.

suspicacia *nf* méfiance *f*, défiance *f*.

suspicaz *a* méfiant(e).

suspirado, a *a* désiré(e) ardemment.

suspirar *vi* (*quejarse*) soupirer; (*anhelar*) soupirer, désirer.

suspiro *nm* soupir *m*; (*BOT*) pensée *f*.

sustancia *nf* substance *f*.

sustanciar *vt* abréger.

sustentar *vt* (*alimentar*) nourrir, sustenter; (*apoyar, afirmar, fig*) soutenir; **sustento** *nm* nourriture *f*; subsistance *f*; soutien *m*.

sustituir *vt* (*reemplazar*) remplacer; (*relevar*) substituer, remplacer; **sustituto, a** *nm/f* (*reemplazado*) substitut *m*, remplaçante/e; (*ayudante*) suppléant/e.

susto *nm* peur *f*.

sustraer *vt* soustraire; subtiliser; ~**se** *vr* se soustraire; se distraire, se détourner.

susurrar *vi* chuchoter, susurrer; (*rumorear*) murmurer, chuchoter; **susurro** *nm* murmure *m*.

sutil *a* (*agudo, fino*) subtil(e), mince; (*delicado*) subtil; (*tenue*) ténu(e); **sutileza** *nf* subtilité *f*.

suyo, a *a* (*de él, de ella*) à lui, à elle, un de ses; (*de ellos, ellas*) à eux, à elles, un des leurs; (*de Ud, de Uds*) à vous, un de vos; (*en las cartas*) bien à vous // *pron*: **el** ~ **le sien; la suya** la sienne.

svástica *nf* svastika *f*.

T

t *abr de* **tonelada.**

taba *nf* (*ANAT*) astragale *m*; (*juego*) osselets *mpl*.

tabaco *nm* tabac *m*.

taberna *nf* bar *m*, bistrot *m*, café *m*; **tabernero, a** *nm/f* (*encargado*) patron/ne de café; (*camarero*) garçon *m* (de café).

tabique *nm* cloison *f*.

tabla *nf* planche *f*; (*ARTE*) peinture *f* sur bois, panneau *m* de bois peint; (*estante*) tablette *f*, étagère *f*; (*de anuncios*) panneau d'affichage; (*lista, catálogo*) table *f*, tableau *m*;

(*mostrador*) étal m; (*de vestido*) pli plat; **hacer ~s** égaliser; **tablado** nm plancher m; scène f.

tablero nm planche f; (*pizarra*) tableau noir; (*de ajedrez, damas*) échiquier m; (*AUTO*) tableau de bord.

tablilla nf planchette f; (*MED*) éclisse f.

tablón nm grosse planche f; panneau m, tableau m d'affichage; plongeoir m.

tabú nm tabou m.

tabular vt disposer en tables, dresser une liste de // a tabulaire.

taburete nm tabouret m.

tacaño, a a (*avaro*) ladre, avare, pingre; (*astuto*) astucieux(euse), rusé(e).

tácito, a a tacite.

taciturno, a a taciturne; triste.

taco nm (*tarugo*) cheville f, tampon m, taquet m; (*BILLAR*) queue f de billard; (*libro de billetes*) carnet m de tickets; (*manojo de billetes*) liasse f de billets; (*AM*) talon m; (*fam: bocado*) morceau m, carré m; (: *trago de vino bebido*) coup m de vin.

tacón nm talon m.

táctico, a a tactique // nm tacticien m // nf tactique f.

tacto nm tact m; (*acción*) toucher m.

tacha nf tache f, défaut m; **poner ~** a blâmer.

tachar vt rayer, biffer, barrer; corriger; critiquer; **~ de** reprocher, accuser.

tachonar vt clouter; galonner, enrubanner.

tafetán nm taffetas m; **tafetanes** nmpl drapeaux mpl; **~ adhesivo** o **inglés** pansement m.

tafilete nm maroquin m.

tahona nf boulangerie f; moulin m.

tahúr nm joueur invétéré; tricheur m.

taimado, a a rusé(e), sournois(e); de mauvaise humeur.

taja nf (*corte*) entaille f, coupure f; (*repartición*) tranche f; **tajada** nf

tranche f; **tajadura** nf coupure f; entaille f.

tajante a tranchant(e); (*fig*) catégorique.

tajar vt trancher, couper.

tajo nm (*corte*) coupure f; (*filo*) estafilade f; (*GEO*) brèche f, ravin taillé à pic.

tal a tel(le); **~ vez** peut-être // pron (*persona*) quelqu'un/e; (*cosa*) ceci, cela; **una ~** (*fam*) une prostituée; **~ como** tel(le) que; **es su padre y como ~ ...** c'est son père et en tant que tel ...; **~ para cual** il vaut l'autre // ad: **~ cual** (*igual*) tel que; **~ cual** (*como es*) tel que; **el padre, cual el hijo** tel père, tel fils; **¿qué ~?** comment ça va?, comment vas-tu?, comment allez-vous?; **¿qué ~ te gusta?** cela te plaît-il?, qu'en penses-tu? // conj: **con ~ de que** à condition que.

tala nf coupe f, taille f, (*fig*) dévastation f.

talabartero nm bourrelier m, sellier m.

taladrar vt percer.

taladro nm foret m, tarière f; trou percé avec le foret; **~ neumático** perçeuse f.

talante nm (*humor*) humeur f; (*voluntad*) gré m.

talar vt couper, abattre; tailler, émonder; (*fig*) détruire.

talco nm talc m.

talego nm, **talega** nf sac m.

talento nm talent m; (*capacidad*) capacité f; (*don*) don m.

talidomida nf thalidomide f.

talismán nm talisman m.

talmente ad de telle manière, tellement, si; à un tel degré; exactement.

talón nm talon m.

talonario nm registre m à souche; **~ de cheques** carnet m de chèques, chéquier m.

talud nm talus m.

talla nf (*estatura, fig, MED*) taille f; (*palo*) toise f; (*ARTE*) sculpture f,

tallado, a *a* taillé(e) // *nm* sculpture *f*.

tallar *vt* tailler; graver; (*medir*) toiser; (*repartir*) évaluer, apprécier // *vi* tailler.

tallarín *nm* nouille *f*.

talle *nm* (ANAT) taille *f*; (*medida*) mesure *f*, taille *f*; (*física*) silhouette *f*; (*fig*) forme *f*.

taller *nm* atelier *m*.

tallo *nm* (*de planta*) tige *f*; (*de hierba*) thalle *m*, brin *m*; (*brote*) pousse *f*, rejeton *m*; (*col*) chou *m*; (*CULIN*) fruit confit.

tamaño, a *si* gros(se), *si* grand(e) // *nm* taille *f*, grandeur *f*; **de ~ natural** grandeur nature.

tamarindo *nm* (*árbol*) tamarinier *m*; (*fruta*) tamarin *m*.

tambalearse *vr* être branlant, chanceler.

también *ad* (*igualmente*) aussi; (*además*) en plus, de plus.

tambor *nm* tambour *m*.

tamiz *nm* tamis *m*; **tamizar** *vt* tamiser.

tamo *nm* duvet *m*, mouton *m*.

tampoco *ad* non plus; **yo ~ lo compré** je ne l'ai pas acheté non plus.

tampón *nm* tampon *m*.

tan *ad* si, tellement; **~ es así que** tant il est vrai que.

tanda *nf* équipe *f*; couche *f*, série *f*, volée *f* (*de coups*); partie *f*; tour *m*.

tangente *nf* tangente *f*.

Tánger *nf* Tanger.

tangible *a* tangible.

tango *nm* tango *m*.

tanque *nm* (*depósito*) réservoir *m*; (*MIL*) char d'assaut *m*, tank *m*; (*AUTO*) camion-citerne *m*; (*NAUT*) tanker *m*.

tantear *vt* (*calcular*) compter, calculer; (*medir*) mesurer; (*probar*) tâter, sonder, reconnaître; (*tomar la medida: persona*) tâter; sonder; (*considerar*) étudier, examiner // *vi* compter les points au jeu; **tanteo** *nm* calcul approximatif; tâtonnement *m*; sondage *m*; examen *m*, réflexion

f; essai *m*; **al tanteo** à vue d'œil.

tanto, a *a* (*cantidad*) tant de; **a las 9 y ~s** à 9 heures et quelques// *ad* (*cantidad*) tant, autant; (*tiempo*) si longtemps; **~ tú como yo** aussi bien toi que moi; **~ como eso** autant que cela; **~ más ... cuanto que** d'autant plus ... que; **~ mejor/peor** tant mieux/ pis; **~ si viene como si va** ça m'est égal; **es así que** tant et si bien que; **por** *o* **por lo ~** par conséquent; **me he vuelto ronco de** *o* **con ~ hablar** je me suis enroué à force de tant parler // *conj*: **con ~ que** tellement que; **en ~ que** tant que; **hasta ~ (que)** jusqu'à ce que // *nm* (*suma*) somme *f*; (*proporción*) part *f*, pourcentage *m*; (*punto, gol*) but *m*; **al ~** au courant; **un ~ perezoso** un peu paresseux; **al ~ de algo** sous prétexte de // *pron*: **cada uno paga ~** chacun paie tant; **a ~s de agosto** le tant du mois d'août.

tapar *vt* (*cubrir*) fermer; (*envolver*) recouvrir; (*la vista*) boucher; (*persona*) cacher; (*falta*) cacher; (AM) boucher, plomber; **~ se** *vr* se couvrir se boucher.

taparrabo *nm* pagne *m*; (*bañador*) slip *m*, cache-sexe *m inv*.

tapete *nm* tapis *m*.

tapia *nf* mur *m* en pisé; **tapiar** *vt* élever un mur de clôture autour de.

tapicería *nf* tapisserie *f*; (*para muebles*) tissu *m* d'ameublement; (*tienda*) magasin *m* du tapissier.

tapiz *nm* (*alfombra*) tapis *m*; (*tela tejida*) tapisserie *f*; **tapizar** *vt* (*pared, suelo*) tapisser; (*muebles*) couvrir, recouvrir.

tapón *nm* (*corcho*) bouchon *m*; (*TEC*) bonde *f*; (*MED*) tampon *m*; **~ de rosca** *o* **de tuerca** couvercle *m* à vis.

taquígrafo, a *nm/f* sténographe *m/f*.

taquilla *nf* (*donde se compra*) guichet *m*; (*suma recogida*) recette *f*; **taquillero, a** *a* à succès, qui fait recette // *nm/f* guichetier/ière;

employé/e d'un guichet.

taquímetro nm tachéomètre m.

tara nf (defecto, COM) tare f; (tarja) taille f.

tarántula nf tarentule f.

tararear vi fredonner.

tardanza nf lenteur f; retard m.

tardar vi (tomar tiempo) mettre longtemps; (llegar tarde, llegue); (llegar tarde) tarder, arriver en retard; (demorar) retarder; ¿tarda mucho el tren? le train met-il longtemps?; a más ~ au plus tard; no tardes en venir ne tarde pas à venir.

tarde ad (hora) tard; (después de tiempo) tard, trop tard // (después de mediodía) après-midi m ou f inv; soir m; de ~ en ~ de temps en temps; ¡buenas ~s! bonjour; bonsoir; a o por la ~ l'après-midi.

tardío, a (retrasado) tardif(ive); (lento) lent(e).

tardo, a a lent(e); tardif(ive).

tarea nf tâche f, travail m; (ESCOL) devoir m; ~ de ocasión travail occasionnel.

tarifa nf tarif m; ~ completa plein tarif.

tarima nf plate-forme f, escabeau m, petit banc; estrade f.

tarjeta nf carte f; ~ postal carte postale.

tarraconense a tarragonais(e).

tarro nm pot m; bidon m, boîte f de ferblanc.

tarta nf (pastel) tarte f; (torta) galette f.

tartamudear vi bégayer; **tartamudo, a** a bègue // nm/f bègue m/f.

tartana nf (barco) tartane f; (carro) carriole f.

tártárico, a a: ácido ~ acide tartrique.

tártaro, a nm tartre m // a tartare.

tasa nf taxe f; (valoración) évaluation f, taxation f; (medida, norma) mesure f, règle f; ~ de interés taux m d'intérêt; **tasación** nf taxation f; évaluation f.

tasador nm commissaire-priseur.

tasajo nm viande séchée ou boucanée; morceau m de viande.

tasar vt taxer; (valorar) évaluer, estimer; (limitar) limiter, restreindre, rationer.

tasca nf bistrot m.

tatarabuelo nm trisaïeul m, arrière- arrière-grand-père m.

tatuaje nm tatouage m.

tatuar vt tatouer.

taumaturgo nm thaumaturge m.

taurino, a a taurin(e).

Tauro nm le Taureau; **ser (de) ~** être (du) Taureau.

tauromaquia nf tauromachie f.

tautología nf tautologie f.

taxi nm taxi m.

taxidermia nf taxidermie f.

taxista nm/f chauffeur m de taxi.

taza nf tasse f; (de retrete) cuvette f; ~ para café tasse à café; **tazón** nm bol m; pot m.

te pron (complemento de objeto) te, t'; (complemento indirecto) toi; (reflexivo) te, t'; ¿~ duele mucho el brazo? tu as très mal au bras?; ~ equivocas tu te trompes; ¡calma ~! calme-toi!

té nm thé m // nf té m.

tea nf torche f.

teatral a théâtral(e).

teatro nm théâtre m.

tecla nf touche f.

teclado nm clavier m.

teclear vi frapper, tapoter; (fam) chanceler.

tecleo nm (MUS) frappe f, jeu m, doigté m; tapotement m.

técnico, a a technique // nm technicien/ne // nf (procedimientos) technique f, méthode f; (arte, oficio) technique, procédé m.

tecnócrata nm/f technocrate m/f.

tecnología nf technologie f; **tecnológico, a** a technologique; **tecnólogo** nm technologue m/f.

techado nm toit m, toiture f.

techo nm (externo) toit m, toiture f; (interno) plafond m; **techumbre** f toiture f.

tedio nm (aburrimiento) ennui m;

(*apatía*) apathie f, dégoût m, répugnance f; (*fastidio*) nausée f, aversion f; **tedioso, a** a répugnant(e); ennuyeux(euse).

teja nf (*azulejo*) tuile f; (BOT) limettier m; **pagar a toca ~** payer comptant.

tejado nm toit m.

tejanos nmpl (blue-)jean m.

tejemaneje nm adresse f; habileté f, manigances fpl; manipulation f, intrigue f.

tejer vt tisser; (AM) tricoter; (fig) ourdir; **tejido** nm tissu m; (*telaraña*) toile d'araignée f; (*estofa, tela*) étoffe f; (*textura*) tissure f.

tel, teléf abr de **teléfono**.

tela nf (*material*) tissu m; (*telaraña*) toile d'araignée f; (*de fruta*) membrane f (*en líquido*) peau f; (*del ojo*) taie f; **telar** nm (*máquina*) métier m à tisser; (*de teatro*) cintre m; **telares** nmpl usine f textile.

telaraña nf toile d'araignée f.

tele... pref télé...; **~comunicación** nf télécommunication f; **~control** nm télécontrôle m; **~diario** nm journal télévisé; **~difusión** nf télédiffusion f; **~dirigido, a** a téléguidé(e); **~férico** nm téléphérique m; **~fonear** vi téléphoner; **~fónico, a** a téléphonique; **~fonista** nm/f standardiste m/f; **teléfono** nm téléphone m; **~foto** nf téléphoto f; **~grafía** nf télégraphie f; **~grafo** nm télégraphe m; **~grama** nm télégramme m; **~impresor** nm téléimprimeur m; **teleimpresor** nm téléimprimeur m; **telescripteur** nm télémetro nm télémètre m; **~objetivo** nm téléobjectif m; **~pático, a** a télépathique; **~scópico, a** a télescopique; **~scopio** nm télescope m; **~silla** nf télésiège m; **~spectador, a** nm/f téléspectateur/trice; **~squí** nm téléski m; **~tipista** nm/f télétypiste m/f; **~tipo** nm télétype m; **~vidente** nm/f téléspectateur/trice; **~visar** vt téléviser; **~visión** nf télévision f; **~visión en colores**

télévision-couleur f; **~visor** nm téléviseur m.

telex nm télex m.

telón nm rideau m; **~ de boca/seguridad** rideau de scène/ fer; **~ de acero** (POL) rideau de fer; **~ de foro** toile de fond; **telonero, a** nm/f artiste m/f qui passe en lever de rideau.

tema nm (*asunto*) sujet m; (MUS) thème m // (*obsesión*) marotte f, idée f fixe; (*manía, hostilidad*) manie f, hostilité f; **tener ~ a uno** faire la conversation à qn; **temático, a** a thématique // **temática** f thématique f.

tembladera nf tremblement m; (AM) bourbier m.

temblar vi trembler; **tembleque a** tremblotant(e) // **tembladera** nm = **tembladera; temblón, ona** a trembleur(euse); **temblor** nm tremblement m; (AM) tremblement de terre; **tembloroso, a** a tremblant(e).

temer vt craindre, avoir peur de // vi craindre, avoir peur; **temo que llegue tarde** je crains qu'il n'arrive tard.

temerario, a a (*descuidado*) téméraire; (*arbitrario*) arbitraire; **temeridad** nf témérité f; acte m arbitraire.

temeroso, a a (*miedoso*) peureux(euse), craintif(ive); (*que inspira temor*) redoutable.

temible a redoutable.

temor nm (*miedo*) crainte f, peur f; (*duda*) soupçon m, doute m.

témpano nm (MUS) cymbale f; **~ de hielo** glaçon m; **~ de tocino** flèche f de lard.

temperamento nm tempérament m.

temperar vt tempérer, adoucir.

temperatura nf température f.

temperie nf température f.

tempestad nf tempête f; **tempestuoso, a** a tempétueux(euse).

templado, a a (*moderado*) tempéré(e); (*abstemio*) abstème, sobre; (*agua*) tiède; (*clima*) tempéré, doux(ouce); (MUS) accordé(e).

templanza nf modération f, tempérance f; abstention f; douceur f.

templar vt (moderar) tempérer, modérer; (furia) contrôler, calmer, apaiser; (clima) adoucir; (calor) tiédir, tempérer; (diluir) diluer; (afinar) accorder; (acero) tremper; (tuerca) serrer, ajuster // vi s'adoucir; ~se vr se tempérer, se modérer.

templario nm templier m.

temple nm (humor) humeur f; (ajuste) ajustage m; (afinación) accord m; (clima) température f; (pintura) détrempe f.

templete nm pavillon m, kiosque m.

templo nm (iglesia) église f; (pagano etc) temple m.

temporada nf saison f.

temporal a (no permanente) temporaire; (REL) temporel(le) // nm tempête f.

tempranero, a precoce; hâtif(ive).

temprano, a precoce // ad tôt, de bonne heure; (demasiado pronto) trop tôt.

ten vb ver tener.

tenacidad nf ténacité f, résistance f, endurance f; persévérance f; obstination f.

tenacillas nfpl pincettes fpl; pinces fpl à épiler; mouchettes fpl.

tenaz a (material) résistant(e); (persona) tenace; (mancha) persistant(e); (pegajoso) collant(e); (terco) obstiné(e), têtu(e).

tenaza(s) nf(pl) tenailles fpl; (MED) pinces fpl; (TEC) mors m; (ZOOL) pinces.

tendal nm bâche f, toile f.

tendedero nm séchoir m.

tendencia nf orientation f; inclination f, tendance f; (POL) tendance.

tendencioso, a a tendencieux (euse).

tender vt tendre; (ropa lavada) étendre; (vía férrea, cable) poser;

(cuerda) laisser filer, dérouler // vi tendre, viser; ~se vr s'étendre, s'allonger; (fig) se rendre, s'abandonner; ~ la cama faire le lit; ~ la mesa mettre la table.

ténder nm tender m.

tenderete nm séchoir m; échoppe f; éventaire m; étalage m; désordre m.

tendero, a nm/f commerçant/e.

tendido, a a (acostado) allongé(e), étendu(e); (colgado) accroché(e), pendu(e) // (ropa) étendage m; (TAUR) gradin m (exposé au soleil, à l'ombre); (colocación) pose f; (parte del tejado) égout m, pente f; a galope ~ au triple galop.

tendón nm tendon m.

tendré etc vb ver tener.

tenducho nm échoppe f, petite boutique.

tenebroso, a a ténébreux(euse); difficile; sinistre.

tenedor nm (CULIN) fourchette f; (poseedor) possesseur m, détenteur m; ~ de libros comptable m.

teneduría nf tenue f; comptabilité f.

tenencia nf occupation f; possession f; lieutenance f; charge f.

tener vt (poseer) avoir; (sostener: en la mano) tenir; (contener) contenir, tenir; (sentir) sentir; (ocuparse de) s'occuper de; (considerar) considérer, juger; ~ suerte avoir de la chance; ~ permiso avoir l'autorisation; (edad): ~ 10 años avoir 10 ans; ¿cuántos años tienes? quel âge as-tu?; ~ sed/hambre/frío/calor avoir soif/faim/froid/chaud; ~ ganas avoir envie; ~ celos être jaloux(ouse); ~ cuidado faire attention; ~ razón avoir raison; (medir): ~ un metro de ancho/de largo mesurer un mètre de large/de long; ~ a bien juger bon; ~ en cuenta tenir compte de, considérer; ~ a menos trouver indigne de soi; ~ en más (estima) tenir qn en estime; ~ a uno por... prendre qn pour...; ~

por seguro être sûr(e); ~ **presente** se rappeler, ne pas oublier; (dar a luz) accoucher; ~ **que** (obligación) devoir, falloir; **tiene que ser así** cela doit être ainsi; **nos tiene preparada una sorpresa** il nous a préparé une surprise; **¿qué tiene?** qu'a-t-il?; **¿ésas tenemos?** ah, c'est comme ça!; **tiene un mes de muerto** cela fait un mois qu'il est mort; ~**se** vr (erguirse) se tenir debout; (apoyarse) s'appuyer; (fig) se tenir, se contrôler; (considerarse) s'estimer, se croire.

tenería nf tannerie f.

tengo etc vb ver **tener**.

tenia nf ténia m, taenia m.

teniente nm (rango) lieutenant m; (ayudante) adjoint m.

tenis nm tennis m; **tenista** nm/f joueur/euse de tennis.

tenor nm (tono) ton m; (sentido) teneur f; (MUS) ténor m; **a** ~ **de** d'après.

tensar vt tendre.

tensión nf tension f.

tenso, a adj tendu(e).

tentación nf tentation f.

tentáculo nm tentacule m.

tentador, a adj tentant(e), alléchant(e) // nm/f tentateur/trice.

tentar vt (tocar) tâter; (seducir) tenter, séduire; (atraer) attirer; (probar) tenter; (lanzarse a) se lancer à; (MED) sonder, tâter.

tentativa nf tentative f.

tentempié nm (fam) collation f, en-cas m inv.

tenue adj (delgado) mince; (alambre) fin(e); (insustancial) futile; (sonido) faible, ténu(e); (neblina) léger(ère); (lazo, vínculo) fragile; **tenuidad** nf (delgadez) finesse f; futilité f; légèreté f, fragilité f; simplicité f.

teñir vt teindre, teinter, colorer; (fig) marquer; ~**se** vr se teindre.

teocracia nf théocratie f.

teología nf théologie f; **teólogo, a** nm/f théologien/ne.

teorema nm théorème m.

teoría nf théorie f; **en** ~ en théorie;

teóricamente ad théoriquement; **teórico, a** adj ~ a théorique // nm/f théoricien/ne; **teorizar** vi théoriser.

terapéutico, a adj a thérapeutique // nf thérapeutique f, thérapie f.

terapia nf thérapie f, thérapeutique f; ~ **laboral** thérapie par le travail.

tercer num ver **tercero**.

tercería nf médiation f, entremise f; intermédiaire m, entremise f.

tercero, tercer, a adj troisième // nm (árbitro) tiers m, tierce personne f; (JUR) tiers arbitre.

terceto nm trio m.

terciado, a adj en bandoulière; **azúcar** ~ sucre doux, cassonade f.

terciar vt diviser en trois; (poner) mettre en travers; (llevar) porter en bandoulière // vi (participar) intervenir; (hacer de árbitro) s'interposer; ~**se** vr se présenter.

terciario, a adj a tertiaire, troisième.

tercio nm tiers m.

terciopelo nm velours m.

terco, a adj têtu(e), entêté(e); (material) résistant(e).

tergiversación nf interprétation fausse ou tendancieuse; vacillation f; **tergiversar** vt fausser, déformer, interpréter tendancieusement // vi vaciller, hésiter.

termas nfpl thermes mpl.

terminación nf (final) terminaison f, achèvement m; (conclusión) finition f, conclusion f.

terminal adj (final) terminal(e) // nm plot m, borne f // nf terminus m.

terminante adj formel(le); concluant(e), final(e); catégorique.

terminar vt (completar) finir; (concluir) conclure // vi (llegar a su fin) se terminer, finir; (parar) arrêter, cesser; (acabar) finir, terminer; ~**se** vr se terminer; ~ **de/por hacer algo** finir de/par faire qch.

término nm terme m; (parada) terminus m; (límite) limite f; en **último** ~ finalement; **en** ~**s de** en termes de.

terminología nf terminologie f.

termodinámico, a a thermodynamique.

termómetro nm thermomètre m.

termonuclear a thermonucléaire.

termo(s) nm (bouteille) thermos f ®.

termostático, a a thermostatique.

ternera nf (animal) génisse f; (carne) veau m.

ternero nm veau m.

terneza nf tendresse f.

terno nm (traje) complet m; (conjunto) trio m.

ternura nf (trato) tendresse f; (palabra) parole affectueuse; (blandura) tendreté f.

terquedad nf obstination f, entêtement m; (dureza) dureté f.

terrado nm terrasse f.

terraplén nm remblai m; terrasse f; terre-plein m; côte f.

terrateniente nm propriétaire foncier.

terraza nf terrasse f.

terremoto nm tremblement m de terre.

terrenal a terrestre.

terreno nm (tierra) champ m; (parcela) terrain m; (suelo) sol m; (fig) domaine m.

terrero, a a terreux(euse); (de la tierra) de terre; (vuelo) bas(se), à ras de terre; (fig) bas.

terrestre a terrestre; (ruta) de terre.

terrible a terrible; (fig) violent(e); impressionnant(e).

territorio nm territoire m.

terrón nm motte f; (de azúcar) morceau m; **terrones** nmpl terres fpl.

terror nm terreur f; **terrorífico, a** a terrifiant(e), terrible; **terrorista** nm/f terroriste m/f // a terroriste.

terroso, a a terreux(euse).

terruño nm motte f de terre; (fig) pays natal, terroir m.

terso, a a clair(e); poli(e); pur(e); **tersura** nf pureté f; poli m, brillant m, éclat m.

tertulia nf réunion f entre amis; cercle m, groupe m; (sala) arrière-salle f.

tesis nf inv thèse f.

tesón nm ténacité f; fermeté f, opiniâtreté f.

tesorería nf (cargo) charge f du trésorier; (oficina) trésorerie f.

tesorero, a nm/f trésorier/ière.

tesoro nm butin m, trésor m; (presupuesto público) trésor (public); (fig) trésor.

testa nf (cabeza) tête f; (frente) front m.

testaferro nm homme m de paille.

testamentaría nf exécution f testamentaire.

testamentario, a a testamentaire // nm/f exécuteur/trice testamentaire.

testamento nm testament m.

testar vi tester.

testarudo, a a têtu(e), entêté(e).

testera nf façade f.

testero nm façade f; pan m de mur.

testes nmpl testicules mpl.

testículo nm testicule m.

testificar vt attester, témoigner de; (fig) démontrer // vi témoigner.

testigo nm/f témoin m; ~ de cargo/descargo témoin à charge/décharge.

testimoniar vt témoigner de; (fig) prouver.

testimonio nm témoignage m, preuve f.

teta nf mamelon m; (fam) mamelle f, tétine f.

tétanos nm tétanos m.

tetera nf théière f.

tetilla nf mamelle f.

textil a textile // ~es nmpl textiles mpl.

texto nm texte m; **textual** a textuel(le).

textura nf (de tejido) texture f, tissage m; (de mineral) structure f.

tez nf (cutis) peau f (du visage); (color) teint m.

ti pron toi.

tía nf (pariente) tante f; (mujer cualquiera) bonne femme; (fam: pej: vieja) mère f, vieille f; (: prostituta) poule f, fille de joie f.

tibia nf ver **tibio**.

tibieza nf tiédeur f.

tibio, a a tiède // nf tibia m.

tiburón nm requin m.

tic nm tic m.

tictac nm tic-tac m.

tiempo nm temps m; (época, período) temps, époque f; (temporada) saison f; (edad) âge m; (de juego) période f, temps; a ~ tandis que, en même temps que; a un o al mismo ~ en même temps, à la fois; **al poco** ~ au bout d'un moment; **de** ~ **en** ~ de temps en temps; **hace buen/mal** ~ il fait beau/mauvais temps; **estar a** ~ être à temps; **hacer** ~ gagner du temps.

tienda nf (COM) boutique f, magasin m; épicerie f; (NAUT) vélum m, toile f; ~ **de campaña** tente f.

tienes etc vb ver **tener**.

tienta nf (MED) sonde f; (fig) sagacité f.

tiento nm (tacto) toucher m; (precaución) tact m, prudence f; (pulso) adresse f, sûreté f de main; (ZOOL) tentacule m; (de ciego) bâton m d'aveugle.

tierno, a a (blando, dulce) tendre, mou (molle); (fresco) frais (fraîche).

tierra nf terre f; (suelo) sol m; (país) pays m; ~ **adentro** à l'intérieur des terres.

tieso, a a raide; vif(vive); guindé(e), ferme, inflexible // ad fortement, fermement.

tiesto nm pot m à fleurs; (pedazo) tesson m.

tiesura nf raideur f; (fig) rigidité f, raideur f; obstination f, entêtement m.

tifo nm typhus m.

tifón nm (huracán) typhon m; (de mar) raz-de-marée m inv, typhon.

tifus nm typhus m.

tigre nm tigre m.

tijera nf (AM) ciseaux mpl; (ZOOL) pinces fpl; (persona) mauvaise langue; ~**s** nfpl ciseaux mpl; (para plantas) sécateur m.

tijeretear vt taillader // vi bavarder.

tildar vt accuser.

tilde nf (defecto) marque f; (trivialidad) vétille f.

tilín nm drelin m.

tilo nm tilleul m.

timar vt carotter; rouler; ~**se** vr (fam) se faire de l'œil.

timbal nm timbale f.

timbrar vt timbrer.

timbre nm (sello) cachet m; (impuesto) timbre m; (campanilla) sonnette f; (tono) timbre.

timidez nf timidité f.

tímido, a a timide.

timo nm escroquerie f.

timón nm gouvernail m; **timonel** nm timonier m.

tímpano nm (ANAT) tympan m; (MUS) tympanon m.

tina nf jarre f, cuve f; (baño) baignoire f; **tinaja** nf jarre f.

tinglado nm hangar m; tente f, auvent m, remise f; ruse f.

tinieblas nfpl ténèbres fpl.

tino nm adresse f; (MIL) adresse au tir; (juicio) bon sens; (moderación) sagesse f.

tinta nf ver **tinto**.

tinte nm (acción) teinture f; (tienda) teinturerie f; (carácter) tendance f; (barniz) vernis m.

tinterillo nm rond-de-cuir m.

tintero nm encrier m.

tintinear vt tintinnabuler.

tinto, a a teint(e) // nm rouge m // nf encre f; (TEC) teinte f; (ARTE) couleurs fpl.

tintorera nf requin m.

tintorería nf teinturerie f.

tintura nf teinture f.

tío nm (pariente) oncle m; (fam: viejo) père m; (: individuo) type m.

tiovivo nm chevaux mpl de bois, manège m.

típico, a *a* typique.

tiple *nm* soprano *m* // *nf* soprano *f*.

tipo *nm* (*norma*) type *m*; (*patrón*) modèle *m*; (*clase*) genre *m*, sorte *f*; (*hombre*) type; (ANAT) variété *f*; embranchement *m*; (IMPRENTA) caractère *m*; ~ **bancario/de descuento/de interés/de cambio** taux bancaire/d'escompte/d'intérêt/de change.

tipografía *nf* (*tipo*) typographie *f*; (*lugar*) imprimerie *f*; **tipográfico, a** *a* typographique.

tipógrafo, a *nm/f* typographe *m/f*.

tiquismiquis *nmpl* scrupules *mpl* ridicules; chichis *mpl*.

tira *nf* bande *f*; (*fig*) va-et-vient *m*; ~ **y afloja** tiraillements *mpl*.

tirabuzón *nm* tire-bouchon *m*.

tirado, a *a* (*barato*) courant(e), donné(e), bon marché; (*fácil*) facile // *nf* tirage *m*; (*distancia*) traite *f*; (*serie*) série *f*; **de una tirada** d'une seule traite.

tirador, a *nm/f* tireur/euse // *nm* poignée *f*; bouton *m*.

tiranía *nf* tyrannie *f*; **tirano, a** *a* tyrannique // *nm/f* tyran *m*.

tirante *a* tendu(e) // *nm* entretoise *f*; bride *f*, épaulette *f*; (*correa*) trait *m*; ~**s** *nmpl* bretelles *fpl*; **tirantez** *nf* tension *f*.

tirar *vt* (*aventar*) lancer, disperser; (*dejar caer*) jeter; (*volcar*) renverser; (*derribar*) abattre; (*jalar*) tirer; (*desechar*) chasser, jeter; (*disipar*) dissiper; (*imprimir*) tirer; (*dar golpe*) flanquer // *vi* (*disparar*) tirer; (*jalar*) haler, tirer; (*fig*) attirer; (*fam: andar*) tourner; (*tender a, buscar realizar*) tendre à; (DEPORTE) tirer; ~**se** *vr* se jeter; (*fig*) se rabaisser; ~ **abajo** enfoncer; **tira más a su padre** il ressemble plus à son père; **ir tirando** allez comme ci comme ça; **a todo** ~ tout au plus.

tirita *nf* pansement adhésif.

tiritar *vi* grelotter.

tiro *nm* (*lanzamiento*) lancement *m*, jet *m*; (*disparo*) coup *m* de feu;

(*disparar*) tir *m*; (DEPORTE) shoot *m*; (*alcance*) portée *f*; (*de escalera*) étage *m*, volée *f*; (*golpe*) coup *m*; (*engaño*) escroquerie *f*; ~ **al blanco** tir à la cible; **caballo de** ~ cheval *m* d'attelage; **andar a** ~**s largos** être sur son trente et un; **al** ~ (AM) tout de suite.

tirón *nm* (*sacudida*) secousse *f*; (*de estómago*) tiraillement *m*; **de un** ~ d'un seul coup.

tirotear *vt* tirer sur; ~**se** *vr* échanger des coups de feu; **tiroteo** *nm* fusillade *f*.

tísico, a *a* phtisique.

títere *nm* marionnette *f*; (*fam*) pantin *m*.

titilar *vi* trembloter; scintiller.

titiritero, a *nm/f* montreur *m* de marionnettes.

titubeante *a* titubant(e); (*farfullante*) bredouillant(e); (*dudoso*) hésitant(e); **titubear** *vi* tituber; (*fig*) hésiter; **titubeo** *nm* titubation *f*; chancellement *m*; hésitation *f*; bredouillage *m*.

titulado, a *a* diplômé(e); qualifié(e).

titular *a* titulaire // *nm/f* titulaire *m/f* // *nm* gros titre, manchette *f* // *vt* intituler; ~**se** *vr* s'appeler; (*tener derecho*) se qualifier, obtenir un diplôme.

título *nm* (*gen*) titre *m*; (JUR) article *m*; (*persona*) noble *m*, personne titrée; (*certificado*) diplôme *m*, titre *m*; **a** ~ **de** à titre de.

tiza *nf* craie *f*.

tizna *nf* suie *f*; **tiznar** *vt* tacher de noir; (*fig*) noircir.

tizón, tizo *nm* tison *m*; (*fig*) tache *f*.

toalla *nf* serviette *f*.

tobillo *nm* cheville *f*.

tobogán *nm* luge *f*; (*montaña rusa*) toboggan *m*.

toca *nf* coiffe *f*.

tocadiscos *nm inv* tourne-disque *m*.

tocado, a *a* coiffé(e); (*fam*) toqué(e) // *nm* coiffure *f*.

tocador nm (mueble) coiffeuse f; (cuarto) cabinet m de toilette; (neceser) nécessaire m; (fam) toilettes fpl pour dames.

tocante a touchant(e).

tocar vt toucher; (MUS) jouer; (topar con) se heurter, toucher; (referirse a) toucher à; (padecer) souffrir; (el pelo) coiffer // vi (a la puerta) frapper; (ser de turno) être le tour de; (ser hora) être le moment; (barco, avión) faire escale, atteindre; (concernir) concerner, regarder; ~se vr toucher, joindre; se couvrir (la tête); **por lo que a mí me toca** en ce qui me concerne; **esto toca en la locura** cela frôle la folie.

tocayo, a nm/f homonyme m.

tocino nm lard m.

todavía ad (aun) encore; (aún) toujours; ~ **más** encore plus; ~ **no** pas encore.

todo, a a tout(e); (cada) chaque; (sentido negativo): **en ~ el día lo he visto** je ne l'ai pas vu de toute la journée // ad tout, entièrement // nm tout m // pron: ~s/todas tous/toutes; **a toda velocidad** à toute vitesse; **estaba ~ ojos** il était tout yeux; **puede ser ~ lo honesto que quiera** il peut être aussi honnête que vous voulez; **en un ~** un tout; **corriendo y ~, no llegaron a tiempo** même en courant, ils ne sont pas arrivés à temps; **con ~** malgré tout, néanmoins; **del ~** à fait, absolument.

todopoderoso, a a tout(e)-puissant(e).

toga nf toge f, robe f.

Tokio n Tokyo.

toldo nm banne f; bâche f; parasol m.

tole nm tollé m.

toledano, a a tolédan(e).

tolerable a tolérable.

tolerancia nf tolérance f.

tolerar vt tolérer; (resistir) supporter.

toma nf prise f; (MED) dose f.

tomar vt prendre; (alquilar) louer // vi prendre; ~se vr prendre; ~ **por** se prendre pour; ~ **a bien/a mal** prendre du bon côté/du mauvais côté; ~ **en serio** prendre au sérieux; ~ **el pelo a alguien** se payer la figure de qn; ~**la con uno** prendre qn en grippe.

tomate nm tomate f; **tomatera** nf tomate f.

tomillo nm thym m.

tomo nm tome m; importance f; taille f.

ton abr de **tonelada** // nm: **sin ~ ni son** sans rime ni raison.

tonada nf chanson f.

tonalidad nf tonalité f.

tonel nm tonneau m.

tonelada nf tonne f; **tonelaje** nm tonnage m.

tonelero nm tonnelier m.

tónico, a a tonique // nm (MED) remontant m; (fig) tendance f.

tonificar vt fortifier, tonifier.

tonillo nm ton m monotone.

tono nm ton m; **fuera de ~** en disharmonie; **darse ~** faire l'important.

tontería nf sottise f, bêtise f; bricole f.

tonto, a a sot(te); (sentimental) fleur bleue // nm/f idiot/e; (payaso) clown m.

topacio nm topaze m.

topar vt (ZOOL) se heurter, se doguer; (tropezar) se heurter; (encontrar) rencontrer; (dar con) trouver // vi à affronter; **el problema topa en eso** le problème consiste à cela.

tope a limite // nm butoir m, butée f; coup m (de tête); (riña) bagarre f; (FERROCARRIL) tampon m; (AUTO) frein m; **al ~** emboîté(e).

tópico, a a topique // nm lieu commun, cliché m.

topo nm (ZOOL) taupe f; (fig) maladroit/e.

topografía nf topographie f; **topógrafo, a** nm/f topographe m.

toque nm attouchement m; (MUS)

sonnerie f; (fig) pierre de touche f;
dar un ~ a mettre à l'épreuve; **~
de queda** couvre-feu m; **toquetear**
vt tripoter, toucher.

toquilla nf fichu m; châle m.

torbellino   nm   nuée   f   (de
poussière); (fig) tourbillon m.

torcedura nf torsion f.

torcer vt tordre; (curso) dévier; (la
esquina) tourner; (MED) se fouler, se
luxer; (cuerda) tresser; (persona)
disposer en sa faveur // vi (desviar)
obliquer; (pelota) dévier; **~se** vr
(ladearse) gauchir; (desviarse)
tourner mal; (MED) se tordre;
(fracasar) échouer; **torcido, a** a
tordu(e); (fig) retors(e) // nm
boucle f.

tordo, a a gris(e) // nm étourneau
m.

torear vt (fig) fuir; distraire,
amuser // vi toréer; **toreo** nm
tauromachie f; **torero, a** nm/f
torero m.

tormenta nf tempête f; (fig) orage
m, discussion f; tourmente f, nuage
m.

tormento nm torture f; (fig)
tourment m.

tornada nf retour m.

tornar vt (devolver) rendre;
(transformar) transformer // vi
retourner; **~se** vr (ponerse)
devenir; (volverse) se transformer,
se changer.

tornasol nm tournesol m.

tornasolado, a a brillant(e),
changeant(e); chatoyant(e).

torneo nm tournoi m.

tornero, a nm/f tourneur/euse.

tornillo nm vis f.

torniquete nm (puerta) tourniquet
m; (MED) garrot m.

torno nm tour m; (tambor) treuil m;
en ~ (a) autour (de).

toro nm taureau m; (fam) bœuf m,
taureau.

toronja nf pamplemousse f.

torpe a (poco hábil) maladroit(e);
(necio) bête; (lento) lent(e);

(indecente) incorrect(e); (no honrado) bas(se).

torpedo nm torpille f.

torpeza nf maladresse f; manque
m de grâce; lenteur f; lourdeur f;
obscénité f; incorrection f.

torre nf tour f; (de petróleo) derrik
m.

torrente nm torrent m.

tórrido, a a torride.

torsión nf torsion f.

torso nm torse m.

torta nf galette f; (fam) gifle f.

tortícolis nm torticolis m.

tortilla nf omelette f; (AM) crêpe de
maïs.

tórtola nf tourterelle f.

tortuga nf tortue f.

tortuoso, a a tortueux(euse).

tortura nf torture f; **torturar** vt
torturer.

tos nf toux f; **~ ferina** coqueluche f.

tosco, a a grossier(ière).

toser vt endurer // vi tousser.

tostado, a a grillé(e); (color)
foncé(e); (fig) hâlé(e) // nf tranche
f de pain grillé.

tostar vt griller, rôtir; (café)
torréfier, griller; (al sol) hâler,
bronzer; **~se** vr se hâler.

total a total(e) // ad bref; (al fin y al
cabo) finalement // nm total m; **~
que** somme toute.

totalidad nf totalité f.

totalitario, a a totalitaire.

tóxico, a a toxique // nm toxique
m.

tozudo, a a têtu(e).

traba nf lien m; (cadena) chaîne f,
entrave f.

trabajador,   a   nm/f
travailleur/euse // a travailleur-
(euse).

trabajar vt travailler; (arar)
labourer; (tomar cuidado) prendre
soin de; (esforzar: persona)
s'efforcer de; (convencer) travailler
à // vi travailler; (actuar) jouer;
(esforzarse) s'efforcer.

trabajo nm travail m; (tarea) tâche
f, besogne f; (POL) classe ouvrière;

(fig) effort *m*, acharnement *m*; **tomarse el ~** de se donner le mal de; **~ por turno/a destajo** travail par roulement/au forfait; **trabajoso, a** a pénible; *(MED)* pâle.

trabalenguas *nm* calembour *m*.

trabar *vt* lier; attraper; entraver, immobiliser; *(amistad)* nouer; **~se** *vr* s'emmêler; *(reñir)* se brouiller; **trabazón** *nf (TEC)* assemblage *m*; *(fig)* liaison *f*, enchaînement *m*.

trabucar *vt* confondre; mettre sens dessus dessous.

tracción *nf* traction *f*; **~ delantera/trasera/a las 4 ruedas** traction avant/arrière/4 roues motrices.

tractor *nm* tracteur *m*.

tradición *nf* tradition *f*; **tradicional** a traditionnel(le).

traducción *nf* traduction *f*.

traducir *vt* traduire; **traductor, a** *nm/f* traducteur/trice.

traer *vt (llevar)* apporter; *(ropa)* porter; *(imán)* attirer; *(incluir)* contenir; *(fig)* causer, amener; **~se** *vr* manigancer; se comporter.

traficar *vi* trafiquer.

tráfico *nm (COM)* trafic *m*; *(AUTO)* circulation *f*, trafic.

tragaluz *nm* lucarne *f*; vasistas *m*.

tragar *vi* avaler // *vt* avaler; *(devorar)* engloutir; **~se** *vr* engloutir; *(fig)* avaler.

tragedia *nf* tragédie *f*; **trágico, a** a tragique.

trago *nm (líquido)* gorgée *f*; *(comido de golpe)* trait *m*; *(fam)* boisson *f*, bouteille *f*; *(fig)* coup dur.

traición *nf* trahison *f*; **traicionar** *vt* trahir; **traidor, a, traicionero, a** *nm/f* traître/esse.

traigo *etc vb ver* **traer.**

traje *vb ver* **traer** // *nm (gen)* vêtement *m*; *(de hombre)* costume *m*; *(vestimenta típica)* costume; *(fig)* aspect *m*; **~ de baño** maillot de bain *m*.

trajera *etc vb ver* **traer.**

trajín *nm* transport *m*; *(fam)* allées et venues *fpl*; besogne *f*; **trajinar** *vi* s'affairer.

---

transporter; tromper // *vi* s'affairer; trimer.

trama *nf (de tejido)* trame *f*; *(fig)* lien *m*; *(: intriga)* intrigue *f*; **tramar** *vt* tramer.

tramitar *vt (asunto)* faire suivre son cours à; *(negociar)* s'occuper de, faire les démarches pour; **trámite** *nm (paso)* démarche *f*; *(JUR)* cours *m*; *(requisito)* formalité *f*; **trámites** *nmpl* méthode *f*.

tramo *nm (de tierra)* lot *m*; *(de escalera)* étage *m*, marche *f*; *(de vía)* tronçon *m*.

tramoya *nf* machine *f*, machinerie *f*; *(fig)* machination *f*; **tramoyista** *nm/f* machiniste *m*; *(fig)* intrigant/e.

trampa *nf (en el suelo)* trappe *f*; *(en la caza)* piège *m*; *(prestidigitación)* truc *m*; *(engaño)* traquenard *m*; *(fam)* escroquerie *f*; *(de pantalón)* braguette *f*; **trampear** *vi* tricher // *vi* vivre d'expédients, escroquer; **trampista** *nm/f* = **tramposo.**

trampolín *nm* tremplin *m*.

tramposo, a a tricheur(euse) // *nm/f* menteur/euse.

tranca *nf* trique *f*; poutre *f*, barre *f*; **trancar** *vt* barrer, barricader // *vi* marcher à grands pas.

trance *nm* moment *m* difficile; moment critique; *(estado hipnotizado)* transe *f*.

tranco *nm* enjambée *f*.

tranquilidad *nf* tranquillité *f*; paix *f*, **tranquilizar** *vt* tranquilliser; apaiser; **tranquilo, a** a tranquille; pacifique; serein(e); paisible.

transacción *nf* transaction *f*.

transbordador *nm* transbordeur *m*, bac *m*.

transbordar *vt* transborder; **~se** *vr* changer; **transbordo** *nm* transbordement *m*, changement *m*.

transcurrir *vi* s'écouler; se passer.

transcurso *nm* période *f*.

transeúnte a passant(e), passager(ère) // *nm/f* passant/e.

transferencia nf transfert m; (COM) virement m.

transferir vt transférer; (aplazar) ajourner.

transfigurar vt transfigurer.

transformador nm transformateur m.

transformar vt transformer; convertir.

tránsfuga nm/f (MIL) déserteur m; (POL) transfuge m/f.

transgresión nf transgression f.

transición nf transition f.

transido, a a mourant(e), transi(e).

transigir vi transiger.

transistor nm transistor m.

transitar vi passer; **tránsito** nm passage m; (AUTO) circulation f; (parada) escale f; **transitorio, a** a transitoire.

transmisión nf (TEC) transmission f; (transferencia) transfert m; ~ **en directo/en circuito** transmission directe/en circuit.

transmitir vt transmettre; (RADIO, TV) retransmettre.

transparencia nf transparence f; clarté f; (foto) diapositive f.

transparentar vt transparaître // vi être transparent(e); **transparente** a transparent(e); visible; diaphane // nm rideau m.

transpirar vi transpirer.

transponer vt transposer; traverser // vi dépasser; disparaître; ~**se** vr disparaître; s'assoupir.

transportación nf transport m.

transportar vt transporter; transférer; **transporte** nm transport m; (COM) affrètement m; (NAUT) bateau m de transport.

tranvía nm tramway m.

trapecio nm trapèze m.

trapero, a nm/f chiffonnier/ière.

trapiche nm moulin m.

trapicheos nmpl (fam) trafic m, cuisine f, manigance f.

trapisonda nf (jaleo) chahut m; (estafa) escroquerie f.

trapo nm (tela) chiffon m; (de cocina) torchon m, chiffon.

traqueteo nm pétarade f; cahot m.

tras prep (detrás) derrière; (después) après; ~ **de** no seulement.

trascendencia nf importance transcendance f; **trascendental** important(e), grave; **trascender** (oler) embaumer; (saber a) senti (noticias) commencer à être conn ~ **a** (evocar) évoquer; (suces s'étendre à, toucher.

trasegar vt transvaser; dérange mettre en désordre.

trasero, a a postérieur(e) // n. (ANAT) derrière m, postérieur m ~**s** nmpl parents mpl, aïeux mpl.

trasfondo nm fond m.

trasgredir vt transgresser.

trashumante a transhumant(e).

trasladar vt déplacer; transporte différer, reporter; copier; traduir **traslado** nm transfert m; déplac ment m, déménagement m.

traslucir vt révéler; ~**se** vr êtr translucide; (fig) se manifeste apparaître.

trasluz nm lumière tamisée.

trasnochar vi veiller; souffrir d'i somnie; passer une nuit blanche.

traspasar vt (bala) transperce (piso) céder; (calle) traverse (límites) enfreindre, dépasser; (le transgresser.

traspaso nm cession f; (fig tourment m.

traspié nm faux pas; croc- e jambe m; (fig) indiscrétion f.

trasplantar vt transplanter.

traste nm touchette f, touche f; d al ~ **con algo** détruire qch.

trastienda nf arrière-boutique (fig) savoir-faire m.

trasto nm vieux meuble; engin attirail m; (pey) vieillerie f, saleté propre à rien m/f.

trastornado, a a (loco) détra qué(e); (agitado) turbulent(e).

trastornar vt déranger; détraquer; troubler, perturber; fair tourner la tête; ~**se** vr se ruine

trastorno nm bouleversement m; dérangement.

rasunto nm copie f.

ratable a traitable, agréable.

ratado nm traité m.

ratamiento nm traitement m; (título) titre m.

ratar vt (ocuparse de) s'occuper de; (manejar, TEC) traiter; (MED) raiter, soigner // vi: ~ **de** (hablar sobre) traiter de, porter sur; (COM) négocier en, faire le commerce de; (negociar) négocier; (intentar) essayer de; tenter de; ~**se** vr se fréquenter; **trato** nm traitement m; (relaciones) commerce m, fréquentation f; (comportamiento) façons fpl, manières fpl; (COM) marché m.

rauma nm trauma m.

ravés nm (fig) revers m, malheur m; **al** ~ ad au travers, à l'envers; **a** ~ **de** prep au travers de, à travers; **de** ~ en travers.

ravesaño nm traverse f, entretoise f; traversin m.

ravesía nf passage m; traversée f.

ravesura nf diablerie f, niche f; espièglerie f.

ravieso, a a espiègle, polisson(ne); méchant(e); astucieux(euse), malin(igne) // nf traverse f; (ARQ) mur m.

rayecto nm (ruta) parcours m, chemin m; (viaje) trajet m; (curso) cours m; **trayectoria** nf trajectoire f, course f; (fig) cours m.

raza nf (ARQ) plan m; (aspecto) air m, allure f; (señal) trace f; (pey) stratagème m; (habilidad) débrouillardise f.

razado, a a fait(e) // nm tracé m; (fig) forme f.

razar vt tracer; délimiter; indiquer; (plan) tirer; **trazo** nm (línea) trait m; (bosquejo) ébauche f, esquisse f.

rébol nm trèfle m.

rece num treize.

recho nm tronçon m, passage m; distance f, intervalle m; moment m;

de ~ **en** ~ de loin en loin.

tregua nf (MIL) trêve f; (fig) répit m.

treinta num trente.

tremendo, a a terrible; énorme, impressionnant(e); (fam) grand(e), terrible; formidable.

trémulo, a a tremblant(e).

tren nm train m; ~ **de aterrizaje** train d'atterrissage.

trenza nf tresse f.

trenzar vt tresser // vi faire des entrechats; ~**se** vr se mêler, se mélanger.

trepadora nf plante grimpante.

trepar vt, vi grimper, monter; (TEC) percer.

trepidación nf trépidation f.

trepidar vi trembler.

tres num trois.

tresillo nm ensemble m d'un canapé et de deux fauteuils; (MUS) triolet m.

treta nf feinte f; artifice m.

triángulo nm triangle m.

tribu nf tribu f.

tribuna nf tribune f.

tribunal nm (juicio) jugement m; (comisión, fig) tribunal m.

tributar vt payer; témoigner; remercier; témoigner de; **tributo** nm tribut m, impôt m.

trigal nm champ m de blé.

trigo nm blé m; ~**s** nmpl champs mpl de blé.

trigueño, a a châtain clair; basané(e).

trillado, a a rebattu(e).

trilladora nf batteuse f.

trillar vt (fig) user; (AGR) battre, dépiquer.

trimestral a trimestriel(le).

trimestre nm trimestre m.

trincar vt attacher; rompre; immobiliser.

trinchar vt découper, trancher.

trinchera nf (fosa) tranchée f; (para vía) percée f; (impermeable) trench-coat m.

trineo nm traîneau m.

trinidad nf trinité f.

trino nm trille m.

trinquete nm (TEC) encliquetage m; (NAUT) mât m de misaine.

tripa nf (ANAT) boyau m, tripe f; (fam) ventre m, tripe.

triple num triple.

triplicado a: por ~ en triple exemplaire.

tripulación nf équipage m; **tripular** vt (barco) former l'équipage de; (AUTO) piloter.

triquiñuela nf subterfuge m.

tris nm explosion f; **en un** ~ en un instant.

triste a (afligido) triste; (sombrío) mélancolique; (desolado) désolé(e); (lamentable) pauvre; (viejo) étiolé(e), flétri(e); **tristeza** nf tristesse f; désolation f.

triturar vt (moler) broyer, moudre; (mascar) mâcher.

triunfar vi triompher; réussir; **triunfo** nm victoire f, triomphe m.

trivial a banal(e).

triza nf miette f; **trizar** vt mettre en morceaux.

trocar vt (COM) troquer; (dinero, de lugar) changer; (palabras) échanger; (confundir) mélanger; (vomitar) vomir, rendre.

trocha nf (sendero) sentier m; (atajo) raccourci m.

troche: **a** ~ **y moche** ad à tort et à travers.

trofeo nm (premio) trophée m; (éxito) succès m.

troj(e) nm grenier m.

tromba nf trombe f.

trombón nm trombone m.

trombosis nf thrombose f.

trompa nf (trompo) trompe f; toupie f; (hocico) museau m; (fam) coup de poing m; cuite f.

trompeta nf trompette f; (clarín) clairon m.

trompo nm toupie f.

trompón nm coup fort.

tronado, a a ruiné(e), fichu(e).

tronar vt tonner // vi tonner; (fig) fulminer; (fam) faire banqueroute, échouer.

tronco nm tronc m; (de planta) tige f.

tronchar vt scier, abattre; briser; vaincre; décevoir; ~**se** vr tomber.

tronera nf hublot m.

trono nm trône m.

tropa nf troupe f; (gentío) foule f.

tropel nm (muchedumbre) cohue f; (prisa) hâte f; (montón) tas m.

tropelía nm violence f, sauvagerie f.

tropezar vi trébucher; (fig) se tromper; ~ **con** (encontrar) rencontrer, buter, tomber sur; (topar con) se heurter à; (reñir) se battre avec; **tropezón** nm faux pas; erreur f, maladresse f.

tropical a tropical(e).

tropiezo nm faux pas; encombre m; difficulté f; discussion f, histoire f.

trotamundos nm inv globe-trotter m.

trotar vi trotter; **trote** nm trot m; (fam) activité f, boulot m; **de mucho trote** résistant(e), à toutes épreuves.

trotskista a trotskiste.

trovador nm troubadour m.

trozo nm morceau m.

truco nm (habilidad) adresse f, talent m; (engaño) truquage m, trucage m; ~**s** nmpl truc m.

truculento, a a effrayant(e), truculent(e).

trucha nf (pez) truite f; (TEC) chèvre f.

trueno nm tonnerre m; (estampido) explosion f; (de arma) détonation f.

trueque nm troc m, échange m.

trufa nf truffe f; (fig) blague f, piège m.

truhán, ana nm/f truand(e).

truncado, a a tronqué(e).

truncar vt tronquer; interrompre; nuire à.

tu a (m) ton; (f) ta; (pl) tes.

tú pron tu.

tubérculo nm tubercule m.

tuberculosis nf tuberculose f.

tubería nf tuyauterie f; (conducto) conduite f.

tubo nm tube m; ~ **de ensayo** tube à essai, éprouvette f; ~ **de escape** pot d'échappement m.

tuerca nf écrou m.

tuerto, a a borgne // nm offense f, tort m, injustice f; **a tuertas** à l'envers.

tuétano nm (ANAT) moelle f; (BOT) sève f; (fig) essence f.

tufo nm émanation f, (fig: pey) relent m.

tul nm tulle m.

tulipán nm tulipe f.

tullido, a a impotent(e), estropié(e); (cansado) rompu(e).

tumba nf (sepultura) tombe f; (sacudida) sursaut m; (voltereta) cabriole f, culbute f.

tumbar vt renverser, faire tomber; (doblar) courber, fléchir; (para) coucher avec, tomber // vi s'incliner; ~**se** vr s'étendre; se vautrer.

tumbo nm chute f; cahot m; moment m critique.

tumido, a a enflé(e).

tumor nm tumeur f.

tumulto nm tumulte m.

tuna nf ver **tuno**.

tunante a coquin(e).

tunda nf tonte f; tonsure f; raclée f.

tundir vt tondre, raser; rosser; frapper; vaincre.

túnel nm tunnel m.

Túnez nm Tunisie f; (ciudad) Tunis m.

túnica nf tunique f.

tuno, a nm/f (fam) coquin/e // nf (BOT) nopal m; (MUS) orchestre m d'étudiants.

tuntún: al ~ ad au petit bonheur, au jugé.

tupido, a a serré(e); épais(se); lourd(e), gauche.

turba nf foule f.

turbación nf trouble m; désordre m.

turbado, a a trouble, confus(e); troublé(e).

turbar vt troubler; (incomodar) gêner; ~**se** vr se décontenancer.

turbina nf turbine f.

turbio, a a trouble; (lenguaje) confus(e), obscur(e) // ad trouble.

turbión nf (fig) grosse giboulée.

turbohélice nm turbohélice m.

turbulencia nf turbulence f; (fig) trouble m; **turbulento, a** a trouble; (fig) turbulent(e); troublé(e).

turco, a a turc(turque).

turismo nm tourisme m; (coche) voiture f de tourisme; **turista** nm/f touriste m/f; **turístico, a** a touristique.

turnar vi alterner, se succéder; **turno** nm (INDUSTRIA) service m, équipe f; (oportunidad, orden de prioridad) tour m.

turquesa nf turquoise f.

Turquía nf Turquie f.

turrón nm touron m; sorte de nougat; (fam) sinécure f.

tutear vt tutoyer.

tutela nf tutelle f; **tutelar** a tutélaire // vt protéger.

tutor, a nm/f tuteur/trice.

tuve, tuviera etc vb ver **tener**.

tuyo, a a (m) ton; (f) ta; (pl) tes // pron tien(ne); **los** ~**s** (fam) les tiens.

TVE nf (abr de Televisión Española) ≈ ORTF f.

U

u conj ou.

ubérrimo, a a très fertile.

ubicar vt nommer; placer, établir; ~**se** vr se trouver, être situé.

ubicuo, a a ubiquiste, qui a le don d'ubiquité.

ubre nf mamelle f, pis m.

U.C.D. abr de Unión del Centro Democrático.

Ud(s) abr de **usted(es)**.

ufanarse vr être fier(ière); se vanter.

ufano, a a fier(ière), orgueilleux(euse).

U.G.T. *abr de Unión General de Trabajadores.*

úlcera *nf* ulcère *m.*

ulcerar *vt* ulcérer; **~se** *vr* être exaspéré(e).

ulterior *a* (*más allá*) prochain(e); (*subsecuente, siguiente*) ultérieur(e); **~mente** *ad* ultérieurement.

últimamente *ad* (*recientemente*) dernièrement; (*finalmente*) enfin; (*como último recurso*) en dernier recours.

ultimar *vt* conclure; (*finalizar*) mettre la dernière main à.

último, a *a* dernier(ière); ultime; final(e) // *nm* dernier/ière; **en las últimas** à l'article de la mort.

ultra *a* ultra.

ultrajar *vt* outrager.

ultraje *nm* outrage *m.*

ultramar *nm* outre-mer *m.*

ultramarino, a *a* d'outre-mer; **~s** *nmpl* produits *mpl* d'outre-mer; **tienda de ~s** épicerie *f.*

ultranza: **a ~** *ad* à outrance.

ultrasónico, a *a* supersonique.

ultratumba: de ~ *ad* d'outre-tombe.

ulular *vi* ululer.

umbral *nm* seuil *m*; (*fig*) premier pas; (: *borde*) bord *m*, seuil.

umbroso, a, umbrío, a *a* ombreux(euse).

un *det, num* ver **uno**.

unánime *a* unanime; **unanimidad** *nf* unanimité *f.*

unción *nf* onction *f*; **extrema ~** extrême-onction *f.*

uncir *vt* atteler.

undular *vi* ver **ondular**.

ungir *vt* oindre.

ungüento *nm* onguent *m*; (*fig*) adoucissant *m*, pommade *f.*

únicamente *ad* seulement.

único, a *a* unique; (*solo*) unique, seul(e).

unidad *nf* unité *f.*

unido, a *a* uni(e).

unificar *vt* unifier.

uniformar *vt* (*poner uniforme*)

donner un uniforme à; (*normalizar*) uniformiser.

uniforme *a* uniforme; égal(e); (*color*) monotone; (*superficie*) uni(e) // *nm* uniforme *m*; **uniformidad** *nf* égalité *f*, uniformité *f*; (*llaneza*) plat *m.*

unilateral *a* unilatéral(e).

unión *nf* (*hacer unidad*) union *f*; (*reunión*) réunion *f*; (*armonía*) accord *m*, concorde *f*; **la U~ Soviética** l'Union Soviétique.

unir *vt* (*juntar*) unir; (*atar*) rattacher, relier; (*combinar*) lier, combiner // *vi* lier; **~se** *vr* s'associer, s'unir; (*compañías*) faire la jonction, se joindre; (*ingredientes*) se mélanger.

unísono *nm* unisson *m.*

universal *a* universel(le).

universidad *nf* université *f.*

universo *nm* univers *m.*

uno, a, un, una *num, det* un(e) // *pron* un/e; quelqu'un/e; **~s** des, quelques; **~ a ~, ~ por ~** un par un, un à un; **estar en ~** être entièrement uni(e); **una de dos** de deux choses l'une; **que otro** quelques, quelques rares; **~s y otros** les uns et les autres; **~ y otro** l'un et l'autre.

untar *vt* (*manchar*) tacher; (*remojar*) imbiber; (*MED*) enduire; (*con aceite*) graisser; (*fig*) soudoyer; **~se** *vr* s'enduire.

unto *nm* graisse *f*; (*MED*) onguent *m.*

uña *nf* (*ANAT*) ongle *m*; (*garra*) griffe *f*; (*casco*) sabot *m*; (*arrancaclavos*) arrache-clou *m.*

uranio *nm* uranium *m.*

urbanidad *nf* courtoisie *f*, politesse *f.*

urbanismo *nm* urbanisme *m.*

urbanización *nf* ensemble urbain, urbanisation *f.*

urbano, a *a* (*de ciudad*) urbain(e); (*cortés*) poli(e)s.

urbe *nf* cité *f*, ville importante.

urdimbre *nf* (*de tejido*) chaîne *f*; (*intriga*) machination *f.*

urdir vt ourdir; (fig) manigancer, ourdir.

úrea nf urée f.

uretra nf urètre m.

urgencia nf urgence f; (prisa) presse f.

urgente a (de prisa) urgent(e); (insistente) péremptoire.

urgir vi être urgent, presser.

urinario, a a urinaire // nm urinoir m.

urna nf urne f.

urología nf urologie f.

urraca nf pie f.

URSS nf: la ~ l'URSS f.

Uruguay nm: el ~ (l')Uruguay m.

uruguayo, a a uruguayen(ne).

usado, a a usé(e).

usanza nf usage m.

usar vt utiliser; (ropa) porter; (tener costumbre) avoir l'habitude de; ~se vr être à la mode, se porter.

uso nm (empleo) usage m; (TEC) usure f; (costumbre) usage, coutume f; (moda) port m, mode f; al ~ en usage, en vogue; al ~ de à la manière de.

usted pron vous.

usual a (acostumbrado) courant(e); (normal) usuel(le).

usuario, a nm/f usager/ère.

usufructo nm usufruit m.

usura nf usure f; **usurero, a** nm/f usurier/ère.

usurpar vt usurper.

utensilio nm ustensile m.

útero nm utérus m.

útil a (empleable) utile; (apto) qui convient // nm outil m; **utilidad** nf utilité f; (COM) revenu m; **utilizar** vt utiliser; (adueñarse) s'emparer de.

utopía nf utopie f; **utópico, a** a utopique.

uva nf raisin m.

V

v abr de **voltio**.

V abr de **usted**.

va vb ver **ir**.

vaca nf (animal) vache f; (carne) bœuf m; (cuero) vache, vachette f.

vacaciones nfpl vacances fpl.

vacante a vacant(e) // nf vacance f.

vacar vi être vacant(e); ~ a/en vaquer à.

vaciado, a a (hecho en molde) moulé(e); (hueco) évidé(e) // nm moule m.

vaciar vt vider; (verter, arrojar) vider, jeter; (ahuecar) évider; (moldear) mouler // vi (río) se jeter; ~se vr se vider; (fig) s'épancher, s'ouvrir.

vaciedad nf niaiserie f, fadaise f.

vacilación nf vacillation f, hésitation f; **vacilante** a vacillant(e), chancelant(e); (habla) hésitant(e); (luz) vacillant; (fig) indécis(e).

vacilar vi chanceler; (memoria, fig) hésiter; (luz) vaciller.

vacío, a a (desocupado) vide, vacant(e); (vano) creux(euse), vain(e) // nm creux m; vide m.

vacuna nf ver **vacuno**.

vacunar vt vacciner.

vacuno, a a bovin(e) // nf vaccin m.

vacuo, a a vide.

vadear vt (río) passer à gué; (problema) vaincre, surmonter; (persona) sonder, tâter; **vado** nm (de río) gué m; (solución) solution f; (descanso) détente f, pose f.

vagabundo, a a errant(e); (pey) vagabond(e) // nm vagabond m.

vagamente ad vaguement.

vagancia nf vagabondage m; fainéantise f, paresse f.

vagar vi errer, vaguer; vagabonder; (ocioso) flâner // nm oisiveté f, loisir m.

vagido nm vagissement m.

vagina nf vagin m.

vago, a a errant(e); (flojo) fainéant(e); (sin uso) inutile; (vacío) vide; (fig: indefinido) vague, flou(e), indéfini(e) // nm/f (perezoso) fainéant/e; (vagabundo) vagabond/e.

vagón nm wagon m.

vaguedad nf vague m.

vaho nm (vapor) vapeur f; (olor) exhalaison f; (respiración) souffle m.

vaina nf fourreau m.

vainilla nf vanille f.

vais vb ver **ir**.

vaivén nm va-et-vient m.

vajilla nf vaisselle f.

val, valdré etc vb ver **valer**.

vale nm bon m; (recibo) reçu m; (pagaré) billet à ordre m.

valedero, a a valable.

valenciano, a a valencien(ne).

valentía nf (coraje) courage m; (valor) vaillance f; (pey) forfanterie f, fanfaronnade f; (acción) action courageuse; **valentón, ona** a fanfaron(ne).

valer vt valoir; (significar) vouloir dire, aller // vi être utile; être valable; être capable; ~se vr se valoir, se servir; ~ **de** de profiter de // nm valeur f; **la pena** valoir la peine; ~ **por** compter pour; ~se **por sí mismo** se débrouiller tout seul; ¿vale? ça va?

valeroso, a a vaillant(e), courageux(euse).

valgo etc vb ver **valer**.

valía nf valeur f.

validar vt valider.

validez nf validité f.

valido, a a estimé(e), apprécié(e), favori(te).

válido, a a valide.

valiente a valide; (pey) fanfaron(ne) // nm brave m, héros m.

valija nf (maleta) valise f; (mochila) sacoche f; (fig) courrier m, valise diplomatique.

valimiento nm crédit m, faveur f.

valioso, a a précieux(euse).

valor nm valeur f; importance f; courage m; (fig) renom m; ~**es** nmpl valeurs fpl, titres mpl; ~**ación** nf évaluation f; ~**ar** vt évaluer; surévaluer; estimer.

vals nm valse f.

válvula nf valvule f.

valla nf clôture f; (DEPORTE) haie f; (fig) obstacle m.

valladar nm (cerca) palissade f; (de defensa) barrière f, obstacle m.

vallar vt palissader, clôturer.

valle nm vallée f.

vallisoletano, a a de Valladolid.

vamos vb ver **ir**.

vampiro, iresa nm/f vampire m.

van vb ver **ir**.

vanagloriarse vr se glorifier.

vándalo, a a vandale.

vanguardia nf avant-garde f.

vanidad nf vanité f; superficialité f.

vanidoso, a a présomptueux (euse); vaniteux(euse); suffisant(e).

vano, a a (irreal) vain(e), irréel(le); (irracional) irrationnel(le); (inútil) vain, vide; (persona) vide; creux(euse); (frívolo) frivole.

vapor nm (gas) gaz m; (vaho) vapeur f; (barco) bateau m à vapeur, vapeur m; (neblina) vapeur f, brouillard m; ~**es** nmpl (MED) vapeurs fpl; **al** ~ (CULIN) à la vapeur; **a todo** ~ à toute vapeur, rapidement; ~**izar** vt vaporiser; ~**oso, a** a vaporeux(euse); (vahoso) embué(e).

vapulear vt (persona) fouetter, rosser; (alfombra) battre; (fig) éreinter, esquinter.

vaquero a à des vaches, des vachers // nm vacher m.

vara nf perche f; (TEC) brancard m.

varada nf échouement m.

varar vt (lanzar) lancer; (encallar) échouer; ~se vr échouer; mouiller; échouer.

varear vt battre; (fruta) gauler.

variable a variable, changeant(e) // nf variable f.

variación nf variation f.

variar vt varier; (modificar)

modifier; (*cambiar de posición*) changer de position, bouger // *vi* varier; **variedad** *nf* variété *f*.

varilla *nf* baguette *f*; (*BOT*) brin m; (*TEC*) tringle *f*; (*de rueda*) rayon m.

vario, a *a* (*variado*) divers(e), différent(e); (*multicolor*) multicolore; (*cambiable*) variable, changeant(e).

varón *nm* homme m; **varonil** *a* viril(e).

Varsovia n Varsovie.

vas *vb ver* **ir**.

vascongado, a, vascuence, vasco, a *a* basque.

vasija *nf* pot m.

vaso *nm* verre m; (*ANAT*) vaisseau m.

vástago *nm* (*BOT*) rejeton m, rejet m; (*TEC*) tige *f*, tringle *f*; (*fig*) rejeton.

vasto, a *a* vaste.

Vaticano *nm*: el ~ le Vatican.

vaticinio *nm* vaticination *f*, prédiction *f*.

vaya etc *vb ver* **ir**.

Vd *abr de* **usted**.

Vda *abr de* **viuda de**.

Vds *abr de* **ustedes**.

ve *vb ver* **ir, ver**.

vecinal *a* vicinal(e).

vecindad *nf* (*localidad*) voisinage m; (*comunidad*) population *f*, habitants *mpl*, voisins *mpl*.

vecindario *nm* voisinage m; population *f*, habitants *mpl*.

vecino, a *a* voisin(e) // *nm/f* voisin/e; habitant/e.

veda *nf* défense *f*, interdiction *f*.

vedado *nm* chasse gardée.

vedar *vt* (*prohibir*) défendre, interdire; (*impedir*) empêcher.

vega *nf* (*llanura*) plaine cultivée; (*valle*) vallée *f* fertile.

vegetal *a* végétal(e) // *nm* végétal m.

vehemencia *nf* (*pasión*) passion *f*, impétuosité *f*; (*fervor*) ferveur *f*; (*deseo febril*) ardeur *f*; (*violencia*) violence *f*; **vehemente** *a* passionné(e), impétueux(euse);

fervent(e); violent(e); fort(e), véhément(e).

vehículo *nm* véhicule m.

veía etc *vb ver* **ver**.

veinte *num* vingt.

vejación *nf* vexation *f*, brimade *f*.

vejar *vt* (*irritar*) irriter; (*humillar*) humilier; (*molestar*) brimer, vexer.

vejez *nf* vieillesse *f*.

vela *nf* (*insomnio*) nuit blanche, insomnie *f*; (*vigilia, trabajo*) veille *f*; (*de cera*) bougie *f*, chandelle *f*; (*NAUT*) voile *f*.

velado, a *a* voilé(e); (*sonido*) voilé, étouffé(e); (*fig*) obscur(e) // *nf* veillée *f*, soirée *f*.

velador *nm* veilleur m; bougeoir m; guéridon m, table de nuit *f*.

velar *vt* (*hacer guardia*) veiller; (*cubrir*) voiler; (*FOTO*) voiler, dissimuler // *vi* veiller.

veleidad *nf* (*ligereza*) inconstance *f*, légèreté *f*; (*capricho*) velléité *f*.

velero *nm* (*NAUT*) voilier m, bateau m à voiles; (*AVIAT*) planeur m.

veleta *nf* (*para el viento*) girouette *f*; (*PESCA*) flotteur m, bouchon *f*.

velo *nm* voile *f*; (*FOTO*) filtre m; (*fig*) prétexte m.

velocidad *nf* vitesse *f*, vélocité *f*; (*TEC, AUTO*) vitesse *f*.

velocímetro *nm* compteur m de vitesse.

velódromo *nm* vélodrome m.

veloz *a* rapide, véloce.

vello *nm* duvet m.

vellocino *nm* toison *f*.

vellón *nm* toison *f*; flocon m de laine.

velloso, a *a* duveté(e).

velludo, a *a* velu(e) // *nm* velours m, peluche *f*.

ven *vb ver* **venir**.

vena *nf* veine *f*; (*fig*) crise *f*, impulsion *f*; **tiene ~ de pintor** il est peintre né.

venablo *nm* javelot m.

venado *nm* cerf m.

venal *a* (*ANAT*) veineux(euse); (*pey*) vénal(e); ~**idad** *nf* vénalité *f*.

vencedor, a *a* victorieux(euse);

vencer vt (*dominar*) vaincre, battre, dominer; (*derrotar*) vaincre; (*superar, controlar*) dominer; (*imponerse*) l'emporter sur, battre; (*romper*) briser; (*hacer ceder*) renverser, vaincre; (*llegar a la cima*) gravir // vi (*triunfar*) triompher; (*plazo*) échoir, arriver à échéance; ~se vr (*doblarse*) ployer, se tordre, se gauchir; **vencido, a** a (*derrotado*) vaincu(e); (COM) échu(e), venu(e) à échéance // ad: **pagar vencido** payer après échéance; **vencimiento** nm ploiement m, torsion f; échéance f, terme m, expiration f.

venda nf bande f.

vendaje nm bandage m.

vendar vt bander.

vendaval nm vent m de tempête, tourmente f.

vendedor, a a, nm/f vendeur/euse.

vender vt vendre; ~ **al contado/al por mayor/al por menor** vendre comptant/en gros/au détail.

vendimia nf vendange f; **vendimiar** vt vendanger; (*fig*) récolter.

vendré etc vb ver **venir**.

veneno nm poison m; **venenoso, a** a vénéneux(euse).

venera nf coquille Saint-Jacques f.

venerable a vénérable.

veneración nf vénération f.

venerar vt (*reconocer*) vénérer; (*adorar*) adorer.

venéreo, a a vénérien(ne).

venero nm (*veta*) gisement m; (*fuente*) source f.

venezolano, a a vénézuélien(ne).

Venezuela nf Venezuela m.

venganza nf vengeance f; **vengar** vt venger; **vengarse** vr se venger, tirer vengeance; **vengativo, a** a vindicatif(ive).

vengo etc vb ver **venir**.

venia nf pardon m; permission f, autorisation f.

venida nf (*llegada*) venue f, arrivée

f; (*regreso*) retour m; (*fig*) impétuosité f.

venidero, a a futur(e), à venir.

venir vi venir; (*llegar*) arriver; (*fig*) provenir; (*ocurrir*) arriver; (*ser apto*) se trouver, être; (BOT) croître, pousser; ~ **bien/mal** aller bien/mal; **el año que viene** l'an prochain; ~**se abajo** s'effondrer, s'écrouler.

venta nf (COM) vente f; (*posada*) auberge f; ~ **al contado/al por mayor/al por menor** o **al detalle** vente au comptant/en gros/au détail; ~ **de liquidación** soldes fpl.

ventaja nf avantage m; **ventajoso, a** a avantageux(euse).

ventana nf fenêtre f; ~ **de guillotina/salediza** fenêtre à guillotine/à encorbellement; ~ **de la nariz** narine f; **ventanilla** nf (*de taquilla*) guichet m; (*de auto*) glace f.

ventear vt (*ropa*) exposer à l'air; (*oler*) flairer // vi (*investigar*) quêter; (*soplar*) venter, faire du vent; ~**se** vr (*romperse*) se briser; (*ampollarse*) se faire des ampoules, se boursoufler; (*secarse*) s'assécher; (ANAT) venter.

ventilación nf ventilation f, aération f.

ventilar vt ventiler, aérer; (*secar*) mettre à sécher; (*fig*) éclaircir; faire savoir.

ventisca nf bourrasque f de neige; **ventisquero** nm bourrasque f de neige; glacier m.

ventosear vi lâcher des vents.

ventoso, a a venteux(euse).

ventrílocuo, a nm/f ventriloque m/f; **ventriloquia** nf ventriloquie f.

ventura nf (*felicidad*) bonheur m; (*buena suerte*) chance f; (*destino*) destin m, hasard m; **a la (buena)** ~ à l'aventure, au hasard; **venturoso, a** a heureux(euse); chanceux(euse).

veo etc vb ver **ver**.

ver vt, vi voir; (*investigar*) regarder; ~**se** vr (*encontrarse*) se rencontrer, se retrouver; (*dejarse ver*) apparaître, être visible; (hallarse: en un apuro) se trouver m, allure f; a ~ voyons; **no tener nada que** ~ con n'avoir rien à voir avec; **a mi modo de** ~ selon moi; **de buen/mal** ~ d'un bon/mauvais œil; **a mi** ~ d'après moi; **a más/hasta más** ~ au revoir.

vera nf bord m.

veracidad nf véracité f.

veranear vi passer ses vacances d'été.

veraneo nm vacances fpl.

veraniego, a a estival(e), d'été.

verano nm été m.

veras nfpl vérités fpl; **de** ~ vraiment.

veraz a véridique.

verbal a verbal(e).

verbena nf fête f, kermesse f.

verbigracia ad par exemple.

verbo nm verbe m; ~**rragia** nf verbosité f, logorrhée f; **verboso, a** a verbeux(euse).

verdad nf (lo verídico) vérité f, vrai m; (fiabilidad) vérité // ad sérieusement, vraiment; **de** ~ a vrai, pour de bon; **a decir** ~ à vrai dire, à la vérité; **verdadero, a** a (veraz) véridique; (fiable) vrai(e), véritable; (persona) qui dit la vérité, sincère; (fig) authentique.

verde a vert(e); (sucio) paillard(e), égrillard(e), licencieux(euse) // nm vert m; (BOT) verdure f, vert; **viejo/viuda** ~ un vieux beau/une vieille coquette; ~**ar**, ~**cer** vi verdir; **verdor** nm (lo verde) couleur verte; (BOT) verdure f, vert; verdeur f.

verdugo nm (fig) bourreau m; (látigo) fouet m; (BOT) rejeton m; (cardenal) bleu m.

verdulero, a nm/f marchand/e de légumes.

verdura nf vert m, couleur f verte, verdure f; ~**s** nfpl légumes verts.

vereda nf sentier m.

veredicto nm verdict m.

vergonzoso, a a honteux(euse); (tímido) timide.

vergüenza nf honte f; (timidez) timidité f; (pudor) pudeur f.

verídico, a a véridique.

verificar vt vérifier; (llevar a cabo) réaliser, effectuer; ~**se** vr avoir lieu.

verja nf grille f.

vermut nm vermouth m.

verosímil a probable; vraisemblable.

verruga nf verrue f.

versado, a a: ~ **en** versé(e) dans.

versar vi tourner autour.

versátil a versatile.

versión nf (interpretación) version f, interprétation f; (traducción) traduction f.

verso nm vers m.

vértebra nf vertèbre f.

verter vt (vaciar) verser, renverser; (tirar) jeter, renverser // vi couler.

vertical a vertical(e).

vértice nm sommet m.

vertiente nf versant m, pente f.

vertiginoso, a a vertigineux(euse).

vértigo nm vertige m; (n'areo) étourdissement m.

vesícula nf vésicule f.

vespertino, a a vespéral(e), du soir.

vestíbulo nm (entrada) vestibule m, entrée f; (de teatro) hall m.

vestido nm (ropa) habillement m, vêtement m; (de mujer) robe f.

vestigio nm (trazo) vestige m; (señal) trace f; ~**s** nmpl restes mpl.

vestimenta nf vêtement m, vêtements mpl.

vestir vt (poner: ropa) habiller, vêtir; (llevar: ropa) habiller, porter; (cubrir) couvrir, habiller; (pagar: la ropa) habiller; (hacer: ropa: sastre) tailler // vi (ponerse: ropa) s'habiller; (verse bien) classer, poser, faire bien; ~**se** vr (cubrirse) s'habiller; se couvrir; (MED) se lever.

vestuario nm (conjunto de ropa) garde-robe f; (TEATRO) vestiaire m.

veta nf (vena) veine f, filon m;

(raya) rayure f; *(de madera)* veine.

vetar *vt* opposer, mettre son veto à.

veteranía *nf* ancienneté f.

veterano, a *a* de longue expérience; vieux(vieille); *(fig)* qui a vécu.

veterinario, a *a* vétérinaire // *nm/f* vétérinaire *m/f* // *nf* médecine f vétérinaire.

veto *nm* veto m.

vetusto, a *a* vétuste.

vez *nf* fois f; *(turno)* tour m; **a la ~ que** en même temps que; **a su ~** à son tour; **cada ~ más/menos/peor/mejor** de plus en plus/moins en moins/pire en pire/mieux en mieux; **de una ~** une fois pour toutes; **de una (sola) ~** d'un seul coup; **en ~ de** au lieu de; **una que otra ~** de temps à autre, rarement; **una y otra ~** maintes et maintes fois; **érase una ~** il était une fois; **7 veces 9** 7 fois 9; **hacer las veces de** tenir lieu de, faire fonction de.

v.g., v.gr. *abr de* **verbigracia**.

vía *nf* voie f // *prep* via; **por ~ judicial** par voie de justice; **por ~ oficial** officiellement; **por ~ de** sous forme de; **en ~ s de** en voie de; **~ aérea** par avion; **~ férrea** voie ferrée.

viaducto *nm* viaduc m.

viajante *a* voyageur(euse).

viajar *vi* voyager // *nm* voyage m; *(gira)* tournée f; *(NAUT)* croisière f; **estar de viaje** être en voyage; **viaje de ida (y vuelta)** voyage aller (et retour); **viaje de novios** voyage de noces; **viajero, a** *a* voyageur(euse) // *nm/f (quien viaja)* voyageur/euse; *(pasajero)* passager/ère.

vianda *nf* nourriture f.

viandante *nm/f (viajero)* voyageur/euse; *(transeúnte)* personne f qui est de passage, vagabond/e.

viático *nm* viatique m.

víbora *nf* vipère f.

vibración *nf* vibration f.

vibrante *a* vibrant(e).

vibrar *vt, vi* vibrer.

vicario *nm* vicaire m.

vicepresidente *nm/f* vice-président/e.

viciado, a *a (corrompido)* corrompu(e), vicié(e); *(contaminado)* contaminé(e).

viciar *vt (pervertir)* vicier, pervertir; *(adulterar)* falsifier; *(falsificar)* corrompre, pervertir; *(JUR)* rendre nul, vicier; *(estropear)* gâter, gâcher; *(sentido)* fausser; **~se** *vr* se vicier, se gâter.

vicio *nm (libertinaje)* vice m; *(mala costumbre)* mauvaise habitude; *(mimo)* gâterie f; *(alabeo)* gauchissement m; **vicioso, a** *a (muy malo)* vicieux(euse); *(corrompido)* corrompu(e), dépravé(e) // *nm/f* libertin/e; dépravé/e; pervers/e.

vicisitud *nf* vicissitude f.

víctima *nf* victime f.

victoria *nf* victoire f; **victorioso, a** *a* victorieux(euse).

vicuña *nf* vigogne f.

vid *nf* vigne f.

vida *nf* vie f; **de por ~** pour toujours, pour la vie; **en la/ni ~** jamais de la vie; **estar con ~** être en vie.

vidente *nm/f* voyant/e.

vidriarse *vr* devenir vitreux.

vidriero, a *nm* verrier m // *nf (ventana)* vitrage m; *(puerta)* porte vitrée; *(vitral)* vitrail m.

vidrio *nm* verre m; **vidrioso, a** *a* vitreux(euse); *(frágil)* fragile, délicat(e); *(transparent)* transparent(e); glissant(e).

viejo, a *a* vieux(vieille) // *nm/f* vieux/vieille.

vienes *etc vb ver* **venir**.

vienés, esa *a* viennois(e).

viento *nm* vent m; *(olfato)* flair m.

vientre *nm* ventre m; *(matriz)* entrailles *fpl*; **~s** *nmpl* intestins *mpl*.

viernes *nm inv* vendredi m.

Vietnam *nm*: **el ~** le Viet-Nam.

vietnamita *a* vietnamien(ne).

viga *nf* poutre f.

vigencia nf vigueur f; **vigente** a en vigueur; qui prévaut.

vigésimo, a a vingtième.

vigía nm vigie f // nf (atalaya) poste m de guet; (acción) guet m.

vigilancia nf surveillance f; (cuidado) vigilance f; **vigilar** vt surveiller // vi surveiller; veiller, être vigilant(e).

vigilia nf veille f; **comer de ~** faire maigre.

vigor nm vigueur f; **~oso, a** a vigoureux(euse).

vil a vil(e), bas(se); **~eza** nf bassesse f, vilenie f.

vilipendiar vt vilipender.

vilo: en ~ ad en l'air.

villa nf (pueblo) (petite) ville f; (municipalidad) ville, municipalité f.

villano, a a roturier(ière); (fig) rustre, grossier(ière).

villorrio nm petit village, trou m.

vinagre nm vinaigre m.

vinculación nf (lazo) lien m; (acción) action f de lier.

vincular vt lier; attacher; rattacher, relier; fonder; **vínculo** nm lien m.

vindicar vt venger; défendre; (JUR) revendiquer.

vine etc vb ver **venir**.

vinicultura nf viniculture f.

viniera etc vb ver **venir**.

vino nm vin m.

viña nf vigne f.

violar vt violer.

violencia nf (fuerza) violence f; (embarazo) gêne f, contrainte f; (acto injusto) viol m, injustice f.

violentar vt violenter; faire violence à; violer; forcer; **violento, a** a violent(e), sauvage; furieux (euse); forcé(e); gêné(e), mal à l'aise; gênant(e); falsifié(e).

violeta nf violette f.

violín nm violon m.

violón nm contrebasse f.

viraje nm virage m; (fig) revirement m, tournant m.

virar vt, vi virer.

virgen a vierge // nf vierge f.

Virgo nm la Vierge; **ser (de) ~** être (de la) Vierge.

viril a viril(e); **~idad** nf virilité f.

virote nm vireton m.

virtualmente ad (en potencia) virtuellement; (en realidad) en réalité.

virtud nf vertu f; **virtuoso, a** a vertueux(euse) // nm/f virtuose m/f.

viruela nf variole f, petite vérole; **~s** nfpl boutons mpl de variole.

virulento, a a virulent(e).

virus nm virus m.

visado, a a visé(e), marqué(e) d'un visa // nm visa m.

visar vt viser.

viscoso, a a visqueux(euse).

visera nf visière f.

visibilidad nf visibilité f.

visible a visible; (fig) évident(e), clair(e).

visión nf (ANAT) vision f; (fantasía) fiction f, illusion f; (panorama) vue f; **visionario, a** a (que preve) visionnaire; (alucinado) halluciné(e) // nm/f visionnaire m f, halluciné/e.

visita nf visite f; **~s** nfpl invités mpl; **visitar** vt visiter; rendre visite à; (inspeccionar) faire une visite de.

vislumbrar vt apercevoir; (fig) entrevoir; **vislumbre** nf lueur f; (centelleo) reflet m, lueur; (idea vaga) soupçon m, indice m.

viso nm (del metal) chatoiement m; (de tela) moirage m, moire f; (aspecto) apparence f.

víspera nf veille f.

vista nf vue f; (mirada) coup d'œil m // nm douanier m; **hacer la ~ gorda** fermer les yeux; **volver la ~** jeter un coup d'œil en arrière; **está a la ~ que** il est incontestable que; **conocer de ~** connaître de vue; **en ~ de** vu, étant donné; **¡hasta la ~!** à bientôt!; **con ~s a** en prévision de; **vistazo** nm coup d'œil m.

visto, a pp de ver; vb ver **vestir** // a vu(e) // nm: **~ bueno** approbation f; **~ bueno** vu et approuvé; **por lo**

~ apparemment; **está ~ que** il est évident que; **~ que** conj vu que, attendu que.

vistoso, a a voyant(e); (alegre) joyeux(euse); (pey) gueulard(e).

vital a (vital(e); (fig) fondamental(e); (persona) vivace, plein(e) de vie; **~icio, a** a à vie.

vitamina nf vitamine f.

vitorear vt acclamer.

vítreo, a a vitré(e).

vitrina nf vitrine f.

vituperar vt blâmer, reprocher; **vituperio** nm (condena) blâme m, reproche m; (censura) blâme; (insulto) insulte f, honte f.

viudo, a nm/f veuf/veuve.

vivacidad nf (vigor) vivacité f; (vida) vie f, vigueur f; (alegría) joie f.

vivaracho, a a vif(ive), pétulant(e); superficiel(le) attirant(e); brillant(e), étincelant(e).

vivaz a (que dura) vivace; (vigoroso) vigoureux(euse); (vivo) vif(ive), intelligent(e).

víveres nmpl vivres mpl.

vivero nm pépinière f; vivier m.

viveza nf vivacité f; (agudeza) saillie f.

vivienda nf (alojamiento) hébergement m; (morada) demeure f, logis m, logement m.

viviente a vivant(e).

vivificar vt vivifier.

vivir vt, vi vivre.

vivo, a a vivant(e); (fig) vif (ive); (astuto) malin(igne), débrouillard(e); **llegar a lo ~** arriver au point délicat.

vizcaíno, a a biscaïen(ne).

Vizcaya nf Biscaye f.

vocablo nm mot m, vocable m.

vocabulario nm vocabulaire m.

vocación nf vocation f.

vocal a vocal(e); **~izar** vt vocaliser.

vocear vt (para vender) crier à tue-tête; (aclamar) acclamer; (fig) proclamer // vi crier; **vocerío** nm, **vocería** nf cris mpl, clameur f.

vocero nm porte-parole m inv.

vociferar vt vociférer; proclamer // vi crier.

vocinglero, a a criailleur(euse); loquace, bavard(e); évident(e), clair(e).

vol abr de **volumen**.

volante a volant(e) // nm (de máquina, coche) volant m; (de reloj) balancier m; (nota) note f, circulaire f.

volar vt (demolir) faire sauter // vi voler; (el tiempo) passer.

volátil a volatil(e); (fig) inconstant(e), changeant(e).

volcán nm volcan m; **~ico, a** a volcanique.

volcar vt (tirar) renverser; (tumbar, derribar) verser, renverser; (vaciar) vider, renverser; (voltear) retourner; (caer) renverser, capoter; agacer; impatienter; faire changer d'avis // vi se renverser; **~se** vr faire des efforts.

volición nf volition f.

volteador, a nm/f voltigeur/euse.

voltear vt faire tourner; voltiger; retourner; sonner à toute volée; faire voltiger // vi voltiger, exécuter.

voltio nm volt m.

voluble a instable, versatile.

volumen nm volume m; **voluminoso, a** a volumineux(euse); encombrant(e).

voluntad nf volonté f; (deseo) envie f, désir m; (afecto) inclination f, tendresse f.

voluntario, a a volontaire // nm/f volontaire m/f.

voluntarioso, a a plein(e) de bonne volonté.

voluptuoso, a a voluptueux(euse), sensuel(le).

volver vt (dar vuelta) tourner; (voltear) retourner; (poner al revés) retourner; (mover) bouger; tourner; (página) tourner; (abrir) ouvrir; (cerrar) fermer; (devolver) retourner; (visita) rendre; (transformar) transformer, changer // vi revenir, retourner; ~**se** *vr* devenir; ~ **la espalda** tourner le dos; ~ **bien por mal** rendre le bien pour le mal; ~ **triste/furioso** rendre triste/furieux; ~ **a hacer** refaire, faire de nouveau, recommencer à faire; ~ **en sí** revenir à soi; ~**se atrás** revenir en arrière.

vomitar *vt* vomir; (*revelar*) avouer // *vi* rendre; **vómito** *nm* (*acto*) vomissement *m*; (*resultado*) vomisserie *f*, vomi *m*.

voraz *a* vorace; (*fig*) destructeur (trice).

vórtice *nm* tourbillon *m*.

vosotros *pron* vous.

votación *nf* (*acto*) vote *m*; (*voto*) scrutin *m*, vote.

votar *vt* voter.

voto *nm* (*al votar*) vote *m*; (*promesa*) vœu *m*; (*deseo*) vœu, souhait *m*; (*conjunto de votos*) voix *f*, suffrage *m*; (*maldición*) juron *m*, blasphème *m*.

voy *vb ver* **ir.**

voz *nf* voix *f*; (*tono*) ton *m*; (*grito*) cri *m*; (*chisme*) ragot *m*; (*LING*) mot *m*; **dar voces** pousser des cris; **a media** ~ à mi-voix; **a** ~ **en cuello o en grito** à tue-tête; **de viva** ~ **de vive voix; en alta** ~ à haute voix; ~ **de mando** ordre *m*.

vuelco *nm* chute *f*, culbute *f*; (*fig*) bouleversement *m*.

vuelo *vb ver* **volar** // *nm* vol *m*; (*encaje*) dentelle *f*; (*de vestido*) ampleur *f*; (*fig*) envolée *f*, envergure *f*; **coger al** ~ comprendre à demi-mot; **tirar al** ~ tirer au vol.

vuelta *nf* (*turno*) tour *m*; (*cambio de dirección*) demi-tour *m*; (*curva*) courbe *f*; (*regreso*) retour *m*; (*revolución*) révolution *f*, tour complet sur soi-même; (*paseo, circuito*) tour; (*de papel, tela*) verso *m*; (*cambio*) monnaie *f*; ~ **cerrada** virage en épingle à cheveux; **a la** ~ à la page suivante, au verso; **a la** ~ au retour; **a** ~ **de correo** par retour du courrier; **buscar las** ~**s a**

uno chercher à prendre qn en défaut; **dar** ~**s** tourner en rond, retourner; **dar** ~**s a una idea** retourner une idée dans sa tête; **estar de** ~ (*fam*) être revenu de tout, être désabusé; **dar una** ~ faire un tour.

vuelto *pp de* **volver.**

vuelvo *etc vb ver* **volver.**

vuestro, a *a* votre; (*pl*) vos // *pron*: **el** ~ le vôtre; **la vuestra** la vôtre; **los** ~**s/las vuestras** les vôtres.

vulcanizar *vt* vulcaniser.

vulgar *a* ordinaire; commun(e); banal(e); ~**idad** *nf* vulgarité *f*; banalité *f*; trivialité *f*; ~**idades** *nfpl* stupidités *fpl*; ~**izar** *vt* vulgariser.

vulnerable *a* vulnérable.

vuinerar *vt* (*dañar*) blesser; (*perjudicar*) causer préjudice à.

vulpino, a *a* relatif(ive) au renard; (*fig*) rusé(e).

W

Washington *n* Washington.

wáter *nm* toilettes *fpl*.

whisky *nm* whisky *m*.

X

xenofobia *nf* xénophobie *f*; **xenófobo, a** *nm/f* xénophobe *m/f*.

xilófono *nm* xylophone *m*.

Y

y *conj* et.

ya *ad* déjà; (*antes*) avant, autrefois; (*ahora*) maintenant; (*en seguida*) tout de suite; (*pronto*) à l'instant //

excl d'accord // *conj* (*ahora que*) puisque, du moment que; ~ **lo sé je le sais**; ~ **dice que sí,** ~ **dice que no** tantôt c'est oui, tantôt c'est non; ~ **puisque,** du moment que.

yacer *vi* gésir.

yacimiento *nm* gisement *m*.

yanqui *a* yankee.

yate *nm* yacht *m*.

yazco *etc vb ver* **yacer.**

yegua *nf* jument *f*.

yema *nf* (*del huevo*) jaune d'œuf *m*; (*BOT*) bourgeon *m*; (*fig*) meilleur *m*, crème *f*; ~ **del dedo** bout *m* du doigt.

yerba *nf* herbe *f*.

yergo *etc vb ver* **erguir.**

yermo, a *a* désert(e) // *nm* désert *m*.

yerno *nm* gendre *m*, beau-fils *m*.

yerro *etc vb ver* **errar.**

yerto, a *a* raide, rigide.

yesca *nf* amadou *m*; (*fig*) aiguillon *m*.

yeso *nm* (*GEO*) gypse *m*; (*ARQ*) plâtre *m*.

yodo *nm* iode *m*.

yugo *nm* joug *m*.

Yugoslavia *nf* Yougoslavie *f*.

yunque *nm* enclume *f*.

yunta *nf* attelage *m*.

yuntero *nm* laboureur *m*.

yute *nm* jute *m*.

yuxtaponer *vt* juxtaposer; **yuxtaposición** *nf* juxtaposition *f*.

Z

zafar *vt* défaire, affranchir; (*superficie*) dégager; ~**se** *vr* se sauver, s'esquiver; se dérober, se cacher; (*TEC*) se démettre, se déboîter.

zafio, a *a* grossier(ière), fruste.

zafiro *nm* saphir *m*.

zaga *nf* arrière *m*, derrière *m*.

zagal, a *nm/f* garçon *m*, jeune homme/fille.

zaguán *nm* vestibule *m*.

zahareño, a *a* sauvage, hagard(e); timide.

zaherir *vt* critiquer, blâmer; blesser, mortifier.

zahorí *nm* devin *m*.

zaino, a *a* zain; traître(sse); sauvage.

zalagarda *nf* tapage *m*.

zalameria *nf* cajolerie *f*, flatterie *f*; **zalamero, a** *a* flatteur(euse), cajoleur(euse); huileux(euse).

zamarra *nf* (*piel*) peau *f* de mouton; (*saco*) pelisse *f*.

zambo, a *a* cagneux(euse).

zambra *nf* fête *f*, tapage *m*.

zambullirse *vr* se baigner, plonger; (*ocultarse*) se cacher.

zampar *vt* (*esconder*) fourrer; (*comer*) avaler, engloutir; (*arrojar*) flanquer // *vi* dévorer; ~**se** *vr* s'engouffrer; se fourrer.

zanahoria *nf* carotte *f*.

zancada *nf* enjambée *f*.

zancadilla *nf* croc-en-jambe *m*; (*fig*) piège *m*.

zancajo *nm* (*ANAT*) (os *m* du) talon *m*; (*fig*) avorton *m*.

zanco *nm* échasse *f*.

zancudo, a *a* qui a de longues jambes.

zángano *nm* faux bourdon; (*fig*) fainéant *m*, paresseux *m*; idiot *m*.

zanja *nf* (*fosa*) fossé *m*, tranchée *f*; (*tumba*) tombe *f*, tombe *f*; **zanjar** *vt* (*fosa*) creuser; (*problema*) régler; (*conflicto*) résoudre.

zapa *nf* (*piel*) peau *f* de squale; (*pala*) pelle *f* (de sapeur).

zapapico *nm* pioche *f*.

zapar *vt*, *vi* saper.

zapata *nf* chaussure montante.

zapatear *vt* (*tocar*) frapper du pied; (*patear*) donner des coups de pied; (*fam*) fouler aux pieds // *vi* frapper le sol en cadence.

zapatería *nf* (*oficio*) cordonnerie *f*; (*tienda*) boutique *f* de savetier; (*fábrica*) fabrique *f* de chaussures.

zapatero, a *a* dur(e), coriace // *nm/f* cordonnier/ière.

zapatilla *nf* chausson *m*.

zapato *nm* chaussure *f*.

zaquizami *nm* galetas *m*.

zarabanda *nf* sarabande *f*.

zaranda *nf* passoire *f*.

zarandear *vt* cribler; (*fam*) secouer.

zaraza *nf* indienne *f* de coton.

zarcillo *nm* boucle d'oreille *f*.

zarco, a *a* bleu clair.

zarpa *nf* (*garra*) griffe *f*; (*mancha*) tache *f*.

zarpar *vi* lever l'ancre.

zarrapastroso, a *a* débraillé(e), mal ficelé(e).

zarza *nf* (*BOT*) ronce *f*; **zarzal** *nm* (*matorral*) buisson *m*.

zarzamora *nf* mûre *f* sauvage.

zarzuela *nf* sorte d'opérette.

zigzag *a* zigzag; **zigzaguear** *vi* zigzaguer.

zinc *nm* zinc *m*.

zócalo *nm* soubassement *m*.

zoco, a *a* gaucher(ère).

zona *nf* zone *f*, région *f*.

zoología *nf* zoologie *f*; **zoológico, a** *a* zoologique // *nm* zoo *m*; **zoólogo, a** *nm/f* zoologue *m/f*.

zopenco, a *a* (*fam*) abruti(e).

zoquete *nm* (*madera*) morceau *m*

de bois; (*pan*) quignon *m*; (*fam*) cruche *f*.

zorro, a *a* rusé(e) // *nm/f* renard/e.

zote *a* (*fam*) sot(te).

zozobra *nf* (*fig*) inquiétude *f*, angoisse *f*.

zozobrar *vi* chavirer; (*hundirse*) sombrer, couler; (*fig*) sombrer, échouer.

zueco *nm* sabot *m*.

zumbar *vt* (*burlar*) railler; (*golpear*) flanquer une raclée // *vi* bourdonner; (*fam*) frôler; ~**se de** se moquer de; **zumbido** *nm* bourdonnement *m*; (*fam*) claque *f*.

zumbón, ona *a* moqueur(euse) // *nm/f* moqueur/euse.

zumo *nm* jus *m*; (*fig*) suc *m*.

zurcir *vt* (*coser*) raccommoder, repriser; (*fig*) rassembler.

zurdo, a *a* gaucher(ère).

zurra *nf* (*TEC*) corroyage *m*; (*fam*) drayage *m*, raclée *f*, volée *f*.

zurrar *vt* (*TEC*) corroyer; (*fam*) rosser; malmener, éreinter; critiquer.

zurriago *nm* fouet *m*.

zurrón *nm* gibecière *f*.

zutano, a *nm/f* un Tel/une Telle.

LISTA DE VERBOS

1 Participe présent *2* Participe passé *3* Présent *4* Imparfait *5* Futur *6* Conditionnel *7* Subjonctif présent

acquérir *1* acquérant *2* acquis *3* acquiers, acquérons, acquièrent *4* acquérais *5* acquerrai *7* acquière

ALLER *1* allant *2* allé *3* vais, vas, va, allons, allez, vont *4* allais *5* irai *6* irais *7* aille

asseoir *1* asseyant *2* assis *3* assieds, asseyons, asseyez, asseyent *4* asseyais *5* assiérai *7* asseye

atteindre *1* atteignant *2* atteint *3* atteins, atteignons *4* atteignais *7* atteigne

AVOIR *1* ayant *2* eu *3* ai, as, a, avons, avez, ont *4* avais *5* aurai *6* aurais *7* aie, aies, ait, ayons, ayez, aient

battre *1* battant *2* battu *3* bats, bat, battons *4* battais *7* batte

boire *1* buvant *2* bu *3* bois, buvons, boivent *4* buvais *7* boive

bouillir *1* bouillant *2* bouilli *3* bous, bouillons *4* bouillais *7* bouille

conclure *1* concluant *2* conclu *3* conclus, concluons *4* concluais *7* conclue

conduire *1* conduisant *2* conduit *3* conduis, conduisons *4* conduisais *7* conduise

connaître *1* connaissant *2* connu *3* connais, connaît, connaissons *4* connaissais *7* connaisse

coudre *1* cousant *2* cousu *3* couds, cousons, cousez, cousent *4* cousais *7* couse

courir *1* courant *2* couru *3* cours, courons *4* courais *5* courrai *7* coure

couvrir *1* couvrant *2* couvert *3* couvre, couvrons *4* couvrais *7* couvre

craindre *1* craignant *2* craint *3* crains, craignons *4* craignais *7* craigne

croire *1* croyant *2* cru *3* crois, croyons, croient *4* croyais *7* croie

croître *1* croissant *2* crû, crue, crus, crues *3* croîs, croissons *4* croissais *7* croisse

cueillir *1* cueillant *2* cueilli *3* cueille, cueillons *4* cueillais *5* cueillerai *7* cueille

devoir *1* devant *2* dû, due, dus, dues *3* dois, devons, doivent *4* devais *5* devrai *7* doive

dire *1* disant *2* dit *3* dis, disons, dites, disent *4* disais *7* dise

dormir *1* dormant *2* dormi *3* dors, dormons *4* dormais *7* dorme

écrire *1* écrivant *2* écrit *3* écris, écrivons *4* écrivais *7* écrive

ÊTRE *1* étant *2* été *3* suis, es, est, sommes, êtes, sont *4* étais *5* serai *6* serais *7* sois, sois, soit, soyons, soyez, soient

FAIRE *1* faisant *2* fait *3* fais, fais, fait, faisons, faites, font *4* faisais *5* ferai *6* ferais *7* fasse

falloir *1* fallu *3* faut *4* fallait *5* faudra *7* faille

FINIR *1* finissant *2* fini *3* finis, finis, finit, finissons, finissez, finissent *4* finissais *5* finirai *6* finirais *7* finisse

fuir *1* fuyant *2* fui *3* fuis, fuyons, fuient *4* fuyais *7* fuie

joindre *1* joignant *2* joint *3* joins, joignons *4* joignais *7* joigne

lire *1* lisant *2* lu *3* lis, lisons *4* lisais *7* lise

luire *1* luisant *2* lui *3* luis, luisons *4* luisais *7* luise

maudire *1* maudissant *2* maudit *3*

maudis, maudissons 4 maudissait 7 maudisse

mentir 1 mentant 2 menti 3 mens, mentons 4 mentais 7 mente

mettre 1 mettant 2 mis 3 mets, mettons 4 mettais 7 mette

mourir 1 mourant 2 mort 3 meurs, mourons, meurent 4 mourais 5 mourrai 7 meure

naître 1 naissant 2 né 3 nais, naît, naissons 4 naissais 7 naisse

offrir 1 offrant 2 offert 3 offre, offrons 4 offrais 7 offre

PARLER 1 parlant 2 parlé 3 parle, parles, parle, parlons, parlez, parlent 4 parlais, parlais, parlait, parlions, parliez, parlaient 5 parlerai, parleras, parlera, parlerons, parlerez, parleront 6 parlerais, parlerais, parlerait, parlerions, parleriez, parleraient 7 parle, parles, parle, parlions, parliez, parlent *impératif* parle!, parlez!

partir 1 partant 2 parti 3 pars, partons 4 partais 7 parte

plaire 1 plaisant 2 plu 3 plais, plaît, plaisons 4 plaisais 7 plaise

pleuvoir 1 pleuvant 2 plu 3 pleut, pleuvent 4 pleuvait 5 pleuvra 7 pleuve

pourvoir 1 pourvoyant 2 pourvu 3 pourvois, pourvoyons, pourvoient 4 pourvoyais 7 pourvoie

pouvoir 1 pouvant 2 pu 3 peux, peut, pouvons, peuvent 4 pouvais 5 pourrai 7 puisse

prendre 1 prenant 2 pris 3 prends, prenons, prennent 4 prenais 7 prenne

prévoir *like* voir 5 prévoirai

RECEVOIR 1 recevant 2 reçu 3 reçois, reçois, reçoit, recevons, recevez, reçoivent 4 recevais 5 recevrai 6 recevrais 7 reçoive

RENDRE 1 rendant 2 rendu 3 rends, rends, rend, rendons, rendez, rendent 4 rendais 5 rendrai 6 rendrais 7 rende

résoudre 1 résolvant 2 résolu 3 résous, résolvons 4 résolvais 7 résolve

rire 1 riant 2 ri 3 ris, rions 4 riais 7 rie

savoir 1 sachant 2 su 3 sais, savons, savent 4 savais 5 saurai 7 sache *impératif* sache, sachons, sachez

servir 1 servant 2 servi 3 sers, servons 4 servais 7 serve

sortir 1 sortant 2 sorti 3 sors, sortons 4 sortais 7 sorte

souffrir 1 souffrant 2 souffert 3 souffre, souffrons 4 souffrais 7 souffre

suffire 1 suffisant 2 suffi 3 suffis, suffisons 4 suffisais 7 suffise

suivre 1 suivant 2 suivi 3 suis, suivons 4 suivais 7 suive

taire 1 taisant 2 tu 3 tais, taisons 4 taisais 7 taise

tenir 1 tenant 2 tenu 3 tiens, tenons, tiennent 4 tenais 5 tiendrai 7 tienne

vaincre 1 vainquant 2 vaincu 3 vaincs, vainc, vainquons 4 vainquais 7 vainque

valoir 1 valant 2 valu 3 vaux, vaut, valons 4 valais 5 vaudrai 7 vaille

venir 1 venant 2 venu 3 viens, venons, viennent 4 venais 5 viendrai 7 vienne

vivre 1 vivant 2 vécu 3 vis, vivons 4 vivais 7 vive

voir 1 voyant 2 vu 3 vois, voyons, voient 4 voyais 5 verrai 7 voie

vouloir 1 voulant 2 voulu 3 veux, veut, voulons, veulent 4 voulais 5 voudrai 7 veuille *impératif* veuillez.

TABLEAU DE CONJUGAISONS

1 Gerundio *2* Imperativo *3* Presente *4* Pretérito *5* Futuro *6* Presente del subjuntivo *7* Imperfecto del subjuntivo *8* Participio de pasado *9* Imperfecto

Un etc significe que le radical irrégulier se retrouve à toutes les personnes - ex: **oír** *6* oiga, oigas, oiga, oigamos, oigáis, oigan.

acertar *2* acierta *3* acierto, aciertas, acierta, aciertan *6* acierte, aciertes, acierte, acierten

acordar *2* acuerda *3* acuerdo, acuerdas, acuerda, acuerdan *6* acuerde, acuerdes, acuerde, acuerden

advertir *1* advirtiendo *2* advierte *3* advierto, adviertes, advierte, advierten *4* advirtió, advirtieron *6* advierta, adviertas, advierta, advirtamos, advirtáis, adviertan *7* advirtiera *etc*

agradecer *3* agradezco *6* agradezca *etc*

aparecer *3* aparezco *6* aparezca *etc*

aprobar *2* aprueba *3* apruebo, apruebas, aprueba, aprueban *6* apruebe, apruebes, apruebe, aprueben

atravesar *2* atraviesa *3* atravieso, atraviesas, atraviesa, atraviesan *6* atraviese, atravieses, atraviese, atraviesen

caber *3* quepo *4* cupe, cupiste, cupo, cupimos, cupisteis, cupieron *5* cabré *etc* *6* quepa *etc* *7* cupiera *etc*

caer *1* cayendo *3* caigo *4* cayó, cayeron *6* caiga *etc* *7* cayera *etc*

calentar *2* calienta *3* caliento, calientas, calienta, calientan *6* caliente, calientes, caliente, calienten

cerrar *2* cierra *3* cierro, cierras, cierra, cierran *6* cierre , cierres, cierre, cierren

COMER *1* comiendo *2* come, comed *3* como, comes, come, comemos, coméis, comen *4* comí, comiste, comió, comimos, comisteis, comieron *5* comeré, comerás, comerá, comeremos, comeréis, comerán *6* coma, comas, coma, comamos, comáis, coman *7* comiera, comieras, comiera, comiéramos, comierais, comieran *8* comido *9* comía, comías, comía, comíamos, comíais, comían

conocer *3* conozco *6* conozca *etc*

contar *2* cuenta *3* cuento, cuentas, cuenta, cuentan *6* cuente, cuentes, cuente, cuenten

costar *2* cuesta *3* cuesto, cuestas, cuesta, cuestan *6* cueste, cuestes, cueste, cuesten

dar *3* doy *4* di, diste, dio, dimos, disteis, dieron *7* diera *etc*

decir *2* di *3* digo *4* dije, dijiste, dijo, dijimos, dijisteis , dijeron *5* diré *etc* *6* diga *etc* *7* dijera *etc* *8* dicho

despertar *2* despierta *3* despierto, despiertas, despierta, despiertan *6* despierte, despiertes, despierte, despierten

divertir *1* divirtiendo *2* divierte *3* divierto, diviertes, divierte, divierten *4* divirtió, divirtieron *6* divierta, diviertas, divierta, divirtamos, divirtáis, diviertan *7* divirtiera *etc*

dormir *1* durmiendo *2* duerme *3* duermo, duermes, duerme, duermen *4* durmió, durmieron *6* duerma, duermas, duerma, durmamos, durmáis, duerman *7* durmiera *etc*

empezar *2* empieza *3* empiezo, empiezas, empieza, empiezan *4* empecé *6* empiece, empieces, empiece, empecemos, empecéis, empiecen

encontrar *2* encuentra *3* encuentro, encuentras, encuentra, encuentran *6* encuentre, encuentres, encuentre, encuentren

entender *2* entiende *3* entiendo, entiendes, entiende, entienden *6* entienda, entiendas, entienda, entiendan

ESTAR *2* está *3* estoy, estás, está, están *4* estuve, estuviste, estuvo, estuvimos, estuvisteis, estuvieron *6* esté, estés, esté, estén *7* estuviera *etc*

HABER *3* he, has, ha, hemos, han *4* hube, hubiste, hubo, hubimos, hubisteis, hubieron *5* habré *etc* *6* haya *etc* *7* hubiera *etc*

HABLAR *1* hablando *2* habla, hablad *3* hablo, hablas, habla, hablamos, habláis, hablan *4* hablé, hablaste, habló, hablamos, hablasteis, hablaron *5* hablaré, hablarás, hablará, hablaremos, hablaréis, hablarán *6* hable, hables, hable, hablemos, habléis, hablen *7* hablara, hablaras, hablara, habláramos, hablarais, hablaran *8* hablado *9* hablaba, hablabas, hablaba, hablábamos, hablabais, hablaban

hacer *2* haz *3* hago *4* hice, hiciste, hizo, hicimos, hicisteis, hicieron *5* haré *etc* *6* haga *etc* *7* hiciera *etc* *8* hecho

instruir *1* instruyendo *2* instruye *3* instruyo, instruyes, instruye, instruyen *4* instruyó, instruyeron *6* instruya *etc* *7* instruyera *etc*

ir *1* yendo *2* ve *3* voy, vas, va, vamos, vais, van *4* fui, fuiste, fue, fuimos, fuisteis, fueron *6* vaya, vayas,

vaya, vayamos, vayáis, vayan *7* fuera *etc* *8* iba, ibas, iba, íbamos, ibais, iban

jugar *2* juega *3* juego, juegas, juega, juegan *4* jugué *6* juegue *etc*

leer *1* leyendo *4* leyó, leyeron *7* leyera *etc*

morir *1* muriendo *2* muere *3* muero, mueres, muere, mueren *4* murió, murieron *6* muera, mueras, muera, muramos, muráis, mueran *7* muriera *etc* *8* muerto

mostrar *2* muestra *3* muestro, muestras, muestra, muestran *6* muestre, muestres, muestre, muestren

mover *2* mueve *3* muevo, mueves, mueve, mueven *6* mueva, muevas, mueva, muevan

negar *2* niega *3* niego, niegas, niega, niegan *4* negué *6* niegue, niegues, niegue, neguemos, neguéis, nieguen

ofrecer *3* ofrezco *6* ofrezca *etc*

oír *1* oyendo *2* oye *3* oigo, oyes, oye, oyen *4* oyó, oyeron *6* oiga *etc* *7* oyera *etc*

oler *2* huele *3* huelo, hueles, huele, huelen *6* huela, huelas, huela, huelan

parecer *3* parezco *6* parezca *etc*

pedir *1* pidiendo *2* pide *3* pido, pides, pide, piden *4* pidió, pidieron *6* pida *etc* *7* pidiera *etc*

pensar *2* piensa *3* pienso, piensas, piensa, piensan *6* piense, pienses, piense, piensen

perder *2* pierde *3* pierdo, pierdes, pierde, pierden *6* pierda, pierdas, pierda, pierdan

poder *1* pudiendo *2* puede *3* puedo, puedes, puede, pueden *4* pude, pudiste, pudo, pudimos, pudisteis, pudieron *5* podré *etc* *6* pueda, puedas, pueda, puedan *7* pudiera *etc*

poner 2 pon 3 pongo 4 puse, pusiste, puso, pusimos, pusisteis, pusieron 5 pondré *etc* 6 ponga *etc* 7 pusiera *etc* 8 puesto

preferir 1 prefiriendo 2 prefiere 3 prefiero, prefieres, prefiere, prefieren 4 prefirió, prefirieron 6 prefiera, prefieras, prefiera, prefiramos, prefiráis, prefieran 7 prefiriera *etc*

querer 2 quiere 3 quiero, quieres, quiere, quieren 4 quise, quisiste, quiso, quisimos, quisisteis, quisieron 5 querré *etc* 6 quiera, quieras, quiera, quieran 7 quisiera *etc*

reir 2 rie 3 rio, ries, rie, rien 4 rio, rieron 6 ria, rias, ria, riamos, riáis, rian 7 riera *etc*

repetir 1 repitiendo 2 repite 3 repito, repites, repite, repiten 4 repitió, repitieron 6 repita *etc* 7 repitiera *etc*

rogar 2 ruega 3 ruego, ruegas, ruega, ruegan 4 rogué 6 ruegue, ruegues, ruegue, roguemos, roguéis, rueguen

saber 3 sé 4 supe, supiste, supo, supimos, supisteis, supieron 5 sabré *etc* 6 sepa *etc* 7 supiera *etc*

salir 2 sal 3 salgo 5 saldré *etc* 6 salga *etc*

seguir 1 siguiendo 2 sigue 3 sigo, sigues, sigue, siguen 4 siguió, siguieron 6 siga *etc* 7 siguiera *etc*

sentar 2 sienta 3 siento, sientas, sienta, sientan 6 siente, sientes, siente, sienten

sentir 1 sintiendo 2 siente 3 siento, sientes, siente, sienten 4 sintió, sintieron 6 sienta, sientas, sienta, sintamos, sintáis, sientan 7 sintiera *etc*

SER 2 sé 3 soy, eres, es, somos, sois, son 4 fui, fuiste, fue, fuimos, fuisteis, fueron 6 sea *etc* 7 fuera *etc* 9 era, eras, era, éramos, erais, eran

servir 1 sirviendo 2 sirve 3 sirvo, sirves, sirve, sirven 4 sirvió, sirvieron 6 sirva *etc* 7 sirviera *etc*

soñar 2 sueña 3 sueño, sueñas, sueña, sueñan 6 sueñe, sueñes, sueñe, sueñen

tener 2 ten 3 tengo, tienes, tiene, tienen 4 tuve, tuviste, tuvo, tuvimos, tuvisteis, tuvieron 5 tendré *etc* 6 tenga *etc* 7 tuviera *etc*

traer 1 trayendo 3 traigo 4 traje, trajiste, trajo, trajimos, trajisteis, trajeron 6 traiga *etc* 7 trajera *etc*

valer 2 val 3 valgo 5 valdré *etc* 6 valga *etc*

venir 2 ven 3 vengo, vienes, viene, vienen 4 vine, viniste, vino, vinimos, vinisteis, vinieron 5 vendré *etc* 6 venga *etc* 7 viniera *etc*

ver 3 veo 6 vea *etc* 8 visto 9 veía *etc*

vestir 1 vistiendo 2 viste 3 visto, vistes, viste, visten 4 vistió, vistieron 6 vista *etc* 7 vistiera *etc*

VIVIR 1 viviendo 2 vive, vivid 3 vivo, vives, vive, vivimos, vivís, viven 4 viví, viviste, vivió, vivimos, vivisteis, vivieron 5 viviré, vivirás, vivirá, viviremos, viviréis, vivirán 6 viva, vivas, viva, vivamos, viváis, vivan 7 viviera, vivieras, viviera, viviéramos, vivierais, vivieran 8 vivido 9 vivía, vivías, vivía, vivíamos, vivíais, vivían

volver 2 vuelve 3 vuelvo, vuelves, vuelve, vuelven 6 vuelva, vuelvas, vuelva, vuelvan 8 vuelto

LES NOMBRES

LOS NÚMEROS

un (une)/premier(ère)	1
deux/deuxième	2
trois/troisième	3
quatre/quatrième	4
cinq/cinquième	5
six/sixième	6
sept/septième	7
huit/huitième	8
neuf/neuvième	9
dix/dixième	10
onze/onzième	11
douze/douzième	12
treize/treizième	13
quatorze	14
quinze	15
seize	16
dix-sept	17
dix-huit	18
dix-neuf	19
vingt/vingtième	20
vingt et un/vingt-et-unième	21
vingt-deux/vingt-deuxième	22
trente/trentième	30.
trente et un	31
trente deux	32
quarante	40
quarante et un	41
cinquante	50
soixante	60
soixante-dix	70
soixante-et-onze	71
soixante douze	72
quatre-vingts	80
quatre-vingt-un	81
quatre-vingt-dix	90
quatre-vingt-onze	91
cent/centième	100
cent un/cent-unième	101
deux cents	200
trois cents	300
trois cent un	301
quatre cents	400
cinq cents	500
six cents	600
sept cents	700
huit cents	800
neuf cents	900
mille/millième	1000
mille deux	1002
cinq mille	5000
un million/millionième	1,000,000

un, uno(a)/primer, primero(a)	1
dos/segundo(a)	2
tres/tercer, tercero(a)	3
cuatro/cuarto(a)	4
cinco/quinto(a)	5
seis/sexto(a)	6
siete/séptimo(a)	7
ocho/octavo(a)	8
nueve/noveno(a), nono(a)	9
diez/décimo(a)	10
once/undécimo(a)	11
doce/duodécimo(a)	12
trece/decimotercio(a), decimotercero(a)	13
catorce/decimocuarto(a)	14
quince/decimoquinto(a)	15
dieciséis/decimosexto(a)	16
diecisiete/decimoséptimo(a)	17
dieciocho/decimooctavo(a)	18
diecinueve/decimonoveno(a), decimonono(a)	19
veinte/vigésimo(a)	20
veintiuno	21
veintidós	22
treinta	30.
treinta y uno(a)	31
treinta y dos	32
cuarenta	40
cuarenta y uno(a)	41
cincuenta	50
sesenta	60
setenta	70
setenta y uno(a)	71
setenta y dos	72
ochenta	80
ochenta y uno(a)	81
noventa	90
noventa y uno(a)	91
cien, ciento	100
ciento uno(a)	101
doscientos(as)	200
trescientos(as)	300
trescientos(as) uno(a)	301
cuatrocientos(as)	400
quinientos(as)	500
seiscientos(as)	600
setecientos(as)	700
ochocientos(as)	800
novecientos(as)	900
mil/milésimo(a)	1000
mil dos	1002
cinco mil	5000
un millón	1,000,000

EXAMPLES

il arrive le 7 (mai)
il habite au 7
le chapitre/la page 7
il habite au 7ème étage
il est arrivé le 7ème
une part d'un septième
ler, 2ème, 3ème, 4ème, 5ème

EJEMPLOS

va a llegar el 7 (de mayo)
vive en el número 7
el capítulo/la página 7
vive al 7° piso
llegó el 7°
una parte de un séptimo
1°(1°), 2°(2°), 3°(3°), 4°(4°), 5°(5°)

> N.B. - Usage des nombres ordinaux:
> Dans l'espagnol courant on n'emploie
> que les douze premiers nombres
> ordinaux, les autres étant remplacés
> par les nombres cardinaux correspondants.

L'HEURE

*quelle heure est-il? c'est ou il
est
à quelle heure? à*

LA HORA

*¿qué hora es? es/son

¿a qué hora? a*

minuit	00.00	medianoche, las doce (de la noche)
une heure (du matin)	01.00	la una (de la madrugada)
une heure dix	01.10	la una y diez
une heure et quart, une heure quinze	01.15	la una y cuarto o quince
une heure et demie, une heure trente	01.30	la una y media o treinta
deux heures moins le quart, une heure quarante-cinq	01.45	las dos menos cuarto, la una cuarenta y cinco
deux heures moins dix, une heure cinquante	01.50	las dos menos diez, la una cincuenta
midi	12.00	mediodía, las doce (de la tarde)
une heure (de l'après-midi), treize heures	13.00	la una (de la tarde), las trece
sept heures (du soir), dix-neuf heures	19.00	las siete (de la tarde), las diecinueve (horas)
neuf heures et demie (du soir), vingt et une heures trente	21.30	las nueve y media (de la noche), las veintiuna (horas) y media.

343